PSYCHOPHYSIOLOGIE
DEUXIÈME ÉDITION

PSYCHOPHYSIOLOGIE
DEUXIÈME ÉDITION

Traduit par DAVID BÉLANGER, professeur émérite,
Département de psychologie, Université de Montréal

MARK R. ROSENZWEIG
Université de Californie, Berkeley

ARNOLD L. LEIMAN
Université de Californie, Berkeley

Psychophysiologie
Traduction de *Physiological Psychology Second Edition*
de Mark R. Rosenzweig et Arnold L. Leiman
Copyright © 1989 by Random House, Inc.
This translation published by arrangement with Random House, Inc.

Maquette de couverture : Nathalie Ménard
Infographie : Nathalie Ménard
Équipe de production : Jean-Marc Bélanger, Gertrude Robitaille,
                      Bertrand Lachance, Suzanne L'Heureux

Tous droits réservés
© Décarie Éditeur inc.

Dépôt légal : 2e trimestre 1991
Bibliothèque nationale du Québec
Bibliothèque nationale du Canada

Décarie Éditeur inc.
233, avenue Dunbar
Ville Mont-Royal, Québec
H3P 2H4

ISBN : 2-89137-110-0

InterEditions
7, rue de l'Estrapade
75005, Paris

ISBN : 2-7296-0238-0

QP
360
.R6614
1991

Données de catalogage avant publication (Canada)

Rosenzweig, Mark, R.
  Psychophysiologie
  2e éd. -

  Traduction de : Physiological psychology.
  Comprend des références bibliographiques et un index.
  ISBN 2-89137-110-0

1. Psychophysiologie.   I. Leiman, Arnold, L.   II. Titre.
  QP360.R6714 1991   152   C91-096435-1

Préface à l'édition française

Voici un livre qui arrive bien à propos. Il n'a pas d'équivalent en langue française et les étudiants, jusqu'alors, devaient chercher la matière de la psychophysiologie, de façon éparse, dans des livres non spécialisés ou déjà anciens. Cette absence était particulièrement étrange à l'heure où en France en particulier, l'intérêt pour les « neurosciences » est devenu général et intense, et plus particulièrement pour les études des mécanismes les plus intégratifs du système nerveux, leur expression comportementale (neurobiologie des comportements) et le fonctionnement mental (neuroscience cognitive). En ces domaines, les traditions d'étude dans les pays francophones étaient pourtant anciennes et efficaces. Le développement de ces études a été fortement renforcé à partir de la fin des années quarante, époque où, à Paris, Henri Piéron réussissait à imposer la création d'un enseignement universitaire de la psychophysiologie dans les facultés des sciences d'alors. Cet enseignement est devenu rapidement obligatoire dans le cursus des études de psychologie et aujourd'hui il est fréquemment choisi comme option de spécialisation pour les étudiants de physiologie ou de biochimie. C'est que le progrès des connaissances en ce domaine a été énorme. Cet ouvrage en fait une synthèse tout à fait à jour. Mieux, il en donne les clés, puisque les bases neurobiologiques sur lesquelles se fondent les développements récents sont très clairement rappelées, permettant l'abord et la compréhension de ce livre à tout lecteur attentif, quelle qu'ait été sa formation initiale.

Ce même lecteur prendra conscience que si la psychophysiologie fonde ses bases sur les recherches les plus en pointe dans les domaines, par exemple, de la neurophysiologie cellulaire ou de la biologie moléculaire, elle ne saurait s'y réduire, même à terme. Démontrer, par exemple, la possibilité d'accroissement du facteur de transmission du message nerveux au niveau de la synapse, et en découvrir les bases moléculaires est un pas considérable effectué en direction des mécanismes possiblement en jeu dans l'apprentissage et la mémoire. Mais la fonction mémoire ne peut être réduite à ces mécanismes partiels. Comme le disait Paul Guillaume dans son *Introduction à la psychologie* (1946) : « La montre indique l'heure, mais ni le ressort, ni les rouages n'indiquent l'heure; c'est une fonction du tout et non d'une partie. »

Ce rappel ne doit évidemment pas justifier le moindre renoncement à l'emploi des méthodes d'analyse de plus en plus fines des mécanismes biologiques des comportements. Mais il faut d'abord s'assurer de la compatibilité de ces mécanismes avec ceux invoqués dans les modèles issus des études psychologiques. Même assurée, cette compatibilité n'autorise pas la réduction d'un niveau de réalité à l'autre. C'est bien l'objet de la psychophysiologie de combiner l'approche des deux niveaux, celui du comportement, celui des mécanismes nerveux. Et la méthodologie la plus spécifique est celle de la corrélation établie en temps réel grâce à l'utilisation de techniques de recueil de données neurobiologiques simultanément avec celles des techniques d'étude du comportement. Le lecteur en trouvera de très nombreux exemples dans cet ouvrage.

Mais il trouvera beaucoup plus, car les auteurs ont traité leur sujet sur le plan le plus largement synthétique. Ils ont été partout chercher les données qui peuvent apporter des lumières sur les mécanismes du comportement : embryologie, génétique, sciences de la nutrition, chronobiologie, linguistique, neuropathologie, psychiatrie, pharmacologie, etc. Ce livre est donc, tout à la fois, manuel et encyclopédie. Cependant, il est sélectif et clair, et la lecture en est aisée.

Cet ouvrage sera donc bien évidemment le manuel des étudiants en psychologie qui y trouveront le contenu de leur programme de psychophysiologie, pour l'ensemble de leur cursus, sous une forme moderne et plaisante. Il sera aussi le manuel de physiologie, en biologie ou en biochimie qui intègrent des modules de psychophysiologie dans leur maîtrise et qui ne disposaient d'aucun ouvrage de ce genre. Il sera enfin, par son caractère encyclopédique, consultable par tous.

L'édition anglaise de ce manuel a été un franc succès, alors même qu'aux États-Unis les bons livres de psychophysiologie sont nombreux — c'est dire ses qualités et la popularité de ses auteurs : Mark Rosenzweig en particulier qui tient une place éminente dans la recherche internationale en ce domaine. À la fois neurobiologiste et psychologue, il s'est illustré dans plusieurs domaines : la physiologie de l'audition, la psycholinguistique, la biochimie de l'apprentissage. Il est l'inventeur de la célèbre technique d'étude d'animaux placés en milieu « enrichi », ou au contraire « appauvri » qui lui a permis de démontrer les effets étonnamment spécifiques sur le fonctionnement cérébral et le comportement de la stimulation générale venant du milieu extérieur.

C'est une chance que l'édition française ait été établie par David Bélanger, chef de file de l'école montréalaise francophone de psychologie expérimentale et qui dans ses recherches, comme dans son activité de théoricien, a largement fait appel aux données de la neurophysiologie.

Tout est donc réuni pour que ce livre subvienne au mieux à un besoin incontestable.

Vincent Bloch
Professeur de Psychophysiologie
à l'Université Paris-Sud

Préface à la deuxième édition américaine

Les progrès réalisés depuis la première parution de cet ouvrage, dans les domaines de la psychophysiologie et des disciplines connexes, sont des plus impressionnants. De toute évidence, l'intégration des récentes découvertes et interprétations exigeait une nouvelle édition. De plus, la préparation de cette seconde édition permit d'apporter plusieurs améliorations.

- Grâce aux nombreux commentaires venant des professeurs et étudiants qui ont utilisé la première édition, cette nouvelle édition sera plus claire, mieux structurée et plus facile à utiliser.

- Nous avons également profité de l'occasion pour enrichir l'ouvrage de nouvelles illustrations. Nous avons eu recours au même artiste spécialisé dans l'illustration médicale, Nelson Hee, qui s'est joint de nouveau à notre équipe pour la conception de nouvelles représentations et la modification de certaines déjà utilisées.

- Nous avons tiré profit des progrès récents de la recherche et de la théorie pour effectuer une meilleure intégration des connaissances et les rendre ainsi plus faciles à assimiler.

- Partout dans le texte, nous avons introduit des exemples de nouvelles applications d'ordre clinique : troubles de l'alimentation, douleur, maladie d'Alzheimer, anxiété et stress, par exemple.

Cette seconde édition conserve les caractéristiques que les étudiants et les professeurs avaient appréciées sur le plan pédagogique, tout en en ajoutant d'autres qu'ils ont réclamées. Deux des chapitres de la première édition étaient un peu longs; nous avons divisé chacun de ces chapitres, rendant ainsi l'abord de la matière plus facile et permettant une approche plus spécifique. De nouveaux thèmes apparaissent également. Le chapitre 3 traite de l'évolution du système nerveux et de sa diversité dans le règne animal. On trouve au chapitre 6 une nouvelle section sur la psychopharmacologie. Pour plus de précision sur certains sujets, nous avons ajouté des textes de référence à la fin des chapitres 2, 6 et 7. Celui du chapitre 2 porte sur l'anatomie du cerveau, celui du chapitre 6 sur la chimie de la synapse et celui du chapitre 7 présente sous forme de tableau les diverses hormones du système endocrinien.

Comme les quotidiens et les périodiques abordent aujourd'hui les questions de psychophysiologie plus fréquemment encore qu'au moment de la première édition, il est plus important que jamais de posséder un bon bagage de connaissances de base pour évaluer le bien-fondé d'affirmations fascinantes et parfois sensationnelles. La recherche en psychophysiologie explore les données somatiques à la base de notre expérience et de notre comportement, c'est-à-dire la façon dont nos états et processus corporels produisent et contrôlent le comportement et l'action de connaître, de même que la façon dont comportements et connaissances influencent les systèmes corporels. Plusieurs disciplines scientifiques participent à cette recherche; c'est pourquoi nous puisons dans les travaux des psychologues, des anatomistes, des biochimistes, des endocrinologues, des ingénieurs, des généticiens, des immunologues, des neurologues, des physiologistes et des zoologistes. Pour en arriver à un aperçu panoramique de la psychophysiologie, nous tentons de nous élever au-dessus des limites de toute spécialisation.

Nous nous sommes efforcés de rendre cette matière accessible à des étudiants de formation et d'intérêts variés. Pour chaque thème principal, nous présentons les données biologiques et les comportements sous-jacents. Les étudiants mieux préparés pourront négliger une partie de ce matériel de fond ou ne le considérer que très rapidement; mais ceux qui en ont besoin devraient l'étudier soigneusement avant d'aller plus avant. Le premier chapitre propose d'aborder l'étude de la psychophysiologie selon quatres volets : descriptif, comparatif-évolutif, développemental et biologique (voir le tableau 1.3 de la page 13). Ces perspectives sont élaborées davantage aux chapitres 2 à 6 et chacun des chapitres suivants (2 à 18) aborde son sujet selon ces quatre perspectives, de sorte que les étudiants sont en mesure d'observer l'évolution des divers thèmes d'un chapitre à l'autre, liant les concepts entre eux.

Psychophysiologie se présente selon un ordre progressif et logique en cinq parties principales :

Première partie : Systèmes corporels essentiels au comportement. *Chapitres 2, 3 et 4.*

Le chapitre 2 aborde la structure fondamentale du cerveau humain. Le chapitre 3 étudie le système nerveux et les différences entre les animaux, car on reviendra sur ces perspectives dans plusieurs chapitres subséquents. Le chapitre 4 traite de l'évolution du cerveau et du comportement au cours de la vie de l'individu; ces considérations d'ordre développemental seront également importantes dans certains des derniers chapitres.

Deuxième partie : Communication et traitement de l'information. *Chapitres 5, 6 et 7.*

Le thème du chapitre 5 est la communication et le traitement des signaux électriques au sein du système nerveux. Le chapitre 6 traite de la signalisation chimique aux synapses entre les cellules nerveuses et de l'application de la neurochimie au comportement (psychopharmacologie). Le chapitre 7 est consacré aux hormones en tant qu'éléments d'un système chimique de communication.

Troisième partie : Traitement de l'information dans les systèmes moteurs et perceptifs. *Chapitres 8, 9 et 10.*

Les chapitres 8 et 9 abordent la question du traitement de l'information. Les influx sensoriels qui arrivent au cerveau ne font pas que produire « des images dans la tête »; souvent ils poussent l'individu à agir. Mais la plupart des types de mouvement ne sont pas déclenchés directement par les événements sensoriels et perceptifs; ils peuvent dépendre de schèmes intrinsèques d'action. Le chapitre 10 décrit la façon dont le traitement de l'information se déroule dans le système moteur.

Quatrième partie : Contrôle des comportements : la motivation. *Chapitres 11, 12, 13, 14 et 15.*

Le thème général de la motivation, qui fait l'objet de cette quatrième partie, porte sur la façon dont les systèmes corporels fonctionnent pour arriver à satisfaire tous nos besoins fondamentaux. Ces cinq chapitres traitent de la sexualité, de la régulation de la température, de la soif et de l'action de boire, de l'ingestion de nourriture et de la régulation de l'énergie, du sommeil et de l'éveil, de l'émotion et des troubles mentaux.

Cinquième partie : Apprentissage, mémoire et cognition. *Chapitres 16, 17 et 18.*

C'est grâce à nos capacités d'apprendre et de nous souvenir que nous sommes en mesure d'affronter un univers complexe et en perpétuel changement et, par conséquent, d'améliorer nos chances d'adaptation. Un des grands défis des sciences neurologiques est celui d'expliquer comment l'expérience peut arriver à modifier les propriétés du système nerveux. On trouvera aux chapitres 16 et 17 le compte rendu de plusieurs aspects de la recherche consacrée à la solution de ce problème. Le chapitre 18 montre comment les activités les plus évoluées du cerveau, à savoir le langage et la cognition, sont spécifiquement humaines.

L'expérience a démontré que cet ordre de présentation est efficace et pratique. Conscients toutefois du fait que certains professeurs pourraient préférer aborder ces thèmes dans un ordre différent ou désirer ne pas aborder certains domaines, nous avons présenté chacun des chapitres comme constituant une unité relativement indépendante. Sachant également que les cours peuvent porter sur un seul ou sur deux semestres, nous attirons l'attention sur le fait que l'essentiel de cette matière peut être présenté dans un seul semestre; dans un tel cas, le professeur peut choisir d'omettre certains chapitres selon les aspects qu'il désire privilégier. Par contre, ce manuel présente une grande partie du matériel de base pouvant faire l'objet d'un cours de deux semestres; le professeur pourrait alors proposer des lectures additionnelles pour parfaire certains thèmes.

Plusieurs caractéristiques de ce manuel devraient aider l'étudiant à mieux maîtriser le sujet :

- Nous présentons un des meilleurs ensembles d'illustrations jamais offerts dans un manuel de psychophysiologie. Grâce à la collaboration d'un excellent artiste du domaine médical, nous avons créé des centaines de dessins spécifiquement conçus pour clarifier des concepts importants. Des graphiques et des données provenant de diverses sources ont été réorganisés et présentés de manière à en faciliter la compréhension.

- Pour aider l'étudiant, chaque chapitre 1) est présenté dans une synopsis qui joue le rôle de cadre organisationnel, 2) comprend une partie « orientation » qui pose les bases de la discussion, 3) se termine par un résumé mettant en relief et récapitulant les notions importantes et 4) propose des lectures additionnelles.

- Les données et les concepts ont été choisis avec soin et sont présentés à un niveau qui convient à des étudiants de formations très variées.

- Les termes essentiels sont imprimés en caractères gras et définis au moment de leur première utilisation; on les retrouve également dans le glossaire.

- On présente dans de courts encadrés des exemples contemporains d'applications ainsi que des informations d'ordre historique, décrivant des cas concrets et offrant de vastes perspectives sur des thèmes spécifiques.

Mark R. Rosenzweig
Arnold L. Leiman

Table des matières

DON JUAN : ... Ne seras-tu pas d'accord avec moi
... qu'il est inconcevable que la Vie
ayant une fois produit (les oiseaux),
ait dû, si son objectif était l'amour et la beauté,
partir dans une autre direction et
travailler avec peine à la fabrication de l'éléphant
maladroit et du singe hideux, dont nous
sommes les enfants ?

LE DÉMON : ... Vous en concluez donc que la Vie
s'acharnait à produire maladresse et laideur ?

DON JUAN : ... Non, diable pervers que tu es, mille
fois non. La Vie recherchait le cerveau —
comme son objectif chéri : un organe grâce
auquel elle peut parvenir non seulement
à la conscience mais à la compréhension
de soi.

George Bernard Shaw
Man and superman, Acte III

QU'EST-CE QUE LA PSYCHOPHYSIOLOGIE ?

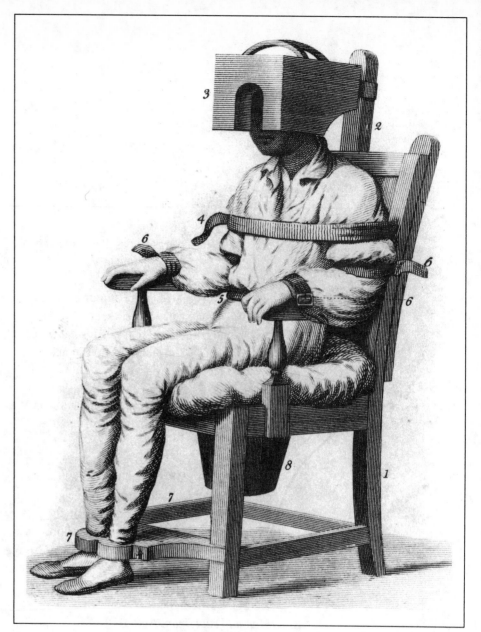

1 La psychophysiologie

QU'EST-CE QUE LA PSYCHOPHYSIOLOGIE ?

Une légende qui nous vient de l'Inde (légende rapportée par Thomas Mann dans son ouvrage intitulé *The Transposed Heads* *) montre comment la tête et le corps contribuent à l'identité et à la personnalité d'un être humain. Dans ce conte, la belle Sita épouse un jeune marchand, mince de taille, et de type intellectuel. Elle ressent également de l'attrait pour son meilleur ami, un forgeron, fort et bien bâti. Un jour, les deux jeunes gens se tranchent la tête dans le temple de la déesse Kali. Sita se rend au temple, à leur recherche, et les découvre gisant dans une mare de sang, devant la statue de Kali. Horrifiée, elle supplie la déesse de leur rendre la vie. Kali exauce sa prière et dit à Sita de replacer soigneusement les têtes sur les corps des deux hommes. Sita s'exécute dans une hâte fébrile et aussitôt les jeunes gens recouvrent la vie. C'est à ce moment seulement qu'elle constate sa méprise : chaque tête se retrouve sur un corps qui lui est étranger. Les trois jeunes personnes se sont confrontées à un problème déconcertant : lequel des deux jeunes gens est l'époux de Sita ? Celui qui a la tête du marchand et le corps du forgeron ? Ou la tête du forgeron sur le corps du marchand ? La légende explore les diverses possibilités de solution de ce puzzle et considère également comment chaque tête affecte le corps qu'elle tient alors sous son contrôle ainsi que la façon dont le corps exerce une influence sur la tête.

Heureusement, nous n'avons pas à résoudre le dilemme de Sita. Nous pouvons accorder la priorité au cerveau qui intègre et contrôle la plupart des aspects du comportement, sans nier l'influence exercée sur le cerveau par les autres systèmes corporels, les glandes par exemple.

Ce volume explore les façons dont les états et processus organiques engendrent et contrôlent le comportement, de même que les divers modes d'influence du comportement sur les systèmes organiques. L'étude de cette question est vaste parce qu'elle fait appel à plusieurs disciplines scientifiques. Ainsi, nous aurons recours aux recherches des psychologues, des anatomistes, des chimistes, des endocrinologues, des ingénieurs, des généticiens, des neurologues, des physiologistes et des zoologistes. Pour obtenir une vue d'ensemble de la psychophysiologie, dont l'évolution est très rapide, nous éviterons de nous limiter à une seule discipline.

Le fait que les médias traitent fréquemment de sujets se rapportant à la psychophysiologie reflète un intérêt populaire grandissant pour ce domaine. Des articles décrivent les progrès fulgurants de la recherche et soulignent la pertinence des découvertes sur le cerveau dans la solution de pressants problèmes humains. Les journaux et les revues font état de nouvelles données scientifiques qui ajoutent à la compréhension

---

* Les têtes interverties

de notre façon d'agir et de notre manière d'être. La recherche en psychophysiologie (qu'on appelle aussi psychologie physiologique) et autres domaines connexes vient éclairer plusieurs aspects de notre comportement normal se rapportant, entre autres, à la sexualité, à l'apprentissage et à la mémoire, au langage et à la communication, aux rôles du sommeil et des rythmes circadiens dans notre conduite, et aux caractéristiques de sensibilité et de sélectivité de nos processus perceptifs.

QUESTIONS FONDAMENTALES RELATIVES AUX CAPACITÉS DU CERVEAU HUMAIN

Le rythme accéléré des progrès accomplis en psychologie physiologique, dans les sciences neurologiques et dans les domaines connexes, a fourni des réponses à certaines questions fondamentales et soulève la possibilité de nouvelles méthodes d'étude encore plus profitables (Hillyard, 1982, Gerstein, Luce, Smelser et Sperlich, 1988). Le perfectionnement des techniques de mesure du comportement et l'introduction de nouvelles techniques de stimulation et d'enregistrement des processus corporels viennent accroître considérablement les possibilités et l'envergure de la recherche. Voici quelques-uns des domaines de recherche actuels qui suscitent beaucoup d'intérêt.

1. *Comment le cerveau arrive-t-il à croître, à maintenir ses activités et à réparer les dommages qu'il subit au cours de la vie, et comment ces capacités cérébrales sont-elles associées au comportement ?*

   À peine quelques mois après la conception, et bien avant la naissance, l'être humain est pourvu d'un cerveau qui contient des milliards de cellules nerveuses organisées selon un ordre précis, grâce à des connexions spécifiques. Le plan de développement du cerveau humain est en grande partie semblable à celui des autres mammifères et même à celui de tous les autres vertébrés, mais avec des adaptations importantes spécifiques de l'espèce. Chacune des espèces doit être en mesure d'exécuter plusieurs formes de comportement à la naissance et d'en acquérir d'autres rapidement, par la suite. Le plan de développement ne dicte pas seulement la disposition de la plupart des cellules nerveuses, longtemps avant la naissance, mais il prévoit les influences du milieu et dépend de celles-ci pour le façonnement des développements neurologiques après la naissance.

2. *De quelle façon l'information relative à l'environnement est-elle acquise, traitée et utilisée par le cerveau ?*

   Les chercheurs ont appris bien des choses sur la façon dont le monde qui nous entoure se trouve représenté dans les circuits et l'activité du cerveau. Le traitement de l'information provenant des stimuli sensoriels (du simple toucher jusqu'aux sons élaborés, y compris les déploiements complexes des formes et des couleurs) est effectué dans plusieurs régions spécialisées du cerveau. Ce traitement de l'information contribue à l'activation et au contrôle des réactions corporelles coordonnées, allant des mouvements délicats de l'œil jusqu'à l'entrechat gracieux du danseur.

3. *Comment les comportements de motivation, tels la reproduction, l'alimentation, le maintien de l'équilibre énergétique, le sommeil et l'éveil ainsi que l'émotion sont-ils contrôlés et réglés par le cerveau ?*

   Plusieurs régions du système nerveux subissent l'influence de substances neurochimiques, notamment les hormones; ainsi, plusieurs circuits nerveux se trouvent activés ou inhibés par des messages d'ordre chimique. À cet égard, des chercheurs étudient actuellement les ressemblances et les différences de détail dans les structures et la chimie cérébrales des deux sexes dans le but de comprendre les caractéristiques communes ou distinctes de leur comportement.

4. *De quelle façon le cerveau entrepose-t-il l'information pour la rendre ensuite disponible ?*

L'apprentissage et la mémoire comptent parmi les aptitudes les plus extraordinaires des êtres vivants. La recherche de pointe dans ces domaines analyse les moyens que prend le cerveau pour accomplir ces prodiges.

Chacune des questions que nous venons de poser sera abordée dans cet ouvrage. Certains des exemples que nous examinerons pourront sembler presque aussi fantastiques que la légende des têtes interverties. Sans aucun doute, la génération même qui nous précède aurait tenu pour miraculeuses certaines des réalisations actuelles de la recherche sur les relations entre le cerveau et le comportement. De telles découvertes ont rendu possibles le traitement des psychoses, l'élimination de la douleur, le recouvrement partiel de la vision chez certains aveugles et la stimulation de la croissance cérébrale, augmentant par le fait même la capacité d'apprentissage. Ces progrès, et d'autres encore qui deviennent chose courante pour nous, auraient paru impossibles il y a à peine quelques décennies. Comme le déclarait Arthur C. Clarke, auteur de romans de science-fiction, « La science d'une génération était la magie de la génération précédente. » Nous en avons un exemple particulier dans les paragraphes qui suivent.

Le corps est en mesure d'éliminer la douleur

L'étude de la perception et du contrôle de la douleur illustre bien un domaine de recherche fécond qui a permis de mieux comprendre les mécanismes cérébraux du comportement. L'être humain a toujours été à l'affût de moyens de soulager la douleur. En Chine, durant plus de 3000 ans, on a eu recours à l'**acupuncture**, technique consistant en l'application d'aiguilles dans diverses parties du corps, dans le but d'émousser la douleur. L'utilisation de l'opium pour se libérer de la douleur a connu une aussi longue histoire. De fait, les efforts pour comprendre comment les opiacés contrôlent notre perception de la douleur ont permis des progrès importants dans la compréhension des mécanismes normaux que le corps utilise pour la supprimer.

Au cours des années 70, les études sur l'héroïnomanie ont démontré que les opiacés s'accumulent à des points précis du cerveau, dans des régions particulièrement importantes pour le contrôle de la douleur. Dans ces régions, les opiacés s'accrochent à des cellules spécifiques qui semblent les « reconnaître ». Cette affinité a conduit à l'hypothèse que le cerveau produit et utilise vraisemblablement des substances semblables aux opiacés. En effet, il est peu probable que l'évolution ait pu anticiper la présence éventuelle de drogues qui créent une dépendance. Il est plus vraisemblable que les opiacés imitent un processus naturel, soit la capacité que posséderait le corps de manufacturer des substances du genre opiacé qui contrôleraient la douleur.

Nos connaissances de ce mécanisme inné d'inhibition de la douleur ont progressé considérablement en quelques années seulement. En effet, on sait que diverses régions du cerveau contiennent des substances chimiques d'origine naturelle nommées opioïdes endogènes. Ces composés sont capables de soulager la douleur et, dans certains cas, s'avèrent plus efficaces que la morphine. La stimulation au moyen d'électrodes insérées dans les régions du cerveau contenant des endorphines produit un soulagement spectaculaire de la douleur, soulagement qui persiste au-delà de la période de stimulation.

La découverte des opioïdes a également permis de mieux comprendre le mode d'action d'autres remèdes contre la douleur. Par exemple, on sait que des pilules inactives (des comprimés de sucre) arrivent à soulager des personnes affligées de douleurs fréquentes. Ce résultat, nommé **effet placebo**, s'obtient d'habitude quand les pilules sont administrées sous contrôle médical et accompagnées d'opinions fermes et rassurantes d'un médecin. Les facteurs psychologiques sous-jacents à l'effet placebo ont longtemps tenu du mystère. Certains chercheurs avancent aujourd'hui l'hypothèse que le soulagement déclenché par le placebo serait attribuable au fait que l'environnement clinique favorise la production d'endorphines. Il est également possible que l'acupuncture doive son efficacité à la libération d'endorphines, car les substances chimiques qui bloquent l'action des endorphines inhibent également le soulagement de la douleur produit par l'acupuncture. Au cours de l'Antiquité, il est possible que certains des rites magiques qui éliminaient la souffrance exploitaient tout simplement les effets de substances chimiques naturelles, ces mécanismes cérébraux s'étant transformés avec l'évolution, nous rendant ainsi capables de transiger avec la douleur.

LES DÉRAILLEMENTS DU CERVEAU HUMAIN

Comme toute mécanique complexe, le cerveau est exposé à une variété de dérangements et de pannes. Une évaluation conservatrice permet de croire qu'au moins un individu sur cinq, à travers le monde, souffre d'une perturbation neurologique ou psychiatrique. Le tableau 1.1 présente une évaluation du nombre de personnes qui, aux États-Unis, souffrent d'un des troubles neurologiques majeurs. Le tableau 1.2 donne une estimation du nombre d'adultes américains atteints d'une perturbation psychiatrique grave au cours d'une période de six mois. La répartition des affections entre les tableaux 1.1 et 1.2 reflète les distinctions traditionnelles entre neurologie et psychiatrie, mais une grande partie de la psychiatrie s'oriente de plus en plus vers les sciences neurologiques.

Le bilan de ces perturbations est désastreux, tant sur le plan des souffrances individuelles que sur celui des coûts sociaux. Ce fait a stimulé les efforts de recherche en vue de comprendre les mécanismes en cause et, dans certains cas, de soulager et même de prévenir ces désordres. Voici quelques exemples de recherches contribuant à atténuer les effets de certaines de ces graves maladies (voir également aux chapitres suivants).

1. L'introduction de médicaments antipsychotiques efficaces au cours des années 1950 a permis à beaucoup de malades mentaux de mener une vie plus agréable dans leur communauté. L'étude des effets de ces médicaments a également facilité la compréhension de la nature de certains troubles psychiatriques.

2. Les experts croient que, d'ici l'an 2000, le taux de déficience mentale pourra être réduit de moitié par rapport à celui de 1975, grâce à l'application de principes découverts à la suite de recherches fondamentales. Ont contribué à cette amélioration : la consultation en génétique, un diagnostic précoce de certains désordres du métabolisme, une alimentation plus équilibrée, le génie génétique et la mise en place d'environnements offrant une stimulation adéquate.

Tableau 1.1 Quelques troubles neurologiques majeurs et une estimation du nombre d'individus qui en souffrent aux États-Unis.

Maladie d'Alzheimer	3 000 000
Épilepsie	2 000 000
Accidents vasculaires cérébraux	1 800 000
Traumatismes de la tête et de la moelle épinière	1 000 000
Troubles apparaissant tôt dans la vie (déficience mentale, infirmité motrice cérébrale, lésions périnatales, etc.)	750 000
Maladie de Parkinson et chorée de Huntington	500 000

Tableau 1.2 Principaux troubles d'ordre psychiatrique : nombre d'adultes américains qui en sont atteints au cours d'une période de six mois.

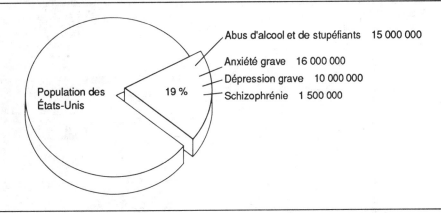

Abus d'alcool et de stupéfiants   15 000 000

Anxiété grave   16 000 000

Dépression grave   10 000 000

Schizophrénie   1 500 000

Population des États-Unis   19 %

3. Des découvertes révélant le mode d'action de stupéfiants, responsables de phénomènes de dépendance, ainsi que leurs effets sur le système nerveux, suscitent l'espoir de trouver des remèdes efficaces. Les résultats de ces découvertes pourraient aider toute personne ayant développé une dépendance vis-à-vis de ces drogues et permettraient de prévenir des dommages irréparables engendrés chez les nouveau-nés issus de mères qui font usage de ces stupéfiants.

4. L'anxiété est une affection courante, tout comme la dépression. Des traitements pharmacologiques et d'autres sortes de thérapies procurent un soulagement à plusieurs de ceux qui sont ainsi affligés et des recherches récentes ont permis d'identifier les circuits nerveux qui sous-tendent l'anxiété.

5. La maladie d'Alzheimer, qui consiste en une diminution prononcée des capacités cognitives affectant surtout les individus de plus de 65 ans, est celle qui a fait le plus de ravages dans les pays industrialisés. Des chercheurs tentent présentement d'en déterminer les causes et d'en identifier les mécanismes cérébraux.

Une révolution chimique en psychiatrie

Partout à travers le monde, que ce soit dans les communautés rurales éloignées des grands centres urbains, ou dans des centres industriels, certains individus passent leurs journées plongés dans une anxiété profonde, harcelés d'hallucinations, de délires de persécution et de pensées et sentiments irrationnels. Les troubles psychiatriques ont joué un rôle tragique dans l'histoire de l'humanité.

Pendant plusieurs années, on a entretenu peu d'espoir de soulager cette souffrance. Toutes sortes de potions d'origines végétale ou animale furent essayées dans un vain effort de renverser le cours de ces maladies. Pendant des siècles, la principale méthode de traitement des victimes de ces perturbations graves fut la réclusion, souvent dans la misère et la malpropreté d'hôpitaux surpeuplés et réservés aux malades mentaux. Au cours des années 1940, un renversement de la situation se produisit grâce à la recherche sur les médicaments. Depuis, cette recherche a mené à l'adoption d'une nouvelle perspective révolutionnaire dans le traitement des malades psychiatriques.

Durant les années 1940, alors qu'ils étaient à la recherche d'une substance chimique capable de provoquer une détente musculaire pendant une intervention chirurgicale,

Figure 1.1 La Tranquillisante : un engin utilisé pour fins de thérapie psychiatrique par Benjamin Rush en 1811. (National Library of Medicine, Bethesda, Md.)

Henri Laborit et d'autres collègues français découvrirent une substance qui répondait à leur attente, et même plus. Cette substance, la chlorpromazine, produisait apparemment un effet tranquillisant sans provoquer le sommeil. Ce résultat obtenu auprès de malades soumis à une intervention chirurgicale incita les psychiatres, au cours des années 1950, à vérifier les effets de cette drogue dans le traitement des psychoses. Les premières recherches sur les préparations de cette substance achoppèrent à cause de la faiblesse de son action et à cause de la présence d'effets secondaires indésirables. C'est alors que des tests expérimentaux effectués sur des animaux dans le but de trouver les préparations à effet sédatif (Swazey, 1974) permirent un progrès important. Plusieurs études révélèrent que ces substances chimiques possédaient des propriétés antipsychotiques remarquables. Tant de personnes sont maintenant en mesure de mener une vie utile et gratifiante tout en contrôlant leur psychose au moyen de ces drogues, que certains psychiatres sont même d'avis que le rôle principal de la psychothérapie consiste à encourager le malade à se soumettre à la médication. La recherche sur les mécanismes de ces médicaments antipsychotiques a également abouti à des hypothèses importantes sur la nature de la schizophrénie.

Comme dans plusieurs domaines de recherche, ces succès n'ont pas été sans entraîner des coûts. L'usage des drogues capables de soulager plusieurs symptômes psychotiques s'est tellement répandu qu'il pose des problèmes d'ordre social. Pour beaucoup, l'absorption de drogues est devenue un moyen banal de composer avec les problèmes quotidiens. Cette pratique peut régir la vie de certaines personnes. On peut même se demander si les progrès de la psychiatrie, utiles à un petit nombre de personnes, n'auront pas contribué à la dégradation de la vie d'un plus grand nombre d'autres individus. La poursuite de l'évaluation de ces conséquences exige une meilleure connaissance de la façon dont le cerveau réagit aux traitements cliniques.

La recherche fondamentale et la pratique clinique sont maintenant deux domaines qui s'influencent réciproquement. En effet, la recherche fondamentale fournit des notions et des techniques qui servent à comprendre et à aider les individus souffrant de perturbations cérébrales. Par ailleurs, l'observation de tels sujets fournit des données et pose en même temps des défis qui mènent à une meilleure compréhension des mécanismes cérébraux du comportement. Ces échanges sont mutuellement bénéfiques et les frontières entre le domaine du laboratoire et celui de la clinique s'estompent. La recherche sur les fonctions des deux hémisphères cérébraux illustre le jeu des échanges productifs entre le laboratoire et la clinique.

**Deux cerveaux dans
une même tête ?**

Supposez que chaque fois qu'un individu droitier boutonne sa chemise, sa main gauche cherche à la déboutonner ! Il semblerait alors que deux contrôleurs indépendants se trouvent à la barre de commande. La plupart d'entre nous échappent à ce type de frustration parce que l'information arrivant des côtés gauche et droit du corps se trouve intégrée dans des voies nerveuses qui relient les deux côtés du cerveau entre eux. Mais, qu'arrive-t-il quand ces voies de connexion sont sectionnées ? Pouvons-nous alors observer deux types de conscience ? Pour considérer cette possibilité, il faut savoir que les deux côtés du cerveau sont dotés de structures très semblables, même s'il existe entre eux certaines différences anatomiques.

L'existence de différences fonctionnelles entre les deux hémisphères du cerveau humain devient particulièrement évidente dans le cas de lésions cérébrales, comme celles résultant d'une congestion cérébrale. L'endommagement de certaines parties de l'hémisphère cérébral gauche peut, par exemple, donner lieu à des déficiences marquées de la parole et du langage, alors que les lésions de l'hémisphère droit affectent rarement la parole. Les dommages subis par ces régions de l'hémisphère gauche engendrent des troubles de la parole chez pratiquement tous les individus droitiers et chez environ 50 % des gauchers. On avait l'habitude de décrire cette situation par le terme de « dominance cérébrale », laissant entendre par là qu'un hémisphère gauche volubile dominait un hémisphère droit muet.

De nouveaux renseignements sur la spécialisation hémisphérique des fonctions ont découlé de l'étude de sujets chez qui on a dû sectionner les voies de connexion entre les hémisphères droit et gauche, produisant ainsi des individus à cerveau dédoublé. Des tests administrés à ces personnes par Roger Sperry (1975) et ses collaborateurs ont révélé des différences fonctionnelles remarquables entre les deux hémisphères cérébraux. Ces résultats ont amené Sperry à parler de l'existence de deux types séparés de conscience dans les deux hémisphères du cerveau. En 1981, Sperry obtenait un prix Nobel pour ses recherches sur ses sujets à cerveau dédoublé et pour ses autres contributions scientifiques.

Les tests de Sperry ont révélé des différences de style cognitif entre les deux hémisphères. L'hémisphère gauche serait de type analytique et verbal alors que le droit assumerait des fonctions de nature spatiale et globale. Ces différences dans la façon dont les hémisphères cérébraux traiteraient l'information ont conduit certains chercheurs à dire que sur le plan de l'apprentissage, les besoins et les capacités des hémisphères ne seraient pas les mêmes. Ceux qui réclament qu'on porte attention au potentiel créatif de l'hémisphère droit ont prétendu que le système éducatif est entaché de préjugés favorables au « côté gauche ». Nous vous proposons cependant d'attendre avant de choisir votre côté cérébral favori. Le chapitre 18 présente des idées plus nuancées sur ce sujet.

FAÇONS D'ÉTUDIER LE COMPORTEMENT

Quatre perspectives principales s'offrent à nous pour l'étude et la compréhension du comportement. Chacune d'elles fait ressortir une information différente. Ces quatre perspectives sont la description du comportement, l'étude de l'évolution du comportement, l'observation du développement du comportement au cours de toute une vie, et l'identification des mécanismes biologiques inhérents au comportement. Autrement dit, une fois que nous avons décrit un comportement, nous pouvons essayer de l'expliquer à partir de trois échelles de temps différentes. Sur l'échelle temporelle du développement, nous pouvons nous interroger sur le mode d'évolution du comportement, sur ses mécanismes et sur leur valeur de survie. Sur l'échelle de la durée d'une vie individuelle, nous pouvons nous demander comment le comportement et ses mécanismes se sont développés. Enfin, sur l'échelle du présent immédiat, nous pouvons chercher à savoir comment les mécanismes arrivent à produire le comportement que nous observons.

Description du comportement

Aussi longtemps que ce qu'on veut étudier n'a pas été bien décrit, il n'est pas possible d'aller très loin. Selon les buts visés par l'investigation, on peut décrire le comportement en termes d'actes et de processus détaillés ou en termes de résultats ou fonctions. C'est ainsi qu'une description *analytique* des mouvements des membres pourrait consister en l'enregistrement des positions successives d'un membre et de ses parties ou de la contraction des différents muscles. Une description *fonctionnelle* du comportement nous apprendrait si le membre est utilisé pour marcher, courir, sauter, nager ou lancer des dés.

Pour être utile dans une étude scientifique, une description se doit d'être précise et analytique : elle doit aider à faire ressortir les caractéristiques essentielles du comportement. Elle aura recours à des termes et à des unités définis avec exactitude. Les méthodes et les techniques utilisées par les chercheurs ont besoin d'être décrites de telle manière que d'autres investigateurs soient capables de les reproduire afin de vérifier les résultats.

Étude de l'évolution du comportement

Proposée par Darwin, la théorie de l'**évolution par sélection naturelle** constitue, dans sa forme révisée et élaborée, le point central de la biologie et de la psychologie modernes. Cette perspective est à l'origine d'intuitions fécondes sur plusieurs sortes de comportements et de mécanismes de comportement si bien que nous y ferons référence dans la plupart des chapitres suivants. Une telle perspective est à l'origine de deux types d'accentuation plutôt différents : a) la *continuité* du comportement et des processus biologiques entre les espèces et b) les *adaptations spécifiques de l'espèce* qui, sur le plan du comportement et de la biologie, se sont développées dans des niches environnementales diverses. À certains moments, dans cet ouvrage, nous insisterons sur la continuité, c'est-à-dire sur des caractéristiques du comportement et sur les mécanismes biologiques de ce dernier qui sont communs à plusieurs espèces. À d'autres moments, nous étudierons plutôt les comportements spécifiques de l'espèce.

Continuité

La nature est essentiellement conservatrice. Une fois établies, les adaptations corporelles ou comportementales peuvent être maintenues pendant des millions d'années et s'observer chez des espèces animales qui, par ailleurs, apparaissent très différentes. Par exemple, l'influx nerveux est essentiellement le même chez une méduse, une blatte et un être humain. Plusieurs des composés chimiques (les hormones) qui véhiculent des messages par la circulation sanguine sont aussi les mêmes chez diverses espèces animales (quoique la même hormone puisse agir sur des processus métaboliques différents selon les espèces). On trouve des hormones sexuelles semblables, mais non identiques, chez toutes les espèces du groupe des mammifères. Les mammifères mâles et femelles sécrètent les mêmes hormones sexuelles bien qu'en proportions différentes et selon des cycles temporels distincts.

Néanmoins, la similitude d'une caractéristique entre les espèces ne garantit pas la possibilité d'associer cette caractéristique à un ancêtre commun. Il est possible que des solutions semblables, sans être identiques, soient le résultat d'une évolution indépendante chez différentes classes d'animaux. Par exemple, la vision des couleurs a évolué de façon indépendante chez les insectes, les poissons, les reptiles, les oiseaux et les mammifères. Une bonne partie de la recherche actuelle sur les mécanismes nerveux de l'apprentissage et de la mémoire se fait à partir de l'observation d'espèces relativement simples appartenant au groupe des invertébrés. On postule alors l'existence d'une continuité évolutive des mécanismes au sein d'une très vaste distribution d'espèces. Toutefois, certaines données d'observation laissent supposer que les animaux les plus évolués ont pu développer des mécanismes additionnels d'apprentissage qui vont au-delà de ce qu'ils partagent avec les organismes plus simples.

Comportements spécifiques de l'espèce

Diverses espèces ont développé des moyens spécifiques pour traiter avec leur environnement. Par exemple, le bagage sensoriel d'un ver de terre est très différent de celui d'un rossignol. Certaines espèces de chauves-souris s'appuient presque exclusivement sur l'audition pour s'orienter et repérer leur proie. La vision de ces espèces a dégénéré au point de devenir inutilisable. D'autres espèces de chauves-souris s'orientent cependant au moyen de la vue et comptent sur leurs yeux pour se diriger et trouver leur nourriture. L'être humain se sert de la vision et de l'audition. Toutefois, il n'est pas sensible aux champs électriques de son environnement, contrairement à certaines sortes de poissons. Ces poissons émettent des impulsions électriques et utilisent les champs électriques ainsi créés pour guider leurs déplacements.

Les modes de communication varient considérablement parmi les espèces vivantes. Certaines comptent principalement sur des signaux visuels, d'autres sur des signaux auditifs et d'autres enfin sur des signaux olfactifs. Chez plusieurs espèces animales, la production de signaux ne nécessite pas d'apprentissage; elle suit simplement un modèle génétique spécifique de l'espèce. Par contre, il en va tout autrement chez d'autres espèces, notamment chez les espèces d'oiseaux chanteurs, où le petit doit apprendre un chant spécifique. Par ailleurs, malgré l'existence d'une grande variété de chants, ceux-ci correspondent fidèlement à la structure de chant de l'espèce.

Bien que l'être humain soit capable de produire une grande variété de sons vocaux, tout langage n'en utilise qu'une fraction. De plus, la signification fonctionnelle des sons est plutôt arbitraire dans les langages humains, puisque la même suite de sons peut prendre des sens différents, selon les langues.

Observation du développement du comportement au cours de la vie

L'observation de la façon dont un comportement particulier évolue au cours de la vie d'un individu peut nous fournir des indices sur le rôle et les mécanismes de son comportement. Par exemple, l'observation nous révèle que la capacité d'apprentissage du singe s'accroît sur une période de plusieurs années de développement. Nous pouvons donc supposer que les tâches d'apprentissage complexe exigent une maturation prolongée des circuits nerveux.

Chez un rongeur, la capacité de former des empreintes mnémoniques durables retarde quelque peu par rapport à la maturation de ses capacités d'apprentissage. Les jeunes rongeurs apprennent facilement mais oublient plus rapidement que leurs aînés. Cette différence nous fournit l'une des nombreuses preuves que l'apprentissage et la mémoire font appel à des processus différents. Cette constatation nous apporte un éclairage nouveau sur les mécanismes organiques à la base des comportements sexuels.

Identification des mécanismes biologiques inhérents au comportement

L'historique d'une espèce révèle les facteurs déterminants de l'évolution de son comportement alors que celui d'un individu indique ceux qui sont responsables du développement de ce comportement. Pour connaître les mécanismes mêmes du comportement d'un individu, il faut en étudier les structures et les conditions. L'objectif principal de la psychologie physiologique est d'analyser les mécanismes corporels qui rendent tel comportement possible. Par exemple, dans le cas de l'apprentissage et de la mémoire, on essaie de découvrir la séquence des processus électrophysiologiques et biochimiques qui doivent se dérouler entre l'appréhension initiale d'un élément d'information et son éventuelle récupération dans la mémoire. Il est également important d'identifier les parties du système nerveux qui jouent un rôle particulier dans l'apprentissage et la mémoire. En ce qui concerne le comportement de reproduction, il faut connaître les développements corporels qui rendent ce comportement possible. Il est également nécessaire de comprendre les processus nerveux et hormonaux sous-jacents au comportement de reproduction.

Nous avons décrit quatre façons d'étudier le comportement et le tableau 1.3 montre comment chacune d'entre elles peut s'appliquer à trois types de comportement (voir également aux chapitres suivants). En fait, l'examen de toutes les catégories de comportement — la sensation, la perception et la coordination motrice (Partie 3); la motivation (Partie 4) et l'apprentissage, la mémoire et la cognition (Partie 5) — sera effectué sous l'angle de ces quatre perspectives.

Niveaux d'analyse appliqués à l'étude du cerveau et du comportement

Les tentatives d'explication du comportement nécessitent souvent la considération simultanée de plusieurs niveaux d'organisation biologique. Chaque niveau d'analyse traite d'unités dont la structure et l'organisation sont plus simples que celles du niveau supérieur. Le tableau 1.4 montre comment nous pouvons analyser le cerveau en unités successivement moins complexes, jusqu'au niveau des cellules nerveuses isolées et de leurs éléments encore plus simples.

Une explication scientifique exige habituellement l'analyse d'une chose à un niveau d'organisation plus simple ou plus fondamental que celui de la structure ou de la fonction à expliquer. En principe, il serait possible de réduire chaque série explicative jusqu'au niveau moléculaire ou atomique mais, pour des raisons d'ordre pratique, on procède rarement ainsi. Par exemple, un spécialiste de la chimie organique ou un neurochimiste s'intéresse habituellement aux grosses molécules complexes et aux lois qui les régissent, et recherche rarement des explications au niveau atomique.

Naturellement, dans tous les domaines, on aborde les divers problèmes à différents niveaux d'analyse et des chercheurs différents exécutent souvent simultanément un travail fructueux à plusieurs niveaux. Ainsi, dans leur étude de la perception visuelle, les psychologues proposent des descriptions analytiques du comportement. Ils tentent de découvrir comment les yeux bougent pendant l'observation d'un motif visuel, ou comment le contraste entre les parties d'un motif visuel contribue à sa visibilité. En même temps, d'autres psychologues et des biologistes étudient les différences entre les systèmes visuels des diverses espèces

Tableau 1.3 Quatre perspectives de recherche appliquées à trois sortes de comportement.

Perspectives de recherche	Comportement sexuel	Mémoire et apprentissage	Langage et communication
1. Description a) Structurale	Quels sont les principaux modes de comportement associés à la reproduction et les différences de comportement selon le sexe de l'individu ?	De quelles façons un comportement se trouve-t-il modifié à cause d'une expérience de conditionnement, par exemple ?	Comment la parole est-elle structurée ?
b) Fonctionnelle	Comment les structures de comportement contribuent-elles à l'accouplement et aux soins prodigués aux petits ?	Qu'est-ce qui fait que certains comportements aboutissent à des récompenses ou à l'évitement de la punition ?	Quel est le comportement qui est en cause dans l'énoncé de déclarations ou la formulation de questions ?
2. Évolution	Dans quelle mesure l'accouplement chez les différentes espèces dépend-il des hormones ?	Comment les diverses espèces se comparent-elles quant aux sortes et à la vitesse d'apprentissage ?	Comment l'appareil phonétique humain a-t-il évolué ?
3. Développement	Comment les caractéristiques sexuelles secondaires et celles liées à la reproduction se développent-elles au cours de la vie ?	Comment la mémoire et l'apprentissage changent-ils au cours de la vie ?	Comment le langage et la communication se développent-ils au cours de la vie ?
4. Mécanismes	Quels sont les circuits nerveux et les hormones qui participent au comportement associé à la reproduction ?	Quels sont les changements anatomiques et chimiques du cerveau qui contribuent au maintien des souvenirs ?	Quelles sont les régions du cerveau qui sont particulièrement en cause dans le langage ?

animales et essaient de comprendre la signification adaptative de ces différences. Par exemple, quelle serait la relation entre la présence (ou l'absence) de vision des couleurs et le mode de vie des individus d'une espèce ? Simultanément, d'autres chercheurs retracent les structures et les réseaux du cerveau qui participent à divers types de discrimination visuelle. D'autres spécialistes des neurosciences s'emploient également à essayer de déceler les événements électriques et chimiques réalisés aux synapses du cerveau, lors d'un apprentissage visuel.

Tableau 1.4 Niveaux d'analyse du système nerveux.

Niveaux	Exemples
L'organe	Le cerveau, la moelle épinière
La région principale	Le cortex cérébral, le cervelet
Région sous-jacente	Le cortex moteur, le cortex visuel
L'unité fondamentale de traitement	Les circuits de cellules nerveuses
La cellule nerveuse	Les nombreuses variétés de cellules nerveuses (par exemple cellule pyramidale, cellule de Purkinje)
Contacts fonctionnels entre les cellules nerveuses	La synapse chimique
Régions fonctionnelles des membranes des cellules nerveuses	La région réceptrice de la synapse

Plusieurs niveaux d'analyse d'un système ouvrent la porte à des applications utiles. Pour un problème donné, l'un des niveaux d'analyse se révélera plus pertinent que les autres. Par exemple, les problèmes usuels d'acuité visuelle sont créés par des variations de la forme du globe oculaire. On résout ces difficultés en prescrivant des verres correcteurs, sans pour autant qu'il soit nécessaire d'analyser les processus cérébraux sous-jacents à la vision des formes. Par contre, une perte partielle de vision dans certaines parties du champ visuel laisse supposer l'existence d'une pression sur les deux nerfs optiques, là où ils se chevauchent. Il peut s'agir d'un symptôme précoce de l'existence d'une tumeur dont l'excision pourrait restaurer la vision parfaite.

D'autres restrictions du champ visuel sont causées par des lésions ponctuelles de l'aire visuelle du cortex cérébral. Des recherches récentes ont démontré qu'un entraînement approprié peut contribuer à élargir le champ visuel dans certains de ces cas. Le fait que les crises épileptiques d'un individu soient régulièrement précédées de l'apparition d'une image visuelle étrange suggère la possibilité que cette personne soit affligée d'une cicatrice ou d'une blessure du cortex visuel. La compréhension du mécanisme de la vision des couleurs a progressé grâce à l'étude de la façon dont l'information provenant de différentes sortes de cellules rétiniennes converge sur les cellules nerveuses, et de la façon dont ces cellules nerveuses traitent cette information. Les chercheurs étudient également comment le cerveau, au niveau des cellules nerveuses et de leurs connexions, analyse les informations d'origine visuelle.

Lorsque nous considérerons l'explication de plusieurs types de comportements en fonction d'événements corporels, nous indiquerons les principaux niveaux d'analyse utilisés couramment dans l'étude de chaque problème. Nous donnerons également des exemples d'application de chaque niveau de recherche.

LA COMPARAISON DES ESPÈCES ET DES INDIVIDUS

Où situer, en psychophysiologie, les similitudes et les différences observées entre les êtres humains et les animaux ? L'anthropologue Clyde Kluckhohn a déjà noté que chaque individu est, d'une certaine façon, semblable à tous les autres individus, d'une certaine façon semblable à quelques autres individus et, d'une certaine façon différent de tout autre individu (Kluckhohn, 1949). Comme l'indique la figure 1.2, nous pouvons étendre cette observation au champ beaucoup plus vaste de toute la vie animale. D'une certaine manière,

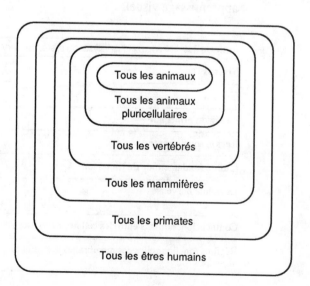

Figure 1.2 Similitudes et différences entre les espèces.

chaque personne ressemble à tous les animaux (par exemple, en ce qu'elle a besoin d'ingérer des aliments complexes). Jusqu'à un certain point, chaque personne ressemble à tous les animaux pluricellulaires; d'une certaine façon, à tous les vertébrés (par exemple, elle est dotée d'une colonne vertébrale). D'une certaine manière, l'être humain ressemble à tous les mammifères (par exemple, la femelle allaite ses petits) et, jusqu'à un certain point, à tous les autres primates (par exemple, il est doté d'une main à pouce opposé et d'un cerveau relativement volumineux et complexe).

Les zones de similitude définissent des régions à l'intérieur desquelles nos connaissances se rapportant à une espèce animale peuvent s'appliquer à juste titre, aux autres espèces animales. Ainsi, une grande partie de la recherche fondamentale sur l'hérédité a porté sur le colibacille (*Escherichia coli,* ou *E. coli*). Les données recueillies se sont révélées d'une application si étendue que certains spécialistes de la biologie moléculaire ont même affirmé que : « Ce qui est vrai pour le colibacille est vrai pour l'éléphant ». Plus récemment, on a découvert qu'il existe également des différences importantes entre les mécanismes génétiques de l'un et de l'autre, bien qu'il soit exact de dire que les animaux complexes partagent, avec *E. coli*, plusieurs processus fondamentaux et les bases chimiques de leur code génétique. En fonction de chaque propriété biologique, le chercheur doit découvrir quels sont les animaux qui sont identiques et, le cas échéant, où se situent les différences. Dans notre recherche de modèles de systèmes animaux en vue de l'étude du comportement ou des processus biologiques qui s'appliquent à l'être humain, il faut nous poser la question suivante : est-ce que le modèle envisagé occupe la même sphère d'identité que l'être humain par rapport à l'aspect que nous voulons étudier ?

Il a été possible d'appliquer avec succès les résultats des recherches auprès des animaux à la compréhension des mécanismes biologiques sous-jacents à plusieurs genres de comportements de l'être humain. Tous les chapitres de cet ouvrage en fournissent des exemples. Ainsi, chez tous les animaux pourvus d'un système nerveux, les neurones exercent des influences excitatrices et d'autres, inhibitrices, les uns sur les autres. L'étude de ce processus chez une espèce donnée vaut pour les autres espèces. De même, dans le cas des hormones, certains de leurs mécanismes d'action sont identiques chez les invertébrés, les oiseaux et les mammifères. Certaines hormones retrouvées chez des animaux appartenant à des ordres très différents se ressemblent beaucoup. La recherche effectuée avec des animaux a contribué à clarifier les rapports entre le corps et le comportement des personnes dans plusieurs domaines, notamment dans les cas de la perception des couleurs et des formes, des mécanismes de la douleur et du soulagement de celle-ci, de l'accoutumance aux drogues, de la coordination musculaire, du rôle des hormones dans le comportement sexuel, du contrôle de la faim et de la soif et des méthodes pour aider ceux qui ont des défaillances de mémoire.

Mais les individus diffèrent aussi les uns des autres, à l'intérieur d'une même espèce : par exemple, chez les chats, les geais bleus et les êtres humains (figure 1.3). La psychologie physiologique s'efforce de comprendre autant les différences individuelles que les similitudes. Cet intérêt envers l'individu représente l'une des caractéristiques les plus marquantes de la psychologie par rapport aux autres méthodes d'étude du comportement. La loterie de l'hérédité assure que chaque individu se voit attribuer une constitution génétique unique (la seule exception étant les jumeaux identiques). La façon dont ce bagage génétique unique se traduit en forme corporelle et capacités de comportement représente une partie de notre propos. Par ailleurs, chaque individu est soumis à un ensemble unique d'expériences personnelles. C'est pourquoi la façon dont chacun est capable de traiter l'information reçue et de faire le stockage des souvenirs de ses expériences représente une autre partie de ce même propos. En nous concentrant sur les modes physiologiques d'étude du comportement, nous ne négligerons en rien le caractère individuel de l'être humain, mais cela nous aidera au contraire à démontrer comment surgit cette individualité.

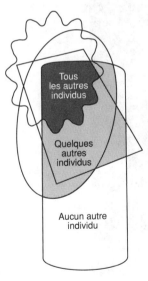

Chaque personne partage certaines caractéristiques avec ....

Tous les autres individus

Quelques autres individus

Aucun autre individu

Figure 1.3 Similitudes et différences au sein d'une espèce. Les formes diverses de ce schéma représentent des individus différents à caractéristiques se chevauchant partiellement.

Tout au long de ce livre, nous allons puiser dans les données sur la recherche animale. C'est pourquoi nous nous devons de parler de certaines des questions d'éthique que pose l'expérimentation sur les animaux. L'implication de l'être humain par rapport aux autres espèces et le souci qu'il leur porte remontent aux temps préhistoriques. Les premiers êtres humains se devaient d'étudier le comportement et la physiologie animale pour échapper à certaines espèces et se mettre à la chasse d'autres espèces. Quand l'Homme commença à apprivoiser certaines espèces pour en faire des animaux domestiques, il y a environ dix mille ans, il fut en mesure de s'adonner à une observation et une interaction plus étroites. L'étude formelle de la physiologie du comportement des animaux ne débuta qu'au XIXe siècle.

S'il n'y avait pas eu d'expérimentation avec les animaux au cours des cent dernières années, on n'aurait pas connu les progrès enregistrés en médecine, en physiologie et en psychologie. On utilise maintenant les animaux (ou le tissu animal) pour une grande variété de tests médicaux. Le succès de ces tests témoigne de la ressemblance fondamentale entre la physiologie de l'être humain et celle des autres espèces.

À cause de cette ressemblance, les gens se préoccupent également de plus en plus de l'utilisation que l'Homme fait des animaux. Plusieurs sociétés scientifiques ont adopté des normes d'éthique s'appliquant à l'expérimentation sur les animaux, ces codes dérivant du souci que ressent le scientifique lui-même pour ses sujets. Les gouvernements ont également réglementé les soins à apporter aux animaux et les conditions de leur vie en laboratoire

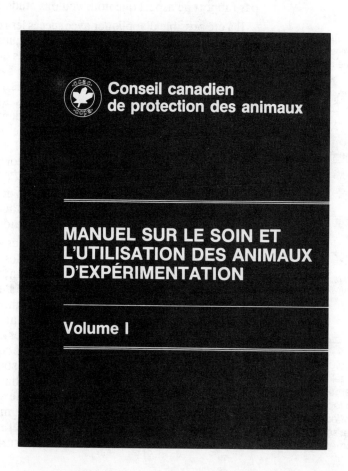

Figure 1.4 Directives se rapportant à la recherche sur les animaux, publiées par le Conseil canadien de protection des animaux (151, rue Slater, Ottawa Ont. K1P 5H3).

16

(figure 1.4). Dans plusieurs cas, les expérimentateurs essaient maintenant d'utiliser des espèces plus simples et plus abondantes plutôt que des espèces rares et complexes. Ces précautions sont importantes car, pour connaître le comportement humain et ses bases biologiques, il faut inévitablement avoir recours à la recherche sur des animaux aussi bien que sur l'être humain lui-même. L'amélioration continue de la santé mentale et du bien-être de l'humanité de même que l'élimination des troubles énumérés aux tableaux 1.1 et 1.2 dépendent de la recherche en cours dont une grande partie exige des sujets animaux.

LA RECHERCHE DE RELATIONS ENTRE CERVEAU ET COMPORTEMENT

Sur les plans théorique et expérimental, plusieurs disciplines ont contribué à notre compréhension du fonctionnement corporel en regard du comportement. À cause de la diversité de leurs préoccupations fondamentales, ces disciplines offrent des perspectives complémentaires. Un anatomiste décrit la structure du système nerveux, les éléments et les réseaux du cerveau. Un physiologiste examine la façon dont ces éléments fonctionnent, s'intéressant souvent à l'étude des signaux électriques du système nerveux. Un chimiste identifie les substances apparaissant dans le cerveau et précise les voies métaboliques qui en sont la source. Un ingénieur cherche à savoir si les concepts quantitatifs issus de systèmes inanimés peuvent s'appliquer aux fonctions cérébrales. Les spécialistes de la psychologie physiologique sont un peu plus éclectiques mais leur recherche naît généralement d'un intérêt pour les mécanismes du comportement. Leurs études portent à la fois sur l'observation et la mesure du comportement et sur celles des structures et des processus organiques.

Les figure 1.5, 1.6 et 1.7 illustrent trois façons d'aborder l'étude des relations à établir entre les variables du corps et celles du comportement. La figure 1.5 décrit la méthode la plus couramment employée, l'*intervention somatique*, qui a recours à la modification d'une structure ou d'une fonction spécifique du cerveau ou du corps afin de vérifier comment cette intervention peut modifier le comportement. Dans ce cas-ci, l'intervention somatique représente la variable indépendante et l'effet sur le comportement, la variable dépendante. Aux différents chapitres de cet ouvrage, nous allons décrire plusieurs types d'intervention somatique, tant chez l'être humain que chez l'animal. En voici quelques exemples :

1. Une hormone est administrée à certains animaux et pas à d'autres. Les deux groupes sont ensuite comparés en fonction de diverses mesures du comportement.

2. Une stimulation électrique est appliquée à une partie du cerveau et les conséquences sur le comportement sont ensuite observées.

3. Une connexion entre deux parties du système nerveux est rompue et les modifications du comportement qui en résultent sont mesurées.

La figure 1.6 illustre la méthode opposée, soit l'*intervention behavioriste*, effectuée par modification du comportement d'un organisme dans le but d'observer les changements correspondants dans la fonction ou la structure organique. La variable indépendante est

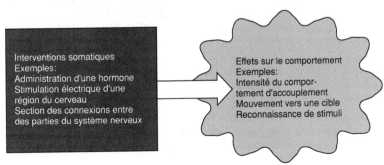

Figure 1.5 Interventions somatiques et effets sur le comportement.

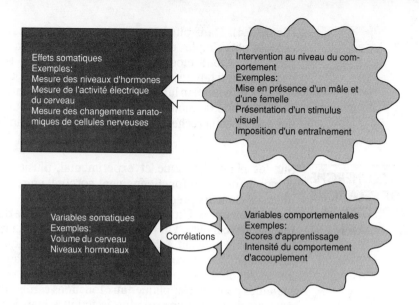

Figure 1.6
Interventions behavioristes et
leurs effets somatiques.

Effets somatiques
Exemples :
Mesure des niveaux d'hormones
Mesure de l'activité électrique
du cerveau
Mesure des changements anato-
miques de cellules nerveuses

Intervention au niveau du com-
portement
Exemples :
Mise en présence d'un mâle et
d'une femelle
Présentation d'un stimulus
visuel
Imposition d'un entraînement

Figure 1.7
Méthode corrélationnelle.

Variables somatiques
Exemples :
Volume du cerveau
Niveaux hormonaux

Corrélations

Variables comportementales
Exemples :
Scores d'apprentissage
Intensité du comportement
d'accouplement

donc le comportement et les variables dépendantes sont les mesures organiques. Voici quelques-uns des exemples que nous allons considérer dans les chapitres suivants :

1. Le fait de mettre en présence deux adultes de sexes opposés peut entraîner un accroissement de sécrétion de certaines hormones.

2. La présentation d'un stimulus visuel à une personne ou à un animal engendre des changements à la fois dans l'activité électrique et dans le débit sanguin dans certaines parties du cerveau.

3. Le fait de soumettre des animaux à un entraînement provoque des modifications électrophysiologiques, biochimiques et anatomiques dans certaines parties du cerveau.

La figure 1.7 illustre la *méthode corrélationnelle* de l'étude des relations corps-comportement qui consiste à déterminer dans quelle mesure une caractéristique organique donnée varie en même temps qu'une caractéristique du comportement. Voici deux exemples de questions qui seront traitées plus loin, dans cet ouvrage :

1. Existe-t-il une corrélation significative entre le volume du cerveau et l'intelligence ?

2. Les différences individuelles dans l'activité reproductrice sont-elles associées aux concentrations sanguines de certaines hormones chez ces individus ?

La découverte de telles corrélations ne doit pas toutefois être considérée comme une preuve de l'existence d'une relation causale. D'abord, même si on était en présence d'une relation causale, la corrélation n'indique pas le sens de cette relation, c'est-à-dire laquelle des variables est indépendante et laquelle est dépendante. De plus, deux variables peuvent entrer en corrélation unique à cause du fait qu'un troisième facteur détermine les valeurs des deux facteurs que l'on a mesurés. L'existence d'une corrélation indique bien cependant la présence d'un lien quelconque, direct ou indirect, entre deux variables. Cette constatation pousse fréquemment le chercheur à formuler des hypothèses et à les soumettre à un test au moyen de techniques d'intervention.

En réunissant ces trois méthodes, on obtient le diagramme circulaire de la figure 1.8. Ce diagramme représente l'intégration des méthodes fondamentales servant à l'étude des relations entre les processus corporels et le comportement. Il peut également contribuer à illustrer le thème (évoqué dans la légende des têtes interverties) de l'existence de relations

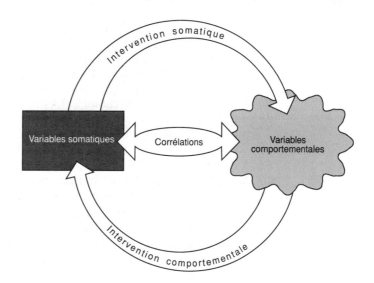

Figure 1.8 Les trois principales méthodes utilisées dans l'étude des relations entre les processus organiques et le comportement.

réciproques entre le corps et le cerveau; l'un influence l'autre dans un cycle continu d'interactions organiques et comportementales. Nous reviendrons sur ce concept d'actions réciproques dans chacune des parties principales de cet ouvrage.

LES NOMS ET USAGES MULTIPLES DE LA PSYCHOPHYSIOLOGIE

Au cours des années, le domaine d'étude qui associe comportement et processus organiques a pris une variété de noms et a donné lieu à un nombre grandissant d'applications. Soulignons quelques-unes des appellations et applications de cette discipline de façon à mieux décrire son créneau de recherche.

Façons de désigner ce champ d'étude

Depuis le siècle dernier, l'étude des relations entre les processus mentaux, le comportement et les processus organiques a été nommée psychologie physiologique ou psychophysiologie. Nous avons choisi de conserver cette appellation bien que plusieurs autres aient été proposées, ces dernières années. Certains pédagogues et certains chercheurs préfèrent appeler ce domaine psychologie biologique. D'autres, arrivés dans ce champ d'étude en passant par la physiologie ou les sciences neurologiques, parlent plutôt de *physiologie du comportement* ou de *neuroscience behavioriste*. D'autres désignations mettent l'accent sur les relations entre la psychologie physiologique et la neurologie clinique, comme c'est le cas pour la *neuropsychologie* et la *neurologie behavioriste*. Cet ouvrage servira à des cours qui utilisent l'une ou l'autre de ces appellations en plus d'une quantité d'autres. Quand l'étendue d'un domaine de recherche est clairement établie, le titre exact de cette discipline a peu d'importance.

Applications de la psychophysiologie

Cette discipline fait maintenant partie de plusieurs programmes d'étude, notamment ceux de la psychologie générale, des sciences behavioristes, des neurosciences et des sciences de la santé. Presque tous les manuels d'introduction à la psychologie comportent une partie consacrée à la psychologie physiologique et une connaissance plus approfondie de cette discipline est essentielle à une meilleure compréhension de la psychologie en général.

En sciences de la santé, on reconnaît de plus en plus l'importance des effets du comportement sur la physiologie, et réciproquement. Par exemple, depuis quelques années, on parle d'un nouveau champ d'étude, celui de la médecine du comportement (Neal Miller, 1983). Dans ses critères pour l'accréditation des programmes de troisième cycle en psychologie professionnelle (incluant la psychologie clinique, l'orientation et la psychologie scolaire), l'American Psychological Association exige que chaque étudiant fasse preuve de compétence dans quatre domaines fondamentaux. En tête de liste se trouve un domaine désigné sous le nom de « bases biologiques du comportement » (i.e. psychophysiologie, psychologie comparée, neuropsychologie, psychopharmacologie) (American Psychological Association, 1980). Une profession spécialisée qui puise abondamment dans la psychophysiologie est celle de la neuropsychologie, champ d'application centré sur les défectuosités reliées aux dysfonctions nerveuses.

Ceux qui enseignent et font de la recherche en neurosciences se retrouvent dans plusieurs départements et disciplines. D'aucuns travaillent dans des départements de psychologie, alors que beaucoup d'autres sont membres d'autres départements universitaires comme ceux de physiologie, des neurosciences ou de pharmacologie. De toute évidence, il existe un grand besoin d'individus dont la formation comprend une combinaison de sciences du comportement et de sciences physiologiques.

Plusieurs utilisateurs de cet ouvrage ne suivront qu'un seul cours en psychophysiologie; d'autres cependant s'engageront dans des carrières dans ce domaine ou dans des domaines connexes. Quoiqu'il en soit, cet ouvrage a pour but de faciliter la compréhension du comportement et de ses bases biologiques.

Dans ce volume, nous avons voulu fournir un compte rendu intéressant et cohérent des principales idées et recherches de la psychophysiologie. L'abondance des données à rassembler et à relier entre elles est telle que nous avons choisi d'introduire les éléments d'information dès qu'ils peuvent contribuer à la compréhension d'une question, plutôt que de les garder en réserve. Nous avons voulu communiquer notre propre sentiment d'intérêt et d'émerveillement face aux mystères de l'esprit et du corps. Nous espérons susciter chez le lecteur le même intérêt pour la recherche d'une meilleure connaissance de ce fascinant domaine.

Lectures recommandées

Adelman, G. (1987). *Encyclopedia of the Neurosciences.* Boston : Birkhausen.

Botez, M. I. *Neuropsychologie clinique et neurologie du comportement,* (1987) Montréal, Presses de l'Université de Montréal, Paris, Éditions Masson.

Pour se tenir au courant des progrès réalisés dans ce domaine, on trouvera des recensions et des évaluations de la recherche dans les publications suivantes :

Annual Review of Neuroscience. Palo Alto : Annual Reviews Inc. (Cette revue a été fondée en 1978; on a publié le 13e volume en 1990.)

Annual Review of Psychology. Palo Alto : Annual Reviews Inc. (Cette revue a été fondée en 1950; on a publié le 41e volume en 1990.)

L'Année Psychologique. Paris, Presses Universitaires de France. Fondée en 1894, cette revue qui fut probablement la première en langue française, fut d'abord dirigée par Alfred Binet.

La Recherche : Paris, La société d'éditions scientifiques. Cette revue, traitant des principales découvertes et préoccupations de la science moderne, fut fondée en 1970.

Trends in Neuroscience. Amsterdam : Elsevier Science Publishers. (Cette revue a été fondée en 1978; on a publié le 13e volume en 1990).

Systèmes corporels essentiels au comportement

La tête d'un être humain contient un système de traitement de l'information formé d'au moins 100 milliards de cellules nerveuses. L'architecture du système nerveux comporte des agencements de connexions interneuronales complexes. Dans beaucoup de cas, une seule cellule nerveuse peut entretenir des milliers de connexions ! Un réseau très étendu de fibres nerveuses relie le cerveau au corps et fait office de moniteur, de régulateur et de modulateur des fonctions de chaque structure et de chaque système organique. C'est grâce au fonctionnement de ce vaste assemblage cellulaire que sont possibles des phénomènes comme la perception, la pensée, les mouvements, la motivation et les sentiments. L'essence de l'identité de chaque individu est inscrite dans la structure de son cerveau.

Cette première partie de l'ouvrage a pour but de décrire les structures fondamentales du cerveau d'une personne adulte (chapitre 2). Le chapitre 3 est consacré à l'étude des systèmes nerveux des autres animaux dans la perspective de l'évolution, et à celle du rôle du système nerveux dans l'adaptation caractéristique des espèces. Pour tout animal, il existe un autre cadre temporel également significatif, soit son propre cycle vital. Au chapitre 4, nous allons décrire les changements qui se produisent dans le système nerveux au cours du cycle vital et l'interaction des facteurs de contrôle du développement comme les gènes et l'expérience.

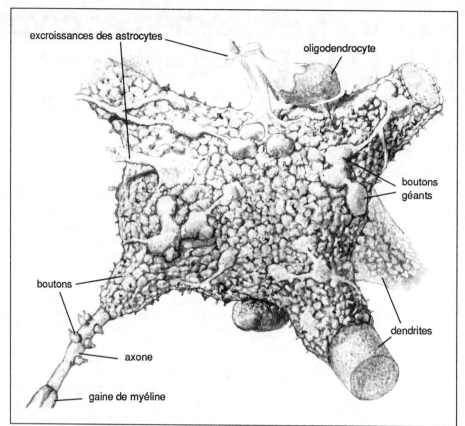

2 Bases neuroanatomiques du comportement

ORIENTATION

Les pensées, les sentiments, les perceptions et les actions sont autant de produits du fonctionnement du cerveau humain. Ces réalisations dépendent de la structure du cerveau et de sa manière de fonctionner. Nous décrirons donc l'architecture du cerveau, son fonctionnement fondamental étant étudié aux chapitres 5 et 6.

L'architecture du cerveau comprend ses éléments structuraux ainsi que le vaste réseau des connexions entre les régions cérébrales. Les voies et circuits du cerveau forment le substrat anatomique des nombreux aspects du traitement de l'information chez l'être humain. Ce substrat structural consiste en une disposition excessivement précise de ses composants; pour parvenir à comprendre la biologie du comportement, il faut d'abord prendre en considération les éléments de structure, leurs connexions et leur organisation sous forme de réseaux traitant l'information. Il s'agit donc ici de fournir certaines des données essentielles de l'architecture du système nerveux qui sont d'une importance particulière pour la compréhension des prochains chapitres. Ce chapitre traite donc des principaux aspects anatomiques; des détails additionnels sont donnés comme points de référence aux pages 54 à 73. Dans les prochains chapitres, le lecteur sera invité à consulter cette section de référence.

CONCEPTIONS DU CERVEAU À DIVERSES ÉPOQUES DE L'HISTOIRE

Ce n'est que tout récemment que le cerveau s'est vu reconnaître un rôle de centre stratégique vital. Nous allons considérer brièvement comment cette constatation s'est imposée à l'esprit humain en rappelant de quelle manière, aux diverses époques de l'histoire, l'Homme a conçu et amélioré ses connaissances de l'anatomie et des fonctions du cerveau.

Importance accordée au cerveau dans l'Antiquité

La prise de conscience du rôle du cerveau comme médiateur et agent de contrôle du comportement est plutôt récente dans l'histoire de l'Homme. Au moment de la momification du corps du pharaon Toutankhamon (il y a environ 3300 ans), quatre de ses organes jugés importants furent conservés dans des vases d'albâtre placés dans son mausolée : le foie, les poumons, l'estomac et les intestins. Tous ces organes étaient considérés nécessaires pour assurer la continuation de l'existence du pharaon dans l'au-delà. Par contre, le cerveau fut extirpé de son crâne et jeté. De toute évidence, on ne le considérait pas important pour la survie.

Ni l'Ancien Testament (rédigé entre les XIIe et IIe siècles avant l'ère chrétienne), ni le Nouveau Testament ne font mention du cerveau. Cependant, l'Ancien Testament fait de très nombreuses références au cœur et au foie, à l'estomac et aux intestins, comme sièges de la passion, du courage et de la pitié. *Donne-toi un cœur de sagesse*, dit le prophète. Aristote, l'homme de science le plus célèbre de la Grèce antique, situe dans le cœur les capacités mentales de l'être humain. À ses yeux, le cerveau n'agit qu'à titre d'appareil de réfrigération servant à réduire la température du sang chaud en provenance du cœur. Cependant, d'autres penseurs grecs ont considéré le cerveau comme le siège de l'intelligence et l'organe responsable du contrôle du comportement. Ainsi Hippocrate, illustre médecin de la Grèce antique, écrivait ce qui suit :

> Non seulement notre plaisir, notre joie et notre rire, mais aussi nos chagrins, douleurs, peines et pleurs sont issus du cerveau, et du cerveau uniquement. C'est par lui que nous pensons et comprenons, voyons et entendons et que nous faisons une distinction entre le laid et le beau, entre ce qui est agréable et ce qui est désagréable et entre le bien et le mal.

Le débat entre ceux qui situaient l'intelligence dans le cœur et ceux qui la localisaient dans le cerveau se poursuivait encore avec fébrilité deux mille ans plus tard, au temps de Shakespeare : *Dis-moi où se nourrit l'imagination, dans le cœur ou dans la tête ?* (*Le marchand de Venise*, Acte III, Scène 2). Nous perpétuons cette ancienne notion quand nous disons des gens qu'ils ont *bon cœur*, qu'ils ont *le cœur sur la main*, qu'ils ont *le cœur dur* ou qu'ils sont *sans cœur*. Ce n'est qu'au cours des XIXe et XXe siècles, avec les progrès enregistrés sur la connaissance du système nerveux, que les érudits du monde occidental ont finalement reconnu le cerveau comme l'organe qui coordonne et contrôle le comportement.

Vers l'an 350 av. J.-C., le médecin grec Hérophile (connu comme le père de l'anatomie) a fait progresser la connaissance du système nerveux en disséquant les corps d'êtres humains et d'animaux. Au cours de ses recherches, il identifia notamment le trajet de nerfs spinaux provenant des muscles et de la peau et dirigés vers la moelle épinière. Il remarqua également que chaque région du corps est reliée à des nerfs distincts. Médecin gréco-romain du IIe siècle et souvent désigné comme le père de la médecine, Galien traitait les blessures des gladiateurs et disséquait certains animaux. Il est à l'origine de la croyance selon laquelle des esprits animaux (fluides mystérieux) étaient transportés à travers les nerfs vers toutes les régions du corps. Même si son hypothèse n'a pas contribué directement à une meilleure compréhension du système nerveux, Galien a produit d'intéressants dessins de l'organisation du cerveau. Son évaluation des modifications du comportement résultant des blessures subies par les gladiateurs a également attiré l'attention sur le rôle du système nerveux dans le contrôle du comportement.

Études de l'anatomie du cerveau à la Renaissance

Peintre éminent de la Renaissance, Léonard de Vinci a étudié le fonctionnement du corps humain et a établi les bases du dessin anatomique. Il a effectué un travail exceptionnel de pionnier en présentant des plans du corps humain sous divers angles et à l'aide de représentations en coupe. Ses reproductions artistiques du corps humain comprennent des images des nerfs circulant dans le bras et celles des ventricules du cerveau. Toutefois, c'est à André Vésale, anatomiste d'origine flamande, que nous devons la première description élégante de la forme et de l'apparence du cerveau, de même que celle du trajet des nerfs à travers le corps (figure 2.1). Des artistes travaillant pour Vésale ont donné des descriptions détaillées de l'anatomie de la surface du cerveau, en s'inspirant de l'examen de cerveaux de prisonniers.

Les descriptions du cerveau faites par les anatomistes de la Renaissance mettaient l'accent sur la forme et l'apparence des surfaces externes, ces parties étant les plus faciles à observer après que le cerveau eut été dégagé du crâne. Il devenait immédiatement évident à tout observateur que le cerveau avait une forme étrange. La complexité de son aspect global a donné naissance à un vocabulaire élaboré et précis pour identifier ses diverses régions. Plusieurs de ces appellations sont encore en usage. La plupart sont les noms latins ou grecs de formes communes d'objets et d'animaux. La figure 2.2 illustre l'origine de certains de ces termes anatomiques.

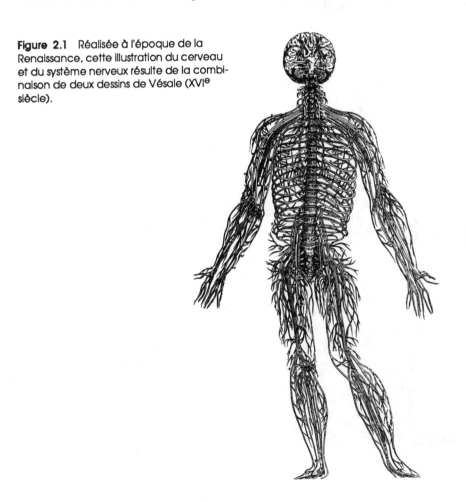

Figure 2.1 Réalisée à l'époque de la Renaissance, cette illustration du cerveau et du système nerveux résulte de la combinaison de deux dessins de Vésale (XVIe siècle).

Conceptions de la localisation cérébrale au XIXe siècle

La **phrénologie**, idée populaire au XIXe siècle, peut servir de toile de fond à l'intérêt que nous portons actuellement à la localisation cérébrale. La phrénologie est l'étude de la forme du crâne des individus, forme qui refléterait le développement plus ou moins prononcé des parties du cerveau; chaque région serait responsable d'une faculté comportementale, par exemple l'amour de la famille, l'ambition, l'intelligence ou la curiosité (figure 2.3). L'attribution de fonctions aux diverses régions du cerveau ayant pris une forme plutôt arbitraire en phrénologie, on devait adopter un peu plus tard un système de localisation plus rationnel. Les indices proviennent de l'observation des effets de dommages subis par le cerveau.

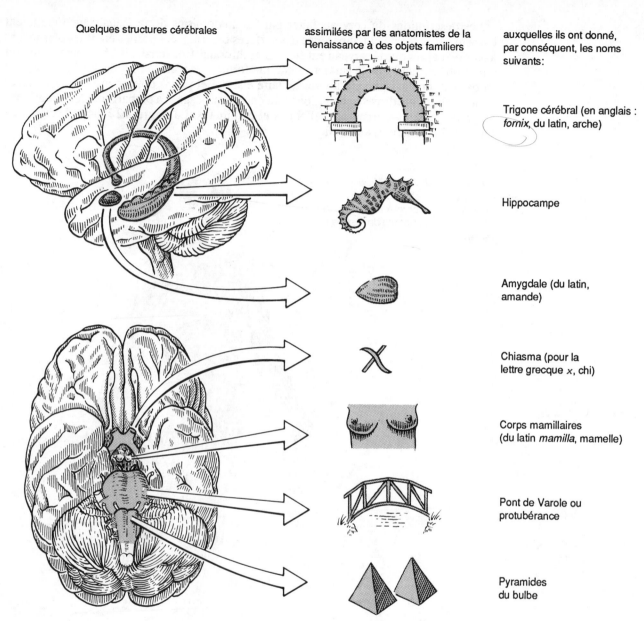

Figure 2.2 Origine de l'appellation de certaines structures.

Depuis longtemps, les blessures à la tête ont servi à démontrer l'existence de fonctions cérébrales et la localisation de celles-ci. Au cours du XIXe siècle, le chirurgien français Paul Broca s'engagea dans un débat passionné sur les relations entre le langage et le cerveau. À l'encontre de critiques acharnés, il soutenait que la parole n'était pas une propriété du cerveau tout entier mais qu'elle se trouvait localisée dans une région restreinte de cet organe. L'idée voulant qu'il soit possible de situer les fonctions psychologiques dans des régions spécifiques du cerveau fit des progrès considérables lorsque Broca présenta une analyse postmortem d'un sujet qui avait perdu l'usage de la parole depuis plusieurs années.

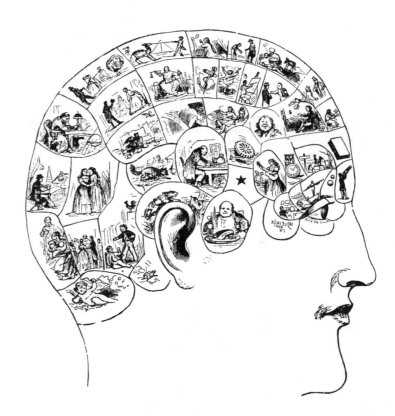

Figure 2.3 Dessin d'une tête phrénologique illustrant les diverses localisations cérébrales qui avaient cours au début du XIXe siècle (The Betterman Archive).

Les résultats de l'autopsie du cerveau effectuée par Broca révélèrent la destruction d'une région à l'intérieur des parties frontales du côté gauche du cerveau, région maintenant appelée aire de Broca. L'étude d'autres sujets contribua à convaincre davantage Broca du fait que l'expression verbale est une activité qui dépend d'une région spécifique plutôt que de l'activité globale du cerveau. Ces observations du XIXe siècle constituent la trame de fond d'un sujet de recherche toujours traité en psychologie biologique, celui de la mise en évidence de différences distinctives entre les régions du cerveau, différences qui résulteraient de leurs propriétés structurales et des tentatives pour associer diverses caractéristiques du comportement à différentes régions cérébrales. Une grande partie de la recherche en psychologie biologique est orientée vers la découverte des spécialisations de diverses régions du cerveau.

ANATOMIE MACROSCOPIQUE DU SYSTÈME NERVEUX DE L'ÊTRE HUMAIN

Nous décrirons l'anatomie du système nerveux de l'être humain à l'échelle macroscopique d'abord, puis à l'échelle microscopique. Les anatomistes ont adopté une terminologie pour décrire les diverses façons d'examiner le corps et le cerveau. Les termes employés sont définis dans l'encadré 2.1.

Organisation des systèmes nerveux central et périphérique

Le système nerveux comprend deux grandes divisions : le **système nerveux central** comprenant le cerveau et la moelle épinière, et le **système nerveux périphérique** composé de toutes les parties du système nerveux situées à l'extérieur des structures osseuses du crâne et de la moelle épinière. Le système nerveux périphérique comprend des ramifications de

27

Le système nerveux étant une structure tridimensionnelle, il n'est pas possible de le représenter totalement au moyen d'illustrations bidimensionnelles. Généralement, le cerveau est représenté selon trois plans principaux. Les coupes du cerveau utilisées dans ce volume correspondent pour la plupart à l'un de ces trois plans. Une bonne connaissance de la terminologie et des conventions qui s'y appliquent est donc essentielle (figures 1 et 2 de l'encadré 2.1).

Le plan divisant le corps en deux moitiés, droite et gauche, est le **plan sagittal** (du latin *sagitta*, flèche). Celui qui divise le corps en une partie avant (antérieure) et une partie arrière (postérieure) est désigné par les termes **coronaire** (du latin *corona*, couronne), **frontal** ou **transversal**. Par convention, une coupe dans ce plan est généralement vue de l'arrière, si bien que le côté droit de l'image représente le côté droit du cerveau. Le troisième plan principal est celui qui divise le cerveau en parties supérieure et inférieure : c'est le **plan horizontal** d'une coupe du cerveau observé par sa face supérieure.

Ces mêmes plans principaux sont utilisés pour décrire le corps dans son entier. De plus, plusieurs termes sont utilisés pour indiquer une direction (figure 1 de l'encadré 2.1) : **médian** signifie *vers le milieu* et s'oppose à **latéral**, *vers le côté*. L'extrémité de la tête est désignée par plusieurs termes : **antérieur**, **céphalique** (du grec *kephalê*, tête), ou **rostral** (du latin *rostrum*, éperon de navire). L'extrémité terminale est dite postérieure ou **caudale** (du latin *cauda*, queue). Proximal (du mot latin signifiant proche) veut dire *près du tronc ou du centre* et **distal**, *vers la périphérie* ou *vers l'extrémité* d'un membre (à distance de son origine ou point d'attache).

Deux termes doivent être utilisés avec soin parce qu'ils prennent une signification quelque peu différente selon qu'on parle d'animaux à deux ou à quatre pattes : **dorsal** qui veut dire *vers l'arrière* et **ventral**, *vers le centre ou l'avant*. Chez l'animal quadrupède, dorsal désigne le dos, le dessus du corps et le sommet de la tête. Chez les animaux bipèdes, le terme dorsal s'applique également à la face supérieure du cerveau d'un être humain ou d'un chimpanzé, malgré le fait que le dessus du cerveau des primates ne soit pas, à proprement parler, contigu au dos. De même, le qualificatif ventral est utilisé pour désigner la base du cerveau des primates, comme chez les quadrupèdes.

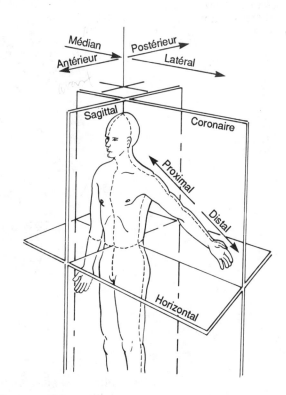

Figure 1 de l'encadré 2.1 Principaux plans utilisés pour les coupes anatomiques du cerveau et présentés ici en relation avec le corps humain.

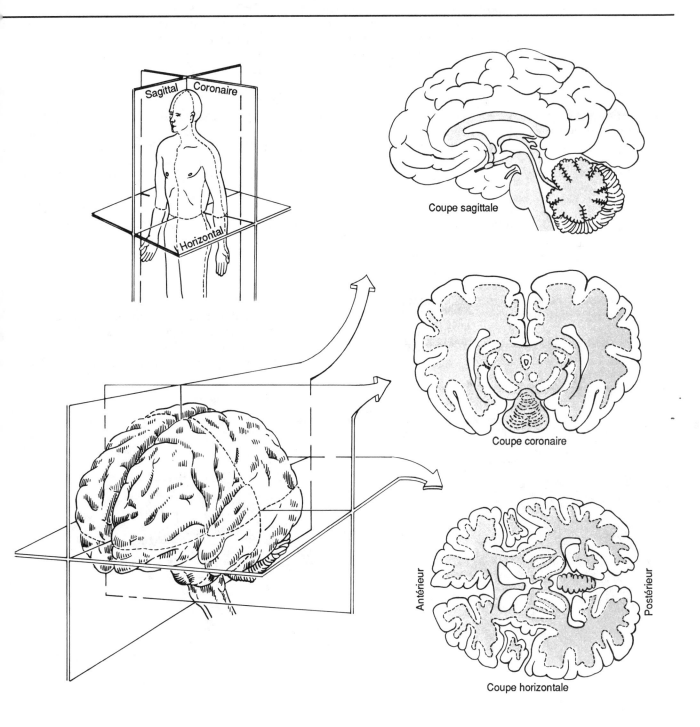

Figure 2 de l'encadré 2.1   Principaux plans utilisés pour les coupes anatomiques du cerveau.

nerfs répartis dans tout le corps qui transmettent de l'information aux muscles (par les voies motrices), ou qui prennent naissance dans les surfaces sensorielles (voies sensorielles). Le système nerveux périphérique comprend également des voies nerveuses reliant le système nerveux central et les divers organes internes du corps, par exemple le cœur, ainsi que deux chaînes parallèles de grappes de cellules nerveuses, soit les ganglions autonomes situés à l'extérieur de la colonne vertébrale, immédiatement à sa droite et à sa gauche.

Enveloppes du système nerveux

Le cerveau et la moelle épinière sont enveloppés par trois feuillets de tissu, les **méninges**. Le feuillet externe est une enveloppe résistante nommée **dure-mère,** tandis que la couche la plus interne, la **pie-mère**, adhère à la surface du cerveau et en épouse tous les contours. La membrane délicate située entre la dure-mère et la pie-mère est l'**arachnoïde**. Les espaces sous l'arachnoïde sont remplis de liquide cérébrospinal, liquide transparent et incolore qui peut supporter le cerveau et lui servir de coussin. Ces liquides du cerveau se répandent également dans une série de compartiments plus volumineux, les **ventricules**, situés à l'intérieur du cerveau (figure 2.4). Continuellement formé à des endroits spécifiques à l'intérieur des ventricules, le liquide cérébrospinal circule à travers les ventricules et les espaces subarachnoïdiens.

Le cerveau vu sous trois angles différents

Étant donné l'importance du cerveau, il est surprenant que sa masse ne soit que de 1 400 grammes, soit 2 % de la masse moyenne du corps d'un adulte. Cependant, une inspection rapide du cerveau révèle qu'il gagne en complexité ce qu'il perd en masse. Cette masse gélatineuse contenue dans le crâne et recouverte par des feuillets de tissu conjonctif révèle une forme torturée par des plis multiples et des contours variés. En vue latérale (figure 2.5a)

Figure 2.4 Ventricules cérébraux d'un être humain adulte. Les ventricules sont remplis du liquide cérébro-spinal incolore.

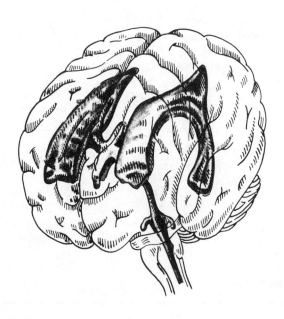
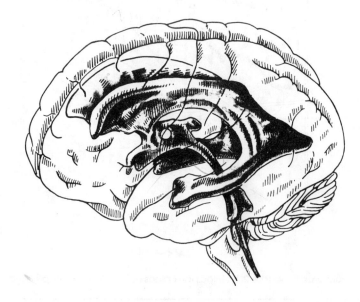

ou observé par sa face supérieure, le cerveau humain apparaît dominé par des hémisphères cérébraux appariés. La configuration de replis du tissu cérébral forme des saillies nommées **circonvolutions**, séparées l'une de l'autre par des tranchées nommées **scissures**. Cette configuration comporte plusieurs caractéristiques communes à tous les êtres humains, si bien qu'il est possible de donner un nom aux divisions majeures des hémisphères cérébraux.

Quelques plis plus profonds séparent des zones fonctionnelles majeures, permettant ainsi de subdiviser la surface cérébrale pour l'attribution de fonctions distinctes. Les principales régions des hémisphères cérébraux sont les régions frontale, pariétale, temporale et occipitale (figure 2.5a). Les frontières définies par les plis ne sont pas précises : certaines sont plus nettement marquées (scissures de Sylvius et de Rolando) alors que d'autres se confondent avec les aires adjacentes. Les points de référence neuroanatomique présentés à la fin de ce chapitre mettent en évidence les détails de l'organisation du cortex cérébral et des systèmes qui lui sont associés (figures 2.15, 2.16 et 2.17).

En plan sagittal médian (figure 2.5b), une coupe du cerveau révèle la présence d'un gros faisceau d'axones, le **corps calleux**, qui relie les points correspondants des hémisphères cérébraux droit et gauche. Cette coupe médiane révèle également une large portion du lobe temporal. Enfouis dans les profondeurs de ce lobe, on retrouve certains des éléments du **système limbique** qui est intimement associé aux mécanismes de l'émotion et de l'apprentissage. De plus, sur cette coupe médiane, on peut noter la présence d'autres structures situées encore plus profondément dans le tissu cérébral, notamment le **thalamus** qui comprend des régions participant à la transmission des influx sensoriels et moteurs qui arrivent et partent des hémisphères cérébraux.

Les coupes latérale, médiane et caudale de la figure 2.5 montrent le cervelet. À l'instar des hémisphères cérébraux, cette structure comprend une couche de surface à replis compliqués; dans ce cas-ci, les plis sont placés très étroitement les uns face aux autres, presque comme de minces couches de crêpes.

Les sciences neurologiques contemporaines s'intéressent particulièrement à la compréhension de la mécanique nerveuse du cervelet, se concentrant surtout sur le rôle de cette région dans le contrôle des mouvements. Dans les coupes latérale et ventrale du cerveau, on peut voir la protubérance logée immédiatement sous le cervelet, en avant du tronc cérébral. La protubérance comprend des régions qui interviennent dans le contrôle moteur et l'analyse sensorielle. Des voies nerveuses reliant la moelle épinière aux centres cérébraux supérieurs traversent le tronc cérébral.

En vue inférieure ou ventrale (figure 2.5c), le cerveau humain révèle plusieurs des nerfs crâniens qui apportent de l'information au cerveau, en provenance de diverses surfaces sensorielles, ou envoient de l'information aux muscles du corps. Cette vue du cerveau révèle également une grande portion des lobes temporaux, parties qui n'étaient pas visibles dans les autres perspectives.

Selon un plan horizontal ou transversal (encadré 2.1), une coupe du cerveau humain montre deux régions distinctes par leur couleur (figure 2.6). Les régions blanchâtres de tissu cérébral contiennent de gros faisceaux d'axones dont l'apparence relativement blanche résulte de la présence des lipides de la myéline qui recouvre ces axones. Les régions plus grises et foncées comprennent un plus grand nombre de corps cellulaires dépourvus de myéline. Une coupe transversale révèle également les contours de groupes distincts de cellules. Ainsi, l'expression **matière blanche** désigne les faisceaux de fibres nerveuses et l'expression **matière grise** les aires qui sont riches en corps cellulaires de neurones. L'identification détaillée des structures et régions représentées dans ces coupes se retrouve dans la partie portant sur les points de référence neuroanatomiques, à la fin de ce chapitre (figures 2.10c et 2.10d).

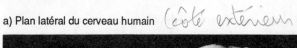

a) Plan latéral du cerveau humain *(côté extérieur)*

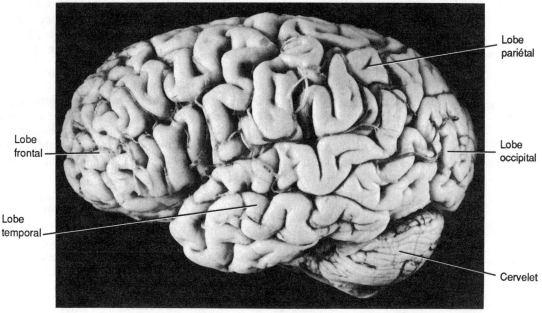

Lobe pariétal

Lobe frontal

Lobe occipital

Lobe temporal

Cervelet

b) Plan sagittal interhémisphérique

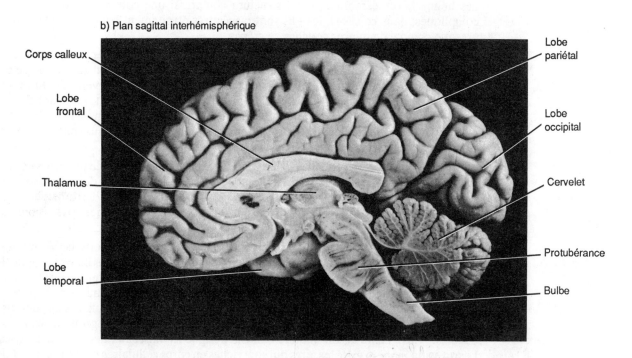

Corps calleux

Lobe frontal

Thalamus

Lobe temporal

Lobe pariétal

Lobe occipital

Cervelet

Protubérance

Bulbe

Figure 2.5 Photographies d'un cerveau humain : a) face latérale, b) coupe sagittale, c) vue de la face ventrale. On trouvera une identification plus détaillée des parties du cerveau aux figures de référence 2.15, 2.16 et 2.17, à la fin du chapitre. (Photos de Rijksuniversiteit Utrecht, Onderwijs Media Instituut. Illustrations reproduites avec la permission de Gluhbegovic et Williams, 1980.)

c) Face inférieure (vue d'en bas)

- Lobes frontaux
- Lobe temporal
- Lobe temporal
- Chiasma optique
- Protubérance
- Bulbe

Cervelet

Subdivisions du cerveau révélées par l'étude de son développement

La forme complexe du cerveau de l'être humain adulte permet difficilement de comprendre pourquoi les anatomistes utilisent des termes comme **cerveau antérieur** et **cerveau postérieur**. En effet, la partie du cerveau la plus rapprochée de la partie postérieure de la tête, par exemple, porte le nom de cerveau antérieur. Comment s'y retrouver ?

C'est que les subdivisions de la structure du cerveau font référence au mode de développement embryonnaire de cet organe. Le chapitre 4 traite du développement proprement dit du cerveau; pour le moment, nous ferons référence à ce développement seulement pour faciliter la description des structures parvenues à maturité.

Le système nerveux central d'un très jeune embryon de vertébré ressemble à un tube (figure 2.7). La paroi de ce tube est composée de cellules nerveuses, l'intérieur étant rempli d'un liquide. Quelques semaines après le début du développement d'un embryon humain, le tube neural commence à montrer trois divisions dans sa portion supérieure (figure 2.7a) : le **cerveau antérieur** (ou **prosencéphale**), le **cerveau moyen** (ou **mésencéphale**) et le **cerveau postérieur** (ou **rhombencéphale**). (Le terme *encéphale*, signifiant cerveau, est issu des racines grecques *en*, qui veut dire dans, et *kephalê*, tête.)

a) Coupe transversale ou coronaire

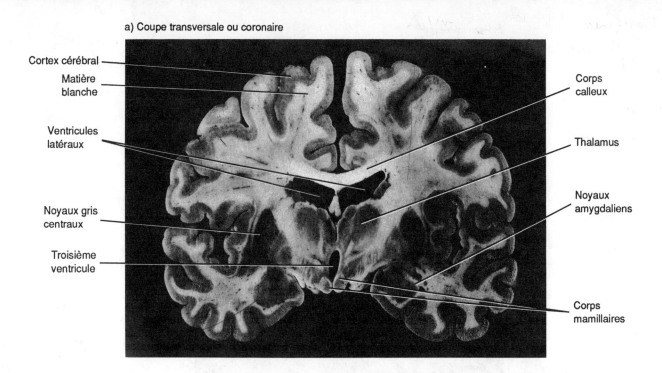

Cortex cérébral

Matière
blanche

Ventricules
latéraux

Noyaux gris
centraux

Troisième
ventricule

Corps
calleux

Thalamus

Noyaux
amygdaliens

Corps
mamillaires

Figure 2.6 Photographies
d'un cerveau humain vu en
a) coupe coronaire et b)
coupe horizontale. (Photos
de Rijksuniversiteit Utrecht,
Onderwijs Media Instituut.)

b) Coupe horizontale

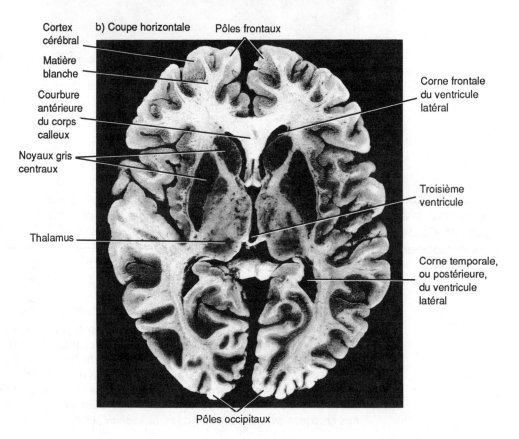

Cortex
cérébral

Matière
blanche

Courbure
antérieure
du corps
calleux

Noyaux gris
centraux

Thalamus

Pôles frontaux

Corne frontale
du ventricule
latéral

Troisième
ventricule

Corne temporale,
ou postérieure,
du ventricule
latéral

Pôles occipitaux

34

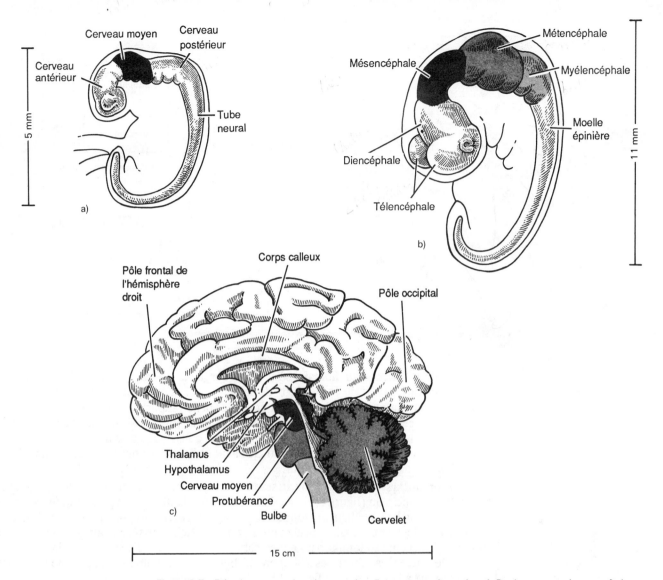

Figure 2.7 Développement embryonnaire d'un cerveau humain. a) Quelques semaines après la conception, la partie antérieure du tube neural présente déjà trois divisions. b) Six semaines après la conception, les cinq principales divisions du cerveau deviennent visibles. c) Emplacement de ces divisions dans un cerveau adulte.

À la sixième semaine du développement d'un embryon, les cerveaux antérieur et postérieur ont déjà subi des subdivisions très prononcées (figure 2.7b). L'extrémité antérieure du cerveau en développement forme le **télencéphale**, qui est à l'origine des hémisphères cérébraux. L'autre partie du cerveau antérieur est le **diencéphale** (« entre les deux cerveaux ») dans lequel se développeront, par la suite, le **thalamus** et l'**hypothalamus**. Le **mésencéphale** (cerveau moyen) lui est sous-jacent. Derrière ce dernier, le cerveau postérieur présente deux divisions : le **métencéphale** qui formera le cervelet et la protubérance, et le **myélencéphale** ou **bulbe**. Les positions de ces principales structures et leurs dimensions

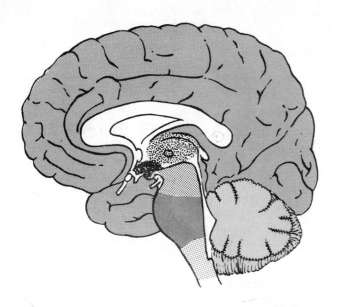

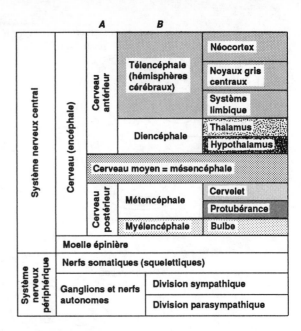

Figure 2.8 Principales subdivisions du système nerveux central.

relatives dans le cerveau humain sont illustrées à la figure 2.7c; les zones ombrées correspondent à celles de la partie b de la figure 2.7. Le télencéphale s'est tellement développé qu'une vue latérale de celui-ci cacherait la plupart des autres parties, ce qui explique que cette région soit représentée en coupe médiane. Même lorsqu'il atteint sa forme adulte, le cerveau est toujours un tube rempli de liquide, mais un tube dont l'aspect est très complexe. Tout le cortex cérébral, de l'avant à l'arrière, appartient au télencéphale, une subdivision du cerveau antérieur.

En observant la structure du cerveau selon un axe vertical, nous allons revenir sur chaque subdivision principale (figure 2.8) en commençant par la division la plus grande et la plus générale (à gauche de la figure), pour arriver jusqu'aux divisions plus spécifiques (à droite de la figure). La terminologie utilisée peut sembler difficile à maîtriser au début mais, avec le temps, le lecteur se familiarisera avec cette nomenclature. Chacune des cinq sections principales du cerveau illustrées à la figure 2.7 peut donc être subdivisée, comme le montre le diagramme à la droite de la figure 2.8.

Principales régions du cerveau : quelques indices relatifs à leurs fonctions

Au tableau 2.1, certaines des caractéristiques fonctionnelles de chacune des principales régions du cerveau sont décrites brièvement. Dans les chapitres qui suivent, plusieurs de ces caractéristiques sont décrites de façon plus détaillée. Les régions cérébrales décrites au tableau apparaissent dans le même ordre que celui utilisé dans le diagramme de la figure 2.8.

EXAMEN DU CERVEAU HUMAIN À L'ÉTAT VIVANT

Depuis le milieu des années 1970, des progrès techniques importants ont permis d'obtenir des images très détaillées du cerveau humain *in vivo*. Ces techniques s'appuient sur une analyse complexe de mesures, par ordinateur, qui utilisent notamment les rayons X, une distribution de substances radioactives, ou des modifications dans les propriétés électromagnétiques de molécules. Tous ces outils procurent des images de la structure interne du

Régions	Pour plus de détails voir les chapitres
Cortex cérébral : niveau supérieur d'analyse cognitive et perceptive	8, 9
Noyaux gris centraux : coordination des fonctions motrices compliquées	10
Système limbique : intégration de l'expérience et des réactions affectives	15
Thalamus : région d'intégration de l'information sensorielle qui se dirige vers le cortex	8, 9
Hypothalamus : région d'intégration des fonctions d'ordre motivationnel et de leur contrôle	11-13
Mésencéphale : mécanismes fondamentaux de l'activation; fibres nerveuses qui relient le cerveau au reste du corps	14
Cervelet : participe à l'intégration sensori-motrice; joue aussi un rôle dans l'apprentissage moteur	10, 17
Bulbe : contrôle automatique fondamental des fonctions corporelles essentielles, telles la respiration et la circulation; action modulée par les centres nerveux supérieurs	10

cerveau d'un être humain, ces images facilitant grandement l'évaluation des détériorations cérébrales et contribuant à la recherche fondamentale.

Une brève description de quelques-unes des premières techniques utilisées situera les développements plus récents dans une juste perspective. Une radiographie ordinaire de la tête, technique en usage depuis le début du XXᵉ siècle, révèle les contours du crâne avec peu ou pas de définition du tissu cérébral. Avec cette technique, étant donné que la densité radiographique de toutes les parties du cerveau est la même, les régions du cerveau apparaissent peu contrastées. Afin d'établir des contrastes entre le tissu cérébral et les vaisseaux sanguins, les chercheurs injectent des substances dans les vaisseaux sanguins. Les images aux rayons X ainsi obtenues sont des **angiogrammes**. En injectant des gaz dans les ventricules du cerveau, ils obtiennent des images, les **pneumoencéphalogrammes**, qui permettent de visualiser ces cavités cérébrales. Depuis peu, grâce à l'ordinateur, on peut accroître les contrastes entre les différents tissus du cerveau.

Les **angiogrammes** sont des radiographies prises après injection de colorants spéciaux dans les vaisseaux sanguins de la tête (figure 2.9). Ces images peuvent fournir des preuves de l'existence de maladies vasculaires. Elles sont également à la base d'inférences sur la nature des tissus adjacents. Ces inférences sont rendues possibles parce que le contour des principaux vaisseaux sanguins est assez constant d'un être humain à un autre. C'est pourquoi la déformation des vaisseaux sanguins permet de conclure à une anomalie des tissus nerveux adjacents. Par exemple, un angiogramme peut révéler la présence d'une tumeur cérébrale en voie de développement.

Les progrès récents dans le domaine informatique permettent maintenant de produire des images du cerveau qui ressemblent à de vraies coupes transversales de cet organe (figure 2.9). À toutes fins pratiques, ces techniques nous renseignent directement sur l'état du cerveau sans passer par l'intermédiaire des angiogrammes ou des pneumoencéphalogrammes. Les images obtenues par tacographie sont des tomogrammes (du grec *tomê*, section, et *graphein*, écrire).

Les tomogrammes axiaux assistés par ordinateur (en anglais, *CAT scans*, pour *Computerized Axial Tomograms*) font appel à la rotation d'une source de rayons X, selon un axe donné, autour de la tête du sujet. Pour obtenir une telle photographie, le sujet est étendu sur une table et sa tête est insérée au milieu d'un cercle en forme de beignet (figure 2.9c). Déplacée selon un trajet circulaire, une source libère une petite quantité de rayons X qui traversent les tissus du crâne. Le degré d'absorption de cette radiation à l'intérieur de la tête dépend de la densité des tissus. Un cercle de détecteurs situés du côté opposé à la source analyse la quantité de rayons qui traversent la tête. Le tube de rayons X et les détecteurs sont déplacés dans une nouvelle position et on procède à la même analyse de façon à produire une image composée basée sur les photographies des rayons X à divers angles autour de la tête. Un tomogramme caractéristique d'un certain étage du cerveau est représenté à la figure 2.9. Chaque élément (ou pixel, pour *picture element,* signifiant élément de l'image) servant à composer l'image finale est le résultat d'une analyse mathématique complexe de cette petite région du cerveau, vue sous différents angles. La définition des

Figure 2.9 Techniques d'observation du cerveau humain à l'état vivant. Jusqu'à tout récemment, l'examen anatomique détaillé du cerveau humain ne pouvait se faire qu'après la mort d'un individu, au moyen de coupes du cerveau (a, b). De nouvelles techniques qui ne dérangent pas le fonctionnement du cerveau permettent de regarder le cerveau humain *in vivo*, comme s'il s'agissait de coupes très détaillées. Ces techniques comprennent notamment les rayons X tomographiques axiaux computérisés (CAT : c,d), la tomographie par émission de positrons (PET : e, f) et l'imagerie par résonance magnétique nucléaire (RMN : g, h). La colonne de gauche présente les techniques et celle de droite révèle les images qu'on en obtient. Il s'agit dans tous les cas de coupes horizontales. (b) Rijksuniversiteit Utrecht, Onderwijs Media Instituut; h) de Edelsman, 1984.)

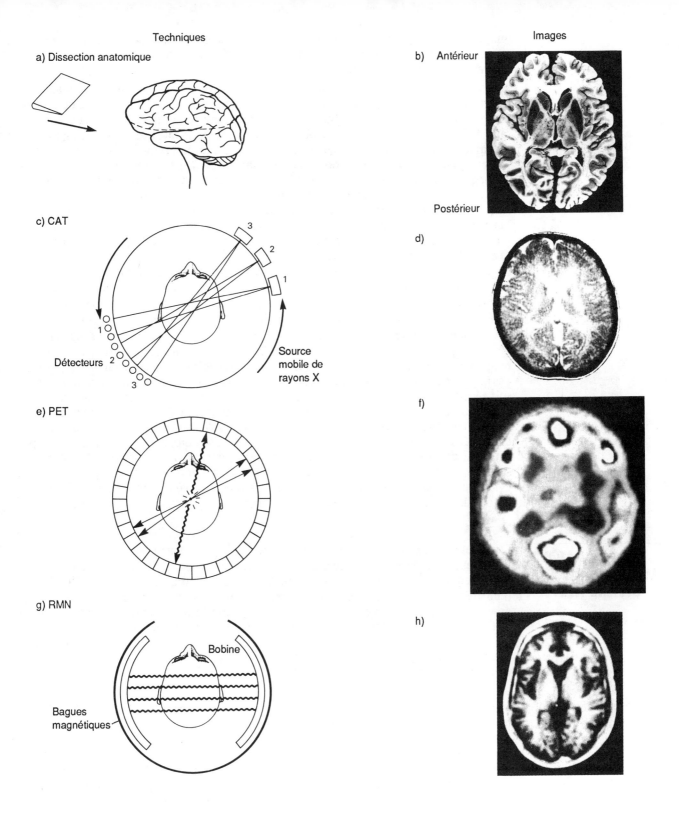

Techniques

a) Dissection anatomique

c) CAT

Détecteurs

Source mobile de rayons X

e) PET

g) RMN

Bobine

Bagues magnétiques

Images

b) Antérieur

Postérieur

d)

f)

h)

images en trois dimensions obtenues à l'aide de cette technique a été tellement améliorée que des modifications aussi fines que le rétrécissement d'une circonvolution cérébrale peuvent maintenant être visualisées.

Une amélioration récente permet d'obtenir une vue dynamique du cerveau, soit une image de la physiologie du cerveau, ce qui offre une perspective très différente de celle de la représentation plus statique obtenue avec la tacographie. Les tomogrammes ne sauraient faire la distinction entre un cerveau vivant et un cerveau mort alors que les nouvelles techniques révèlent l'activité réelle du cerveau. L'une de ces nouvelles techniques, la tomographie par émission de positrons (en anglais *PET scan*, pour *Positron Emission Tomography*) nécessite l'injection de substances chimiques radioactives dont les émissions peuvent être mesurées par des détecteurs situés à l'extérieur du corps (figure 2.9e). L'analyse par ordinateur de ces données procure une image étonnante de l'absorption et de l'usage de ces substances chimiques dans les diverses régions cérébrales. La substance la plus fréquemment utilisée est un type de glucose radioactif qui est absorbé dans différentes régions du cerveau, en fonction du niveau d'activité métabolique de chacune des régions (figure 2.9f). Une transposition par images colorées de cette information donne une image fort impressionnante qui accentue spontanément les régions à réactions métaboliques intenses. À l'aide de cette technique, il est possible d'identifier les régions à réactions métaboliques anormales, même lorsque la structure de ces régions est intacte.

Certaines modifications structurales du cerveau peuvent quand même ne pas être détectées par les techniques CAT et PET. Une autre invention, l'imagerie par résonance magnétique nucléaire (RMN; en anglais *NMR*, pour *Nuclear Magnetic Resonance*), produit des images qui comportent certains des mêmes détails d'information, sans pour autant qu'il soit nécessaire d'avoir recours à une radioactivité peut-être nocive. Cette technique repose sur l'utilisation des ondes radio et d'autres formes d'énergie électrique et représente une façon d'enregistrer l'orientation fondamentale des molécules. La tête du sujet à examiner est placée au centre d'un gros aimant (figure 2.9g); l'effet moléculaire produit par l'application de champs magnétiques est enregistré par un détecteur à bobine dont les décharges successives sont analysées par ordinateur. L'image résultante (figure 2.9h) peut mettre en évidence des modifications très faibles du cerveau comme, par exemple, la perte de myéline autour de groupes d'axones, indice de l'existence de maladies démyélinisantes.

ANATOMIE MICROSCOPIQUE DU SYSTÈME NERVEUX

Dans cet ouvrage, il nous arrivera souvent d'étudier des structures aux dimensions très variables : ainsi, la longueur du cerveau humain intact est d'environ 15 cm tandis que l'épaisseur de la membrane d'un neurone est d'environ 7 nm, c'est-à-dire 7 milliardièmes d'un mètre. En comparant ces deux mesures (longueur du cerveau : 15×10^{-2} m, et épaisseur de la paroi d'un neurone : 7×10^{-9} m), on constate que la première est 20 millions de fois plus grande que la seconde. Le tableau 2.2 dresse une liste des aspects du cerveau qui peuvent être étudiés à différentes forces de grossissement, et indique certains des principaux niveaux d'organisation du cerveau. Les méthodes neuroanatomiques sont décrites de façon plus détaillée à la fin de ce chapitre, aux pages 54 à 73.

Les structures fines du système nerveux

Vers la fin du XIXe siècle, les anatomistes cherchaient à comprendre, à l'aide d'études microscopiques des éléments les plus délicats du système nerveux central, en quoi le cerveau d'un individu se distingue essentiellement de celui d'un autre individu. Ces études ont démontré qu'un cerveau est formé d'un très grand nombre de cellules aux formes bizarres. Devant une telle diversité, certains anatomistes crurent que ces cellules se confondaient les unes avec les autres, sorte de série presque interminable de tubes en interconnexions. Selon une telle conception, l'information devait être véhiculée dans le système nerveux à travers

Tableau 2.2 Dimensions des structures cérébrales, forces de grossissement et unités de mesure utilisées.

Grossissement	Structures visibles	Dimensions des structures	Unités de mesure
1 (dimension normale)	Cerveau entier	Le cerveau humain d'un adulte mesure environ 15 cm de l'avant à l'arrière	1 centimètre (cm) = 10^{-2} mètre (m)*
× 10	Cortex cérébral; gros faisceaux de fibres	Le cortex du cerveau humain a environ 3 mm d'épaisseur	1 millimètre (mm) = 10^{-3} m
× 100 (10^2)	Couches de cellules corticales	Les gros corps cellulaires ont environ 100 μm de diamètre (0,1 mm)	0,1 mm = 10^{-4} m = 100 micromètres (μm)
× 1000 (10^3)	Des parties des neurones individuels	Les gros axones et dendrites ont environ 10 μm de diamètre (0,01 mm)	0,01 mm = 10^{-5} m = 10 μm
× 10 000 (10^4)	Synapses (boutons terminaux et crêtes dendritiques)	Un bouton terminal a environ 1 μm de diamètre	1 micromètre (μm) = 10^{-6} m
× 100 000 (10^5)	Structure détaillée de la synapse	La faille ou l'espace entre neurones à la synapse a environ 20 nm de largeur	0,1 μm = 100 nanomètres (nm) = 10^{-9} m

* Un centimètre est un centième de mètre (10^{-2} m); un millimètre, un millième de mètre (10^{-3} m); un micromètre, un millionième de mètre (10^{-6} m) et un nanomètre, un milliardième de mètre (10^{-9} m).

des canaux contigus. Toutefois, Santiago Ramón y Cajal, brillant anatomiste d'origine espagnole, vint contredire cette théorie. Ses observations anatomiques très soignées, commencées à la fin du XIXe siècle, sont encore maintenant données en exemple. À partir de ses études, il proposa une nouvelle perspective, celle de sa **théorie du neurone**. D'après cette théorie, le cerveau est composé de cellules formant des unités distinctes, c'est-à-dire que les cellules sont indépendantes quant à leur structure, leur métabolisme et leurs fonctions. Ces cellules nerveuses (ou **neurones**) sont les unités fondamentales du système nerveux. Selon Cajal, l'information est transmise d'une cellule à l'autre, à travers des espaces, minuscules mais réels, constituant des points de jonction spécialisés nommés **synapses**. À la fin des années 1950, l'avènement de l'étude du système nerveux à l'aide du microscope électronique vint confirmer la théorie du neurone. Le puissant pouvoir de résolution de ce microscope démontra que Ramón y Cajal avait vu juste : les cellules nerveuses sont bel et bien séparées les unes des autres par de petits espaces.

L'observation d'une section d'un cerveau, à l'aide d'un microscope photonique, révèle une variété incroyable de dimensions et de formes cellulaires enchevêtrées formant des réseaux très complexes dont les motifs varient selon les différentes régions. Nous traiterons ici des propriétés naturelles de ces cellules, particulièrement des propriétés directement mises en cause dans les tâches fondamentales d'un système nerveux : la transmission, l'intégration et la discrimination de l'information. Les constituants principaux du cerveau associés à ces fonctions sont :

1. Des cellules nerveuses se rejoignant dans des régions spécialisées nommées synapses.
2. Une seconde catégorie de cellules nommées **cellules gliales** (ou cellules de la névroglie).
3. L'espace entre ces cellules, ou **espace extracellulaire**. Cet espace représente 10 à 15 % du volume du cerveau. Le liquide extracellulaire qui s'y trouve contient beaucoup d'ions et des grosses molécules.
4. Des structures contenant des liquides, comme les vaisseaux sanguins et les ventricules et canaux qui renferment le liquide cérébro-spinal.

5. Des cellules issues du tissu conjonctif et qui forment les feuillets de tissus enveloppant le cerveau; ces feuillets compartimentent les principales régions et constituent un certain nombre de points d'attache au crâne.

Types de cellules nerveuses

Le cerveau comprend une variété de cellules beaucoup plus grande que celle de tout autre organe. Dans le cerveau des mammifères, on peut déceler au moins deux cents types de cellules nerveuses géométriquement distinctes (figure 2.10). Ces cellules se différencient par leurs formes et leurs dimensions, reflets du mode de traitement de l'information particulier à chaque type de neurone. Il faut se souvenir que les cellules nerveuses ne sont pas de simples relais qui transmettent une information reçue. Un neurone typique recueille plutôt les signaux provenant de plusieurs sources, intègre cette information, la transforme,

Figure 2.10 Quelques types de cellules nerveuses. a) Cellule pyramidale du cortex cérébral (d'après Sholl, 1956). b) Cellule de Purkinje du cortex cérébelleux (d'après Zecevic et Rakic, 1976). c) Cellule en panier du cortex cérébelleux (d'après Palay et Chan Palay, 1974). d) Cellule multipolaire de la protubérance (d'après Mihailoff, McArdle et Adams, 1981). e), f), g), h) Quatre des 21 types de cellules qu'on a identifiés dans la région hilaire de l'hippocampe (d'après Amaral, 1978). Une flèche indique le point d'origine de l'axone de chaque cellule.

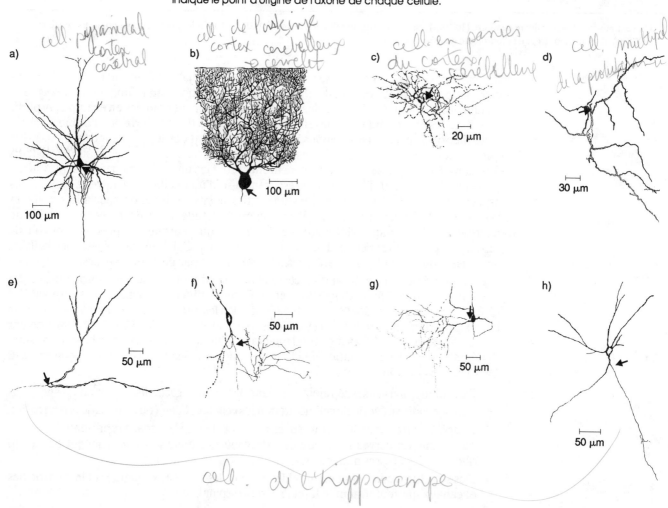

la codifie dans des signaux afférents complexes et distribue ces signaux à un grand nombre d'autres cellules. Les façons dont l'information est représentée et traitée dans le système nerveux sont déterminées par les relations des cellules nerveuses entre elles (voir les chapitres 5 et 6).

Même si cette diversité structurale vient compliquer énormément la tâche, il existe des simplifications auxquelles on peut avoir recours pour comprendre les propriétés structurales fondamentales des cellules nerveuses. Les neurones typiques comportent trois zones ou parties structurales distinctes qui sont directement associées aux propriétés fondamentales de la cellule. Ce sont : a) une région constituant le **corps cellulaire** et définie par la présence du noyau, b) les **dendrites** (du grec *dendron,* arbre), excroissances du corps cellulaire qui augmentent la surface réceptrice du neurone et c) une extension unique, l'**axone**. Dans beaucoup de neurones, l'axone n'a que quelques millimètres de long, mais dans le cas des neurones sensoriels et moteurs de la moelle épinière, l'axone peut atteindre une longueur d'un mètre ou plus. Ainsi, pour parvenir à remuer l'orteil, de longs axones doivent en transmettre l'ordre le long de la moelle épinière, jusqu'aux muscles du pied. De même, les longs axones des neurones sensoriels transmettent les messages sensoriels de l'orteil à la moelle épinière.

Les anatomistes se basent sur la forme des corps cellulaires, des dendrites et des axones pour classifier les nombreuses variétés de cellules nerveuses selon trois types principaux : les neurones multipolaires, bipolaires et unipolaires. Les **neurones multipolaires** sont des cellules nerveuses dotées de plusieurs dendrites et d'un seul axone. La plupart des neurones du cerveau des vertébrés sont multipolaires (figure 2.11d). Les **neurones bipolaires** sont des cellules nerveuses dotées d'une seule dendrite à l'une des extrémités de la cellule et d'un seul axone à l'autre extrémité (figure 2.11b). Ce type de cellules nerveuses se trouve dans certains des systèmes sensoriels des vertébrés, y compris la rétine et le système olfactif. Les **neurones unipolaires** sont des cellules nerveuses dotées d'un seul prolongement du corps cellulaire, cette extension se ramifiant ensuite dans deux directions. L'une de celles-ci constitue le pôle récepteur, l'autre la zone efférente (figure 2.11c). Ce dernier type de neurone est celui qui prédomine dans le système nerveux des invertébrés; on le trouve également dans le système nerveux des mammifères.

Une autre classification usuelle des cellules nerveuses est basée sur leurs dimensions. Le groupe des petites cellules nerveuses compte les types dits **granulaires, fusiformes** et **stellaires** (en forme d'étoiles). Les grosses cellules comprennent les cellules dites **pyramidales**, de **Golgi type I**, et de **Purkinje**. Chaque région du cerveau regroupe de gros et de petits neurones. Le diamètre du corps cellulaire des neurones des vertébrés varie entre 10 µm et 100 µm.

Apparentée à la classification basée sur la dimension, une autre classification répartit les neurones en deux catégories : les **neurones de projection** et les **neurones à circuit local**. Jusqu'ici, nous avons surtout parlé de neurones qui transmettent des messages à des régions très éloignées du cerveau ou de la périphérie du corps; ce sont les neurones de projection qui sont généralement de grandes dimensions. Toutefois, la plupart des neurones entrent en communication synaptique uniquement avec d'autres neurones situés dans leur voisinage; ils sont alors regroupés à l'intérieur de la même unité fonctionnelle. Ce sont les neurones à circuit local, généralement de petite taille. Par exemple, la rétine humaine contient des centaines de millions de minuscules neurones qui forment des circuits locaux, alors que seulement un million de cellules ganglionnaires rétiniennes portent les messages jusqu'au cerveau. Les neurones à circuits locaux sont relativement plus abondants chez les animaux plus complexes. Par exemple, chez la grenouille dont les mouvements sont plutôt simples et stéréotypés, le rapport neurones de circuits locaux / neurones de projection dans le cervelet est environ 20 pour 1. Dans le cas de la souris qui dispose de structures motrices

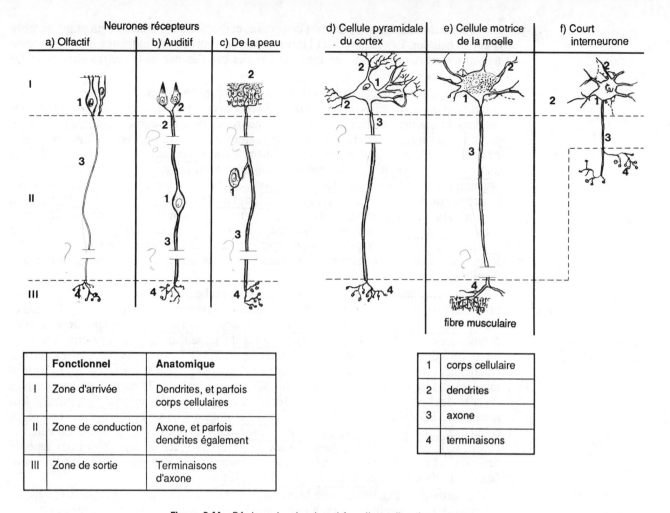

	Fonctionnel	Anatomique
I	Zone d'arrivée	Dendrites, et parfois corps cellulaires
II	Zone de conduction	Axone, et parfois dendrites également
III	Zone de sortie	Terminaisons d'axone

1	corps cellulaire
2	dendrites
3	axone
4	terminaisons

Figure 2.11 Régions structurales et fonctionnelles des neurones.

plus complexes et évoluées, le rapport correspondant est de 140 neurones de circuits locaux pour chaque cellule cérébelleuse de projection. Chez l'être humain ce rapport est 1600 pour 1 !

Le corps cellulaire Cette région du neurone contient le noyau qui possède les directives génétiques de même que les programmes et les contrôles de toutes les activités métaboliques de la cellule. Pour saisir un peu la complexité des processus chimiques se déroulant dans une cellule nerveuse, il faut savoir qu'un neurone typique contient notamment des millions de molécules de protéines, des milliards de molécules de lipides, des centaines de millions de molécules d'ARN et des millions de milliards d'ions potassium ! Le corps cellulaire est le centre des activités métaboliques de la cellule nerveuse. Plusieurs de ces molécules sont métabolisées et décomposées rapidement, si bien que de nouvelles molécules doivent être produites rapidement. La membrane du corps cellulaire comporte plusieurs minuscules sous-régions spécialisées; certaines d'entre elles servent de sites récepteurs aux hormones tandis que d'autres permettent aux éléments nutritifs et aux déchets de traverser la membrane cellulaire.

Au point de vue fonctionnel, le corps cellulaire et les dendrites sont spécialisés dans la réception et l'intégration de l'information tandis que l'axone est spécialisé dans la conduction de l'information vers d'autres cellules.

L'axone

Un axone caractéristique est doté de plusieurs régions dont la structure et la fonction sont identifiables (figure 2.12). L'axone du neurone multipolaire émerge du corps cellulaire à partir d'un point nommé **cône d'implantation**. Au chapitre 5, nous décrirons les caractéristiques fonctionnelles qui distinguent le cône d'implantation de la portion principale de l'axone. Au-delà de cette région, l'axone prend une forme tubulaire, son diamètre variant entre 0,5 µm et 20 µm, chez les mammifères, tandis que sa longueur peut atteindre 500 µm dans le cas des cellules *géantes* de certains invertébrés. La longueur d'un axone varie également de façon sensible, entre quelques micromètres et un mètre ou plus. Sauf en de rares exceptions, les cellules nerveuses ne possèdent qu'un seul axone. Mais les axones se divisent souvent en plusieurs branches dites collatérales. Grâce à cette riche ramification, une seule cellule nerveuse est en mesure d'exercer une influence sur un grand nombre d'autres cellules. À son extrémité, l'axone ou la collatérale se divisent de façon caractéristique en nombreuses branches de petit diamètre. L'extrémité de ces branches comporte des structures spécialisées qui forment la synapse, c'est-à-dire la jonction avec la cellule nerveuse voisine. Nous traiterons bientôt des propriétés structurales de la synapse.

La plupart des neurones sont enrobés de gaines formées par des cellules accessoires, non nerveuses, disposées près de l'axone. Dans le cas de plusieurs neurones, surtout ceux de gros diamètre, ces cellules accessoires se rapprochent de l'axone et forment une vraie enveloppe autour de ce dernier. Cette couche entourant l'axone se nomme **gaine de myéline** et le processus de formation de cette enveloppe prend le nom de **myélinisation** (figure 2.13). Grâce à cette gaine, la vitesse de conduction des influx nerveux est accrue. Tout ce qui peut affecter la gaine de myéline peut entraîner des conséquences catastrophiques pour l'individu, par exemple dans le cas de nombreuses maladies démyélinisantes comme la sclérose en plaques.

À l'intérieur du cerveau et de la moelle épinière, la gaine de myéline est formée par une sorte de cellule gliale. Dans les axones situés à l'extérieur du cerveau et de la moelle (c.-à-d. formant les nerfs périphériques), la myéline est formée par des cellules accessoires dites **cellules de Schwann**. Une cellule de Schwann à elle seule ne produit une couche de myéline

Figure 2.12 Axone myélinisé caractéristique. En haut, à gauche, l'axone commence au cône d'implantation de l'axone d'un corps cellulaire. Remarquez que le diamètre de l'axone est beaucoup plus petit que celui des dendrites. À peu de distance de son émergence du cône d'implantation, l'axone est recouvert d'une gaine de myéline. Les segments de la gaine de myéline ont environ 1 mm de long et sont séparés par des nœuds de Ranvier, là où l'axone est mis à nu. L'extrémité d'un axone ne possède pas de gaine et se divise en fines ramifications.

Dendrites

Axone

0 10 20
micromètres

Cône
d'implan-
tation de
l'axone

Gaine de
myéline

Nœuds
de Ranvier

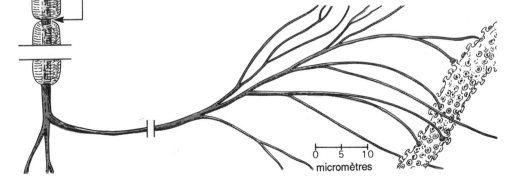

0 5 10
micromètres

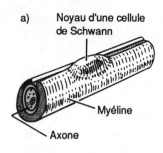

a) Noyau d'une cellule de Schwann

Myéline

Axone

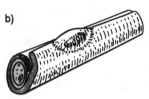

b)

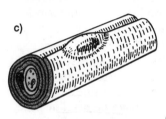

c)

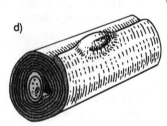

d)

Figure 2.13 Étapes de la formation, par une cellule de Schwann, d'une gaine de myéline autour d'un axone du système nerveux périphérique. La cellule aplatie de Schwann entoure une section de l'axone en a), puis s'enroule plusieurs fois autour de celui-ci, b) à d). À la figure 2.14, une micrographie électronique montre le stade final de ce processus.

que pour une section très limitée de l'axone (au plus 200 μm de long). La myélinisation d'un axone sur toute sa longueur exige donc l'intervention d'un grand nombre de cellules de Schwann. Par ailleurs, cette couche formée par une succession de cellules de Schwann montre de petites fissures laissant à nu la membrane de l'axone : ce sont les **nœuds de Ranvier**. La régularité du processus d'enrobage est bien illustrée par des coupes transversales de l'axone (figure 2.14). Nous décrirons plus loin la formation de myéline à l'intérieur du cerveau. L'importance de cette substance est mise en évidence par le fait que la myélinisation, chez l'être humain, se poursuit pendant très longtemps; dans certaines régions du cerveau, ces périodes peuvent parfois durer 10 à 15 ans.

Beaucoup d'axones ne possèdent pas cette enveloppe de myéline. Leur diamètre est généralement très petit : ce sont des axones dits **non myélinisés**. Même si elles sont dépourvues d'une gaine complexe, ces fibres sont en rapport avec une cellule accessoire. En fait, plusieurs axones deviennent enchâssés dans des sillons de la cellule de Schwann si bien qu'il ne s'y forme pas d'enveloppe régulière.

Un grand nombre des matériaux synthétisés dans le corps cellulaire sont transportés dans des régions éloignées des dendrites et des axones. Cette distribution de matériaux au sein de l'axone est nommée **transport axonal**, ou courant protoplasmique. La vitesse du transport des substances dans l'axone varie entre 1 et 3 mm par jour (transport *lent*) et 400 mm par jour (transport *rapide*). On a pu montrer que beaucoup d'éléments cellulaires sont véhiculés à l'intérieur des axones et des dendrites. Comment expliquer ce mouvement ? Cette question a été étudiée surtout dans l'axone dont la longueur et l'uniformité (dans certains types de neurones) facilitent une telle recherche. Certains ont observé dans l'axone la présence de structures nommées **microtubules** (20 à 26 nm de diamètre) qui ressemblent à des cylindres vides (figure 2.15). On y trouve également des structures en forme de bâtonnets et de plus petit diamètre (10 nm) nommées **neurofilaments**. Beaucoup de données permettent de supposer que ces microtubules et neurofilaments interviennent dans le transport axonal, mais plusieurs autres hypothèses sont également considérées (Ochs, 1982; Weiss, 1982).

Des expériences utilisant des drogues qui interfèrent de façon sélective avec la structure des microtubules fournissent une indication sur la façon dont les substances circuleraient à l'intérieur d'un axone. Une de ces drogues, la colchicine, semble avoir pour effet de bloquer la circulation de certains matériaux dans l'axone, sans modifier son excitabilité, ce qui laisse supposer que le système de microtubules est important pour le transport axonal. Certains des efforts les plus intéressants réalisés par les chercheurs actuels en neurobiologie ont visé à élucider la mécanique moléculaire sous-jacente à ce phénomène; de nombreux autres aspects des propriétés moléculaires des cellules nerveuses ont également fait l'objet d'investigation.

Les dendrites et les synapses

La diversité dans la forme des cellules nerveuses découle surtout de la variation dans la forme des **dendrites**, ces prolongements des cellules nerveuses qui prennent leur origine dans le corps cellulaire et se ramifient selon des configurations très complexes. La forme de l'**arbre dendritique** (réseau ramifié de dendrites appartenant à une seule cellule) fournit des indications sur le mécanisme de traitement de l'information d'une cellule donnée. Le long de la surface d'une dendrite se trouvent plusieurs points de contact, les synapses. On a

Figure 2.14 Micrographie électronique d'axones myélinisés et non myélinisés. Au centre de la figure, on voit en coupe un axone myélinisé comportant des couches concentriques et très régulières de myéline. En bas à droite, on peut apercevoir quatre axones non myélinisés enchâssés dans les sillons d'une cellule de Schwann. (De Peters, Palay et Webster, 1976.)

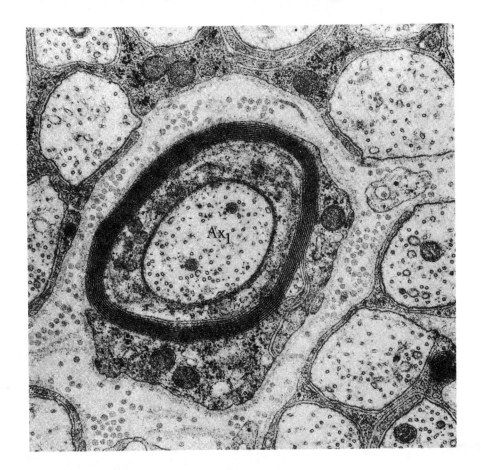

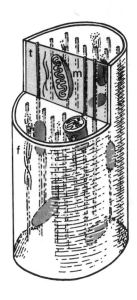

10 micromètres

Figure 2.15 Illustration schématique d'un axone montrant les systèmes de tubules qui pourraient intervenir dans le transport axonal : microtubules (t) et neurofilaments (f). On aperçoit également une mitochondrie (m).

calculé que les dendrites des cellules pyramidales du cortex représentent 95 % du volume de ces cellules.

Une synapse, ou **région synaptique**, comprend trois principaux constituants (figure 2.16) : a) la spécialisation présynaptique équivalant, dans plusieurs cas, à un renflement de la terminaison de l'axone et nommée **bouton synaptique**, b) une membrane postsynaptique spécialisée qu'on trouve sur la surface de la dendrite ou du corps cellulaire et c) une **fissure** ou **espace synaptique** séparant les éléments présynaptique et postsynaptique. Cet espace mesure 20 à 40 nm.

Au microscope électronique, un examen détaillé de la terminaison présynaptique révèle la présence de plusieurs petites structures sphériques nommées **vésicules synaptiques**, dont le diamètre varie entre 30 et 140 nm. Il existe de bonnes raisons de croire que ces vésicules contiennent une substance chimique qui peut être déchargée dans l'espace synaptique. Cette sécrétion est déclenchée par l'arrivée d'un influx nerveux dans l'axone. La substance libérée dans l'espace synaptique engendre des changements dans la membrane postsynaptique. Ce type d'agent chimique est un **transmetteur synaptique** ou **neurotransmetteur**. Plusieurs transmetteurs différents ont été identifiés dans le cerveau et d'autres substances sont soumises à des tests afin de déterminer si elles ne serviraient pas également comme transmetteurs synaptiques. Les changements dans la membrane postsynaptique forment la base de la transmission de l'excitation ou de l'inhibition entre cellules. La membrane postsynaptique contient des récepteurs particuliers qui captent les molécules de l'agent transmetteur et réagissent à ces dernières.

47

De nombreuses synapses recouvrent les surfaces des dendrites d'un corps cellulaire de neurone. Certains neurones du cerveau peuvent avoir jusqu'à 100 000 synapses, quoique le plus souvent, les cellules les plus grosses en possèdent environ 5 000 à 10 000. La figure 2.17 fait voir la densité des points de contact synaptiques sur la surface d'une cellule

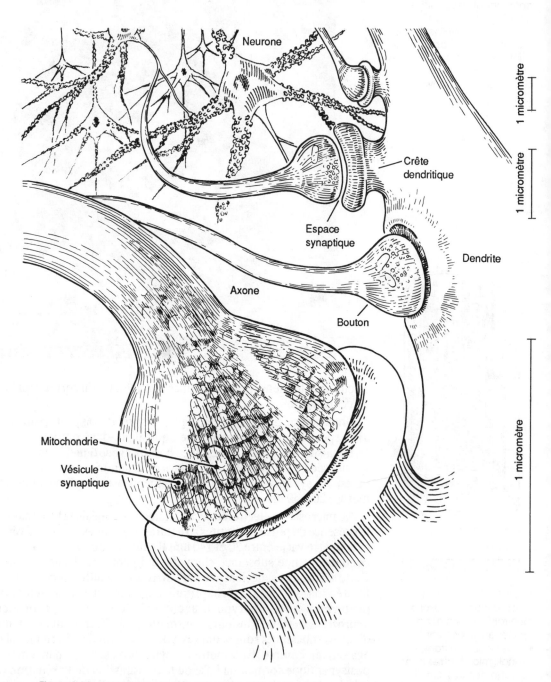

Figure 2.16 Synapses se terminant sur des crêtes dendritiques ou sur la surface d'une dendrite. Il faut noter que l'échelle de grossissement change, de l'avant-plan à l'arrière-plan.

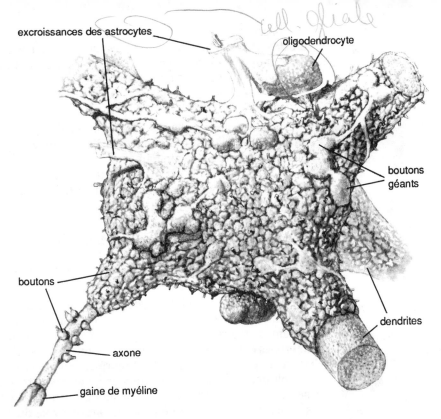

excroissances des astrocytes

cell. gliale

oligodendrocyte

boutons
géants

boutons

dendrites

axone

gaine de myéline

Figure 2.17 Schéma illustrant la densité avec laquelle les terminaisons synaptiques recouvrent la surface du corps cellulaire d'un neurone et de ses dendrites. Quelques terminaisons apparaissent même sur le segment initial de l'axone. (De Poritsky, 1969.)

moëlle ép. → muscle
moto neurone
un mot

nerveuse de la moelle épinière dont l'axone se rend jusqu'aux muscles : une telle cellule est un **motoneurone,** ou neurone moteur. Les contacts synaptiques sont particulièrement nombreux dans le cas des cellules comportant un arbre dendritique complexe.

Beaucoup de cellules nerveuses du cerveau portent, le long de leurs dendrites, des excroissances dites **crêtes dendritiques** (figure 2.16). Ces protubérances donnent à certaines dendrites l'aspect d'une surface rude ou plissée. Ces éminences dendritiques ont retenu l'attention des chercheurs car il semble qu'elles soient des éléments assez variables et qu'elles puissent être modifiées par l'expérience (chapitre 7). Tant la dimension que le nombre des éminences dendritiques se trouvent influencés par divers traitements (apprentissage, présentation de stimuli sensoriels) auxquels un animal est soumis.

Les cellules gliales

Dans certaines régions du cerveau des primates, les cellules les plus nombreuses ne sont pas des neurones mais des cellules de la **névroglie**. Le choix du mot névroglie pour désigner ce type de cellules vient de ce que, à l'origine, on croyait que ces cellules avaient un rôle de soutien (du grec *gloios* pour glu, colle). Contrairement aux cellules nerveuses, le nombre des cellules gliales peut s'accroître au cours de la vie d'un animal. Bien que plusieurs aspects de la fonction de la névroglie restent problématiques, certaines observations permettent de préciser un peu son rôle.

L'observation de cellules gliales au microscope en révèle plusieurs types (figure 2.18). **L'astrocyte** (du latin *astra*, étoile) est un de ces types qui montre une forme étoilée dotée de nombreux prolongements ou excroissances projetés dans toutes les directions. Certains astrocytes déploient des terminaisons sur les vaisseaux sanguins du cerveau. Ces dernières, en forme de pieds, donnent l'impression qu'ils sont rattachés aux vaisseaux par des tentacules à succion.

L'oligodendrocyte (du grec *oligo* qui veut dire peu) représente un autre type de cellules gliales. La cellule est plus petite que l'astrocyte et comporte moins d'excroissances. Les oligodendrocytes sont communément associés aux corps cellulaires des neurones, notamment les plus gros. À cause de cette association, les oligodendrocytes sont souvent considérés comme des satellites des neurones, ce qui explique leur désignation comme cellules satellites périneuronales.

Un troisième type de cellules gliales forme la **microglie**. Comme leur nom le suggère, ces cellules sont très petites. Dans le système nerveux, les cellules de la microglie émigrent en grand nombre vers les sites de lésion. Lors d'états pathologiques, elles sont apparemment mobilisées pour enlever les débris cellulaires provenant de cellules mortes ou endommagées.

Les fonctions des cellules gliales varient selon leur forme (figure 2.18). On a tout d'abord présumé que la névroglie fournissait un soutien structural aux éléments neuronaux du système nerveux. On attribua à la névroglie un rôle de remplissage des espaces entre les neurones et leurs prolongements. De toute évidence, la fonction de soutien structural (ou au moins certains de ses aspects) représente un des rôles biologiques des cellules gliales. Il semble que des faisceaux de prolongements des astrocytes forment un tissu entre les fibres nerveuses, comme s'ils servaient de support structural. Peut-être les cellules gliales remplissent-elles un rôle nutritif en constituant une voie du système vasculaire vers les cellules nerveuses et en livrant la matière brute que les cellules nerveuses utilisent dans la synthèse de composés complexes. C'est ce que certains prétendent.

Étant donné la façon dont les cellules gliales entourent les neurones, en particulier leurs surfaces synaptiques, on serait porté à croire que l'un des rôles de ces cellules est d'isoler les surfaces réceptrices pour éviter les interactions entre les axones situés dans le voisinage des synapses. Cela suppose qu'une partie de l'activité de la mécanique gliale porterait sur la ségrégation des influx afférents qui atteignent les cellules nerveuses.

L'oligodendroglie est responsable de la myélinisation des axones dans le système nerveux central (SNC). Ce processus est différent de la myélinisation effectuée par les cellules de Schwann des nerfs périphériques car, à elle seule, une cellule de l'oligodendroglie peut myéliniser plusieurs segments du même axone ou plusieurs axones différents, tandis qu'une cellule de Schwann ne myélinise qu'un seul segment d'une cellule nerveuse périphérique.

Les cellules gliales sont intéressantes du point de vue clinique parce que ce sont les cellules qui forment les principales tumeurs du cerveau et de la moelle épinière. De plus, certaines catégories de cellules gliales, notamment les astrocytes, réagissent aux traumatismes cérébraux en changeant de dimensions par gonflement : c'est le processus d'**œdème** qui perturbe les fonctions des neurones et est responsable de plusieurs symptômes associés aux lésions cérébrales.

Évolution des cellules nerveuses

Les cellules nerveuses partagent plusieurs attributs avec les autres cellules du corps mais elles s'en distinguent au moins sur un point : *seules les cellules nerveuses ont la capacité de produire et de transmettre des signaux à distance*. Au cours de l'évolution des cellules,

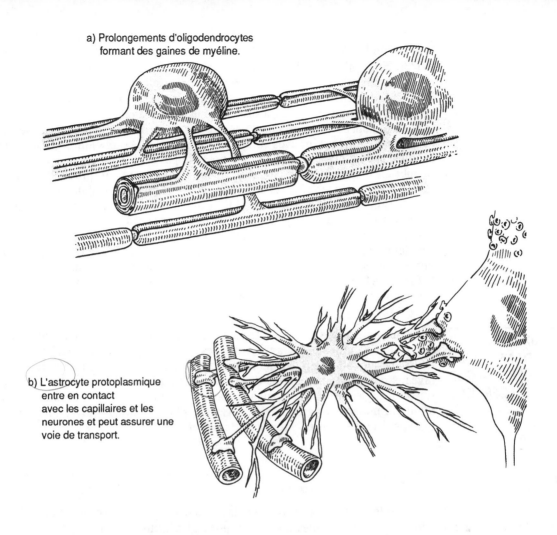

a) Prolongements d'oligodendrocytes formant des gaines de myéline.

b) L'astrocyte protoplasmique entre en contact avec les capillaires et les neurones et peut assurer une voie de transport.

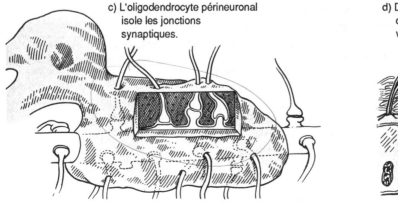

c) L'oligodendrocyte périneuronal isole les jonctions synaptiques.

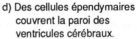

d) Des cellules épendymaires couvrent la paroi des ventricules cérébraux.

Figure 2.18   Quelques types de cellules gliales et certaines de leurs fonctions.

l'émergence de cette propriété revêt une grande importance pour la compréhension des origines biologiques du système nerveux.

Une conception du développement évolutif de cet attribut permet de croire qu'il existerait une relation entre l'apparition des propriétés conductrices des cellules nerveuses et l'accroissement de la taille des créatures primitives. À l'origine, alors que les premières créatures étaient plus petites, les cellules qui composaient la surface externe, semblable à la peau, étaient assez rapprochées des muscles qui permettaient à celles-ci de bouger. Chez de telles créatures primitives composées uniquement de quelques groupes compacts de cellules, la communication était déjà possible par le passage de substances à travers des membranes étroitement juxtaposées. Quand la taille augmenta graduellement au cours des millénaires, en réaction à diverses contraintes évolutives, les cellules nerveuses représentèrent une intéressante solution au problème de communication entre les surfaces sensorielles et la musculature. L'émergence de la réactivité des cellules nerveuses rendit possible la communication des messages sur de longues distances. Cette image de l'évolution des cellules nerveuses est appuyée par le fait que la surface de la peau et les neurones sont issus des mêmes couches de tissu embryonnaire. Cette vision de l'évolution laisse supposer que la forme de la cellule nerveuse est une caractéristique déterminante permettant de définir les attributs fonctionnels d'une cellule nerveuse donnée.

NIVEAUX D'ANALYSE UTILISÉS DANS L'ÉTUDE ANATOMIQUE DU CERVEAU

Jusqu'ici, nous avons traité de l'architecture cérébrale à différents niveaux de complexité, des cellules individuelles aux structures macroscopiques. La recherche en sciences neurologiques aborde plusieurs niveaux d'analyse structurale. La figure 2.19 résume les niveaux d'analyse anatomique du cerveau. Chacun d'eux aborde la structure cérébrale selon un angle différent, un peu à la manière d'un zoom qui, en réduisant l'angle, permet d'obtenir une image agrandie. Nous verrons plus loin que l'analyse psychophysiologique fait appel à différents niveaux de cette hiérarchie.

Résumé

1. Le système nerveux atteint toutes les régions du corps parce qu'il dirige, règle et module l'activité de toutes les parties et organes du corps.

2. C'est dans l'embryon que les divisions principales du cerveau sont le plus nettement visibles. Ce sont : le cerveau antérieur, composé du télencéphale et du diencéphale, le cerveau moyen ou mésencéphale et le cerveau postérieur, composé du métencéphale et du myélencéphale.

3. De nouvelles techniques permettent de visualiser, à l'état vivant, l'anatomie du cerveau et ses différences métaboliques régionales, grâce à l'utilisation de systèmes de surveillance et de contrôle externes. Ces techniques comprennent les tomographies axiales assistées par ordinateur (*CAT scan*), la tomographie par émission de positrons (*PET scan*) et les tomogrammes à résonance magnétique nucléaire (*NMR scan*).

4. Le neurone caractéristique de la plupart des espèces de vertébrés comprend trois parties principales : a) le corps cellulaire qui contient le noyau, b) les dendrites qui accroissent la surface réceptrice du corps cellulaire et c) un axone qui transmet les influx du neurone. À cause de la diversité de leurs fonctions, les cellules nerveuses (ou neurones) sont extrêmement variées dans leurs dimensions, leurs formes et leurs activités chimiques.

5. Les neurones établissent des contacts fonctionnels avec d'autres neurones, ou avec des muscles ou des glandes, à des points de jonction spécialisés nommés synapses. À la plupart des synapses, un transmetteur chimique libéré par la terminaison présynaptique se diffuse à travers l'espace synaptique et est capté par des molécules réceptrices spécifiques de la membrane postsynaptique.

6. En plus des neurones, le cerveau contient des cellules gliales. Il existe une variété de cellules gliales qui remplissent plusieurs fonctions : ces cellules fabriquent la gaine de myéline qui enveloppe l'axone d'un neurone, échangent des substances nutritives et d'autres matériaux avec les neurones et débarrassent le tissu cérébral des débris cellulaires.

Figure 2.19 Principaux niveaux d'organisation du cerveau, du cerveau entier (en haut à gauche) jusqu'aux contacts synaptiques (en bas à droite). Dans plusieurs cas, on donne un exemple précis.

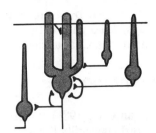

Cerveau entier

Circuit local (circuit cérébelleux fondamental)

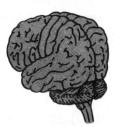

Système cérébral (le système visuel est indiqué en gris)

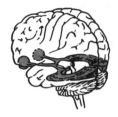

Compartiment fondamental de la nevroglie

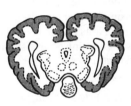

Région cérébrale (le cortex cérébral est indiqué en gris)

Cellule nerveuse (une cellule pyramidale)

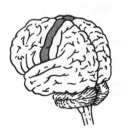

Sous-région cérébrale (le cortex moteur primaire est indiqué en gris)

Regroupement synaptique

Unité de traitement fondamentale (une colonne corticale du cerveau)

Synapse

53

7. La structure du cerveau peut être étudiée à plusieurs niveaux anatomiques, de l'organe entier jusqu'aux parties constituantes des neurones. Chaque niveau d'analyse peut révéler des caractériques différentes du fonctionnement du système nerveux.

Lectures recommandées

Angevine, J. et Cotman, C.W. (1981). *Principles of Anatomy.* New York : Oxford University Press.

Gluhbegovic, N. et Williams, T.H. (1980). *The Human Brain.* New York : Harper and Row.

Nauta, W. J. H. et Feirtag, M. (1986). *Fundamental Neuroanatomy.* New York : W. H. Freeman.

Netter, F. (1983). *Nervous System.* Vol. 1, dans Ciba Collection of Medical Illustrations.

Noback, C.R. (1981). *The Human Nervous System.* New York : McGraw-Hill.

Peters, A., Palay, S.L. et Webster, H. de F. (1976). *The Fine Structure of the Nervous System.* Philadelphie : Saunders.

Références neuroanatomiques

Les informations relatives à l'anatomie détaillée du système nerveux présentées ici sont un complément au chapitre et un guide utile à la compréhension des chapitres suivants.

MÉTHODES D'ÉTUDE DE LA NEUROANATOMIE

La capacité d'identifier et de mesurer les cellules nerveuses et de retracer leurs connexions est essentielle à quiconque veut résoudre nombre de problèmes rencontrés en psychologie physiologique et dans les neurosciences. Par exemple, comment les neurones se développent-ils et établissent-ils des connexions au cours de la croissance d'un individu ? Qu'est-ce qui différencie le système nerveux de l'homme de celui de la femme ? Quels changements affectant les cellules nerveuses et leurs connexions seraient en cause dans la maladie d'Alzheimer ? Quelles modifications subissent les neurones à la suite de l'apprentissage, modifications qui serviraient au stockage des souvenirs ? Quels changements dans les neurones et leurs connexions permettraient la récupération des fonctions après que certaines parties du système nerveux ont subi des dommages ?

L'amélioration des méthodes de visualisation des cellules nerveuses et de déchiffrement de leurs connexions complexes et entremêlées permet aux chercheurs de faire des progrès dans la résolution de ces questions et de beaucoup d'autres concernant les bases nerveuses du comportement. Pourquoi ces questions d'ordre neuroanatomique ont-elles posé des problèmes aux chercheurs ? C'est que l'observation au microscope d'une coupe mince de tissu cérébral ne permet pas de déceler facilement la présence de cellules nerveuses; le contraste est très peu prononcé entre les neurones et les espaces extracellulaires. Au microscope photonique, les détails des cellules ne sont perceptibles qu'à la condition d'utiliser des colorants spécifiques qui mettent en évidence les cellules ou des parties de celles-ci. Par ailleurs, il est difficile de repérer des voies dans le système nerveux, parce que les axones provenant de diverses sources se ressemblent et que des fibres à destinations variées partagent souvent un trajet commun, si bien qu'il n'est pas facile de distinguer un ensemble particulier de fibres du reste des autres. Les chercheurs ont donc dû inventer des moyens de marquer les ensembles de fibres afin de pouvoir les distinguer. Nous décrirons d'abord quelques-unes des méthodes mises au point pour visualiser les cellules, puis certaines méthodes utilisées pour retracer les voies de transmission dans le système nerveux.

Visualisation des structures fines du cerveau

Au milieu du XIXe siècle, l'emploi de colorants utilisés pour teindre les matières textiles permit une importante percée en biologie. Des cellules nerveuses mortes qui avaient été traitées avec ces colorants pour assurer leur conservation, devenaient soudainement très faciles à voir et leurs parties non apparentes devenaient évidentes. Les colorants produisent ces effets parce que chacun présente des affinités spécifiques avec les diverses régions cellulaires comme la membrane, le noyau ou la gaine de myéline. Des filtres optiques fixés au microscope peuvent accroître la définition de l'image.

Certaines méthodes de coloration font ressortir les contours de la cellule entière, y compris les détails comme les crêtes dendritiques. La méthode de Golgi, la mieux connue des méthodes de coloration (figure de référence 2.1a), est souvent employée pour révéler la variété des types cellulaires, dans une région donnée. Pour des raisons encore inexpliquées, cette technique ne colore qu'un petit nombre de cellules. Par conséquent, celles-ci se détachent des cellules adjacentes non affectées par le colorant, en créant un contraste spectaculaire.

On peut également injecter directement des colorants dans des cellules vivantes. Une autre méthode met en évidence le profil du corps cellulaire. Cette méthode, dite de Nissl, peut être employée pour mesurer les dimensions de corps cellulaires et la densité de cellules dans des régions données (figure de

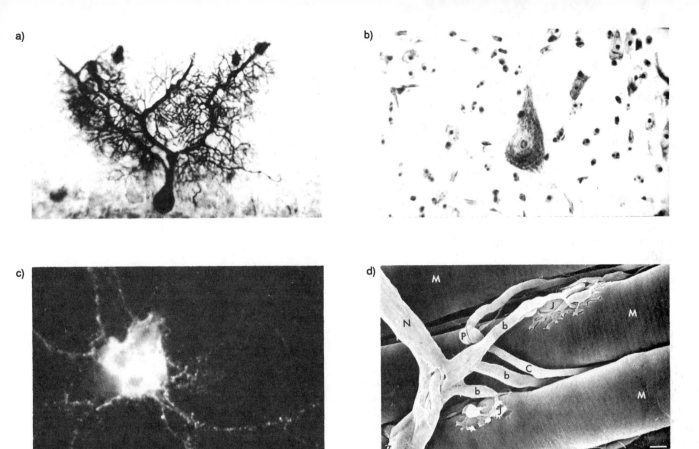

a)

b)

c)

d)

Figure de référence 2.1 Diverses méthodes permettant de visualiser les cellules nerveuses. a) Coloration de Golgi d'une cellule de Purkinje (Leiman). b) Coloration de Nissl de neurones de l'hippocampe (Leiman). c) Image par fluorescence de neurones sympathiques (De Marchisio et coll., *Journal of Neurocytology*, vol. 10, n° 1 : 49 (figure 3)). Reproduit avec la permission de Chapman et Hall. d) Micrographie par balayage d'électrons d'une jonction neuromusculaire. N indique l'axone d'un neurone, M du tissu musculaire et J la jonction neuromusculaire (De Desaki et Uehara, *Journal of Neurocytology*, vol. 10, n° 1 : 103 (figure 7)).

référence 2.1b). La coloration de la gaine de myéline permet de visualiser l'axone. Les innovations récentes incluent notamment des techniques permettant de révéler la présence de certaines cellules nerveuses lorsqu'elles sont exposées aux rayons ultraviolets (figure de référence 2.1c). Ce phénomène est possible parce que les cellules nerveuses contiennent des constituants particuliers qui deviennent fluorescents lorsqu'elles sont traitées adéquatement. Certains anticorps, fixés parfois aux membranes des neurones, rendent ces dernières fluorescentes. Empruntées à l'immunologie, de telles techniques sont de plus en plus utilisées dans l'étude des structures cérébrales.

Certaines techniques histologiques peuvent dévoiler des aspects du dynamisme neurochimique des cellules nerveuses et particulièrement des processus métaboliques des neurones. L'un de ces procédés, l'**autoradiographie**, nécessite l'administration de substances rendues radioactives (glucose, acides aminés) que les neurones utilisent de la même manière que les substances équivalentes non radioactives. Ainsi, un animal est d'abord nourri avec une telle substance, puis il est soumis à un protocole expérimental au cours duquel une activité nerveuse particulière sera engendrée. Cette activité crée un besoin de la substance nutritive radioactive et les cellules actives du cerveau de l'animal l'absorbent. L'expérimentateur sacrifie l'animal, prélève son cerveau et le coupe en tranches minces qui sont montées sur lames de verre et couvertes d'une émulsion photographique. La radioactivité émise par les constituants radioactifs de la cellule sensibilise la pellicule, comme le fait la lumière. Cela produit de petits grains noirs dans les corps cellulaires qui ont capté la substance radioactive.

L'amélioration des méthodes de visualisation des tissus a également accru considérablement la compréhension des structures fines des cellules. Pendant des années, la microscopie photonique était la seule technique disponible. Toutefois, le pouvoir de résolution du microscope photonique est limité à 2 µm. L'avènement du microscope électronique a permis de multiplier par un facteur 100 le pouvoir de résolution. Il est donc maintenant possible de distinguer avec précision certains des détails les plus fins de l'ultrastructure des cellules. La microscopie électronique à balayage ajoute une dimension de profondeur en mettant en évidence le relief des cellules. L'aspect physique des terminaisons synaptiques et d'autres structures est particulièrement frappant (figure de référence 2.1d).

Toutes ces formes d'étude au microscope sont aujourd'hui associées à l'ordinateur et peuvent ainsi fournir des évaluations rapides, automatiques et quantitatives des divers aspects de la cellule nerveuse, par exemple la longueur des dendrites. Ces techniques peuvent de plus en plus suppléer aux évaluations jusqu'à maintenant intuitives des anatomistes.

L'application des techniques immunologiques procure un autre mode de marquage des cellules du cerveau. À l'aide de ces techniques, le neuroanatomiste peut marquer des groupes de cellules qui possèdent certains attributs en commun. Dans le système nerveux, le point commun permettant de regrouper les cellules serait peut-être des éléments de la membrane ou des substances chimiques similaires qu'une cellule contient. Les techniques immunologiques reposent sur le fait qu'il peut se former des anticorps hautement spécifiques réagissant à l'un des constituants du cerveau. La production d'un anticorps résulte de la présence de substances particulières, les **antigènes**. Certaines parties du cerveau peuvent être amenées à se comporter comme des antigènes. Par exemple, les chercheurs peuvent maintenant décomposer les cellules nerveuses en fractions spécifiques relativement homogènes (par exemple, portions de membranes postsynaptiques). Injectées dans des animaux hôtes ou receveurs, ces fractions provoquent des réactions antigéniques et l'animal hôte produit des anticorps en réponse aux substances injectées. S'ils sont prélevés et injectés à un autre animal, ces anticorps réagiront avec des membranes ou parties spécifiques de cellules nerveuses. Les sites de réaction deviennent apparents lorsqu'on ajoute à l'anticorps une autre molécule de marquage, habituellement une substance qui devient fluorescente quand elle est exposée à des rayons ultraviolets (figure de référence 2.2).

Certaines techniques récemment développées en biologie moléculaire de la cellule permettent maintenant la production d'anticorps purifiés et spécialisés. Les **anticorps monoclonaux** sont produits grâce à des techniques de fusion cellulaire, ce qui permet aux chercheurs d'obtenir des lignées cellulaires fabri-

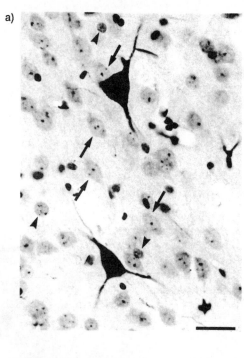

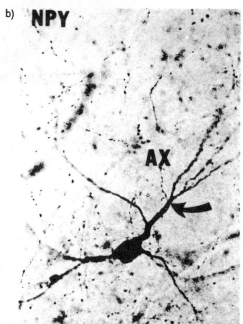

Figure de référence 2.2 Micrographies de cellules nerveuses mises en évidence à l'aide de techniques immunocytochimiques. Ces cellules nerveuses sont devenues plus visibles parce que leur surface a réagi aux anticorps contre la choline acétyltransférase. En a), les flèches indiquent les ramifications dendritiques. En b) la flèche situe une cellule nerveuse insensible. a) Phelps, Houser et Vaughn, 1985; b) Chan-Palay, 1985).

quant des anticorps qui reconnaissent des protéines spécifiques dans les cellules nerveuses et qui permettent la séparation rapide de diverses classes de cellules.

Identification des voies de transmission dans le cerveau

Les cellules du cerveau sont reliées les unes aux autres par un réseau très complexe de voies nerveuses. Pour arriver à connaître les circuits que forment ces cellules et leurs projections, il a fallu inventer des techniques qui démarquaient nettement les points de terminaison de groupes cellulaires précis ou mettaient en évidence les cellules d'origine de faisceaux particuliers d'axones. Bien qu'à première vue cette tâche apparaisse comme une mission impossible (le cerveau humain contenant des milliards de neurones), les anatomistes ne se sont pas laissé décourager par l'ampleur du défi. Les techniques anatomiques classiques, basées sur la visualisation des produits de la dégénérescence des axones, ont été récemment combinées à de nouvelles méthodes microscopiques et de nouvelles techniques de marquage de faisceaux nerveux, au moyen de substances radioactives, chimiques ou autres, qui sont absorbées dans les axones et se distribuent sur toute la longueur d'une cellule.

Les techniques anatomiques classiques du traçage des voies nerveuses comprennent habituellement les étapes suivantes. Les corps cellulaires d'origine sont blessés chirurgicalement au moyen d'une lésion restreinte à une petite région. Leurs axones commencent à dégénérer et sont, pendant cette phase, particulièrement sensibles à divers sels d'argent. Mis en contact avec des composés argentifères, les axones dégénérescents se colorent en brun noir. L'examen d'une série de coupes pour déceler la présence de tels axones de marquage permet de retracer une voie sur une certaine distance. De nouvelles méthodes, visant le même objectif, ont recours à l'injection d'acides aminés radioactifs à l'intérieur d'un ensemble de corps cellulaires. Ces molécules radioactives sont absorbées par la cellule et transportées vers les extrémités des axones. Les coupes du cerveau sont alors recouvertes d'une couche d'émulsion sensible semblable à celle d'une pellicule photographique. Après un laps de temps variant entre quelques heures et quelques semaines, les lames sont exposées et marquées d'un colorant. Si la voie nerveuse prend ses origines dans la région des cellules qui ont été injectées, les grains d'argent exposés apparaissent dans les axones et leurs terminaisons.

Une autre technique, perfectionnée récemment en vue d'identifier les cellules d'origine d'un ensemble précis d'axones, utilise la **peroxydase du raifort**, une enzyme que contiennent les racines du raifort et plusieurs autres plantes. Cette protéine est du type glycoprotéine et ses produits de réaction soumis à l'action d'un colorant prennent l'apparence de granules foncés. Cette substance joue le rôle de marqueur de trajets nerveux parce qu'elle est absorbée par les terminaisons de l'axone et transportée dans celui-ci vers le corps cellulaire. Sur son

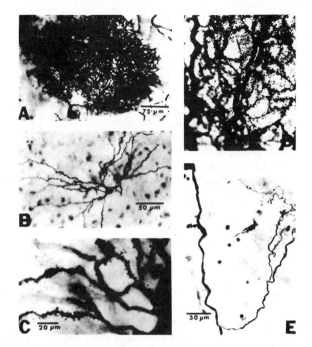

Figure de référence 2.3 Cellules nerveuses colorées avec de la peroxydase du raifort (HRP). (Kitai et Bishop, 1981)

passage, des produits de réaction colorés se forment à la manière des traces de pas dans un sentier. Cette méthode est décrite à la figure de référence 2.3.

SYSTÈMES NEURONAUX

La mécanique cérébrale peut être étudiée aussi bien au point de vue des propriétés des cellules isolées qu'à celui des caractéristiques globales du cerveau entier. Nous allons considérer les données anatomiques disponibles en termes d'ensembles de cellules formant des régions nerveuses ou systèmes neuronaux. L'étude de certaines caractéristiques de ces systèmes facilitera l'étude du traitement de l'information effectué dans ces régions.

Le cortex cérébral

Depuis longtemps, les spécialistes des neurosciences soutiennent que notre compréhension du processus de cognition chez l'Homme repose sur la capacité de déchiffrer la structure et les fonctions fondamentales du cortex cérébral. Effectivement, la définition généralement admise de la limite entre la vie et la mort repose sur les activités mesurables du cortex cérébral, si bien que plusieurs gouvernements reconnaissent maintenant le silence électrique du cortex cérébral comme l'un des critères de définition de la mort. Le cortex cérébral est formé d'environ 50 à 100 milliards de neurones, soit la majorité des cellules nerveuses du cerveau humain. Si le cortex cérébral était aplati, il occuperait une surface d'environ 2 000 cm² ou formerait un

Figure de référence 2.4 Couches du cortex cérébral, en a) et b), et cellule pyramidale du cortex en c). Dans la partie a, le colorant de Nissl a été utilisé pour faire apparaître les corps cellulaires. Traitée au colorant de Golgi, la partie b montre la forme et la position de cellules typiques. Les parties a et b sont grossies environ 60 fois. La partie c montre une cellule pyramidale grossie environ 200 fois. Toute la cellule est représentée sauf l'axone qui se continue au-delà de la limite inférieure de la figure. (Parties a et b : Rakic, 1979; partie c : Sholl, 1956. Les parties a et b ont été reproduites avec la permission de MIT Press à partir du volume *The Neurosciences : Fourth Study Program,* Francis O. Schmitt et Frederic G. Worden, 1979, The Massachusetts Institute of Technology.)

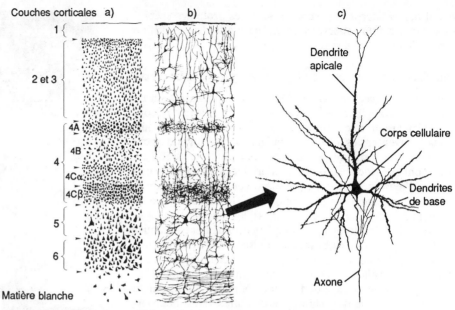

carré de 46 cm de côté (Hubel et Wiesel, 1979). Comment ces cellules sont-elles disposées ? Comment leur distribution spatiale rend-elle possibles des prodiges de traitement de l'information ? À cet égard, il est important de saisir les particularités de l'architecture de cette région du cerveau; de plus, il est nécessaire de comprendre comment les circuits nerveux du cortex sont disposés et ce qui s'y passe (certains autres chapitres traiteront de ces aspects du fonctionnement cérébral).

Les premières études sur la structure du cortex cérébral visaient la compréhension de la nature de ses composants cellulaires et les caractéristiques de la disposition spatiale de ces mêmes composants. Les cellules du cortex cérébral forment-elles des réseaux géométriquement distincts ? Pour répondre à cette question, les anatomistes ont voulu exploiter certaines des propriétés sélectives des colorants. Ils ont employé des colorants pour mettre en évidence le profil des corps cellulaires, en négligeant les projections de ceux-ci, surtout les axones, ou au contraire pour rendre les axones plus visibles. Pour identifier les types de cellules, ils ont eu recours à un colorant, découvert par Golgi, qui fait apparaître le contour complet de quelques cellules à la fois. Ces techniques leur ont permis de résoudre plusieurs mystères de la structure du cortex cérébral.

Répartis en couches distinctes, les très nombreux neurones du cortex présentent une organisation de type laminaire. Les colorants spécifiques des corps cellulaires et des axones (figure de référence 2.4) révèlent que le cortex est composé de six couches différentes. Chaque couche est distincte parce qu'elle est formée de corps cellulaires de dimensions particulières ou parce qu'elle présente des arrangements particuliers de dendrites ou d'axones. Par exemple, la couche la plus superficielle est caractérisée par le fait qu'elle comprend peu de corps

cellulaires, alors qu'une couche plus profonde se distingue par ses regroupements de neurones à gros corps cellulaires. Toutefois, cette organisation laminaire varie sensiblement d'un point du cortex cérébral à un autre. Le cortex serait divisé en sous-régions définies en fonction de ces petites variations dans le regroupement des cellules nerveuses. La figure de référence 2.5 présente une carte cyto-architectonique basée sur plusieurs critères de répartition spatiale des cellules. Les divisions s'appuyant sur ces critères structuraux semblent également correspondre à des zones fonctionnelles distinctes.

Les corps cellulaires des **cellules pyramidales** (type principal de neurones du cortex cérébral) se retrouvent habituellement dans les couches 3, 4 et 5. La figure de référence 2.4 présente un agrandissement d'une de ces cellules pyramidales. La dendrite apicale de chaque cellule pyramidale se prolonge normalement jusqu'à la surface la plus externe du cortex. La cellule pyramidale possède également plusieurs dendrites dites de base, qui s'écartent horizontalement du corps cellulaire. Les cellules nerveuses du cortex apparaissent souvent disposées en colonnes. Les neurones d'une colonne ont tendance à posséder des propriétés fonctionnelles similaires, comme l'ont révélé les études des fonctions corticales dans l'analyse des influx sensoriels.

Les variations de l'épaisseur des diverses couches du cortex cérébral correspondent à des différences fonctionnelles. Les fibres provenant du thalamus projettent leurs terminaisons surtout dans la couche 4, si bien que cette couche est particulièrement importante dans les régions associées à des fonctions sensorielles. En fait, dans une partie du cortex visuel du lobe occipital, l'épaisseur de la couche 4 est tellement importante que, vue en coupe, cette couche apparaît à l'oeil nu sous la forme d'une strie. Pour cette raison, le cortex visuel a été

Figure de référence 2.5
Régions du cortex telles que
définies sur une carte cyto-
architectonique classique
réalisée par Brodmann (1909).

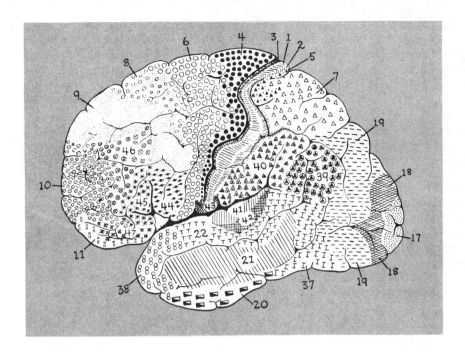

Figure de référence 2.6
Disposition de neurones en
bandes corticales dans le
cortex visuel primaire. a)
Couches transversales du
cortex visuel. b) Colonnes
verticales vues en surface
(Hubel et Wiesel, 1979).

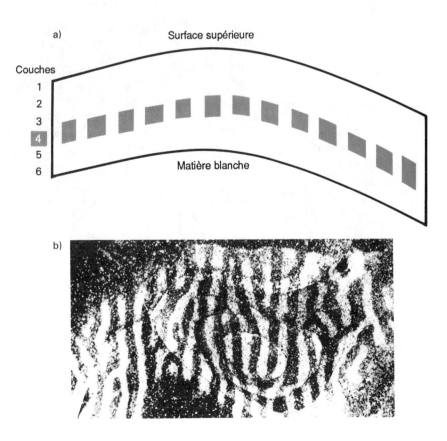

59

nommé **cortex strié**. Les fibres quittant le cortex cérébral prennent naissance surtout dans la couche 3, couche singulièrement importante dans les principales régions motrices du cortex. La couche 3 est également caractérisée par la présence de cellules pyramidales assez volumineuses.

Certaines régions du cerveau comportent des dispositions géométriques particulières de cellules qui peuvent jouer le rôle d'unités de traitement d'information. Ainsi, le cortex révèle la présence de colonnes de cellules nerveuses distribuées dans toute son épaisseur, de la matière blanche jusqu'à la surface (figure de référence 2.6). Chez l'être humain, ces colonnes ont environ 3 mm de hauteur et 400 à 1 000 μm de diamètre. Au sein d'une telle colonne, les connexions synaptiques entre ces cellules s'établissent surtout sur un plan vertical, bien qu'il en existe certaines sur un plan horizontal. Mountcastle (1979) donne à ces unités le nom de macrocolonnes et estime qu'il en existe environ un million dans le cortex de l'être humain. On croit que ces macrocolonnes sont les modules fonctionnels des opérations corticales.

Les macrocolonnes sont elles-mêmes composées de colonnes verticales de neurones, ce que Mountcastle nomme des minicolonnes. Le cortex de l'être humain contiendrait 500 000 minicolonnes dont le diamètre moyen est d'environ 30 μm. Le nombre de cellules par minicolonne a été évalué chez cinq espèces, de la souris à l'être humain, et dans plusieurs régions corticales (Rockel et coll., 1974). Une minicolonne contient environ 110 neurones (avec un écart à la moyenne d'à peu près 10 %), quelles que soient l'espèce ou la région corticale.

Les connexions entre les régions corticales consistent principalement en faisceaux d'axones (figure de référence 2.7). Certaines de ces connexions sont de courts relais qui forment une boucle sous le cortex pour rejoindre des régions corticales voisines, alors que d'autres parcourent de plus longues distances au sein des hémisphères cérébraux. La plus longue de ces voies est le corps calleux à travers lequel passent les connexions qui relient des points correspondants des deux hémisphères. Des liens plus longs encore entre les régions corticales comportent des chaînes plurisynaptiques de neurones

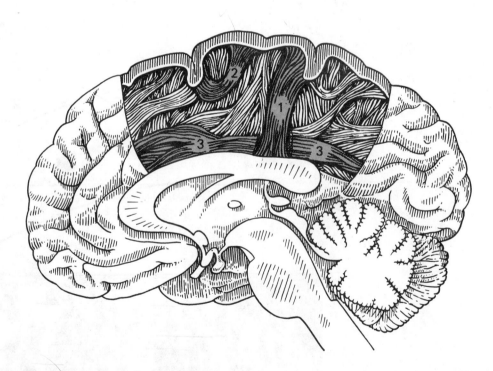

Figure de référence 2.7 Faisceaux mis en évidence par la dissection d'un cerveau humain. L'hémisphère droit est représenté sur sa face interne ou médiane. Une partie de cet hémisphère a été disséquée pour y mettre en évidence trois sortes de faisceaux : 1) les longues fibres de projection partant du cortex cérébral et y arrivant, certaines d'entre elles passant par le corps calleux; 2) de courts faisceaux reliant des parties rapprochées du cortex : ce sont les fibres arquées ou arciformes; 3) de longs faisceaux orientés selon l'axe antéropostérieur : le long faisceau apparaissant ici est le cingulum (du latin, ceinture) qui passe juste à côté du corps calleux, près de la paroi médiane de chaque hémisphère; ce faisceau a été coupé de façon à montrer toute la longueur des fibres de projection.

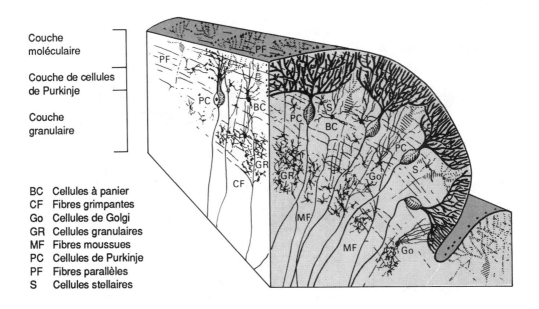

Couche
moléculaire

Couche de cellules
de Purkinje

Couche
granulaire

BC   Cellules à panier
CF   Fibres grimpantes
Go   Cellules de Golgi
GR   Cellules granulaires
MF   Fibres moussues
PC   Cellules de Purkinje
PF   Fibres parallèles
S   Cellules stellaires

Figure de référence 2.8   Coupe d'un feuillet du cortex cérébelleux montrant les principaux types de neurones.

qui font des boucles jusqu'aux régions sous-corticales comme le thalamus et les noyaux gris centraux.

Le cervelet

À l'arrière de la tête, placée entre les hémisphères cérébraux et le tronc cérébral, se trouve une autre structure à plis multiples qui participe étroitement au contrôle des mouvements du corps : cette structure est le **cervelet** et sa plus grande partie forme le cortex cérébelleux (figure de référence 2.8). Le cervelet est formé de tellement de replis si profonds que presque 85 % de sa structure est invisible sur les plans de surface. La disposition des cellules nerveuses à l'intérieur de cette enveloppe est beaucoup plus simple que celle du cortex cérébral. Une couche médiane est composée d'une rangée unique de très grosses cellules, nommées **cellules de Purkinje** d'après l'anatomiste qui a été le premier à décrire leur réseau dendritique complexe en forme d'éventail. Toute la surface de ces dendrites est parsemée de nombreuses épines ou crêtes dendritiques. Une couche externe dite moléculaire est composée d'axones distribués de façon ordonnée et parallèles à la surface, d'où le nom de **fibres parallèles**. Plus profondément,

sous les cellules de Purkinje, se trouve un énorme rassemblement de très petites cellules dont les axones forment les fibres parallèles à la surface : c'est la **couche granulaire**. Les divers circuits de cette région du cerveau sont maintenant connus de façon détaillée; leur rôle dans le contrôle moteur est décrit au chapitre 12.

Le système limbique

Profondément enfoui à l'intérieur des hémisphères cérébraux se trouve un ensemble de régions reliées les unes aux autres et qui comprennent également diverses régions sous-corticales : c'est le **système limbique**. (Le terme *limbique* vient de ce que ces régions forment une frontière autour du noyau central du cerveau; le mot latin *limbus* signifie bord.) Dans les premières études effectuées sur cette partie du cerveau, les relations entre ces régions semblaient dominées par leur lien avec l'olfaction. Cependant, depuis la fin des années 1950, les recherches ont porté sur le rôle de ces structures dans la motivation et les émotions. La figure de référence 2.9 fait voir certaines parties du système limbique, y compris le **cortex du**

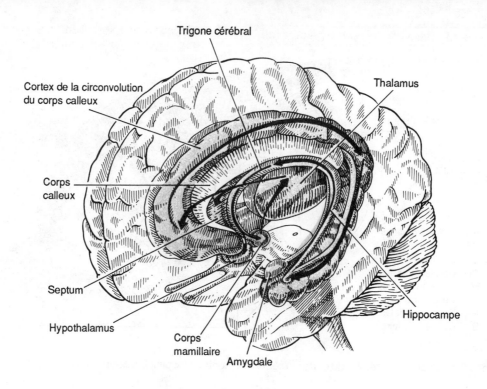

Trigone cérébral

Thalamus

Cortex de la circonvolution
du corps calleux

Corps
calleux

Septum

Hypothalamus

Corps
mamillaire

Amygdale

Hippocampe

Figure de référence 2.9 Principales structures du système limbique.

corps calleux, le **noyau amygdalien** et l'**hippocampe**. Les voies principales reliant ces noyaux comprennent le **trigone cérébral** (ou **fornix**) et le **faisceau mamillo-thalamique** (ou **faisceau de Vicq d'Azyr**). Les relations entre le système limbique et les émotions sont traitées au chapitre 15. Par ailleurs, au chapitre 17, nous verrons que l'hippocampe et le noyau amygdalien ont été associés à l'apprentissage et à la formation des souvenirs.

Les noyaux gris centraux

Le cerveau antérieur contient plusieurs gros noyaux cérébraux qui participent au contrôle de la motricité. L'ensemble de ces noyaux constituent les **noyaux gris centraux** (figures de référence 2.10a et 2.10c) et comprennent le **noyau caudé**, le **pallidum** (*globus pallidus*) et le **putamen**. Le **noyau amygdalien** est parfois inclus dans ce groupe. Les structures du tronc cérébral associées à cet ensemble comprennent le **noyau rouge** et le **locus niger**, ou substance noire (de Sommering), qui doit son nom à sa pigmentation noire. La bandelette de fibres nommée **capsule interne** a l'apparence d'une strie légère reliant le noyau caudé sur sa surface médiane et le pallidum et le putamen sur leurs faces latérales. Placée latéralement par rapport au putamen, se trouve une autre bandelette de fibres de couleur pâle, nommée **capsule externe**. À cause de son apparence rayée,

on donne parfois à toute cette région du cerveau le nom de **corps strié** (*corpus striatum*). Le pallidum et le putamen forment ensemble une structure quelque peu semblable à une lentille, ce qui a incité les anatomistes à donner à cet ensemble le nom de **noyau lenticulaire.** Le tableau de référence 2.1 dresse la liste des structures contenues dans les noyaux gris centraux. Des blessures ou des maladies dégénératives affectant ce système entraînent chez l'être humain plusieurs types de défectuosités motrices. Au chapitre 10, on décrit certaines des propriétés fonctionnelles de ce système intervenant dans l'organisation et l'opération motrices. Les perturbations de ce système ont également été associées à certains troubles phychiatriques rares (chapitre 15).

Le diencéphale

Les figures de référence 2.10b et 2.10d font voir la position du **diencéphale**. La plus grande partie du diencéphale comprend le **thalamus**, paire de regroupements cellulaires de forme ovoïde et contiguë au tronc cérébral. (Le terme *thalamus* vient du grec *thalamos* qui signifie lit ou chambre nuptiale; ce nom a été adopté parce que les deux moitiés du thalamus forment un lit autour du troisième ventricule.) Il contient plusieurs regroupements distincts de cellules nerveuses qui ont une importance particulière dans la distribution des influx afférents vers le cortex cérébral. Ces cellules représentent également des relais majeurs pour les diverses voies de contrôle moteur. Immédiatement au-dessous du thalamus, se trouve une petite région qui exerce une forte influence sur le comportement; c'est l'**hypothalamus** dont les divers noyaux jouent des rôles importants dans le contrôle du métabolisme et dans celui des glandes endocrines, des émotions, des rythmes circadiens, du sommeil, de la température corporelle, de même que dans le contrôle d'autres systèmes fondamentaux de régulation physiologique.

LES LIQUIDES DU CERVEAU

Le cerveau est plus qu'un vaste regroupement de cellules nerveuses organisées en réseaux ingénieux ! En effet, c'est également une structure remplie de liquides. Certains de ces liquides, notamment le sang transporté dans un réseau complexe de vaisseaux, font manifestement partie du système d'appui métabolique. Mais, on y trouve également de grands caissons remplis de liquide servant d'amortisseurs mécaniques sans lesquels les mouvements de la tête feraient en sorte que le tissu cérébral fragile viendrait continuellement percuter la paroi osseuse du crâne.

Le système de ventricules du cerveau

Le cerveau comporte des cavités remplies d'un liquide incolore. Autrefois connu sous le nom d'*esprits animaux*, ce liquide est maintenant nommé **liquide cérébrospinal** ou **liquide céphalo-rachidien** (LCR) et remplit deux fonctions principales :

1. Le liquide qui comble l'espace entre le cerveau et la face interne du crâne agit mécaniquement comme un amortisseur de choc pour le cerveau. Chaque fois que la tête bouge, le cerveau flotte dans le liquide cérébrospinal.

2. Le liquide cérébrospinal agit également comme intermédiaire entre les vaisseaux sanguins et le tissu cérébral pour l'échange de matériaux.

Chaque hémisphère du cerveau comprend un ventricule latéral de forme complexe. Le troisième ventricule est situé sur la ligne médiane et se trouve entouré par les deux moitiés du thalamus. Le liquide cérébrospinal se forme dans les ventricules latéraux. Il circule dans le troisième ventricule et, par un étroit passage, parvient jusqu'au quatrième ventricule situé à l'avant du cervelet. Un peu au-dessous de ce dernier, se trouve une petite ouverture (le trou de Magendie) à travers laquelle le liquide cérébrospinal quitte le système ventriculaire pour circuler sur la surface externe du cerveau et de la moelle épinière.

Circulation du sang dans le cerveau

À cause du travail intense qu'il accomplit, le cerveau a des besoins énormes en oxygène et en glucose. Comme il ne dispose que de faibles réserves de ces substances, il dépend de façon critique de la circulation du sang pour son approvisionnement. Le sang est transporté au cerveau par deux voies principales, les artères carotides et vertébrales (figure de référence 2.11, page 66).

Les **artères carotides communes** ou **primitives** montent le long des côtés gauche et droit du cou. L'**artère carotide interne** pénètre dans le crâne et se sépare en artères cérébrales antérieure et moyenne (figure de référence 2.11) qui véhiculent le sang vers de vastes régions des hémisphères cérébraux. Les **artères vertébrales** montent le long des vertèbres osseuses et pénètrent dans le crâne à sa base. Elles se réunissent pour former le **tronc basilaire** qui passe le long de la surface ventrale du tronc cérébral. Des ramifications de l'artère basilaire apportent le sang au tronc cérébral et aux parties postérieures des hémisphères cérébraux. À la base du cerveau, l'artère carotide et le tronc basilaire se rejoignent pour former une structure dite **cercle artériel du cerveau** ou **cercle de Willis**. Il est possible que cette réunion de voies vasculaires fournisse un certain *renfort* utile si l'une ou l'autre des artères principales du cerveau venaient à être endommagées ou bloquées à cause d'une maladie.

La distribution même de nutriments et d'autres substances aux cellules du cerveau et l'élimination de déchets se font dans des capillaires très fins qui sont des ramifications de petites artères. Cet échange au niveau du cerveau est différent des échanges entre vaisseaux sanguins et cellules dans les autres organes du corps. On parle de **barrière hémato-encéphalique** parce que plusieurs substances circulent plus difficilement entre les capillaires et les cellules du cerveau qu'elles n'arrivent à le faire entre les capillaires et les cellules d'autres organes. Le cerveau est ainsi protégé du contact avec certaines substances que contient le sang. Ce contrôle très sélectif existe parce que les cellules qui forment les parois des capillaires du cerveau (**cellules endothéliales**) s'accolent très étroitement, si bien

63

Figure de référence 2.10 Principales structures des noyaux gris centraux et du diencéphale illustrées par des diagrammes du cerveau (a, d), des coupes horizontales (b, c) et des coupes coronaires (e, f). ((Photos b et e) Rijksuniversiteit Utrecht, Onderwijs Media Instituut.)

a) Noyaux gris centraux

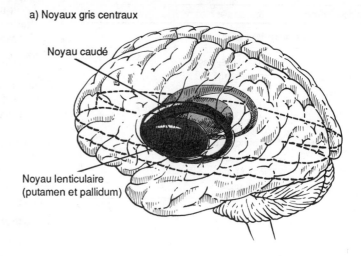

Noyau caudé

Noyau lenticulaire
(putamen et pallidum)

b)

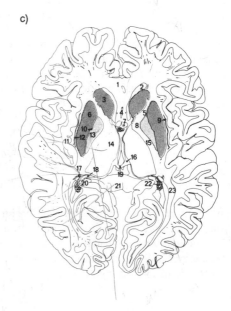

c)

1. Genou du corps calleux.
2. Corne frontale du ventricule latéral.
3. Tête du noyau caudé.
4. Septum pellucidum.
5. Branche antérieure de la capsule interne.
6. Putamen.
7. Colonne du trigone cérébral
8. Genou de la capsule externe.
9. Capsule externe.
10. Lamelle médullaire latérale.
11. Cortex de l'insula.
12. Avant-mur.

13. Pallidum.
14. Thalamus.
15. Membre postérieur de la capsule interne.
16. Noyau habénulaire.
17. Queue du noyau caudé.
18. Fimbria de l'hippocampe.
19. Commissure habénulaire.
20. Hippocampe.
21. Bourrelet du corps calleux.
22. Plexus choroïdien dans la corne temporale du ventricule latéral.
23. Partie rétrolenticulaire de la capsule interne.

d) Diencéphale

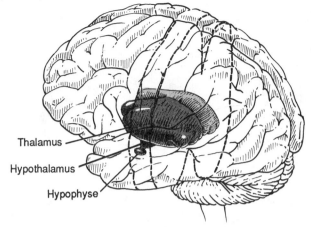

Thalamus
Hypothalamus
Hypophyse

1. Partie centrale du corps calleux.
2. Corps du noyau caudé.
3. Partie centrale du ventricule latéral.
4. Septum pellucidum.
5. Plexus choroïdien du ventricule latéral.
6. Colonnes du trigone cérébral.
7. Groupe nucléaire du thalamus antérieur.
8. Capsule externe.
9. Groupe nucléaire du thalamus latéral.
10. Noyau du thalamus médian.
11. Putamen.
12. Lamelle médullaire latérale.
13. Capsule interne.
14. Noyaux réticulaires du thalamus.
15. Joint interthalamique.
16. Partie latérale du pallidum.
17. Lamelle médullaire médiane.
18. Faisceau mamillo-thalamique.
19. H_1 champ de Forel.
20. Zone incertaine.
21. H_2 champ de Forel.
22. Avant-mur.
23. Partie médiane du pallidum.
24. Troisième ventricule.
25. Noyau hypothalamique.
26. Voie optique.
27. Complexe nucléaire amygdaloïde.
28. Corps mamillaire.
29. Pédoncule de la base.

e)

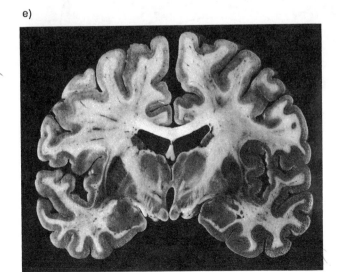

f)

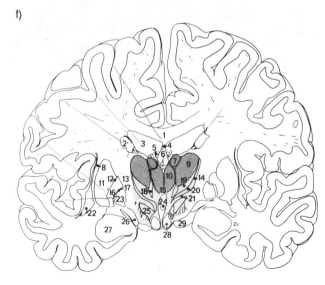

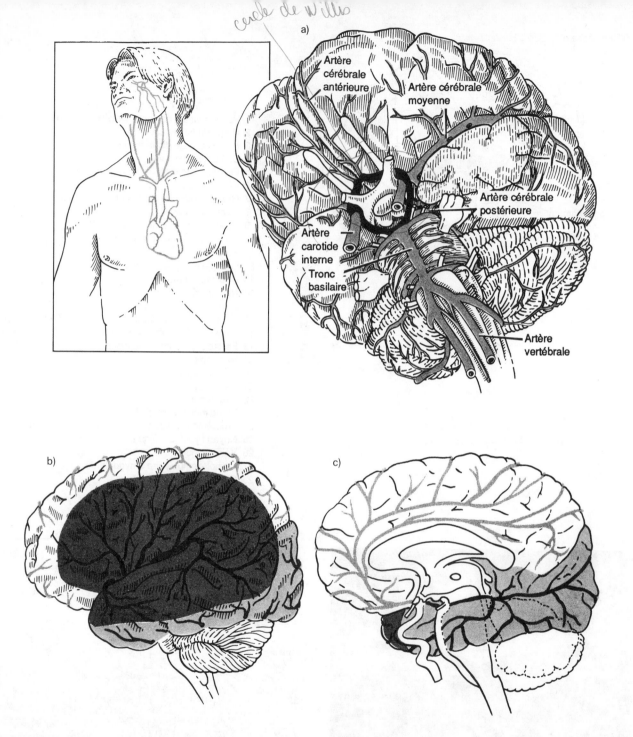

cercle de Willis

a)

Artère
cérébrale
antérieure

Artère cérébrale
moyenne

Artère cérébrale
postérieure

Artère
carotide
interne

Tronc
basilaire

Artère
vertébrale

b)

c)

Figure de référence 2.11 Irrigation sanguine du cerveau humain. L'orientation du cerveau en a) est illustrée par la figure du haut à gauche. La partie a) fait voir les artères principales. Le tronc basilaire et l'artère carotide interne forment un cercle à la base du cerveau, connu sous le nom de cercle artériel du cerveau ou cercle de Willis (représenté en noir). Différentes régions du cortex sont alimentées par les artères cérébrales antérieure, moyenne ou postérieure; on le voit en b) pour la surface latérale du cerveau et en c) pour la surface interne ou médiane.

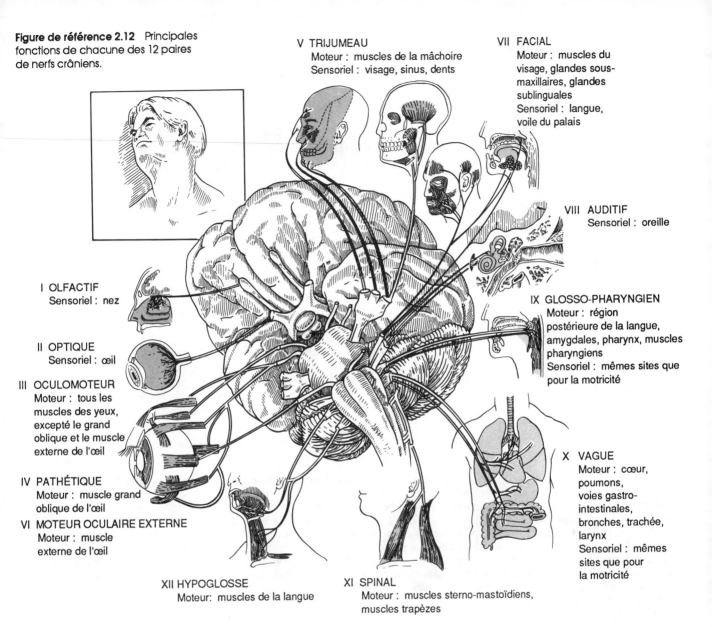

Figure de référence 2.12 Principales fonctions de chacune des 12 paires de nerfs crâniens.

V TRIJUMEAU
Moteur : muscles de la mâchoire
Sensoriel : visage, sinus, dents

VII FACIAL
Moteur : muscles du visage, glandes sous-maxillaires, glandes sublinguales
Sensoriel : langue, voile du palais

VIII AUDITIF
Sensoriel : oreille

I OLFACTIF
Sensoriel : nez

II OPTIQUE
Sensoriel : œil

III OCULOMOTEUR
Moteur : tous les muscles des yeux, excepté le grand oblique et le muscle externe de l'œil

IV PATHÉTIQUE
Moteur : muscle grand oblique de l'œil

VI MOTEUR OCULAIRE EXTERNE
Moteur : muscle externe de l'œil

IX GLOSSO-PHARYNGIEN
Moteur : région postérieure de la langue, amygdales, pharynx, muscles pharyngiens
Sensoriel : mêmes sites que pour la motricité

X VAGUE
Moteur : cœur, poumons, voies gastro-intestinales, bronches, trachée, larynx
Sensoriel : mêmes sites que pour la motricité

XII HYPOGLOSSE
Moteur: muscles de la langue

XI SPINAL
Moteur : muscles sterno-mastoïdiens, muscles trapèzes

qu'elles ne permettent pas à certaines molécules de passer facilement entre elles. Toutefois, dans l'hypothalamus, la barrière hémato-encéphalique est relativement faible : cette caractéristique pourrait être responsable du fait que l'hypothalamus peut être sensible et réagir aux substances qui y circulent.

LE SYSTÈME NERVEUX PÉRIPHÉRIQUE

Le cerveau et la moelle épinière sont reliés aux organes sensoriels, aux muscles et aux glandes grâce aux voies nerveuses qui constituent le **système nerveux périphérique**. Ce système comprend trois ensembles principaux de voies : les **nerfs crâniens** (reliés directement au cerveau), les **nerfs rachidiens** ou **nerfs spinaux** (rattachés à la moelle épinière, à intervalles réguliers) et les **ganglions du système nerveux autonome** (comprenant les deux chaînes de ganglions sympathiques et les ganglions parasympathiques, plus périphériques). Examinons de plus près chacun de ces trois ensembles de voies.

Les nerfs crâniens

Les 12 paires de nerfs crâniens du cerveau humain se rapportent principalement aux systèmes moteur et sensoriel de la tête

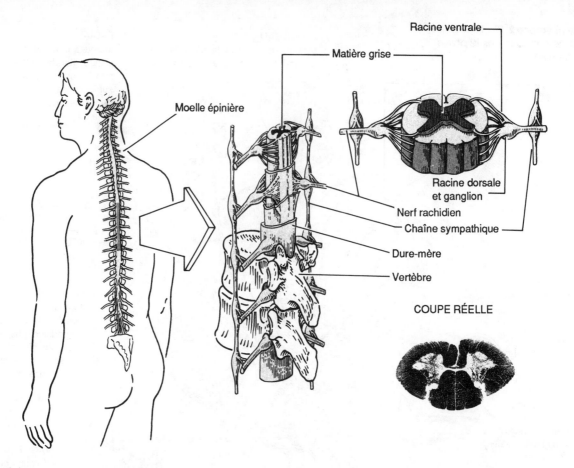

Figure de référence 2.13 Moelle épinière et nerfs rachidiens. Le diagramme de gauche présente une vue générale de la colonne vertébrale avec une paire de nerfs émergeant à chaque niveau. Celui du centre montre la façon dont la moelle épinière est entourée de vertèbres osseuses et enveloppée dans une membrane, la dure-mère. Chaque vertèbre comporte une ouverture de chaque côté permettant le passage des nerfs rachidiens. Le diagramme de droite, en haut, fait voir où se situe la matière grise de la moelle et la matière blanche qui l'entoure. La matière grise comprend les neurones intercalaires (interneurones) et les motoneurones qui envoient des axones jusqu'aux muscles. La matière blanche est constituée d'axones qui montent et descendent dans la colonne vertébrale. La photographie (en bas, à droite) montre une coupe réelle de la moelle, grossie 6 fois; elle provient de la région cervicale (cou). Le colorant utilisé sur cette coupe donne une apparence noire aux gaines lipidiques des axones, ce qui explique que la matière blanche apparaît noire sur cette photographie. (Photographie provenant de *Structure of the Human Brain : A Photographic Atlas*, Second Edition, par Stephen DeArmond, Madeleine Fusco et Maynard Dewey, 1976, Oxford University Press, Inc. Reproduction permise par les auteurs.)

(figure de référence 2.12). Certains nerfs crâniens représentent des voies cérébrales uniquement sensorielles : ce sont les nerfs optique, olfactif et auditif, par exemple. D'autres sont des voies exclusivement motrices venant du cerveau, par exemple, les nerfs oculomoteur (muscles de l'œil) et facial (muscles du visage). Les autres nerfs crâniens sont dits mixtes parce qu'ils remplissent des fonctions sensorielles et motrices. Ainsi, le trijumeau assure la sensibilité faciale et contrôle les mouvements musculaires de la mastication. Tous ces nerfs passent par de petits orifices, percés dans l'os crânien, pour se

rendre au cerveau ou s'en éloigner. Le nerf pneumogastrique (nerf vague) qui est un nerf crânien, se prolonge jusqu'au cœur et à l'intestin. Son long parcours sinueux explique sa désignation de nerf vague (du latin *vagus* qui veut dire errant).

Les nerfs rachidiens

Le long de la moelle épinière, on trouve 31 paires de nerfs rachidiens, un membre de chaque paire pour chaque côté du corps (figure de référence 2.13). Ces nerfs rejoignent la moelle à des intervalles régulièrement espacés grâce à des ouvertures

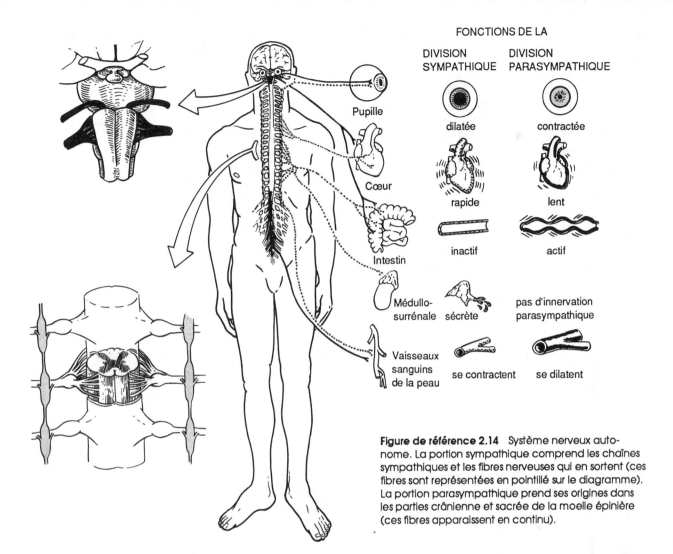

DIVISION SYMPATHIQUE

DIVISION PARASYMPATHIQUE

Pupille

dilatée

contractée

Cœur

rapide

lent

Intestin

inactif

actif

Médullo-surrénale

sécrète

pas d'innervation parasympathique

Vaisseaux sanguins de la peau

se contractent

se dilatent

Figure de référence 2.14 Système nerveux auto-nome. La portion sympathique comprend les chaînes sympathiques et les fibres nerveuses qui en sortent (ces fibres sont représentées en pointillé sur le diagramme). La portion parasympathique prend ses origines dans les parties crânienne et sacrée de la moelle épinière (ces fibres apparaissent en continu).

percées dans la structure osseuse de la colonne vertébrale. Chaque nerf rachidien est formé de la fusion de deux branches distinctes nommées **racines**. Ces deux branches ont des fonctions différentes. La **racine dorsale** (ou postérieure) de chaque nerf rachidien est composée de voies sensorielles dirigées vers la moelle épinière. La **racine ventrale** (ou antérieure) est faite de voies motrices partant de la moelle épinière vers les muscles.

Le nom d'un nerf rachidien correspond à celui de la vertèbre par où il quitte la moelle épinière : **cervical**, **thoracique**, **lombaire** ou **sacré**. Ainsi, le nerf rachidien T12 est celui qui quitte la moelle épinière par la douzième vertèbre thoracique. Les fibres provenant de différents nerfs rachidiens se rejoignent pour former des segments de nerfs périphériques, habituellement à une certaine distance de la moelle épinière. Par exemple, le grand nerf sciatique qui descend le long de la jambe com-

prend des fibres provenant de toutes les racines rachidiennes lombaires.

Le système nerveux autonome

Les **chaînes sympathiques** représentent une partie du **système nerveux autonome** (figure de référence 2.14). Ces chaînes contrôlent les muscles lisses dans les organes et la paroi des vaisseaux sanguins. Une de leurs fonctions vitales consiste donc à aiguiller la circulation du sang d'une partie du corps à une autre, en vue d'une adaptation à différentes activités.

En plus de ces chaînes sympathiques, le système nerveux autonome comprend également la **portion parasympathique**. Le préfixe *para* (autour) lui vient de ce que sa sortie de la moelle se fait au-dessus et au-dessous des connexions sympathiques. La portion parasympathique est issue du bulbe rachidien et de la partie sacrée de la moelle épinière (figure de référence 2.14). Dans la plupart des fonctions corporelles, les portions sympathique et parasympathique exercent des actions diamétralement opposées, ce qui contribue à assurer un contrôle très précis. Par exemple, c'est l'action des nerfs sympathiques qui accélère la vitesse des battements du cœur au cours d'un exercice. Au repos, la fréquence cardiaque est ralentie par le nerf vague (système parasympathique). Dans le cas de l'œil, ce sont des nerfs sympathiques qui font contracter les muscles de l'iris; lorsque l'éclairage est faible la pupille s'agrandit, alors qu'à la lumière vive du soleil les nerfs parasympathiques font se relâcher les muscles et se rétrécir la pupille.

La plupart du temps, les deux portions du système nerveux autonome sont actives et il s'établit un équilibre soigneusement modulé entre les deux. On peut généraliser et dire que la portion sympathique prédomine pendant une activité musculaire et contribue à la décharge d'énergie. De même, on peut affirmer que la portion parasympathique prédomine pendant les activités contribuant à accumuler des ressources nutritives et à conserver l'énergie. On l'appelle système nerveux autonome parce que, au siècle dernier, on croyait qu'il agissait indépendamment du reste du système nerveux. On sait maintenant que le système nerveux autonome est contrôlé par les centres du cerveau. On a constaté que son action est soigneusement surveillée et étroitement intégrée aux événements corporels en cours.

PHOTOGRAPHIES DE CERVEAUX HUMAINS

Les figures 2.5a, 2.5b et 2.5c sont des photographies de cerveaux humains dont les structures sont peu identifiées. Ces mêmes photographies sont reprises aux figures de référence 2.15, 2.16 et 2.17 et sont accompagnées de diagrammes permettant une identification des structures et des régions du cerveau.

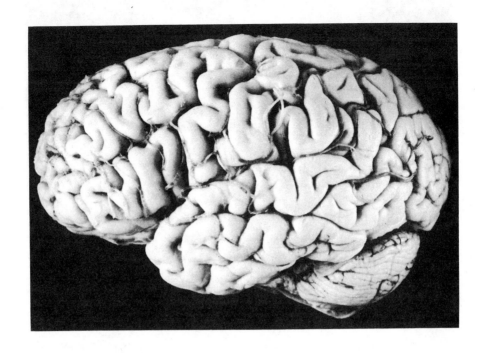

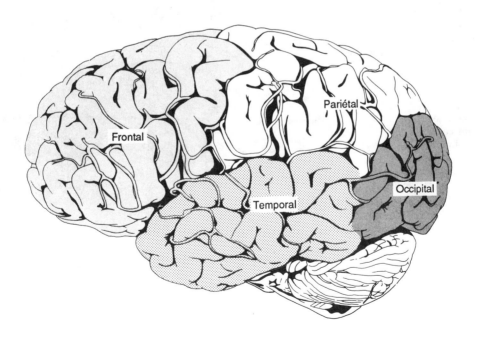

Figure de référence 2.15 Face latérale d'un cerveau humain montrant l'étendue des quatre lobes. (Photo de Rijksuniversiteit Utrecht, Onderwijs Media Instituut.)

71

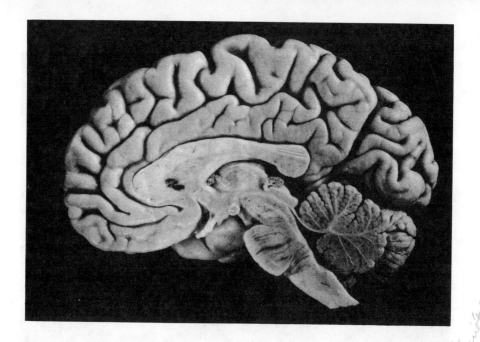

1. Circonvolution frontale médiane.
2. Scissure du cingulum.
3. Circonvolution du cingulum.
4. Scissure centrale.
5. Lobule paracentral.
6. Scissure du corps calleux.
7. Isthme de la circonvolution du cingulum.
8. Scissure subpariétale.
9. Lobule quadrilatère.
10. Scissure pariéto-occipitale.
11. Cuneus.
12. Scissure calcarine.
13. Bec du corps calleux.
14. Genou du corps calleux.
15. Tronc du corps calleux.
16. Bourrelet du corps calleux.
17. Plexus choroïdien du canal interventriculaire.
18. Jonction interthalamique.
19. Trigone habénulaire.
20. Scissure hypothalamique.
21. Glande pinéale.
22. Commissure antérieure (rostrale).
23. Toit du mésencéphale.
24. Corps mamillaire.
25. Fascicule médian longitudinal.
26. Plexus choroïdien du 4e ventricule.

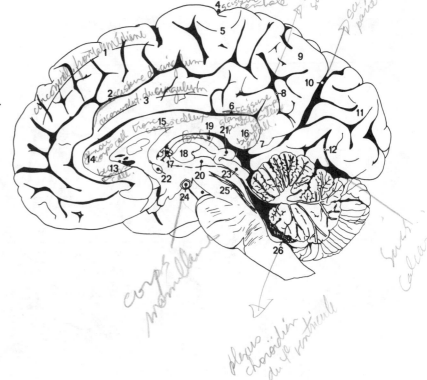

Figure de référence 2.16   Coupe sagittale médiane d'un cerveau humain. Les régions et les structures sont identifiées sur le dessin. (Photo de Rijksuniversiteit Utrecht, Onderwijs Media Instituut.)

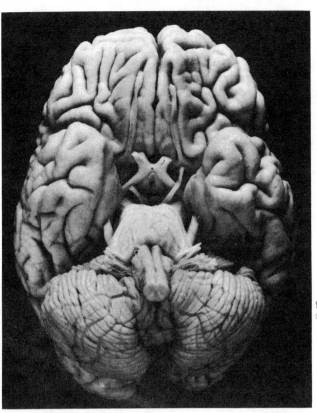
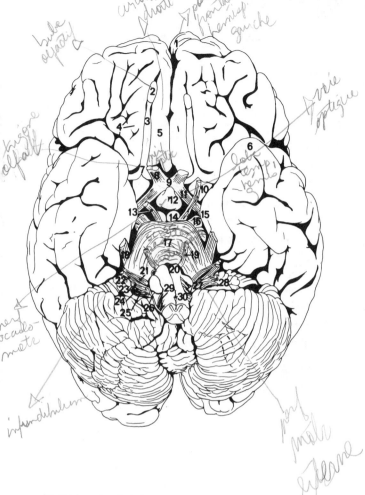

1. Pôle frontal de l'hémisphère cérébral gauche.
2. Bulbe olfactif.
3. Faisceau olfactif.
4. Scissures et circonvolutions orbitales.
5. Circonvolution droite.
6. Lobe temporal de l'hémisphère cérébral gauche.
7. Trigone olfactif.
8. Nerf optique.
9. Chiasma optique.
10. Substance perforée antérieure (rostrale).
11. Voie optique.
12. Tuber cinereum avec l'infundibulum.
13. Nerf oculomoteur.
14. Corps mamillaire.
15. Lobule de la circonvolution de l'hippocampe.

16. Pédoncules de la base.
17. Scissure basilaire de la protubérance.
18. Nerf trijumeau.
19. Nerf moteur oculaire externe.
20. Pyramide du bulbe.
21. Nerf facial.
22. Nerf auditif.
23. Nerf glosso-pharyngien.
24. Nerf vague.
25. Racines crâniennes du nerf accessoire spinal.
26. Racines rachidiennes du nerf accessoire spinal.
27. Radicelles de l'hypophyse.
28. Flocculus.
29. Radicelles ventrales du premier nerf rachidien cervical.
30. Décussation pyramidale.

Figure de référence 2.17 Face ventrale d'un cerveau humain. Les régions et les structures sont identifiées sur le dessin. (Photo de Rijksuniversiteit Utrecht, Onderwijs Media Instituut.)

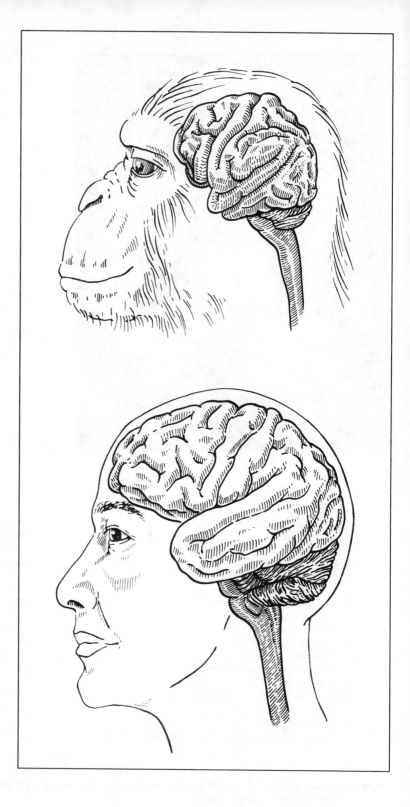

3 Étude comparée du système nerveux et de son évolution

Les efforts faits par l'Homme pour se comprendre lui-même l'ont toujours amené à étudier aussi les autres animaux. Ne partageons-nous pas en effet plusieurs caractéristiques biologiques et comportementales avec tous les animaux ? Il n'est donc pas étonnant que la recherche de la compréhension de notre propre nature nous conduise aux anthropoïdes, aux singes, aux carnivores, aux rongeurs, aux oiseaux et aux amphibiens (figure 3.1). Le cerveau de toutes ces créatures est construit selon un modèle de base semblable au nôtre, bien que leur cerveau soit plus simple sur certains points et différents sur d'autres. Le besoin de comprendre le système nerveux nous a amenés à étudier les invertébrés et même les unicellulaires, des organismes très différents de nous. La tâche serait énorme s'il s'agissait de décrire le système nerveux particulier des divers animaux du monde vivant. Selon certaines estimations, les seuls insectes, qui bourdonnent, rampent et volent autour de nous, comptent plus d'un million d'espèces. De toute évidence, le travail requis pour décrire, cataloguer et expliquer les relations entre le système nerveux et le comportement, ne serait-ce que d'une petite fraction des habitants de cette planète, serait gigantesque (et fastidieux) à moins qu'il ne soit orienté vers d'autres objectifs que le simple désir de tout inventorier.

L'une des raisons qui puisse pousser vers une telle entreprise est d'intérêt humain, et s'appuie sur la question : « Pourquoi l'être humain se retrouve-t-il au sommet du règne animal ? » Cette forme d'anthropocentrisme a souvent été critiquée à cause de l'image implicite des autres animaux se présentant comme des humanoïdes, ce que peu de scientifiques modernes pourraient accepter comme base valable de comparaison. Une meilleure raison de se préoccuper des origines ancestrales de l'Homme vient de ce que les études comparées sont considérées comme s'inscrivant dans l'histoire de l'évolution de l'Homme, c'est-à-dire sa phylogenèse. Les tendances que l'on peut observer chez les animaux encore existants et les comparaisons qu'il est possible d'établir, associées aux données fragmentaires mais révélatrices provenant des restes fossiles, nous apportent des indications sur les millions d'années de l'histoire du cerveau humain et sur les forces qui l'ont façonné.

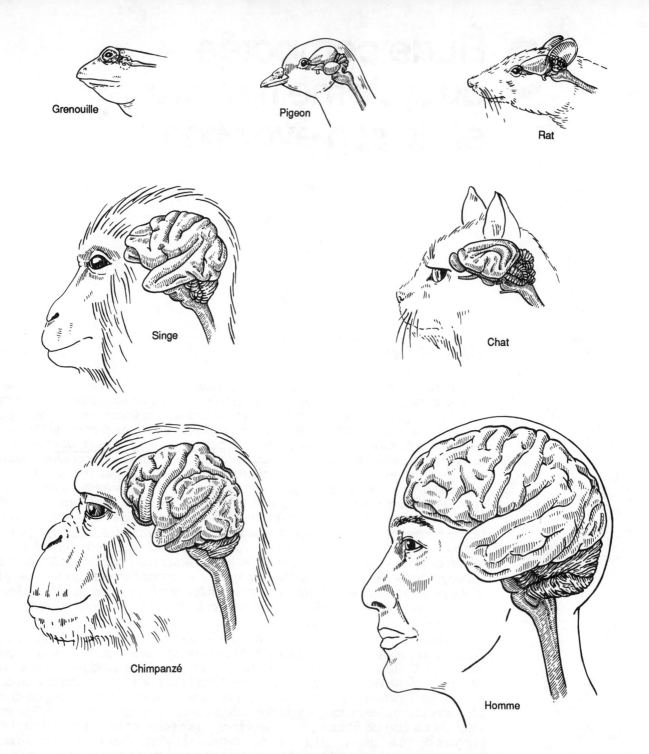

Figure 3.1 Comparaison de la forme et de la dimension des cerveaux de plusieurs représentants de l'ordre des vertébrés, tous dessinés à environ 40 % de la taille réelle. La figure montre des rapports de similarités et de différences entre les vertébrés qui ont survécu, sans toutefois comporter d'implications relatives au développement évolutif du cerveau humain.

Bien sûr, aucun animal actuel n'existe à la seule fin d'offrir aux chercheurs des données sur l'histoire biologique de l'Homme : chaque espèce se trouve plutôt confrontée au défi de sa propre survivance, ce qui impose des échanges actifs avec le milieu environnant. Les animaux aux antécédents biologiques différents apportent des solutions différentes aux dilemmes de l'adaptation. Dans bien des cas, on peut démontrer que les adaptations à des niches écologiques particulières sont associées à des différences de structure cérébrale. La compréhension des structures nerveuses et des mécanismes à la base des comportements spécifiques des divers animaux peut offrir une perspective et des indices sur les fondements neurologiques du comportement humain. Par exemple, des animaux très simples présentent des modifications comportementales qui viennent de l'expérience. Comprendre comment des changements dans le système nerveux de ces créatures plus simples conduisent à la formation et au stockage de souvenirs permet des intuitions sur le mode de fonctionnement des animaux plus complexes, y compris l'Homme.

ORGANISMES SANS SYSTÈME NERVEUX

Certains êtres vivants ne sont constitués que d'une seule cellule. Ces organismes unicellulaires possèdent évidemment toute la mécanique requise par les processus biologiques, notamment la diffusion transmembranaire de substances variées. Les membranes de ces organismes comprennent également des régions réceptrices spécialisées capables de reconnaître des substances chimiques particulières. Font partie également des animaux dépourvus d'un système nerveux des organismes pluricellulaires (comme les éponges) qui possèdent des formes et des fonctions différenciées mais ne disposent pas d'un système de communication rapide comme celui qu'offre un système nerveux. Toutefois, même les organismes dépourvus d'un système nerveux ont des comportements distinctifs, notamment celui de l'orientation vers des stimuli particuliers. Pour cette raison, des chercheurs prétendent que ces organismes pourraient bien être les plus simples qu'on puisse utiliser pour l'étude de fonctions complexes comme le traitement de l'information, la mémoire et le mouvement. Nous présentons, dans les paragraphes suivants, des exemples de cette méthode d'étude, en utilisant deux types d'organismes unicellulaires, notamment les bactéries et les protozoaires.

Les bactéries

La nage et la culbute ne font pas uniquement partie du comportement des athlètes mais également de celui des bactéries. Bien que les bactéries aient été souvent considérées avec crainte et dédain, l'observation de ces organismes a tout de même permis aux chercheurs d'y puiser plusieurs des notions fondamentales de la génétique moléculaire. Depuis, les spécialistes des neurosciences ont étudié diverses réactions des bactéries, dans le cadre des recherches sur les mécanismes moléculaires du comportement. Des stimuli d'ordres gravitationnel, chimique et thermique engendrent chez les bactéries des modes de réaction prévisibles. Par exemple, celles-ci se déplaceront dans et autour d'un tube capillaire qui contient un sucre servant d'appât.

Dans son ouvrage intitulé *Bacterial Chemotaxis as a Behavioral System* (1980)*, Daniel Koshland, chercheur de pointe dans ce domaine, décrit les modes de réaction des bactéries et la nature des processus récepteurs sous-jacents à ces comportements. Ses études démontrent que les cellules bactériennes sont dotées de récepteurs spécialisés capables de détecter des différences parmi une grande variété de conditions externes comme les concentrations chimiques et la température. Les récepteurs sensibles à ces stimuli sont situés à l'intérieur de la membrane de la cellule bactérienne. Par l'intermédiaire d'une série d'étapes chimiques, ces mécanismes récepteurs activent un appareil moteur simple qui

---

* La chimiotaxie bactérienne en tant que système de comportement.

produit des périodes prolongées de nage et de culbute. Tout ensemble de bactéries contient des cellules qui réagissent plus ou moins à des stimuli spécifiques. Des souches issues de sous-groupes de populations permettent l'observation plus approfondie des mécanismes génétiques qui contrôlent l'activité des récepteurs. De plus, les psychobiologistes sont particulièrement intéressés par le fait que les bactéries possèdent un système mnémonique qui retient, pendant une courte période, de l'information sur une exposition antérieure à des substances chimiques. Il se peut que les similitudes et les différences dans le traitement de l'information par les cellules nerveuses et par les bactéries nous permettent de comprendre certaines des caractéristiques fondamentales des événements membranaires du système nerveux.

Les protozoaires

Les protozoaires, organismes également unicellulaires, sont parmi les créatures les plus simples utilisées dans les expériences en neurosciences. La plupart de ces êtres vivants ne sont que de simples particules de quelques micromètres de long. En fait, même si les protozoaires ne sont que des cellules isolées, leur cytoplasme contient des structures spécialisées bien définies. Contrairement aux bactéries, ces organismes sont dotés de structures cellulaires distinctes, notamment un noyau, un appareil digestif rudimentaire et un appareil moteur. En fait, les réactions enregistrées dans ces cellules ont des propriétés très semblables à celles de cellules nerveuses.

La *paramécie* a été utilisée dans la recherche sur le comportement. Ce protozoaire se déplace grâce aux battements coordonnés de cils. Ces excroissances filiformes sont assez complexes et des modifications de leur orientation peuvent produire des changements dans la direction du mouvement. La forme et la direction de la locomotion peuvent être observées lorsque la paramécie réagit aux stimuli du milieu ambiant, comme des substances chimiques spécifiques.

Les études génétiques sur ces organismes démontrent la possibilité d'obtenir des souches dont les schèmes de mouvement sont distincts (Kung, 1979). La recherche de la base moléculaire des différences dans le comportement locomoteur de ces souches pourrait fournir des renseignements précieux sur les façons dont l'information génétique contrôle les structures cellulaires et les processus qui en découlent. De telles connaissances pourraient contribuer à l'orientation des études des influences génétiques sur l'organisation et le rôle du système nerveux des animaux plus complexes.

LES INVERTÉBRÉS

La plupart des animaux vivant sur notre planète sont des invertébrés, animaux sans colonne vertébrale. En réalité, ce groupe l'emporte sur celui des vertébrés de multiples façons, notamment par le nombre, la diversité de la forme et la variété de l'habitat. Leur abondance est nettement démontrée par des estimations selon lesquelles, pour chaque être humain sur la terre, il y aurait un milliard d'insectes. Les spécialistes des neurosciences ont utilisé principalement des invertébrés à cause de la simplicité relative de leur système nerveux et de la grande diversité d'adaptation du comportement manifestée par les représentants de ce groupe. La simplicité structurale n'empêche pas ces êtres vivants de manifester certaines formes de comportement observées fréquemment chez les êtres plus complexes, soit des formes d'apprentissage et de mémoire. De plus, les invertébrés possèdent des systèmes sensoriels complexes qui permettent la détection de certains stimuli avec une sensibilité très fine. Toutes les niches terrestres, marines ou aériennes ont été exploitées avec succès par une ou plusieurs espèces d'invertébrés. Récemment, T.H. Bullock, chef de file de la recherche en neurosciences comparées, affirmait que ... « nous ne pouvons vraiment pas nous attendre à comprendre notre propre fonctionnement, notamment celui de notre système nerveux, tant que nous n'aurons pas d'intuition sur la grande diversité des systèmes nerveux, allant des réseaux de neurones et des simples ganglions des anémones de mer et des vers plats, en passant par les lobes optiques des libellules, des octopodes et des lézards, jusqu'au cortex cérébral des primates » (Bullock, 1984, p. 473).

Les spécialistes qui travaillent sur les mécanismes nerveux du comportement ont pris bonne note de son message. Face à l'énorme complexité du cerveau des vertébrés, celui-ci étant composé de milliards de neurones, les investigateurs ont exploré le système nerveux de quelques invertébrés qui ne possèdent que des centaines ou des milliers de cellules nerveuses. La description exhaustive du *mode d'assemblage* du système nerveux et de la façon dont celui-ci est associé au comportement semble être un rêve réalisable dans le cas de ces êtres vivants. Chez plusieurs invertébrés qui sont devenus des sujets d'expérience courants, il a été possible d'explorer des aspects complexes du comportement, comme la mémoire, les conduites appétitives ou les conduites d'aversion caractéristiques d'une espèce. L'étude des structures du système nerveux de quelques représentants du groupe des invertébrés révélera pourquoi ces espèces sont si utiles dans ce genre de recherche.

Les cœlentérés Quiconque s'est déjà promené au bord de la mer a pu apercevoir des masses gélatineuses en forme de soucoupe volante : ce sont des méduses appartenant au groupe des cœlentérés. Particulièrement visibles à marée basse, les pittoresques anémones de mer qui ressemblent à de jolies fleurs sont d'autres représentants de ce phylum. Ce sont les plus simples des animaux pluricellulaires dotés d'un système nerveux. Au sein de ce groupe, la nature du système nerveux est relativement diversifiée. Les anémones de mer possèdent un système nerveux constitué de neurones qui, dans leurs tissus, sont dispersés de façon apparemment aléatoire, mais sous la forme d'un réseau diffus. Ce type d'organisation ne comporte pas de structure centralisée comme un cerveau. Contrairement à cette forme d'organisation, d'autres cœlentérés sont dotés d'un assemblage de cellules nerveuses regroupées en bouquets qui seraient des ganglions primitifs. Les récepteurs et effecteurs de ces animaux sont répartis de façon régulière en groupes distincts le long de la surface du corps. Par exemple, chacun des quatre tentacules caractéristiques des méduses possède à sa base des cellules nerveuses rassemblées en groupes distincts, ces cellules étant toutes reliées à un anneau autour du corps de l'animal (Mackie, 1980). Les cellules à l'intérieur de cet anneau sont responsables d'une activité neuronale répétitive à la base de leurs mouvements natatoires rythmiques. Même dans le plus simple des systèmes nerveux, il est possible de constater l'existence de formes complexes de traitement de l'information.

Les planaires Résidentes traditionnelles de nombreux laboratoires de biologie, les planaires ont également été brièvement utilisées dans des expériences sur le processus d'apprentissage, il y a une vingtaine d'années. Certains chercheurs ont alors cru que la planaire était un animal capable de réponses conditionnées classiques et de certaines formes d'apprentissage de discrimination. Les planaires apportaient une contribution particulière aux études sur l'apprentissage en ce qu'elles étaient capables de se régénérer entièrement à partir de fragments d'un individu original. Ce qui était encore plus intrigant, c'était que la planaire dont la tête avait été formée à partir d'un fragment de queue avait hérité de la mémoire établie chez l'animal ayant fourni le fragment. Certains prétendirent alors qu'une planaire sans expérience pouvait acquérir des connaissances précises en consommant une autre planaire soumise à un entraînement d'apprentissage. Une telle hypothèse fit naître l'espoir qu'on puisse éventuellement isoler et étudier des molécules capables de mémoriser des informations. En effet, quelques chercheurs rapportèrent avoir obtenu un transfert d'information par cannibalisme, mais la plupart des investigateurs ont été incapables de reproduire ces prétendus effets et la question est finalement tombée en désuétude.

Même sans cette prétention à la célébrité, les planaires sont particulièrement importantes en neuroanatomie comparée car il semble bien que ce sont les premiers animaux dans l'histoire de l'évolution à présenter un système nerveux composé d'un cerveau distinct logé dans la région céphalique. Les planaires contemporaines semblent donc être les plus primitifs des animaux dotés d'un cerveau qui soient parvenus à survivre jusqu'à notre époque. La structure de ce cerveau est différente de celle du cerveau des autres invertébrés que nous décrirons plus loin. Ses cellules nerveuses sont de type multipolaire et dispersées à travers la matière cérébrale (Koopowitz et Keenan, 1982). Deux chaînes d'axones disposés comme les montants d'une échelle relient le cerveau aux autres parties du corps, tout le long de l'animal. De petits regroupements périphériques de cellules nerveuses contrôlent les réflexes locaux. Les études de Koopowitz et Keenan (1982) font voir le rôle du cerveau dans le contrôle périphérique. Chez une planaire marine, ils ont démontré que l'animal, seulement s'il est à jeun, saisit la nourriture et la dirige vers la région buccale. Par contre, lorsque le cerveau est déconnecté du reste du corps, l'animal continue de porter la nourriture à la bouche, même si l'intestin est complètement rempli de nourriture.

Les annélides Le ver de terre commun et les sangsues représentent déjà un certain raffinement sur le plan structural, dans le groupe des animaux vermiformes. Le corps de ces animaux est composé de segments distincts, dont chacun est contrôlé par des regroupements localisés de cellules nerveuses disposées en ganglions complexes. Par exemple, le système nerveux de la sangsue comprend une chaîne de 21 ganglions rattachés à un ganglion céphalique et à un ganglion caudal (figure 3.2). Chaque ganglion innerve la partie adjacente du corps à travers deux faisceaux d'axones. Les ganglions apparaissant le long de la sangsue sont reliés entre eux par des faisceaux d'axones. Les cellules nerveuses de chaque ganglion sont disposées autour de la surface externe et le cœur du ganglion, ou neuropile, est constitué d'un dense mélange des excroissances de ces cellules nerveuses monopolaires.

Chez les annélides, une innovation importante résultant de l'évolution du système nerveux a retenu l'attention des spécialistes des neurosciences. Chez certaines espèces d'annélides, une fibre nerveuse de gros diamètre s'étend sur pratiquement toute la longueur de l'animal et semble jouer un rôle important dans les comportements de fuite. De plus, la sangsue possède deux très grosses cellules nerveuses (cellules géantes de Retzius) dont le corps cellulaire est assez gros pour être facilement observable au microscope à faible grossissement. Ces cellules font partie d'une classe de neurones maintenant connus chez les invertébrés sous le nom de *cellules identifiables*, soit des cellules dont la forme et la position sont similaires chez tous les membres d'une même espèce.

Les mollusques Les limaces, les escargots, les palourdes et les octopodes ne représentent qu'une faible proportion des quelque 100 000 espèces de mollusques. Ce sont des animaux à corps mou qui adoptent une grande variété de formes et de comportements complexes. Certains mollusques, comme les octopodes, manifestent des capacités extraordinaires dans la solution de problèmes, alors que d'autres mollusques adoptent des modes de vie qui tiennent presque du parasitisme. L'extrémité céphalique des mollusques consiste habituellement en une bouche, des tentacules et des yeux. Leur structure caractéristique comprend également un appendice semblable à un pied et une partie viscérale fréquemment recouverte d'une enveloppe protectrice, nommée manteau. L'aplysie, mollusque marin très simple, a acquis une notoriété considérable à cause du rôle précieux que cet animal a joué dans les études cellulaires de l'apprentissage (chapitres 16 et 17). Ce qui suit ne constitue qu'un bref aperçu des principales structures du système nerveux de l'aplysie.

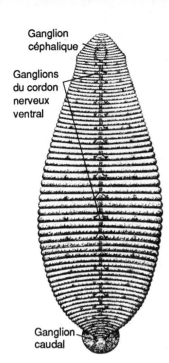

Ganglion
céphalique

Ganglions
du cordon
nerveux
ventral

Ganglion
caudal

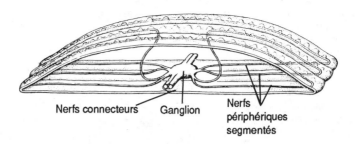

Nerfs connecteurs   Ganglion   Nerfs
                                 périphériques
                                 segmentés

Figure 3.2   Système nerveux de la sangsue. Cette figure montre une chaîne de ganglions ratta-chée à l'une de ses extrémités à un ganglion céphalique et à l'autre extrémité à un ganglion caudal. (Adapté de Steut et Weisblat, 1982.)

Le système nerveux de l'aplysie est constitué de deux paires de ganglions situés à l'extrémité céphalique et formant un anneau autour de l'œsophage (figure 3.3a). Au-dessous de ces ganglions, on trouve un seul ganglion abdominal. Les divers ganglions sont reliés par des faisceaux. L'un des ganglions de la tête, le ganglion cérébral, innerve les yeux et les tentacules; un second ganglion céphalique, le ganglion buccal, innerve la musculature de la bouche, alors que les deux autres ganglions innervent le pied. Le ganglion viscéral contrôle les principales fonctions organiques comme la circulation, la respiration et la reproduction. Les recherches poussées effectuées par Kandel et ses collaborateurs, au cours des vingt dernières années, ont permis l'élaboration de cartes détaillées situant les cellules identifiables de ces ganglions, notamment celles du ganglion abdominal. Puisque le système nerveux de cet animal comprend plusieurs cellules identifiables (figure 3.3b), on a pu tracer des circuits spécifiques responsables de divers comportements (Kandel, 1976). Les travaux faits sur cet animal ont également permis de mieux comprendre la base moléculaire de l'apprentissage (Kandel et coll., 1986). Ces données ont confirmé que les modèles plus simples de système nerveux des invertébrés pourraient servir à l'étude des caractéristiques complexes des opérations du système nerveux, notamment celle de l'entreposage de l'information.

Les insectes   Dans le règne animal, les nombreuses espèces d'insectes (plus d'un million) qui occupent toutes sortes d'habitats rivalisent d'originalité quant aux couleurs, à l'architecture et à la variété de leurs habitats. Le cycle vital de plusieurs insectes constitue un exemple des changements morphologiques remarquables qui, non seulement affectent le squelette de l'animal, mais mettent également en cause une restructuration du système nerveux. Les organes sensoriels des insectes sont aussi très variés et très sensibles. La réussite dans la lutte pour la survie a laissé plusieurs marques distinctives dans ce groupe d'animaux et il est facile de comprendre pourquoi les spécialistes des neurosciences ont fait porter une grande partie de leurs recherches sur les mécanismes nerveux du comportement des insectes.

En gros, le système nerveux de l'insecte adulte consiste en un cerveau, situé à l'extrémité céphalique, et des ganglions dans chaque segment du corps situé derrière la tête. Des faisceaux d'axones relient le cerveau et les ganglions, le nombre de ceux-ci étant variable; chez certains insectes, tous les ganglions du thorax et de l'abdomen fusionnent pour former un gros amas de cellules. Par contre, d'autres peuvent posséder jusqu'à 8 ganglions. Le cerveau lui-même est constitué de trois parties principales : le cerveau antérieur, le cerveau moyen et le cerveau postérieur (figure 3.4). Le cerveau antérieur (*protocerebrum*) est le plus complexe : il comprend deux lobes latéraux dont chacun est contigu à un gros lobe optique,

Figure 3.3 Cellules nerveuses qu'on a identifiées dans un ganglion d'un invertébré, le lièvre de mer appelé *aplysie*. a) Face dorsale de l'aplysie (les positions des ganglions sont indiquées en caractères gras). b) Surface dorsale du ganglion avec indication de plusieurs des neurones identifiés. Les neurones qui font partie du circuit de l'habituation sont identifiés par une trame grise. c) Surface ventrale du ganglion. (a) Adapté à partir de *Cellular Basis of Behavior : An Introduction to Behavioral Neurobiology* par Éric R. Kandel. W. H. Freeman and Company, 1976. b) et c) Adapté de Frazier et coll., 1967 et de Koester et Kandel, documents inédits.)

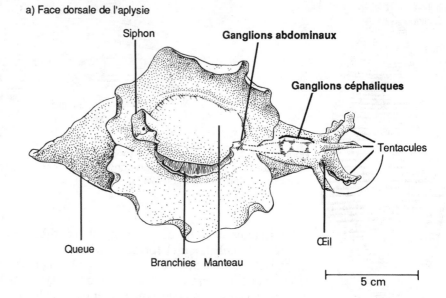

a) Face dorsale de l'aplysie

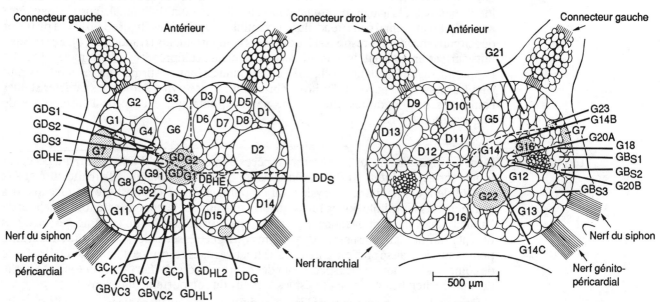

b) Ganglion abdominal, surface dorsale

c) Ganglion abdominal, surface ventrale

extension de l'œil composé. Le lobe optique contient des masses distinctes de cellules qui reçoivent des influx provenant de l'œil ainsi que du cerveau. La stimulation électrique de sites variés, à l'intérieur du cerveau antérieur de divers insectes, engendre des comportements complexes. Les dimensions relatives des différents éléments du cerveau antérieur changent selon les espèces d'insectes et il arrive que certaines de ces variations soient particulièrement associées à des variations du comportement. Par exemple, une portion du

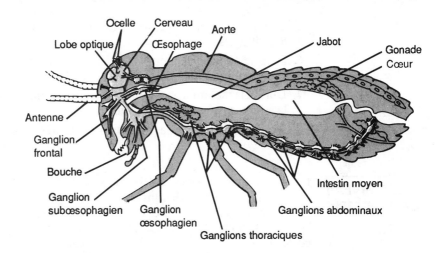

Figure 3.4 Système nerveux d'un insecte typique. Le cerveau, avec ses subdivisions appelées protocerebrum, deutocerebrum et tritocerebrum, est relié par des faisceaux d'axones (connecteurs) à un groupe de ganglions dans le thorax et l'abdomen.

cerveau antérieur, le *corpus pedunculatum* (corps pédonculaire), est particulièrement bien développée chez les insectes sociaux dont le comportement a tendance à être plus élaboré que celui des insectes solitaires. Le cerveau moyen (*deutocerebrum*) contient les nerfs provenant des antennes; le cerveau postérieur (*tritocerebrum*) représente une petite partie du cerveau de l'insecte, partie située derrière le cerveau moyen d'où partent les connexions avec le cordon nerveux.

Des fibres géantes constituent l'une des caractéristiques prédominantes du cordon nerveux des insectes : ces axones sont beaucoup plus gros que la plupart des axones du cordon. Des études intéressantes portant sur des blattes ont exploré les propriétés de ces fibres géantes. Chez ces insectes, les cellules réceptrices de la queue, sensibles au vent, sont reliées à des neurones intercalaires géants à très gros axones qui montent dans le cordon nerveux, jusqu'à la tête; en chemin, ces derniers excitent des motoneurones. Des études de Cahmi (1984) ont démontré que ces fibres géantes étaient très importantes pour la médiation de mouvements de fuite rapide.

PRINCIPALES CARACTÉRISTIQUES DU SYSTÈME NERVEUX DES INVERTÉBRÉS

Bien qu'il existe plus d'un million d'espèces d'invertébrés et qu'un très petit nombre de ces espèces ait été étudié jusqu'à maintenant, il est possible de formuler des hypothèses de généralisation concernant les caractéristiques principales des systèmes nerveux propres aux invertébrés. À l'exception des deux premiers points énoncés ci-dessous, ces caractéristiques ne s'appliquent pas au système nerveux des vertébrés.

1. La plupart des invertébrés sont dotés d'une organisation fondamentale qui consiste en un système nerveux central et un système nerveux périphérique.

2. Les invertébrés les plus complexes possèdent un cerveau; la comparaison des espèces, aux divers niveaux du développement résultant de l'évolution, révèle que les invertébrés plus évolués donnent de plus en plus d'indices de l'existence d'un contrôle cérébral sur les ganglions des niveaux inférieurs.

3. Chez les invertébrés les plus simples, le type le plus commun de cellule nerveuse est le neurone unipolaire.

4. Peu importe où ils se développent dans le système nerveux des invertébrés, les ganglions montrent une structure caractéristique présentant une écorce extérieure constituée de corps cellulaires unipolaires et un noyau central composé des prolongements de ces corps cellulaires formant un neuropile dense.

5. Chez les invertébrés, plusieurs ganglions comprennent typiquement des gros neurones identifiables.

6. Dans le système nerveux de plusieurs invertébrés, il est courant de trouver de gros axones qui sont des éléments des circuits contrôlant une fuite précipitée.

7. Durant la métamorphose, on assiste fréquemment à des changements importants dans la structure du système nerveux.

8. Le système nerveux de plusieurs invertébrés est construit autour du tube gastrique.

LE CERVEAU DES VERTÉBRÉS

Le monde animal comprend 10 000 à 20 000 espèces de vertébrés. Les anatomistes ont examiné le cerveau d'individus appartenant à plusieurs familles de ce groupe et il a été facile de constater que les vertébrés de grandes dimensions ont tendance à posséder un plus gros cerveau. Toutefois, peu importe leurs dimensions, tous les types de cerveaux des vertébrés comprennent les mêmes divisions principales. Les différences majeures observées dans le cerveau des vertébrés concernent les dimensions absolues aussi bien que relatives des différentes régions.

Une comparaison du cerveau de l'être humain et de celui du rat met en évidence certaines similitudes et différences (figure 3.5). On peut constater que chacune des structures identifiées chez l'être humain trouve son équivalent dans le cerveau du rat, cette analogie pouvant être démontrée même pour les noyaux et les voies nerveuses. Même les petites structures du cerveau d'une espèce donnée correspondent exactement aux structures équivalentes du cerveau d'autres espèces. Chez les diverses espèces de la classe des mammifères, les types de neurones sont également semblables. Il en est ainsi de l'organisation du cortex cérébelleux et du cortex cérébral.

Les différences entre le cerveau de l'Homme et celui des autres mammifères sont surtout d'ordre quantitatif, c'est-à-dire qu'elles portent sur les dimensions réelles et relatives de l'ensemble du cerveau, de ses régions et des cellules cérébrales. Chez l'Homme, le cerveau d'un adulte pèse environ 1 400 g, alors que celui d'un rat adulte fait un peu moins de 2 g. Dans chaque cas, le cerveau représente environ 2 % de la masse totale du corps. Toutefois, les hémisphères cérébraux sont proportionnellement plus volumineux chez l'être humain que chez le rat. À cause de son volume si important, le cortex cérébral de l'être humain est formé de circonvolutions et de sillons si bien qu'une grande partie de la surface corticale peut envelopper le reste du cerveau. Par ailleurs, chez le rat, le cortex cérébral est lisse et dépourvu de sillons. Le rat possède des lobes olfactifs relativement plus volumineux que ceux de l'être humain. Cette différence est probablement reliée au fait que le rat utilise beaucoup plus le sens de l'odorat. Chez le rat et chez l'être humain, les dimensions des neurones diffèrent de façon significative. Par exemple, le volume des gros neurones du cortex moteur est 30 fois plus grand chez l'être humain que chez le rat. Par ailleurs, les grosses cellules de Purkinje du cortex cérébelleux de ces deux espèces varient selon un facteur de 4. De plus, on observe de grandes différences dans l'étendue des arbres dendritiques chez l'être humain et chez le rat. Une étude de Purves et Lichtman (1985) portant sur une comparaison entre différentes espèces a démontré que les arbres dendritiques de neurones d'un ganglion du système nerveux sympathique variaient en fonction de la dimension du corps. Les animaux plus petits possèdent des neurones à dendrites plus courtes, l'innervation étant assurée par un plus petit nombre de neurones.

Dans certains cas, les adaptations comportementales des espèces ont été mises en relation avec les différences relatives du volume des structures cérébrales. Par exemple, certaines espèces de chauves-souris s'orientent et localisent leur proie grâce à l'audition; d'autres espèces de chauves-souris dépendent presque totalement de la vision. Dans le mésencéphale,

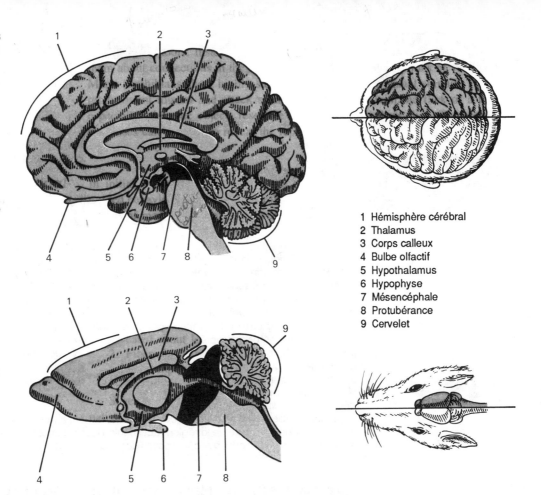

Figure 3.5 Comparaison des structures cérébrales de l'être humain et du rat selon des plans sagittaux moyens de l'hémisphère droit. Les dimensions linéaires du cerveau du rat sont multipliées par un facteur 6 environ par rapport au cerveau de l'homme. Notez que les hémisphères cérébraux sont relativement beaucoup plus grands dans le cerveau humain, alors que le rat présente des lobes mésencéphalique et olfactif relativement plus gros.

1 Hémisphère cérébral
2 Thalamus
3 Corps calleux
4 Bulbe olfactif
5 Hypothalamus
6 Hypophyse
7 Mésencéphale
8 Protubérance
9 Cervelet

le centre auditif (tubercules quadrijumeaux postérieurs) est beaucoup plus volumineux chez les chauves-souris qui comptent sur l'audition alors que celles qui dépendent de la vision ont un centre visuel plus gros (tubercules quadrijumeaux antérieurs).

Les données provenant de ces études comparatives permettent d'entrevoir une meilleure compréhension des relations entre le cerveau et le comportement chez l'être humain. Aux chapitres suivants, nous discuterons de ces résultats notamment en rapport avec les processus sensoriels et la perception, la motivation, l'apprentissage et la mémoire.

La plupart des recherches actuelles en biologie comparée s'intéressent à ces différences qui, dans le monde animal, reflètent les acquisitions adaptatives résultant du processus d'évolution. Divers animaux au passé biologique varié ont résolu différemment le problème de leur adaptation. Plutôt que de se préoccuper de la prétendue suprématie évolutive de l'espèce humaine, ceux qui se consacrent à l'étude comparative de l'anatomie et du comportement essaient de découvrir les relations entre les spécialisations comportementales et les différences somatiques. À la figure 3.6, les exemples utilisés montrent que l'adaptation à des milieux écologiques particuliers correspond à des différences de structure cérébrale. En règle générale, la dimension relative d'une région constitue un bon indice de l'importance du rôle de cette région dans les adaptations de l'espèce; à cet égard, *la quantité va avec la qualité* même si de petites dimensions cérébrales peuvent convenir à certains

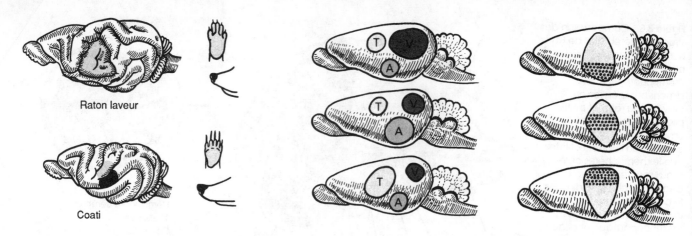

Figure 3.6 Variations dans l'organisation cérébrale en relation avec des différences dans les fonctions d'ordre comportemental. La colonne de gauche présente les cerveaux du raton laveur nord-américain et de son parent d'Amérique centrale, le coati. Ce dernier se sert de l'olfaction autant que du toucher. Le cortex du raton laveur comprend une vaste région représentant la patte avant, mais une toute petite région olfactive, alors que dans le cortex du coati l'olfaction est aussi largement représentée que la patte avant. La colonne du milieu présente schématiquement les dimensions différentes des représentations corticales chez les animaux qui accordent une plus grande importance à la vision (dessin du haut), à l'audition (dessin du centre) et au toucher (dessin du bas). Remarquez également que dans le mésencéphale, les tubercules quadrijumeaux antérieurs (centre visuel du mésencéphale) sont volumineux chez l'animal visuel, alors que les tubercules quadrijumeaux postérieurs (centre auditif du mésencéphale) sont volumineux chez l'animal qui dépend de l'audition; on observe une telle différence chez les chauves-souris qui utilisent surtout la vision par comparaison avec les chauves-souris qui utilisent surtout l'audition. La colonne de droite illustre l'étendue différente de la région tactile, selon que l'animal explore surtout avec la bouche ou le museau (dessin du haut), avec ses mains (dessin du centre) ou avec sa queue (dessin du bas).

comportements élaborés (Mann, Towe et Glickman, 1988). La compréhension de la façon dont des différences de volume et de structure du cerveau contribuent aux spécialisations du comportement devrait faciliter l'étude des bases nerveuses du comportement humain. Par exemple, chez l'être humain, la dimension de certaines aires des lobes temporaux semble jouer un rôle dans le langage (chapitre 18).

Évolution du cerveau des vertébrés

Les caractéristiques du système nerveux ont progressivement changé au cours de l'évolution. Depuis cent millions d'années, une caractéristique particulièrement évidente est celle de la tendance générale vers une augmentation du volume du cerveau des vertébrés, notamment celui de nos ancêtres qui a connu une augmentation de volume tout à fait remarquable, au cours des deux derniers millions d'années. Comment cette évolution du cerveau a-t-elle été associée à des changements de capacités comportementales ?

Il serait plus facile de comprendre l'évolution du cerveau si l'étude du cerveau d'animaux fossiles était possible. Malheureusement, les tissus mous du cerveau ne peuvent être fossilisés. Néanmoins, deux méthodes d'analyse se sont avérées utiles, l'une consistant en l'utilisation de la cavité crânienne de la tête d'un fossile pour façonner un moule du cerveau qui a déjà occupé cet espace. Ces moulages donnent une bonne indication du volume et de la forme d'un cerveau.

L'autre méthode permet d'étudier les animaux contemporains en choisissant des espèces qui présentent divers degrés de similitude (ou de différence) avec les formes ancestrales.

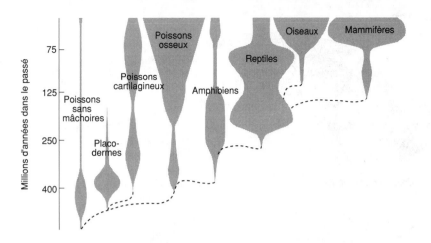

Figure 3.7 Grandes lignes du dossier historique des vertébrés. Pour chaque classe de vertébré, la largeur de la voie est proportionnelle au nombre d'espèces connues à chacune des périodes géologiques (Adapté de G. G. Simpson, *The Meaning of Evolution, second edition* (New Haven : Yale University Press, 1967).)

Bien qu'aucun animal moderne ne soit l'ancêtre de quelque forme vivante, il est évident que certaines espèces actuelles ressemblent plus aux formes ancestrales que d'autres espèces. Par exemple, les grenouilles actuelles ressemblent beaucoup plus aux vertébrés d'il y a 300 millions d'années qu'aucun mammifère ne peut leur ressembler (figure 3.7). Chez les mammifères, certaines espèces comme l'opossum ressemblent plus aux mammifères fossilisés il y a 50 millions d'années que les autres espèces de mammifères, notamment le chien. Les anatomistes qui étudient les cerveaux des espèces vivantes peuvent recueillir beaucoup plus d'informations détaillées à partir de l'observation de ces animaux qu'à partir de moulages de crânes fossilisés, car ils peuvent ainsi étudier la structure interne du cerveau, ses noyaux, ses voies nerveuses et les circuits formés par les connexions interneuronales.

Cependant, les tendances évolutives ne doivent pas être interprétées comme s'il s'agissait d'une séquence linéaire d'événements. En effet, à la figure 3.7, il faut noter que les principales classes de vertébrés appartiennent à différentes ramifications de l'évolution et qu'elles ont connu des cheminements séparés depuis au moins une centaine de millions d'années. C'est ainsi qu'un développement particulier attribuable à l'évolution peut ne pas avoir été accessible aux mammifères, même si cette nouvelle acquisition s'est produite avant l'apparition des premiers mammifères. Par exemple, certaines formes évoluées de requins ont acquis, il y a très longtemps, un cerveau beaucoup plus volumineux que celui des requins primitifs. Pourtant, ceci ne saurait expliquer le cerveau volumineux caractéristique des mammifères. En effet, la ligne évolutive à l'origine des mammifères s'était séparée de celle des requins, avant même que n'apparaisse le gros cerveau des requins.

Différentes tendances évolutives ont permis d'acquérir de façon indépendante plusieurs stratégies favorisant la survie de l'espèce. En fait, pour établir qu'une caractéristique puisse avoir été léguée par un ancêtre commun, il faut démontrer qu'elle est partagée par la plupart des membres des classes issues de cet ancêtre. Peu d'espèces de chacune des classes n'ont encore été étudiées en détail si bien que les conclusions de certaines recherches doivent être considérées comme hypothétiques (Northcutt, 1981), ce qui n'empêche pas que certaines conclusions soient fort intéressantes.

Modifications apportées au cerveau des vertébrés au cours de l'évolution

Les recherches récentes démontrent que même le plus primitif des vertébrés vivants, la lamproie (sorte de poisson rudimentaire dépourvu de mâchoires), posséderait un cerveau plus structuré que ce qu'on avait l'habitude de prétendre. La lamproie a non seulement la charpente nerveuse fondamentale de la moelle épinière, un rhombencéphale et un mésencéphale, mais elle possède également un diencéphale et un télencéphale (figure 3.8).

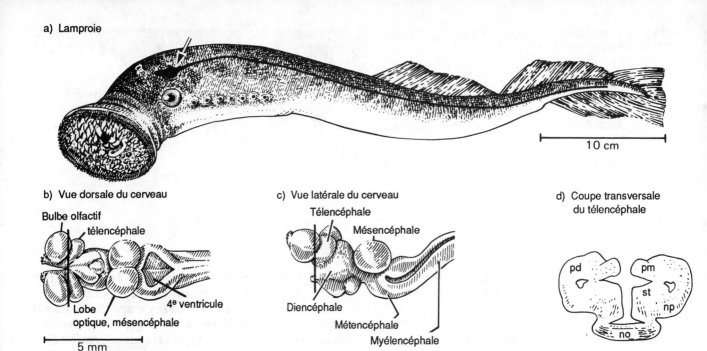

a) Lamproie

b) Vue dorsale du cerveau

Bulbe olfactif
télencéphale
Lobe optique, mésencéphale
4ᵉ ventricule

c) Vue latérale du cerveau

Télencéphale
Mésencéphale
Diencéphale
Métencéphale
Myélencéphale

d) Coupe transversale du télencéphale

pd
pm
st
np
no

Figure 3.8 a) Une lamproie, le plus primitif des vertébrés vivants. Les lamproies appartiennent à l'ordre des poissons sans mâchoires. Le site du cerveau et de la moelle épinière est indiqué par une flèche. b) Vue dorsale du cerveau de la lamproie. Le cerveau présente toutes les principales subdivisions retrouvées dans le cerveau des vertébrés les plus développés. c) Vue latérale du cerveau de la lamproie. d) Coupe transversale du télencéphale de la lamproie. La partie principale du télencéphale, le pallium, n'est pas divisée en cortex et matière blanche et les hémisphères ne sont par reliés par un corps calleux (pd, pallium dorsal; pm, pallium médian; no, nerf optique; np, noyau préoptique; st, striatum).

Son télencéphale comprend des hémisphères cérébraux et d'autres structures que possède également le cerveau des mammifères. Toutes ces parties du cerveau existent dans le cerveau de tous les vertébrés.

Les différences permettant de distinguer les diverses espèces de vertébrés quant à leurs structures cérébrales ne tiennent pas à des subdivisions fondamentales, mais plutôt à leurs dimensions relatives et à leur développement particulier. À quels stades de l'évolution des vertébrés les diverses régions du cerveau sont-elles enfin devenues importantes ? La lamproie possède deux gros lobes optiques dans le mésencéphale, ce qui représente probablement le plus haut niveau d'intégration visuelle que cet animal ait atteint. Chez la grenouille également, la représentation relativement importante de la partie optique du toit du mésencéphale constitue le centre principal de la vision dans le cerveau. La perception visuelle complexe des oiseaux et des mammifères exige un télencéphale plus volumineux.

Les reptiles ont été les premiers vertébrés à posséder des hémisphères cérébraux relativement développés. Ils ont également été les premiers vertébrés à être dotés d'un cortex cérébral, mais la structure de leur cortex n'est pas formée de couches successives comme celle du cortex des mammifères. Une partie du cortex des reptiles semble être homologue à l'hippocampe des mammifères, structure nommée **paléocortex** (du grec *palaios* signifiant ancien) parce que ce cortex est évolutivement ancien.

Les mammifères primitifs comme l'opossum possèdent une quantité relativement importante de paléocortex et de structures associées, l'ensemble constituant le **système limbique** (du latin *limbus* signifiant frontière). En effet, le système limbique forme une lisière autour des structures cérébrales sous-jacentes. Nous étudierons le système limbique en rapport avec l'émotion et la motivation (chapitre 15) ainsi qu'en rapport avec l'apprentissage et la mémoire (chapitres 16 et 17).

Chez tous les mammifères, le **néocortex** est formé de six couches. Chez les mammifères les plus évolués, le néocortex représente plus de la moitié du volume du cerveau. Chez plusieurs primates (grands singes et être humain), le néocortex montre des sillons profonds, si bien que le cerveau est recouvert d'une grande surface corticale. En effet, chez les mammifères les plus évolués, le cortex est le principal responsable de plusieurs fonctions complexes, comme celle de la perception des objets. Les régions du cerveau qui servaient aux fonctions perceptives chez les animaux moins évolués, par exemple les lobes optiques du mésencéphale (chez la lamproie) ou le centre optique du mésencéphale (chez la grenouille), sont devenues, chez le mammifère moderne, des centres réflexes visuels ou des centres de relais pour les voies de projection vers le cortex. Nous étudierons le néocortex en fonction non seulement de la perception, mais également d'opérations cognitives complexes.

Évolution du volume du cerveau

On dit souvent que le cerveau a augmenté de volume avec l'apparition de chaque classe de vertébrés (figure 3.7). Pourtant, chez les représentants actuels des diverses classes de vertébrés, il existe certaines exceptions à cette règle générale : en effet, bien qu'ils soient apparus après les mammifères, les oiseaux ne possèdent pas un cerveau volumineux. Cette généralisation provient d'une conception ancienne de l'évolution des vertébrés selon laquelle les nouvelles acquisitions résulteraient d'une série linéaire d'événements, suivant une complexité croissante, plutôt que d'une série de ramifications successives.

En réalité, lorsque la comparaison porte sur des animaux dont les dimensions corporelles sont semblables, on peut noter que chaque tendance évolutive révèle une forte variation du volume cérébral. Par exemple, dans l'ancienne classe des poissons sans mâchoires (agnathes), les gastérobranches aveugles, considérés comme étant les membres les plus évolués de cette classe, possèdent un prosencéphale quatre fois plus volumineux que celui des lamproies de dimensions corporelles comparables. C'est dans la lignée des mammifères que l'accroissement du cerveau en relation avec la capacité comportementale a été étudié le plus à fond.

Toutefois, l'étude du volume cérébral se complique à cause de la grande variété de dimensions corporelles. On ne saurait s'attendre à ce que des animaux se distinguant par leurs dimensions corporelles possèdent un cerveau de même volume. Mais quelle est la relation exacte entre le volume du corps et celui du cerveau ? On a d'abord trouvé une relation générale valable pour les espèces actuelles et on l'a ensuite appliquée avec succès aux espèces fossiles. Cette fonction s'est avérée utile pour découvrir des relations entre le cerveau et les capacités comportementales.

Relation entre le volume du cerveau et celui du corps

Nous avons longtemps cru que notre cerveau était le plus volumineux des cerveaux des vertébrés; toutefois, cette croyance a été renversée au XVIIᵉ siècle par la découverte que la masse du cerveau de l'éléphant était trois fois plus grande que celle du cerveau humain. Puis, on découvrit que le cerveau des baleines était encore plus volumineux (voir le tableau 3.1). Ces données intriguèrent les chercheurs qui prenaient pour acquis que l'être humain était le plus intelligent de tous les animaux et qu'il devait par conséquent être doté du cerveau le plus gros. Pour résoudre ce problème, ils ont proposé d'exprimer la masse cérébrale en fonction de celle du corps (tableau 3.1). À cet égard, les êtres humains l'emportent sur l'éléphant, la baleine et tous les autres animaux de grandes ou moyennes dimensions corporelles. Toutefois, la souris montre un rapport masse cérébrale / masse corporelle à peu près égal à celui de l'être humain tandis que la minuscule musaraigne dépasse l'être humain sur ce plan. Il faut donc se demander quelle quantité de cerveau est nécessaire pour contrôler les activités d'ensemble d'un corps aux dimensions spécifiques.

En considérant les masses cérébrales et corporelles, les données du tableau 3.1 peuvent-elles permettre de découvrir un motif quelconque ? En étudiant un échantillon plus grand et en tenant compte des valeurs fournies à la figure 3.9, il se dégage une certaine régularité. Tous les rapports volume cérébral / volume corporel se situent à l'intérieur de deux champs diagonaux (l'un pour les vertébrés supérieurs, l'autre pour les vertébrés inférieurs). Ces

Tableau 3.1 Masse du cerveau et masse du corps de certains mammifères adultes.

Mammifères	Masse cérébrale approximative (g)	Masse corporelle approximative (g)	Masse cérébrale en pourcentage de la masse corporelle	k (facteur d'encéphalisation)
Musaraigne	0,25	7,5	3,33	0,06
Souris	0,5	24	2,08	0,06
Mouton	100	40 000	0,25	0,08
Léopard	135	48 000	0,28	0,10
Ours des cocotiers	400	45 000	0,89	0,32
Chimpanzé	400	42 000	0,95	0,30
Homme	1 400	60 000	2,33	0,95
Éléphant d'Asie	5 000	2 550 000	0,20	0,27
Hominidés (fossiles)				
Australopithèque (4 à 6 millions d'années)	450	50 000	0,90	0,33
Homo habilis (environ 1,75 million d'années)	550	50 000	1,10	0,41
Homo erectus (environ 0,7 million d'années)	950	50 000	1,90	0,70

Sources : La plupart des données sur les animaux sont tirées de Crile et Quiring (1940). Les données sur les hominidés fossiles sont tirées de Jerison (1973).

deux échelles étant logarithmiques, le graphique recouvre des animaux présentant une grande variété de dimensions et les écarts à la règle générale ont tendance à s'amenuiser. À la figure 3.9, chaque champ diagonal adopte une pente de 2/3. Cette pente illustre le fait que la masse du cerveau est approximativement proportionnelle à la puissance deux tiers de la masse corporelle. De façon plus formelle, on obtient la fonction, $E = kP^{2/3}$, où E = masse cérébrale, P = masse corporelle et k est une constante pour une espèce et varie selon les classes et les espèces d'animaux. La constante k est plus élevée pour les animaux dont l'évolution est récente qu'elle ne l'est pour les formes plus anciennes. Autrement dit, les vertébrés complexes ont typiquement un cerveau dont les dimensions sont 10 fois plus grandes par rapport à leur corps que les vertébrés plus simples.

Figure 3.9 Volume cérébral représenté en fonction du volume corporel de quelque deux cents espèces de vertébrés qui ont survécu. Les données sur les mammifères et les oiseaux se situent à l'intérieur de la zone claire du haut du graphique et les données sur les reptiles et les poissons se situent à l'intérieur de la zone claire du bas. (Adapté de Jerison, 1973; basé en grande partie sur les données de Crile et Quiring, 1940.)

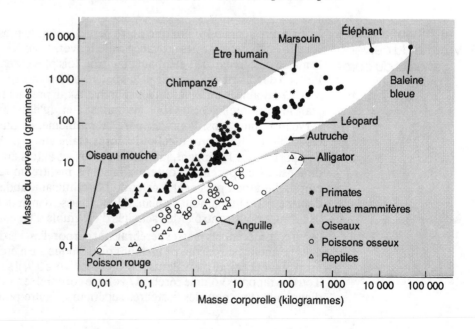

Il faut noter que les rapports volume cérébral / volume corporel des vertébrés supérieurs ne correspondent pas exactement à une ligne diagonale qui traverserait le centre de la région ovale. Certains points se situent au-dessus d'une telle diagonale (ceux de l'être humain, du marsouin et de la corneille) tandis que d'autres sont au-dessous (ceux de l'autruche et de l'opossum). La valeur de la constante *k* d'une espèce donnée dépend de la distance verticale de l'écart de sa position par rapport à la diagonale du graphique. Donc, même si 0,007 représente la valeur moyenne de *k* pour les vertébrés supérieurs, il est possible de calculer la valeur de *k* propre à chaque espèce. En ce sens, l'être humain se situe au-dessus de toutes les autres espèces. Sur le graphique, le point représentant l'être humain est situé plus loin au-dessus de la diagonale que le point désignant toute autre espèce. La quatrième colonne du tableau 3.1 donne les valeurs *k* de diverses espèces.

On a étudié le volume cérébral de plusieurs espèces de mammifères, tant actuelles que fossiles. Ces observations ont apporté des indices sur les forces de pression sélective qui ont entraîné le développement de cerveaux plus volumineux. Comment donc a évolué le volume du cerveau en fonction de la niche écologique et, plus particulièrement, en fonction des méthodes utilisées pour obtenir de la nourriture ? De plus, que peut révéler une comparaison du volume du cerveau des ancêtres plus ou moins directs de l'homme moderne ?

Volume cérébral et régime alimentaire

Chez les mammifères, les espèces herbivores possèdent un cerveau relativement plus petit que celui des espèces frugivores ou insectivores (c.-à-d. dont les ressources alimentaires sont dispersées sur de plus grandes unités de surface). Une telle relation a été observée chez les rongeurs, les insectivores (musaraignes et taupes) et les lagomorphes (lapins et lièvres) (Clutton-Brock et Harvey, 1980). Cette relation s'avère exacte pour les primates (Mace, Harvey et Clutton-Brock, 1981). Dans l'ordre des chauves-souris, qui comprend plusieurs centaines d'espèces, il est arrivé plusieurs fois que des cerveaux relativement gros apparaissent au cours de l'évolution. À volume corporel constant, les espèces de chauves-souris qui se nourrissent surtout de fruits ou de nectar, ainsi que celles se nourrissant principalement de sang, montrent un volume cérébral 70 % plus grand environ que celui des espèces qui mangent plutôt des insectes capturés en plein vol. La découverte de fruits et l'évaluation de leur qualité exigent une intégration de l'information provenant de plusieurs sens, alors que les espèces qui attrapent les insectes au vol se fient entièrement à l'audition. Eisenberg et Wilson (1978, p.750) prétendent qu'on trouve des cerveaux plus volumineux chez les espèces de chauves-souris dont les stratégies de recherche de nourriture sont basées sur la localisation de réserves relativement importantes de nourriture à grande valeur énergétique, réserves dont la distribution temporelle et spatiale est imprévisible.

Le cerveau des hominidés

Une autre façon d'aborder la question des relations cerveau-comportement qui résultent de l'évolution consiste à étudier les **hominidés**, dont l'être humain (*homo sapiens*) est l'unique survivant. Cette méthode, fascinante à cause de ce qu'elle révèle de nos ancêtres lointains, nous aide à comprendre comment le corps s'adapte, par sélection naturelle, à son environnement.

Les caractéristiques structurales et comportementales considérées comme étant le propre de l'espèce humaine ne sont pas apparues simultanément. Notre cerveau volumineux s'est développé plutôt tardivement. Selon une estimation, le tronc et les bras des hominidés auraient atteint leur forme actuelle il y a environ 10 millions d'années. (Il faut noter que le champ temporel de l'évolution humaine et l'âge des divers fossiles ont été modifiés par les méthodes récentes d'estimation du temps écoulé. Tous les experts ne s'accordant pas sur les datations, on devrait considérer ces dernières comme approximatives.) Il y a environ 3 millions d'années que les hominidés ont adopté la démarche bipède. Les plus vieux outils de pierre remontent à au moins 2,5 millions d'années. Les utilisateurs d'outils étaient des hommes-singes bipèdes, les Australopithèques, créatures au volume cérébral d'environ 450 cm^3, soit à peu près le volume du cerveau du chimpanzé actuel. Les Australopithèques fabriquaient de grossiers outils de pierre, ce que les chimpanzés ne font pas, et les utilisaient pour chasser et pour casser les os des animaux. En utilisant des outils, leurs mâchoires et leurs dents sont devenues plus petites que celles des grands singes et plus semblables à celles de l'être humain actuel. Mais la masse de leur cerveau n'a pas augmenté, un volume cérébral d'environ 450 cm^3 étant suffisant. D'ailleurs, ce fut un animal qui a réussi, étant demeuré relativement inchangé pendant environ 2 millions d'années.

Les sites de campement portent a croire que ces premiers hominidés vivaient en petits groupes nomades de 20 à 50 individus. Les mâles chassaient et les femelles cueillaient des plantes. Cette vie de chasse et de cueillette était alors un nouveau style de vie qui s'est propagé chez les hominidés plus récents. Au chapitre 11, nous étudierons certaines des implications pour la sexualité humaine d'un tel style de vie associé à un accroissement du volume cérébral.

Il y a environ 750 000 ans, les Australopithèques furent remplacés par *Homo erectus*, créature au cerveau beaucoup plus volumineux (presque 1000 cm^3) qui fabriquait des outils de pierre élaborés, utilisait le feu et tuait de gros animaux. Non seulement le cerveau d'*Homo erectus* était-il plus gros que celui de son prédécesseur, mais son visage était plus petit. Ces tendances se sont poursuivies avec le développement de l'être humain actuel, *Homo sapiens*. Des fossiles et des outils d'*Homo erectus* ont été trouvés sur trois continents, alors que ceux des Australopithèques ne se retrouvent qu'en Afrique. Peut-être est-ce parce que *Homo erectus* représentait un niveau de capacité et d'adaptation culturelle qui permettait aux hominidés de s'aventurer dans des nouvelles niches de l'environnement et de franchir les barrières qui retenaient les premiers hominidés dans des enclos plus restreints.

L'évolution du cerveau et l'accroissement de la capacité comportementale ont connu des progrès rapides, des Australopithèques aux êtres humains actuels (figure 3.10). Quand *Homo sapiens* est apparu, il y a environ 200 000 ans, le volume cérébral avait atteint son niveau actuel, soit environ 1400 cm^3. Ainsi, après n'avoir virtuellement pas changé durant environ 2 millions d'années d'utilisation d'outils par les Australopithèques, le volume du cerveau a presque triplé au cours du million et demi d'années qui ont suivi.

Les dimensions du cerveau humain semblent maintenant s'être stabilisées. Les changements récents dans le style de vie de l'Homme, par exemple l'apparition du langage, il y a environ 40 000 ans, l'introduction de l'agriculture et de l'élevage des animaux (il y a environ 10 000 ans) et la vie urbaine (au cours des quelques derniers milliers d'années), ont tous été réalisés et assimilés par un cerveau qui ne semble pas avoir modifié son volume depuis l'apparition d'*Homo sapiens*.

Le changement de tout organe au cours de l'évolution indique l'existence de pressions de la part de l'environnement et signifie que tel changement présentait des avantages pour la survie de l'espèce. Un changement rapide comme celui du volume cérébral des hominidés, permet de supposer qu'il entraînait de grands avantages pour la survie. Est-il alors possible de déterminer de quelles façons l'évolution du cerveau humain a pu accompagner et rendre possibles certaines modifications du comportement de l'homme ?

Le cerveau de l'Australopithèque ressemblait par son volume et sa forme générale à celui du chimpanzé actuel. Toutefois, il est évident que le chimpanzé est un parent plus éloigné de l'homme que ne l'est l'Australopithèque. Des chercheurs (Kohne et coll., 1972) ont comparé les séquences d'ADN et en ont conclu que nos ancêtres se sont séparés du

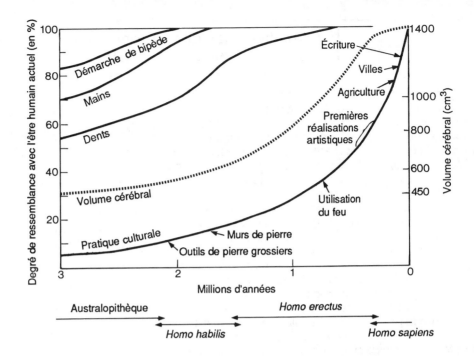

Figure 3.10 Aspects de l'évolution des hominidés. (Adapté de Tobias, 1980.)

chimpanzé il y a quelque 30 millions d'années. Un autre chercheur (Sarich, 1971) interprète les données sur l'ADN ainsi que celles sur l'albumine et l'hémoglobine comme des indications que les lignées de l'être humain et du chimpanzé se seraient séparées il n'y a que quelque 4 ou 5 millions d'années. Même si nous acceptons la validité de ces dernières estimations, les chimpanzés auraient quand même eu 4 à 5 millions d'années pour évoluer dans leur direction, pendant que les êtres humains évoluaient dans une direction distincte. Toutes les espèces qui ont survécu jusqu'à nos jours ont dû s'adapter aux circonstances du milieu. Ces espèces n'existent donc pas uniquement dans le but de permettre à l'être humain de retrouver ses origines ancestrales !

Le fait que les hominidés aient fabriqué des outils de pierre, il y a au moins 2,5 millions d'années, et les aient utilisés pour la chasse permet également d'établir une distinction entre l'Australopithèque et le chimpanzé, même si le volume cérébral des deux était équivalent. Les observations faites sur le terrain ont montré que les chimpanzés font usage de quelques outils (brindilles, branches, feuilles), mais on ne les a jamais vus façonner une pierre, même de façon grossière. Ils capturent du petit gibier à l'occasion, mais pas aussi fréquemment que le laissent entrevoir les amas d'ossatures de bêtes de proie découverts en même temps que les outils d'Australopithèques et les fossiles. Selon toute évidence, l'Australopithèque est donc notre parent le plus proche, plus près de la culture humaine que ne l'est le chimpanzé. Son organisation cérébrale devait être également différente, dans une certaine mesure, de celle du chimpanzé. Ceci étant acquis, de quelle façon le cerveau humain actuel se distingue-t-il de celui du chimpanzé ?

L'organisation du cerveau d'*Homo sapiens* et celle du cerveau du chimpanzé révèlent des différences remarquables, notamment les suivantes :

1. Le cerveau humain comporte un développement plus étendu des aires corticales motrice et sensorielle consacrées aux mains.

Un regard rapide dans un miroir et un coup d'œil également furtif vers d'autres vertébrés semblent laisser comme impression que la symétrie bilatérale du corps est chose courante chez les animaux. Mais, l'examen plus attentif de quelques créatures plus exotiques donne à réfléchir. Par exemple, le monde aquatique comprend d'étranges cas d'exception à ce plan de symétrie corporelle. Certains crabes, tel le crabe appelant, ont une pince gauche qui est toujours plus grosse que la droite. Chez les pleuronectes (poissons plats comme le flet), on trouve des exemples surprenants d'asymétrie corporelle s'appliquant également au cerveau (Rao et Finger, 1984). Les yeux de certains pleuronectes adultes sont du même côté de la tête ! Cette curiosité structurale apparaît au cours de l'ontogenèse. Au début, à l'éclosion de l'œuf, ce poisson a la forme symétrique du poisson ordinaire. Mais lentement, au cours de sa croissance, un œil se déplace sur le dessus de la tête. Certains pleuronectes sont droitiers, les deux yeux se trouvant du côté droit de la tête, alors que d'autres sont gauchers. Malgré le fait que les deux yeux se trouvent d'un même côté de la tête, les régions visuelles du cerveau de ces animaux sont symétriques.

ROD : récepteur olfactif droit
ROG : récepteur olfactif gauche
NOD : nerf olfactif droit
NOG : nerf olfactif gauche
BOD : bulbe olfactif droit
BOG : bulbe olfactif gauche
TLD : télencéphale droit
TLG : télencéphale gauche

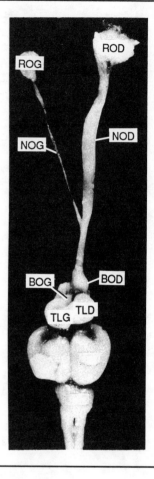

Figure de l'encadré 3.1 Le cerveau et les organes olfactifs du flet d'hiver faisant voir la grande asymétrie du système olfactif. L'organe, le nerf et le bulbe olfactifs de même que le télencéphale du côté droit sont plus gros que leurs contreparties controlatérales. (De P.D.P. Rao et T.E. Finger, 1984. *J. Comp. Neurol.* 63 : 492-510.)

2. Comme celui du chimpanzé, le cerveau humain possède un système limbique intervenant dans la vocalisation. Toutefois, le cerveau humain comprend également de grandes régions corticales se rapportant à la production et à la perception de la parole.

3. En ce qui concerne le langage, la dextérité manuelle et d'autres fonctions, le cerveau humain présente une spécialisation hémisphérique des fonctions qui est remarquable. Par contre, les deux hémisphères du chimpanzé ont des fonctions plus équivalentes. Il faut noter que les exemples intéressants de l'asymétrie du système nerveux ne se limitent pas aux seuls primates (voir l'encadré 3.1).

4. Les régions sensorielles primaires du cortex sont en quelque sorte plus développées chez l'Homme que chez le chimpanzé. Cependant, l'expansion principale du cortex humain se situe en dehors de ces régions sensorielles. Une proportion plus grande du cerveau de l'être humain est donc consacrée à un traitement de l'information plus varié et plus élaboré.

Par contre, le système olfactif de ces mêmes animaux présente une asymétrie cérébrale très frappante (figure 3.1 de l'encadré). Le récepteur olfactif droit et les voies nerveuses, y inclus le cerveau, sont nettement plus gros.

On trouve également des descriptions d'asymétrie structurale du cerveau chez d'autres vertébrés non humains, mais elles sont un peu moins nombreuses. On a relevé à l'intérieur du diencéphale de quelques vertébrés inférieurs, tels les amphibiens, une asymétrie marquée d'une région dite du noyau de l'habenula. L'épaisseur du cortex cérébral du rat présente également des asymétries : il est plus épais du côté droit que du côté gauche, mais seulement dans les régions corticales postérieures des animaux mâles (Diamond, Dowling et Johnson, 1980). Les études sur les primates autres que l'être humain révèlent l'existence d'asymétries anatomiques dans la région du lobe temporal, asymétries analogues à celles observées chez l'être humain. Des études fonctionnelles chez des vertébrés non humains offrent plusieurs exemples de latéralisation, y inclus des observations sur les effets de lésions cérébrales. Ainsi, la section du nerf vague du côté gauche, chez le pinson mâle adulte, entraîne la perte de la capacité de chanter. Une lésion du côté droit n'a produit que peu d'impact sur le comportement vocal de cet oiseau (Nottebohm, 1981).

Dans le comportement humain, la latéralité est un fait courant. Partout dans le monde, la plupart de nos semblables sont droitiers pour les tâches qui exigent des activités hautement coordonnées, comme l'écriture ou l'usage d'outils. Les êtres humains témoignent également de légères différences dans leur apparence physique. Regardez-vous dans un miroir et souriez. On observe durant de tels gestes expressifs une légère asymétrie faciale et certains chercheurs croient que ce fait est important pour l'expression émotionnelle (chapitre 18). Mais qu'en est-il du cerveau humain ? Même si les anatomistes ont ignoré pendant longtemps les différences anatomiques entre les hémisphères cérébraux de l'être humain, les travaux récents sur les différences fonctionnelles entre les hémisphères cérébraux ont réorienté la recherche vers les spécialisations anatomiques du cerveau humain, y inclus l'asymétrie de structure.

Les asymétries dans la morphologie du cerveau humain sont maintenant bien identifiées dans plusieurs parties du cerveau. Certaines régions du lobe temporal concernant le comportement verbal sont nettement plus développées du côté gauche du cerveau (Galaburda et coll., 1978). Il existe une forte asymétrie dans la longueur et la largeur d'ensemble des hémisphères gauche et droit. Le pôle frontal droit est plus volumineux, alors que certaines régions pariétales et occipitales sont plus larges du côté gauche du cerveau (Chui et Damasio, 1980). Beaucoup d'autres données viennent confirmer que l'asymétrie cérébrale est une des caractéristiques de l'être humain. Les relations entre ces faits anatomiques et l'activité latéralisée font toujours l'objet d'importantes recherches.

L'expansion des aires corticales et la spécialisation hémisphérique semblent donc avoir rendu possible la coopération sociale des êtres humains dans la cueillette de plantes et dans la chasse, en plus de leur avoir donné la capacité de fabriquer des outils et des armes de plus en plus compliqués. Ces comportements qui ont accru les chances de survie de l'être humain, n'auraient pu se développer davantage que dans la mesure où le volume et la complexité du cerveau augmentaient de plus en plus. Par conséquent, la sélection de comportements avantageux entraînait également la sélection de cerveaux plus puissants.

Les avantages de survie dont profitent ceux qui possèdent un cerveau plus développé ne concernent pas seulement les êtres humains, les primates ou les mammifères, prédateurs et proies. Ce serait même excessif que de prétendre, comme l'a fait George Bernard Shaw dans le dialogue cité au début de ce volume, que les cerveaux volumineux sont l'apanage de la seule lignée des mammifères. À l'intérieur de chacune des lignées de l'évolution, on rencontre des variations en terme de dimensions relatives du cerveau, les espèces qui ont évolué très récemment détenant en général les quotients de céphalisation les plus élevés.

De plus, dans chaque lignée de vertébrés, c'est la partie dorsale du télencéphale qui s'est développée et différenciée chez les espèces les plus évoluées. À mesure que nous découvrons plus de réactions communes de cette nature face aux pressions sélectives, ces réactions révéleront peut-être les lois ou facteurs qui régissent les modes d'adaptation et d'évolution du système nerveux (Northcutt, 1981).

ÉVOLUTION DES MESSAGERS CHIMIQUES

Il est probable que, longtemps avant que les cellules nerveuses n'apparaissent à la suite de l'évolution, les organismes assuraient la régulation et la coordination de leurs fonctions et activités en utilisant des molécules chimiques en guise de messagers. L'avènement de la signalisation nerveuse n'a pas remplacé les messagers chimiques, mais a plutôt élargi le champ des possibilités de communication chimique. La stimulation chimique à l'une des extrémités d'un neurone entraîne la production de molécules de messagers chimiques dans les terminaisons éloignées de ce neurone (chapitre 6). D'ailleurs, la signalisation chimique existe toujours dans les organismes à systèmes nerveux complexes; ces êtres vivants sont dotés d'un système endocrinien dont les messagers hormonaux agissent en synergie avec les signaux nerveux.

Bien que nous ne puissions étudier directement les messagers chimiques dans les fossiles des premiers organismes, les organismes simples actuels qui ressemblent aux premières formes de vie utilisent plusieurs messagers chimiques, certains étant semblables à ceux des organismes complexes. Par exemple, les cellules de la levure fabriquent des stéroïdes qui ressemblent beaucoup aux hormones sexuelles des mammifères. L'hypothèse à l'effet que les messagers chimiques soient apparus très tôt dans l'évolution s'appuie sur le fait qu'ils sont très répandus. Par exemple, certains peptides que les mammifères utilisent en guise de neurotransmetteurs se retrouvent non seulement chez les organismes unicellulaires (protozoaires, amibes et levures) mais également chez les plantes supérieures (Le Roith, Shiloach et Roth, 1982).

Parce que l'être humain et d'autres vertébrés utilisent plusieurs des messagers chimiques servant aux invertébrés, beaucoup d'études sur la neurochimie et le comportement des invertébrés se sont avérées pertinentes pour la compréhension des systèmes nerveux des vertébrés.

Résumé

1. Les études comparatives du système nerveux permettent de mieux comprendre l'évolution du cerveau humain et d'envisager une explication des adaptations comportementales propres à une espèce.

2. La complexité du système nerveux des invertébrés varie à partir de l'organisation en réseau nerveux des cœlentérés jusqu'aux structures assez complexes des octopodes. Le système nerveux des invertébrés les plus simples peut servir de modèle simplifié pour la compréhension du système nerveux des vertébrés plus complexes.

3. Le système nerveux des invertébrés se caractérise notamment par de gros neurones unipolaires identifiables et de gros axones qui entrent fréquemment dans la composition des circuits responsables des comportements de fuite.

4. Les principales divisions du cerveau sont les mêmes chez tous les vertébrés. Ces animaux révèlent des différences surtout quantitatives en ce qui concerne les dimensions relatives des cellules nerveuses et de diverses régions du cerveau.

5. Les différences de volume des régions cérébrales observées dans les divers groupes de mammifères correspondent fréquemment à des modes distinctifs d'adaptation comportementale.

6. Des changements de volume cérébral liés à l'évolution sont mis en évidence par la comparaison d'animaux fossilisés et d'animaux vivants. Il faut interpréter la signification du volume du cerveau en tenant compte du volume du corps. Pour les vertébrés, la règle générale est que la

masse du cerveau est proportionnelle à la puissance 2/3 de la masse du corps.

7. Le cerveau de certains animaux est plus volumineux que ne le prévoit la relation générale entre masse cérébrale et masse corporelle. Les êtres humains en particulier sont dotés de cerveaux plus gros qu'on pourrait le prédire à partir de leur dimension corporelle.

8. À l'intérieur de chaque lignée évolutive des vertébrés, on observe des variations du volume relatif du cerveau, les espèces dont l'évolution est plus récente révélant habituellement des quotients de céphalisation plus élevés.

9. Avant l'émergence du système nerveux, des molécules chimiques ont probablement servi de messagers. On retrouve de telles substances chimiques dans plusieurs formes de vie, ces molécules chimiques continuant de jouer un rôle important dans la signalisation du système nerveux.

Lectures recommandées

Bullock, T.H. et Horridge, G.A. (1965). *Structure and Function in the Nervous System of Invertebrates*. San Francisco : W.H. Freeman et Co.

Masterton, R.B., Hodos, W. et Jerison, H. (eds). (1976). *Evolution, Brain and Behavior : Persistent Problems*. Hillsdale, New Jersey : Lawrence Erlbaum Assoc.

Sarnat, H.B. et Netsky, M.G. (1981). *Evolution of the Nervous System* (2e éd.) New York : Oxford University Press.

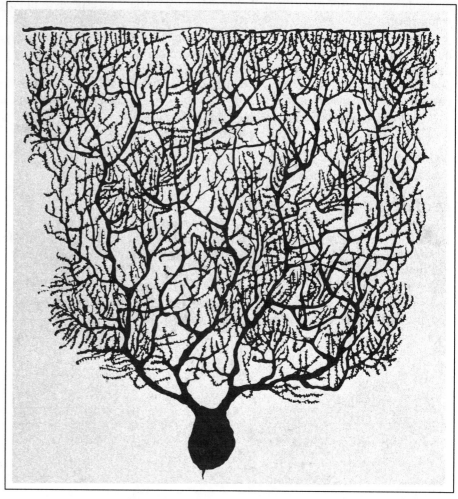

4 Ontogenèse du système nerveux

ORIENTATION

L'âge imprime sa marque dans notre comportement et dans celui de tous les animaux. La vitesse, la progression et le caractère ordonné des changements prennent une place particulièrement évidente tôt dans l'existence. Les sciences de la vie insistent surtout aujourd'hui sur le changement en tant que processus caractéristique de la vie. Le changement est une propriété inexorable du vivant. Dans sa pièce intitulée *As You Like It* , Shakespeare l'a bien exprimé lorsqu'il dit :

« ... d'une heure à l'autre, nous mûrissons et mûrissons,
Et puis, d'une heure à l'autre, nous pourrissons et pourrissons ».

Deux calendriers ont servi de cadres temporels au développement du cerveau. Alors qu'au chapitre précédent, nous avons utilisé le cadre de l'évolution, soit le cheminement du développement cérébral à travers les âges, dans ce chapitre, nous traiterons du développement structural du cerveau durant le déroulement de la vie d'un individu (ontogenèse). Les chapitres suivants fourniront des exemples des changements d'ordre comportemental et physiologique qui, dans le cerveau, accompagnent le développement.

Considérons maintenant les caractéristiques du cerveau d'un adulte (Voir les chapitres 2 et 3) au cours de l'évolution qui le caractérise, du développement embryonnaire jusqu'à la mort. La fécondation d'un ovule par un spermatozoïde, par exemple, est à l'origine de la formation d'un corps doté d'un cerveau qui contient des milliards de neurones aux connexions innombrables. L'allure de ce processus est extraordinaire. Au faîte de la croissance prénatale du cerveau humain, les neurones s'ajoutent au rythme de 500 000 à la minute !

Plusieurs problèmes sont à considérer, entre autres la façon dont les cellules nerveuses se forment et les facteurs qui contrôlent le développement des connexions entre les diverses régions du cerveau. Le cerveau se développe-t-il par le truchement d'un processus guidé de l'intérieur, qui suit docilement les instructions inscrites dans les gènes ? Comment l'expérience vient-elle aider à l'orientation du cerveau naissant ?

La croissance et le développement d'un système nerveux font partie d'un processus énigmatique, particulièrement dans ses relations avec l'ontogenèse du comportement. En psychologie, plusieurs théories mettent l'accent sur le développement et tentent de déterminer l'importance relative des rôles de la nature et de l'expérience. Quelle influence les premiers moments de la vie ont-ils sur les comportements cognitifs et affectifs subséquents ? L'étude du développement des structures et des fonctions du cerveau peut faire apparaître des éléments de réponses à ces questions.

GÉNÉRALITÉS

L'aventure qui se déroule, de la fécondation d'un œuf à la maturation de l'organisme qui en résulte, est très complexe. Pensons à la quantité de cellules qui se trouvent dans le cerveau parvenu à maturité. Les décomptes récents proposent un nombre de neurones variant entre 100 milliards et un million de milliards; ce dernier chiffre est proposé par Kandel et Schwartz (1985). Et pourtant, ces milliards de cellules se conforment à des plans d'organisation propres à l'espèce, méticuleusement ordonnés, réussite stupéfiante des processus du développement et de l'évolution ! Plusieurs aspects du cerveau font l'objet de recherches, allant des influences chimiques jusqu'aux façons dont l'expérience vient affecter les circuits neuronaux du cerveau.

Masse cérébrale : de la naissance à la vieillesse

La mesure de la masse du cerveau aux différents stades de la vie fournit un indice du développement de cet organe. En effet, on peut considérer l'accroissement de la masse cérébrale comme le résultat et le témoin des nombreux processus développementaux sous-jacents. Une étude de Dekaban et Sadowsky (1978) donne un tableau de la masse du cerveau humain au cours de la vie. Ces données sont basées sur la mesure des cerveaux de 5 826 personnes, choisies à partir de 25 000 cas recueillis dans diverses villes. Les chercheurs ont pesé les cerveaux d'individus morts de causes n'exerçant pas d'influence majeure sur le cerveau. Les changements de masse cérébrale, en fonction de l'âge et du sexe, sont illustrés à la figure 4.1. Notez la croissance rapide au cours des cinq premières années. La masse cérébrale est maximale entre 18 et 30 ans environ, après quoi elle accuse un déclin graduel. Voyons maintenant comment le cerveau amorce son développement.

Apparition de la forme du cerveau

L'examen des changements de la forme du cerveau dans son ensemble constitue une autre sorte de témoin du développement cérébral. Un être humain nouveau se forme lorsqu'un spermatozoïde d'environ 60 micromètres de longueur traverse la membrane d'un ovule, cellule de 100 à 150 micromètres de diamètre. Cet événement déclenche un programme de développement aboutissant à la formation d'un nouvel individu. Le cheminement débute

Figure 4.1 Masse de l'encéphale en fonction de l'âge. Remarquez que l'échelle d'âge est allongée dans le cas des cinq premières années afin de faire mieux ressortir les données de cette période de croissance accélérée. (Adapté de Dekaban et Sadowsky, 1978.)

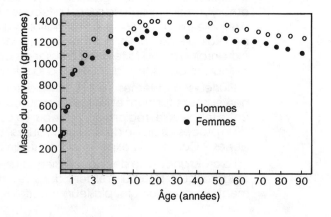

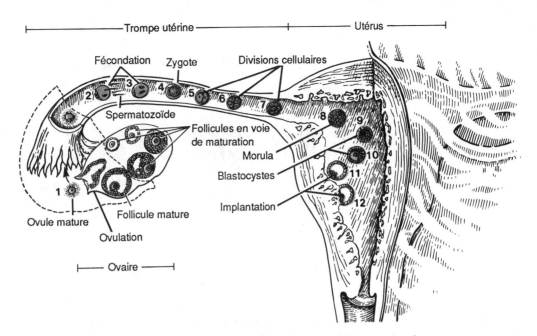

Figure 4.2 Résumé des premiers stades du développement embryonnaire. La séquence commence à gauche avec la libération d'un ovule mature (1) et la fécondation par un spermatozoïde dans une trompe utérine (2)-(3). L'œuf fécondé, ou zygote (4), commence à se diviser (5)-(7). Lorsqu'un amas de cellules homogènes - la morula (8) - s'est formé, la séparation des couches de cellules amène le stade blastocyste (9)-(10) et le processus d'implantation dans l'utérus débute (11)-(12). Pour l'être humain, la durée de ces processus est d'environ une semaine.

dans une trompe utérine, canal rattaché à l'ovaire (figure 4.2). Cette union du spermatozoïde et de l'ovule engendre une cellule à 46 chromosomes, nombre chromosomique normal pour les êtres humains. Ces chromosomes contiennent le devis génétique complet du nouvel individu. Le programme de développement commence par des divisions cellulaires accélérées. En moins de douze heures, l'œuf se clive en deux cellules, si bien qu'après trois jours, celles-ci forment un petit bouquet de cellules homogènes dont l'allure rappelle une grappe de raisins d'environ 200 micromètres de diamètre.

Au cours de cette période, la masse de cellules s'est déplacée vers l'utérus, y parvenant après quelques jours. Cette masse de cellules forme alors deux groupes distincts : une masse externe de cellules, qui formeront plus tard le placenta, et une masse cellulaire interne à l'origine de l'embryon proprement dit. Une cavité se dessine à l'intérieur du bouton embryonnaire. À ce stade, l'embryon prend le nom de **blastocyste** (du grec *blastos*, germe ou bourgeon et *kystos*, vessie), désignant ainsi un organe creux en voie de formation. Le blastocyste est implanté dans l'endomètre utérin à la fin de la première semaine, les cellules du placenta s'introduisant dans cette paroi muqueuse.

Au cours de la deuxième semaine, l'embryon humain naissant présente trois couches distinctes de cellules. Ces couches sont à l'origine de tous les tissus de l'embryon (figure 4.3). Le système nerveux se formera à partir des cellules de la couche externe, cellules nommées **ectoblastes** (du grec *ektos*, dehors et *blastos*, germe). À mesure qu'elles épaississent, les couches de cellules forment une lame plate et ovale. Au niveau des ectoblastes de cette lame, une dépression longitudinale, la **gouttière primitive**, marque une position médiane.

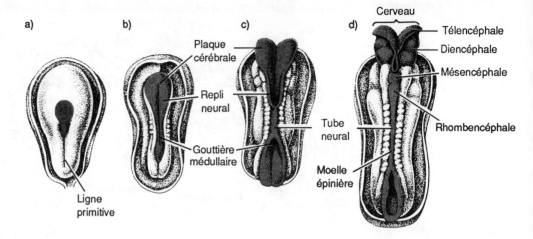

Figure 4.3 Développement embryonnaire de l'être humain, de la deuxième à la quatrième semaine. a) L'embryon a commencé son implantation dans la paroi utérine et il est formé de deux couches cellulaires. b) Formation de trois couches : l'épaississement de l'une de ces couches — l'ectoblaste — conduit à la formation de la plaque neurale. c) Amorce de la gouttière médullaire. d) La gouttière médullaire s'est refermée sur toute la longueur de l'embryon; la fermeture de la gouttière à l'extrémité antérieure du neuropore antérieur est à l'origine de l'encéphale.

À l'extrémité antérieure de cette gouttière, apparaît une masse de cellules : c'est le **nœud de Hansen**. Ce stade est atteint deux semaines après la fécondation. De chaque côté du sillon formé sur cette ligne médiane, se forment alors les **replis neuraux**. Le sillon formé entre ces deux replis se nomme **gouttière neurale**.

Puis, les événements se précipitent. Les replis neuraux se rapprochent l'un de l'autre et transforment la gouttière en **tube neural**. Trois subdivisions font leur apparition dans la partie antérieure du tube neural. Ces divisions correspondent aux futurs cerveaux antérieur (**prosencéphale**), moyen (**mésencéphale**) et postérieur (**rhombencéphale**) (figure 2.7). La cavité du tube neural forme éventuellement les ventricules cérébraux ainsi que les conduits qui les relient entre eux (pour la morphologie du système de ventricules cérébraux, revoir la figure 2.4).

Vers la fin de la huitième semaine, l'embryon humain présente les ébauches rudimentaires de la plupart des organes du corps. L'allure rapide du développement du cerveau durant cette période est reflétée par le fait qu'après huit semaines, la tête compte pour la moitié de la dimension totale de l'embryon. (L'être humain en voie de développement est nommé embryon pendant les dix premières semaines suivant la fécondation; par la suite, on parle de fœtus.) La figure 4.4 illustre la séquence des stades du développement prénatal du cerveau humain, de la 10e à la 40e semaine.

Aspects cellulaires du développement du système nerveux

Quatre processus cellulaires finement contrôlés sont responsables des changements anatomiques importants qui se produisent dans le système nerveux au cours de la vie embryonnaire et fœtale. Ce sont la prolifération, la migration, la différenciation et la mort des cellules. Ces événements se produisent à des fréquences et à des moments différents dans les diverses parties du tube neural. (Il faut noter que des événements similaires sont évidemment en cause dans la formation d'autres organes.)

Prolifération cellulaire

Les cellules nerveuses forment d'abord une couche unique constituant la surface interne du tube neural. Au début, les parois du tube neural sont composées d'une population de cellules identiques. Ces cellules forment alors graduellement une couche dense, la **couche ventriculaire** de cellules (cellules ventriculaires) qui continuent de se diviser (figure 4.5). (Cette couche ventriculaire est également nommée couche épendymaire.) Chaque cellule se divise, donnant naissance à des cellules filles qui se divisent à leur tour. Tous les neurones et les cellules de la névroglie proviennent de cellules issues de la couche ventriculaire. Des données récentes portent à croire que certaines cellules de la couche épendymaire donnent naissance à la névroglie et d'autres à des neurones. La différenciation de ces deux types de cellules se fait assez tôt au moment de l'organisation de la couche épendymaire. Chez la plupart des mammifères, le processus de formation des cellules nerveuses, dans la couche ventriculaire, se poursuit jusqu'à la naissance, mais il ne s'ajoute que très peu de cellules nerveuses après ce moment (Rakic, 1974). Toutefois, dans certaines régions du cerveau, il s'effectue une addition postnatale de cellules nerveuses. Par exemple, des cellules viennent encore s'ajouter, à l'intérieur du cervelet humain, quelques mois après la naissance.

Chaque partie du cerveau d'un animal apparaît à un moment particulier pour chaque espèce. Cela signifie qu'il existe une chronologie ordonnée du développement cérébral et qu'il est possible de prédire à peu près à quel jour du développement certains neurones seront formés. Vu la complexité d'un cerveau de vertébré, il est évidemment assez difficile de retracer le développement cellulaire à partir de la faible population initiale des cellules épendymaires, les cellules qui en sont issues ne pouvant être retracées. Cependant, dans le système nerveux plus simple des invertébrés, système formé d'un petit nombre de neurones, il est plus facile de retracer complètement les lignées cellulaires.

Migration cellulaire

Les neurones du système nerveux en voie de développement se déplacent beaucoup. À un stade donné, les cellules nerveuses qui viennent former la couche ventriculaire, à la suite des divisions de mitose, commencent à se déplacer. Ce processus est nommé **migration cellulaire**. À ce moment, les cellules nerveuses sont appelées **neuroblastes**. Celles-ci acquièrent de courts prolongements aux extrémités de la « tête » et de la « queue ». Chez les primates, la migration des cellules nerveuses dans la plupart des régions du cerveau est pratiquement terminée à la naissance. Mais, dans le cerveau des rats, les cellules nerveuses continuent leur migration dans certaines régions, plusieurs semaines après la naissance.

Au cours de cette phase du développement cérébral, les cellules ne se déplacent pas tout à fait au hasard. Des indices sur ce processus de migration cellulaire sont fournis par des études utilisant des substances radioactives qui s'incorporent aux cellules avant la migration. On marque ainsi la cellule de façon à pouvoir la suivre et établir un tracé précis de sa migration. Plusieurs analyses de ce processus effectuées par Rakic (1985) indiquent que

Figure 4.4 Vues latérales du cerveau humain durant le développement fœtal. Remarquez le processus graduel de formation des circonvolutions et scissures. Les chiffres indiquent l'âge de gestation en semaines. Chaque dessin représente l'encéphale au tiers de sa dimension réelle. (De J.C. Larroche, Chapitre 11, Partie II, « The development of the central nervous system during intrauterine life », figure 1 (p. 258) et figure 2 (p. 259) dans F. Falkner (éd.), *Human Development* (Philadelphie : W. B. Saunders, 1966).)

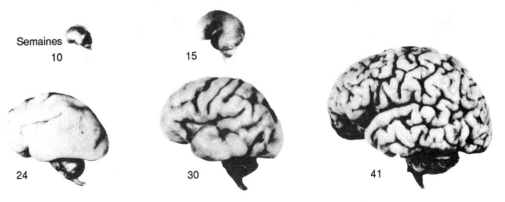

Semaines

10   15

24   30   41

103

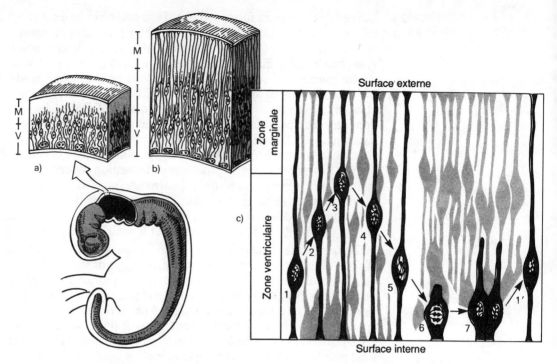

Figure 4.5 Prolifération des précurseurs cellulaires des neurones et de la névroglie. La partie a) montre une petite section de la paroi du tube neural à un stade initial du développement embryonnaire alors que seules les couches ventriculaires (V) et marginales (M) sont visibles. Plus tard, comme on le voit en b), une couche intermédiaire (I) se forme quand la paroi s'épaissit. La partie c) fait voir la migration des noyaux des neurones, de la couche ventriculaire vers les couches externes. Quelques cellules, cependant, retournent vers la couche ventriculaire et subissent des divisions, la cellule fille émigrant alors vers les couches externes.

Figure 4.6 Migration des précurseurs des cellules de Purkinje du cervelet d'un poussin. À 8 jours, ces cellules apparaissent comme une grande procession de fourmis s'éloignant de la région de leur formation initiale. À 11 jours, ces cellules ont commencé à former une couche distincte. Cette couche a pris plus d'expansion après 14 jours et, à 19 jours, elle constitue une couche monocellulaire répartie sur une surface étendue de tissu qui a commencé à former des replis. (De Levi-Montalcini, 1963.)

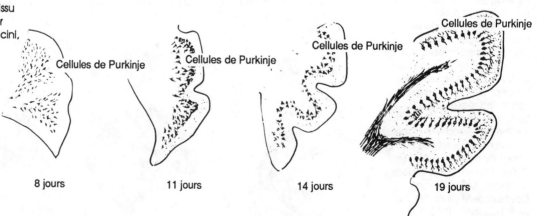

8 jours

11 jours

14 jours

19 jours

Figure 4.7 Très tôt, au cours du développement, des cellules gliales radiales recouvrent toute la largeur des hémisphères cérébraux en voie de formation. Elles jouent le rôle de fils qui guident la migration des neurones, comme le montre le dessin agrandi, en bas, à gauche. Un grossissement additionnel montre, à droite, un neurone migrateur grimpant le long d'une fibre gliale radiale isolée. (De Cowan, 1979, d'après Rakic.)

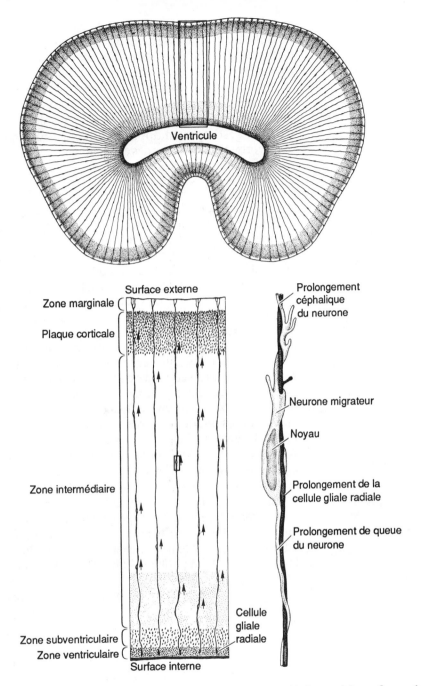

certaines cellules du cerveau en voie de développement se déplacent à la surface même d'un type inhabituel de cellules gliales qui apparaissent assez tôt. Ces cellules gliales se répandent de la surface interne à la surface externe du système nerveux en formation (figure 4.7). Cette **voie gliale** agit comme une série de fils conducteurs, chaque cellule nerveuse nouvellement formée rampant le long d'un de ces fils. Cet ensemble de fils conducteurs est nommé **névroglie radiaire**. Quelques cellules nerveuses formées plus tardivement utilisent un autre mode de migration : celles-ci sont en effet attirées à la surface des neurones. Rakic (1985) a décrit ce mécanisme migratoire dans le cas du cervelet où des cellules nerveuses nouvellement formées se déplacent le long des axones de neurones déjà en place. En réalité, certains neurones rampent latéralement le long d'axones horizontaux pour suivre ensuite la névroglie qui descend vers le cortex cérébelleux. Certains désordres du développement cérébral sont attribuables à des défectuosités du mécanisme de migration cellulaire.

La migration des cellules et la croissance des prolongements cellulaires (dendrites et axone) exigent également l'intervention de plusieurs substances chimiques. L'adhérence des parties est importante pour ces processus : quelques chercheurs ont décrit les molécules qui favorisent l'adhérence des éléments en voie de formation dans le système nerveux et ont donné à ces molécules le nom de CAM, ou molécules d'adhérence cellulaire.

Différenciation cellulaire

Au début, les nouvelles cellules nerveuses ne ressemblent pas plus aux cellules parvenues à maturité qu'à celles d'autres organes. Cependant, une fois qu'elles ont atteint leur destination, elles commencent à prendre l'apparence caractéristique des neurones de leur région particulière. Ce processus est celui de la **différenciation cellulaire**. La figure 4.8 fait voir le déploiement progressif des cellules de Purkinje du cortex cérébelleux. Des excroissances issues des dendrites de ces cellules apparaissent dès leur formation. Petit à petit, de plus en plus de ramifications se déploient, étendant graduellement la surface réceptrice de la cellule de Purkinje. Bien qu'on connaisse certains facteurs d'influence, on n'a pas encore vraiment expliqué ce qui amorce ce processus d'expansion des dendrites. Ce qu'on nomme auto-organisation intrinsèque, par exemple, en est certainement un important facteur; en culture de tissus, les cellules nerveuses croissent d'une façon caractéristique même si elles sont dépourvues de certaines de leurs connexions usuelles (Seil, Kelley et Leiman, 1974). Toutefois, plusieurs recherches contemporaines ont également démontré que l'environnement nerveux exerce une influence sur la différenciation des neurones. Toute région donnée du système nerveux parvenu à maturité contient un ensemble de cellules nerveuses formé de deux ou plusieurs types de cellules. Par exemple, le cortex cérébelleux contient des cellules de Purkinje et de la microglie. Toutefois, les cellules en migration vers une région sont des neuroblastes qui, au début, sont tous semblables. Ainsi, un neuroblaste donné a donc la capacité de se transformer en l'un des plusieurs types de cellules nerveuses.

Les multiples possibilités de différenciation du neuroblaste en croissance, dans une région donnée, semblent être programmées de façon ordonnée. Voici une règle générale qui reflète cette régularité : dans une région qui s'organise en couches (le cortex cérébral ou le cortex cérébelleux, par exemple), ce sont les grosses cellules qui sont produites en premier, suivies des petites cellules. Dans le cervelet, ce sont donc les grosses cellules de Purkinje qui apparaissent d'abord. Lorsqu'elles sont alignées en rangées, les neuroblastes qui vont former les plus petites cellules de la microglie commencent leur migration.

L'adoption d'une forme caractéristique par un neurone dépend en partie de facteurs déterminants au sein de la cellule individuelle et en partie d'influences provenant des cellules environnantes. Certains éléments d'une cellule donnée croissent de façon typique, quel que soit leur environnement. D'autres constituants semblent réagir aux caractéristiques de l'environnement dans le cerveau, telle la présence d'autres cellules.

Mort cellulaire

Aussi étrange que cela puisse sembler, la **mort des cellules** est une phase critique du développement cérébral, particulièrement durant les stades embryonnaires. En fait, dans certaines régions du cerveau et de la moelle épinière, la plupart des cellules nerveuses meurent au cours du développement prénatal. Ce phénomène de développement est illustré à la figure 4.9. Plusieurs facteurs agissent sur ce processus, notamment la grandeur du champ, à la surface du corps, qui sera ultimement relié à une région du système nerveux

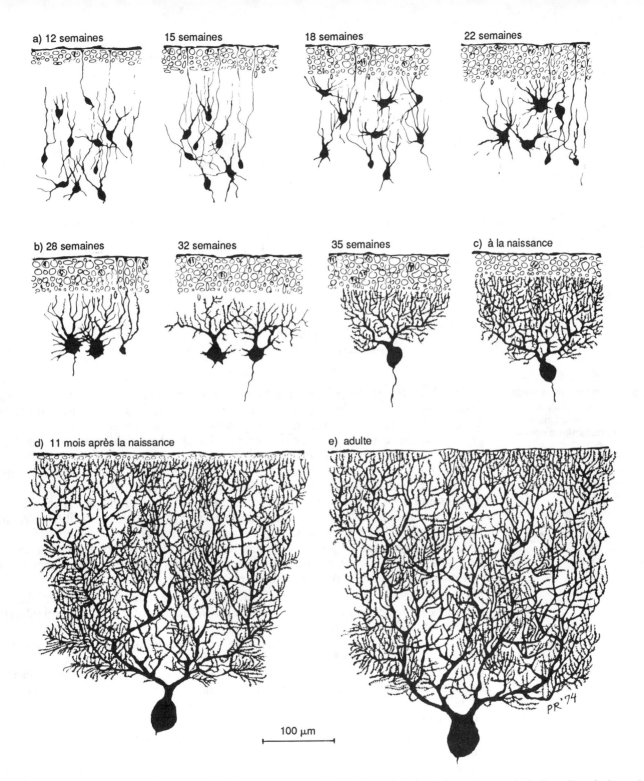

Figure 4.8 Développement de cellules de Purkinje dans le cervelet humain à divers âges fœtaux et postnatals, montrant la différenciation de la forme. (De Zecevic et Rakic, 1976.)

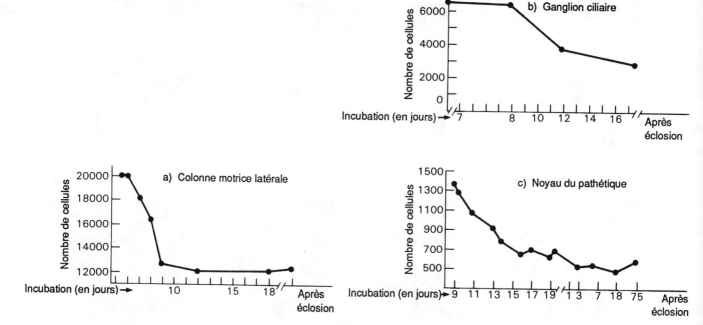

Figure 4.9 Taux de mortalité des neurones durant les premiers stades de développement du système nerveux du poulet; a) Colonne motrice latérale (adapté de Hamburger, 1975); b) Ganglion ciliaire (adapté de Landmesser et Pilar, 1974); c) Noyau trochléaire dans le tronc cérébral (adapté de Cowan et Wenger, 1967).

central. Par exemple, si un expérimentateur enlève une patte à un têtard avant que les connexions provenant de la moelle épinière n'aient été établies, beaucoup plus de motoneurones spinaux meurent que si la patte avait été laissée intacte. Inversement, la greffe d'une patte additionnelle, ce qui est possible chez les amphibiens, réduit de façon appréciable la perte habituelle de cellules, si bien que, dans ce cas, parvenue à maturité, la moelle épinière contient plus de cellules que normalement. Ces observations portent à croire que la cible d'une population de cellules nerveuses en développement, soit l'endroit où elles entreront en connexion, exerce une influence sur la survie de ces cellules. Des chercheurs ont émis l'hypothèse qu'au cours du développement, une compétition s'exercerait entre les cellules pour l'établissement de connexions vers des structures-cibles (d'autres cellules ou des organes périphériques comme les muscles). Selon ce point de vue, ce seraient les cellules qui établissent facilement des connexions qui survivraient; les autres mourraient, ne trouvant pas d'endroit où former des liens synaptiques.

Un autre facteur qui participe à la régulation de la vitesse et du taux de mort cellulaire est la présence et la quantité de certaines substances chimiques naturelles. Par exemple, chez certains invertébrés, la mort des cellules du système nerveux est déclenchée par l'action de certaines hormones. On observe ce type de mort cellulaire durant la métamorphose des insectes. Truman (1983) a décrit la mort cellulaire dans le système nerveux de la mite, mort occasionnée par les hormones responsables du passage du stade de chenille à celui de mite. La cellule Mauthner de certains amphibiens se modifie grâce à la sécrétion des hormones de la thyroïde : la cellule dégénère à mesure que l'animal remplace son mode de vie aquatique par celui d'une vie terrestre.

La mort des cellules nerveuses peut également servir à un appariement numérique entre populations cellulaires en voie de développement. Prenons un cas hypothétique comme exemple. Une population de cellules nerveuses A contient 100 unités. Ses axones se dirigent vers une population de cellules nerveuses B comportant 50 unités. Le nombre excédant de cellules de la population A assure la connexion avec la population B, mais il se trouvera probablement un groupe de cellules qui ne serviront à rien, lorsque des liens efficaces auront été créés. Il en résultera qu'un groupe de cellules de la population A mourra. Des chercheurs ont suggéré que la mort cellulaire servirait à éliminer certaines connexions défectueuses. Des tests critiques n'ont pas réussi, toutefois, à confirmer cette intéressante hypothèse (Lance-Jones, 1984). Il semble bien que le phénomène de la mort cellulaire, au cours du développement, soit un mécanisme qui sert à façonner le système nerveux en voie de formation.

Processus ultérieurs de développement

De la naissance à la maturité, le cerveau humain quadruple sa masse et son volume. Chez le chat, le lapin, le rat et d'autres animaux, des changements du même ordre s'observent de l'enfance à l'état adulte (tableau 4.1). Quelles sortes de changements structuraux peuvent bien être responsables d'une telle augmentation de masse et de volume du cerveau ? Considérons quatre types de modifications structurales de niveau cellulaire qui sont caractéristiques du développement cérébral durant les premières périodes postnatales.

Myélinisation

La formation d'une gaine autour des axones (processus nommé **myélinisation**) modifie considérablement la vitesse de transmission des messages dans les axones. Ce changement devrait avoir un impact considérable sur le comportement, puisqu'il affecte profondément le déroulement temporel des événements dans le système nerveux. Il existe malheureusement peu d'études qui utilisent en même temps des techniques biologiques modernes et des techniques behavioristes pour vérifier ainsi les relations entre les attributs biologiques du système nerveux et les changements dans le comportement. Par conséquent, la démonstration des rapports entre changements de comportement et myélinisation reste toujours à faire.

La phase la plus intensive de myélinisation que connaisse l'être humain survient tôt après la naissance. (Toutefois, des chercheurs croient que de la myéline peut s'ajouter à des axones durant toute la vie de l'individu.) Chez l'être humain, les premières voies nerveuses à se myéliniser se trouvent dans la moelle épinière. La myélinisation s'étend ensuite au rhombencéphale, au mésencéphale et au télencéphale. Les myélinisations les plus hâtives dans le système nerveux périphérique se font dans les nerfs crâniens et spinaux, environ 24 semaines après la conception. À l'intérieur du cortex cérébral, les zones sensorielles se myélinisent avant les zones motrices; par conséquent, les fonctions sensorielles parviennent à maturité avant les fonctions motrices.

Formation des synapses et des dendrites

De la naissance à la maturité, les changements les plus importants dans les cellules cérébrales interviennent dans les ramifications et les connexions des neurones. Il a déjà été montré, à la figure 4.8, qu'un accroissement énorme de la longueur des dendrites semble faire appel à des processus apparentés à ceux qui sont en cause dans la croissance des axones.

Tableau 4.1 Accroissement de la masse cérébrale, de la naissance à la maturité, chez quelques espèces de mammifères.

Espèces	Nouveau-né (g)	Adulte (g)	Accroissement (%)
Cobaye	2,5	4	60
Être humain	335	1300	290
Chat	5	25	400
Lapin	2	10,5	425
Rat	0,3	1,9	530

Source : Altman (1967).

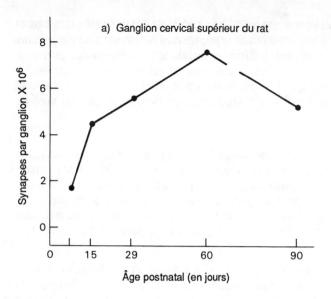

a) Ganglion cervical supérieur du rat

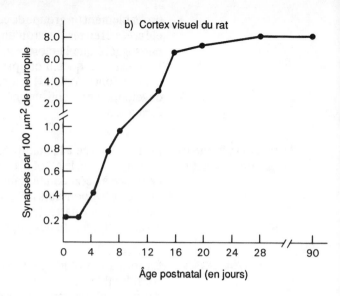

b) Cortex visuel du rat

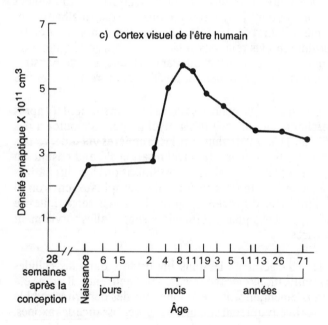

c) Cortex visuel de l'être humain

Figure 4.10 Formation des synapses après la naissance. a) Dans le ganglion cervical supérieur du rat (d'après Smolen, 1981). b) Dans le cortex visuel du rat (Blue et Parnavelas, 1983). c) Dans le cortex visuel de l'être humain (Huttenlocher et coll., 1982).

Au bout des dendrites, on trouve des cônes de croissance qui sont des terminaisons tumescentes dont émergent des prolongements. Des chercheurs ont même trouvé des cônes de croissance de dendrites sur des neurones d'animaux adultes. On peut associer ce phénomène au fait que l'allongement des dendrites peut se poursuivre durant toute la vie, en réaction à des besoins fonctionnels.

La formation des synapses s'effectue très rapidement, particulièrement sur les dendrites (figure 4.10). Chez de nombreuses cellules nerveuses, on trouve des synapses sur les crêtes dendritiques. Ces crêtes elles-mêmes foisonnent après la naissance. Les expériences sensorielles postnatales peuvent exercer une influence sur l'établissement de telles connexions (voir le chapitre 17). Le corps cellulaire du neurone accroît considérablement son volume, en réponse aux besoins métaboliques de l'arbre dendritique en expansion.

Production de neurones après la naissance

Se conformant à la tradition, plusieurs chercheurs intéressés à l'ontogenèse du système nerveux ont cru que la plupart des mammifères possédaient, à la naissance, toutes les cellules nerveuses qui leur seraient échues. Ils ont expliqué la croissance postnatale dans le cerveau uniquement en termes de croissance du volume des neurones et d'addition de cellules gliales. Cette conception a dû être abandonnée, au cours des dernières années, car il semble bien maintenant que de petits neurones viennent s'ajouter pendant une certaine période de temps suivant la naissance. Certains ont même prétendu que la naissance pouvait provoquer une accélération du taux de production de ces petites cellules. Toutefois, cette hypothèse ne fait pas consensus. D'autres chercheurs se sont dits d'avis que c'est la maturité du cerveau qui détermine le moment de la naissance.

L'opinion la plus largement partagée veut que tous les plus gros neurones que le cerveau adulte possédera soient déjà présents à la naissance. Toutefois, il existe quelques régions autour des ventricules cérébraux, zones dites sous-ventriculaires, où la division mitotique des précurseurs de cellules nerveuses est encore évidente après la naissance. Plusieurs régions du cerveau des rats, y compris le bulbe olfactif et l'hippocampe, semblent acquérir de petits neurones additionnels provenant de ces zones. De fait, Graziadei et Monti-Graziadei (1978) ont prétendu que le remplacement des cellules nerveuses de l'organe olfactif terminal se poursuivait durant toute la vie.

Le dogme voulant qu'aucun neurone nouveau ne viendrait s'ajouter au système nerveux adulte est fortement remis en question par de nouvelles recherches fascinantes de Nottebohm (1987) sur les aspects neurologiques du chant des oiseaux. (Voir les chapitres 11 et 18.) En bref, on sait maintenant que l'apparition du chant chez les mâles de certaines espèces se fait sous contrôle hormonal et dépend de l'hormone mâle (testostérone). Dans des travaux précédents, Nottebohm avait identifié les parties du cerveau des oiseaux qui sont responsables de l'apprentissage et de l'exécution du chant. Il avait alors noté qu'au moins une des parties du circuit cérébral en cause dans le chant des oiseaux était volumineuse au printemps et diminuait de moitié à l'automne. Ce changement saisonnier de la dimension de cette région cérébrale est dû aux variations saisonnières de la longueur et des ramifications des dendrites. Toutefois, Nottebohm a présenté des faits indiquant que l'accroissement observé au printemps est également associé à l'addition de neurones. Apparemment, de nouveaux neurones se forment dans la zone sous-ventriculaire pour ensuite se déplacer vers une région voisine qui, dans le tronc cérébral, contrôle les vocalisations. Au cours de l'année, des gains et des pertes considérables sont observés dans le nombre de neurones. Ces observations indiquent qu'il est nécessaire de reconsidérer le concept à l'effet que le cerveau, parvenu à maturité, ne se donne pas de nouveaux neurones. Le moins qu'on puisse dire c'est que cette recherche innovatrice devrait nous apporter une meilleure compréhension des conditions qui entraînent l'arrêt habituel d'addition de neurones, à l'âge adulte.

Formation des cellules gliales

Comme les neurones, les cellules gliales proviennent de la même population de cellules immatures. Les influences responsables de ce qu'une de ces cellules devienne un neurone ou une cellule gliale tiennent toujours du mystère. Contrairement aux neurones, de nouvelles cellules gliales continuent d'apparaître durant toute la vie. Parfois, ce processus peut devenir aberrant et être à l'origine de la formation de tumeurs gliales (gliomes) dans le cerveau. La production de névroglie se poursuit plus longtemps que celle des neurones et subit son plus grand changement plus tard. De fait, chez beaucoup d'animaux, c'est après la naissance que survient la phase de prolifération gliale la plus intense, lorsque sont ajoutées des cellules gliales issues de cellules embryonnaires situées dans les zones sous-ventriculaires.

Exemples de formation de régions nerveuses

Toute région du cerveau est caractérisée par un arrangement distinctif des cellules nerveuses et de leurs appendices. Dans certaines régions du cerveau, par exemple le cortex cérébral et le cortex cérébelleux, les cellules nerveuses sont disposées en couches séparées. Une analyse des facteurs intervenant dans l'acquisition de la forme d'une région nous permet de deviner toute la complexité de l'ontogenèse du cerveau. Le développement de chaque région cérébrale se fait selon une chronologie précise; certaines étapes semblent être reliées aux interactions des cellules de la région en voie de développement. Afin de montrer comment une région acquiert la forme qui lui est propre, prenons comme exemple le cortex cérébelleux et le cortex cérébral.

Formation du cortex cérébelleux

Au chapitre 2, nous avons vu que le cortex cérébelleux de l'adulte consiste en une structure laminaire (en couches) organisée de la manière suivante :

1. Une couche moléculaire externe faite de petites cellules et d'un faisceau de fibres (axones).
2. Une couche médiane de grosses cellules (la couche de cellules de Purkinje).
3. Une couche profonde et épaisse de très petites cellules : la couche granulaire.

La figure de référence 2.8 nous a fait voir cet arrangement laminaire du cervelet adulte. La migration initiale des cellules formant le cervelet concerne les cellules de Purkinje qui, au début, sont petites et dispersées mais forment, plus tard, une rangée uniforme de grosses cellules (figure 4.11).

Chez l'être humain, c'est entre la naissance et l'âge d'un an que les cellules de Purkinje croissent le plus rapidement. Chez le rat, leur croissance la plus rapide s'effectue après la naissance, du jour 2 au jour 30. Une fois les cellules de Purkinje entrées en scène, les cellules plus petites du cervelet apparaissent. Au début, leur parcours migratoire les amène vers la surface moléculaire externe. Elles descendent alors au-dessous des cellules de Purkinje pour aller former, après avoir contourné ces dernières, les populations cellulaires plus profondes. Ces processus se sont avérés relativement faciles à étudier chez le rat puisque la plus grande partie du développement de son cervelet se fait après la naissance. L'une ou l'autre de plusieurs interventions possibles, y compris une faible exposition aux rayons X, peut interférer dans le développement de nouveaux neuroblastes, mais ne nuit pas aux cellules déjà différenciées ou à celles qui ont atteint une certaine maturité.

Trois populations différentes de petites cellules se développent l'une après l'autre : les cellules à corbeille, les cellules étoilées et la microglie. Altman (1976) a soumis de jeunes rats à l'action de rayons X durant quelques jours, ce qui a eu pour effet d'entraver le développement dans le cerveau du rat d'une ou plusieurs sortes de ces petites cellules. Cette intervention entraîna des conséquences désastreuses sur le développement du gros éventail dendritique des cellules de Purkinje.

L'administration d'une dose de rayons X à chaque jour, du jour 4 jusqu'au jour 7, empêche la formation de cellules en corbeille et entrave alors la croissance régulière, vers le haut, de la principale dendrite des cellules de Purkinje; ces dendrites principales pourront alors se développer dans n'importe quelle direction et devenir tordues. Une irradiation aux jours 8 à 11 élimine la formation des cellules étoilées et entrave, par le fait même, la croissance des ramifications principales des dendrites des cellules de Purkinje. Enfin, une

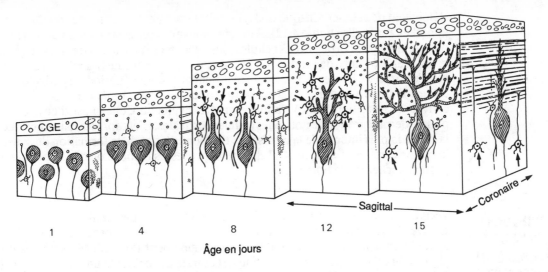

○○ CGE ○○

Sagittal

Coronaire

1   4   8   12   15

Âge en jours

Figure 4.11 Dessins schématiques du développement de cellules dans le cervelet du rat, faisant ressortir la maturation des cellules de Purkinje. CGE indique la couche granuleuse externe vers laquelle les cellules migrent au début du développement du cervelet. Au 4ᵉ jour après la naissance, les cellules de Purkinje sont déjà disposées en une couche unique. Du 4ᵉ au 7ᵉ jour, des cellules à corbeille se forment (indiquées par des flèches au 8ᵉ jour) et la dendrite principale de la cellule de Purkinje croît en direction de la surface du cervelet. Du 8ᵉ jusqu'au 11ᵉ jour, des cellules stellaires se forment (indiquées par des flèches au 12ᵉ jour) et les principales ramifications des dendrites de la cellule de Purkinje apparaissent. À partir du 12ᵉ jour, un grand nombre de cellules granulaires se forment (indiquées par des flèches au 15ᵉ jour); les corps granulaires descendent sous les cellules de Purkinje, mais leurs axones forment les fibres parallèles qui entrent en synapse avec les branches épineuses de l'arbre dendritique de Purkinje. (Adapté d'Altman, 1976.)

irradiation du jour 12 au jour 15 réduit le nombre de cellules de la microglie et diminue la ramification complexe de l'arbre dendritique des cellules de Purkinje (Altman, 1976). L'irradiation a aussi des effets sur le comportement : elle nuit à la posture et serait responsable d'entraves à l'apprentissage de labyrinthes (Pellegrino et Altman, 1977).

Formation du cortex cérébral

Les 50 milliards de neurones du cortex cérébral de l'être humain sont disposés en couches, les cellules de chaque couche prenant des formes et des volumes différents. Cette répartition en couches varie selon les diverses parties du cerveau. Ces variantes ont servi à définir les limites des différentes régions corticales. Nous étudierons ici la façon dont le néocortex cérébral se développe et parvient à cette organisation en couches qui le distingue.

L'examen du tube neural fermé d'un embryon humain, à la fin de la troisième semaine après fécondation, révèle une zone de cellules tout autour des surfaces internes. Cette première prolifération de cellules à l'extrémité rostrale aboutit à la formation de la plaque corticale, début du cortex cérébral. Une division cellulaire intense à cette extrémité continue de produire des cellules qui deviendront, avec le temps, les neurones du cortex cérébral. Cette prolifération accélérée se poursuit jusqu'au sixième mois de la vie fœtale, moment où le cortex a acquis sa pleine provision de neurones. Ceux-ci sont maintenant disposés en couches, bien qu'ils ressemblent à peine aux neurones des couches corticales observables dans le cerveau d'un adulte.

La formation de couches cellulaires dans le cortex cérébral est effectuée selon un processus régulier, même si les mécanismes qui la guident prêtent toujours à controverse. Les cellules qui prennent leur origine le long de la surface ventriculaire (épendymaire) s'éloignent de celle-ci. Chaque nouvelle cellule accomplit une migration au-delà de celles apparues avant elle (figure 4.12). Ainsi, les nouvelles cellules viennent donc se placer plus près de la surface corticale. Les cellules plus anciennes se trouvent dans les couches les plus profondes. Le temps de production (cycle mitotique de production d'une cellule corticale) est d'environ 11 heures et reste constant pendant toute la période de développement du cortex. Toutefois, la durée de la migration (intervalle entre la naissance d'une cellule et son arrivée à sa position finale) s'allonge progressivement. Celle-ci est d'environ cinq jours pour le dernier groupe de nouvelles cellules corticales. C'est après la naissance que survient la phase la plus intense de la croissance des dendrites et de la formation de synapses dans le cortex cérébral. La figure 4.13 illustre le processus élaboré du développement cortical postnatal, chez l'être humain.

POURQUOI LES CONNEXIONS NERVEUSES SONT-ELLES ÉTABLIES LÀ OÙ ON LES TROUVE ?

Tous les individus d'une même espèce engendrent des types similaires de cellules nerveuses. De plus, ces cellules adoptent des configurations spatiales propres à l'espèce. Cet ordre apparaît également dans les modes de regroupement des cellules, dans les différentes régions du cerveau. La caractéristique structurale qui présente un intérêt particulier pour le comportement est le bon ordre et la spécificité des connexions entre cellules et entre régions. De toute évidence, le comportement adaptatif de tout animal dépend du mode d'assemblage des éléments du cerveau, c'est-à-dire de la façon dont les connexions sont établies. Le processus de formation de ces connexions est-il invariable, contrôlé par un déterminisme génétique ? On peut résumer de la façon suivante les trois réponses habituellement apportées à cette question :

1. Les principales connexions qui s'établissent au cours du développement sont très étroitement déterminées par des mécanismes innés.

2. Des points de détail des connexions centrales peuvent être modifiés par l'entraînement ou l'expérience.

3. Il existe une compétition très forte entre neurones individuels et entre groupes de neurones en vue de la formation de connexions, si bien que lorsque des unités sont inhibées ou détruites, leurs connexions sont récupérées par les neurones adjacents.

Examinons maintenant certains des faits d'observation et d'expérimentation qui ont entraîné ces conclusions.

Des milliards de neurones, dont la croissance est simultanée, arrivent d'une façon ou d'une autre à établir des connexions adéquates les uns avec les autres et à former les circuits intriqués responsables des comportements complexes. Un neurone projette un axone dont la longueur est inférieure à un millimètre. Un autre projette son axone le long d'une voie particulière, sur une distance de plus d'un mètre. En fin de trajet, chaque axone forme des connexions à des endroits spécifiques à l'intérieur d'une région donnée du cerveau. En effet, certains axones aboutissent sur des *portions* bien déterminées des dendrites de cellules nerveuses spécifiques. Cette formation de trajets et de connexions dans le système nerveux est ainsi conçue qu'elle laisse à penser que chaque nerf a reçu des directives relatives à une adresse particulière, un site où il doit établir des connexions. Comment

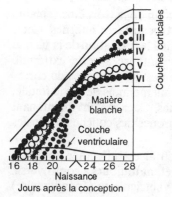

Figure 4.12 Migration de cellules dans le cortex cérébelleux du rat. Les cellules corticales du rat se forment et commencent leur migration avant la naissance. Les premières cellules à apparaître se déplacent vers les couches inférieures du cortex; les cellules formées quelques jours avant la naissance constituent les couches cellulaires supérieures (II et III). La migration des cellules des couches supérieures se poursuit durant plusieurs jours après la naissance. (Adapté de Berry, Rogers et Eayrs, 1964.)

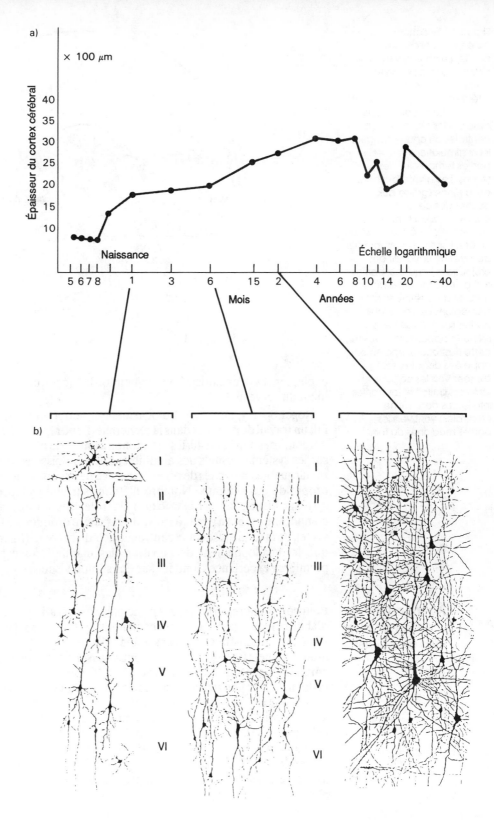

Figure 4.13 a) Épaississement du cortex cérébral de l'être humain (de Rabinowicz, 1986). b) Vue histologique du cortex cérébral au début de la croissance. Partie gauche : 1 mois; partie du centre : 6 mois; partie de droite : 24 mois (de Conel, 1939, 1941 et 1959).

Figure 4.14 Schéma du système visuel de la grenouille. Le champ visuel est délimité par la flèche en demi-cercle. Les parties latérales du champ envoient des stimulations aux parties nasales des rétines; les parties centrales du champ dirigent leurs stimulations vers les parties temporales des rétines. Les influx provenant de la rétine (grâce aux axones des cellules ganglionnaires) sont dirigés vers le toit du côté opposé de la tête. Les parties temporales de la rétine envoient des projections jusqu'aux parties rostrales du toit et les parties nasales de la rétine vont vers des régions plus caudales. Les parties supérieures de la rétine (n'apparaissant pas sur cette illustration), également appelées dorsales, sont dirigées vers les portions latérales du toit et les parties inférieures de la rétine (ventrales) vont vers les parties médianes du toit.

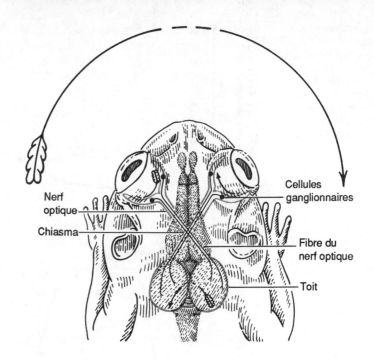

Cellules ganglionnaires

Nerf optique

Chiasma

Fibre du nerf optique

Toit

expliquer ces connexions éminemment ordonnées qui se forment au cours du développement du cerveau ?

Roger Sperry, neuropsychologue et neuroembryologiste américain, prix Nobel 1981, a fait un travail de pionnier dans la recherche d'une réponse à ce problème des plus complexe. Au cours des années 1940, il s'est adonné à une série d'observations expérimentales portant sur les systèmes visuels des amphibiens et des poissons. Ces études tiraient avantage des remarquables capacités de régénérescence des tissus, le tissu nerveux y compris, qui sont le propre de ces animaux. Nombre d'études sur le développement nerveux concernent le système visuel, en partie à cause du rôle très important joué par la vision dans le comportement et en partie à cause du caractère ordonné de la projection spatiale du champ visuel, de la rétine jusqu'aux centres visuels du cerveau (figure 4.14). Nous verrons plus loin que le développement de la vision des mammifères est nettement influencé par les premières expériences fondées sur des stimuli visuels.

Agencement du système visuel des amphibiens

Pour comprendre certaines des principales observations expérimentales de Sperry, voyons d'abord en quoi consiste l'agencement du système visuel des amphibiens et des poissons. La **rétine** est constituée d'un ensemble d'éléments photosensibles qui donnent une carte du monde visuel (figure 4.14). Les axones issus de la rétine forment le nerf optique. Chez un amphibien, ces fibres traversent vers le côté opposé du cerveau et se terminent d'une façon ordonnée dans une structure nommée **toit optique**, principal centre nerveux de la vision de ces animaux. En un sens, la surface du toit donne une carte de la rétine. Ainsi, un objet situé à un endroit quelconque dans le monde extérieur excite un point particulier de la rétine, celle-ci, à son tour, agissant sur un point spécifique du toit optique. Tout fonctionne comme si chaque point de la rétine « savait » ou devenait conscient, au cours du développement, de l'endroit où entrer en connexion dans le toit optique. On pourrait imaginer que chaque axone en voie de développement possède une sorte d'étiquette indiquant à ce dernier où aller.

Les études initiales de Sperry et de ses collaborateurs ne visaient aucun aspect anatomique ou physiologique élaboré. Les chercheurs exploitèrent plutôt le comportement visuel de l'amphibien pour apprendre quelles connexions dans le cerveau se rapportaient aux perceptions de l'espace visuel. Beaucoup d'amphibiens donnent des réponses fortement stéréotypées lorsqu'ils sont soumis à des stimuli visuels. Ils s'orientent vers les petits objets en mouvement et les attaquent d'un petit coup de langue, particulièrement si ces objets ressemblent à de petits insectes comme des mouches. Leur réactions peuvent donc servir à tracer la représentation du champ visuel dans leur cerveau.

Spécificité des connexions tecto-rétiniennes

Dans ses premières expériences, Sperry coupa le nerf optique et observa comment le comportement guidé par la vision se rétablissait. Après que les fibres nerveuses se furent reformées puis jointes au toit optique (quelques mois), les animaux furent capables d'agir avec la même précision qu'avant ! Qu'est-ce que le rétablissement de cette réaction comportementale met en cause quant à la remise en opération des connexions entre la rétine et le toit optique ? Il faut considérer l'alternative suivante :

1. Les axones en régénérescence arriveraient jusqu'au toit avec un mélange de connexions établies au petit bonheur et l'expérience (le succès ou échec dans l'obtention de la nourriture) déciderait du maintien des connexions en vue du repérage de localisation dans l'espace. C'est dire que les réseaux seraient rééduqués en fonction de la localisation d'objets.

2. Les fibres dans le nerf croîtraient à nouveau vers leurs positions originales sur le toit optique et reconstitueraient tout simplement la carte originale du monde visuel.

Plusieurs expériences maintenant classiques ont permis à Sperry de choisir entre ces deux possibilités. Il pratiqua une rotation de 180° sur les yeux d'un triton, le champ visuel de l'animal s'en trouvant complètement inversé : les positions haut et bas, tout comme droite et gauche, étaient inversées. Après régénérescence des connexions visuelles, il observa que le comportement de l'animal était également inversé : quand on lui présentait un petit appât dans la partie supérieure du champ visuel, il donnait un coup de langue vers le bas; si l'appât était porté vers la portion nasale de l'axe horizontal, l'animal visait sur le côté. Ces renversements du comportement persistèrent durant des années ! Bien que ces réactions fussent tout à fait inadaptées, il n'y eut aucune « rééducation » apparente du comportement de localisation.

Ces observations amenèrent Sperry à la conclusion que les axones régénérés du nerf optique établissent leurs nouvelles connexions sur leurs positions originales dans le toit. Ils recréent une configuration de connexions ordonnées. Cette explication de Sperry est devenue le concept de la **neurospécificité**. Il avança que, au cours de la différenciation des cellules de la rétine, chaque cellule acquiert une identité unique. Elle devient spécifique, comme si elle avait une étiquette lui attribuant une certaine position dans le champ visuel de l'animal (figure 4.15a). Selon Sperry, les axones issus de telles cellules seraient biochimiquement uniques. Lorsqu'ils parviennent au toit, ces axones recherchent les cellules qui ont une identité chimique semblable. Il existe donc un appariement de cellules en fonction d'une étiquette chimique.

Limites de la neurospécificité

Supposons que nous généralisions le concept de la neurospécificité pour l'appliquer à la genèse de toutes les connexions du système nerveux. En d'autres termes, si nous prétendons qu'il y a une spécification génétique virtuellement totale et immuable des connexions nerveuses, nous soulevons alors plusieurs problèmes. Un de ces problèmes particulièrement évident est que la capacité d'information limitée des gènes rend invraisemblable la notion

Quand une cellule nerveuse adulte est endommagée, plusieurs formes de régénérescence peuvent intervenir. Toutefois, le remplacement intégral des cellules endommagées ne se produit que rarement dans les systèmes nerveux des mammifères. La figure de l'encadré 4.1 illustre plusieurs formes caractéristiques de dégénérescence et de régénérescence dans les systèmes nerveux central et périphérique. Une blessure produite près du corps cellulaire donne lieu à une série de changements qui entraînent la destruction éventuelle de la cellule. Ce processus s'appelle **dégénérescence rétrograde**.

Une section de l'axone à une certaine distance du corps cellulaire entraîne une perte de la partie éloignée de l'axone (la partie qui n'est plus en continuité avec le corps cellulaire) : c'est la dégénérescence wallérienne ou **dégénérescence antérograde**. La partie de l'axone qui reste reliée au corps cellulaire peut croître à nouveau. Dans le système nerveux périphérique, les axones sectionnés se reforment facilement. Des « bourgeons » sortent de la partie de l'axone encore reliée au corps cellulaire du neurone et progressent lentement vers la périphérie. Certains animaux possèdent un avantage enviable : après une blessure au cerveau, beaucoup de poissons et d'amphibiens s'avèrent capables de régénérer de grandes parties du cerveau lui-même.

D'un point de vue expérimental, notre intérêt dans le processus de régénérescence du système nerveux repose principalement sur le fait que celui-ci a recours à des mécanismes qui paraissent analogues à ceux de la croissance originale. L'étude de la régénérescence peut ainsi accroître notre compréhension des processus originaux du développement du système nerveux. D'un point de vue thérapeutique, ces études pourraient aider les scientifiques à apprendre comment réparer et comment favoriser la restauration du tissu nerveux endommagé chez l'être humain.

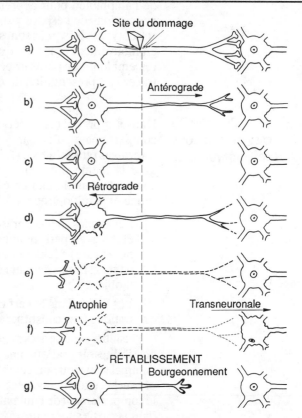

Figure de l'encadré 4.1 Types de dégénérescence des cellules nerveuses. a) Avant endommagement. b) et c) Dégénérescence antérograde : la blessure entraîne la perte de la partie éloignée de l'axone. d) et e) Dégénérescence rétrograde; la blessure entraîne également la dégénérescence du corps cellulaire, aboutissant dans certains cas à une atrophie totale. f) Dégénérescence transneuronale : l'absence d'influx peut produire des changements dans les autres cellules de cette voie nerveuse. g) Rétablissement : des bourgeons sur les axones endommagés peuvent amener la formation de nouvelles terminaisons.

de l'existence d'étiquettes chimiques différentes pour chaque neurone. De plus, une partie de la capacité d'information génétique doit être réservée à la planification d'organes comme les bras, les jambes, le cœur, etc. Comme alternative à la spécification individuelle totale, on a proposé une utilisation de gradients chimiques déterminés par très peu de substances. La figure 4.15b présente l'un de ces points de vue.

Plusieurs expériences ont aussi soulevé des doutes sur la probabilité qu'il existe vraiment une spécification prédéterminée complète de toutes les connexions nerveuses. Ces travaux ont démontré l'existence d'une certaine plasticité dans les liaisons tecto-rétiniennes.

Figure 4.15 a) Hypothèse de la neurospécificité pour la détermination des connexions neurales. Les sites spécifiques de la surface réceptrice sont représentés par des lettres différentes. Les connexions vers le cerveau ne se font qu'avec les sites semblables (a vers A, b vers B, etc.). Chaque position est codée par un état ou une substance chimique unique. b) Gradients chimiques : facteurs déterminants des connexions neurales. Ici, les connexions ne sont pas définies par une substance unique spécifique, mais par des gradients de deux dimensions (indiquées par les deux tons de noir). Chaque site peut être identifié par une position selon les deux gradients.

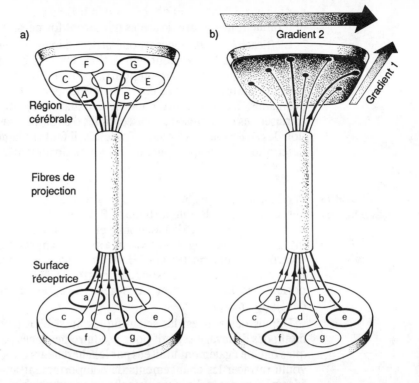

Une telle plasticité ou capacité d'adaptation permet de supposer qu'il serait tout au moins possible que les neurones du toit soient capables de déterminer à nouveau leurs propriétés durant la période de régénérescence. Les expériences dites de **disparité de grandeur** en fournissent de bons exemples. Dans une expérience de ce genre, Yoon (1979) a montré que lorsque la moitié du toit est enlevée, l'ensemble de la rétine projette alors sa carte sur la moitié du toit qui reste. Ceci permet de dire que les connexions à l'intérieur du toit peuvent être modifiées.

Des expériences sur la spécificité tecto-rétinienne révèlent également l'existence d'une sorte de processus de reconnaissance qui peut faire intervenir des agents chimiques spécifiques. Les tentatives en vue de découvrir le fonctionnement précis de ce processus ont dirigé l'attention des chercheurs vers les aspects moléculaires de la reconnaissance chimique.

FACTEURS DE CROISSANCE ET DE DÉVELOPPEMENT DU CERVEAU

Plusieurs conditions, tant internes qu'externes, influencent l'émergence de la forme, de la structure et des connexions du cerveau en voie de développement. Dans le cas de l'ontogenèse, comme dans celui d'autres sujets qui seront abordés aux chapitres suivants, il convient de penser à la fois aux facteurs directs et aux influences modulatrices. Un facteur direct (ou facteur intrinsèque) est un facteur qui intervient dans le processus fondamental produisant ou contrôlant un phénomène. Dans le développement du système nerveux, certains gènes et les processus qu'ils contrôlent sont des facteurs directs. Par exemple, certains types de neurones reçoivent des ordres génétiques de former des crêtes dendritiques, alors que d'autres types de neurones, dans le même organisme, ne produisent jamais de crêtes. Une influence modulatrice (ou facteur extrinsèque) est celle qui peut faciliter ou inhiber les processus fondamentaux sans pour autant les contrôler directement. Dans le développement du système nerveux, des modulateurs, comme la nutrition et l'expérience, peuvent exercer une influence sur la vitesse ou l'étendue du développement. Dans le cas des neurones qui fabriquent des crêtes dendritiques, par exemple, les facteurs de modulation déterminent le nombre de crêtes qui seront formées.

L'efficacité des influences modulatrices dépend souvent du stade de développement au cours duquel elles exercent leur action. Un état biochimique donné caractéristique du début de la vie d'un embryon pourra exercer des influences largement différentes selon qu'il se manifeste plutôt au cours du développement fœtal ou au cours des premiers stades postnatals. Sans en fournir une liste exhaustive, voici quelques exemples de facteurs intrinsèques et extrinsèques susceptibles d'avoir des influences significatives sur la formation des structures cérébrales. Toutefois, il faut souligner que nous nous limiterons à une description de quelques phénomènes bien documentés.

Facteurs génétiques
Pendant longtemps, les psychologues se sont employés à démontrer le rôle des facteurs héréditaires dans le comportement. Plus récemment, la recherche a commencé à explorer le contrôle génétique de l'anatomie et de la physiologie cérébrales, cette recherche étant intégrée dans un programme visant à mieux comprendre comment les gènes influencent et contrôlent le comportement (Hall, Greenspan et Hams, 1982; Wimer et Wimer, 1985). Évidemment, les gènes n'expliquent pas tout. Ces travaux devraient être considérés comme portant sur les interactions des gènes avec les autres influences qui agissent sur le développement.

Depuis des années, les scientifiques aussi bien que les éleveurs ont eu recours aux méthodes d'élevage sélectif pour produire des races particulières d'animaux. Ces techniques ont été également utilisées par les chercheurs en génétique du comportement qui ont voulu retracer les changements de comportement au cours de générations successives. L'emploi de ces techniques avec des animaux plus simples a commencé à faire apparaître des liens entre les effets génétiques sur le système nerveux et leurs effets sur le comportement. Bentley (1976) a démontré que le chant d'appel des grillons comporte des éléments qu'on peut sélectionner génétiquement. Ces chants d'appels se modifient de façon appréciable à mesure que l'on introduit des gènes d'un type particulier en contrôlant l'accouplement pendant plusieurs générations.

Une technique d'élevage inusitée consiste en la production d'animaux génétiquement identiques, nommés **clones**, concept couramment exploité notamment dans le cinéma de science-fiction. Mais la vie imite la fiction ! Les études génétiques du développement du système nerveux utilisent des créatures qui sont de véritables copies conformes. Les chercheurs obtiennent ces animaux grâce à une reproduction asexuée où tous les rejetons détiennent les mêmes gènes. Avec des clones de sauterelles, Goodman (1979) a pu comparer l'uniformité et la variabilité de la croissance et du développement de divers neurones. Même si la forme essentielle des plus grosses cellules présentait une uniformité considérable, plusieurs neurones de ces sauterelles clonées manifestaient de la variété dans les connexions nerveuses entre individus « identiques ».

Est-ce qu'une hérédité identique signifie que les connexions nerveuses sont également identiques ? Pour l'étude de cette question, les jumeaux humains identiques ou les jumeaux de tout autre mammifère ne représentent pas des sujets très utiles étant donné la trop grande complexité de leur système nerveux, qui fait qu'on ne peut pas trouver la même cellule, pour fins de comparaison, chez deux individus. Par conséquent, quelques chercheurs, notamment Macagno, Lopresti et Levinthal (1973), se sont intéressés à un crustacé minuscule, la daphnie (ou puce d'eau), bien connu de beaucoup de propriétaires d'aquariums. La femelle de la daphnie peut se reproduire, sans être fécondée par le mâle, et donner des lignées de rejetons femelles génétiquement identiques, en somme des clones. De plus, les daphnies possèdent un nombre déterminé de neurones identifiables au microscope.

L'œil contient exactement 176 neurones sensoriels qui établissent des contacts synaptiques avec précisément 110 neurones du ganglion optique. Enfin, un neurone sensoriel particulier ne fera contact qu'avec un petit nombre de neurones spécifiques dans le ganglion. Toutefois, le nombre exact de synapses établies entre un neurone sensoriel donné et un neurone spécifique dans le ganglion peut varier par plus de trois pour un, d'une daphnie à une autre, dans une série de clones. Même entre les côtés gauche et droit de l'œil d'un individu, où l'on trouve des neurones « jumeaux » placés symétriquement, l'un de ces neurones jumeaux peut établir plus de synapses que son frère. Par conséquent, tant à l'intérieur de la même daphnie qu'entre les daphnies elles-mêmes, des neurones portant exactement la même hérédité ont des quantités de connexions synaptiques différentes. De même, la forme des ramifications des axones n'est pas la même tant à l'intérieur d'une même daphnie qu'entre des daphnies clonées (figure 4.16).

Chez les vertébrés, il est plus difficile de trouver des neurones identiques qui permettraient de comparer les connexions synaptiques. Les chercheurs qui ont étudié les daphnies ont ensuite fait l'étude d'un poisson qui se reproduit par parthénogenèse, comme la daphnie, produisant des femelles génétiquement identiques entre elles et identiques à leur mère. Le système nerveux de ces poissons est complexe, mais chaque animal possède, dans son cerveau, une seule cellule géante de Mauthner. Un examen au microscope a montré que malgré la similitude dans l'arrangement des ramifications dendritiques, d'un individu à l'autre dans un clone, il existe des différences individuelles dans les détails de la ramification dendritique et des synapses. Les conclusions tirées de l'étude de la daphnie peuvent donc s'appliquer au moins à la cellule Mauthner du cerveau du poisson (Levinthal, Macagno et Levinthal, 1976).

Figure 4.16 Le même neurone chez quatre jumeaux identiques dans un clone d'insectes. Les deux exemples de ramifications sont présentés dans deux colonnes. La variabilité est plus grande d'un animal génétiquement identique à un autre qu'entre le côté gauche et le côté droit du même individu (Macagno et coll., 1973).

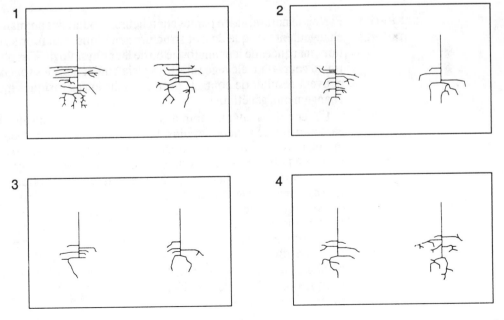

On rencontre des différences encore plus grandes dans le système nerveux des mammifères génétiquement identiques. Ainsi, dans des souches de souris à forte consanguinité, où tous les individus du même sexe sont pratiquement génétiquement identiques, une région spécifique du cerveau (par exemple, une partie de l'hippocampe) présente, entre les individus, des différences de l'ordre de quelques unités de pourcentage dans le nombre des neurones (Wimer et coll., 1976).

Aucune observation du genre n'a été effectuée chez les jumeaux identiques humains, bien que de tels jumeaux présentent des différences de taille à la naissance; il est donc vraisemblable de croire que leurs cerveaux devraient donner des variations au moins aussi fortes que celles notées dans les études sur les souris consanguines. En effet, des données indirectes indiquent que, dans le cas de jumeaux humains identiques, la structure de ramification des terminaisons nerveuses de la peau doit présenter des différences. Les faits démontrent que même les jumeaux identiques présentent certaines différences d'empreintes digitales, en dépit du fait que leurs empreintes se ressemblent plus que celles de jumeaux fraternels, dits faux jumeaux. La peau du bout des doigts est abondamment innervée, si bien que les différences dans la configuration des crêtes de la peau doivent correspondre à des différences de moyennes dans la distribution des terminaisons nerveuses. De plus, les minuscules ouvertures des glandes sudoripares du bout des doigts se situent le long des crêtes de la peau. Ces glandes sudoripares sont munies de terminaisons nerveuses qui contrôlent la sécrétion; ainsi, là encore, les différences dans la configuration des crêtes doivent correspondre à des différences dans les localisations des terminaisons nerveuses qui vont vers les glandes sudoripares. Cet exemple montre que chez les êtres humains, comme chez les autres animaux, une identité génétique n'entraîne pas nécessairement une identité de toutes les fines structures du système nerveux. Il convient de noter que la configuration des empreintes digitales se forme durant le quatrième mois de la grossesse, ce qui veut dire que des différences individuelles sont fixées bien avant la naissance. Des différences additionnelles du système nerveux de jumeaux identiques peuvent être attribuées aux réactions à des expériences différentes. Aux chapitres 16 et 17, nous aborderons cette question lorsque nous étudierons les effets de l'expérience et de l'apprentissage sur l'anatomie du système nerveux.

Étude des mutants

Parfois la nature, aidée par les chercheurs, produit des animaux étranges qui présentent un changement brusque de leur structure génétique, mutation se traduisant par des modifications marquées de leur anatomie ou de leur physiologie. Ces phénomènes peuvent apparaître au cours d'un élevage sélectif, spécialement dans les souches à forte consanguinité, ou peuvent résulter de contacts avec des substances toxiques mutagènes qui entraînent des changements génétiques.

L'étude des mutants (animaux révélant de tels changements) est intéressante, car les caractéristiques génétiques ainsi brusquement modifiées peuvent être très spécifiques et étonnantes. Ces singulières modifications de nature génétique constituent un élément de preuve à l'effet qu'au cours du développement de ces organismes, il y a intervention de contrôles génétiques beaucoup plus subtils que chez d'autres animaux. Greenspan et Quinn (1984), par exemple, ont décrit les mutants de la **drosophile** (mouche des fruits ou mouche du vinaigre), mutants qui présentaient des problèmes de mémoire. Ces mutants (affectueusement nommés **Crétin**, **Amnésique** et **Navet**) ne parvenaient pas à apprendre ou, lorsqu'ils le *pouvaient*, oubliaient rapidement. De nouvelles données suggèrent la présence d'une carence biochimique chez ces mutants, ce qui pourrait expliquer ces manques de mémoire (Dudai, 1988). Au chapitre 17, nous parlerons de ces expériences lorsque nous traiterons des mécanismes nerveux spécifiques de la mémoire et de l'apprentissage.

Plusieurs mutants de drosophile présentent des défectuosités affectant spécifiquement certaines parties du système nerveux (Hall et Greenspan, 1979). La grande valeur de la recherche sur les mutants de drosophile tient à la richesse des mutations spécifiques, chacune mettant en relief l'importance d'un processus distinct de développement défectueux. Un mutant létal de drosophile, nommé **Encoche**, présentait, par exemple, un système nerveux surdéveloppé à cause de la production d'un trop grand nombre de cellules agissant comme précurseurs. Les études effectuées sur ce mutant pourraient aider les chercheurs à mieux comprendre les processus qui contrôlent le nombre de cellules produites au cours des premiers stades du développement embryonnaire.

Chez la souris, il existe plus de 150 mutations qui mettent en cause le système nerveux (Sidman, Green et Appel, 1965). Des défectuosités particulières apparaissent au cours de la formation du système nerveux. Pour certaines souris, ce sont des régions précises du cerveau qui ne se développent pas. D'autres régions présentent des perturbations anatomiques spécifiques, comme une absence de myélinisation ou le fait que les cellules ne s'alignent pas de façon caractéristique. Un groupe de mutants particulièrement étonnants pour les chercheurs présente des défectuosités attribuables à des gènes individuels affectant le développement postnatal du cervelet. Les noms donnés à ces animaux (**Chancelant, Titubant** et **Zigzag**) reflètent bien les défectuosités motrices qui les caractérisent. L'influence déterminante de ces gènes sur la grosseur et la structure du cervelet est illustrée à la figure 4.17. Le cervelet de Chancelant montre une disposition anormale des cellules. Il n'existe pas de couches caractéristiques, ni dans le cervelet, ni dans l'hippocampe, ni dans le cortex cérébral de cet animal. Il est étrange de constater que même si les cellules de ces régions adoptent des positions anormales, plusieurs connexions avec ces cellules sont adéquates (Caviness, 1980). Le cervelet de Zigzag contient beaucoup moins de cellules granulaires qu'un cervelet normal, ce qui peut être dû au fait que ces cellules n'ont pas connu de migration ou n'ont pas établi les connexions voulues. L'atrophie du cervelet est également évidente chez Titubant, nous dit Sotelo (1980) qui a montré que cet animal n'était pas parvenu à établir des connexions synaptiques entre les cellules granulaires et les cellules de Purkinje. L'axone de la cellule granulaire (la fibre parallèle) se rapproche de la surface dendritique de la cellule de Purkinje, mais les spécialisations postsynaptiques ne se développent tout simplement pas. Chacune de ces souris mutantes présente des défectuosités attribuables à un seul gène, associées au développement d'un type spécifique de cellules. Les études faites sur ces animaux permettent une plus profonde compréhension des processus du développement nerveux et de leurs conséquences sur le comportement.

Influences biochimiques

Le cerveau est constitué de plusieurs groupes différents de cellules qui se développent à divers moments. Sans aucun doute, les règles qui président à l'orchestration de l'émergence de cette structure complexe sont elles-mêmes complexes. Mais, tous les chercheurs admettent que ce processus est régi par diverses substances corporelles.

Voyons, à l'aide d'exemples, comment deux sortes de conditions biochimiques contrôlent la croissance nerveuse. Un exemple de contrôle intrinsèque est celui du **facteur de croissance nerveuse (FCN)**, substance de nature hormonale qui semble diriger le développement d'une classe particulière de cellules nerveuses. Le rôle de la nutrition dans la croissance cérébrale est un exemple d'influence biochimique extrinsèque.

Le facteur de croissance nerveuse

Il y a plus de vingt ans, des chercheurs découvrirent une substance qui affecte de façon évidente la croissance des neurones des ganglions spinaux et des ganglions du système nerveux sympathique (Levi-Montalcini, 1982). Cette substance est le facteur de croissance nerveuse. Sa découverte a valu à Levi-Montalcini et Cohen un prix Nobel en 1986. Le FCN

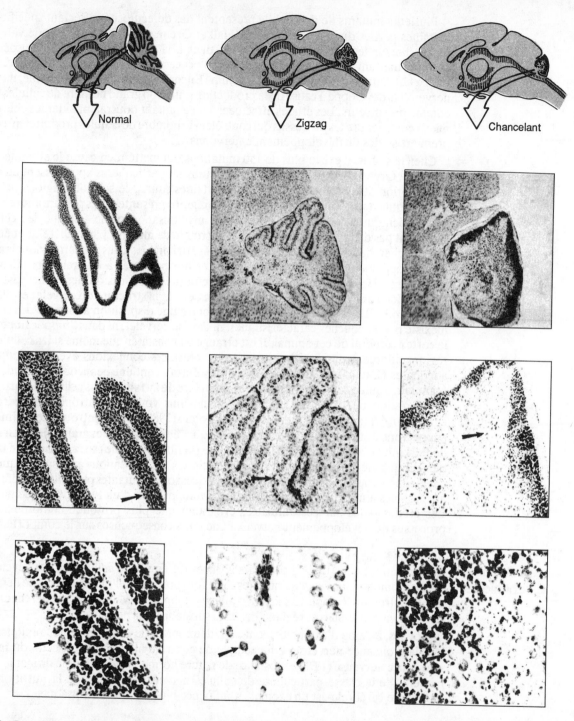

Figure 4.17 Cervelets mutants chez la souris. La colonne de gauche montre des coupes du cervelet d'une souris normale à trois grossissements (25X, 66X et 250X). La colonne du milieu présente des coupes comparables de la souris mutante Zigzag. Remarquez l'absence presque totale de cellules granulaires alors que l'alignement des cellules de Purkinje (flèches) est normal. La colonne de droite donne des coupes de la souris mutante nommée Chancelant. Une perturbation prononcée de la disposition en couches habituellement constatée chez les cellules est évidente. Les deux mutants montrent un rétrécissement général du cervelet (Leiman).

fut d'abord trouvé dans une variété de sites inhabituels, y compris dans les glandes salivaires des souris, dans certaines tumeurs de la peau et dans le venin d'un serpent. Plus récemment, des techniques biochimiques précises en ont révélé la présence dans le système nerveux. Des expérimentateurs ont découvert que l'administration du FCN au fœtus d'un animal entraînait la formation de ganglions sympathiques contenant beaucoup plus de cellules que d'habitude. Ces cellules étaient également plus grosses et comportaient plusieurs prolongements importants (figure 4.18). Administré après la naissance, le FCN avait pour effet de produire des cellules du système nerveux sympathique plus grosses. On a récemment démontré que le facteur de croissance nerveuse est capable d'annihiler les effets dégénératifs d'une drogue responsable d'une destruction sélective des cellules cérébrales contenant des transmetteurs sympathiques particuliers.

Une partie de l'intérêt engendré par le FCN vient de la possibilité que ce facteur de croissance constitue un exemple de l'action de mécanismes de contrôle régissant le développement du système nerveux. Il se peut qu'il existe plusieurs substances de cette nature, chacune d'elle contrôlant un type de cellules particulier à une période spécifique du développement.

La nutrition, la croissance et le développement du cerveau

Tous les peuples de notre planète n'ont pas la chance de profiter d'une nutrition appropriée. Plusieurs communautés humaines doivent faire face à des famines périodiques et il devient de plus en plus urgent de trouver une solution adéquate à ce problème, à mesure que le taux d'accroissement des populations menace de dépasser celui des moyens de production de denrées alimentaires de plusieurs nations. Pendant bien des années, les gens ont cru que le cerveau était moins vulnérable que les autres parties de l'organisme aux conséquences d'un régime alimentaire déficient. Il est sûrement exact que le cerveau adulte est beaucoup moins affecté par le jeûne ou les excès de table que la plupart des autres organes. Mais, la preuve a maintenant été établie que la malnutrition est nuisible au cerveau, surtout au cours des premières années du développement de cet organe. En fait, sous diverses formes, la malnutrition qui survient durant les périodes critiques de la croissance du cerveau peut, chez l'être humain comme chez d'autres animaux, entraîner des changements irréversibles de la structure cérébrale (Winick, 1976). Toutefois, il n'est pas facile d'établir un lien clair entre ces changements cérébraux et le comportement. Il est difficile de départager les conséquences des désavantages sociaux et celles de la malnutrition, quand la plupart de ces études portent sur des mères et des nourrissons vivant dans la pauvreté (Balderston et coll., 1981).

Des études comparatives d'enfants insuffisamment nourris et de sujets témoins qui n'avaient pas connu de déficience nutritionnelle en bas âge nous en ont appris beaucoup sur les effets de la malnutrition. Ces études faites au Mexique, au Chili, en Yougoslavie et en Afrique du Sud ont montré que la malnutrition qui sévit au cours des premières années de la vie a une incidence négative évidente sur les résultats obtenus ultérieurement à plusieurs types de tests de capacité mentale (Tizard, 1974). L'état de pauvreté engendrant la malnutrition dans les familles risque d'imposer éventuellement d'autres obstacles au développement des enfants. Toutefois, plusieurs de ces études montrent que l'apparition subséquente d'anomalies du comportement dépend du moment de la vie où l'enfant a été inadéquatement nourri. On note un taux plus élevé de récupération comportementale chez les enfants qui ont connu la malnutrition à une période plus tardive de leur vie.

Dans une bonne mesure, les effets d'une grave malnutrition en bas âge peuvent être compensés par une réhabilitation nutritionnelle et comportementale, surtout si cette réhabilitation commence avant l'âge de 2 ans et est maintenue jusqu'à l'adolescence (Winick, Meyer et Harris, 1975; Nguyen, Meyer et Winick, 1977). Cette recherche a été faite auprès d'orphelins coréens adoptés par des familles américaines de classe moyenne. Tous les enfants provenaient d'orphelinats et avaient moins de 5 ans, au moment de leur

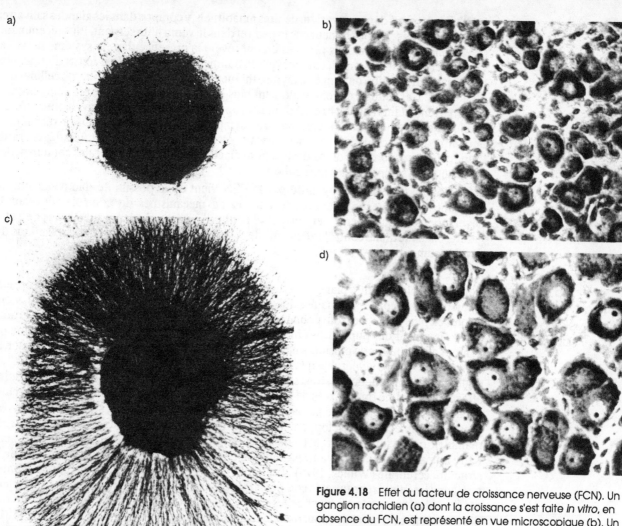

Figure 4.18 Effet du facteur de croissance nerveuse (FCN). Un ganglion rachidien (a) dont la croissance s'est faite *in vitro*, en absence du FCN, est représenté en vue microscopique (b). Un autre ganglion (c) a été développé *in vitro* mais le milieu de croissance a été enrichi de FCN; (en d), vue au microscope des cellules de ce ganglion). L'addition de FCN provoque une prolifération marquée des prolongements d'axones irradiant dans toutes les directions. (De R. Levi-Montalcini, Science, vol. 143 (janvier 1964) : 105-110, Figures 1, 2 et 10. Copywright 1964 par l'American Association for the Advancement of Science.)

adoption. Effectuée de manière rétrospective, l'étude s'est appuyée sur les dossiers dont on disposait au moment où ces enfants étaient devenus adolescents. Les sujets ont été distribués dans trois groupes en fonction de leur taille, au moment de leur admission à l'agence d'adoption :

1. Très mal nourris, soit au-dessous du 3e percentile (selon les normes coréennes).
2. Assez mal nourris, entre les 3e et 24e percentiles.
3. Bien nourris, au 25e percentile ou au-dessus.

Ces victimes de malnutrition se sont développées assez bien dans leurs familles adoptives et sont toutes parvenues à dépasser les normes coréennes relatives à la taille et à la masse

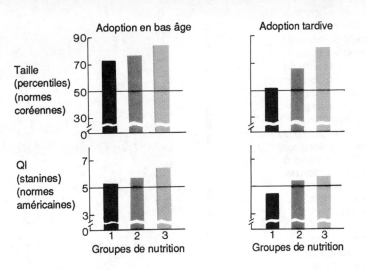

Figure 4.19 Adoption hâtive et adoption tardive de bébés mal nourris et conséquences sur leur croissance, leur intelligence et leur rendement. Groupes de nutrition : 1 : très mal nourris au moment de l'admission à l'agence d'adoption; 2 : assez mal nourris; 3 : bien nourris. (Les résultats d'une adoption en bas âge sont ceux de Winick, Meyer et Harris, 1975; ceux d'une adoption tardive proviennent de l'étude de Nguyen, Meyer et Winick, 1977.)

corporelle, sans toutefois atteindre les normes américaines. Aux tests de quotient intellectuel et de rendement scolaire, les moyennes pour les trois groupes adoptés avant l'âge de 2 ans dépassèrent finalement les moyennes américaines (figure 4.19). Parmi ceux qui ont été adoptés après l'âge de 2 ans, les enfants du groupe 1 (victimes de malnutrition grave) n'atteignirent pas tout à fait les normes américaines, ce que parvinrent à faire les sujets des deux autres groupes. Bien que certaines différences associées à la malnutrition en bas âge aient persisté, celles-ci s'avérèrent plutôt faibles. Cette étude est importante car elle démontre que les conséquences à long terme d'une malnutrition grave en bas âge peuvent être évitées dans une large mesure, pourvu que la réhabilitation commence tôt et soit maintenue.

Des études neuroanatomiques et neurochimiques ont fait ressortir l'influence très critique d'une malnutrition en bas âge sur l'apparition subséquente de défectuosités des capacités mentales. Dobbing (1976) insiste sur le fait que c'est au cours de sa période de croissance rapide que le cerveau est le plus vulnérable à la malnutrition. Ces périodes varient chez les différents animaux (figure 4.20). Chez l'être humain, la période de croissance cérébrale la plus accélérée et, selon Dobbing, la vulnérabilité maximale à la malnutrition se situent vers la fin de la grossesse et pendant les premiers mois suivant la naissance. Chez l'adulte, une malnutrition de même importance n'entraîne que des conséquences négligeables.

Des expériences sur les animaux ont permis d'observer certains effets permanents d'une malnutrition pendant les premières périodes de croissance rapide du cerveau. La taille et la masse corporelle sont affectées de même que la structure cérébrale et le comportement (Dobbing, 1974). Le volume du cervelet du rat est particulièrement sensible à une malnutrition postnatale, par exemple, étant donné que la formation de cette structure est surtout assurée immédiatement après la naissance du rat.

Expérience et développement cérébral

Les petits de beaucoup d'espèces animales naissent dans un état de grande immaturité, sur les plans anatomique et comportemental. Par exemple, à la naissance, la masse du cerveau humain ne représente que le quart de la masse d'un cerveau d'adulte. En ce qui concerne le comportement, les nouveau-nés de plusieurs espèces d'animaux sont tout à fait dépendants de leurs parents. Chez ces animaux, le développement du cerveau et celui du comportement semblent aller de pair. Selon des études récentes, le succès ou l'échec des premières

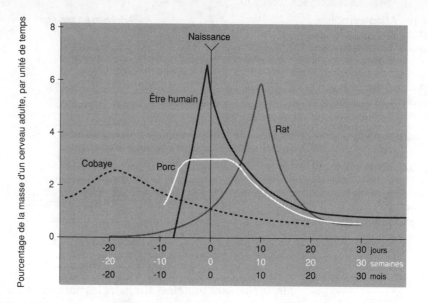

Figure 4.20 Vitesse de développement du cerveau en relation avec le moment de la naissance. L'échelle de temps est différente pour les divers animaux, variant de quelques jours à quelques mois. Ce graphique montre que les périodes de pointe du développement cérébral sont très différentes d'un animal à un autre. L'augmentation de la masse du cerveau du rat, par exemple, se fait surtout après la naissance. La majeure partie du développement du cerveau du cobaye, par contre, s'effectue avant la naissance. (Adapté de Dobbing, 1972.)

expériences d'un individu pourraient avoir une influence sur la croissance et le développement des circuits du cerveau.

Gottlieb (1976) ainsi que Rosenzweig et Bennett (1977, 1978) ont trouvé qu'en faisant varier l'expérience d'un individu durant les premières années de son développement, plusieurs aspects de son comportement et de sa chimie cérébrale se trouvent modifiés. L'interprétation de ces données permet de croire que l'expérience pourrait jouer trois rôles différents dans le développement et qu'il serait important d'établir la distinction entre ces rôles : l'expérience pourrait *déclencher* le développement, agir dans le sens d'une *modulation* du comportement et *maintenir* le cours ou les résultats du développement (figure 4.21).

Le déclenchement du développement est le plus impressionnant des rôles possibles de l'expérience. Certains traitements expérimentaux, comme une administration d'hormones sexuelles en bas âge, peuvent orienter le développement vers le type corporel féminin ou masculin (chapitre 11). Mais, l'expérience peut-elle jouer un rôle aussi déterminant ? À cet égard, les éléments de preuve ne sont pas nombreux, mais le phénomène de l'**empreinte** (*imprinting*) serait peut-être un exemple d'induction d'une structure de comportement par l'expérience. Par exemple, on a élevé des canetons sauvages, pendant les huit à dix premières semaines de leur vie, avec d'autres espèces de canards. Parvenus à maturité, les mâles sauvages eurent le choix de s'accoupler avec des canards sauvages ou avec des canards de l'espèce avec laquelle ils avaient été élevés. Alors que, dans leur habitat naturel, les canards sauvages choisissent tous des canards sauvages comme partenaires, les deux tiers environ des animaux du groupe expérimental choisirent des femelles de l'autre espèce (Schutz, 1965).

Les preuves sont plus nombreuses en ce qui concerne la modulation du comportement par l'expérience. Les effets de l'expérience peuvent être négatifs aussi bien que positifs. Par exemple, « La présence de certains sons peut soit accélérer, soit retarder le moment de l'éclosion des œufs de cailles... Une exposition préalable à la lumière facilite l'approche behavioriste du jeune poussin vers une lumière intermittente, alors qu'une exposition préalable au son retarde l'approche vers une source visuelle intermittente... » (Gottlieb, 1976, p. 32). La reconnaissance, en très bas âge, des individus de sa propre espèce et des

Figure 4.21 Illustration schématique des divers types d'influences de l'expérience sur le développement cérébral. Comparaison entre a) et b) : l'expérience peut déclencher des changements — ici, la croissance d'un groupe de terminaisons d'axone. Comparaison entre c) et d) : l'expérience peut exercer un effet de modulation sur le développement — ici, la croissance atteint un plateau plus rapidement. Comparaison entre e) et f) : l'expérience peut contribuer à maintenir la croissance — ici, les terminaisons se résorbent à moins que l'expérience ne soit maintenue.

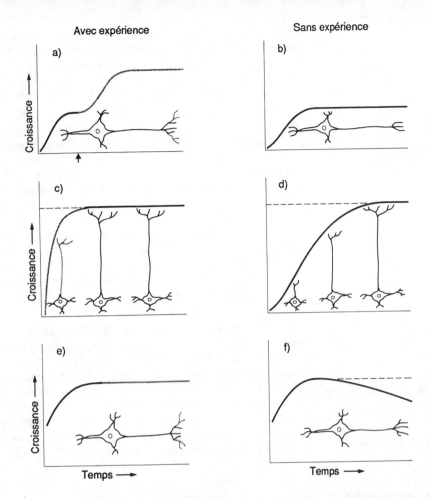

vocalisations des parents dépend du fait que l'embryon a été ou non exposé à des types spécifiques de stimuli auditifs avant sa naissance (Hall et Oppenheim, 1987).

Le rôle de l'expérience dans le maintien du développement a été illustré par des expériences sur le système visuel. Une privation sensorielle, très tôt après la naissance et maintenue pendant plusieurs semaines, pourrait entraîner une atrophie de certaines cellules en voie de développement. On perd ce qu'on n'utilise pas.

Privation visuelle et perte de fonction

Certaines personnes n'aperçoivent pas les formes des objets d'une façon nette en se servant d'un seul œil, même si ce dernier est intact et donne une image précise sur le foyer de la rétine. Cette défectuosité visuelle est connue sous le nom d'**amblyopie** (du grec *amblus*, faible et *ôps*, vision). Cette anomalie est observable chez les personnes dites à « œil paresseux » : l'un des yeux se tourne vers l'intérieur (strabisme) ou vers l'extérieur. Certains naissent avec ce défaut d'alignement des yeux. Ils *voient double* plutôt que d'apercevoir une seule image combinée. Sans chirurgie permettant de corriger l'alignement de l'œil dévié avant que l'individu n'atteigne la fin de l'enfance, la vision devient défectueuse. À l'âge adulte, il y a une suppression presque radicale de la vision des formes dans l'œil dévié et même un réalignement des yeux ne peut redonner une vision parfaite à l'œil ainsi réaligné. Ce fait est étonnant puisque pendant tout le développement d'une personne, la lumière pénètre dans ses yeux d'une façon normale et les cellules nerveuses de l'œil continuent d'être stimulées.

Un tel désalignement des yeux entraîne une vision double lorsqu'il se produit pour la première fois à l'âge adulte : l'œil voit alors deux images tout à fait séparées et cette situation ne se modifie pas avec l'âge. Ces observations cliniques sur l'être humain portent à croire que le fait que les yeux prennent une position inaccoutumée, pendant les premières années du développement, pourrait modifier les connexions ou circuits dans le cerveau.

D'autres formes d'amblyopie peuvent être plus subtiles. Une privation partielle et épisodique de la vision des formes, au cours de l'enfance, peut entraîner des déficits qui persisteront même lorsque les problèmes d'ordre optique auront été réglés par l'usage de verres correcteurs, à l'âge adulte. Cet état de fait est particulièrement susceptible de se présenter quand les défectuosités sont partielles et subtiles et difficilement décelables chez de jeunes enfants. L'astigmatisme est un trouble visuel par lequel, dans certaines orientations, les lignes perçues ne paraissent pas aussi claires que des lignes placées selon d'autres orientations. Ceci se produit lorsque la forme du globe oculaire n'est pas tout à fait sphérique. Les enfants souffrant de ce défaut se trouvent partiellement privés de la stimulation visuelle puisqu'ils ne reçoivent pas de stimuli clairs provenant de certaines directions. Quand leur astigmatisme est décelé, un peu plus tard, au cours de leur vie, il est impossible de corriger de façon adéquate leur défaut visuel. Comme cette stimulation anormale est intervenue tôt dans leur vie, il semble bien que leurs circuits cérébraux ont été modifiés de façon permanente et irréversible.

Les expériences de privation visuelle pratiquées chez les animaux ont contribué considérablement à l'amélioration de notre compréhension des causes de l'amblyopie. Ces travaux ont permis d'observer des changements étonnants associés à la non-utilisation du système visuel, au cours de périodes critiques de la tendre enfance. Chez les animaux, la privation de lumière dans les deux yeux (privation binoculaire) donne lieu à des changements structuraux dans des neurones du cortex visuel. Les animaux élevés sans stimulation visuelle affichent une perte de crêtes dendritiques et une réduction de la densité des synapses. Cragg (1975) a insisté sur le fait que ces conséquences s'observaient de façon beaucoup plus générale pendant les premières périodes du développement des synapses du cortex visuel (figure 4.22).

Hubel et Wiesel, qui ont partagé un prix Nobel en 1981, ont accompli un travail de pionniers en montrant que la privation de lumière limitée à un seul œil (privation monoculaire) produisait des changements structuraux et fonctionnels beaucoup plus profonds dans le cortex visuel. Chez le nouveau-né du chat ou du singe, la privation monoculaire de la lumière engendre une absence de réaction, quand l'animal atteint l'âge adulte, dans l'œil qui a été ainsi privé. Une illustration graphique de cette relation (habituellement nommée **histogramme de dominance oculaire**) montre la force de la réaction d'un neurone aux stimuli présentés à l'œil gauche ou à l'œil droit. La plupart des

Figure 4.22 Développement du cortex visuel du chat. La formation des synapses se fait le plus intensément de 8 à 37 jours après la naissance, période durant laquelle l'usage de la fonction peut exercer une profonde influence. Remarquez que la masse cérébrale (courbe noire) et le volume cellulaire (courbe blanche) s'accroissent de façon parallèle et précèdent le développement synaptique (en gris). (Adapté de Cragg, 1975.)

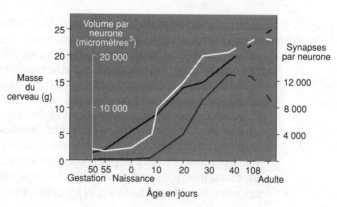

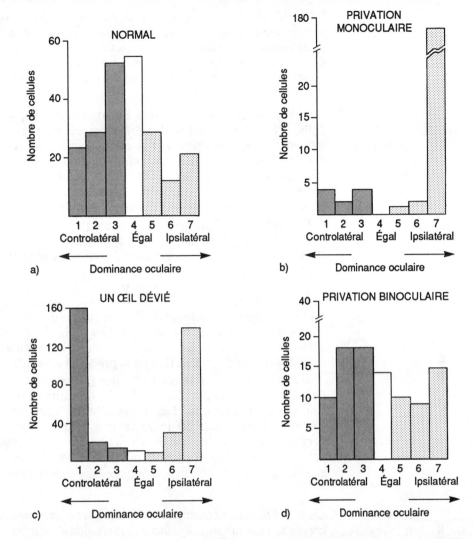

Figure 4.23 a) Histogramme de dominance oculaire de cellules dont l'activité est enregistrée à partir du cortex visuel de chats adultes normaux. b) Même histogramme dans le cas d'un mauvais alignement en bas âge (strabisme). c) Même histogramme dans le cas d'une privation visuelle monoculaire au cours des premières périodes critiques. d) Même histogramme dans le cas d'une privation binoculaire. (Adapté de Hubel et Wiesel, 1965; Wiesel et Hubel, 1965.)

neurones corticaux sont également excités par la stimulation de l'un ou l'autre œil (figure 4.23). Un nombre plus restreint de neurones sont activés uniquement par la stimulation d'un seul œil. Quand il y a eu privation monoculaire au cours des premières phases du développement d'un animal, on observe un déplacement marqué sur ce graphique. La plupart des cellules nerveuses corticales ne réagissent qu'à une stimulation appliquée à l'œil qui n'a pas été privé. Chez le chat, la période susceptible de donner cet effet survient au cours des quatre premiers mois de la vie. Chez les primates autres que l'être humain, la période sensible s'étend jusqu'à l'âge de 6 mois. Les mécanismes suggérés pour expliquer ce phénomène permettent de mieux comprendre les formes de l'amblyopie décrites précédemment. On a émis l'hypothèse que durant les premières phases du développement d'un individu, les axones véhiculant la stimulation de chacun des yeux *rivaliseraient* pour l'occupation de sites synaptiques. Les synapses actives et utilisées deviendraient des connexions effectives et l'emporteraient alors sur les synapses inactives et non utilisées.

Des chercheurs proposent une hypothèse analogue pour expliquer l'amblyopie résultant du mauvais alignement des yeux. Un modèle animal de cette anomalie humaine a été créé en coupant, chez de jeunes chats, les muscles d'un même côté de l'œil (Hubel et Wiesel,

1965). L'histogramme de dominance oculaire de ces animaux indique que les cellules du cortex visuel ont une sensibilité binoculaire fort réduite. Beaucoup plus de ces cellules sont excitées par la stimulation de leur œil droit ou de leur œil gauche que ce n'est le cas pour des animaux témoins. Cet effet s'observe parce que, après chirurgie, les cellules du cortex ne reçoivent pas d'influx synchrones parvenant des deux yeux.

Exposition à des stimulations visuelles en bas âge

Le cortex visuel est très immature à la naissance et la plupart des synapses sont encore à établir. Il est donc d'un grand intérêt de savoir si les premières expériences exercent une influence sur le développement du cortex visuel. Les faits mentionnés plus haut tendent à démontrer que la non-utilisation entraîne des modifications tant de la structure que des réactions des circuits visuels. On peut également constater le caractère modifiable du cerveau, au cours du développement, en présentant certaines stimulations visuelles à des animaux durant les premières étapes de leur vie.

Les expériences de manipulation de stimulations visuelles mettant en cause de très jeunes animaux ont exploité des stimuli de formes variées : lignes horizontales ou verticales (Blakemore, 1976), champ de barres de même nature perçu à travers des lunettes protectrices (Hirsch et Spinelli, 1971) ou de petites taches de lumière (Pettigrew et Freeman, 1973). Ce champ d'étude est très controversé. Certains groupes de recherche présentent des résultats difficilement conciliables avec ceux d'autres chercheurs. Néanmoins, dans l'ensemble, les données courantes indiquent que ces diverses expériences visuelles, effectuées au cours des premières périodes critiques de la vie, modifient les réactions des cellules nerveuses du cortex visuel. La période propice à l'obtention de ces effets est la même que celle de la production des effets de la privation monoculaire.

Si l'on se fie à une recension détaillée (Movshon et Van Sluyters, 1981), la variété de l'expérimentation et des résultats dans ce domaine ne permettrait de tirer aucune conclusion simple ou uniforme. Les divers résultats appuient les hypothèses à l'effet que la stimulation sensorielle est indispensable pour amorcer le développement du système nerveux, pour la modulation du développement en cours ou pour le maintien du développement génétiquement programmé. Il semblerait donc que l'expérience *peut* remplir chacun de ces trois rôles hypothétiques dans le développement nerveux.

Expériences non visuelles

On peut également constater les effets des premières expériences sur le développement du cerveau en produisant des influx sensoriels non visuels, par la stimulation des vibrisses d'un rat, par exemple. Thomas Woolsey et ses collaborateurs (1976, 1981) ont découvert un groupe unique de cellules nerveuses, dans une région du cortex cérébelleux du rat, qui reçoit des influx provenant des vibrisses. La disposition de ces poils sur la peau est singulière. Les poils sont alignés de la même façon chez tous les animaux d'une même espèce (figure 4.24). Dans cette région du cortex où sont représentées les vibrisses, Woolsey a remarqué des grappes de cellules qu'il a nommées *barils*, leur rassemblement apparaissant sous la forme des parois d'un tonneau. La figure 4.24 montre également que le plan de ces *barils* corticaux correspond à celui des vibrisses. Si quelques-unes des vibrisses sont sectionnées entre un et quatre jours après la naissance, leur *baril* cortical ne se forme pas. Cependant, les *barils* qui représentent les vibrisses adjacentes demeurées intactes ont tendance à devenir plus gros.

La manipulation des capacités olfactives d'un animal affecte également le cerveau au cours de son développement. Des études de Meisami (1978) ont montré que les deux narines du rat sont relativement indépendantes, des connexions transversales n'apparaissant qu'au niveau du pharynx. Si l'une des narines est bouchée, peu après la naissance, l'animal peut encore respirer, mais la muqueuse olfactive (surface sensorielle à l'intérieur

Figure 4.24 Site des vibrisses et des barils corticaux chez une jeune souris. La disposition des barils dans le cortex somatosensoriel apparaît dans la colonne de droite. a) Chacun des barils reçoit des influx d'une seule vibrisse du côté opposé du museau de la souris. b), c) Si l'on détruit une rangée de vibrisses après la naissance (tel qu'indiqué par les points plus foncés), on note plus tard que la rangée correspondante de barils du cortex cérébral n'existe pas et que les barils voisins sont plus gros. d) Si l'on détruit toutes les vibrisses, le groupe entier de barils disparaît. L'illustration est basée sur les travaux de Thomas A. Woolsey de la Washington University School of Medicine. (De W. M. Cowan, *The Development of the Brain.* Copyright 1979, Scientific American, Inc. Tous droits réservés.)

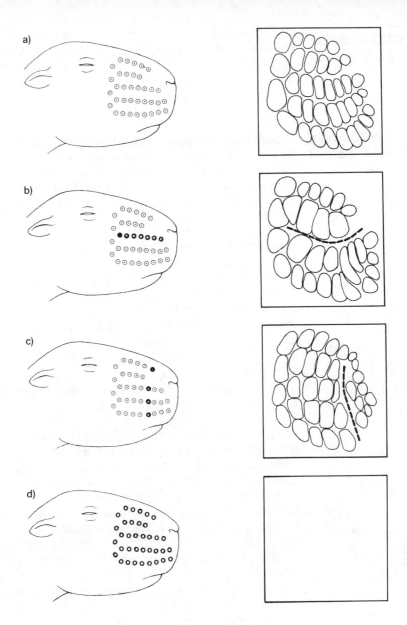

du nez) ne se trouve pas stimulée du côté qui est bouché. Après avoir soumis des rats à une telle occlusion, pendant des semaines, Meisami a comparé la croissance des bulbes olfactifs des rats, soit la région du cerveau qui reçoit les influx provenant des récepteurs sensoriels localisés dans la muqueuse olfactive. Une différence marquée a été notée entre le volume des bulbes recevant les impulsions des narines normales et le volume de ceux des narines bouchées. Le bulbe olfactif relié à la narine bloquée montrait des signes d'atrophie.

Ce qui précède ne constitue que quelques exemples des nombreuses expériences montrant que les stimuli sensoriels influencent le développement du cerveau, dans ses structures comme dans ses fonctions. Les effets enregistrés diffèrent en fonction de variables comme l'âge des sujets, la durée de l'expérience et la stimulation appliquée.

Chaque période de la vie apporte son lot de joies et de chagrins ainsi qu'un déclin progressif de plusieurs de nos capacités. Dans les systèmes biologiques, le changement avec l'âge apparaît inéluctable. Voyons d'abord certaines des caractéristiques du vieillissement normal, puis jetons un coup d'œil sur certains des excès pathologiques du processus de vieillissement, particulièrement en ce qui concerne la maladie d'Alzheimer.

Vieillissement normal

Plusieurs aspects structuraux et fonctionnels changent au cours d'une vie humaine. Bien qu'avec le temps, le ralentissement des réactions semble inéluctable, plusieurs de nos fonctions cognitives connaissent peu de signes de changement au cours de toute une vie adulte et jusqu'à un âge avancé. Qu'arrive-t-il aux structures cérébrales, entre l'adolescence et le jour où la mémoire nous fait défaut et où notre démarche est plus hésitante ? Est-ce que la structure du cerveau se modifie continuellement au cours du cycle vital d'un animal ? Les informations fournies par des autopsies pratiquées sur l'être humain nous donnent certaines indications sur la façon dont le cerveau se transforme progressivement pendant l'âge adulte.

Les modifications structurales du cerveau qui résultent du vieillissement peuvent s'observer à divers niveaux, allant des structures subcellulaires jusqu'à l'ensemble de la morphologie du cerveau. On a souvent étudié les différences de masse du cerveau en fonction du vieillissement. Pendant des années, les gens se sont interrogés sur les rapports entre l'âge et ces changements de masse du cerveau, car il était difficile de distinguer les variations attribuables à l'âge de celles résultant des états maladifs qui mènent rapidement à la mort.

Une excellente étude récemment réalisée permet de dissiper une bonne partie de cette confusion. En se rapportant à la figure 4.1, on voit que les changements sont minimes entre 20 et 45 ans alors qu'après, la masse du cerveau commence à diminuer de façon significative. Chez les êtres humains les plus âgés, la masse du cerveau est de 7 à 8 % moindre que la masse maximale du cerveau de l'adulte (Creasy et Rapaport, 1985). Le processus de cette transformation est le même pour les hommes et les femmes, même si généralement les femmes vivent 7 à 10 années de plus que les hommes. Les données indiquent également que le vieillissement est, sans conteste, un processus dont la réalisation varie à maints égards. Le déclin est évident chez tous, mais sa manifestation est exagérée chez certains. Dans l'esprit de certains chercheurs, ce fait contribue à démontrer l'importance de la contribution génétique au processus du vieillissement et vient appuyer l'idée à l'effet que, pour vivre longtemps, il faudrait pouvoir se choisir des parents et grands-parents qui ont connu la longévité.

L'examen du cerveau des personnes âgées montre souvent que les replis du cortex cérébral se sont atrophiés et que les ventricules latéraux se sont élargis. Toutefois, ces changements ne sont importants que dans le cas de la maladie d'Alzheimer, en phase avancée.

Dans les études sur le vieillissement, une façon communément répandue de mesurer la structure du cerveau consiste à calculer le nombre de cellules nerveuses et gliales par volume de tissu cérébral. Les chercheurs tracent la carte de régions spécifiques et comptent le nombre de cellules dans diverses parties, utilisant des tissus d'individus morts à des âges différents. Ces études portent à croire que les changements cellulaires commenceraient dès la trentaine et qu'ils seraient spécifiques à des régions données. Un fait plus évident encore que la diminution de la quantité des cellules est la perte des connexions sympathiques, perte particulièrement importante dans les régions frontales. Les scintigrammes PET de personnes âgées offrent une nouvelle perspective des changements attribuables au vieillissement. Les études effectuées auprès de vieillards normaux révèlent que le métabolisme cérébral ne varie pas avec l'âge. Cette observation est en opposition évidente avec le déclin du métabolisme cérébral constaté chez les personnes souffrant de la maladie d'Alzheimer.

On peut utiliser deux régions du système nerveux moteur pour faire ressortir la variété des fonctions de vieillissement. Dans le cortex moteur, la cellule de Betz (un type de gros neurone) commence à changer vers l'âge de 50 ans et, lorsque l'individu approche de ses 80 ans, plusieurs de ces cellules se sont ratatinées jusqu'à pratiquement disparaître (Scheibel, Tomiyasu et Scheibel, 1977). Par contre, d'autres cellules intervenant dans les circuits de la motricité (celles de la région du tronc cérébral nommée olive bulbaire) sont à peu près numériquement constantes pendant au moins huit décennies.

Dans un système nerveux jeune, les lésions affectant plusieurs parties du cerveau et de la moelle épinière déclenchent une nouvelle croissance d'axones et la formation de connexions additionnelles (chapitre 16). Toutefois, même si ce phénomène de bourgeonnement d'axones se produit également chez les adultes, il y est beaucoup moins vigoureux. D'ailleurs, plusieurs chercheurs (Scheff, Bernardo et Cotman, 1978, par exemple) ont démontré que chez les vieux rats, le cerveau est beaucoup moins capable d'engendrer des collatérales d'axones à la suite de lésions affectant une voie nerveuse du cerveau. Il semble donc que le cerveau des animaux âgés serait moins en mesure que celui des animaux plus jeunes de compenser anatomiquement la réduction progressive du nombre de cellules et de synapses.

Exagération pathologique du vieillissement : la maladie d'Alzheimer

Depuis le début du siècle, la population des individus de plus de 65 ans a été multipliée par 8, aux États-Unis. Avant l'an 2000, au moins 30 millions de personnes feront partie de ce groupe. La plupart des gens de cet âge mènent une vie heureuse et productive, bien qu'à un rythme plus lent que celui qui avait caractérisé leurs jeunes années. Malheureusement, il est évident qu'il existe un nombre croissant de personnes âgées pour qui le vieillissement se traduit par une nouvelle forme d'agonie, ce qu'on a nommé **maladie d'Alzheimer**, d'après le nom du neurologue qui a été le premier à décrire un type de démence apparaissant avant l'âge de 65 ans. Cette anomalie est maintenant considérée comme analogue à la forme de démence qui survient plus tard dans la vie (démence sénile). Actuellement, près de deux millions d'Américains de plus de 65 ans souffrent de la maladie d'Alzheimer et le vieillissement progressif de la population signifie qu'on doit s'attendre à un accroissement considérable de ce groupe, au cours des 20 à 40 prochaines années.

La maladie d'Alzheimer est caractérisée par un déclin graduel des fonctions intellectuelles. Elle commence par des problèmes de mémoire des faits récents. Puis, ce trouble de la mémoire finit par tout englober et devient si envahissant que les personnes atteintes de cette maladie sont incapables de tenir quelque conversation que ce soit, perdant presque instantanément aussi bien le contexte que l'information de cette conversation. Ils ne peuvent même plus répondre aux questions portant sur les faits de la vie quotidienne. Voici quelques exemples de questions utilisées par les psychologues ou les neurologues au moment de l'examen : « En quelle année sommes-nous ? » « Qui est le président de notre pays ? » « Où êtes-vous présentement ? » Le déclin cognitif est progressif et implacable. Ces sujets deviennent finalement totalement désorientés et s'égarent facilement, même dans des environnements familiers. L'incapacité totale de ces individus est fort bien suggérée par le titre d'un manuel récent qui s'adresse aux familles dont un membre souffre de la maladie d'Alzheimer : *La Journée de trente-six heures*, titre qui met bien en évidence les exigences énormes que représentent les soins à assurer à ces malades.

Les observations portant sur la masse cérébrale de ces malades révèlent une atrophie corticale marquée, surtout évidente dans les régions frontale, temporale et pariétale. Les études sur le métabolisme cérébral sont particulièrement éloquentes. Les scintigrammes

Figure 4.25 a) Site des noyaux gris centraux du cerveau antérieur et ramification des axones cholinergiques. b) Enchevêtrements neurofibrillaires apparaissant dans une coupe transversale du cortex cérébral d'une personne âgée. La flèche en donne un exemple. c) Plaques séniles au niveau du cortex cérébral. (Photographies fournies par F. J. Seil.)

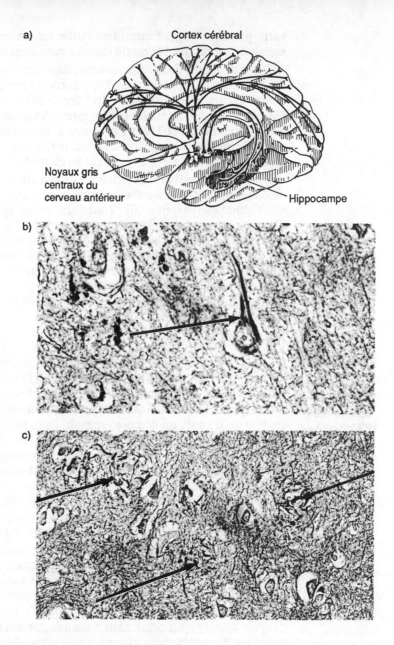

a)

Cortex cérébral

Noyaux gris centraux du cerveau antérieur

Hippocampe

b)

c)

PET enregistrés à la suite de l'administration de glucose marqué montrent une réduction considérable du métabolisme oxydatif dans le cortex pariétal postérieur et dans certaines portions du lobe temporal. Une chute substantielle de l'utilisation du glucose précède l'apparition de plus graves déficiences d'ordre cognitif (Foster et coll., 1984).

L'examen au microscope du cerveau des personnes souffrant de cette maladie dégénérative laisse apparaître un ensemble de modifications cellulaires caractéristiques. Certains neurones présentent des anomalies dans les neurofilaments cellulaires ou **enchevêtrements des neurofilaments**. Ce sont des volutes anormales de filaments qui ont formé un arrangement confus dans la cellule (figure 4.25b). Les études histologiques font voir également des plaques étranges de terminaisons d'axones en voie de dégénérescence : ce sont les **plaques**

séniles (figure 4.25c). À l'intérieur de chacune de ces plaques, on trouve une substance dite amyloïde composée de protéines inhabituelles. Le nombre de ces plaques séniles est directement proportionnel à la gravité de l'incapacité cognitive. Des chercheurs ont également noté, dans le cerveau de sujets souffrant du syndrôme de Down, ces deux changements cellulaires caractéristiques de la maladie d'Alzheimer.

Des recherches plus récentes ont surtout visé à analyser les changements observés dans un groupe de cellules du prosencéphale, changements dont l'analyse pourrait ouvrir la voie à une compréhension fondamentale de ce trouble. Dans plusieurs études anatomiques, il a été fait mention d'une perte importante de neurones dans une région sous-corticale nommée noyau bulbaire de Meynert (figure 4.25a). Les axones de ces cellules se prolongent jusque dans plusieurs régions corticales. Ces cellules contiennent de l'acétylcholine, substance utilisée pour transmettre l'influx nerveux à d'autres cellules (chapitre 6). Les déficiences du système cholinergique caractérisent le cerveau des victimes de la maladie d'Alzheimer et il se peut que d'autres neurotransmetteurs soient également en cause. Les cas rapportés par Coyle, Price et Delong (1983) témoignaient d'un déclin marqué et constant du nombre de cellules de cette région, déclin non observé dans les aires cérébrales immédiatement adjacentes. Il ne s'agit pas là d'une simple exagération d'un changement qui s'observerait de façon routinière dans les cas de vieillissement, puisque les individus qui ont vieilli normalement ne présentent que peu de perte de neurones dans cette région (Chui et coll., 1984).

Les causes de la maladie d'Alzheimer échappent encore à l'analyse. Chez certains sujets, il existe un facteur familial évident, surtout chez ceux qui présentent un début précoce de démence (entre 40 et 60 ans). Un rapport récent mentionnait qu'on avait pu vérifier la présence de la maladie d'Alzheimer chez 52 membres d'une famille dont la généalogie était connue pour plusieurs générations. L'étude généalogique de ce groupe laisse soupçonner l'existence d'une forme dominante d'hérédité associée à cette maladie (Nee et coll., 1983). Toutefois, dans la vaste majorité des cas, on ne trouve pas d'évidence de facteurs héréditaires. Des chercheurs ont étudié la possibilité que cette maladie soit attribuable à un virus ou à une particule subvirale (Price, Whitehouse et Struble, 1985). Cette notion est singulièrement appuyée par des données de recherche qui font apparaître le rôle de particules subvirales dans des maladies dégénératives du cerveau comme le kuru. Étant donné que les sels d'aluminium placés directement sur le cortex produisent des enchevêtrements neurofibrillaires chez des animaux d'expérimentation, certains chercheurs ont fait l'hypothèse que la présence de quantités toxiques de ce métal pourrait être à l'origine de la maladie d'Alzheimer. L'intérêt pour l'aluminium vient également de la découverte de quantités relativement importantes de ce métal dans le cerveau de personnes atteintes de la maladie d'Alzheimer. Toutefois, il est possible que ce phénomène soit une conséquence de la maladie plutôt qu'une cause. Une autre hypothèse concernant les origines de la maladie d'Alzheimer met en cause certains phénomènes d'auto-immunité. Selon cette hypothèse, des anticorps pourraient se former dans le corps du malade et attaquer sélectivement les cellules cholinergiques. Une hypothèse fascinante récemment mise de l'avant insiste sur le caractère essentiel du facteur de croissance nerveuse (FCN) pour la survie des cellules qui contiennent de l'acétylcholine. Selon Hefti et Weiner (1986), il se pourrait que les carences de FCN soient la cause principale de la maladie d'Alzheimer. Des recherches intenses portent présentement sur les causes et le traitement de cette maladie. Le vieillissement de la population permet de supposer que nous ne sommes pas loin de nous trouver aux prises avec un énorme problème de santé publique. Comme traitement de la maladie d'Alzheimer et d'autres formes de dégénérescence nerveuse, on a proposé de greffer du tissu nerveux pour remplacer les neurones disparus (voir l'encadré 4.2).

Il arrive parfois que la recherche en chirurgie du système nerveux donne au présent l'apparence de l'avenir. Nous nous sommes habitués aux transplantations cardiaques, aux échanges de reins, aux dons de cornées, et ainsi de suite. Mais qu'en est-il des greffes du cerveau ? Les journalistes ont déjà demandé à Christian Barnard, premier chirurgien à pratiquer une transplantation d'un cœur humain (1967), ce qu'il pensait de la greffe d'un cerveau. Il souligna alors toutes les terrifiantes difficultés d'ordre technique comme, par exemple, le raccord des axones, des vaisseaux sanguins, des nerfs et quoi encore ? Puis il sembla reculer devant l'idée en notant qu'une telle chirurgie devrait s'appeler transplantation du *corps*, ce qui rappelle l'énigme des têtes transposées (chapitre 1).

Il n'y a pas si longtemps, la notion de greffe du cerveau ou du corps relevait du domaine de la science-fiction. Cependant, les limites du réel ont été repoussées un peu plus loin lorsqu'on a réussi à isoler le cerveau entier d'un chimpanzé (White, 1976). White a été capable de maintenir en vie un cerveau isolé, pendant au moins un ou deux jours, en le reliant à des appareils qui en assuraient l'approvisionnement en oxygène et en substances nutritives.

Depuis peu, on entretient des espoirs qui paraissent moins utopiques en travaillant, sur une échelle plus modeste, à la transplantation par greffe de petites portions du cerveau.

Peut-on enlever un morceau de cerveau à un animal pour le donner à un autre ? Cette perspective est très intéressante et permettrait d'espérer une meilleure compréhension des troubles cérébraux attribuables à des déficiences de substances chimiques précises agissant dans certaines régions du cerveau.

Ce domaine de la recherche s'est développé très rapidement. Les travaux expérimentaux de la dernière décennie indiquent nettement que les transplantations de cerveau sont réalisables et que le tissu ajouté s'intègre vraiment aux circuits du cerveau du récipiendaire (Sladek et Gash, 1984). Effectivement, nous sommes pratiquement prêts à entreprendre des efforts systématiques pour remplacer les régions dégénérées du cerveau humain, au moyen de techniques de greffe. Des exemples tirés des rapports de la recherche couramment réalisée sur des sujets animaux montrent sur quoi se fondent les espoirs soulevés par une telle perspective. Ces études ne servent pas uniquement à démontrer que les nouvelles cellules s'intègrent au « schéma de montage » du cerveau récipiendaire; en effet, dans diverses expériences faites sur les animaux, les greffes de matière cérébrale peuvent corriger les troubles fonctionnels résultant de lésions affectant le cerveau. La recherche nous apprend que, d'une certaine façon, le cerveau se prête mieux à une transplantation que plusieurs autres tissus corporels. Ceci vient du fait que le tissu cérébral est moins susceptible d'être rejeté par suite de l'intervention du système immunitaire.

La plupart des études de transplantation de matériel cérébral ont porté sur l'insertion d'un petit morceau de tissu dans une cavité ventriculaire du cerveau ou à la surface même du cerveau. Les tissus proviennent de cerveaux d'embryons ou de fœtus d'animaux. Certaines des techniques plus récentes comportent également l'injection de cellules nerveuses embryonnaires dissociées à l'intérieur de régions cérébrales plus profondes. Il s'agit de cellules maintenues en suspension dans une solution après que leurs connexions eurent été rompues par des moyens mécaniques ou chimiques (Björklund et Stenevi, 1984). La séquence des étapes utilisées dans la technique de suspension de cellules est illustrée à la figure de l'encadré 4.2.

Dans un certain nombre d'expériences remarquables, il a été possible d'observer un recouvrement fonctionnel à la suite de transplantations de matériel cérébral. Des fonctions cognitives ont été récupérées par des rats soumis à une étude visant à déterminer l'impact de la transplantation cérébrale sur la performance d'une tâche de labyrinthe en T comportant alternance spatiale. En effet, après avoir subi des lésions du cortex cérébral frontal, les rats donnaient de piètres résultats

DÉVELOPPEMENT ANORMAL DU CERVEAU ET ANOMALIES DE COMPORTEMENT

Les processus qui guident le développement du cerveau humain sont tellement nombreux, intriqués et complexes, qu'ils peuvent malheureusement se détraquer de plusieurs façons. Les nombreux facteurs contrôlant le développement du cerveau (ceux qui gouvernent la prolifération, la migration et la différenciation des cellules ainsi que ceux qui assurent la formation des synapses) peuvent rater leurs effets et entraîner des échecs dont les conséquences sont catastrophiques sur le comportement d'adaptation. L'amplitude de ce

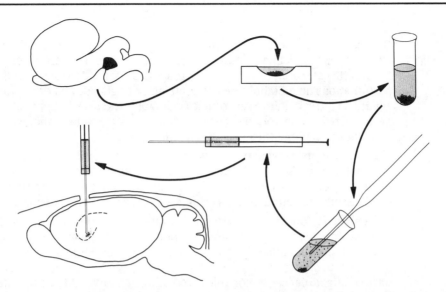

Figure de l'encadré 4.2 Exemple d'un type de greffe. On procède à l'ablation de parties du cerveau, puis on isole des cellules et on les injecte directement, à l'état de suspension, dans le cerveau. (Adapté de Björklund et coll., 1983.)

dans le labyrinthe en T. Toutefois, en transplantant dans la région frontale de leur cerveau du tissu cortical frontal provenant de fœtus d'autres rats, on parvint à rétablir leur performance (Labbe, Firl, Mufson et Stein, 1983). Un type de test utilisé couramment pour évaluer les avantages de transplantations cérébrales est celui de la compensation des déficiences motrices. Certaines de ces études tentent de créer un modèle de la maladie de Parkinson, trouble incapacitant du cerveau résultant de la destruction de cellules dans la région du tronc cérébral nommée **locus niger**. Ces cellules contiennent de la dopamine, substance chimique importante pour le bon fonctionnement des circuits cérébraux qui contrôlent les mouvements. Dans la production d'un modèle de la maladie de Parkinson, chez le rongeur, on détruit le locus niger d'un côté du tronc cérébral. Les

défectuosités motrices résultant de cette intervention chirurgicale se traduisent notamment par la rotation du corps et l'adoption de postures asymétriques. L'injection de greffes de locus niger provenant de fœtus d'autres animaux a régénéré des fonctions motrices normales et entraîné une élévation du niveau de dopamine dans le cerveau (Perlow et coll., 1979; Björklund et coll., 1981; Gage et Björklund, 1984). Des types semblables de transplantation de locus niger ont également aidé à la correction de défectuosités motrices chez de vieux rats (Gage et coll., 1983). Ces résultats ont permis d'entrevoir la possibilité que les transplantations cérébrales puissent contribuer au traitement de certaines des dégénérescences cérébrales associées à la maladie d'Alzheimer. De plus en plus, on considère que la transplantation de cellules et de tissus dans le cerveau est très prometteuse sur le plan thérapeutique. Une nouvelle voie vient de s'ouvrir pour le traitement de l'une des maladies dégénératives les plus angoissantes qui affligent l'être humain, celle qui résulte de la mort des cellules cérébrales.

problème se reflète dans la fréquence de l'apparition de perturbations entraînant des défectuosités cognitives profondes. Aux États-Unis, environ 3,6 enfants sur 1000, dont l'âge varie entre 5 et 17 ans, montrent un QI inférieur à 50.

Nous allons maintenant considérer quelques exemples découlant des conditions d'origine héréditaire et des conditions prénatales d'origine maternelle.

Les exemples de facteurs héréditaires à l'origine de perturbations du développement cérébral ont trait surtout à l'action des gènes mutants et aux anomalies chromosomiques.

Action des gènes
mutants

Beaucoup de troubles métaboliques affectent profondément le développement du cerveau. Certains, associés à une hérédité récessive, apparaissent généralement très tôt dans la vie. Dans cette catégorie, on compte environ une centaine de troubles différents résultant de perturbations du métabolisme des protéines, des glucides ou des lipides. La défectuosité génétique qui caractérise ces troubles métaboliques se traduit par l'absence d'une enzyme particulière qui contrôle certaines des étapes biochimiques critiques de la synthèse ou de la dégradation d'une substance essentielle à la vie.

Deux facteurs peuvent principalement exercer une influence déterminante sur les états métaboliques et structuraux du cerveau : 1) certains composés chimiques atteignent un niveau de concentration toxique; 2) des composés chimiques indispensables à la fonction ou à la structure cérébrale n'arrivent pas à être synthétisés adéquatement.

La **phénylcétonurie (PCU)**, perturbation du métabolisme des acides aminés qui, à une certaine époque, produisait inévitablement l'arriération mentale, est un bon exemple du premier type d'influence. La phénylcétonurie est une anomalie héréditaire récessive. Une personne sur 50 est porteuse (génotype hétérozygote) et une naissance sur 10 000 engendre un bébé affecté par cette anomalie héréditaire. Fondamentalement, cette déficience résulte de l'absence d'une enzyme nécessaire au métabolisme de la phénylalanine, acide aminé présent dans plusieurs aliments.

Le dommage cérébral engendré par la PCU découle probablement d'une accumulation de phénylalanine. Les concentrations élevées de cet acide aminé dans le sang des nouveau-nés peuvent avoir des origines et des conséquences variées mais, d'ores et déjà, on sait que la PCU est un phénomène qui peut y être associé. Les nouvelles interprétations proposées pour expliquer ce phénomène suggèrent une origine génétique encore plus complexe que celle imaginée jusqu'à maintenant. (Scriver et Clow, 1980; Rowley, 1984).

La PCU a été la première anomalie héréditaire du métabolisme à être associée à la déficience mentale. Aujourd'hui, il existe des méthodes de dépistage, imposées par la loi partout aux États-Unis et dans plusieurs autres pays, qui permettent de déterminer le niveau de phénylalanine chez les enfants, quelques jours après leur naissance. Des faits récents portent à croire que le contrôle de la PCU par un régime alimentaire approprié est très important, dès la tendre enfance, surtout avant l'âge de 2 ans. Puis, à l'âge adulte, le régime alimentaire peut être assoupli. Cependant, des études récentes indiquent que les mères à comportement normal mais souffrant de PCU donnent plus fréquemment naissance à des enfants mentalement déficients. Ce fait semble devoir être relié aux niveaux de phénylalanine de la mère, mais un traitement par régime alimentaire approprié, au cours de la grossesse, ne semble pas favoriser une réduction des effets de la PCU maternelle sur le fœtus (Kolodny et Cable, 1981).

Les succès enregistrés dans le traitement de la PCU ont engendré de l'enthousiasme pour la recherche et la mise au point de traitements possibles de plusieurs autres formes d'arriération mentale déterminées par des gènes exerçant une influence sur les processus métaboliques. L'analyse du complément chromosomique, les techniques biochimiques et des formes de visualisation du fœtus sont des instruments puissants qui, avec le temps, permettront l'élaboration de diagnostics plus sûrs et l'amélioration des traitements appropriés à cette catégorie de perturbations du fonctionnement du cerveau. L'encadré 4.3 présente une description de la maladie de Huntington, trouble neurologique spectaculaire d'origine héréditaire dominante.

Au début du XIXᵉ siècle, une femme résidant sur les rives du lac Maracaïbo, au Vénézuéla, fut victime d'une maladie qui coûta la vie à plusieurs de ses 3000 descendants. Ce village fut le site du déroulement d'un véritable roman policier de la génétique moderne.

Avant de commencer ce récit, il est important d'indiquer que l'information génétique gérant la croissance et le développement du cerveau peut être le siège d'aberrations causant certaines maladies. Dans certains cas, ces troubles apparaissent assez rapidement après la naissance de l'individu porteur de l'anomalie génétique. Dans d'autres cas, les premières étapes du développement du cerveau se font normalement puis, assez brusquement au cours de l'âge adulte, une grave perturbation cérébrale se manifeste, sans avertissement ou presque. Dans ces derniers cas, les descendants de la personne ainsi affligée vivent dans la hantise de succomber éventuellement à la maladie qu'ils voient évoluer chez ce parent. L'un des plus cruels de ces troubles déterminés génétiquement a été nommé **maladie de Huntington**.

George Huntington était un jeune médecin dont l'unique publication (en mai 1884) porta sur la description de l'affliction motrice étrange d'une famille de son voisinage. Il eut raison de comprendre qu'il s'agissait d'une perturbation neurologique héréditaire transmise d'une génération à une autre. Cette maladie est déterminée par l'action d'un gène dominant, si bien que chaque enfant issu d'une personne porteuse a une chance sur deux d'être lui-même porteur de cette maladie. La maladie se déclare habituellement entre 30 et 45 ans, ce qui signifie que la plupart des victimes ont déjà des enfants avant même de savoir qu'elles risquent de succomber à ce mal. Il est triste de constater que cette particularité génétique peut assurer la continuité de générations d'individus condamnés, et il faut espérer que très bientôt, une technique adéquate pourra être mise au point qui permette d'avertir les descendants de ces porteurs de leur vulnérabilité génétique face à ce désordre.

Au début, la maladie de Huntington peut être décelée par l'observation de changements de comportement très subtils comme, par exemple, des petits tics du visage et une certaine maladresse. Le caractère subtil disparaît rapidement quand un flot continu de sauts involontaires assaille le corps tout entier. Des mouvements incontrôlables des yeux, des déplacements saccadés des jambes et des torsions du corps viennent compliquer la respiration et l'ingestion de nourriture. Assez souvent, une démence profonde s'installe. Chez un faible pourcentage des victimes, des changements cognitifs constituent les premiers signes de l'apparition de la maladie.

La caractéristique neuroanatomique de la maladie de Huntington consiste dans la destruction du noyau caudé, élément des systèmes cérébraux qui contrôlent le mouvement. La compréhension de ce phénomène des plus triste a, pendant des années, échappé aux chercheurs.

Les premiers espoirs de pouvoir identifier les individus à risque élevé de la maladie de Huntington sont apparus lorsque des chercheurs étudièrent un village de pêche du Vénézuéla, caractérisé par une population dont le nombre de victimes du mal de Huntington est particulièrement élevé. Dans ce village isolé, les mariages très souvent consanguins ont permis de multiplier ce qui, à l'origine, il y a 150 ans, constituait un cas unique. Maintenant, la population de ce petit village compte au moins 100 cas de cette maladie, en plus de plusieurs milliers d'individus jugés à risque. Les chercheurs ont compilé des dossiers généalogiques élaborés de tous les individus de ce village et ont recueilli des échantillons de peau et de sang. Les données provenant de ce groupe, jointes à celles obtenues auprès des victimes de la maladie de Huntington aux États-Unis, ont conduit à de remarquables découvertes génétiques. Grâce aux instruments d'analyse les plus modernes de la biochimie génétique, des scientifiques ont trouvé un marqueur génétique de ce mal dans la molécule d'ADN (Gusella et coll., 1983; Folstein et coll., 1985). L'identification de ce marqueur permet d'envisager des études qui pourraient déboucher sur une technique d'identification du site occupé par le gène défectueux et, par la suite, l'identification des voies responsables de la destruction du cerveau engendrée par cette maladie. Le test pour le marqueur mène présentement à l'identification des individus vulnérables, avant que ceux-ci ne soient affectés par la maladie. De toute évidence, une telle identification ne se fait pas sans risque; toutefois, elle permet d'aider les gens à mieux planifier leur avenir. Il faut espérer que très bientôt, les techniques du génie génétique permettront une intervention appropriée capable de prévenir la diffusion de cette horrible maladie.

Anomalies chromosomiques

Chez l'Homme, sur 200 naissances de bébés vivants, l'un de ceux-ci présente une forme quelconque d'anomalie chromosomique, soit un nombre anormal de chromosomes (45 ou 47 au lieu de 46), soit des modifications de la structure d'un chromosome. Ces perturbations peuvent affecter les chromosomes sexuels (X et Y) aussi bien que les autres, mais quand elles portent sur ces derniers elles ont, en général, un impact plus profond.

Le **syndrome de Down** est la forme la plus commune de trouble cognitif attribuable à une anomalie chromosomique. La déficience associée à 95 % de ces cas consiste en la présence d'un chromosome additionnel pour la paire de chromosomes 21 (d'où la désignation de trisomie 21). Ce trouble est directement relié à l'âge de la mère au moment de la conception (tableau 4.2). Les perturbations du comportement sont assez variées. La plupart des victimes du syndrome de Down ont un QI très bas, bien que certains individus atteignent un QI de 80. Les anomalies du cerveau associées au syndrome de Down sont également variées. Des biopsies récentes du cortex cérébral de victimes du syndrome de Down révèlent une formation de crêtes dendritiques anormales.

La découverte récente d'une souris dotée d'un chromosome en trop révèle que cette situation donne des changements structuraux et comportementaux analogues au syndrome de Down chez l'être humain (Epstein, 1986). Ce modèle animal permet actuellement d'étudier de quelle manière ce chromosome supplémentaire peut produire des anomalies structurales et comportementales.

Conditions prénatales d'origine maternelle

Même dans cet environnement protégé que constitue l'utérus maternel, l'embryon, puis le fœtus, ne se trouvent pas à l'abri de ce qui se passe dans l'organisme de la mère. Des atteintes à la santé de celle-ci, telles une infection virale, l'absorption de drogues et la malnutrition sont particulièrement susceptibles de causer des troubles du développement intra-utérin de l'enfant. Les exemples suivants permettent d'illustrer les désordres résultant de deux de ces facteurs perturbateurs.

Absorption de drogues au cours de la grossesse

La préoccupation à l'égard de l'environnement maternel en tant que facteur déterminant du développement cérébral du fœtus a récemment contribué à créer un nouveau domaine de recherche : la **tératologie du comportement** (la tératologie est l'étude des malformations congénitales; le mot vient du grec *teras*, monstre). Ceux qui travaillent dans ce domaine s'intéressent surtout aux effets pathologiques que les drogues absorbées pendant la grossesse exercent sur le comportement. Au cours des dernières années, l'usage abusif des drogues qui agissent sur le comportement a attiré l'attention des chercheurs sur leurs rapports avec plusieurs anomalies du développement.

Syndrome alcoolique fœtal

Des recherches récentes ont démontré que l'alcool était capable d'affecter la croissance et le développement du fœtus. Depuis déjà longtemps, on se préoccupe des influences néfastes de l'alcool sur le développement du fœtus. Les Grecs et Romains de l'Antiquité s'inquiétaient déjà des dangers de l'alcool absorbé pendant la grossesse. Aristote donnait l'avertissement suivant : « Les femmes... qui sont folles, ivrognes... donnent naissance à des enfants à leur image, moroses et languissants » (cité dans Abel, 1982). De nos jours, la sagesse de cette remarque est corroborée par d'abondantes études objectives. Les enfants nés de mères alcooliques présentent un profil distinctif d'anomalies anatomiques, physiologiques et comportementales constituant le *syndrome alcoolique fœtal* (Colangelo et Jones, 1982; Abel, 1984). Les effets anatomiques les plus évidents résultant de l'exposition du fœtus aux effets métaboliques de l'alcool comprennent des modifications caractéristiques des traits du visage (enfoncement de l'arête nasale, altération de la forme du nez) et de ceux des paupières. Les déficiences de la croissance intra-utérine du fœtus sont particulièrement

Tableau 4.2 Fréquence des naissances de bébés affectés par le syndrome de Down en fonction de l'âge de la mère.

Âge de la mère à la naissance de l'enfant	Fréquence du syndrome de Down
Moins de 30 ans	1 : 1500
de 30 à 34 ans	1 : 1000
de 35 à 39 ans	1 : 300
de 40 à 44 ans	1 : 100
plus de 45 ans	1 : 40

Source : Karp (1976).

évidentes, car la masse corporelle et la taille des enfants nés de mères alcooliques témoignent de carences dès la naissance. Peu de ces enfants rattrapent les enfants normaux après la naissance (Colangelo et Jones, 1982). La déficience mentale représente le problème le plus fréquent associé au syndrome alcoolique fœtal. Dans ces cas, le handicap peut être plus ou moins grave, mais il est une caractéristique persistante de ce syndrome. On n'a pas encore déterminé le seuil critique d'absorption d'alcool chez la mère qui serait responsable du développement de ce syndrome chez l'enfant, mais il est évident que ce syndrome peut se développer dans des cas d'absorption relativement modérée, au cours de la grossesse. En plus de la déficience mentale, les enfants à syndrome alcoolique fœtal présentent d'autres symptômes neurologiques. En effet, on constate généralement de l'hyperactivité, de l'irritabilité, des tremblements et d'autres signes d'instabilité motrice. Les chercheurs ont encore à démontrer si ces effets sont surtout dus à l'alcool et à ses métabolites toxiques, ou plutôt aux effets de l'alcool sur la santé métabolique et la nutrition de la mère. Il est également possible qu'il y ait un effet sur les liens fonctionnels subtils existant entre la circulation sanguine maternelle et celle du fœtus. Ce syndrome peut ne pas être exclusif à l'alcool : l'usage abusif de marijuana semble exercer un effet similaire sur la croissance et le développement du fœtus (Hingson et coll., 1982).

DEUX CALENDRIERS POUR LE DÉVELOPPEMENT DU CERVEAU

Essayons maintenant de rassembler les données fournies par la recherche sur le développement cérébral, sur les deux échelles de temps fort différentes que sont celle des semaines et des mois de croissance d'un individu, et celle des millions d'années d'évolution. Nous pourrions avoir recours à l'analogie des contributions diverses, mais également essentielles, d'un architecte et d'un charpentier dans la construction d'une maison. En préparant les plans, l'architecte fait appel à une longue accumulation de connaissances humaines relatives aux structures répondant aux besoins fondamentaux des êtres humains : le repos, le travail, l'alimentation, les loisirs, le soin des enfants, etc. La structure doit être confortable, sécurisante, construite à un coût raisonnable et conforme aux goûts de la communauté. Le charpentier doit partir de ces plans pour construire la maison, traduisant l'information bidimensionnelle des devis en une structure tridimensionnelle. À différents moments de la construction de la maison, le charpentier doit utiliser son jugement et interpréter les plans. Ainsi, deux maisons construites par deux charpentiers différents, à partir des mêmes plans, ne seront pas identiques. Les différences entre les deux maisons peuvent également s'expliquer par le fait que les matériaux disponibles pour leur construction ne sont peut-être pas exactement les mêmes. L'architecte essaie de prévoir certains des problèmes de construction et d'introduire des facteurs de sécurité dans ses plans, afin que de légères déviations ou erreurs ne nuisent pas sérieusement à la sécurité ou à l'utilité de l'édifice réalisé.

Nous ne sommes pas les premiers à avoir recours à une telle analogie. Un homme d'esprit a déjà fait remarquer qu'un bébé représentait le plus complexe objet à fabriquer par des travailleurs non qualifiés. Et le psychologue informaticien J.C.R. Licklider représente Dieu (la nature) comme un grand architecte, mais un ouvrier peu soigneux.

Les plans utilisés pour la construction du cerveau comportent certaines caractéristiques qu'il convient de connaître et de commenter :

1. Les plans nouveaux ne partent jamais à zéro. Ce sont plutôt de vieux plans qui sont remis en circulation et modifiés pour s'adapter à des situations spécifiques.

2. Le devis ne fournit pas tous les détails. Une partie du programme est implicite dans la liste des matériaux et méthodes de construction. Les plans seraient désespérément complexes et volumineux si chaque détail devait être précisé.

3. Les plans comportent des mesures prévoyant l'interaction des matériaux et de l'environnement. Un architecte sait comment certains bardeaux vont s'adapter à la température, dans un climat donné, et s'ils pourront adopter l'apparence souhaitée; il sait également comment un aménagement paysager stabilisera les sols et embellira l'emplacement de la maison. De même, les plans génétiques servant à l'élaboration des structures cérébrales tirent également profit de l'information donnée par l'environnement. Ces devis tiennent compte de l'interaction entre l'organisme en voie de développement et son milieu.

La réutilisation et les modifications successives des plans génétiques signifient que les premiers stades du développement embryonnaire de tous les vertébrés sont semblables. Les premiers tubes neuraux sont fort semblables, qu'ils appartiennent à l'embryon d'une grenouille, ou à celui d'un rat ou d'un être humain. Plus encore, les divisions fondamentales du cerveau sont les mêmes pour toutes ces formes vivantes. Toutefois, la structure globale a été augmentée chez les mammifères, particulièrement chez les primates, certaines parties ayant été agrandies par rapport à d'autres.

Le code génétique ne semble pas avoir de plan pour loger toute l'information nécessaire au tracé détaillé du schéma de montage complet de chacune des parties du système nerveux. Dans une certaine mesure, il doit économiser en utilisant la même information pour l'appliquer à plusieurs parties différentes de la structure. C'est ainsi que le même gène peut déterminer des aspects de l'organisation des circuits nerveux dans des régions différentes du cerveau. Ainsi, toute mutation d'un gène peut aboutir à une disposition anormale de neurones, tant dans le cortex cérébelleux que dans le cortex cérébral. Certaines hormones agissent également pour stimuler la formation de connexions nerveuses à travers tout le système nerveux (chapitre 7). Il semble bien que certains détails fins du montage ne soient pas précisés mais qu'ils soient tout simplement réglés sur place.

L'économie des directives génétiques de même que l'adaptation aux circonstances individuelles sont assurées, l'organisme comptant sur l'environnement pour apporter certaines informations nécessaires au développement. Chaque espèce a évolué dans une niche écologique qui lui est propre; son programme de développement utilise donc l'environnement comme source d'information et de stimulation. Ainsi, la plupart des vertébrés, par exemple, se trouvent soumis à une stimulation visuelle de formes, tôt après leur naissance. Dès ce moment, le plan fondamental du système visuel est déjà tracé. Mais l'information relative aux connexions précises et au maintien des circuits visuels exige une contribution de la part de l'environnement. La coordination précise de l'influx venant des deux yeux demande une fine syntonisation du système. La structure des yeux comporte tellement de variables qu'il serait extraordinairement coûteux pour la spécification génétique de réaliser le parfait alignement de deux images rétiniennes. Parvenu jusqu'à nous après des millions d'années d'améliorations basées sur la méthode *essais et erreurs*, le programme génétique a tout de même des limites. Certains ajustements sont donc nécessaires après que l'individu est entré en opération, si l'on peut dire. Les petits défauts d'alignement des deux images rétiniennes peuvent être compensés au moyen de réajustements mineurs de « montage » des connexions visuelles centrales. Cependant, si l'alignement de chacun des deux yeux est trop divergent, par exemple lorsque les yeux louchent, la stimulation parvenant à l'un des yeux est habituellement supprimée. De cette manière, la double vision est évitée. La capacité d'apprendre à partir de l'environnement et de l'expérience nous permet de nous adapter aux environnements et aux styles de vie particuliers. (Les chapitres 16 et 17 traiteront des mécanismes biologiques de l'apprentissage et de la mémoire.)

Vous êtes maintenant en mesure de comprendre comment les calendriers à petite et à grande échelles nous apportent des points de vue complémentaires sur le développement du système nerveux et du comportement. Nous ferons appel à ces deux perspectives pour illustrer les relations cerveau / comportement, pour plusieurs aspects de la psychophysiologie.

Résumé

1. Les premières étapes du développement embryonnaire responsable de la formation du système nerveux consistent en une séquence de processus cellulaires programmée de l'intérieur : a) la production de cellules nerveuses (prolifération cellulaire), b) le mouvement de cellules qui s'éloignent des régions où s'effectue activement le processus de division mitotique (migration cellulaire), c) l'acquisition par les cellules nerveuses de formes distinctives (différenciation cellulaire) et d) la perte de certaines cellules (mort cellulaire).

2. Parmi les changements du cerveau pendant les périodes fœtale et postnatale, on note la myélinisation des axones et la formation de dendrites et de synapses. Bien qu'à la naissance, la plupart des neurones soient déjà en place, presque tout le développement des synapses chez l'être humain se produit après la naissance.

3. La neurospécificité est une théorie selon laquelle la formation des voies nerveuses et des synapses suit un plan inné qui prévoit les relations précises entre les axones en croissance et des cellules cibles particulières. La question de savoir dans quelle mesure les connexions spécifiques sont déterminées génétiquement est présentement un sujet de controverse.

4. De nombreux facteurs déterminent et influencent le développement cérébral, notamment l'information génétique, les facteurs de croissance (facteurs de croissance nerveuse) et l'alimentation.

5. L'expérience exerce une influence sur la croissance et le développement du système nerveux. On le constate dans des expériences où les animaux sont soumis à une privation sensorielle pendant les premières périodes critiques de leur développement. Les résultats montrent que l'expérience peut engendrer et moduler la formation de synapses en plus de contribuer à leur maintien.

6. Le cerveau continue de se modifier pendant toute la vie. La vieillesse amène une perte de neurones et de connexions synaptiques. Les changements sont plus graves chez certaines personnes que chez d'autres comme dans la maladie d'Alzheimer ou démence sénile.

7. Des types variés de malformation du cerveau peuvent résulter de troubles génétiquement déterminés. Certains de ces désordres sont métaboliques. C'est le cas de la phénylcétonurie (PCU) engendrée par l'incapacité de l'organisme de fabriquer une enzyme particulière. D'autres troubles héréditaires, comme la maladie de Huntington, n'apparaissent qu'à l'âge adulte. Chacune de ces anomalies serait déterminée par un gène unique.

8. Certaines formes de déficience mentale, comme celle qu'on observe dans le syndrome de Down, sont associées à des troubles chromosomiques.

9. Les anomalies du développement fœtal qui peuvent entraîner une déficience mentale peuvent être causées par des drogues (alcool ou marijuana par exemple) absorbées pendant la grossesse.

Lectures recommandées

Greenough, W.T. et Juraska, J.M. (éd.) (1986). *Developmental Neuropsychobiology*. Orlando, Fla. : Academic Press.

Hopkins, W.G. et Brown, M.C. (1984). *Development of Nerve Cells and their Connections*. Cambridge, England : Cambridge University Press.

Jacobson, M. (1978) *Developmental Neurobiology*. New York : Plenum.

Lund, R.D. (1978). *Development and Plasticity of the Brain*. New York : Oxford University Press.

Purves, D. et Lichtman, J.W. (1985). *Principles of Neural Development*. Sunderland, Mass. : Sinauer.

Spreen, O., Tupper, D., Risser, A., Tuoko, H. et Edgell, D. (1984). *Human Developmental Neuropsychology*. New York : Oxford University Press.

Communication et traitement de l'information

Le traitement de l'information est à la base de tout comportement : voir, s'accoupler, manger, apprendre. Les sources d'information comprennent les récepteurs sensoriels, l'activité nerveuse en cours et les événements endocriniens. Le comportement intégré d'un individu repose sur les signaux qui véhiculent l'information à l'intérieur du système nerveux et d'une partie du corps à une autre. Les chapitres de cette deuxième partie traiteront de questions fondamentales sur la nature du traitement de l'information à l'intérieur des limites du corps, et des façons dont les scientifiques ont étudié les activités sous-jacentes à ce processus. Les chapitres 5 et 6 sont consacrés à la question de la communication nerveuse et du traitement de l'information, tandis que le contrôle hormonal sera étudié au chapitre 7. Plusieurs types de comportement nécessitent le fonctionnement synchrone des systèmes nerveux et endocrinien.

Avant toute chose, il est important de savoir distinguer l'information de type nerveux de celle de type hormonal qui, toutes deux pourtant, contrôlent et intègrent le comportement individuel. Les signaux nerveux adoptent deux formes principales. Premièrement, les neurones produisent des modifications de potentiel électrique de part et d'autre de leurs membranes et transmettent ces changements le long de ces mêmes membranes. La nature de ces signaux à caractère partiellement électrique sera décrite au chapitre 5. La façon habituelle d'étudier ces signaux est d'introduire des électrodes dans (ou près de) des cellules nerveuses et d'enregistrer leur activité électrique. Deuxièmement, dans la plupart des cas, un neurone communique avec un autre neurone en libérant une substance chimique spécifique dans l'espace synaptique (région fonctionnelle entre les neurones). Plusieurs drogues ou agents chimiques influencent le comportement en agissant sur la transmission nerveuse synaptique. Le chapitre 6 traite de la chimie et de la psychopharmacologie de la synapse.

Les signaux hormonaux proviennent de l'activité engendrée par des composés chimiques sécrétés dans le sang par des organes endocriniens (comme l'hypophyse, et la glande thyroïde). À l'encontre des messages nerveux, qui sont confinés aux cellules nerveuses et aux jonctions neuromusculaires, les messages hormonaux se répandent à travers tout le corps; par contre, ils ne sont captés que par des cellules ou des organes qui sont préparés à les recevoir. Les glandes endocrines peuvent être conçues comme des organes qui diffusent leurs messages pour que ceux-ci soient captés par tout récepteur habilité à le faire. La nature de la communication hormonale sera traitée plus en détail au chapitre 7.

Les chapitres de cette seconde partie ne se résument pas à la présentation d'une esquisse des processus fondamentaux de la communication et du traitement de l'information dans le corps, puisque ces mécanismes y seront reliés également au comportement de tous les jours et à quelques-uns des principaux dilemmes que pose le comportement humain. Dans ces chapitres, nous aborderons donc des aspects de la cognition et de la personnalité et nous traiterons de problèmes comme l'épilepsie, la sujétion aux drogues et le nanisme psychosocial.

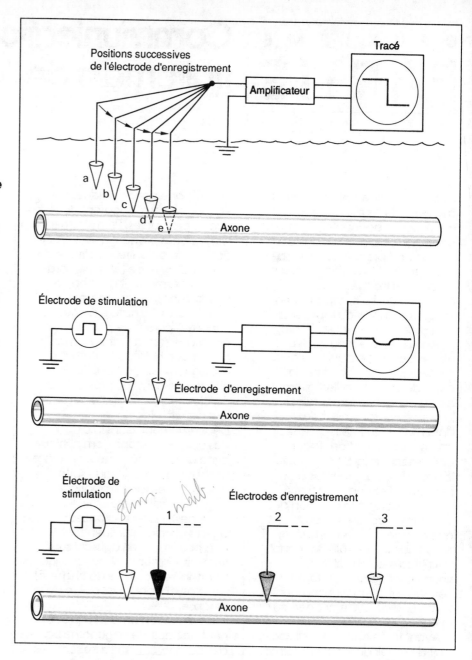

5 Traitement de l'information dans le système nerveux

ORIENTATION

Jusqu'ici, nous avons insisté sur les caractéristiques architecturales du système nerveux. Nous avons vu que les cellules nerveuses prennent une variété de formes et de dimensions; de plus, elles sont disposées dans toutes sortes de circuits et au sein de plus vastes rassemblements de neurones. Considérons maintenant les fonctions des cellules nerveuses et leur agencement en circuits. Quels sont les signaux élémentaires émis par ces cellules et comment l'information s'intègre-t-elle et est-elle transmise dans le système nerveux ? Nous allons d'abord décrire les signaux électriques fondamentaux des neurones et indiquer comment ces réactions essentielles des cellules nerveuses agissent dans les réseaux de traitement de l'information. Nous discuterons ensuite de la nature du substrat physicochimique de ces phénomènes électriques. Chez l'être humain, les manifestations de l'activité électrique peuvent être enregistrées au moyen de petites électrodes appliquées sur le cuir chevelu. Ces signaux électriques représentent la somme des activités de plusieurs cellules nerveuses et permettent une étude valable du fonctionnement du cerveau humain. L'attention, la personnalité et l'intelligence sont toutes des fonctions associées à l'activité électrique du cerveau. Ces manifestations électriques servent également à décrire les déraillements du système (crises d'épilepsie).

SIGNAUX ÉLECTRIQUES DU SYSTÈME NERVEUX

L'une des plus importantes contributions de l'évolution animale consiste dans la capacité des neurones d'émettre des signaux électriques. Cette innovation est apparue chez des animaux aussi différents que l'être humain, les insectes et la méduse, en somme chez presque tous les animaux pluricellulaires. Ces signaux nerveux sont à la base de tout l'éventail de la pensée et de l'action : de la composition d'une symphonie ou de la résolution d'un problème, jusqu'à la sensation d'une irritation de la peau et la réaction d'écraser un moustique.

Dans leurs études de l'activité des neurones isolés, études visant une meilleure compréhension du mode d'action du système nerveux, les chercheurs mesurent trois types différents de phénomènes électriques :

1. Le **potentiel de repos**, ou **potentiel de membrane**, que les neurones manifestent lorsqu'ils sont inactifs. Cette faible différence de potentiel entre les surfaces interne et externe de la membrane est le résultat de la séparation des ions, particules chargées

électriquement. Plusieurs autres sortes de cellules, par exemple les cellules musculaires et les cellules sanguines, montrent également un potentiel de membrane. Le caractère unique des cellules nerveuses tient au fait qu'elles utilisent des modifications du potentiel de repos comme signaux pouvant être transmis à d'autres cellules.

2. Des **influx nerveux** ou **potentiels d'action** : ce sont des changements brefs qui, dans certains types de neurones, sont propagés rapidement le long de l'axone. Ces changements s'enchaînent et progressent uniformément, ce qui permet aux axones de servir de voies de communication rapide.

3. Des **changements de potentiels locaux** qui naissent dans les sites postsynaptiques. Ces potentiels locaux ou **gradués** sont d'intensité et de durée variables. Ils ne se propagent pas, mais se disséminent graduellement, si bien que leur amplitude décroît progressivement à mesure qu'ils s'éloignent de leur point d'origine : on les appelle également **potentiels postsynaptiques**. L'interaction entre les potentiels postsynaptiques gradués constitue le mécanisme de base utilisé par le système nerveux pour traiter l'information.

Nous nous appuierons sur ces trois types de potentiel pour étudier les caractéristiques du neurone au repos et pendant une activité. Ils fournissent en quelque sorte le vocabulaire de base du système nerveux. Ce vocabulaire permet de mieux comprendre la façon dont l'information est communiquée et traitée dans le système nerveux. Certains neurophysiologistes ont poussé l'analyse de ces potentiels à un autre niveau et se sont intéressés aux mécanismes ioniques de l'activité nerveuse : il en sera question plus loin.

Potentiel de membrane au repos

Quelques expériences toutes simples suffisent pour illustrer les caractéristiques des potentiels électriques des cellules nerveuses. La figure 5.1 montre le montage initial. Il comprend un axone, qui baigne dans un liquide analogue aux fluides extracellulaires, et une paire d'électrodes (celle dont l'extrémité est très effilée est une microélectrode). Le montage est complété par des instruments d'amplification et d'enregistrement graphique qui permettront de mieux visualiser les signaux électriques. Lorsque nous approchons la microélectrode de l'axone, nous constatons que, tant qu'elle reste à l'extérieur de l'axone, il n'y a pas de différence de potentiel entre son extrémité et celle d'une grosse électrode déplacée dans le bain à une certaine distance de l'axone, entre deux électrodes placées dans le milieu extracellulaire. Puisque la distribution des ions au sein de ce liquide est uniforme ou homogène, aucune différence de potentiel n'est enregistrée.

Dès que l'électrode traverse la membrane de l'axone (point d), nous constatons une chute brusque du potentiel à un niveau de -70 à -80 mV, chute due au fait que l'intérieur de l'axone est chargé électronégativement par rapport à l'extérieur. Cette différence dite **potentiel de membrane** démontre que la membrane de l'axone isole les charges ioniques. Elle indique que le milieu liquide intracellulaire est d'une composition différente de celle du milieu liquide extracellulaire. L'étude des mécanismes ioniques permettra de comprendre de quelle façon cette différence est engendrée.

L'expérience suggérée à la figure 5.1 serait difficile à réaliser avec un seul axone. La plupart des axones des mammifères ont un diamètre inférieur à 20 μm et sont très difficiles à traverser même avec une microélectrode. Heureusement, la nature a fourni aux neurophysiologistes un moyen extraordinaire pour résoudre ce problème : ce sont des **axones géants**, ceux du calmar en particulier. Leur diamètre peut atteindre 1 mm. Ils sont si facilement observables à l'œil nu et si épais qu'au début les observateurs croyaient qu'ils faisaient partie des systèmes circulatoire ou urinaire (figure 5.2). En 1938, le zoologiste J.Z.

Figure 5.1 Enregistrement du potentiel de repos de la membrane nerveuse. Quand l'électrode d'enregistrement se trouve dans le liquide extracellulaire ou même quand elle touche la surface du neurone, on n'enregistre aucun potentiel entre cette électrode et l'électrode de référence dans le liquide. Mais aussitôt que l'électrode d'enregistrement pénètre dans l'axone, on enregistre un potentiel de repos d'environ −70 mV.

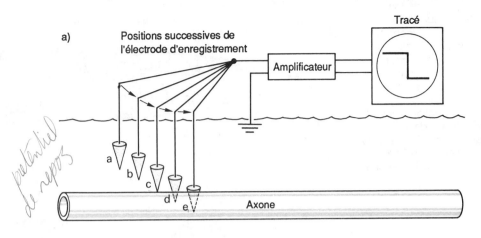

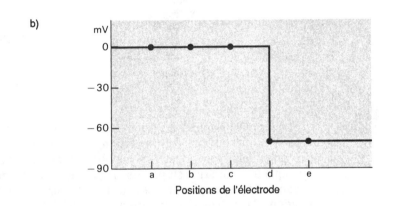

Young fut le premier à utiliser l'axone géant du calmar en neurophysiologie. Il est possible d'insérer des électrodes en forme de tube capillaire de 0,2 µm de diamètre dans un axone géant de calmar sans en modifier les propriétés ou l'activité. La membrane cellulaire semble se sceller autour de l'extrémité de l'électrode qui la traverse. Les expériences sur les axones géants ont vite permis des progrès considérables dans la compréhension de la structure et de la fonction de la membrane nerveuse, si bien que nous sommes redevables au calmar !

Influx nerveux

Les expériences suivantes exigent une source de stimulation électrique et mettent en jeu deux nouveaux concepts : la **surpolarisation**, qui se rapporte à des augmentations du potentiel de membrane (plus grande électronégativité) et la **dépolarisation**, qui consiste en des réductions du potentiel de membrane (électronégativité réduite). Le stimulateur produira des pulsations électriques qui nous permettront de décrire les effets des stimuli sur le potentiel de membrane.

La figure 5.3 présente les changements observés dans le potentiel de membrane en réponse à des pulsations stimulantes d'intensité croissante. L'application de stimuli surpolarisants donne des réponses qui sont presque des images fidèles de la *forme* de la pulsation. Ces réponses sont des *réflexions* passives du stimulus, accompagnées de distorsions, au début et à la fin du tracé du potentiel de réaction, dues à la capacitance de la membrane, c'est-à-dire à sa capacité d'accumuler des charges électriques.

151

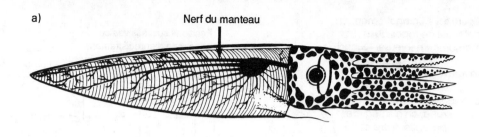

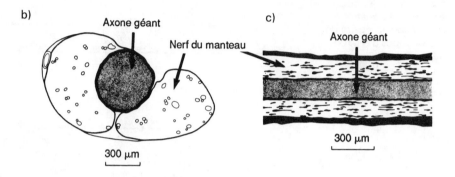

Si nous plaçons plusieurs électrodes fines à divers endroits le long de l'axone, toutes à moins de 1 mm du point de stimulation, nous pouvons observer un autre attribut important des potentiels biologiques des membranes placées dans un milieu conducteur. Si on applique une pulsation surpolarisante, on note des réponses de plus en plus faibles à des distances de plus en plus grandes du point de stimulation. De fait, une loi simple décrit cette relation : dans un milieu conducteur, l'intensité du potentiel diminue en fonction du carré de la distance. Puisque l'amplitude de ces réponses décroît avec la distance, ce sont des exemples de potentiels locaux ou gradués.

Considérons maintenant une série de pulsations dépolarisantes (figure 5.3). La réaction de la membrane aux premiers stimuli consiste en une suite de changements dépolarisants accompagnés de quelques distorsions. Là encore, ce sont des réponses locales graduées. La situation change brusquement lorsque le stimulus dépolarisant atteint un niveau de 10 à 15 mV. À cette intensité, une réponse rapide et brève (de 0,5 à 2,0 ms) est déclenchée : c'est le potentiel d'action ou influx nerveux. Il s'agit d'un bref changement de potentiel qui rend momentanément l'intérieur de la membrane électropositif par rapport à l'extérieur. Cette expérience illustre la notion de **seuil** de l'influx nerveux, c'est-à-dire l'intensité de stimulus nécessaire et suffisante pour produire un influx nerveux.

Qu'arriverait-il si, par pulsations successives, nous laissions croître l'intensité des stimuli dépolarisants jusqu'à ce qu'ils se situent bien au-dessus du seuil ? Cette expérience mettrait en évidence une propriété importante des membranes des axones : des augmentations additionnelles de l'intensité de la stimulation dépolarisante ne modifient pas l'amplitude de l'influx nerveux (figure 5.4). Cette amplitude est donc indépendante de la force du stimulus. C'est la loi du **tout-ou-rien** de l'influx nerveux. Dans l'axone, les augmentations de la force du stimulus sont représentées par des changements dans la fréquence des influx nerveux : plus les stimuli sont intenses, plus l'intervalle entre les influx nerveux successifs diminue.

En poursuivant l'expérience sur cet axone et en employant des stimuli très forts ou des pulsations stimulantes rapprochées, nous constaterions l'existence d'une autre propriété

Figure 5.3 Effets de stimuli surpolarisants et dépolarisants sur l'axone. La partie supérieure de la figure fait voir un montage conçu pour la stimulation (à gauche) et l'enregistrement (à droite). Quand on présente une série de stimuli surpolarisants d'amplitude croissante, l'axone donne des réponses surpolarisées qui sont d'amplitude graduée. Avec les stimuli dépolarisants, on obtient des réponses graduées aux stimuli faibles, mais quand la dépolarisation atteint de 10 à 15 mV, l'axone donne une réponse forte appelée potentiel d'action ou influx nerveux.

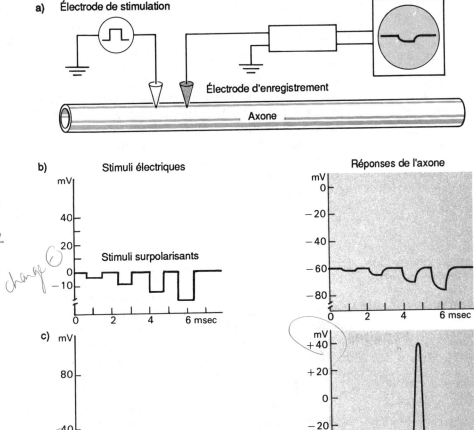

Figure 5.4 Quand on présente des stimuli dépolarisants (a) qui dépassent l'intensité du seuil, l'amplitude des influx nerveux (b) reste fixe sans subir l'influence de la force du stimulus. On appelle cette fixité de l'amplitude la propriété tout-ou-rien des potentiels d'action.

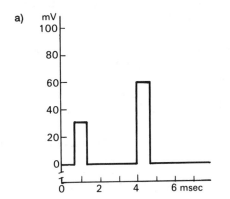
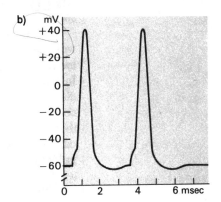

153

importante des membranes des axones. Lorsque l'axone est soumis à des stimuli d'intensité de plus en plus grande, il semble y avoir une limite supérieure à la fréquence de production d'influx nerveux. Cette limite est d'environ 1 200 impulsions à la seconde. La même propriété sous-jacente apparaît dans les expériences visant à comparer les effets de la variation de l'intervalle entre deux stimuli successifs : si ces intervalles sont de plus en plus courts, seul le premier stimulus produit un influx nerveux. La membrane de l'axone est donc devenue **réfractaire** au second stimulus. Ainsi, après l'irritation engendrée par un influx nerveux, il existe un certain laps de temps au cours duquel la membrane est complètement insensible aux autres stimuli. C'est la **période réfractaire absolue**. Elle est suivie d'une période de sensibilité réduite ou **période réfractaire relative**.

Une étude plus approfondie de la forme que prend l'influx nerveux révèle que le retour à la ligne de base est complexe. Plusieurs axones présentent des oscillations de potentiel après le passage de l'influx nerveux. Ces changements sont nommés **potentiels consécutifs** et sont associés aux changements d'excitabilité à la suite du passage d'un influx.

Propagation des influx nerveux

L'axone est spécialisé dans la propagation des influx nerveux sur toute sa longueur. Comment un influx nerveux se transmet-il ? Pour étudier ce processus, il faut ajouter au montage expérimental des électrodes d'enregistrement à différents points le long de l'axone (figure 5.5). Ainsi, lorsqu'un influx nerveux prend naissance à l'une des extrémités, les électrodes enregistrent les informations.

Ces tracés indiquent que l'influx nerveux apparaît aux différents endroits après des délais de plus en plus longs. Déclenché à un point donné sur l'axone, l'influx nerveux se propage sur toute la longueur, par une sorte de réaction en chaîne, voyageant à des vitesses variant de <1 m / s dans certaines fibres, à >100 m / s dans d'autres.

Comment se déplace-t-il ? L'influx nerveux est un changement dans le potentiel de la membrane; potentiel régénéré de façon répétitive tout le long de l'axone. L'influx se propage d'une région à l'autre parce que le déséquilibre ionique associé à ce petit changement de potentiel rapide se répercute sur les segments adjacents du neurone. Le segment qui se trouve juste au-delà de la région activée est entraîné à se dépolariser parce que les régions successives de l'axone, fonctionnellement rattachées les unes aux autres, opèrent un peu à la manière d'un fil électrique qui permet le passage d'un courant. Engendré à un endroit donné sur l'axone, l'influx nerveux est alors propagé à des points successifs sur toute la longueur de la fibre, jusqu'à son extrémité.

En enregistrant la vitesse de conduction des influx dans des axones de différents diamètres, on constate que la vitesse de conduction varie avec le diamètre de l'axone. Les nerfs sensoriels et moteurs des mammifères sont constitués de fibres nerveuses relativement grosses, fortement myélinisées. Dans de tels neurones, les vitesses varient entre environ 5 m / s, dans les axones de 2 µm de diamètre, et 120 m / s dans les axones de 20 µm de diamètre. La vitesse de conduction nerveuse la plus rapide ne représente que le tiers environ de la vitesse du son dans l'air, alors qu'on avait déjà cru qu'elle était égale à la vitesse de la lumière ! (Voir l'encadré 5.1.) Ces vitesses de conduction relativement élevées contribuent à la rapidité des processus sensoriels et moteurs. Les petits nerfs non myélinisés des mammifères ont des diamètres d'un micromètre ou moins et leur vitesse de conduction est inférieure à 2 m / s.

L'enveloppe de myéline des grosses fibres nerveuses des mammifères accélère donc la conduction. La myéline est interrompue par de petits intervalles, ou **nœuds de Ranvier**, qui sont espacés l'un de l'autre d'environ 1 mm le long de l'axone (figure 2.12). Étant donné que l'isolation par la myéline crée une résistance considérable aux échanges ioniques, l'influx

Figure 5.5 Propagation de l'influx nerveux le long d'un axone. Lorsqu'un stimulus est appliqué au point 1 m/s sur le tracé, un potentiel d'action apparaît aussitôt à l'électrode d'enregistrement 1, tel qu'on le voit sur le tracé 1. Les électrodes 2 et 3 enregistrent des changements de potentiel exactement de mêmes forme et amplitude, mais qui sont retardés successivement dans le temps (comme le montrent les tracés 2 et 3) à mesure que l'influx se propage le long de l'axone.

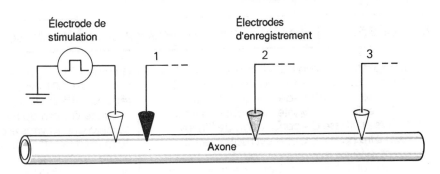

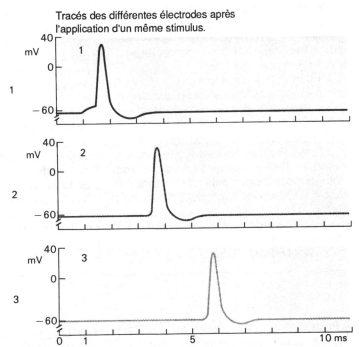

Tracés des différentes électrodes après l'application d'un même stimulus.

saute d'un nœud de Ranvier à un autre. C'est la **conduction saltatoire**, du latin *saltus*, saut. L'évolution de la conduction saltatoire rapide a donné aux vertébrés un avantage d'ordre comportemental considérable sur les invertébrés.

Les axones des invertébrés sont non myélinisés et pour la plupart de faible diamètre et de conduction lente. Une exception à cette règle s'observe chez plusieurs invertébrés qui possèdent quelques axones géants assurant les réactions motrices critiques comme les mouvements de fuite. Chez un invertébré comme chez un vertébré, la vitesse de conduction s'accroît avec le diamètre de l'axone. L'axone géant du calmar dispose d'une vitesse de conduction exceptionnellement élevée pour un invertébré, même si sa vitesse n'est que d'environ 20 m / s, vitesse beaucoup plus lente que celle observée dans plusieurs fibres nerveuses de mammifères.

L'importance de l'enveloppe de myéline dans la rapidité de conduction des influx nerveux aide à comprendre pourquoi la myélinisation est un facteur essentiel dans la maturation du système nerveux (chapitre 3). On comprend mieux également la gravité des maladies dégénératives caractérisées par une atteinte sérieuse de la gaine de myéline.

Quelle est la rapidité d'action du système nerveux ? Ce problème a préoccupé les physiologistes bien avant qu'ils ne connaissent la nature de l'influx nerveux. Vers la fin du XVIIIe siècle, le physiologiste Albrecht von Haller a estimé à 50 m/s la vitesse de conduction de l'influx nerveux chez l'être humain. Cette évaluation était basée sur la rapidité de la lecture à haute voix, mais la méthode de calcul utilisée pour établir cette valeur n'a pas été décrite très clairement. Au début du XIXe siècle, Johannes Müller, illustre professeur de physiologie, a cru que les messages nerveux devaient se transmettre très rapidement puisque la pensée est une fonction telle-ment rapide ! Il supposait que les influx nerveux pou-vaient se propager à la vitesse de la lumière, ou tout au moins trop rapidement pour qu'on ne puisse jamais les mesurer dans les petites extrémités de nerfs dont on dispose.

Hermann von Helmholtz, éminent physiologiste et physicien qui avait été l'étudiant de Müller, prouva que son maître avait tort. En 1848, au cours d'une expérience célèbre, Helmholtz provoqua des contractions dans l'un des muscles d'une grenouille, en appliquant deux chocs à des points différents du nerf relié à ce muscle. Dans chaque cas, il mesura l'intervalle entre le moment d'application du choc et le déclenchement de la contraction musculaire. Lorsqu'il excitait le nerf à 5 cm du muscle, la réponse musculaire débutait avec un retard de 0,0013 seconde par rapport au temps de réponse obtenu lorsque l'excitation nerveuse était produite à 1 cm du muscle. À partir de ces mesures, il calcula que la vitesse de l'influx nerveux était d'environ 30 m/s (à peu près 100 km/h). Ce résultat, qui surprit ses contemporains, démontrait que l'influx nerveux, notion qui avait semblé jusque-là sans intérêt, pouvait se mesurer quantitativement.

Cette découverte a encouragé la poursuite de recherches, tant en physiologie que sur le comporte-ment. DuBois-Reymond, collègue de Helmholtz, a mesuré le potentiel d'action du nerf. Julius Bernstein, étudiant de duBois-Reymond, a calculé la vitesse de conduction du potentiel d'action. Il a démontré que cette vitesse était du même ordre de grandeur que celle du signal fonctionnel mesurée par Helmholtz. Cette série de mesures physiques représentait un progrès majeur : elle permettait d'établir une relation entre le comportement et les processus corporels. La découverte de la vitesse modérée de l'influx nerveux a ouvert la voie à l'étude des temps de réaction et elle a également aidé à établir les bases de la psychologie scientifique. La recherche sur les temps de réaction se poursuit toujours aujourd'hui.

Potentiels postsynaptiques

Les potentiels postsynaptiques sont des phénomènes de nature électrochimique engendrés dans des régions postsynaptiques par l'activité même des axones présynaptiques. Leur amplitude varie et ils peuvent constituer des changements de potentiel positifs ou négatifs. L'interaction entre ces potentiels prend la forme de sommations et de soustractions et nous verrons qu'elle est la base du traitement de l'information dans les neurones. Bien que l'observation de ces variations électrochimiques soit maintenant chose courante, il s'agit néanmoins d'une percée scientifique relativement récente. Avant les années 1950, la nature de la transmission synaptique faisait l'objet de débats enflammés (Eccles, 1982).

Le mécanisme de transfert des messages d'un neurone à un autre représente toujours une question très controversée et sujette à des opinions changeantes. Au début, le problème ne se posait pas. En effet, la communication entre les parties du système nerveux semblait si rapide et totale que les scientifiques du siècle dernier croyaient que les cellules nerveuses étaient soudées l'une à l'autre, et que par conséquent les influx se propageraient de façon continue. Mais d'autres faits portaient à croire que les cellules étaient séparées, même si elles entraient en contact fonctionnel intime. L'observation fournit un indice de leur indépendance : lorsque, au cours d'une expérience ou à la suite d'une maladie, le corps cellulaire d'un neurone est détruit, toutes ses ramifications meurent mais les autres neurones avec lesquels il est en contact restent habituellement fonctionnels. En 1892, la *doctrine du neurone* soutint que les cellules nerveuses constituaient des unités indépendantes (chapitre 2). Cette théorie reposait en grande partie sur de nombreuses données anatomiques recueillies et présentées par l'important neuroanatomiste espagnol Santiago Ramón y Cajal. Un autre neuroanatomiste célèbre, l'Italien Camillo Golgi, n'en était pas convaincu (la figure de référence 2.1a illustre une technique de coloration inventée par Golgi). En 1906, ces deux anatomistes méritèrent conjointement un prix Nobel et, dans leurs discours d'acceptation, ils continuèrent à soutenir des points de vue divergents sur ce sujet. Depuis 1950, la microscopie électronique nous a fourni des preuves définitives : les micrographies électroniques montrent que, même là où les neurones viennent en contact fonctionnel le plus étroit l'un avec l'autre, chaque cellule reste entourée de sa propre membrane intacte.

Une fois qu'il fut admis que les neurones étaient des entités séparées, il fallut expliquer leur capacité de communiquer entre eux. Dès le milieu du XIXe siècle, duBois-Reymond proposait deux mécanismes grâce auxquels un neurone pouvait en exciter un autre ou exciter une fibre musculaire. Selon lui, l'influx nerveux pouvait stimuler la cellule adjacente ou alors le neurone pouvait sécréter une substance capable d'exciter la cellule adjacente. Les tentatives pour vérifier le bien-fondé de l'hypothèse électrique ou chimique de duBois-Reymond ont suscité des controverses animées pendant tout un siècle. On finit par découvrir que le système nerveux a recours aux deux mécanismes, mais à des types de jonctions différents.

L'expérimentation sur les potentiels postsynaptiques a été effectuée avec un montage semblable à celui présenté schématiquement à la figure 5.6. Lorsqu'une électrode est délicatement insérée dans le corps cellulaire d'un neurone, la membrane se scelle autour de l'électrode et le neurone continue de fonctionner normalement. Au cours des décennies 50 et 60, l'expérimentation sur la transmission synaptique chez les mammifères utilisait des neurones moteurs spinaux à cause de leur grosseur et parce qu'on connaissait plusieurs caractéristiques de l'énergie qu'ils reçoivent. La surface réceptrice de chaque neurone moteur spinal comporte plusieurs connexions spécifiques, dont certaines sont connues pour

Figure 5.6 Potentiels synaptiques enregistrés quand un neurone est stimulé par un neurone présynaptique inhibiteur b) ou par un neurone présynaptique excitateur c). Notez que les tracés présynaptiques sont semblables dans les deux cas, mais que la réponse postsynaptique au neurone inhibiteur est surpolarisante, alors que la réponse postsynaptique au neurone excitateur est dépolarisante.

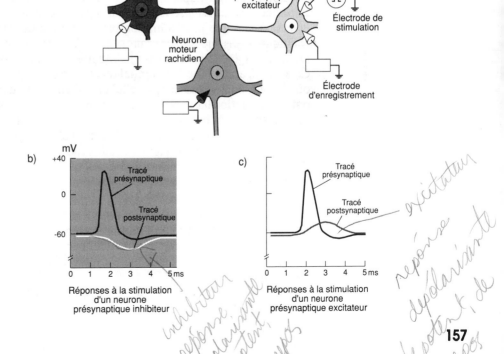

157

leurs effets sur le comportement, certaines étant excitatrices, d'autres inhibitrices. En choisissant de stimuler la cellule présynaptique, les chercheurs peuvent vérifier comment le neurone moteur réagit à des signaux selon qu'ils proviennent de connexions excitatrices ou inhibitrices. Les réponses des cellules présynaptiques et postsynaptiques apparaissent sur les mêmes tracés, si bien qu'il est facile de comparer leurs relations temporelles.

La stimulation d'un neurone présynaptique excitateur engendre un potentiel d'action du type tout-ou-rien dans la cellule présynaptique. Dans la cellule postsynaptique, on voit apparaître une faible dépolarisation locale. Généralement, l'effet combiné de plusieurs synapses excitatrices est nécessaire pour obtenir l'émission d'un potentiel tout-ou-rien dans un neurone postsynaptique. Si des **potentiels excitateurs postsynaptiques (PEPS)** se trouvent déclenchés presque simultanément par plusieurs neurones convergeant vers la cellule motrice, ils peuvent s'additionner et produire une dépolarisation qui atteint le seuil critique et engendre un potentiel d'action. Toutefois, la dépolarisation postsynaptique ne débute que 0,5 ms après l'influx présynaptique. Ce délai tend à prouver que la réaction postsynaptique n'est pas le simple reflet atténué du courant d'action présynaptique.

L'analyse des résultats d'une stimulation d'un neurone présynaptique inhibiteur fournit des preuves additionnelles démontrant la contribution spéciale de la synapse (tracés de la figure 5.6). Le potentiel d'action d'un neurone présynaptique inhibiteur ressemble à celui d'une fibre présynaptique excitatrice. Les neurones ne propagent qu'un seul et même type de signal. Par contre, les potentiels locaux postsynaptiques possèdent des polarités opposées. Lorsque le neurone inhibiteur est stimulé, le signal postsynaptique consiste en un accroissement du potentiel de repos. Cette surpolarisation est inhibitrice pour le neurone moteur (c.-à-d. qu'elle diminue la probabilité que le neurone émette un influx) et on parle alors de **potentiel inhibiteur postsynaptique (PIPS)**.

Le fait qu'une étape chimique soit nécessaire à la transmission synaptique permet d'expliquer un certain nombre de phénomènes, par exemple le délai d'environ 0,5 ms enregistré au cours d'une transmission synaptique; c'est le temps requis pour la libération de l'agent transmetteur, sa diffusion à travers l'espace synaptique et sa réaction avec la membrane postsynaptique de cellules réceptrices. L'hypothèse chimique explique également pourquoi la synapse agit comme une valve à sens unique, pourquoi la transmission est effectuée des terminaisons présynaptiques aux cellules postsynaptiques et non en sens inverse. C'est que la terminaison présynaptique est capable de libérer un transmetteur chimique tandis que la membrane synaptique de la cellule postsynaptique en est incapable. De même, l'axone ne transmet habituellement les signaux que dans une seule direction. Cela est dû au fait que le potentiel d'action commence au **cône d'implantation de l'axone** où l'axone émerge du corps cellulaire. Dans son cheminement le long de l'axone, le potentiel d'action laisse dans son sillon un bout de membrane réfractaire. L'influx propagé ne diffuse pas à rebours, c'est-à-dire du cône d'implantation vers le corps cellulaire et les dendrites, parce que la membrane du corps cellulaire, tout en étant chimiquement sensible, n'est pas excitable électriquement et ne produit pas d'influx régénéré. Dès les années 1950, l'action combinée d'une transmission chimique et de mécanismes ioniques semblait être en mesure d'expliquer de façon complète la transmission des influx nerveux au niveau des synapses.

Peu après que l'hypothèse chimique eut vraisemblablement rallié les irréductibles de façon définitive, on découvrit dans le système nerveux central de l'écrevisse une synapse excitatrice qui fonctionnait uniquement par un processus électrique (Furshpan et Potter, 1957). Puis, on trouva une synapse inhibitrice électrique chez le poisson rouge. Plus étonnant encore, Martin et Pilar (1963) ont trouvé, chez le poulet, des synapses qui utilisent les deux modes de transmission, chimique et électrique. Des recherches subséquentes ont révélé l'existence de synapses électriques et chimiques chez de nombreux mammifères (en fait, chez toutes les espèces soumises à ce type de recherche). Il faut souligner toutefois que la transmission chimique est beaucoup plus fréquente.

Synapses électriques

Dans le cas des synapses *électriques*, la membrane présynaptique est encore plus intimement accolée à la membrane postsynaptique qu'elle ne l'est pour les synapses chimiques; la fente synaptique ne mesure que 2 à 4 nm (figure 5.7), ce qui contraste nettement avec l'espace de 20 à 30 nm des synapses chimiques. Cet espace très réduit caractéristique des synapses électriques crée une résistance très faible entre les surfaces présynaptique et postsynaptique. Il s'ensuit que le potentiel d'action associé aux influx nerveux parvenant à la terminaison de l'axone présynaptique peut traverser la fente étroite pour dépolariser la membrane postsynaptique. La transmission d'un influx au niveau de ces synapses est donc assez semblable à la propagation d'un influx le long de l'axone. Par contre, ces connexions sont unidirectionnelles ou polarisées, ce qui signifie que les connexions ne sont fonctionnelles que dans une seule direction. On peut le démontrer par des expériences dans lesquelles une cellule postsynaptique est soumise à une stimulation électrique afin de vérifier s'il est possible de produire un influx nerveux qui revienne traverser l'espace synaptique vers la terminaison présynaptique. La dépolarisation de la terminaison de l'axone présynaptique ne peut se produire de cette façon. Le mécanisme de la transmission à sens unique n'est pas aussi bien compris au niveau des synapses électriques qu'au niveau des synapses chimiques. Les synapses électriques fonctionnent avec un très court laps de temps. On les rencontre souvent comme éléments des circuits nerveux responsables des comportements de fuite chez les invertébrés les plus simples. On les trouve également là où il faut qu'un bon nombre de fibres soient activées en même temps, comme c'est le cas pour le système oculomoteur des vertébrés responsable du contrôle des mouvements rapides des yeux. À l'encontre des synapses chimiques, les synapses électriques ne semblent pas modifiables avec l'usage.

TRAITEMENT DE L'INFORMATION À L'AIDE DE PETITS CIRCUITS NERVEUX

La transmission synaptique et la conduction de l'influx ne servent pas seulement à assurer la communication : elles tranforment également les messages d'une façon qui rend possible un comportement complexe. Quelques exemples permettront d'illustrer certaines des capacités des neurones eu égard au traitement de l'information.

Avec ses entrées synaptiques, la cellule nerveuse est en mesure de faire la sommation et la soustraction des signaux qui lui parviennent. Ces opérations sont possibles grâce aux caractéristiques des entrées synaptiques, à la façon dont le neurone intègre les signaux postsynaptiques et au mécanisme à gâchette qui détermine si un neurone émet un influx ou non. Nous avons déjà souligné que les potentiels postsynaptiques engendrés par l'action de transmetteurs chimiques peuvent être dépolarisants (excitateurs) ou surpolarisants (inhibiteurs). Ces potentiels se répandent passivement sur le neurone, à partir de leurs points d'origine sur les dendrites ou sur le corps cellulaire. Le mécanisme à gâchette des neurones des mammifères est situé sur le segment initial de l'axone qui, en ce qui concerne leurs neurones multipolaires, est le cône d'implantation de l'axone. C'est donc le fait que la dépolarisation atteigne ou non le seuil critique au cône d'implantation de l'axone qui détermine si le neurone émettra ou non un potentiel d'action.

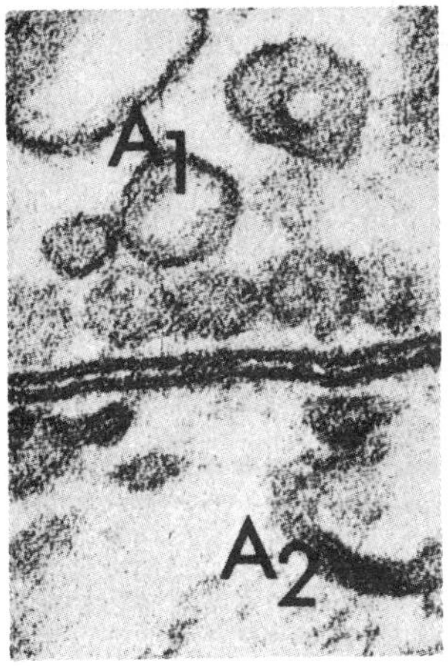

Figure 5.7 Synapses électriques chez l'écrevisse. A_1 désigne l'axone présynaptique et A_2, l'axone postsynaptique. On aperçoit quelques vésicules des deux côtés, mais on ignore leur fonction. (Grossissement X 130 000). (De G. D. Pappas et D. P. Purpura. *Structure and Function of Synapses* (New York : Raven Press, 1972, p. 26.)

159

Modèle de traitement de l'information dans les cellules nerveuses

Le modèle physique de la figure 5.8 offre une analogie du traitement de l'information par la cellule nerveuse. Le corps cellulaire y est représenté par un disque de métal. Pour simplifier, les dendrites n'ont pas été représentées, toutes les terminaisons qui apportent l'influx aboutissant sur le corps cellulaire. Les terminaisons présynaptiques y sont représentées comme des tuyaux à travers lesquels peuvent arriver des souffles d'air chaud ou froid; l'air chaud représente l'action synaptique excitatrice et l'air froid, l'action synaptique

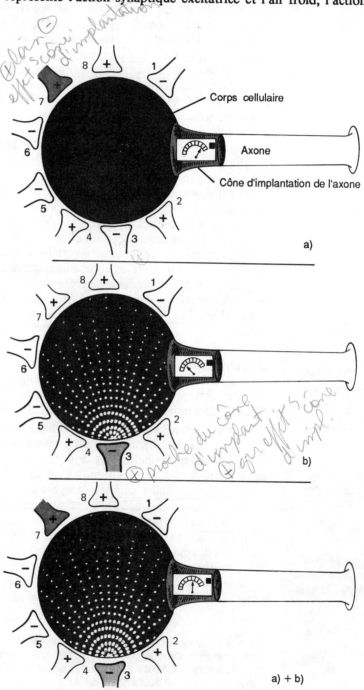

Figure 5.8 Modèle de sommation d'influences synaptiques sur l'activité du neurone post-synaptique. Des tuyaux représentant les terminaisons présynaptiques (1 à 8) peuvent chacun émettre une bouffée d'air chaud (+) ou froid (−) sur un disque de métal qui représente le corps cellulaire. Chaque arrivée d'un influx à une terminaison présynaptique entraîne l'émission d'une bouffée d'air. En a), une bouffée d'air chaud arrivant à 7 donne une chaleur localisée sur un point du corps cellulaire. Cette chaleur se répand sur le disque, se dissipant à mesure qu'elle se propage, et seule une faible proportion de la chaleur parvient jusqu'au cône d'implantation de l'axone. En b), une bouffée d'air frais arrivant à 3 entraîne un refroidissement localisé sur un point du corps cellulaire et cet effet se propage passivement aussi, le changement de température s'amenuisant à mesure qu'il se déplace. Étant donné que 3 est relativement rapproché du cône d'implantation de l'axone, une plus grande partie du changement au point 3 atteint le cône d'implantation que dans le cas du changement au point 7. Puisque 3 rafraîchit et 7 réchauffe, ces effets s'annulent partiellement en a) + b). Le cône d'implantation contient un dispositif thermostatique qui ne déclenche l'activité dans l'axone que si la température atteint un certain niveau. Le disque intègre tous les changements de température et le cône d'implantation de l'axone en ressent les effets de la sommation algébrique.

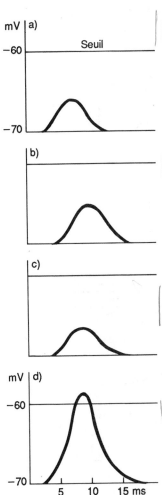

Figure 5.9 Sommation de potentiels synaptiques excitateurs. Les graphiques a), b) et c) représentent des arrivées qui varient en amplitude et dans le temps. Le graphique d) donne leur sommation algébrique.

inhibitrice. Le cône d'implantation de l'axone contient un thermostat. Lorsque la température s'élève au-dessus du niveau de repos de 30° jusqu'à un niveau critique de 45° (le seuil), le thermostat ferme un circuit et déclenche la propagation d'un influx.

Supposons qu'un influx parvienne à la terminaison 7 (figure 5.8a) : un souffle d'air chaud frappe alors le disque de métal, entraînant un réchauffement localisé du corps cellulaire. Cette chaleur se diffuse à travers le disque, se dissipant à mesure qu'elle s'étend, si bien que seulement une faible proportion de la chaleur parvient jusqu'au cône d'implantation de l'axone. La figure 5.8b illustre ce qui se passe lorsqu'un souffle d'air froid parvient à la terminaison 3. Le refroidissement localisé qui en résulte s'étend passivement et le changement de température s'atténue avec le déplacement. Étant donné que la terminaison 3 est située relativement près du cône d'implantation de l'axone, une plus forte proportion du changement de température atteint le cône d'implantation que pour le changement provenant de la terminaison 7. Si les terminaisons 3 et 7 sont activées simultanément, l'une rafraîchissant et l'autre réchauffant, les deux effets s'annulent partiellement. L'effet net correspond à la différence entre les deux : le neurone *soustrait* le potentiel postsynaptique inhibiteur du potentiel postsynaptique excitateur. Quand deux terminaisons excitatrices sont activées simultanément, leurs effets s'ajoutent l'un à l'autre dans le cône d'implantation : le neurone *additionne* les potentiels postsynaptiques de même signe. La sommation des potentiels à travers le corps cellulaire se nomme **sommation spatiale**. C'est seulement lorsque la résultante globale de tous les potentiels est suffisante pour faire monter la température du cône d'implantation jusqu'au niveau du seuil qu'un influx est engendré. D'habitude, il faut une convergence de messages excitateurs provenant de plusieurs fibres présynaptiques pour déclencher l'action dans un neurone. La figure 5.9 montre comment ces potentiels s'additionnent de façon algébrique.

La sommation peut également être effectuée entre des effets postsynaptiques qui ne sont pas tout à fait simultanés, ces effets durant pendant quelques millisecondes. Plus ils sont rapprochés dans le temps, plus le chevauchement est grand et plus la sommation est complète : c'est la **sommation temporelle**. Mais les influx successifs parvenant à la même terminaison peuvent également engendrer des effets postsynaptiques qui entrent en sommation. Ainsi, même si les influx sont de type tout-ou-rien, l'effet postsynaptique peut prendre une dimension variable : un barrage rapide d'influx produit un potentiel postsynaptique plus grand que ne le fait un influx isolé.

À la figure 5.8, les dendrites n'ont pas été représentées : si elles y étaient, qu'est-ce que cela ajouterait ? Les dendrites accroissent la surface réceptrice du neurone et augmentent la quantité d'information provenant de l'extérieur que le neurone peut traiter. Plus le potentiel produit se trouve éloigné sur une dendrite, plus l'effet qu'il aura sur le cône d'implantation de l'axone sera faible. Quand le potentiel apparaît sur une crête dendritique, son effet s'en trouve encore plus réduit, car il doit traverser la tige de la crête. Ainsi, l'information parvenant dans diverses parties du neurone se trouve pondérée en fonction de la résistance due à la distance et au trajet vers le cône d'implantation de l'axone.

Exemples de traitement dans des circuits locaux

Des circuits composés de quelques neurones seulement sont capables de prouesses assez remarquables, étant donné la capacité du neurone à additionner, soustraire et faire la sommation temporelle et spatiale des potentiels postsynaptiques. Ainsi, les circuits locaux se trouvent en mesure de sélectionner un type de stimulus à partir d'une variété de stimuli : les circuits locaux peuvent donner naissance à des ensembles de mouvements et sont capables non seulement de faire la corrélation des influx qui arrivent, mais encore de fournir une horloge interne et de s'en servir pour synchroniser les activités. Considérons rapidement un exemple de perception visuelle.

Figure 5.10 Circuit nerveux rétinien qui rend les contours plus prononcés par inhibition latérale. Les connexions inhibitrices latérales dépriment l'activité nerveuse, surtout dans les cellules qui reçoivent un niveau élevé d'illumination. Un effet de contraste se produit à la frontière entre les cellules qui reçoivent des hauts et des bas niveaux d'illumination.

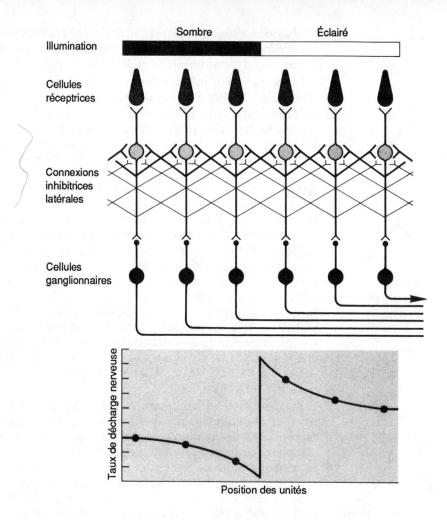

L'exemple s'inspire d'un circuit qui produit des effets de contraste, à ses limites, entre deux types ou niveaux de stimulation. Ainsi, le rouge apparaît plus saturé à côté du vert, et le blanc plus brillant juxtaposé au noir. La plupart des animaux doués de vision sont sujets à de tels effets de contraste, effets résultant de l'arrangement des circuits nerveux. Les neurones qui sont reliés aux récepteurs visuels adjacents entrent en connexion inhibitrice l'un avec l'autre. Il y a **divergence** des messages venant de chaque neurone à l'égard de plusieurs neurones adjacents. Lorsqu'une surface de neurone se trouve fortement stimulée par une lumière alors qu'une surface avoisinante n'est que faiblement stimulée par cette même lumière (figure 5.10), les signaux inhibiteurs engendrent un effet de contraste à la limite séparant les deux surfaces. À l'intérieur du groupe de neurones fortement stimulés, il y a inhibition mutuelle, ce qui réduit le niveau d'excitation. Mais, les unités qui se trouvent juste à l'intérieur du bord de la surface fortement stimulée ne sont que faiblement inhibées par leurs voisines du côté sombre, alors que le niveau le plus intense d'excitation est produit sur le côté éclairé de la frontière séparant les deux surfaces. Ces unités exercent une forte inhibition sur leurs voisines du côté sombre, si bien que le niveau le plus faible d'excitation se trouve juste sur le côté sombre de la frontière. C'est ainsi que les interconnexions inhibitrices, à l'intérieur de l'arrangement spatial d'unités, produisent un contraste ou une perception plus aiguë de divers faisceaux de lumière.

Après avoir étudié certaines caractéristiques et fonctions principales des signaux électriques dans les neurones, examinons les mécanismes qui produisent ces potentiels. Ce qui suit ne fournira pas une explication de nature technique : de nombreuses sources de référence offrent des comptes rendus plus complets sur ce sujet (par exemple, Kuffler et Nichols, 1985; Kandel et Schwartz, 1985).

Établissement du potentiel de repos

La figure 5.11 illustre de manière schématique la distribution des ions de part et d'autre de la membrane nerveuse. Le milieu intracellulaire est caractérisé par une forte concentration d'ions potassium, ions chargés électropositivement (K^+), en plus d'une concentration élevée de grosses protéines ionisées et chargées électronégativement. Enfin, l'axone contient de faibles concentrations d'ions sodium (Na^+) et chlorure (Cl^-). À cause de leurs charges négatives, les protéines ionisées et les ions chlorure sont nommés **anions**. Les ions à charge positive, comme K^+ et Na^+, se nomment **cations**. La membrane de la cellule comporte beaucoup de petits pores physiologiques à travers lesquels les ions potassium peuvent entrer et sortir relativement facilement, mais pas les autres ions.

Lorsqu'un neurone est placé dans une solution contenant les mêmes concentrations d'ions que celles du milieu intracellulaire, quelques ions potassium peuvent se répandre à l'intérieur ou à l'extérieur, mais il n'y a pas de changement net et aucune charge ne se forme à travers la membrane. Qu'observe-t-on alors si le neurone est plongé dans une solution, comme le plasma sanguin ou l'eau de mer, qui a une faible concentration de potassium et de fortes concentrations de sodium et de chlorure ? (Le tableau 5.1 précise la valeur des concentrations intracellulaires et extracellulaires de l'axone du calmar.) Certaines lois de la chimie physique définissent les mouvements des ions en solution. Par exemple, les substances en solution se déplacent des régions à concentration forte vers les régions à faible

Figure 5.11 Distribution d'ions dans les milieux intracellulaire et extracellulaire d'un neurone. Remarquez que la plupart des ions K^+ se trouvent dans le milieu intracellulaire, alors que la plupart des ions Na^+ et Cl^- sont dans le milieu extracellulaire. Certains échanges interviennent entre les milieux intracellulaire et extracellulaire à travers des conduits de la membrane plasmique de la cellule.

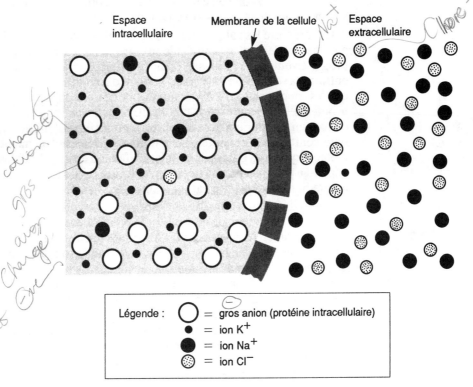

Espace intracellulaire   Membrane de la cellule   Espace extracellulaire

Légende :
○ = gros anion (protéine intracellulaire)
• = ion K^+
● = ion Na^+
⊙ = ion Cl^-

Tableau 5.1 Concentrations d'ions à l'intérieur et à l'extérieur d'axones de calmar (millimoles).

Ion	Dans le neurone	Dans le sang	Dans l'eau de mer
Potassium (K^+)	400	20	10
Sodium (Na^+)	50	440	460
Chlorure (Cl^-)	40 à 150	560	540

concentration, à moins qu'une force (par exemple, une membrane) les en empêche. En l'absence d'autres forces, les ions potassium ont tendance à sortir de la cellule, car leur concentration est 20 fois plus grande à l'intérieur qu'à l'extérieur. Cette situation crée une différence de potentiel, de part et d'autre de la membrane, puisque des charges positives (les ions potassium) quittent le milieu intracellulaire et s'accumulent à l'extérieur. Si la membrane était perméable aux anions, un anion accompagnerait chaque ion positif à l'extérieur et aucune différence de potentiel ne se créerait : toutefois, la membrane de l'axone est imperméable aux anions. Lorsque la différence de potentiel de part et d'autre de la membrane devient assez grande, elle arrête la sortie nette des ions positifs. Ce phénomène est causé par le fait que les ions positifs du milieu extracellulaire se repoussent les uns les autres mais sont attirés par les ions négatifs du milieu intracellulaire.

À cette étape du processus, la tendance qu'ont les ions positifs à s'échapper des régions à forte concentration est précisément contrebalancée par la différence de potentiel qui s'y oppose de l'autre côté de la membrane. Ce potentiel porte le nom de **potentiel d'équilibre du potassium**. Selon les lois de la chimie physique, ce phénomène est tellement prévisible qu'il est possible de calculer le potentiel d'équilibre au moyen d'une équation dite **équation de Nernst**. Cette équation mesure le voltage engendré lorsqu'une membrane semi-perméable sépare différentes concentrations d'ions. Elle permet de prédire que le potentiel de la membrane de l'axone du calmar sera d'environ −75 mV, de l'intérieur vers l'extérieur. Sa valeur réelle est approximativement de −70 mV.

L'écart entre les valeurs prévues et les valeurs observées existe parce que la membrane n'est pas totalement imperméable aux ions sodium. Un petit nombre d'entre eux s'infiltrent progressivement et ce passage tend à réduire le potentiel de membrane. Cette situation entraîne la sortie d'un plus grand nombre d'ions potassium. À la longue, ces fuites feraient que les concentrations à l'intérieur et à l'extérieur de la cellule deviendraient les mêmes et le potentiel de membrane disparaîtrait. Le neurone empêche cette éventualité en pompant du sodium à l'extérieur de la cellule et du potassium à l'intérieur, tout juste assez rapidement pour contrecarrer ces fuites. Le maintien du potentiel de membrane exige donc un travail métabolique de la part de la cellule. En fait, on croit que la plus grande partie de l'énergie dépensée par le cerveau (à l'état de veille ou à celui du sommeil) est utilisée pour maintenir les gradients ioniques de part et d'autre des membranes neuronales afin que les neurones soient prêts à transmettre les influx.

Le potentiel d'action

On a cru longtemps que le potentiel d'action était le résultat d'un accroissement momentané de la perméabilité de la membrane à l'endroit de tous les ions, entraînant une annulation du potentiel de membrane. Mais la recherche sur l'axone du calmar devait révéler un fait plus intéressant. En réalité, le potentiel d'action est plus fort que le potentiel de repos. Il s'agit d'un *dépassement d'objectif* qui, pour un bref moment, rend positif l'intérieur du neurone par rapport à l'extérieur. Le changement de potentiel a été illustré à la figure 5.3. L'amplitude de ce dépassement est déterminée par la concentration d'ions sodium (Hodgkin et Katz, 1949), même si le sodium n'affecte pas le potentiel de repos. À la pointe de l'influx nerveux, le potentiel de part et d'autre de la membrane s'approche de celui prédit par l'équation de Nernst dans le cas de la concentration d'ions sodium, soit environ +40 mV.

À l'état de repos, on peut donc considérer la membrane neuronale comme étant essentiellement une *membrane de potassium*, puisqu'elle n'est perméable qu'aux ions K^+ et que son potentiel est à peu près celui du potentiel d'équilibre du potassium. Mais la membrane active est une *membrane de sodium*, puisqu'elle est surtout perméable aux ions Na^+ et que son potentiel de membrane tend vers le **potentiel d'équilibre du sodium**. Ainsi, le potentiel d'action se produit durant un renversement soudain des propriétés de la membrane, celles-ci revenant rapidement à l'état de repos.

Qu'est-ce qui entraîne les passages de la perméabilité aux ions K^+ à la perméabilité aux ions Na^+, le tout suivi d'un retour à la situation initiale? Une réduction du potentiel de repos de la membrane (dépolarisation) accroît la perméabilité aux ions Na^+. On peut considérer cet événement comme une *ouverture de vannes* aux extrémités de certains pores (ou **conduits ioniques**) dans la membrane. Ces vannes n'admettent que des ions Na^+. Alors que des ions sodium pénètrent dans le neurone, le potentiel de repos est réduit davantage, ouvrant encore plus de conduits Na^+. Le processus s'accélère donc jusqu'à ce que tous les obstacles à l'entrée de Na^+ soient éliminés et que les ions sodium se précipitent à l'intérieur. Cette perméabilité accrue à l'endroit des ions Na^+ dure moins d'une milliseconde; ensuite un processus d'inactivation vient bloquer les conduits Na^+. À ce moment, le potentiel de membrane a atteint un potentiel d'équilibre du sodium d'environ +40 mV. Alors, les charges positives de l'intérieur de la cellule ont tendance à chasser les ions potassium à l'extérieur et la perméabilité aux ions K^+ augmente aussi quelque peu, si bien que le potentiel de repos est bientôt rétabli.

Nous avons déjà souligné, dans ce chapitre, que la séquence des événements électriques observée pendant la conduction d'un influx nerveux pouvait s'expliquer par l'intervention de mécanismes ioniques, ce qui s'avère exact lorsque nous décrivons de façon détaillée la séquence des déplacements des ions Na^+ et K^+ (Hodgkin et Huxley, 1952).

Les phases réfractaires absolue et relative peuvent également être mises en relation avec ces changements de perméabilité. Une fois que les conduits Na^+ ont été complètement ouverts, au moment où un influx nerveux est engendré, une stimulation additionnelle n'affecte pas le cours des événements. De même, durant l'inactivation des conduits Na^+, alors que la stimulation ne peut pas les ouvrir à nouveau, le potentiel d'action tombe. Ainsi, pendant les phases ascendante et descendante d'un potentiel d'action, le neurone est totalement réfractaire à la production d'un second influx. Pendant que les ions K^+ s'écoulent vers l'extérieur et que le potentiel de repos est en voie de restauration, le neurone est relativement réfractaire.

Contrôle des conduits ioniques

L'importance considérable des changements de la perméabilité de la membrane nerveuse à l'endroit des ions Na^+ et K^+, au moment de la production d'un influx nerveux, a amené plusieurs chercheurs à étudier les mécanismes qui contrôlent ces événements. Les parutions les plus récentes de l'*Annual Review of Neuroscience* consacrent au moins un chapitre à cette question. L'un des problèmes abordés est celui de l'identification des bases moléculaires des indicateurs de voltage qui établissent le moment où les changements sont amorcés; un autre problème est celui de l'identité des *vannes* des conduits ioniques. Le mécanisme des vannes reposerait sur des réarrangements de la forme ou des positions des molécules électriquement chargées qui composent la doublure des conduits ioniques. La réalisation de tels changements exige une dépense d'énergie. Plusieurs groupes de recherche rapportent avoir mesuré de minuscules courants électriques qui semblent être associés aux réarrangements moléculaires responsables de l'ouverture ou de la fermeture des vannes dans les conduits ioniques; ces minuscules courants électriques ont été nommés courants de vannes.

Figure 5.12 Conduit d'ions sodiques dans la membrane plasmique d'un neurone (R_{AL} = récepteur d'anestésiques locaux; R_{TOX} = récepteur de toxines; voir texte). (Adapté de Ritchie, 1979.)

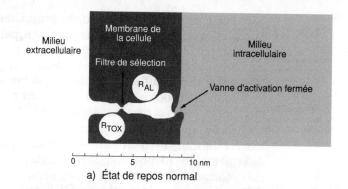

a) État de repos normal

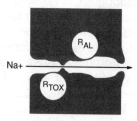

b) Conduit sodique ouvert durant la phase ascendante du potentiel d'action

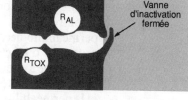

c) Conduit sodique fermé par une vanne d'inactivation durant la phase descendante du potentiel d'action

Dans les membranes de l'axone, les conduits ioniques étant trop petits pour être visibles, même au microscope électronique, comment les chercheurs peuvent-ils prétendre connaître leur structure et leur mode d'opération ? Ils y sont parvenus en testant l'action de substances pharmacologiques sur l'un ou l'autre aspect du fonctionnement de ces conduits. L'information ainsi obtenue sur la dimension et la forme de ces molécules et sur leur action, de part et d'autre de la membrane, a largement contribué à la compréhension des mécanismes en cause. Le conduit sodique a fait l'objet d'études spéciales et on commence à mieux comprendre les détails de sa structure et de son mode d'action (Ritchie, 1979).

La figure 5.12 propose une représentation schématique d'un conduit sodique dans la membrane, au niveau d'un nœud de Ranvier d'un axone myélinisé. Examinons certaines des caractéristiques de ce modèle et les principaux faits sur lesquels elles s'appuient. Lorsqu'elles sont appliquées à la surface externe de la membrane, certaines toxines d'origine animale bloquent spécifiquement et exclusivement les conduits sodiques. Ce sont la tétrodotoxine (TTX) et la saxitoxine (STX). La dimension et les structures de la TTX et de la STX, de même que celles des autres molécules altérant ou non la perméabilité aux ions Na^+, portent à croire que le conduit sodique possède les dimensions suivantes. La partie extérieure est une antichambre de 0,9 nm par 1,0 nm. Plus profondément à l'intérieur de la membrane, le conduit se rétrécit pour former un pore de 0,3 nm par 0,5 nm. Ce filtre étroit de sélectivité ionique contient un site de fixation auquel les cations métal se lient, de même que la TTX et la STX. Ce récepteur des toxines est désigné par les lettres R_{TOX} à la figure 5.12. Une faible partie des molécules de TTX et de STX entre dans le pore et s'y colle parce que le reste de la molécule est trop large pour passer : le conduit bloque alors le passage des ions Na^+.

On trouve la tétrodotoxine dans les ovaires du tétrodon (poisson-globe), espèce très appréciée des fins gourmets Japonais. Les marchés de poisson du Japon font étalage de tétrodons séchés, gonflés comme des globes. Si les ovaires du poisson ne sont pas extirpés comme il se doit et si ce poisson n'est pas nettoyé avec grand soin, les individus qui en consomment peuvent s'empoisonner, leurs neurones ne pouvant plus fonctionner normalement. Chaque année, des gens meurent des suites d'une ingestion de tétrodon mal apprêté et la seule consolation que l'on ait est que les spécialistes en sciences neurologiques comprennent mieux pourquoi maintenant.

À l'encontre des toxines qui agissent près de la surface externe de la membrane, certains anesthésiques locaux agissent sur un site qui n'est accessible que de l'intérieur de la membrane. Ce récepteur d'anesthésiques locaux est désigné par les lettres R_{AL}, à la figure 5.12.

Alors que l'action des anesthésiques locaux est temporaire et disparaît éventuellement, un changement permanent se produit si l'enzyme pronase est introduite à l'intérieur de l'axone. La pronase détruit le portillon d'inactivation qui ferme normalement le conduit Na^+. Au cours de l'évolution, deux sortes de scorpions ont développé des venins qui bloquent des processus essentiels à la conduction nerveuse. Le venin du scorpion *Leiurus* endommage le portillon d'inactivation, tandis que le venin du scorpion *Centruroides* endommage de façon spécifique le portillon d'activation. Il est donc évident que des processus moléculaires différents contrôlent les deux mécanismes de portillon du conduit sodique. Une espèce de serpent (voir le chapitre 6) a développé, au cours de l'évolution, une toxine qui bloque la transmission chimique aux synapses cholinergiques. Que ce soit celui de la conduction des influx ou celui de la transmission synaptique, le blocage constitue pour un animal un moyen efficace de tuer sa proie.

VARIABILITÉ DU SIGNAL DANS LES CELLULES NERVEUSES

L'image utilisée jusqu'ici pour décrire les signaux des cellules nerveuses est celle d'une cellule typique fonctionnant dans des conditions inférieures à une ligne de base. L'existence d'exceptions à ces propriétés modales confère une flexibilité additionnelle au traitement de l'information dans le système nerveux. Les exceptions de cette nature sont nombreuses; en voici quelques-unes qui donneront une idée de la variété des *styles de vie* du neurone.

- Certaines cellules nerveuses ne possèdent qu'un axone très court, ou pas d'axone du tout; dans ce cas, la communication avec les autres cellules ne se fait pas par production d'influx nerveux.
- Les cellules nerveuses n'ont pas toutes le même seuil d'excitabilité, le même niveau critique de dépolarisation nécessaire à la production d'un influx nerveux.
- Le rapport entre l'amplitude de dépolarisation et le taux de décharge d'influx nerveux peut varier. Cela signifie que pour certains neurones, de faibles augmentations de dépolarisation produisent de grands changements dans le taux de décharge des influx nerveux, alors que pour d'autres, la pente de la courbe de la relation entre les deux est moins accentuée.
- Tous les neurones ne partagent pas la même propriété d'entraînement (*pacemaker*); certaines cellules sont *autorythmiques* et produisent régulièrement des influx nerveux indépendants des entrées synaptiques. Il se peut que ces cellules jouent un rôle singulièrement important dans le contrôle des comportements rythmiques.
- Les réactions des synapses aux influx nerveux successifs ne sont pas les mêmes pour tous les neurones. Dans certaines synapses, on constate des effets de facilitation, ce qui veut dire que l'amplitude des potentiels d'action successifs va s'accroissant. Par contre, dans d'autres synapses, on observe dans les réponses successives des effets décroissants. Ces deux phénomènes montrent que les événements antérieurs exercent une influence sur ce qui se passe au niveau d'une synapse. Ces mécanismes jouent le rôle de dispositifs mnémoniques qui sont peut-être associés à des situations de comportement plus vastes, comme l'apprentissage et la mémoire.

- La température affecte le taux de décharge de certains neurones, leur permettant d'agir comme des indicateurs de température interne.

- Les neurones réagissent directement aux hormones et aux neuromodulateurs qui circulent dans le cerveau. Ces agents sont dits *modulateurs* parce que, par eux-mêmes, ils ne produisent pas d'effets nerveux significatifs.

Comparaison des signaux des cellules nerveuses

Dans ce chapitre, nous avons souligné de nombreuses particularités des événements électriques qui se produisent dans les cellules nerveuses. Le tableau 5.2 présente un résumé des principales similitudes et différences de ces potentiels et met en évidence les caractéristiques de chaque type de signal.

POTENTIELS ÉLECTRIQUES D'ENSEMBLE DU CERVEAU

En 1929, le psychiatre allemand Hans Berger publiait un article qui décrivait l'activité électrique du cerveau de son fils. C'était plus qu'une question de fierté paternelle. Berger avait utilisé son fils comme sujet dans des études au cours desquelles il enregistrait l'activité électrique du cerveau, au moyen d'électrodes placées sur le cuir chevelu. Une des électrodes avait été placée sur la partie frontale du crâne, l'autre sur la face occipitale. Les différences de potentiel entre les deux électrodes n'indiquaient que 5 µV. L'enregistrement laissait voir des oscillations régulières d'une fréquence d'environ 10 Hz, ce que Berger nomma le **rythme alpha** (figure 5.13). À cette époque, l'électronique en était à ses tout débuts et l'enregistrement de signaux biologiques de si faible voltage, difficile à réaliser, n'était pas accepté d'emblée par tous. Cette réussite de Berger dans l'enregistrement, à partir de la surface crânienne, de l'activité électrique du cerveau a été accueillie avec scepticisme jusqu'à ce que d'autres chercheurs viennent confirmer ses observations et démontrer que ces différences de potentiel provenaient réellement du cerveau. Dans sa recherche d'un enregistrement

Tableau 5.2 Caractéristiques des différents potentiels des cellules nerveuses.

Type de signal	Rôle de signalisation	Durée typique	Amplitude	Caractère	Mode de propagation	Ouverture du conduit ionique	Sensibilité du conduit
Potentiel d'action	Conduction le long d'un neurone	1 à 2 ms	Environ 100 mV; dépassement d'objectif	Tout-ou-rien; digital	Propagé activement; régénératrice	D'abord Na^+, puis K^+, dans des conduits différents	Au voltage (dépolarisation)
Potentiel excitateur postsynaptique (PEPS)	Transmission entre neurones	10 à 100 ms	De moins de 1 à plus de 20 mV	Gradué, analogique	Locale, diffusion passive	Na^+ / K^+	À des substances chimiques (neurotransmetteurs)
Potentiel inhibiteur postsynaptique (PIPS)	Transmission entre neurones	10 à 100 ms	Dépolarisant ou surpolarisant, de moins de 1 à environ 15 mV	Gradué, analogique	Locale, diffusion passive	K^+ ou Cl^- ou K^+ / Cl^-	À des substances chimiques (neurotransmetteurs)

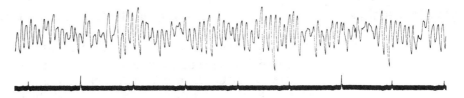

Figure 5.13 Rythme alpha enregistré à la surface occipitale du cuir chevelu d'un sujet humain éveillé et détendu qui gardait les yeux fermés. Les marqueurs de temps indiquent des périodes de 1 seconde (Leiman).

physique de l'activité mentale du cerveau, ce psychiatre avait ouvert le nouveau champ d'étude de l'**électroencéphalographie (EEG)**, ou étude de l'activité électrique du cerveau observée au moyen de grandes électrodes. Il s'agit donc de la mesure de potentiels globaux, par contraste avec la mesure des potentiels enregistrés à partir de cellules isolées. En effet, l'EEG représente l'activité de nombreuses cellules et est enregistré à une certaine distance de ces mêmes cellules. D'une certaine manière, cette mesure s'apparente à celle effectuée par l'électrocardiogramme qui consiste en un enregistrement de l'activité du cœur, à l'aide d'électrodes appliquées sur la peau. Les techniques d'étude du système nerveux humain intact sont peu nombreuses et l'enregistrement de l'activité du cerveau de l'être humain, à l'aide d'électrodes placées sur le cuir chevelu, constitue un moyen d'observer son fonctionnement.

On utilise cette méthode électrophysiologique à des fins diagnostiques. L'enregistrement des potentiels électriques du cerveau fournit des données significatives sur les formes variées de crises d'épilepsie. L'EEG sert également au pronostic des conséquences fonctionnelles de blessures cérébrales par exemple. Dans la plupart des États de l'Amérique du Nord, la mesure des potentiels cérébraux est utilisée dans la définition légale de la mort et elle peut même faire partie d'un programme de traitement visant à contrôler l'épilepsie, traitement basé sur la **rétroaction biologique** (*biofeedback*) des potentiels cérébraux. De nouveaux développements technologiques dans l'application des ordinateurs à l'analyse quantitative détaillée des potentiels électriques du cerveau ont largement contribué à renforcer les attentes d'un apport clinique encore plus grand, surtout dans le domaine psychiatrique.

Plusieurs expérimentateurs (Freeman, 1978; John, 1977) ont formulé les bases théoriques sur lesquelles s'appuient les recherches fondamentales relatives aux potentiels globaux du cerveau. Procédons par analogie. Au collège, pendant les parties de football, on voit souvent un groupe d'étudiants qui tentent de divertir les spectateurs en utilisant des cartes pour épeler des messages ou former des images. Chacun de ces étudiants occupant une place déterminée dans le stade tient un bout de carton dont l'un des côtés est blanc et l'autre coloré. En présentant au bout des bras l'envers ou l'endroit de la carte, selon un plan orchestré par un chef de file, ces supporteurs présentent un message cohérent : « Allez, les verts ! » Aucun ne pourrait à lui seul transmettre le message avec sa carte, peu importent ses bonnes intentions ou son dynamisme. Le message est le produit de l'ensemble. De plus, il provient d'un plan qui traduit l'activité collective. La présentation au hasard des mêmes cartes n'apporterait aucun message aux spectateurs du stade : ce serait la confusion. De manière analogue, le cerveau est le siège d'un large ensemble d'événements séparés et le comportement, même le plus trivial, mobilise des milliers de cellules. L'enregistrement de l'activité électrique du cerveau par le truchement de grandes électrodes peut donner un aperçu du fonctionnement simultané de populations de neurones.

169

Les chercheurs classent les potentiels cérébraux en deux catégories principales : ceux qui semblent surgir spontanément sans stimulation spécifique et ceux qui sont engendrés par des stimuli particuliers. Nous allons considérer l'une et l'autre de ces deux catégories.

L'activité électrique du cerveau, enregistrée à partir du cuir chevelu, révèle plusieurs propriétés distinctes. La plus remarquable tient à ce que des oscillations des potentiels cérébraux se produisent, même en l'absence de stimulation. Le cerveau humain produit des ondes d'activité électrique rythmique continue. Les suites de variations rythmiques de l'activité électrique sont la caractéristique des potentiels globaux (figure 5.13). Ces derniers peuvent être classés selon la fréquence principale de leurs éléments. De vastes catégories du comportement, comme l'éveil ou l'attention, se trouvent associées aux composants des principales fréquences des potentiels d'ensemble du cerveau.

Pendant des années, les scientifiques ont cherché à découvrir les propriétés fonctionnelles du rythme alpha. Se situant entre 8 et 12 Hz, le rythme alpha est particulièrement perceptible dans les enregistrements à partir des régions postérieures du crâne. Beaucoup d'individus produisent une activité alpha spontanément quand ils ferment les yeux et se détendent. Le relâchement des tensions fait tellement partie de l'état alpha que nous avons assisté, au cours des dernières années, à l'application des enregistrements alpha à des fins de recherche du plaisir. On trouve sur le marché des gadgets capables de fournir à l'individu un enregistrement de son activité alpha, habituellement sous la forme d'une tonalité entendue quand les ondes alpha apparaissent ou lorsqu'elles atteignent l'amplitude désirée. Les gens s'en servent comme un indice de leur état de détente. Le rapport entre la relaxation et une activité alpha prononcée, rapport utilisé de façon manifeste dans les expériences de rétroaction biologique, a renforcé la conception selon laquelle les rythmes alpha représenteraient un état d'*inactivité* du cerveau.

Les neurologues cliniciens se basent sur les perturbations de l'activité cérébrale spontanée pour diagnostiquer plusieurs troubles fonctionnels. Les états de désordres biochimique, anatomique et neurophysiologique du cerveau peuvent modifier de façon très évidente certaines propriétés des potentiels cérébraux spontanés. C'est ce qui est en cause dans l'épilepsie et dans d'autres états de crise semblables.

Le tableau 5.3 montre que la fréquence des potentiels cérébraux spontanés ou continus varie directement en fonction du niveau d'éveil. Les oscillations plus rapides (ondes bêta de 18 à 30 Hz) sont chose courante dans les états de vigilance, alors que les oscillations assez lentes (ondes delta de 0,5 à 5 Hz, chez l'être humain normal) surviennent dans un état de sommeil profond (voir le chapitre 14).

Tableau 5.3 Caractéristiques des ondes EEG de l'être humain.

Type d'ondes ou de rythme	Champ de fréquences (Hz)	Amplitude ou voltage (μV)	Région de proéminence ou maximum	État caractéristique du sujet
Alpha	8 à 12	5 à 10	occipitale et pariétale	éveillé, détendu, les yeux fermés
Bêta	18 à 30	2 à 20	précentrale et frontale	éveillé, sans bouger
Gamma	30 à 50	2 à 10	précentrale et frontale	éveillé, excité
Delta	0,5 à 5	20 à 200	variable	profondément endormi
Thêta	5 à 7	5 à 100	frontale et temporale	éveillé, vigilance réduite

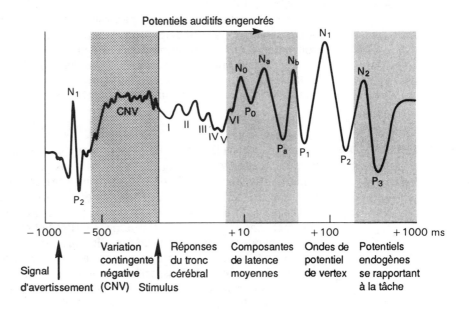

Figure 5.14 Valeurs moyennes d'un potentiel évoqué (associé à un événement) enregistrées à la surface du cuir chevelu d'un observateur humain, en réponse à des petits bruits secs. On trouvera dans le texte la description des éléments de cette réponse. (Adapté de Kutas et Hillyard, 1984.)

Potentiels associés aux événements

On appelle **potentiels associés aux événements** les changements généraux de potentiel provoqués par des stimuli précis (habituellement des stimuli sensoriels, comme des éclairs de lumière ou des déclics) (figure 5.14). Dans l'expérimentation courante sur ces phénomènes, on prend la moyenne d'une série de potentiels *évoqués* afin d'obtenir une estimation fiable de l'activité cérébrale provoquée par le stimulus. Les potentiels évoqués ont des ondes caractéristiques dont la forme et la latence reflètent le type de stimulus, l'état du sujet et le site d'enregistrement. Les processus psychologiques plus subtils, comme l'expectative, semblent devoir influencer certaines caractéristiques des potentiels évoqués.

Potentiels du tronc cérébral évoqués par l'audition

L'ordinateur permet réellement aux expérimentateurs d'enregistrer les potentiels cérébraux à une certaine distance des sites où ils sont produits. La technique utilisée s'apparente à la capacité d'un détecteur de capter à distance des sources de chaleur très faibles. Un certain nombre de recherches et d'observations chimiques ont permis de formuler, par exemple, le concept des *potentiels du tronc cérébral évoqués par l'audition*. Pour enregistrer cette réponse, on fournit aux sujets des casques d'écoute et on leur fait entendre une longue série de déclics. Les potentiels cérébraux déclenchés par ces stimuli sont enregistrés à partir d'une électrode posée sur le cuir chevelu et sont comptabilisés à l'aide d'un ordinateur. La figure 5.14 fournit un exemple de réponse. Le signal d'avertissement qui précède le stimulus engendre une réaction dite de Variation Contingente Négative (CNV) apparaissant sur fond gris. La latence des divers composants de la réponse varie de brève (jusqu'à 10 ms), à moyenne (10 à 100 ms), jusqu'à une latence relativement longue (plus de 100 ms). La première série d'ondes à apparaître est de latence brève; on les désigne habituellement par des chiffres romains. Les générateurs nerveux de ces ondes sont situés loin du point d'enregistrement, dans le nerf auditif, et à des niveaux successifs des voies auditives du tronc cérébral. Ces réponses offrent donc un moyen d'évaluer la réactivité nerveuse du tronc cérébral, notamment de ses voies auditives. L'évaluation de la réduction de l'amplitude de certaines ondes ou de l'accroissement de leur latence s'est avérée précieuse, par exemple, pour le dépistage des défectuosités de l'audition chez les très jeunes enfants et les personnes

171

incapables de communiquer. On a pu ainsi déceler chez des enfants des déficiences auditives cachées alors qu'on avait diagnostiqué l'autisme. Ces potentiels évoqués du tronc cérébral trouvent une autre application dans l'évaluation de blessures ou de dommages infligés au tronc cérébral, comme ceux résultant de tumeurs ou d'accidents cérébrovasculaires. Sur la figure, les composants de la réponse qui proviennent des régions situées au-dessus du tronc cérébral sont identifiées comme des potentiels négatifs (N) et positifs (P).

Potentiels corticaux associés aux événements : composantes à latence moyenne et longue

Les composants à latence longue des potentiels enregistrés au niveau du cuir chevelu ont tendance à refléter l'impact de variantes dans le traitement de l'information, comme l'attention et la prise de décision. La comparaison de facteurs qui affectent des événements est une autre façon d'établir un contraste entre les réactions corticales à latence longue et brève que sont les potentiels du tronc cérébral. Les potentiels à latence longue sont influencés par des facteurs plutôt endogènes (l'attention). Par contre, les réponses à latence brève dépendent de facteurs exogènes; elles sont davantage sous la dépendance du stimulus, si bien que l'intensité du stimulus a un effet beaucoup plus profond sur les premiers composants des potentiels associés aux événements que sur celles qui ont une latence plus longue. L'intensité du stimulus affecte aussi les composants à latence plus longue, mais d'une façon beaucoup plus individuelle. Voici quelques exemples de l'utilisation de potentiels à latence plus longue et associés aux événements dans le domaine de l'exploration de la personnalité et des états cognitifs.

1. *Les potentiels associés aux événements chez les individus qui manifestent soit un accroissement soit une réduction d'intensité.* Un composant particulier, à latence moyenne, d'un potentiel cortical associé aux événements (mesuré de P_1 à N_1, sur la figure 5.14) montre comme on s'y attend, chez plusieurs individus, un accroissement régulier d'amplitude avec des augmentations d'intensité du stimulus. Pourtant, certaines personnes présentent une réaction tout à fait différente. Si on augmente l'intensité du stimulus, surtout si cette intensité est déjà élevée, elles montrent des réductions d'amplitude du potentiel associé aux événements. On dit que ces individus sont *réducteurs* et ceux qui manifestent des accroissements d'amplitude *augmentateurs*. Dans les travaux de recherche traitant de cette distinction, on fait intervenir plusieurs variables qui compliquent la situation. Par exemple, certaines de ces relations ne s'observent qu'avec les stimuli visuels et, dans certains cas, ce phénomène d'augmentation-réduction n'est observable qu'à certains sites d'enregistrement sur le cuir chevelu. Quoi qu'il en soit, beaucoup d'études laissent entrevoir des relations fascinantes entre cette distinction de potentiel associé aux événements et certains traits de la personnalité. Dans une recension très spéculative de certains aspects biologiques de la personnalité, Zuckerman (1984) prétend que cette distinction neurobiologique est reliée à une dimension qu'il nomme *recherche de sensations*, c'est-à-dire recherche d'émotions, d'aventures et de participation à des activités risquées. Se basant sur son analyse d'un certain nombre d'études, Zuckerman avance l'hypothèse que les grands chercheurs de sensations auraient tendance à être des *augmentateurs* alors que les faibles seraient des *réducteurs*. L'augmentation-réduction présente également une certaine relation avec l'*extraversion* et l'*introversion*. On croit que dans les réponses corticales évoquées de niveau frontal (Bruneau, Roux, Perse et LeLord, 1984), les extravertis seraient plus *réducteurs* que les introvertis. Plusieurs études s'intéressent à ce phénomène. Nous y reviendrons au chapitre 15.

2. *Les potentiels associés aux événements et l'attention.* Nous sommes évidemment capables de réagir de façon sélective à certains événements et d'en ignorer d'autres totalement; il peut même arriver que l'événement auquel on n'a pas porté attention semble ne jamais

s'être produit ! Jusqu'à présent, beaucoup d'études du comportement ont exploré divers aspects de l'attention et ont proposé des modèles nerveux hypothétiques pour tenter d'expliquer différents phénomènes de perception mettant en cause l'attention. Certains ont prétendu que l'information à laquelle on ne porte pas attention était simplement bloquée à la périphérie (sorte de filtration périphérique). Toutefois, la plupart des chercheurs soutiennent que l'attention fait intervenir un mécanisme cortical quelconque. Hillyard, Simpson, Woods, Van Voorhis et Münte (1983) ont décrit une expérience caractéristique démontrant l'impact des directives qui orientent l'attention. On a présenté aux sujets deux tonalités dirigées respectivement vers l'oreille gauche et vers l'oreille droite. La tâche du sujet consistait à porter attention sélectivement à l'une des tonalités, dans une oreille à la fois. Les tonalités dans l'oreille (ou le conduit) où l'attention était dirigée donnaient lieu à une plus forte négativité dans l'un des composants à latence moyenne du potentiel associé aux événements. Le passage de l'attention vers l'autre oreille inversait l'amplitude relative des réactions aux deux stimuli. Ces chercheurs soutiennent que leurs résultats reflètent l'action nerveuse d'un mécanisme cérébral de sélection de conduit qui accroît de façon préférentielle l'intensité de stimuli particuliers. Les résultats de cette étude sont présentés à la figure 5.15.

3. *Les potentiels associés aux événements et l'intelligence.* Les minuscules potentiels enregistrés à partir du cuir chevelu nous apprennent-ils quelque chose sur les dimensions très complexes de la cognition, sur l'intelligence par exemple ? Des chercheurs ont avancé l'hypothèse que les potentiels évoqués à partir du cuir chevelu pourraient fournir des indices sur l'efficacité du traitement de l'information dans le cerveau, caractéristique qui semble être une propriété intellectuelle. Différents aspects du potentiel évoqué ont été étudiés afin de découvrir des relations avec l'intelligence telle que définie par divers tests psychologiques normalisés. Certains ont mesuré la complexité du potentiel évoqué; d'autres ont examiné la latence ou l'amplitude des réponses engendrées par de simples stimuli auditifs ou visuels. Dans l'une de ces études, les expérimentateurs ont administré le test des matrices progressives de Raven (*Advanced Progressive Matrices Test*) que l'on présente

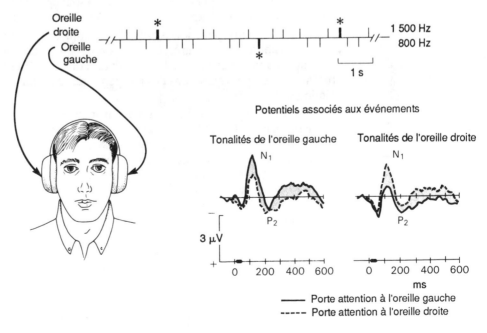

Figure 5.15 Influence de l'attention sur les potentiels auditifs associés aux événements. Le fait de porter attention à l'oreille gauche ou à l'oreille droite modifie les potentiels (voir texte). Les parties grisées montrent ces différences. (Adapté de Hillyard et coll., 1984).

comme un test d'intelligence relativement indépendant des facteurs culturels (*culture-free*) (Blinkhorn et Hendrickson, 1982). Ils ont ensuite mesuré les potentiels associés aux événements engendrés par une série d'émissions de tonalités. La corrélation de +0,54 entre le score du test psychologique et une mesure de l'amplitude du potentiel auditif évoqué était hautement significative. Par contre, il n'y avait pas de corrélation avec les tests qui mettaient l'accent sur les capacités verbales, probablement reliées au rendement académique. Il se trouve peut-être, cachés dans ces potentiels, quelques reflets des stratégies cognitives essentielles à l'intelligence. Au chapitre 18, nous traiterons plus à fond de quelques questions propres à l'activité nerveuse et à la cognition.

ÉPILEPSIE

Depuis les lointaines origines de la civilisation, l'**épilepsie** a engendré inquiétude et émerveillement (le nom vient du mot grec *epilêpsia*, attaque). Certains Grecs de l'Antiquité percevaient l'épilepsie comme une maladie sacrée (la personne était possédée par un dieu). Au Moyen Âge, les gens souffrant d'épilepsie étaient plutôt considérés comme des possédés du démon et étaient soumis à diverses formes de cruauté. Au cours de l'histoire de la médecine, les cures proposées incluaient notamment la saignée, la trépanation (percée d'un trou dans le crâne), l'application à la tête de poissons électriques produisant un voltage élevé et l'ingestion de diverses plantes, plus particulièrement la pivoine et le gui. Les conceptions de l'origine et du traitement de l'épilepsie ont varié au cours des années. Il ne faut pas s'en étonner puisque beaucoup d'individus sont l'objet d'attaques à un moment donné de leur vie. On a récemment estimé à 30 millions le nombre d'êtres humains qui souffriraient d'épilepsie (O'Leary et Goldring, 1976).

Types de crises

La plupart des chercheurs s'accordent maintenant pour dire que l'épilepsie est un désordre marqué de changements soudains dans l'état électrophysiologique du cerveau. On appelle ces changements et les comportements qui les accompagnent, *crises*. Pour décrire l'état électrique du cerveau pendant les crises, on a souvent eu recours à une métaphore comme *tempêtes électriques* : l'expression est tout à fait appropriée.

Il existe plusieurs types de crises que l'on distingue, tant sur le plan du comportement que sur le plan neurophysiologique. Les **crises généralisées** comportent une perte de conscience et l'implication symétrique de la musculature du corps. Les crises de grand mal et de petit mal sont deux types communs de crise généralisée et sont le fait du plus grand nombre de victimes.

Les **crises de grand mal** présentent un tracé EEG évident à beaucoup d'endroits du cerveau (figure 5.16) où les cellules nerveuses individuelles émettent des influx en salves à hautes fréquences. Le comportement associé à cet état est dramatique. La victime perd conscience et les muscles de tout son corps se contractent soudainement, raidissant les membres et le corps. Cette *phase tonique* de la crise est suivie, 1 à 2 minutes plus tard, d'une *phase clonique* qui consiste en une alternance de saccades brusques et de détente du corps. Une période de confusion et de sommeil suit cette dernière phase. Quand la plupart des non professionnels parlent d'épilepsie, ils réfèrent généralement aux crises de grand mal.

L'**épilepsie de petit mal** est une variante subtile des crises généralisées. Elle se manifeste par un tracé spécifique des enregistrements EEG nommé complexe pointe-onde (figure 5.17). Des épisodes de cette activité électrique inhabituelle peuvent survenir plusieurs fois par jour. Au cours de ces épisodes, l'individu est inconscient de son environnement et ne peut, plus tard, se rappeler les événements qui s'y sont produits. Sur le plan du comportement, la personne ne manifeste aucune activité musculaire inaccoutumée, sauf un arrêt de

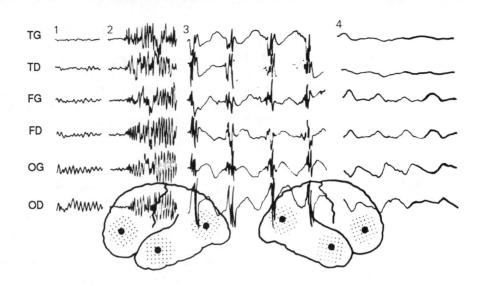

Figure 5.16 Activité électrique du cerveau (EEG) caractéristique d'une convulsion de grand mal. Chaque ligne est un enregistrement d'un site cortical différent : avant (1), durant (2, 3) et après (4) une crise. (De *Neurological Pathophysiology* par Sven G. Eliasson, Arthur L. Prensky et William B. Hardin, Jr. Copyright 1974, 1978 par Oxford University Press, Inc. Reproduit avec permission.)

l'activité en cours et un *regard fixe* soutenu. En effet, pendant un long intervalle, ses yeux ne s'écartent pas d'une position donnée. On a utilisé le terme *absences* pour décrire cet état.

Le grand mal et le petit mal sont tous les deux des crises généralisées parce qu'ils dérivent d'une pathologie affectant des sites cérébraux qui irradient dans des régions étendues du cerveau. Par contre, il peut se produire des **crises partielles**, engendrées par des foyers pathologiques par exemple, se traduisant par des spasmes moteurs répétitifs qui partent fréquemment de la périphérie d'un membre pour rejoindre les muscles adjacents; un tel spasme peut commencer dans les doigts et se propager jusqu'à l'avant-bras. Des crises partielles qui naissent dans le lobe temporal peuvent être accompagnées d'impressions sensorielles étranges, de brusques sentiments d'anxiété et d'actes élaborés exécutés de façon automatique, comme des gestes compliqués.

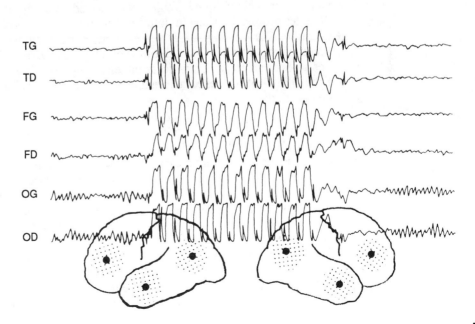

Figure 5.17 EEG d'un sujet durant une crise d'épilepsie de petit mal. L'illustration montre le départ abrupt et la fin d'une décharge de haute amplitude de 3 Hz donnant un tracé appelé « complexe pointe-onde ». (De *Neurological Pathophysiology* par Sven G. Eliasson, Arthur L. Prensky et William B. Hardin, Jr. Copyright 1974, 1978 par Oxford University Press, Inc. Reproduit avec permission.)

Les crises résultent d'une activité électrique pathologique des cellules cérébrales; cette activité anormale est, le plus souvent, subséquente à des blessures à la tête, à l'absorption de substances chimiques variées, y compris certaines toxines de l'environnement, et à des anomalies métaboliques dont certaines sont déterminées génétiquement. L'événement cellulaire principal consiste en une décharge anormale de grands groupes de neurones. Les potentiels de crises peuvent atteindre 5 à 20 fois l'amplitude des ondes EEG normales. On n'est pas encore parvenu à déterminer la séquence complète des événements qui mènent à cet état.

L'épilepsie et la personnalité

Ces fréquentes *tempêtes* d'activité électrique qui balaient le cerveau d'un épileptique peuvent entraîner beaucoup de séquelles, dont certains changements de personnalité. Pendant des années, les neurologues cliniciens ont laissé entendre qu'il existait un lien entre un type de crises au moins (l'épilepsie du lobe temporal) et certains attributs de la personnalité. Mais les chercheurs qui s'intéressent au fonctionnement cérébral ne sont pas les seuls à travailler dans ce domaine. Des avocats ont quelquefois invoqué une crise issue du lobe temporal ou un long passé épileptique pour défendre un client accusé d'agression. Bien qu'une bonne partie des données et des spéculations sur ce sujet demeurent controversées (Hermann et Whitman, 1984), on peut établir quelques liens entre plusieurs études.

Des études sur les animaux (excluant l'être humain) ont révélé des changements dans les réponses émotives qui accompagnent les lésions cérébrales des structures du lobe temporal en cause dans certaines formes de crises épileptiques. On trouvera une description de ces résultats au chapitre 15. D'autres chercheurs ont observé que l'épilepsie du lobe temporal est reliée à divers troubles psychiatriques. Bear et Fedio (1977) ont décrit un profil intéressant de la personnalité de sujets présentant des crises du lobe temporal. Ils ont examiné les rapports de travaux cliniques en vue d'identifier leurs traits de personnalité observés généralement par les neurologues, au cours d'observations informelles. À partir de cette description, ils ont élaboré deux questionnaires destinés au sujet et au médecin. Les réponses des sujets épileptiques furent comparées à celles d'un groupe témoin qui comprenait des individus souffrant d'autres troubles neurologiques. Les épileptiques se décrivaient, plus souvent que les sujets témoins, comme dépourvus d'humour, très impliqués dans des problèmes affectant lourdement leur destin et profondément préoccupés par des questions d'ordre religieux. D'autres données indiquaient que certains de ces traits étaient accompagnés d'un déclin notable de l'intérêt pour la sexualité et que quelques sujets avaient des accès de colère soudains occasionnellement associés à une attaque brusque et violente. Enfin, l'intensité de ces caractéristiques était reliée à la fréquence des crises et à l'évolution de la maladie.

Comment expliquer ce syndrome ? Notons d'abord qu'on ne retrouve pas ces traits de personnalité chez toutes les victimes de crises, ni même chez tous les épileptiques du lobe temporal. Geschwind (1983) soutient néanmoins qu'il s'agit là d'un phénomène important faisant apparaître certaines caractéristiques significatives pour l'interprétation du comportement. Il soutient que ces traits de personnalité ne viennent pas du stress psychologique inhérent aux crises et que le syndrome n'est pas le résultat d'une lésion cérébrale. Il propose plutôt une hypothèse fascinante : ce syndrome résulterait de l'activité électrique anormale et transitoire qui se produit entre les crises. Cet événement électrique révélé par les enregistrements EEG s'appelle *pointe* à cause de son caractère rapide et de grande amplitude. Geschwind croit que cette réaction entraîne une excitation électrique inhabituelle du système limbique, ce qui peut produire des changements dans les réponses émotives. Les événements routiniers de la vie prennent alors une signification affective exceptionnelle parce qu'ils surviennent durant une période d'activation accrue du système limbique.

Certaines personnes en viennent ainsi à attribuer une signification profonde à des événements qui, autrement, tiendraient de la routine.

Les journaux nous rapportent régulièrement des actes d'agression particulièrement répugnants commis par des personnes qui prétendent n'en avoir gardé aucun souvenir. Dans quelques-uns de ces cas, l'épilepsie du lobe temporal a été invoquée pour plaider une responsabilité légale amoindrie. Cet argument comporte au moins deux aspects. D'une part, on soumet que la rage et l'agressivité pourraient être deux composants réels et automatiques d'une crise. De l'autre, on invoque le fait que l'agression intense accompagnant un assaut criminel pourrait résulter de toute une vie de désordre du lobe temporal ou d'autres types de crises. Il existe maintenant des données de recherches sur ces questions épineuses. En 1981, un groupe important de chercheurs intéressés aux problèmes de crises épileptiques (Delgado-Escueta et coll., 1981) participa à un comité visant à évaluer les actions agressives de 13 sujets choisis parmi un groupe de 5 400 épileptiques. On avait sélectionné ces malades parce que l'on croyait à l'existence d'une relation entre leur comportement agressif et leurs crises. Ces crises furent enregistrées sur ruban vidéo afin de pouvoir évaluer leur caractère présumé agressif. Certains des individus en cause avaient commis des assauts contre d'autres personnes. On a observé chez quelques sujets, au moment du paroxysme de leurs épisodes épileptiques, la commission d'actes agressifs spontanés et sans objectif précis; tous ces actes étaient accompagnés d'amnésie. Les membres du comité insistèrent toutefois pour dire que si un avocat de la défense prétend que l'agression est un composant des crises de l'accusé, il devrait en fournir la preuve.

On décèle également un lien entre l'épilepsie et la violence humaine dans les données controversées accordant des pourcentages exceptionnellement élevés d'EGG anormaux à des populations de contrevenants criminels, particulièrement ceux accusés d'actes violents. Mais le lien causal avec la violence reste difficile à établir malgré le grand nombre de rapports sur des faits de ce genre. De plus, dans certaines de ces études, l'activité électrique anormale est associée à d'autres défectuosités neurologiques qui pourraient être des facteurs déterminants plus significatifs du comportement agressif. Cette question n'a pas encore trouvé une réponse totalement satisfaisante et son importance, tant pour les malades que pour la société, la place au rang des sujets encore empreints de mystère.

Modèles animaux et mécanismes de crises

Des *tempêtes électriques* peuvent se produire dans le cerveau de beaucoup d'animaux, ce qui fournit aux chercheurs l'occasion d'explorer dans le détail les mécanismes nerveux de la crise. Plusieurs races de chiens, spécialement les beagles, sont sujets à des crises spontanées. Chez les rongeurs, on peut observer plusieurs formes rares d'épilepsie dont une forme héréditaire. Dans une souche de souris par exemple, une mutation mettant en cause un chromosome particulier donne lieu à un schéma de crise spontanée qui ressemble beaucoup aux crises de petit mal observées chez l'être humain. Ces animaux présentent des complexes pointe-onde semblables à ceux des enregistrements EEG de certains sujets (figure 5.17). Cette anomalie est héréditaire et récessive; les études de l'activité métabolique révèlent des augmentations marquées dans des sites thalamiques et dans certaines régions corticales frontales. La ressemblance dramatique de ce schéma de crise avec certains désordres spécifiques de l'être humain permet d'espérer qu'on arrive à en comprendre le mécanisme génétique à l'origine de perturbations épileptiques (Noebels et Sidman, 1979).

D'autres modèles de crises animales supposent une intervention quelconque pour déclencher une activité épileptique. Dans certains cas, l'application au cerveau de substances *épileptogènes* crée un modèle d'épilepsie focale. C'est le cas notamment de la pénicilline et de l'hydroxyde d'aluminium, ingrédient utilisé dans certains produits antiacides. Un modèle assez intéressant utilise une stimulation électrique directe des régions cérébrales comme stimulus épileptogène; cette façon de provoquer des crises s'appelle l'*allumage*. Cette expression vient du processus employé pour créer un foyer de crise (McNamara, 1984). On applique à l'animal, par l'intermédiaire d'électrodes implantées dans un site cérébral donné, un stimulus électrique qui, au début, est d'intensité inférieure au seuil de convulsion. Après quelques jours, ce stimulus finit par donner naissance à des signes, tant comportementaux qu'électrophysiologiques, d'activité de crise. Avec le temps, les crises se produisent spontanément. Ces crises *allumées* peuvent être déclenchées par la stimulation de plusieurs sites cérébraux, mais le plus efficace semble être le noyau amygdalien. L'activité de crise allumée par la stimulation de ce noyau exige très peu de répétitions du stimulus. L'étude du réseau anatomique nécessaire à la mise en place de l'allumage a révélé l'importance des structures du tronc cérébral, particulièrement celle du *locus niger*. Dans cette région, une microinjection de substances qui favorise l'action d'un transmetteur synaptique inhibiteur (le GABA) bloque l'effet d'allumage.

Ces divers modèles expérimentaux des crises d'épilepsie chez l'être humain, combinés aux rares études sur le tissu épileptogène humain (Schwartzkroin, 1984), laissent entrevoir la possibilité qu'il y ait différentes sortes de mécanismes à l'origine des crises. Un premier grand groupe suppose une interférence dans l'efficacité des mécanismes synaptiques inhibiteurs. Cette interférence peut lâcher la bride à la puissante activation synaptique excitatrice de certaines régions, qui peut entraîner des paroxysmes d'activité nerveuse massivement synchronisés. Plusieurs modèles animaux présentent de ces changements de l'intégrité des voies inhibitrices. Un deuxième groupe suppose la modification des principaux mécanismes de contrôle des membranes nerveuses. Si les propriétés fondamentales des canaux ioniques de la membrane sont altérées, le contrôle de la dépolarisation peut changer et entraîner la formation d'états excitateurs plus puissants et persistants. La probabilité de l'existence de tels mécanismes repose sur les études qui ont décrit les perturbations de membranes qui engendrent des *potentiels dépolarisants paroxystiques* (Prince, 1984). Un troisième groupe suppose la possibilité d'une régénérescence de connexions cérébrales à la suite de lésions. On sait que l'endommagement traumatique du cerveau entraîne bien souvent des troubles épileptiques chez l'être humain. Des chercheurs ont suggéré que les connexions formées à la suite d'une blessure au cerveau pourraient être responsables d'une activité synaptique excitatrice excessive. Beaucoup d'autres hypothèses ont été avancées pour expliquer les désordres épileptiques. De toute évidence, les avantages que représente un cerveau excitable et aux interconnexions riches peuvent se révéler coûteux pour certains êtres humains. De nombreux chercheurs tentent actuellement d'en réduire le prix.

Résumé

1. Les cellules nerveuses sont spécialisées dans la réception, le traitement et la transmission des signaux.

2. Les signaux nerveux correspondent à des changements du potentiel de repos, faible différence de voltage enregistrée normalement entre l'intérieur et l'extérieur de la membrane de la cellule.

3. Un influx propagé (ou potentiel d'action) se déplace le long de l'axone sans diminuer d'amplitude; l'influx est régénéré dans les segments successifs de l'axone.

4. Les signaux postsynaptiques ne se propagent pas. Ils diminuent d'amplitude alors qu'ils se répandent le long des dendrites et du corps cellulaire. Les potentiels postsynaptiques excitateurs sont dépolarisants (ils réduisent le potentiel de repos). Les potentiels postsynaptiques inhibiteurs sont surpolarisants (ils accroissent le potentiel de repos).

5. Les corps cellulaires traitent l'information en intégrant (en additionnant algébriquement) les potentiels postsynaptiques engendrés sur leurs surfaces.

6. Un influx commence à se propager à partir du segment initial de l'axone quand les potentiels postsynaptiques excitateurs entrent en sommation pour atteindre un seuil critique.

7. On explique les potentiels d'un neurone par les différences de concentration et la facilité de mouvement de certains ions. Le potentiel de repos se développe parce que le neurone contient une concentration relativement élevée d'ions potassium, tandis que le fluide extracellulaire contient une concentration relativement élevée d'ions sodium. Quand la membrane est dépolarisée, les conduits sodiques s'ouvrent, les ions Na^+ se précipitent à l'intérieur du neurone et le potentiel de membrane subit une inversion. Les conduits sodiques sont inactivés en moins d'une milliseconde et le potentiel de repos est rétabli.

8. Pendant un potentiel d'action, le neurone ne peut être excité par un second stimulus : il est absolument réfractaire à l'action de tout nouveau stimulus.

9. Certaines synapses utilisent une transmission électrique plutôt que chimique (transmetteur chimique). À ces synapses électriques, la fente entre les cellules présynaptiques et postsynaptiques est très étroite.

10. L'activité électrique du cerveau peut être enregistrée à la surface externe du crâne : c'est l'électroencéphalogramme (EEG). L'activité électrique spontanée et les potentiels associés aux événements ont des liens avec les états cognitifs et émotifs et les traits de personnalité.

11. Les crises épileptiques sont en corrélation avec des ondes EEG d'amplitude anormale. La plupart des cas d'épilepsie se contrôlent à l'aide de médicaments. D'autres peuvent être maîtrisés au moyen d'une chirurgie du cerveau.

Lectures recommandées

Junge, D. (1981). *Nerve and Muscle Excitation*. (2e éd.). Sunderland, Mass : Sinauer Associates.

Kandel, E.R. et Schwartz, J.H. (éds). (1985). *Principles of Neural Science*. (2e éd.) New York : Elsevier / North-Holland.

Kuffler, S.W. et Nicholls, J.G. (1985). *From Neuron to Brain*. (2e éd.). Sunderland, Mass : Sinauer Associates.

Schwartzkroin, P.A. et Wheal, H.V. (éds). (1984). *Electrophysiology of Epilepsy*. New York : Academic Press.

Shepherd, G.M. (1988). *Neurobiology*. (2e éd.). New York : Oxford University Press.

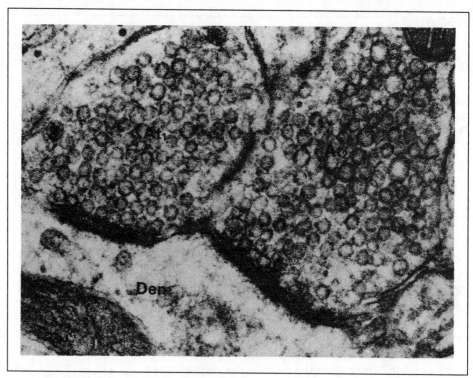

6 Chimie de la synapse et psycho-pharmacologie

ORIENTATION

Une bonne partie de la communication biologique de l'information est effectuée par l'intermédiaire de composés chimiques naturels. Par exemple, une substance traverse l'espace synaptique pour aller exciter le neurone de l'autre côté. Transposé à une autre échelle, ce processus est analogue à celui qu'utilise un chien lorsqu'il transmet un signal chimique informant d'autres chiens de sa présence. Dans ce chapitre, il sera question principalement de la transmission chimique, sujet déjà abordé au chapitre 5. Puisque c'est par leur action sur les événements synaptiques que plusieurs produits pharmacologiques modifient le comportement, nous traiterons également des drogues qui agissent sur les synapses. Une partie consacrée à la psychopharmacologie permettra de souligner l'action d'autres catégories de substances qui influencent le comportement, par exemple les poisons synaptiques, les stimulants, les psychodysleptiques et les hallucinogènes, les antidépresseurs, les anxiolytiques et les agents antipsychotiques. Enfin, il sera également question de l'abus des drogues et de la sujétion qui en résulte.

SIGNAUX CHIMIQUES

Étonnants aussi bien par leur variété que par leur omniprésence, les signaux chimiques jouent un rôle vital dans les règnes animal et végétal. Ils couvrent toute la gamme des molécules, petites et simples jusqu'aux plus complexes. Des signaux chimiques divers agissent sur presque toutes les structures et sur tous les processus des organismes vivants. Cette énorme variété entraîne un grand nombre de possibilités de classifications différentes des signaux chimiques. On peut, par exemple, les regrouper en fonction de leur structure chimique, de leur distribution dans l'organisme, des processus qu'ils contrôlent ou influencent, ou encore en fonction des substances qui agissent sur eux. L'encadré 6.1 présente une première vue d'ensemble de cette question, en classifiant les signaux chimiques selon la relation entre la cellule *émettrice* et la cellule *réceptrice* du signal. Cette classification correspond également assez bien aux distances franchies par les signaux qui véhiculent l'information, allant de très courtes distances à l'intérieur des cellules jusqu'à des distances assez considérables entre les organismes.

Nous pouvons distinguer six voies par lesquelles les différents signaux chimiques exercent leur activité.

1. LA VOIE INTRACELLULAIRE. La substance chimique, fabriquée par une cellule, exerce son influence à l'intérieur de la même cellule. L'AMP cyclique fabriqué par une cellule-cible sous l'effet d'une hormone en est un exemple : on l'a appelé « second messager ».

Signaux intracellulaires :

2. LA VOIE AUTOCRINE (du grec *krinein* : sécréter). La cellule sécrète une substance, la libère dans le milieu extracellulaire et cette substance vient activer des récepteurs qui lui sont sensibles, à l'intérieur du même type de cellule.

Fonction autocrine :

Stimule fn type de cell.

3. LA VOIE PARACRINE. Le signal chimique, sécrété par une cellule, se diffuse à travers les liquides extracellulaires et influence l'activité de cellules voisines. Plus ces cellules sont proches de la cellule sécrétrice, plus elles ressentent l'effet du signal chimique en question.

Fonction paracrine :

infl. activité de cell. voisine

4. LA VOIE TRANS-SYNAPTIQUE (parfois appelée voie NEUROCRINE). Le signal chimique libéré par l'extrémité d'un neurone traverse le mince espace qui le sépare d'un deuxième neurone et va changer l'état de polarisation, ou d'excitabilité, de ce deuxième neurone. Certaines de ces substances, nommées neuromédiateurs ou neurotransmetteurs, sont décrites au tableau 6.1.

Transmetteur synaptique :

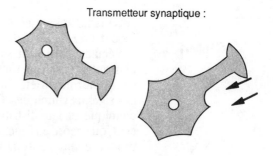

5. LA VOIE NEUROMODULATRICE. Voici une expression qui désigne quelque chose de très semblable à la catégorie précédente. En effet, certains neuromédiateurs agissent plutôt régionalement, affectant l'état de polarisation de plusieurs neurones à la fois, soit au niveau de leurs dentrites, soit au niveau de leur corps cellulaire, soit même au niveau de boutons présynaptiques. À titre d'exemples, la noradrénaline et la sérotonine agissent à titre de neuromodulateurs à différents endroits dans le cerveau.

Fonction neuromodulatrice :

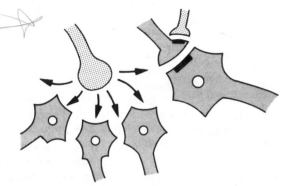

6. LA VOIE ENDOCRINE. Le signal chimique, libéré par une cellule (ou plus souvent par plusieurs cellules constituant une glande), est déversé par diffusion dans la circulation sanguine et atteint ainsi l'ensemble de l'organisme animal où il influence l'activité de tissus et d'organes-cibles.

Fonction endocrine :

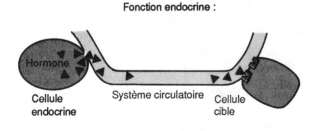

Hormone

Cellule endocrine   Système circulatoire   Cellule cible

DANS LA MÊME VEINE, NOUS POURRIONS PEUT-ÊTRE PARLER ICI DE SIGNAUX CHIMIQUES QUI AGISSENT, NON PAS CETTE FOIS À L'INTÉRIEUR D'UN MÊME ORGANISME, MAIS ENTRE ORGANISMES.

A. LES PHÉROMONES (du grec *pherein*, transporter). Des signaux chimiques, libérés dans l'environnement par des individus d'une espèce, peuvent guider d'autres individus de la même espèce, dans des comportements de travail, de coopération ou des comportements sexuels (par exemple chez les fourmis).

Phéromones :

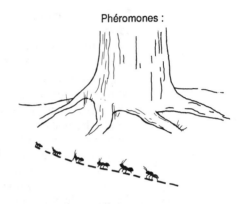

B. LES ALLOMONES (du grec *allos*, autre). Une substance, libérée par un individu d'une espèce, peut-elle influencer le comportement d'un individu d'une autre espèce ? Oui. Il n'y a qu'à voir les abeilles, les oiseaux et les humains, attirés par le parfum d'une fleur. Dans certains cas, ces substances peuvent influencer de façon déterminante le comportement de ces animaux.

Allomones :

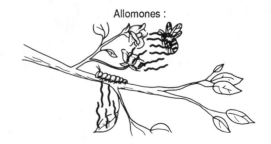

Dans le système nerveux, la forme principale de communication chimique se produit aux synapses. La suite des événements caractérisant une transmission chimique, au niveau d'une synapse, comprend les étapes suivantes :

1. Arrivée de l'influx nerveux dans les ramifications terminales de l'axone;

2. Intervention d'un ensemble de processus intermédiaires déclenchés par l'influx, processus qui alignent des vésicules sur la membrane présynaptique;

3. Libération par les vésicules de molécules transmettrices dans la fente synaptique;

4. Entrée de molécules transmettrices au niveau de sites récepteurs spécialisés de la membrane postsynaptique;

5. Finalement, ouverture de conduits ioniques dans la membrane postsynaptique et déplacement d'ions modifiant la polarisation du neurone postsynaptique.

La figure 6.1 montre les structures principales qui participent à la transmission synaptique : ce sont les vésicules synaptiques, la fente synaptique et la membrane postsynaptique où se trouvent les récepteurs. Nous soulignerons certaines des caractéristiques essentielles de ces structures avant d'aborder les mécanismes principaux de la transmission chimique.

Des **vésicules synaptiques** se trouvent à l'intérieur de la terminaison de l'axone du neurone présynaptique. Ces vésicules sont de petits globules qui, dans une synapse donnée, sont généralement de dimensions semblables et réagissent de la même manière aux colorants, mais dont les dimensions et l'apparence varient dans les différentes synapses. Ces dimensions vont de 40 à 200 nm. Depuis qu'elles ont été découvertes à la suite d'observations au microscope électronique, au cours des années 1950, les vésicules synaptiques ont été associées à la transmission chimique. Par la suite, il a été démontré qu'elles servaient à accumuler des quantités du transmetteur chimique utilisé au niveau d'une synapse donnée. Par exemple, la dimension et la forme des vésicules fournissent des indices sur l'identité des transmetteurs qu'elles contiennent. On a cru d'abord qu'un neurone donné n'utilisait qu'un seul transmetteur, mais il a été découvert par la suite que certains boutons terminaux contiennent deux sortes ou plus de vésicules et de transmetteurs.

Figure 6.1 Micrographie électronique de deux synapses dans le cortex cérébral d'un rat. Noter les épaississements post-synaptiques en saillie sur la membrane de la dendrite, DEN. Les terminaisons des axones At$_1$ et At$_2$ sont remplies de vésicules synaptiques (grossissement X 100 000). (De Peters, Palay et Webster, 1976.)

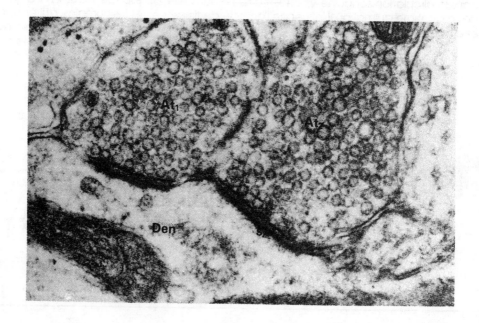

Substances libérées au niveau des terminaisons présynaptiques, les **transmetteurs chimiques** ou neurotransmetteurs, ou neuromédiateurs, entraînent des modifications des potentiels électriques de la membrane postsynaptique. Il existe plusieurs substances transmettrices différentes. Même si un neurone donné peut ne produire qu'une seule substance transmettrice à toutes ses terminaisons, il n'en reste pas moins que certaines terminaisons d'une même cellule peuvent avoir un effet d'excitation et d'autres un effet inhibiteur, selon les molécules réceptrices. Le transmetteur est produit au niveau de la terminaison et entreposé dans les vésicules pour être libéré dans la fente synaptique. Plusieurs substances, par exemple l'acétylcholine (ACh) et la noradrénaline (NA), ont été identifiées comme transmetteurs synaptiques et plusieurs autres sont présumées agir au même titre. Certaines de ces substances apparaissent dans la liste du tableau 6.1. Étant donné que les transmetteurs sont souvent décrits en référence à des familles chimiques de composés (par exemple, la noradrénaline, la dopamine et l'adrénaline, de la famille des catécholamines), ces classifications chimiques sont incluses dans le tableau 6.1.

La **fente synaptique** est un espace situé entre les neurones présynaptique et postsynaptique. Environ 20 à 30 nm seulement séparent les membranes opposées de deux neurones interconnectés. Cet espace n'est pas vide puisqu'il contient des molécules complexes disposées selon des arrangements distinctifs pouvant servir de guides aux transmetteurs vers leurs sites spécifiques.

Localisés du côté postsynaptique de la fente, les **sites récepteurs** sont des molécules spécialisées de la membrane qui reçoivent le transmetteur chimique et entrent en réaction avec celui-ci. Ces sites contiennent des **protéines réceptrices** qui montrent une affinité particulière pour certains transmetteurs. La réaction transmetteur-récepteur produit une modification du potentiel de la membrane dans le sens d'une dépolarisation (synapse excitatrice) ou d'une surpolarisation (synapse inhibitrice). La partie réceptrice possède des propriétés tinctoriales différentes du reste de la membrane.

Accumulation et libération de transmetteurs

Quand un influx nerveux parvient à une terminaison présynaptique, les vésicules qui sont en contact avec la membrane présynaptique déchargent leur contenu dans la fente synaptique, les molécules se propageant alors rapidement en direction du récepteur postsynaptique (figure 6.2). En fait, il existe un délai d'au moins 0,5 ms entre l'arrivée de l'influx à la terminaison présynaptique et le premier indice d'un changement de potentiel de la membrane postsynaptique, cela s'expliquant par le fait que des étapes chimiques sont

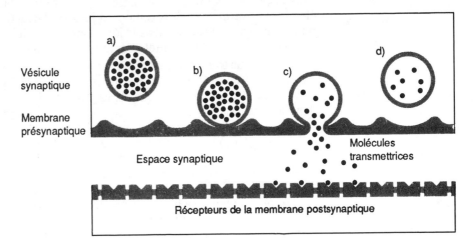

Figure 6.2 Décharge de molécules transmettrices, par des vésicules synaptiques, dans la fente synaptique. En b), une vésicule synaptique se fusionne avec un site de décharge dans la membrane synaptique et, en c), elle crève, libérant les molécules transmettrices dans la fente synaptique. Les molécules se répandent à travers la fente synaptique et sont fixées à des récepteurs spéciaux dans la membrane postsynaptique. Entretemps, la vésicule entre en recyclage (d) et se regarnit de neurotransmetteurs.

nécessaires à la libération du transmetteur synaptique. L'arrivée de l'influx nerveux à la terminaison présynaptique provoque une entrée des ions calcium (Ca^{2+}) dans la terminaison. Des travaux récents ont démontré que la pénétration du Ca^{2+} est contrôlée par une substance nommée *calmoduline* (Means et O'Malley, 1983). Le nombre de vésicules libérées par l'influx croît avec l'importance de la pénétration du Ca^{2+}. Lorsque la concentration en Ca^{2+} du liquide extracellulaire est réduite, moins de vésicules sont déchargées. (Le calcium est également important pour la libération des hormones par les glandes endocrines.) Les délais synaptiques sont en bonne partie attribuables aux processus associés à l'entrée des ions calcium (Ca^{2+}) dans la terminaison. Les délais courts sont causés par la diffusion du transmetteur à travers la fente et par la réaction de celui-ci avec le récepteur.

Dans une synapse donnée, les vésicules d'un transmetteur particulier semblent toutes contenir le même nombre de molécules de transmetteur chimique. La décharge de chaque vésicule entraîne le même changement de potentiel dans la membrane postsynaptique. Normalement un influx nerveux entraîne la libération simultanée du contenu de plusieurs centaines de vésicules. Toutefois, si la concentration de calcium est réduite, à une synapse, il n'y a éclatement que de quelques vésicules seulement et on peut alors enregistrer des dépolarisations unitaires. On ne connaît pas encore le nombre exact de molécules de transmetteur par vésicule, mais elles se comptent probablement par dizaines de milliers. Normalement, le bouton terminal produit et accumule assez de substance transmettrice pour être prêt à l'action. Une stimulation intense du neurone réduit le nombre de vésicules, mais après un certain temps, des vésicules additionnelles sont produites pour remplacer celles qui ont été déchargées. L'aptitude à s'accommoder à un taux rapide de signaux afférents varie d'un neurone à l'autre. La production cellulaire du transmetteur est régie par des enzymes qui sont manufacturées dans le corps cellulaire du neurone, près du noyau. Ces enzymes sont véhiculées activement le long des axones vers les terminaisons. Sans l'intervention de ces enzymes spécifiques, la fonction synaptique ne pourrait se poursuivre.

Nature et rôle des protéines réceptrices

Comment la liaison du transmetteur chimique à une protéine réceptrice de la membrane postsynaptique produit-elle des changements de la polarité de cette membrane ? Comment le même transmetteur chimique peut-il entraîner en même temps la dépolarisation de certaines synapses et la surpolarisation d'autres synapses ? L'**acétylcholine (ACh),** par exemple, est un transmetteur excitateur aux synapses entre nerfs moteurs et muscles squelettiques; toutefois, entre le nerf pneumogastrique et le muscle cardiaque, cette substance agit comme transmetteur inhibiteur. L'acétylcholine est une molécule électropositive mais sa dissociation en ions est beaucoup trop faible pour expliquer les potentiels synaptiques positifs aux jonctions excitatrices, et le transfert direct des charges ne pourrait pas produire l'effet négatif aux jonctions inhibitrices.

L'action d'un transmetteur sur la protéine réceptrice est analogue à celle d'une clef dans une serrure (figure 6.3). De même qu'une certaine clef peut ouvrir différentes portes, de même un transmetteur chimique est capable d'entraîner l'ouverture de différentes voies dans la membrane neuronale. Au niveau des synapses excitatrices, l'ACh agissant comme transmetteur ouvre des voies tant aux ions sodium qu'aux ions potassium, comme Jenkinson et Nicholls (1961) l'ont démontré en retraçant le mouvement des isotopes radioactifs des ions Na^+ et K^+. L'accroissement de la perméabilité de la membrane aux deux cations entraîne le voltage de la membrane vers zéro. Aux synapses inhibitrices, l'ACh ouvre une porte différente. Elle augmente la perméabilité de la membrane aux ions chlorure (Cl^-), ce qui accroît le potentiel à travers la membrane (la surpolarise). La protéine réceptrice elle-même doit donc être différente aux divers types de synapses. Non seulement faut-il que l'ACh entre en réaction avec les ions Cl^-, mais d'autres substances chimiques transmettrices

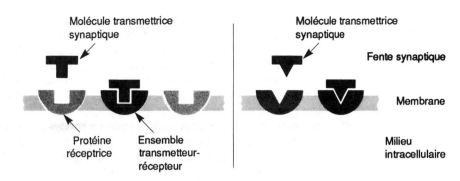

Figure 6.3 Modèle serrure-clef de la fonction transmetteur-récepteur. Chaque transmetteur synaptique possède une forme particulière qui ne convient qu'à une seule sorte de molécule réceptrice. Ce diagramme présente deux sortes de transmetteurs et leurs récepteurs correspondants.

Molécule transmettrice synaptique

Molécule transmettrice synaptique

Fente synaptique

Membrane

Milieu intracellulaire

Protéine réceptrice

Ensemble transmetteur-récepteur

(par exemple, la noradrénaline, l'acide gamma-aminobutyrique (GABA) et probablement une multitude d'autres) doivent s'ajuster comme des clefs dans leurs serrures spécifiques.

L'analogie clef-serrure va plus loin : en effet, diverses substances chimiques peuvent s'introduire dans les protéines réceptrices et bloquer l'entrée de la clef. Dans des recherches effectuées sur ce phénomène, certaines des préparations utilisées ressemblent aux ingrédients des bouillons de sorcières. On obtient de grandes quantités de récepteurs ACh à partir des organes électriques des anguilles et des raies. Deux substances bloquantes de l'ACh sont des poisons, soit le curare et la bungarotoxine. Le curare est bien connu comme le poison qu'utilisent les Indiens d'Amérique du Sud pour enduire la pointe de leurs flèches. Cet extrait de plante a largement contribué à accroître l'efficacité de ces chasseurs : en effet, dès que l'une de ces flèches parvient à atteindre une partie quelconque d'une proie visée, le poison paralyse aussitôt l'animal. La bungarotoxine est un poison létal produit par le serpent bungarus de Taiwan. Cette toxine s'est avérée très utile dans l'étude des récepteurs ACh car on peut la rendre radioactive sans en modifier l'action. L'utilisation de cette substance rendue radioactive permet d'étudier le nombre et la distribution des molécules réceptrices dans diverses sortes de synapses, de même que les détails de la liaison transmetteur-récepteur.

De même qu'il existe des clefs maîtresses convenant à plusieurs serrures différentes, des clefs *sous-maîtresses* qui servent pour un certain groupe de serrures et des clefs qui ne s'ajustent qu'à une seule serrure, de même il existe des transmetteurs chimiques qui conviennent à plusieurs molécules réceptrices différentes et d'autres qui ne s'adaptent qu'à une seule d'entre elles. L'acétylcholine agit sur au moins quatre sortes de récepteurs. Deux types principaux de récepteurs cholinergiques sont dits **nicotinique** et **muscarinique**, nommés d'après les composés nicotine et muscarine. La nicotine imite surtout l'action excitatrice de l'ACh, alors que la muscarine imite surtout ses effets inhibiteurs. Réagissant à l'ACh, les récepteurs cholinergiques des synapses neuromusculaires des muscles squelettiques et ceux des ganglions autonomes sont nicotiniques. Les récepteurs cholinergiques des organes innervés par la portion parasympathique du système nerveux autonome sont muscariniques; c'est le cas d'effecteurs comme le muscle cardiaque, la paroi de l'intestin et les glandes salivaires. La plupart des récepteurs ACh du cerveau sont muscariniques. D'abord considérés comme étant tous muscariniques, on a découvert que de petits nombres de récepteurs ACh du cerveau étaient nicotiniques et que, de plus, certaines cellules cérébrales peuvent bizarrement réagir aussi bien à la nicotine qu'à la muscarine. La plupart des sites nicotiniques sont excitateurs, mais on trouve également des synapses nicotiniques inhibitrices et il existe des synapses muscariniques excitatrices, de même qu'il existe des synapses muscariniques inhibitrices. En plus de l'acétylcholine, la noradrénaline et la dopamine produisent également des effets différents selon qu'elles agissent sur différentes molécules réceptrices. La multiplicité des types de récepteurs pour chaque agent transmetteur semble contribuer à la spécificité de l'action du système nerveux.

Récemment, les résultats de recherches dans ce domaine (Miller, 1984) ont permis de décrire de façon très détaillée la structure tridimensionnelle de la molécule réceptrice de l'acétylcholine nicotinique. Celle-ci ressemble à un haltère à sphères inégales, muni d'un tube qui descend le long de son axe. La poignée de l'haltère chevauche la membrane de la cellule (épaisseur de 7 nm environ); la plus grosse des sphères dépasse d'environ 5 nm la surface externe de la membrane et la plus petite, d'environ 2 nm à l'intérieur de la cellule. Les bords du conduit ionique (tube passant à travers la poignée) sont faits de cinq unités disposées comme les douves du corps d'un tonneau. Deux de ces unités sont semblables et les trois autres sont différentes l'une de l'autre. Les gènes de chacun de ces quatre types d'unités ont été récemment isolés (Mishina et coll., 1984) et les spécialistes des neurosciences ont été en mesure de reconstituer des récepteurs complets ou incomplets afin d'en vérifier le fonctionnement.

En général, les récepteurs des transmetteurs synaptiques sont situés dans la membrane postsynaptique, mais on a récemment trouvé des récepteurs de la sérotonine et de la dopamine situés du côté présynaptique (Usdin et Bunney, 1975). Ces présumés **autorécepteurs** pourraient constituer un mécanisme de rétroaction négative, si bien que la terminaison de l'axone peut être *informée* du fait que le transmetteur est fonctionnel et qu'il n'est plus nécessaire de décharger des vésicules.

Pour un transmetteur donné dans une région du cerveau, le nombre de récepteurs varie considérablement et ce, en fonction d'un certain nombre de facteurs; la quantification de ces variations a fourni des indices précieux dans plusieurs domaines des sciences neurologiques. Par exemple, cette méthode a révélé à quel moment les divers systèmes de transmetteurs sont activés, pendant la vie fœtale, et la façon dont le nombre de récepteurs change au cours de la vie. Le nombre de récepteurs reste variable chez un adulte : il n'y a pas que des variations saisonnières puisque plusieurs sortes de récepteurs, sur une base quotidienne, varient régulièrement en nombre de 50 % ou plus. Au chapitre 14, nous reviendrons sur cet aspect particulier lorsque nous traiterons des rythmes circadiens. On a trouvé également que la quantité de certains récepteurs varie avec l'usage d'antidépresseurs et d'autres drogues psychoactives (chapitre 15). Enfin, au chapitre 18, nous verrons que le nombre de certains récepteurs augmente avec l'apprentissage.

Second messager et augmentation de l'effet des transmetteurs

Dans le cas de plusieurs synapses, la transmission chimique comporte une étape additionnelle. L'action du transmetteur sur le récepteur modifie la concentration d'une autre substance de la cellule postsynaptique (figure 6.4). Le transmetteur constituant le premier signal ou messager synaptique, la substance à l'intérieur de la cellule postsynaptique est donc un **second messager**. Ce dernier amplifie l'effet du messager synaptique et peut

Figure 6.4 L'arrivée d'un transmetteur synaptique (ou d'une hormone) sur un récepteur de la membrane d'un neurone peut entraîner la formation d'un second messager au sein de la cellule. Le transmetteur active le récepteur et l'enzyme qui y est associée; l'enzyme convertit ensuite la partie du précurseur à l'intérieur de la cellule en second messager.

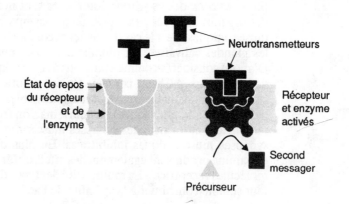

Neurotransmetteurs

État de repos du récepteur et de l'enzyme

Récepteur et enzyme activés

Second messager

Précurseur

déclencher des processus entraînant des changements du potentiel électrique de la membrane. Dans bien des cas, les seconds messagers sont responsables de modifications biochimiques au sein du neurone. Au chapitre 7, nous verrons que plusieurs hormones ont également pour effet d'entraîner la libération d'un second messager à l'intérieur de leurs cellules cibles. Débutées au cours des années 1950, les recherches sur les seconds messagers réalisées par Earl W. Sutherland ont valu à ce dernier l'attribution d'un prix Nobel en 1971. Il avait montré que, dans plusieurs cas, le second messager est la petite molécule nommée **adénosine monophosphate cyclique (AMP cyclique ou AMPc).**

Ce système de second messager fonctionne de façon relativement lente, si bien qu'il semble intervenir dans des actions de plus longue durée, par exemple les états motivationnels ou la formation de souvenirs à long terme, plutôt que dans la transmission d'informations sensorielles ou motrices. L'AMPc a été mise en cause dans les activités synaptiques des transmetteurs comme la dopamine, la noradrénaline et la sérotonine. Par ailleurs, l'ACh agit directement sur les synapses neuromusculaires, sans intervention d'un second messager. Par contre, dans le cerveau, plusieurs synapses cholinergiques semblent utiliser un autre second messager, la guanosine monophosphate cyclique (GMPc). Une fois son activité accomplie, le second messager est inactivé par une enzyme, la phosphodiestérase. Les drogues (caféine) qui inhibent cette enzyme permettent au second messager d'agir avec plus de force et pendant une période plus longue, amplifiant ainsi les effets du transmetteur.

Cessation de l'action des transmetteurs synaptiques

Quand un transmetteur synaptique est libéré, son action postsynaptique est non seulement prompte mais généralement très brève aussi. Cette brièveté d'action contribue à ce que, à plusieurs endroits dans le système nerveux, les signaux nerveux postsynaptiques ressemblent étroitement aux signaux présynaptiques dans leur chronométrage; le message se trouve donc fidèlement reproduit. Une telle exactitude dans le chronométrage est nécessaire pour assurer les changements rapides de contraction et de relâchement des muscles au cours d'un comportement coordonné. La prompte cessation des effets des transmetteurs s'obtient de l'une des deux façons suivantes. Dans certains cas, la synapse se trouve vite dégagée des effets du transmetteur car il est réabsorbé par la terminaison présynaptique elle-même. Non seulement cette **réabsorption** interrompt-elle rapidement l'activité synaptique, mais elle permet une économie de transmetteurs.

Le mécanisme de la réabsorption de l'ACh n'a pas encore été découvert. À l'instar d'autres transmetteurs, l'ACh est soumise à l'action d'une enzyme spécialisée qui agit avec une vitesse remarquable pour hydrolyser le transmetteur et ainsi le rendre inactif. Cette enzyme d'inactivation de l'ACh se nomme **acétylcholinestérase (AChE)**. L'ACh est alors hydrolysée en choline et en acide acétique, ces produits d'hydrolyse étant ensuite recyclés (en partie du moins) pour resynthétiser de l'ACh dans le bouton terminal. L'AChE se retrouve surtout aux synapses, mais il en existe également ailleurs dans le système nerveux. De cette manière, si une quantité même infime d'acétycholine s'échappe d'une synapse, au moment de la libération de ce transmetteur, il est improbable que l'ACh conserve ses propriétés fonctionnelles et parvienne à d'autres synapses où elle pourrait déclencher de faux messages.

Récapitulation des événements synaptiques

À l'aide de la figure 6.5, retraçons maintenant les étapes de la transmission des influx nerveux aux synapses chimiques. Les sources de variabilité de l'activité synaptique seront également soulignées puisque chaque étape est sujette à variations quant aux quantités de substance nécessaires et aux taux de réaction. Cette récapitulation servira de préliminaire à la partie suivante traitant de la vulnérabilité des événements synaptiques face aux agents chimiques et aux drogues susceptibles de faciliter ou d'entraver la transmission synaptique.

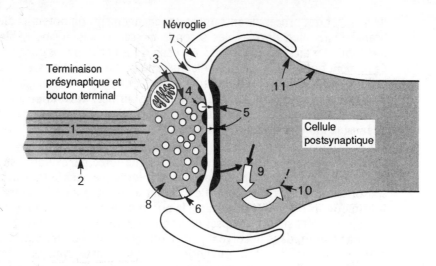

Figure 6.5 Résumé et étapes des événements relatifs à la transmission au niveau des synapses chimiques. 1. Transport par les axones d'enzymes et de précurseurs nécessaires à la synthèse des agents transmetteurs. 2. Propagation du potentiel d'action sur la membrane présynaptique. 3. Synthèse du transmetteur et entreposage de ce transmetteur dans les vésicules. 4. La dépolarisation de la terminaison présynaptique provoque une entrée de Ca^{2+} qui amène les vésicules à se fusionner avec les sites de décharge et à déverser le transmetteur dans l'espace synaptique. 5. Liaison du transmetteur avec les molécules réceptrices dans la membrane postsynaptique, créant le potentiel postsynaptique. 6. Liaison du transmetteur avec un autorécepteur dans la membrane du bouton synaptique. 7. L'enzyme présente dans l'espace extracellulaire et dans la névroglie hydrolyse les transmetteurs inutiles et les empêche de passer au-delà de l'espace synaptique. 8. La réabsorption des transmetteurs interrompt l'action synaptique et regarnit la réserve de transmetteurs en vue d'une transmission subséquente. 9. Un second messager est libéré dans le neurone postsynaptique grâce à certaines combinaisons transmetteur-récepteur. 10. Activation du second messager par une enzyme. 11. Des potentiels postsynaptiques se disséminent passivement sur les dendrites et le corps cellulaire en direction du cône d'implantation de l'axone.

Transmetteurs chimiques connus et probables

Le nombre réel de transmetteurs chimiques véritables n'est pas connu, mais celui des transmetteurs probables est passé de quelques-uns à plusieurs douzaines au cours de la dernière décennie, et la liste n'est certainement pas complète. Pour beaucoup de ces substances, les données permettant d'affirmer qu'elles agissent réellement comme transmetteurs chimiques et permettant de décrire leur rôle physiologique sont encore fort limitées. La liste des substances définitivement identifiées comme transmetteurs comprend l'acétylcholine (ACh), la noradrénaline (NA), la dopamine (DA), la sérotonine (5-HT), l'acide gamma-aminobutyrique (GABA) et l'acide glutamique (voir le tableau 6.1). On possède beaucoup d'indices certains de l'existence de plusieurs autres substances, mais la plupart des chercheurs exigent plus de preuves formelles avant de se dire convaincus. Même si l'on sait qu'une substance joue le rôle de transmetteur à un site donné, il peut s'avérer difficile de prouver qu'elle agit comme transmetteur à un autre endroit où on peut la trouver. Par exemple, l'acétylcholine a longtemps été reconnue comme l'agent transmetteur aux jonctions neuromusculaires des vertébrés, mais il fut plus difficile de démontrer qu'elle jouait également le rôle de transmetteur dans le système nerveux central. Actuellement, on étudie beaucoup le rôle de l'ACh dans la maladie d'Alzheimer (chapitre 4). Le nombre des transmetteurs peptidiques présumés s'accroît très rapidement. Environ trente petits peptides ont été trouvés dans des neurones sensoriels et autonomes et dans plusieurs circuits du système nerveux central. Considérant la vitesse avec laquelle ces substances sont découvertes et caractérisées, il ne serait pas étonnant d'apprendre que plusieurs centaines de peptides divers jouent un rôle dans le transport de l'information aux synapses, dans différents sous-ensembles de neurones.

Tableau 6.1 Transmetteurs synaptiques et substances qui pourraient agir à titre de transmetteurs : classification, localisation et fonctions.

Transmetteurs reconnus et possibles	Localisation dans le système nerveux (SNC = Système nerveux central)	Quelques fonctions ou rôle dans le comportement (E = excitation; I = inhibition)
Amines		
Amine quaternaire : Acétylcholine (ACh)	Les synapses neuromusculaires et les ganglions autonomes ont des récepteurs nicotiniques cholinergiques; largement répartis dans le SNC où la plupart des récepteurs cholinergiques sont muscariniques	E aux synapses neuromusculaires et à la plupart des synapses centrales; I au cœur et à quelques autres points de jonction du système autonome
Monoamines : Catécholamines : Noradrénaline (NA)	Dans le SNC (cf. figure 6.6), particulièrement dans les neurones du *locus cœruleus*; hormone de la médullo-surrénale également	E et I; participe à l'activation et à l'état d'éveil; contrôle l'alimentation; apprentissage et mémoire
Dopamine (DA)	SNC (cf. figure 6.7), particulièrement dans les neurones du *locus niger*	I; dans les circuits qui participent au contrôle du mouvement volontaire; activation émotionnelle; apprentissage et mémoire
Adrénaline	Semblable à la NA mais moins largement répartie dans le SNC	Semblable à la NA, mais étudiée moins à fond dans le SNC
Indolamines : Sérotonine (5-hydroxy-tryptamine, 5-HT)	SNC (cf. figure 6.8)	E et I; dans les circuits en cause dans les mécanismes du sommeil et de l'activation émotionnelle
Mélatonine	SNC, particulièrement dans la glande pinéale	I; influences sur l'état et les cycles de reproduction
Acides aminés		
Acide gamma-aminobutyrique (GABA)	Largement réparti dans le SNC	I; le transmetteur inhibiteur principal
Acide glutamique	Largement réparti dans le SNC	E; peut-être le transmetteur excitateur principal
Glycine	SNC, particulièrement la moelle épinière	I; la strychnine entraîne des convulsions par opposition à la glycine dans les récepteurs de la moelle
Histamine	Largement répartie dans le SNC, particulièrement dans l'hypothalamus	On continue la recherche sur ses fonctions nerveuses. Elle agit également sur un plan non nerveux, dans les réactions allergiques, et sur les sécrétions gastriques
Neuropeptides		
* Peptides opiacés Encéphalines (Met) encéphaline (Leu) encéphaline	Largement réparties dans le SNC, particulièrement dans le diencéphale et le tronc cérébral	I surtout dans les circuits de la douleur, par exemple. E dans l'hippocampe
Endorphines Bêta-endorphine	Lobe intermédiaire de l'hypophyse; hypothalamus	I surtout, mais E dans l'hippocampe
Dynorphines Dynorphine A	Hippocampe; moelle épinière	
** Hormones peptidiques : Vasopressine	Hypothalamus	I; peut exercer un effet de modulation sur la formation des souvenirs; peut entrer en interaction avec d'autres transmetteurs

*   La plupart des peptides opiacés sont des dérivés de trois molécules mères : la proencéphaline, la pro-opiomélanocortine et la prodynorphine.
** Parmi les autres hormones peptidiques, on trouve l'ocytocine, la cholécystokinine (CCK), la substance P, l'angiotensine II, la somatostatine, les facteurs de libération hypothalamiques et plusieurs autres. Pour plus de renseignements sur ces hormones consultez J.R. Cooper, F.E. Bloom et R. H. Roth, *The Biochemical Basis of Neuropharmacology*, 5e éd., New York : Oxford University Press, 1986.

Que faut-il pour qu'une substance soit incluse dans la liste des transmetteurs véritables ? Les critères font référence à leur localisation anatomique et à leurs caractéristiques fonctionnelles. Pour établir qu'une substance donnée est bien le transmetteur chimique actif à une synapse donnée, il faut donc démontrer les faits suivants :

1. Cette substance chimique est présente dans les terminaisons présynaptiques.

2. Les enzymes nécessaires à la synthèse du transmetteur se trouvent dans ces terminaisons présynaptiques.

3. Le transmetteur est libéré quand les influx nerveux atteignent les terminaisons.

4. Le transmetteur est déchargé en assez grandes quantités pour produire les changements habituels dans les potentiels postsynaptiques.

5. L'introduction expérimentale de quantités appropriées de cette substance chimique au niveau de la synapse provoque des changements des potentiels postsynaptiques.

6. Enfin, le blocage de la décharge d'une telle substance empêche les influx nerveux d'agir pour modifier l'activité de la cellule postsynaptique.

Les chercheurs ont été en mesure d'étudier l'acétylcholine et la noradrénaline plus à fond que les autres transmetteurs, car celles-ci se présentent isolément dans certains sites périphériques du système nerveux. L'ACh est le transmetteur présent dans les jonctions neuromusculaires squelettiques des vertébrés ainsi que dans les ganglions du système nerveux autonome. Par ailleurs, la NA agit comme transmetteur entre les neurones de la portion sympathique du système nerveux autonome et de la plupart des organes effecteurs viscéraux, comme le cœur et l'estomac. La libération de NA dans le myocarde provoque, par exemple, l'accélération des battements cardiaques. Jusqu'à tout récemment, il s'est avéré difficile de retracer les fibres noradrénergiques au sein même du système nerveux central, car elles sont entremêlées de façon complexe avec les fibres nerveuses provenant d'autres systèmes. Cependant, les techniques d'histofluorescence et d'immunohistochimie rendent maintenant possible la cartographie de la distribution des voies noradrénergiques dans le cerveau.

Distribution et localisation de certains transmetteurs

Certains transmetteurs synaptiques sont largement représentés dans le système nerveux des mammifères, d'autres ne le sont pas. Les deux principaux transmetteurs inhibiteurs, le GABA et la glycine, sont très utilisés dans les synapses de part et d'autre du cerveau. Quelques transmetteurs bien connus (acétylcholine, noradrénaline, sérotonine et dopamine) sont responsables de l'activation d'un petit nombre de synapses excitatrices du cerveau, les principaux transmetteurs excitateurs n'ayant pas encore été identifiés avec certitude. Les acides aminés, comme l'acide glutamique et l'acide aspartique, comptent parmi les plus probables (Feldman et Quenzer, 1984).

Il est souvent difficile de déterminer l'existence d'un système de transmetteurs donnés et son lieu d'utilisation dans le cerveau. Pour y parvenir, plusieurs méthodes ont été expérimentées. Par exemple, des colorants spécifiques peuvent permettre de visualiser un transmetteur dans des coupes histologiques, aidant ainsi à le localiser de façon plus précise. Certaines techniques de coloration rendent fluorescents à l'ultraviolet les neurones qui contiennent un transmetteur donné. Une méthode d'identification des molécules réceptrices spécifiques d'un transmetteur particulier consiste à fixer à celles-ci un traceur radioactif qui sera une forme soit du neurotransmetteur lui-même, soit de composés chimiquement compatibles ou incompatibles de ce transmetteur. Cette technique permet de voir où le transmetteur est utilisé, et de dénombrer les molécules réceptrices; elle a également révélé des faits nouveaux sur les mécanismes synaptiques.

Les figures 6.6, 6.7 et 6.8 font voir les sites cérébraux d'un petit nombre de systèmes de transmetteurs que nous étudierons plus tard en fonction du comportement. Pour éviter des périphrases comme les *synapses dont le transmetteur est l'acétylcholine*, les chercheurs ont inventé des étiquettes plus concises en ayant recours à la racine grecque *ergon* qui signifie travail; ainsi, les synapses fonctionnant avec de l'acétylcholine sont dites *synapses cholinergiques*. De même, les synapses utilisant les transmetteurs noradrénaline, dopamine ou GABA seront dites *noradrénergiques, dopaminergiques* et *GABAergiques*.

La **noradrénaline** (NA) est à la fois un transmetteur synaptique, un neuromodulateur et une hormone. La noradrénaline est également connue sous les noms de norépinéphrine et de lévartérénol. Le nom de noradrénaline lui vient du fait que cette hormone est sécrétée par les glandes surrénales, glandes endocrines situées juste au-dessus des reins. Les synapses soumises aux effets de la NA sont dites noradrénergiques. Le préfixe *nor* est une abréviation de *normal* car la NA est la substance dont dérive l'adrénaline.

Dans beaucoup de synapses où elle est présente, la NA agit de façon classique comme un neurotransmetteur pour stimuler le neurone postsynaptique, notamment dans les parties périphériques du système nerveux. Mais dans le cas de beaucoup de synapses des neurones cérébraux, la NA joue le rôle de **neuromodulateur**, ne stimulant pas elle-même les neurones mais modifiant plutôt la réaction de ces neurones vis-à-vis d'autres transmetteurs. On a montré, par exemple, que la NA prolonge la réaction de certains neurones au transmetteur synaptique glutamate; stimulée par ce transmetteur, la cellule déclenche une nuée d'influx, en présence de la NA, au lieu de n'émettre que quelques potentiels de pointe (Nicoll, 1982). De plus, alors qu'en tant que neurotransmetteur, l'action de la NA est brève (environ une milliseconde), son action de neuromodulateur persiste plus longtemps (quelques secondes). L'action neuromodulatrice de la NA a aussi tendance à être plus étendue et plus diffuse que son action transmettrice. Dans le cerveau, la NA est produite surtout dans un nombre relativement petit de neurones dont les corps cellulaires se trouvent dans les noyaux du mésencéphale et de la tige cérébrale, notamment dans le **locus cœruleus**. Bien que ces cellules soient relativement peu nombreuses, leurs axones se ramifient à profusion et envoient des projections à de vastes régions du cerveau (figure 6.6). Par conséquent, le système noradrénergique cérébral exerce une action fort divergente : un petit nombre de cellules viennent influencer de nombreuses cellules dans de vastes régions du cerveau. En tant que neuromodulateur, la NA peut agir pour amplifier, d'une certaine façon, une bonne partie de l'activité cérébrale. On a invoqué son influence sur le comportement d'éveil et d'activation (chapitre 14), sur l'autostimulation intracrânienne (chapitre 15) et sur l'apprentissage et la mémoire (chapitre 17). Pour une vue d'ensemble de l'anatomie et de la physiologie du système noradrénaline, on pourra consulter Feldman et Quenzer (1984).

La **dopamine** (DA) est produite surtout par des neurones dont les corps cellulaires sont situés à la base du cerveau antérieur (prosencéphale) et du tronc cérébral; leurs axones envoient des projections au noyau lenticulaire, au noyau caudé, à l'avant-mur et au noyau amygdalien, de même qu'au système olfactif et à une partie limitée du cortex cérébral (figure 6.7). Nous étudierons bientôt la transmission dopaminergique en rapport avec la schizophrénie, avec le comportement de caractère psychotique déclenché par le LSD, ainsi qu'avec les mécanismes de récompense et de sujétion aux drogues. Nous parlerons également des neurones producteurs de dopamine à propos des mouvements volontaires (chapitre 10) et de l'activation émotionnelle (chapitre 15). Dans Feldman et Quenzer (1984), on trouvera également un exposé de l'anatomie et de la physiologie du système dopamine.

Figure 6.6 Diagrammes montrant les voies noradrénergiques et les corps cellulaires dans le cerveau du rat. a) Vue dorsale du cerveau. En b), ces voies et ensembles de cellules sont projetés sur un plan sagittal du cerveau. Les ensembles de cellules sont désignés par les symboles A1, A2, et ainsi de suite. (FD = faisceau dorsal, FV = faisceau ventral de fibres noradrénergiques.) (Adapté d'après Ungerstedt, 1971.)

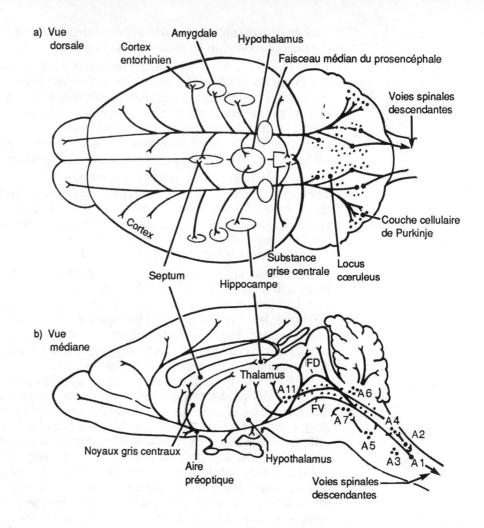

a) Vue dorsale

Amygdale
Cortex entorhinien
Hypothalamus
Faisceau médian du prosencéphale
Voies spinales descendantes
Cortex
Couche cellulaire de Purkinje
Septum
Substance grise centrale
Locus cœruleus
Hippocampe

b) Vue médiane

Thalamus
FD
A11
A6
FV
A7
A4
A2
A5
A3 A1
Noyaux gris centraux
Aire préoptique
Hypothalamus
Voies spinales descendantes

La **sérotonine** (5-HT) est produite dans le système nerveux central, surtout par les cellules de la ligne médiane du tronc cérébral (figure 6.8). À l'instar d'autres neurotransmetteurs, la sérotonine a été découverte d'abord à l'extérieur du système nerveux. Identifiée dans le sang au tout début, on constata qu'elle provoquait la constriction des vaisseaux sanguins (d'où son nom de facteur sérique qui agit sur le tonus musculaire des vaisseaux sanguins). Les neurones qui produisent la sérotonine forment les **noyaux du raphé** situés sur la ligne médiane, dans le tronc cérébral. (Le mot grec *raphe*, qui signifie couture ou suture, est utilisé en anatomie pour désigner un attachement, semblable à une couture, logé entre deux parties d'un organe.) Ces neurones projettent de longs axones vers des structures omniprésentes dans les hémisphères cérébraux. Au chapitre 14, nous parlerons de l'activité sérotoninergique dans le contexte de la recherche sur les mécanismes du sommeil. On estime que la sérotonine agit comme transmetteur pour moins de 0,1 % des synapses du cerveau, ce qui montre qu'un transmetteur peut remplir un rôle important et pourtant fort limité.

Les **opioïdes endogènes** forment une famille de transmetteurs peptidiques dont les premiers composés furent découverts en 1975. Ces substances sont dites endogènes parce qu'elles sont produites à l'intérieur du corps; par ailleurs, elles sont dites opioïdes parce que

Figure 6.7 Représentation des voies dopaminergiques et des corps cellulaires dans le cerveau du rat. Comme pour la figure 6.6, ces voies se situent de part et d'autre du plan sagittal, mais pour simplifier, on en a fait une projection sur le plan sagittal. (Adapté d'après Ungerstedt, 1971.)

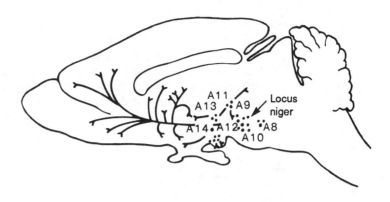

certains de leurs effets ressemblent à ceux d'opiacés comme la morphine. On a dit des opioïdes qu'ils étaient des narcotiques que le corps se donne à lui-même. Certains des opioïdes ont été nommés endorphines, contraction pour *morphine endogène*. La découverte de ces transmetteurs est survenue de façon très différente de celle des autres transmetteurs. En effet, dans le cas des transmetteurs précédemment décrits, la nature chimique du transmetteur était connue avant que ses récepteurs aient été identifiés; pour les endorphines, ce fut l'inverse.

Les chercheurs ont longtemps soupçonné que des narcotiques pouvaient agir sur des récepteurs postsynaptiques dans le cerveau. On constatait que certains narcotiques exerçaient leur effet à doses tellement faibles qu'il ne leur était pas possible d'agir chimiquement de façon diffuse; toutefois, ces narcotiques étaient capables d'influencer les messages neuronaux à des sites spécifiques. Des études sur les animaux ont démontré qu'une injection localisée de narcotiques dans certains sites produisait un soulagement de la douleur, alors que l'injection de ces mêmes narcotiques dans d'autres régions n'avait aucun effet. Une

Figure 6.8 Représentation schématique des principales caractéristiques organisationnelles des systèmes sérotoninergiques ascendants (5-HT) du cerveau d'un rat adulte. La cartographie a été faite au moyen d'une autoradiographie avec microscope photonique après administration intraventriculaire de 5-HT radioactivement marquée. (Adapté d'après Parent, Descarries et Baudet, 1981.)

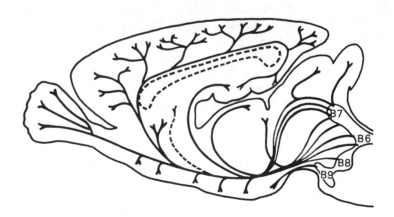

façon de savoir si un narcotique agit sur certains récepteurs est d'identifier ce narcotique, ou son antagoniste, au moyen d'un marqueur radioactif pour voir s'il se fixe sur des sites spécifiques du tissu nerveux. Cette vérification a d'abord été effectuée avec le **naloxone**, antagoniste puissant de plusieurs narcotiques qui est souvent administré à ceux qui ont absorbé des doses excessives de stupéfiants. Les résultats ont indiqué que le naloxone s'attache aux régions synaptiques de cellules prélevées dans des cerveaux de rats et que ces récepteurs de narcotiques se trouvent concentrés dans des régions spécifiques du cerveau qui participent au traitement de la perception de la douleur. Ce site récepteur semble être associé à la capacité que possèdent les narcotiques de soulager la douleur (chapitre 9).

Pourquoi le corps aurait-il formé des récepteurs capables de fixer des narcotiques exogènes s'il ne produit pas également quelque substance propre à lui qui peut agir sur ces récepteurs ? En 1975, des expérimentateurs commencèrent à rechercher la clef ou les clefs qui conviendraient à ces serrures réceptrices. Les pharmacologistes John Hughes et Hans Kosterlitz (1975) annoncèrent qu'ils avaient réussi à isoler, à partir du cerveau du porc, deux peptides très semblables qui entraient en fixation avec les récepteurs de narcotiques. Comme ces substances se retrouvaient dans le cerveau, on les nomma **enképhalines** ou **encéphalines** (du grec *enképhalos*, signifiant qui est dans la tête). Peu après, les mêmes encéphalines étaient trouvées dans les cerveaux d'autres mammifères. La recherche sur des sujets animaux a démontré que les encéphalines soulagent la douleur, et de plus engendrent un phénomène de sujétion. Au chapitre 9, nous parlerons de ces substances en relation avec la perception de la douleur.

Quelques chercheurs ont associé certains transmetteurs à des comportements particuliers, comme si un transmetteur donné n'agissait que dans l'un des circuits cérébraux. Par exemple, la substance P (transmetteur opérant dans la corne latérale de la moelle épinière) a été associée à la transmission des messages de la douleur, tant dans la moelle qu'au niveau central. Toutefois, les recherches ont révélé l'existence de la substance P dans beaucoup d'autres sites du cerveau, la plupart de ceux-ci ne semblant avoir aucun rapport avec la douleur. Un autre exemple est le cas des endorphines, substances d'abord considérées comme responsables de l'inhibition de la douleur (morphine). Mais, il faut bien reconnaître que les endorphines exercent également une influence sur une variété de processus physiologiques et comportementaux : régulation thermique, respiration, réactions cardio-vasculaires et même crises d'épilepsie. La morphine agit aussi sur plusieurs de ces processus; ainsi, l'insuffisance respiratoire est l'une des conséquences très graves d'une administration excessive de morphine. Les endorphines ont également été mises en cause dans le renforcement ou la récompense, la consolidation des souvenirs, l'attention et la performance sexuelle (copulation) du mâle.

La possibilité pour un transmetteur de jouer un rôle dans plusieurs circuits cérébraux différents signifie que l'augmentation ou la diminution de l'activité de ce transmetteur dans divers circuits neuronaux du cerveau entraîneront une variété d'effets différents. Toutefois, les divers circuits cérébraux agissent généralement de façon relativement indépendante et les transmetteurs ne jouent qu'un rôle local.

Familles de transmetteurs synaptiques

Certains transmetteurs synaptiques ont des structures chimiques étroitement apparentées, ce qui entraîne des conséquences pratiques, notamment en ce qui concerne le groupe des catécholamines (dopamine, noradrénaline et adrénaline). Un autre exemple est celui des deux encéphalines qui ne se distinguent que par un seul acide aminé. Nous allons d'abord examiner d'un peu plus près les similitudes structurales de certains transmetteurs; ensuite, nous préciserons certaines des conséquences qui en résultent.

Une part importante de la recherche contemporaine porte sur les transmetteurs de la famille des catécholamines. Ces transmetteurs (**dopamine, noradrénaline** et **adrénaline**) sont synthétisés à partir de la tyrosine, acide aminé abondant dans la nourriture et qui est également dérivé d'un autre acide aminé du régime alimentaire normal, la phénylalanine. De plus, les cellules des mammifères étant capables de faire la synthèse de la tyrosine, il ne s'agit donc pas d'un acide aminé e*ssentiel*. Les substances chimiques présentées au tableau 6.2 sont synthétisées par l'intermédiaire d'une série d'étapes dont chacune nécessite l'intervention d'une enzyme spécifique. (Cette question est un peu plus développée au tableau de référence 6.1, en page 217; on y trouve également représentés les modèles moléculaires des catécholamines et des acides aminés qui en sont les précurseurs.)

Lorsqu'une cellule n'utilise que la dopamine comme transmetteur, la série de transformations illustrée au tableau 6.2 ne se produit que jusqu'à la synthèse de la dopamine. Par contre, une cellule qui utilise la noradrénaline doit d'abord produire de la dopamine, si bien que tout traitement systémique qui influence la synthèse de la dopamine affecte également la production de la noradrénaline. Les catécholamines sont relativement abondantes dans le cerveau, remplissant la fonction de transmetteurs à environ 15 % des synapses du corps strié et 5 % de celles de l'hypothalamus.

On donne également aux transmetteurs de la famille des catécholamines le nom de **monoamines**, car elles ne contiennent qu'un seul groupe aminé NH_2. La sérotonine est également une monoamine, mais celle-ci contient un groupe indole plutôt qu'un groupe catéchol. La **sérotonine** (également nommée 5-hydroxytryptamine ou 5-HT) est synthétisée à partir de l'acide aminé essentiel tryptophane. Le tryptophane est l'un des acides aminés les moins abondants; ainsi, les régimes alimentaires pauvres en tryptophane sont responsables de faibles concentrations de sérotonine dans le système nerveux. La sérotonine peut être transformée en un autre transmetteur, la **mélatonine**.

Quelques autres familles de neurotransmetteurs sont brièvement présentées aux pages 216 et 217.

Le fait que plusieurs transmetteurs soient chimiquement apparentés soulève des problèmes, tant pour la recherche que pour les méthodes thérapeutiques qui influencent l'activité synaptique. Une des difficultés posées à la recherche vient de ce qu'il est souvent difficile de distinguer les transmetteurs qui se ressemblent, au moment de retracer des voies dans le SNC, ou de déterminer celui de deux transmetteurs apparentés qui est utilisé à un site donné. La mise au point de techniques de plus en plus précises parvient à éliminer progressivement ces difficultés. Un autre problème est soulevé lorsqu'il s'agit de tenter expérimentalement d'influencer un système de transmetteurs pouvant également agir sur d'autres synapses qui utilisent des transmetteurs apparentés. Cette interdépendance vient compliquer les efforts d'identification précise des processus et des circuits nerveux en cause. Par exemple, on avait découvert que les drogues inhibitrices de l'enzyme monoamine oxydase sont des antidépresseurs. Les tentatives pour intégrer cette information aux connaissances acquises sur les circuits dopaminergiques ont été compliquées par le fait que la monoamine oxydase agit sur toutes les catécholamines... ainsi que sur les indolamines comme la sérotonine. Un autre problème soulevé par l'élaboration de techniques thérapeutiques vient de ce que des interventions qui affectent un type de synapses peuvent également en affecter d'autres qui utilisent un transmetteur apparenté. On sait, par exemple, que les individus atteints de la maladie de Parkinson (dérèglement neurologique) souffrent d'une déficience en dopamine. L'administration du précurseur L-Dopa soulage les symptômes de cette maladie, en faisant augmenter la production de dopamine, mais elle provoque également une sécrétion accrue de noradrénaline et d'adrénaline, ce qui entraîne une hyperactivité du système nerveux sympathique.

Tableau 6.2 Synthèse des transmetteurs de la famille des catécholamines.

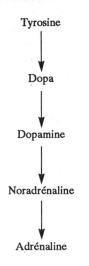

Tyrosine

↓

Dopa

↓

Dopamine

↓

Noradrénaline

↓

Adrénaline

PSYCHOPHARMACOLOGIE

Depuis des temps immémoriaux, les êtres humains ont absorbé toutes sortes de liquides et ont mâché ou avalé plantes et animaux variés. Ils ont également dû apprendre à éviter de consommer liquides, plantes et animaux toxiques. Les coutumes sociales et les codes diététiques ont évolué de façon à protéger les individus des dangers associés à de telles sources alimentaires dangereuses. Ce long passé de recherches, de tests et d'utilisations de diverses substances est né non seulement du besoin de se nourrir mais également de celui de soulager la douleur, de contrôler l'angoisse et d'assouvir le besoin de ressentir du plaisir. Dans plusieurs cas, ces divers comportements reposent sur l'activité du système nerveux, surtout de ses synapses, régions du système nerveux particulièrement sensibles aux drogues et aux poisons. La barrière hémato-encéphalique protège le système nerveux central contre certaines des drogues qui pénètrent dans le corps, mais beaucoup d'autres peuvent parvenir jusqu'au cerveau et la plupart de celles-ci sont capables d'affecter le comportement en modifiant les processus synaptiques.

La psychopharmacologie est un vaste domaine qui évolue rapidement : les chercheurs ne cessent de découvrir de nouvelles substances hétérogènes et la connaissance des mécanismes biologiques et physiologiques des drogues qui influencent le comportement progresse de jour en jour; les fabricants légaux et illégaux de drogues inondent continuellement le marché de nouvelles substances. Plusieurs de ces stupéfiants consommés engendrent des inconvénients plus graves que ceux d'abord soupçonnés. Par exemple, plusieurs drogues qui avaient d'abord été approuvées à des fins de traitement de l'anxiété ou de la dépression ont été depuis retirées du marché, limitées à une utilisation plus restreinte ou remplacées par des agents considérés comme plus efficaces ou moins dangereux. Certains narcotiques illégaux ont également été réévalués afin de prévoir la possibilité d'abus et les conséquences sociales de leur usage. C'est le cas de la cocaïne. Alors que, en 1973, un rapport de la *National Commission on Marihuana and Drug Abuse* (Commission nationale sur la marihuana et l'abus des narcotiques) affirmait que la consommation de cocaïne avait engendré peu de conséquences aux États-Unis, un autre document publié à la fin de l'année 1984 par le *National Institute on Drug Abuse* (Institut national sur l'abus des narcotiques) disait que la cocaïne entraînait *de graves conséquences défavorables* (Adams et Durrell, 1984, p. 9). Ce rapport de 1984 s'appuyait sur plusieurs indices pour démontrer l'existence d'une situation épidémique engendrée par la cocaïne, notamment une augmentation significative des admissions en urgence et des morts attribuables à la cocaïne; une augmentation des admissions dans les centres de traitement des toxicomanies, ces nouveaux cas présentant des problèmes d'intoxications multiples; une dépendance à la cocaïne; enfin, un plus grand nombre d'appels téléphoniques à des centres d'aide aux cocaïnomanes (parfois jusqu'à 1 000 appels par jour). Ainsi, en une décennie, une plus grande accessibilité à la cocaïne et une plus longue expérience de son usage exigeaient une réévaluation radicale et nécessitaient qu'on lance un cri d'alerte aux médias et à la population (figure 6.9).

Les aspects de la psychopharmacologie dont nous allons traiter seront forcément décrits trop brièvement et de manière incomplète; le lecteur qui le désire pourra approfondir cette question en consultant les références proposées à la fin de ce chapitre. Les progrès dans ce domaine sont tellement rapides qu'il est probable que l'exposé qui suit soit à revoir en profondeur, dans les années à venir; toutefois, de nombreuses données fondamentales sur les effets des drogues au niveau synaptique ne risquent pas d'être remises en question avant un certain temps. Dans cet exposé, nous préciserons également les liens à établir entre cette question et les thèmes abordés dans les autres chapitres.

La synapse est une région à ce point stratégique du fonctionnement nerveux qu'elle a été soumise, au cours de l'évolution, à l'influence de plusieurs substances végétales ou animales. De même, depuis que l'être humain a acquis la capacité de créer de nouveaux composés chimiques, les nouvelles substances qui agissent sur les synapses et produisent des effets négatifs ou positifs se sont multipliées. Plusieurs catégories de substances sont donc à considérer : poisons, stimulants, psychodysleptiques et hallucinogènes, anxiolytiques (drogues éliminant l'anxiété), antidépresseurs et antipsychotiques. La recherche dans ce domaine présente des aspects tant pratiques que théoriques et les deux se renforcent mutuellement; les efforts pour protéger et améliorer la santé ont accru nos connaissances sur l'influence des drogues sur les synapses et une meilleure connaissance de ces effets a permis de mettre au point de nouveaux modes d'intervention importants dans la sauvegarde et l'amélioration de la santé humaine.

L'histoire de l'humanité nous apprend que, très tôt, l'homme a observé et noté les effets de certaines substances sur les animaux : on dit que l'utilisation initiale de plusieurs de ces substances par l'homme a été justement inspirée par la constatation de leurs effets sur les autres animaux (R.K. Siegel, 1979). En Éthiopie, par exemple, la tradition veut que la consommation du café par l'homme ait commencé vers le IXe siècle lorsqu'un pâtre remarqua que ses chèvres se montraient exceptionnellement fringantes après avoir mangé les petits fruits rouges et brillants du caféier sauvage. Divers groupes d'Indiens du Mexique attribuent l'usage du tabac à l'observation d'insectes ou d'animaux qui consommaient cette plante. On rapporte que certains groupes avaient remarqué que plusieurs espèces d'insectes mangeaient les feuilles de tabac à une vitesse qui laissait soupçonner la présence de stimulants. La tradition des Indiens Huichol du Mexique est cependant plus empreinte de poésie. Leurs ancêtres auraient observé que certains oiseaux accordaient une préférence aux fleurs du tabac; selon eux, cette plante rendait les oiseaux capables de voler très haut avec beaucoup d'énergie et d'avoir des visions grandioses. Ces Indiens en conclurent alors que la consommation de tabac leur permettrait de communiquer avec les dieux et d'avoir des visions. Par ailleurs, on rapporte que l'usage des feuilles de coca par l'être humain aurait commencé lorsqu'un Péruvien nota que des animaux de bât, ne trouvant rien à se mettre sous la dent, se seraient révélés capables de continuer à travailler après avoir brouté des feuilles de coca. Les noms vulgaires attribués à certaines plantes reflètent les influences dommageables ou bénéfiques sur des espèces différentes : herbe aux ânes, herbe à chat, herbe aux poules, herbe à puce, etc.

Certains usages médicinaux de substances végétales ont également été attribués aux observations de certaines peuplades primitives sur les effets de ces substances sur les animaux. Ainsi, des tribus d'Asie tropicale auraient remarqué que les oiseaux tombaient après avoir volé dans et autour de certains arbres; ceci conduisit à la découverte de la *Rauwolfia serpentina* (réserpine) et de son utilisation en médecine populaire. La réserpine inhibe l'accumulation de transmetteurs de la famille des catécholamines dans les vésicules synaptiques. En Occident, au cours des années 1950, la réserpine a été utilisée à profusion dans le traitement de la manie et des états d'excitation résultant de la schizophrénie. Bien qu'elle ne soit plus employée à ces fins, la réserpine a joué un rôle important dans la formulation d'hypothèses sur les bases synaptiques de la dépression. Des remèdes populaires de ce genre font l'objet de recherches dans plusieurs parties du monde, dans le but de découvrir des traitements plus efficaces; ce mouvement a donné naissance à un champ d'étude nommé ethnopharmacologie.

Poisons
Plusieurs espèces de plantes et d'animaux se livrent à une guerre chimique, l'existence d'armes offensives et défensives remontant probablement très loin dans l'histoire de la vie. Des faits indiquent que dès le début de l'ère mésozoïque, il y a environ 225 millions d'années,

des plantes florifères produisaient deux sortes de substances chimiques défensives : l'une est le tanin, substance au goût amer qui inhibe la croissance des moisissures et champignons. Ce goût amer empêchait sans doute certains animaux de manger les plantes productrices de tanin. Toutefois, les plantes ont également évolué en produisant des substances chimiques défensives encore plus efficaces contre les prédateurs animaux : ce sont les composés alcaloïdes, parmi lesquels se trouvent plusieurs agents psychoactifs comme le curare, les alcaloïdes de l'opium (morphine et codéine) et l'acide lysergique (LSD). D'autres substances végétales psychoactives sont également apparues. Les animaux ont eux aussi acquis au cours de l'évolution des armes chimiques offensives et défensives.

Une certaine plante se protège contre les prédateurs en produisant des alcaloïdes neurotoxiques. Dans les plaines de l'ouest américain où elle croît, cette plante a été nommée *loco-weed*, ce qui veut dire *herbe qui rend fou*, car les moutons ou le bétail qui en mangent semblent devenir fous. Le curare est un autre alcaloïde végétal neurotoxique car il paralyse les animaux en bloquant les récepteurs d'acétylcholine. La pomme de terre ordinaire produit également des alcaloïdes qui inhibent l'enzyme acétylcholinestérase, enzyme responsable de l'hydrolyse de l'acétylcholine peu de temps après sa libération du neurone présynaptique. Une inhibition de cette enzyme entrave la fonction synaptique. Quand les pommes de terre sont malades, abîmées ou exposées à la lumière, la production de ces alcaloïdes s'accroît jusqu'à des concentrations qui peuvent être létales pour l'être humain (Ames, 1983). De tels alcaloïdes sont des facteurs déterminants dans la capacité des pommes de terre à résister aux insectes et aux maladies. En s'efforçant d'obtenir une résistance plus forte aux insectes, les agriculteurs ont augmenté les concentrations de ces alcaloïdes, si bien que l'une de ces variétés de pommes de terre a dû être retirée du marché à cause de sa toxicité.

Il se peut que la caféine qui est apparue au cours de l'évolution ait eu pour effet de protéger les plantes contre des insectes prédateurs (Nathanson, 1984). On a constaté, en effet, que la caféine provoque un manque de coordination chez les insectes et qu'elle entrave leur croissance et leur reproduction. L'action directe de la caféine consiste en une inhibition de certaines enzymes (les phosphodiestérases) qui métabolisent l'AMPc; ainsi, dans le neurone postsynaptique, la caféine prolonge l'action de l'AMPc qui devient alors responsable de l'action stimulante de la caféine. Le pouvoir insecticide de la caféine apparaît moins étonnant lorsqu'on considère que la nicotine est également un insecticide naturel. Il est intéressant de constater que les substances que les gens recherchent dans la culture du caféier et du plant de tabac sont le résultat d'une évolution qui a favorisé la protection de ces plantes contre les prédateurs.

Plusieurs animaux ont acquis au cours de l'évolution des substances qui servent à l'attaque ou à la défense, ces substances modifiant l'activité synaptique de leurs proies ou de leurs prédateurs. Au chapitre 5, nous avons parlé du TTX (tétrodotoxine produite par le poisson nommé tétrodon) et des venins de certains scorpions qui affectent les conduits ioniques du neurone. Le venin du serpent bungarus (bungarotoxine) est létal parce qu'il se fixe fermement au récepteur de l'acétylcholine (ACh) dans la membrane postsynaptique et ne permet pas à l'ACh d'agir, causant ainsi la paralysie. Le venin de l'araignée « veuve noire » attaque la synapse d'une autre façon : il stimule fortement les terminaisons de l'axone cholinergique, entraînant un taux de décharge d'ACh très élevé. Il en résulte une explosion d'activités non coordonnées, suivie d'un épuisement du transmetteur, si bien qu'aucun influx additionnel ne peut être transmis, ce qui entraîne une paralysie.

Les scientifiques ont isolé et produit plusieurs composés qui bloquent l'inactivation de l'ACh par l'acétylcholinestérase (AChE). L'un de ces composés est l'ésérine (ou physostigmine) qui a été utilisée en recherches et pour des fins médicales restreintes. Des indices récents permettraient de croire que cette drogue pourrait contribuer à aider certaines personnes souffrant de la maladie d'Alzheimer, en accroissant l'activité des quantités déficientes d'ACh du cerveau. Certaines peuplades d'Afrique occidentale ont utilisé cette substance pour des procès par mise à l'épreuve. On demandait à un individu, soupçonné d'avoir commis un délit, d'avaler des fèves contenant de l'ésérine. Une personne confiante les avale rapidement et la réaction dans l'estomac provoque le vomissement rapide de ces fèves. Mais l'individu anxieux et manquant de confiance en lui-même avale lentement les fèves, ce qui permet l'absorption de l'ésérine dans le sang et entraîne l'empoisonnement. Ainsi, selon le dosage et les circonstances, la même drogue est donc bénéfique ou dommageable.

Stimulants L'utilisation de plusieurs stimulants naturels ou artificiels est maintenant très répandue. La caféine, par exemple, se retrouve dans le thé comme dans le café et on l'ajoute à d'autres breuvages. Également présente dans le thé, la théophylline, composé apparenté à la caféine, inhibe aussi les prosphodiestérases qui mobilisent l'AMPc. La nicotine mime l'action d'une catégorie de récepteurs ACh et c'est pourquoi ces derniers sont appelés récepteurs nicotiniques. La plupart des récepteurs nicotiniques se trouvent dans les jonctions neuromusculaires et les ganglions du système nerveux autonome. En fumant ou en chiquant du tabac, la nicotine ainsi absorbée accélère le rythme cardiaque par stimulation directe des ganglions sympathiques ainsi que par stimulation indirecte des surrénales qui libèrent l'adrénaline. Parmi les autres effets de la nicotine, on observe la hausse de la pression artérielle, la sécrétion accrue de l'acide chlorhydrique (HCl) dans l'estomac et l'augmentation de l'activité motrice de l'intestin. En plus des effets consécutifs à la déposition de goudron dans les alvéoles pulmonaires, l'action de la nicotine sur le système nerveux est l'une des conséquences néfastes sur la santé de l'usage immodéré et prolongé des produits du tabac.

L'amphétamine est une molécule dont la structure ressemble à celle des transmetteurs de la famille des catécholamines (noradrénaline, adrénaline et dopamine) (voir le tableau de référence 6.1). L'amphétamine provoque la libération de ces transmetteurs à partir des terminaisons présynaptiques et contribue à renforcer leur activité de deux façons : a) elle bloque la réabsorption des cathécholamines et b) agit comme compétiteur de l'enzyme monoamine oxydase (MAO) qui inactive les catécholamines. Ces effets de l'amphétamine prolongent la présence des transmetteurs de la famille des catécholamines dans la fente synaptique, accroissant ainsi leur activité.

Parce qu'elle stimule et favorise l'action des transmetteurs de la famille des catécholamines, l'amphétamine produit une variété d'effets sur le comportement. Absorbée pendant de brèves périodes, l'amphétamine a été utilisée pour provoquer de l'euphorie et un accroissement de la vigilance, et pour chasser l'ennui. Un usage bref de cette substance peut aussi favoriser le maintien de l'effort sans épuisement rapide, en l'absence de repos ou de sommeil. Même si l'absorption d'amphétamine permet à un individu d'accomplir plus de travail et de se sentir plus en confiance, la majorité des études révèlent que cette drogue n'améliore pas la qualité du travail; elle semble accroître la motivation et non l'habilité cognitive. Des effets secondaires, attribuables à l'action de l'amphétamine au niveau des synapses du système nerveux autonome, sont également à signaler; ces symptômes se traduisent par une hausse de la pression artérielle, des tremblements, des étourdissements, de la transpiration, une accélération du taux respiratoire et des nausées.

L'individu soumis à un usage prolongé d'amphétamine donne des signes de *tolérance,* ce qui signifie qu'il doit accroître la quantité de drogue absorbée pour maintenir les effets recherchés. Une consommation continue à doses plus fortes engendre souvent de la somnolence, une perte de poids inquiétante et une détérioration générale de son état mental et physique. Un usage prolongé de l'amphétamine peut faire apparaître des symptômes virtuellement identiques à ceux de la schizophrénie paranoïde : un comportement compulsif et agité et une méfiance irrationnelle. Ainsi, il est arrivé que des médecins, non informés du fait que certains de leurs patients consommaient de l'amphétamine sur une base régulière, aient posé un diagnostic de schizophrénie. L'étude de ce syndrome est à l'origine d'hypothèses sur la schizophrénie et sur la mise au point de certaines thérapies visant à corriger un tel désordre (voir également le chapitre 15). Nous traiterons bientôt du problème de la sujétion à l'amphétamine et à d'autres drogues.

Psychodysleptiques ou hallucinogènes

Certains usagers de l'amphétamine connaissent des épisodes d'hallucinations, mais d'autres agents comme le **LSD (le diéthylamide de l'acide lysergique)**, la mescaline et la psilocybine, sont encore plus susceptibles de modifier la perception sensorielle et de donner lieu à des expériences bizarres. Ces substances ont été nommées drogues **hallucinogènes**, bien que les effets qu'elles produisent diffèrent des hallucinations dont les sujets psychotiques sont l'objet. Habituellement, les vraies hallucinations sont auditives et menaçantes ; les personnes qui vivent ces expériences hallucinatoires ont tendance à croire que les voix qu'elles entendent sont réelles. Par contre, on rapporte que les effets produits par le LSD et les substances analogues sont surtout visuels et intéressants, quoiqu'ils puissent devenir effrayants. Les usagers voient souvent des images fantastiques aux couleurs vives. Ces individus sont conscients du fait qu'ils sont sujets à des perceptions étranges. Ces drogues sont souvent désignées comme étant des agents **psychodysleptiques**.

Ces substances varient considérablement sur le plan chimique. On a constaté que presque tous ces agents exercent une influence sur l'un ou l'autre des systèmes de transmission synaptique des amines. Par exemple, la mescaline affecte le système de la noradrénaline ; le LSD et la psilocybine agissent sur les synapses sérotoninergiques ; la muscarine (un stupéfiant), l'un des nombreux agents psychoactifs que contiennent certains champignons, exerce son action sur les synapses cholinergiques.

La synthèse du LSD a été effectuée en 1938 par Albert Hofmann, un pharmacologue suisse qui était à la recherche de nouveaux agents thérapeutiques. Les tests effectués sur les animaux n'ont pas semblé produire d'effet et le composé fut par conséquent mis de côté. Puis un jour, en 1943, le docteur Hofmann se sentit plongé dans un état étrange de type onirique qui se rapprochait de l'ivresse. Quand il fermait les yeux, des images fantastiques de couleurs vives et d'une plasticité extraordinaire semblaient se ruer vers lui. Cet état dura deux heures. Soupçonnant avec raison qu'il avait accidentellement absorbé une petite quantité de LSD, Hofmann commença à étudier cette substance. Le LSD se révéla alors d'une puissance étonnante : une fraction de milligramme suffisait pour susciter des effets psychodysleptiques. Au cours des années 1950, plusieurs chercheurs s'intéressèrent au LSD, espérant surtout trouver là un modèle utile de l'état psychotique qui apporterait des indices sur les processus biochimiques en cause dans les maladies mentales. La structure chimique du LSD ressemble à celle de la sérotonine et on découvrit rapidement que le LSD agissait sur les synapses sérotoninergiques. Toutefois, le mécanisme par lequel le LSD exerce son action psychodysleptique demeure un mystère.

Une étude expérimentale récente du mécanisme d'action du LSD comportait un enregistrement de l'activité électrique de neurones isolés d'un noyau du tronc cérébral (le noyau du raphé) chez des chats libres de se déplacer à volonté pendant que leur comportement était enregistré sur bande vidéoscopique (Trulson et Jacobs, 1979). Il est impossible de préciser si les chats sont capables de perceptions anormales, mais on observe que sous l'influence du LSD, ils manifestent des comportements caractéristiques et bizarres : petits mouvements rapides des membres, hochements de la tête, fixation du regard avec examen apparent d'objets invisibles à l'expérimentateur (figure 6.9). On constata que le LSD

Figure 6.9 Sous l'influence du LSD, les chats ont des comportements anormaux. Ils font des petits mouvements rapides avec leurs membres et semblent explorer des objets que l'expérimentateur est incapable d'apercevoir. L'enregistrement de l'activité électrique de neurones isolés dans le noyau du raphé du tronc cérébral démontre que, chez ces animaux, le LSD inhibe ces cellules. (Dessins faits à partir d'images vidéo, avec la permission de Barry L. Jacobs.)

inhibait la décharge d'influx de certaines cellules du noyau du raphé et que les changements dans le comportement augmentaient proportionnellement à la diminution de la décharge nerveuse. Mais, le comportement observé n'était pas totalement associé au taux de décharge d'influx de ces cellules. D'abord, bien que les changements nerveux aient cessé de se produire en moins de six heures, les modifications du comportement ont persisté beaucoup plus longtemps. De plus, les cellules du raphé réagissaient normalement à l'administration de doses subséquentes de LSD, alors que les effets d'ordre comportemental se traduisaient par de la tolérance. Ces divergences indiquent peut-être que même si l'influence du LSD sur les cellules sérotoninergiques du raphé déclenche un comportement bizarre, d'autres cellules dans ces circuits pourraient être responsables de certaines des autres caractéristiques. Les recherches en vue de retracer les circuits sur lesquels s'appuient ces comportements se poursuivent. Plusieurs usagers du LSD ont rapporté avoir été l'objet de *flashbacks* (retours en arrière), c'est-à-dire d'expériences semblables à celles qu'on connaîtrait après absorption d'une dose de LSD, même s'il n'y a pas eu d'absorption de cette substance. Ces épisodes portent à croire qu'un usage même peu prolongé du LSD, peut entraîner certains changements nerveux qui auraient un caractère de relative permanence.

La **phencyclidine** est un agent anesthésique particulier qui engendre chez un usager un sentiment de dissociation de sa propre personne et de son environnement; on rapporte également certains effets spécifiques comme de l'agitation, de l'excitation, de l'hostilité et des hallucinations. Sous l'étiquette populaire PCP, la phencyclidine est souvent vendue illégalement comme, d'ailleurs, les autres narcotiques psychodysleptiques. Parmi les réactions toxiques connues, on note les symptômes dits des *quatre C* (combativité, catatonie, convulsions, confusion). En effet, à doses faibles, la PCP provoque la combativité et la catatonie; certains usagers deviennent agressifs et violents. Des doses excessives entraînent des convulsions ou un coma qui peut durer plusieurs jours, de même qu'une confusion pouvant persister pendant des semaines. Les usagers finissent parfois par entrer dans un état psychotique qui ressemble à la schizophrénie. Plusieurs autorités municipales rapportent que la phencyclidine est le stupéfiant le plus souvent en cause dans les cas d'abus de drogues observés en salle d'urgence et lors des admissions aux services psychiatriques des établissements hospitaliers (Julien, 1981). La phencyclidine exerce des effets sur plusieurs transmetteurs synaptiques, mais ces effets ne semblent pas être spécifiques de l'un ou l'autre des transmetteurs, ce qui constitue une énigme pour les chercheurs.

Anxiolytiques   Aux États-Unis, on estime que l'anxiété grave afflige 8 % de la population adulte. Ici le terme anxiété ne réfère pas à de vagues sentiments de malaise ou aux légères appréhensions, mais uniquement à des états graves qui empêchent les gens de s'adonner à leurs activités quotidiennes normales. Ces états cliniques d'anxiété incluent les phobies, par exemple celles à cause desquelles certains individus sont incapables de voyager en avion ou même de quitter leur domicile sans s'exposer à de véritables accès de panique. Freud considérait que le traitement de l'anxiété était la tâche la plus difficile des cliniciens.

Plusieurs substances ont été utilisées pour combattre l'anxiété. Ces substances sont dites **anxiolytiques** (on ajoute au préfixe du mot anxiété le suffixe lytique, du grec *lusis* qui signifie dissoudre). Depuis longtemps et dans plusieurs sociétés, l'alcool est utilisé pour ses propriétés anxiolytiques. Il procure effectivement à certains individus une réduction de leur anxiété, mais il entraîne également plusieurs effets nocifs. Les opiacés et les barbituriques ont également été utilisés pour procurer un soulagement de l'anxiété mais, plutôt que d'être de véritables anxiolytiques, ils semblent avoir des propriétés sédatives, ou même, à doses plus élevées, celles de stupéfiants. Au début des années 60, on a découvert une nouvelle famille d'anxiolytiques assez efficaces, les **benzodiazépines**. Ces substances comprennent

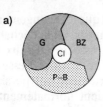

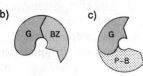

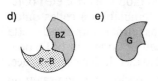

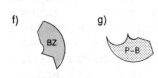

Figure 6.10 Représentation schématique du complexe récepteur-ionophore GABA et des éléments qui le composent. La partie portant l'étiquette G indique le récepteur GABA, BZ indique le récepteur benzodiazépine, P-B indique le récepteur picrotoxine-barbiturique et Cl la voie des ions Cl⁻. Chaque composant de ce complexe à trois récepteurs a), peut exister séparément e), f) et g) ou en combinaison de deux b), c) et d). (Adapté d'après Olsen, 1982.)

quelques-uns des médicaments les plus fréquemment prescrits, particulièrement le diazépam, mieux connu sous le nom de Valium. Les benzodiazépines montrent une grande affinité à se fixer à des récepteurs qui, semble-t-il, se retrouvent exclusivement à l'intérieur du système nerveux central. Ceux-ci sont associés à un sous-groupe de récepteurs du transmetteur inhibiteur qu'est le GABA et semblent contribuer à accroître leur activité, donnant lieu à de plus importants potentiels inhibiteurs postsynaptiques que ne le ferait le GABA à lui seul. Dans les faits, il semble exister plusieurs complexes de récepteurs différents, notamment des récepteurs GABA, les uns facilitant et les autres inhibant l'effet du GABA, ce qui probablement contribue à la spécificité de l'action (figure 6.10).

Pourquoi le cerveau serait-il pourvu de récepteurs pour le Valium ? Comme dans le cas des narcotiques du type opium, les spécialistes des sciences neurologiques ne croient évidemment pas que de tels récepteurs aient pu apparaître au cours de l'évolution, en prévision de l'utilisation de cette drogue. Ces spécialistes ont donc recherché une substance naturelle, dans le système nerveux, qui entrerait en fixation avec le présumé récepteur benzodiazépine. Toutefois, cette recherche a exigé beaucoup plus de temps que celle des encéphalines et endorphines. Une communication récente (Ferraro et coll., 1984; Marx, 1985) porte à croire que cette substance serait un nouveau peptide qui aurait pour effet de créer de l'anxiété, contrecarrant les effets inhibiteurs du GABA. En effet, dans certaines circonstances, la réaction d'anxiété peut être fort appropriée pour un individu se trouvant dans une situation particulière. Le thème de l'anxiété et des agents anxiolytiques sera étudié plus à fond au chapitre 15.

Agents antischizophréniques (antipsychotiques)

Même si les psychoses ne se limitent pas à la schizophrénie, puisqu'elles comprennent aussi les perturbations affectives majeures (dépression et épisodes maniaques), les agents utilisés pour atténuer la schizophrénie ou pour en empêcher la récurrence sont dits antipsychotiques. Ces médicaments sont également connus sous le nom de neuroleptiques.

Au chapitre 1, nous avons indiqué que l'introduction de la chlorpromazine en psychiatrie, au cours des années 1950, avait déclenché une révolution dans le traitement de la schizophrénie. Les chercheurs se sont mis aussitôt à la recherche de drogues encore plus efficaces et ils se sont également efforcés de déterminer par quels mécanismes la chlorpromazine et les autres agents antischizophréniques produisaient leurs effets. On découvrit que ces substances bloquent la transmission synaptique dans les neurones dopaminergiques; de plus, presque toutes les drogues qui bloquent la transmission dopaminergique ont des effets thérapeutiques sur la schizophrénie. On émit donc l'hypothèse que l'apparition de la schizophrénie serait associée à un accroissement de l'activité de la dopamine. Des recherches subséquentes ont permis de proposer une hypothèse plus précise, soit celle que parmi plusieurs catégories de récepteurs DA, une seule intervienne dans la schizophrénie et sa guérison. Les efforts des chercheurs se concentrent maintenant sur l'étude de ces récepteurs DA spécifiques et de leurs rôles fonctionnels. Au chapitre 15, nous reviendrons sur l'hypothèse de la relation associant la dopamine et la schizophrénie.

Antidépresseurs

Étant donné que les victimes de la dépression se comptent par millions (voir le tableau 1.2), plusieurs substances ont été testées dans le but de vérifier leur action antidépressive; on a également procédé à la synthèse de beaucoup de nouveaux médicaments destinés au traitement de la dépression. Les inhibiteurs monoamine oxydases (MAO) et les antidépresseurs tricycliques représentent deux importantes catégories d'agents antidépresseurs. De nouveaux antidépresseurs viennent continuellement s'ajouter à la liste.

Les **inhibiteurs MAO** avaient été utilisés pour d'autres fins thérapeutiques et c'est par hasard qu'on les identifia comme antidépresseurs. Ces médicaments ont été synthétisés au cours des années 1950, étant destinés au traitement de la tuberculose. Ces médicaments sont toxiques pour le bacille de Koch (bacille de la tuberculose), mais le mécanisme de cette toxicité n'est pas très bien connu. On a vite constaté que l'iproniazide, inhibiteur MAO, provoquait un effet euphorique chez les sujets tuberculeux. Au début, on ne pouvait pas déterminer clairement si le médicament les rendait heureux parce qu'il atténuait les symptômes de la tuberculose ou parce qu'il exerçait une influence euphorisante spécifique. Des tests cliniques auprès de sujets déprimés ont révélé que l'iproniazide était bénéfique à plusieurs d'entre eux : la recherche sur les animaux a démontré que cette substance inhibe la MAO et prolonge donc l'action des transmetteurs de la famille des catécholamines. Bien qu'ils connussent pendant un certain temps un usage répandu comme antidépresseurs, les inhibiteurs MAO présentaient certains inconvénients : ils engendraient des effets secondaires ennuyeux pour certaines personnes et réduisaient la capacité de métaboliser plusieurs autres drogues et certains aliments. Pour ces raisons, certains des inhibiteurs MAO ont été retirés du marché, mais d'autres font encore l'objet d'ordonnances médicales.

Les **antidépresseurs tricycliques** constituent une autre classe de médicaments utilisés contre la dépression. La structure chimique de ces composés est semblable à celle de la chlorpromazine et à celle d'agents antipsychotiques qui lui sont apparentés. Cette ressemblance explique le fait que l'imipramine, drogue tricyclique, a été soumise à des tests pour vérifier son action antipsychotique. D'aucune aide aux personnes schizophrènes, l'imipramine n'en semblait pas moins améliorer l'humeur de certains déprimés; des tests additionnels auprès d'autres personnes souffrant de dépression sont venus confirmer l'action antidépressive de l'imipramine. Le mécanisme de l'effet antidépresseur des tricycliques fait encore l'objet de débats. À l'origine, on attribuait son action thérapeutique au fait que ces substances inhibent la réabsorption des catécholamines dans les terminaisons présynaptiques. Mais, alors que cette inhibition survient après une seule administration, le soulagement de la dépression n'apparaît qu'à la suite de deux à trois semaines d'administration quotidienne. Certains faits indiquent que l'administration continue entraîne une réduction du nombre de récepteurs de la famille des catécholamines, dans les membranes postsynaptiques, de même qu'une concentration de transmetteurs moins élevée. Par conséquent, malgré l'usage répandu des antidépresseurs tricycliques, on ne sait pas encore si la dépression résulte d'une trop forte ou d'une trop faible activation des synapses catécholaminergiques. De plus, il est probable qu'un seul sous-groupe de ces synapses intervienne dans la dépression. À mesure que nos connaissances des mécanismes nerveux de la dépression s'accroîtront, les chercheurs éprouveront sans aucun doute moins de difficulté dans leur recherche de traitements plus spécifiques et plus fiables de la dépression.

Le lithium et le contrôle de la manie

Le lithium est l'agent pharmacologique le plus efficace dans le traitement et la prévention des épisodes maniaques. Bien qu'il n'ait aucun effet sur l'humeur des gens normaux, le lithium allège les épisodes maniaques et aide à prévenir la récurrence de la manie et de la dépression. Le lithium a été mis à l'épreuve sur des sujets psychiatriques après qu'un scientifique eut observé que cette substance exerçait un effet d'apaisement sur le comportement des cobayes; les résultats obtenus auprès de personnes maniaques s'avérèrent spectaculaires. Pouvant passer d'une idée à une autre et parler sans arrêt, souvent de façon grandiloquente, ces malades ont un comportement qui peut représenter un danger pour eux-mêmes et pour les autres. On observa donc que le lithium ramenait rapidement la plupart de ces personnes à un comportement normal. Pourquoi ? C'est encore un mystère. Chimiquement, le lithium est une substance beaucoup plus simple que celles que nous avons déjà considérées : c'est un des corps simples du tableau périodique des éléments chimiques, mais on ne connaît pas encore la raison de son efficacité thérapeutique. Intervenant dans les processus neuronaux de plusieurs façons, le lithium est à l'origine de bon nombre d'hypothèses qui ont toutes tenté d'expliquer son mode d'action (Feldman et Quenzer, 1984). Malgré son intervention efficace contre la manie chez plusieurs sujets, son effet thérapeutique n'est pas universel. Le mode d'action du lithium fait donc toujours l'objet d'une recherche intense et on espère qu'une meilleure compréhension de ses propriétés permettra d'accroître l'efficacité du traitement de la manie.

Des substances chimiques agissent à chacune des étapes de la transmission synaptique

Presque toutes les réactions comportementales que nous venons de considérer résultent de l'action de substances chimiques agissant à divers moments de la transmission synaptique. À la figure 6.5, nous avons retracé dix étapes dans la transmission de l'information entre deux neurones liés par une synapse chimique. Le tableau 6.3 illustre comment certaines substances chimiques affectent ces dix étapes. Seules les synapses qui utilisent l'acétylcholine ou l'un des transmetteurs de la famille des catécholamines sont considérées. Les activités spécifiques des synapses de la famille des catécholamines sont en gras dans le tableau. Les chiffres identifiant les événements énumérés dans la liste de ce tableau correspondent, un à un, à ceux de la figure 6.5.

Certains de ces agents et leurs effets méritent quelques précisions additionnelles. Quand la transmission dans l'axone est inhibée par des substances comme la colchicine, les enzymes produites à l'intérieur du corps cellulaire ne sont alors pas remplacées dans les terminaisons présynaptiques. Et puisque les enzymes sont nécessaires à la production des transmetteurs chimiques, la colchicine empêche le renouvellement de ce transmetteur, au fur et à mesure de son utilisation. Par conséquent, la transmission synaptique ne se fait pas. Par ailleurs, la réserpine, un agent tranquillisant, n'empêche pas la synthèse des transmetteurs mais inhibe l'accumulation de ces transmetteurs de la famille des catécholamines (dopamine, adrénaline et noradrénaline) dans les vésicules.

Même s'il y a accumulation suffisante de transmetteurs dans les vésicules d'une terminaison, divers agents ou diverses conditions de l'équilibre synaptique peuvent empêcher la libération de ce transmetteur, au moment où un influx parvient à la terminaison axonale. Une telle situation s'observe lorsque la concentration de calcium dans le liquide extracellulaire est faible puisque c'est en provoquant un afflux de Ca^{2+}, qui guide les vésicules vers les sites de décharge, que l'influx nerveux entraîne la libération du transmetteur. Des toxines spécifiques peuvent également entraver la libération de types particuliers de transmetteurs (voir le tableau 6.3). Ainsi, la toxine botulinique, produite par des microorganismes qui se reproduisent dans les aliments inadéquatement conservés, provoque chaque année l'empoisonnement de beaucoup d'individus, parce que cette toxine bloque la libération de l'acétylcholine (ACh), rendant également impossible la transmission synaptique.

À l'opposé, d'autres agents interviennent en stimulant ou en facilitant la libération de transmetteurs. Nous avons déjà souligné que le venin de l'araignée « veuve noire » provoque la libération de l'ACh. L'amphétamine facilite la libération des transmetteurs de la famille des catécholamines et inhibe également leur réabsorption, ce qui ajoute encore à la puissance de leur action synaptique.

Diverses substances sont capables de bloquer les molécules réceptrices postsynaptiques. Par exemple, le curare bloque les récepteurs nicotiniques ACh. Comme les synapses entre les nerfs et les muscles squelettiques sont nicotiniques, le curare entraîne la paralysie de tous

Tableau 6.3 Drogues et événements synaptiques. Les effets spécifiques aux synapses catécholaninergiques apparaissent en gras. (les numéros des événements correspondent à la figure 6.5).

Événements synaptiques	Drogues
Présynaptiques	
1. Blocage du transport axonal	Colchicine
2. Blocage de l'influx nerveux propagé	Le TTX et le STX empêchent l'augmentation de la perméabilité vis-à-vis du Na^+
3. Interférence avec la synthèse ou le stockage des transmetteurs	L'hémocholinium bloque la réabsorption de choline
	La réserpine inhibe le stockage vésiculaire des catécholamines
4a. Interférence avec la mobilisation des vésicules par l'arrivée massive de Ca^{2+}	Faible concentration de Ca^{2+}
	Agents de liaison de l'ion calcium
4b. Blocage de la libération des transmetteurs	La toxine botulinique bloque la libération d'ACh
	La toxine tétanique bloque la libération de GABA
4c. Facilitation de la libération des transmetteurs	**L'amphétamine facilite la libération des catécholamines**
	Le venin de l'araignée « veuve noire » déclenche la décharge soudaine et, par conséquent, l'épuisement de l'ACh
Postsynaptiques	
5a. Blocage des molécules des récepteurs	Le curare et la bungarotoxine bloquent les récepteurs nicotiniques ACh
	L'atropine et la scopolanine bloquent les récepteurs muscariniques ACh
	Les phénothiazines (la chlorpromazine, par exemple) bloquent les récepteurs dopamine
5b. Réduction du nombre de molécules des récepteurs	**Les antidépresseurs tricycliques réduisent le nombre des récepteurs de catécholamine**
6. Analogues de récepteurs dans les autorécepteurs	**Le LSD imite la sérotonine dans les autorécepteurs et, par conséquent, ralentit la transmission aux synapses sérotoninergiques**
7. Inhibition des enzymes qui rendent les transmetteurs inactifs	**La physostigmine, l'ésérine et le DFP inhibent l'AChE**
8. Prévention de la réabsorption des transmetteurs, vidant ainsi les stocks devant servir aux transmissions subséquentes	**La cocaïne, l'amphétamine et l'imipramine inhibent la réabsorption de NA**
9. Inhibition de la libération du second messager ou inhibition de son activité	**La nicotine et certains métaux lourds (le plomb et le lanthanum, par exemple) bloquent l'activation par la NA de la synthèse de l'AMPc**
10. Inhibition de l'inactivation du second messager et accroissement, par conséquent, de son activité	Ceci est le fait des méthylxanthines : la caféine (du café ou du thé) et la théophylline (du thé)

les muscles squelettiques, y compris ceux qui participent à la respiration. Le comportement peut être perturbé non seulement par le blocage de l'échange transmetteur-récepteur, mais également par la prolongation de cet échange. Les agents inhibant l'acétylcholinestérase permettent à l'ACh de continuer d'exercer son activité au niveau de la synapse et modifient ainsi la synchronisation de la transmission synaptique. Ces effets peuvent être bénins ou graves selon la nature et la concentration de l'agent anti-acétylcholinestérase. Le médicament ésérine inhibe l'acétylcholinestérase mais de façon temporaire et réversible. Pour traiter certains états caractérisés par une action faible et insuffisante de l'ACh aux jonctions neuromusculaires, on a recours à de faibles doses d'ésérine. Par contre, certains composés organiques phosphorés (comme le DFP) sont des inhibiteurs puissants et à durée prolongée de l'acétylcholinestérase. Le DFP est l'ingrédient actif de certains insecticides : ceux-ci doivent donc être utilisés avec prudence parce que très toxiques pour l'être humain.

ABUS DES DROGUES ET SUJÉTION

L'abus des drogues et la sujétion sont devenus un problème social affligeant des millions d'individus et bouleversant également la vie de leur famille, de leurs amis et de leurs associés. Les crimes, accidents de la route, incendies et autres bouleversements sociaux attribuables aux toxicomanes affectent inévitablement leur propre entourage. L'aide sociomédicale qui doit être fournie aux personnes abusant des drogues représente des coûts sociaux qui s'ajoutent à ceux occasionnés par le contrôle du trafic des narcotiques et de leur utilisation abusive. Au tableau 1.2, nous avons présenté une évaluation du nombre des individus qui abusent des drogues aux États-Unis. Depuis plus d'un siècle, les scientifiques étudient les toxicomanies et même si les connaissances acquises sur cette question se sont accrues considérablement, aucun moyen pleinement efficace n'a encore été découvert pour combattre le phénomène de sujétion. Par contre, aussi bien sur le plan physiologique que sur le plan du comportement, il a été possible d'identifier des mécanismes qui sont à la base de la sujétion aux drogues; certains chercheurs attachent une plus grande importance aux mécanismes physiologiques, tandis que d'autres mettent l'accent sur les mécanismes comportementaux. Nous nous intéressons à ces deux types de mécanismes et les exemples utilisés concernent plutôt les abus de la cocaïne, des opiacés (morphine et héroïne) et de l'alcool, car ce sont les drogues qui ont fait l'objet des études les plus complètes. On trouvera au tableau 6.4 certains termes se rapportant à l'abus des drogues et à la sujétion.

Bien que notre intérêt principal porte sur l'abus que l'être humain fait des narcotiques, il vaut la peine de signaler qu'on a rapporté (R.K. Siegel, 1979) plusieurs cas d'animaux s'adonnant aux drogues et manifestant même un phénomène d'accoutumance. Plusieurs témoignages confirment, par exemple, que des éléphants s'enivrent à répétition en consommant des fruits fermentés. Les éléphants confinés dans des réserves apprécient l'alcool et lorsque l'espace dans lequel ils évoluent est restreint, ce qui est un facteur de stress, ils augmentent leur consommation d'alcool. En milieu naturel, on a également vu des babouins consommer du tabac; par ailleurs, le bétail, les rênes et les lapins mangent des champignons intoxicants. Ces observations portent à croire que la propension à la sujétion aux drogues est assez répandue chez les animaux. En effet, de nombreuses études sur des animaux en laboratoire ont largement contribué à la compréhension des bases de la sujétion aux drogues.

Les drogues qui créent l'accoutumance n'échappent pas à la règle générale selon laquelle la plupart de ces substances ont des effets multiples, ce qui rend difficile l'identification des mécanismes les plus importants dans l'induction de la sujétion. Par exemple, la cocaïne possède les caractéristiques suivantes : a) c'est un anesthésique à application locale; b) c'est également un stimulant psychomoteur qui accélère le rythme cardiaque et certaines autres réactions organiques et enfin, c) son absorption engendre rapidement des sentiments

Tableau 6.4   Abus des drogues — Quelques définitions.

Voici une liste de définitions de certains des termes principaux se rapportant à l'abus des drogues.

Abus des drogues : Absorption délibérée, par un individu, d'une drogue d'une façon qui s'écarte des normes médicales et sociales propres à une culture donnée (Jaffe, 1980). Un tel usage inapproprié peut s'appliquer à des agents comme la morphine et les tranquillisants, mais également au tabac, aux laxatifs ou aux vitamines.

Sujétion à la drogue : État créé par la consommation compulsive d'une drogue et qui se caractérise par « une implication irrésistible dans l'utilisation de la drogue, l'effort de réapprovisionnement de cette drogue et une forte tendance à la récidive » après qu'on a arrêté d'en consommer (Jaffe, 1980).

Dépendance à l'égard de la drogue : Situation vécue par un individu qui a besoin d'une drogue pour fonctionner normalement. On distingue souvent dépendance physiologique et dépendance psychologique.

- **Dépendance physiologique :** État d'adaptation produit par l'usage répété d'une drogue, ce qui se traduit par des troubles physiologiques graves (syndrome de sevrage) quand la consommation de la drogue est arrêtée.

- **Dépendance psychologique :** Situation caractérisée par un besoin ou un désir insatiables d'une drogue dont les effets sont considérés par l'usager comme indispensables à un sentiment de bien-être.

Tolérance : Réaction atténuée à l'administration d'une drogue, après usage répété.

Syndrome de sevrage (crise de l'abstinence) **:** Vaste ensemble de symptômes se manifestant lorsqu'un individu cesse d'utiliser une drogue pour laquelle une dépendance s'était créée. Les perturbations du système autonome et la détresse psychologique comptent parmi les symptômes les plus évidents. Ces perturbations s'expriment généralement par des bouffées de chaleur et des sueurs froides, des frissons à fleur de peau, une hausse de la température corporelle, des douleurs des os et des muscles, une accélération du rythme cardiaque, de la sudation, de la diarrhée, la dilatation des pupilles, l'insomnie, l'angoisse, la peur, la panique et un désir insatiable de cette drogue.

---

agréables, ce qui en fait un agent de récompense ou de renforcement. Les opiacés comme la morphine produisent aussi une variété d'effets; ces substances a) entraînent une prédominance de l'activité parasympathique et une dépression de l'activité cardiaque et du système respiratoire; b) produisent rapidement des sensations agréables et renforçantes; c) engendrent une tolérance telle qu'on doit accroître les doses utilisées pour maintenir les effets recherchés et d) créent une forte dépendance physique : après usage répété, la privation des opiacés engendre un grave symptôme de sevrage tellement impressionnant que certains chercheurs ont suggéré que le développement de la dépendance est la caractéristique essentielle de la sujétion. D'autres soutiennent que le caractère distinctif de toutes ces drogues qui créent de l'accoutumance est leur grand pouvoir de renforcement (Wise, 1984). Enfin, d'autres prétendent que la sujétion est, par l'utilisation habituelle d'une drogue, une tentative d'adaptation à des formes diverses de détresse chronique (Alexander et Hadaway, 1982). C'est un domaine qui prête actuellement à controverse et il n'est pas possible d'en faire ici une étude approfondie, ni surtout de proposer une conclusion facile : nous nous contenterons de présenter quelques-unes des principales données et prises de position sur cette question.

Sujétion et mécanismes cérébraux de récompense

Les phénomènes de renforcement sont susceptibles de fournir des indices précieux sur les mécanismes cérébraux sous-jacents à la sujétion, car les mécanismes cérébraux de récompense représentent, depuis les années 1950, un domaine de recherche productif. En 1954, deux jeunes psychologues, James Olds et Peter Milner, faisaient une découverte qui a ouvert un tout nouveau champ de recherche. Ils ont constaté que la stimulation électrique de certaines régions du cerveau produisait un effet gratifiant : les animaux apprenaient à appuyer sur un levier ou à exécuter d'autres tâches qui leur assuraient une stimulation de régions cérébrales par l'intermédiaire d'électrodes qu'on y avait implantées. Le thème général des renforcements sera abordé au chapitre 15. Pour le moment, il suffit de noter qu'un noyau central des circuits de récompense est constitué de neurones dopaminergiques dont les corps cellulaires se trouvent dans le mésencéphale, ces neurones projetant leurs axones vers certains sites du cortex limbique et du cortex cérébral (figure 6.7). Les résultats des découvertes sur l'effet des drogues sur les circuits de récompense commencent à être utilisés, comme thérapie primaire et comme adjuvants à la thérapie, dans les programmes d'aide adressés aux cocaïnomanes (Kleber et Gawin, 1984).

À l'état normal, les circuits de récompense du cerveau sont stimulés par des comportements qui contribuent à la survie : manger des aliments, boire de l'eau, maintenir un niveau de température corporel adéquat, s'adonner à des activités sexuelles et aux interactions sociales et parentales. L'évolution des circuits cérébraux qui apportent un prompt renforcement aux conduites adaptatives a nettement favorisé la survie des espèces.

Malheureusement, les drogues qui mènent à la sujétion peuvent également stimuler ces circuits directement et avec force, sans exiger des comportements qui soient essentiels à la vie ou à la santé. Ces drogues procurent du plaisir, gratuitement et à brève échéance.

Un chercheur a fait la mise en garde suivante à propos de telles drogues : « (Ces substances) ne risquent pas de contribuer au mouvement évolutif de l'être humain puisqu'elles procurent des raccourcis vers les plaisirs de la récompense et évitent les activités de caractère adaptatif qui ont tracé la voie à ces plaisirs durant la plus grande partie de notre histoire évolutive » (Wise, 1984, p. 28).

Mécanismes physiologiques de la tolérance et de la dépendance

Étant donné qu'à la suite d'un usage prolongé il se forme une tolérance et une dépendance à l'égard de plusieurs drogues qui créent de l'accoutumance, on a également étudié les mécanismes de ces processus en profondeur. Dans le cas de certains stupéfiants du moins, le désir d'éviter les graves malaises liés au sevrage peut contribuer autant à la continuation de l'usage de la drogue, qu'au plaisir qui découle de sa consommation. Divers mécanismes ont été proposés et étudiés pour essayer d'expliquer ces effets.

L'usage des drogues de type opiacé entraîne des perturbations dans la concentration de plusieurs transmetteurs synaptiques. Dans le cerveau, les concentrations d'ACh s'élèvent et celles de NA s'abaissent, ce qui expliquerait certaines des caractéristiques de la tolérance à la morphine et du syndrome de sevrage (Redmond et Krystal, 1984). Pendant l'utilisation de ces drogues, il y a donc prédominance de l'activité du système parasympathique (reflétée par des symptômes comme la constriction de la pupille et le ralentissement des rythmes cardiaque et respiratoire). Conduisant à une augmentation soudaine de la libération de NA, le sevrage se caractérise par une prédominance de l'activité du système sympathique (reflétée par des symptômes comme la dilatation des pupilles, l'accélération du rythme cardio-respiratoire et un accroissement de la transpiration). L'administration de substances à effets cholinergiques amplifie certains aspects du syndrome de sevrage alors que les agents de blocage, tant muscariniques que nicotiniques, en atténuent d'autres aspects. Les inhibiteurs de la synthèse de NA bloquent considérablement le syndrome de sevrage de la morphine chez les animaux qui ont acquis une tolérance à celle-ci. Dans certaines études sur la tolérance à la morphine, on a également prétendu avoir observé des changements dans le nombre ou la forme des récepteurs d'opiacés, mais les résultats sur ce point sont contradictoires (Redmond et Krystal, 1984).

Plusieurs des effets de la dépendance physique sont observés chez les nouveau-nés de mères qui ont consommé des drogues durant la grossesse. Les femmes enceintes sont maintenant mises en garde non seulement contre l'usage des opiacés, mais aussi contre des substances comme l'alcool et le tabac, à cause des effets toxiques qu'exercent ces substances sur le fœtus.

Les effets des opiacés peuvent être conditionnés aux circonstances de l'environnement ou du comportement associées à l'administration de ces drogues. En effet, Pavlov (1927, p.35 et suivantes) a montré que la salivation provoquée par l'injection de morphine pouvait se conditionner à un stimulus, neutre jusque-là. De tels résultats expliquent pourquoi divers rituels et procédés relatifs à l'obtention et à l'usage des drogues peuvent finir par produire des effets aussi renforçants que les drogues elles-mêmes. Ce phénomène est illustré par la réaction dite *needle freak* (intoxication due à la seringue) où le seul fait de pratiquer une injection ou encore l'injection d'une substance anodine procure un renforcement véritable. Mais, ces effets sont plutôt complexes car il y a aussi conditionnement des contre-réactions adaptatives à la drogue. Ce genre de complications a été étudié dans le cas de l'effet de la morphine sur la température du corps. L'administration de morphine entraîne une hausse de la température (hyperthermie). Quand on injecte de la morphine à un rat, une fois par jour pendant plusieurs jours, dans la même salle d'expérience, on observe finalement que le seul fait d'introduire l'animal dans cette salle provoque une hausse de sa température corporelle. Toutefois, l'animal réagit également à l'hyperthermie causée par la morphine en produisant des réactions de dissipation de chaleur qui tendent à ramener la température vers la normale. En fait, il y a conditionnement des deux réactions hyperthermique et hypothermique, mais ce conditionnement répond à des stimuli différents. Ainsi, l'hyperthermie est associée aux stimuli de l'environnement, comme les stimuli visuels ou auditifs, sans se conditionner à l'heure de la journée à laquelle la drogue est administrée; par ailleurs, la contre-réaction d'hypothermie se conditionne aux facteurs temporels, mais pas à ceux de l'environnement (Eikelboom et Stewart, 1981).

Le fait de se procurer la drogue peut également ajouter aux effets de renforcement de celle-ci. Les témoignages en ce sens provenant des usagers se trouvent corroborés par les résultats de l'expérience suivante : des rats ont été soumis à un programme selon lequel, en alternance d'un jour à l'autre, ils devaient courir dans un couloir vers un compartiment où ils recevraient une injection d'amphétamine, ou, le jour suivant, recevaient une injection *gratuite* dans un autre compartiment, sans devoir courir vers ce dernier. Par la suite, quand on laissa aux rats le choix du compartiment, ils optèrent constamment pour celui où ils avaient à courir pour y recevoir l'injection (La Cerra et Ettenberg, 1984). C'est donc que les stimuli associés à la recherche active de la drogue avaient acquis une valeur de récompense.

Le fait que la tolérance soit une réaction résultant en partie d'un apprentissage peut contribuer à nous faire comprendre certains cas de mortalité consécutive à l'absorption de doses excessives. En effet, la tolérance s'acquiert dans l'environnement où l'individu s'adonne fréquemment à cette drogue et où de fortes doses sont absorbées. Toutefois, si la drogue est consommée ensuite dans un environnement différent, il se peut que la réaction de tolérance à la forte dose ne se produise pas et il s'ensuivra alors des effets susceptibles d'entraîner la mort. On a voulu vérifier cette assertion par une expérience avec des animaux (S. Siegel, Hinson, Krank et McCully, 1982). Tous les deux jours, des rats reçurent une injection d'une solution d'héroïne, les doses passant graduellement de 1 mg / kg jusqu'à 8 mg / kg. Les jours intermédiaires, ils recevaient une injection d'une substance inactive. La moitié des rats recevaient l'héroïne dans la salle où on les gardait, tandis que la substance inactive était administrée dans une salle différente; pour l'autre moitié des sujets, on procédait à l'inverse. Le jour du test final, chacun des animaux des deux groupes expérimentaux, de même que les rats d'un groupe contrôle à qui seule la substance inactive avait toujours été injectée, reçurent une injection d'héroïne de 15 mg / kg. La moitié des animaux du groupe expérimental reçurent la dose massive d'héroïne dans la même salle où on leur avait précédemment administré l'héroïne, tandis que les autres furent injectés dans la salle où ils n'avaient jamais reçu d'héroïne. Dans le premier groupe, celui des rats qui ont reçu les 15 mg / kg dans la salle où ils avaient acquis une tolérance à l'héroïne, la dose excessive entraîna la mort chez 32 % d'entre eux. Chez les rats qui ont reçu la dose excessive dans l'environnement où ils n'avaient fait l'expérience que d'une substance neutre, la mortalité s'éleva à 64 %. Quant aux rats du groupe contrôle qui n'avaient jamais reçu d'héroïne au préalable, leur taux de mortalité fut encore plus élevé. Ainsi, les deux groupes expérimentaux avaient donc acquis une tolérance, en comparaison avec le groupe contrôle, mais cette tolérance s'est avérée beaucoup plus grande dans l'environnement où la drogue était habituellement reçue.

Hypothèse de la sujétion adaptative

L'hypothèse de l'adaptation considère la sujétion à la drogue comme une tentative continue de la part de l'usager d'atténuer la détresse à laquelle il est en proie avant de commencer à s'adonner à la drogue (Alexander et Hadaway, 1982). Les chercheurs qui privilégient cette explication s'opposent à l'idée que la sujétion soit un état causé par l'usage de la drogue; pour eux, ni l'apprentissage, ni les effets physiologiques de la consommation de la drogue ne semblent avoir de l'importance dans le cheminement vers la sujétion. Pour appuyer leur point de vue, ils font remarquer que la plupart des gens qui ont goûté aux opiacés ne sont pas devenus des opiomanes et que, dans certaines circonstances, l'usage prolongé peut s'arrêter, sans retour à la sujétion. Par exemple, les malades à qui on a administré des doses régulières d'opiacés pour soulager leur douleur, au cours d'un traitement, ne montrent qu'une faible fréquence de retour à la sujétion, après avoir quitté l'hôpital. Chez les vétérans de la guerre du Vietnam qui étaient devenus des héroïnomanes, pendant leur séjour en Asie, 12 % seulement sont retombés dans la sujétion, au cours des trois années qui ont suivi leur retour. Alexander et Hadaway considèrent que trois conditions sont nécessaires à l'acquisition d'une sujétion aux drogues. Il faut 1) que la drogue soit utilisée en vue de l'adaptation à la détresse, 2) que l'usager ne trouve pas de meilleur moyen d'adaptation et 3) que la consommation de la drogue mène à une *amplification* de la détresse initiale.

Cette hypothèse de l'adaptation peut s'appuyer également sur de récentes données qui laissent croire que la majorité des opiomanes qui veulent se faire traiter souffrent d'autres troubles psychiatriques, les plus fréquemment observés étant la dépression profonde, une personnalité antisociale et l'alcoolisme (Rounsaville et coll., 1982; Hubbard et coll., 1984). Il faut ajouter que plus les problèmes psychologiques d'un individu sont sérieux, moins le programme d'intervention pour la toxicomanie présente de chances de réussite.

Malgré l'attention beaucoup plus grande accordée aujourd'hui aux facteurs de personnalité et aux difficultés psychologiques liés à la sujétion, plusieurs chercheurs refusent de se limiter à l'hypothèse de l'adaptation. Nous avons déjà souligné qu'il faut tenir compte également de résultats d'observations et d'expériences qui démontrent l'importance d'autres facteurs dans l'acquisition des toxicomanies, soit l'apprentissage, l'accès à des mécanismes cérébraux de récompense et l'induction d'une dépendance physique. La prédisposition génétique (voir l'encadré 6.2) est un autre de ces facteurs. Un inventaire récent de l'étiologie et du traitement des comportements de sujétion souligne l'émergence d'une intégration des études biologiques, psychologiques et sociologiques dans l'élaboration d'un modèle biopsychosocial (Marlatt et coll., 1988). Les problèmes d'ordres personnel et social liés à l'abus des drogues et à la sujétion sont si graves qu'ils représentent un champ de recherche qui s'impose d'urgence et dans lequel on peut espérer parvenir à de nouvelles découvertes importantes, au cours des prochaines années.

Quand la même médication produit-elle des effets différents ?

Deux médications apparemment semblables peuvent, selon les circonstances, entraîner des conséquences très différentes. Quelles sont les raisons qui expliqueraient de telles différences ?

Les différences entre les espèces vivantes sont des facteurs importants dans l'explication des variations dans les effets des drogues. Certaines espèces se montrent plus sensibles que les autres à une substance donnée. Ainsi, par exemple, les insecticides sont choisis de façon à ce qu'ils soient létaux pour les insectes et relativement inoffensifs pour l'homme, les animaux domestiques et le bétail.

Au sein d'une même espèce, les individus et les sous-groupes d'individus manifestent une susceptibilité variable : il existe donc des différences ethniques. Par exemple, plusieurs Asiatiques sont dépourvus de l'une des enzymes qui interviennent dans le métabolisme de l'alcool; chez ces individus, la consommation d'alcool déclenche rapidement des symptômes désagréables comme la nausée, l'étourdissement, une vision floue et de la confusion (Reed, 1985). La pharmacoanthropologie, ou exploration systématique des différences ethniques dans la réaction aux drogues, en est à ses premiers balbutiements (Kalow, 1984). Au niveau individuel, une grande partie des variations dans les réactions aux médicaments provient de différences de réactivité qui sont héréditaires (Weinshilboum, 1984). C'est la raison pour laquelle un individu peut trouver qu'une substance, en plus ou moins grande quantité, lui est toxique ou mène à la sujétion, même si ses camarades semblent s'en accommoder sans problèmes.

Chez un même individu, l'efficacité d'un médicament peut varier selon l'heure où il est absorbé (Scheving, Vedral et Pauly, 1968). Cette variation est attribuable à l'existence de rythmes quotidiens influençant plusieurs de nos fonctions physiologiques, comme c'est le cas pour la température du corps, le métabolisme de base, la synthèse des enzymes et la sécrétion des hormones (voir la question des rythmes circadiens, au chapitre 15).

Pour plusieurs substances, la concentration utilisée peut faire varier considérablement l'effet désiré. Paracelse, un chimiste du XVIe siècle, disait que « c'est la dose qui fait le poison »; cette affirmation a été reprise récemment par Ottoboni (1984) qui en a fait le titre de son ouvrage sur la toxicologie des drogues. En effet, plusieurs substances qui ont des effets bénéfiques ou inoffensifs, si elles sont consommées occasionnellement, mènent à l'accoutumance ou deviennent toxiques si on les absorbe fréquemment ou à fortes doses : c'est le cas notamment de la caféine, de l'alcool, des anxiolytiques et de plusieurs autres substances.

Pour une même personne, la même dose d'un médicament peut varier en efficacité selon la fréquence à laquelle le médicament a été auparavant administré à cet individu. Dans le cas de certaines drogues, une *tolérance* se développe très vite : il faut donc rapidement augmenter la concentration pour maintenir le même effet. La toxicité et la sujétion peuvent également s'accroître avec le temps. La plupart des cocaïnomanes qui se présentent pour un traitement médical ont fait usage de cette drogue pendant 4 ou 5 ans avant de se sentir écrasés par leur sujétion.

L'efficacité de certaines drogues varie selon la nature des autres drogues absorbées en même temps; certaines drogues consommées ensemble renforcent leur efficacité réciproque : *elles agissent en synergie*. Par exemple, les concentrations d'alcool et de barbituriques qu'un individu pourrait supporter, s'il les prenait séparément, peuvent se révéler létales lorsqu'elles sont absorbées simultanément. Par contre, certaines substances sont antagonistes; le naloxone, par exemple, bloque plusieurs des effets de la morphine et, par conséquent, il est utilisé comme un antidote pour contrer l'usage abusif de morphine.

Certaines combinaisons de substances produisent un effet que ni l'une, ni l'autre de ces substances ne saurait provoquer à elle seule. Par exemple, on utilise un médicament nommé *Antabuse* dans une thérapie qui s'adresse aux alcooliques; en lui-même, l'Antabuse n'a aucun effet thérapeutique, mais il bloque une enzyme nécessaire à l'une des étapes du métabolisme de l'alcool (c'est cette même enzyme que plusieurs asiatiques ne possèdent pas). Dès qu'une personne consomme de l'alcool, au cours des quelques jours suivant son absorption d'Antabuse, un produit toxique issu du métabolisme de l'alcool s'accumule graduellement dans le sang, donnant lieu à des symptômes désagréables comme la nausée, des étourdissements, une vision floue et de la confusion.

L'usage de l'alcool remonte si loin et est tellement répandu qu'il est possible d'étudier les influences génétiques sur l'alcoolisme. D'intérêt scientifique, ces études sont également importantes sur le plan social puisque la consommation abusive d'alcool est une cause majeure de maladie et de mortalité, et, de plus, à l'origine de violences criminelles, d'accidents de circulation, d'incendies et de pertes de productivité (*Institute of Medicine*, 1980). L'alcoolisme est l'une des situations pathologiques qui font partie intégrante d'une série d'études menées au Danemark sur les facteurs sociaux et héréditaires en cause dans diverses maladies et troubles mentaux. Le Danemark a été choisi comme site de ces recherches à cause des excellents dossiers relatifs à l'adoption des enfants et à d'autres informations d'ordre familial qu'on peut y trouver. Cette étude sur l'alcoolisme a été parmi les premières à démontrer de façon concluante que cette propension tient vraiment à des facteurs familiaux (Schulsinger, 1980). Plus précisément, le meilleur indice permettant de prédire qu'un jeune garçon deviendra un alcoolique est de vérifier si son père biologique est lui-même alcoolique. La prédiction est aussi juste dans le cas où le garçon a été adopté à sa naissance par une famille qui ne compte pas d'alcoolique que dans le cas où il serait demeuré dans sa propre famille. Il faut noter que ces résultats ne s'appliquent qu'à l'alcoolisme véritable et qu'ils ne concernent aucunement le cas d'une consommation abusive occasionnelle (c.-à-d. l'ivrognerie). On a découvert des tendances héréditaires de même nature chez les femmes, mais le taux d'alcoolisme est tellement bas chez les femmes danoises que le nombre trop limité de cas n'a pas permis de formuler de conclusions.

Des études plus récentes indiquent qu'il existe au moins deux sortes d'alcoolisme et les études génétiques donnent des résultats plus nets lorsqu'on considère ces deux types séparément (Cloninger, 1987; Loehlin, Willerman et Horn, 1988). Le tableau 6.1 de l'encadré donne les caractéristiques distinctives de ces deux types d'alcoolisme. Les femmes alcooliques sont surtout du type 1. Les deux types s'observent chez les hommes, mais la plupart des hommes hospitalisés pour traitement de l'alcoolisme sont du type 2. L'alcoolisme de type 1 a été décrit comme étant *limité par le milieu* car il n'est susceptible de se produire que si la prédisposition génétique est combinée à la fréquentation d'un milieu où la consommation d'alcool est excessive, ou combinée à d'autres incitateurs venant de l'entourage. Le type 2 a tendance à se déclarer, peu importe le milieu; le risque d'abus d'alcool de la part de fils adoptés issus de pères alcooliques de type 2 était neuf fois plus grand que dans le cas des fils de tous les autres pères.

Les configurations d'ondes cérébrales de ces deux types d'alcooliques sont différentes et peuvent servir à déceler une prédisposition à l'alcoolisme : dans une tâche de prise de décision, les potentiels évoqués des hommes abstinents de type 2, comme ceux de leurs fils mâles, laissent apparaître des composantes P_3 (Begleiter et coll., 1984). Ce type de réponses laisse supposer que

Étant donné que les drogues prises en combinaison peuvent agir en synergie ou bloquer réciproquement leurs effets, on devrait s'interroger avant d'absorber deux drogues en même temps :

a) l'individu qui s'apprête à absorber un médicament devrait tenir compte de tous les autres médicaments et substances dont il fait usage à ce moment-là, y compris les médicaments achetés sans ordonnance médicale, et des substances comme le café, le thé, le tabac, l'alcool, les stimulants, les dépresseurs et les autres agents psychoactifs;

b) la personne qui prend un agent psychoactif (alcool, excitants, dépresseurs, anxiolytiques ou autres) devrait être consciente de la possibilité de ce phénomène de synergie; par exemple, des concentrations de dépresseurs et d'alcool qui, séparément, ne représentent pas une menace immédiate peuvent être létales lorsqu'elles agissent en synergie.

Les effets de ces combinaisons peuvent varier grandement selon les concentrations en cause, dans l'interaction de la caféine et de l'alcool, par exemple. Bien des gens croient que la caféine peut contrecarrer les effets de l'alcool, mais tout effet bénéfique de la caféine ne s'observe que lorsque la consommation d'alcool a été faible ou modérée. Des études récentes menées en Angleterre et aux États-Unis ont révélé que les sujets volontaires qui les individus à risque par rapport à l'alcoolisme de type 2 présentent des faiblesses dans leur capacité d'attribuer un sens à des stimuli cibles. La possibilité d'identifier ceux qui sont prédisposés à l'alcoolisme peut aider considérablement à la prévention. S'ajoutent à ces deux types d'alcooliques beaucoup d'individus à personnalité antisociale et susceptibles de faire des abus d'alcool, mais la prédisposition génétique à la personnalité antisociale est distincte de l'hérédité relative à l'alcoolisme (Cloninger et Reich, 1983).

Tableau d'encadré 6.1 Caractéristiques distinctives de deux types d'alcoolisme.

Traits caractéristiques	Type 1	Type 2
Problèmes associés à l'alcool		
Âge (années) habituel de l'apparition	Après 25	Avant 25
Recherche spontanée d'alcool	Rare	Fréquente
Querelles et arrestations en état d'ébriété	Rares	Fréquentes
Dépendance psychologique (perte de contrôle; soûleries prolongées)	Fréquente	Rare
Culpabilité et peur liées à l'alcoolisme	Fréquentes	Rares
Traits de personnalité		
Recherche de la nouveauté (impulsivité, exploration, distractivité)	Faible	Prononcée
Évitement du mal (prudent, timide, craintif, inhibé)	Prononcé	Faible
Dépendance envers la récompense (soucieux d'aider les autres, sympathique, sentimental)	Prononcée	Faible

Adaptation du tableau 1 de C. R. Cloninger (1987). Neurogenetic adaptive mechanism in alcoholism. *Science, 236,* 410-416, avec la permission de l'*American Association for Advancement of Science.*

On a créé des modèles animaux dans le but d'étudier les mécanismes des facteurs génétiques qui interviennent dans l'alcoolisme (Wimer et Wimer, 1985). Lorsque des souris sont habituées à l'alcool, certaines présentent des symptômes graves au moment du sevrage, symptômes qui peuvent aller jusqu'à la crise épileptique, alors que d'autres n'ont que des réactions bénignes. Grâce à des expériences de sélection génétique, les accouplements entre membres de mêmes familles ont permis d'engendrer des lignées de souris qui présentent des symptômes graves ou des symptômes bénins de sevrage; l'expérimentation dans ce domaine se poursuit afin de connaître les différences physiologiques qui caractérisent ces lignées.

On soupçonne l'existence de facteurs héréditaires dans le cas de sujétions autres que l'alcoolisme, mais ces cas demeurent encore peu documentés. Comme dans les autres cas de prédisposition génétique, le fait de manifester une propension ne signifie pas que la sujétion se développera inévitablement. Au contraire, une telle information peut être mise à contribution pour fuir les occasions de développer une sujétion et elle devrait également contribuer à alimenter les efforts en vue de découvrir des thérapies plus efficaces de la sujétion.

avaient absorbé de l'alcool, jusqu'à un état d'intoxication, accusaient une diminution additionnelle de leurs capacités générales, après une consommation de café ! Ceux qui avaient bu deux tasses de café ont commis presque deux fois plus d'erreurs dans des tests de coordination que les volontaires ivres qui n'avaient pas pris de café (Goulart, 1984).

Il se peut que deux lots d'une *même* drogue ne soient pas exactement comparables en nature, surtout s'ils proviennent de sources illégales. Plusieurs drogues illégales sont frelatées ou entièrement différentes de ce que le vendeur prétend qu'elles sont. Certaines drogues, synthétisées dans des laboratoires clandestins et devant offrir une certaine ressemblance avec l'héroïne, se sont avérées létales tandis que d'autres ont rendu leurs usagers infirmes. Par exemple, une substance contaminante utilisée dans l'héroïne de synthèse a provoqué les symptômes de la maladie de Parkinson chez des jeunes, fournissant ainsi, au détriment des usagers malheureusement, de nouveaux indices sur les causes de cette affection (Shafer, 1985). La maladie de Parkinson est un trouble d'ordre moteur dont nous parlerons au chapitre 10.

Les exemples utilisés plus haut démontrent que pour pouvoir prédire les conséquences d'un traitement pharmacologique particulier, il faut connaître la substance et l'individu en cause, le moment de son administration et plusieurs autres facteurs d'influence.

Résumé

1. L'existence de signaux chimiques est importante autant pour le règne végétal que pour le règne animal. Les molécules chimiques en cause varient beaucoup quant à leurs dimensions moléculaires et leur complexité structurale et fonctionnelle, de même que par les distances qu'elles parcourent.

2. À la synapse, l'influx nerveux passe d'un neurone à l'autre grâce à l'action de neurotransmetteurs.

3. Plusieurs substances qui sont des transmetteurs synaptiques ont déjà été identifiées tandis que d'autres font l'objet de vérifications. Il existe des *familles* de transmetteurs qui sont très apparentées par leur structure chimique.

4. Dans le cas de plusieurs synapses, la transmission chimique nécessite la libération d'un *second messager* qui amplifie et prolonge l'effet du transmetteur.

5. Plusieurs drogues exercent leurs effets principaux sur les synapses chimiques et toutes les étapes de la transmission chimique sont affectées par diverses substances.

6. Les drogues qui agissent sur les synapses produisent une variété d'effets sur le comportement, notamment une stimulation, de la paralysie, un soulagement ou une prévention de l'anxiété (anxiolytiques), une atténuation ou une prévention de la récurrence de la schizophrénie (antipsychotiques), une réduction de la dépression ou un contrôle de la manie.

7. On investit beaucoup dans des recherches sur l'abus des drogues et le phénomène de sujétion qui en résulte. Actuellement, les principales hypothèses relient la sujétion à l'effet des drogues sur les mécanismes cérébraux de récompense, aux mécanismes physiologiques de la tolérance et de la dépendance vis-à-vis des drogues, au rôle de l'apprentissage dans la tolérance et au sevrage ainsi qu'aux tentatives pour atténuer une détresse déjà existante.

8. On a démontré l'existence d'une prédisposition héréditaire à l'alcoolisme et on soupçonne la présence de facteurs génétiques dans d'autres types de sujétions.

9. Le même traitement pharmacologique peut produire des effets très différents selon un certain nombre de facteurs, notamment l'espèce en cause et les différences intraspécifiques individuelles, les rythmes circadiens, la concentration de la substance utilisée, un usage antérieur, les combinaisons avec d'autres drogues et les interactions de combinaisons et de concentrations.

Lectures recommandées

Cooper, J.R., Bloom, F.E. et Roth, R.H. (1986). *The Biochemical Basis of Neuropharmacology* (5e éd.). New York : Oxford University Press.

Feldman, R.S. et Quenzer, L.F. (1984). *Fundamentals of Neuropsychopharmacology.* Sunderland, Mass : Sinauer.

Julien, R.M. (1981). *A Primer of Drug Action* (3e éd.) San Francisco : W.H. Freeman.

Kandel, E.R. et Schwartz, J.H. (1985). *Principles of Neural Science* (2e éd.) New York : Elsevier / North Holland.

Meltzer, H.Y. (Ed.). (1987). *Psychopharmacology : the Third Generation of Progress.* New York : Raven.

Points de référence

Familles de transmetteurs synaptiques et évolution des transmetteurs

Les informations suivantes sur certaines familles de transmetteurs synaptiques compléteront les données sur les catécholamines déjà présentées en page 197.

Transmetteurs synaptiques de la famille des catécholamines

Nous avons déjà indiqué que les transmetteurs de la famille des catécholamines sont synthétisés à partir de l'acide aminé tyrosine et que ces transmetteurs ont une structure moléculaire très semblable (page 197 et tableau 6.1). On peut se rendre compte de cette similitude de structure en consultant le tableau de référence 6.1 qui illustre la formule moléculaire développée des acides aminés précurseurs et des transmetteurs de la famille des catécholamines. Le site de changement à chaque échelon est indiqué par une trame. Ce tableau fait également voir le noyau catéchol qui est le dénominateur commun fondamental de tous les membres de cette famille de transmetteurs synaptiques. À droite, on a représenté la struc-

Phénylalanine — $CH_2 - CH - NH_2$ / COOH

Tyrosine — HO — $CH_2 - CH - NH_2$ / COOH

Tyrosine hydroxylase

HO

Dopa — HO — $CH_2 - CH - NH_2$ / COOH

HO / HO — R

Noyau catéchol

Dopamine — HO / HO — $CH_2 - CH_2 - NH_2$

Dopamine-β-hydroxylase

$CH_2 - CH - NH_2$ / CH_3

Amphétamine

Noradrénaline — HO / HO — CH / OH — $CH_2 - NH_2$

Adrénaline — HO / HO — CH — CH_2 — N — CH_2 / H / OH

ture assez similaire de l'amphétamine qui stimule la libération des catécholamines et entre en fixation avec les récepteurs de réabsorption de ces transmetteurs.

Transmetteurs synaptiques de la famille des acides aminés

Les acides aminés ne jouent pas uniquement le rôle de blocs de construction pour ces transmetteurs et d'autres transmetteurs synaptiques : certains acides aminés sont aussi employés directement à des fonctions de transmetteurs par certains neurones. D'autres transmetteurs synaptiques sont dérivés des acides aminés, à partir d'une seule étape métabolique intermédiaire. En effet, on estime que les acides aminés et les composés qui leur sont étroitement apparentés jouent le rôle de transmetteurs à la plupart des synapses du système nerveux. Plusieurs chercheurs croient que l'**acide glutamique** et l'**acide aspartique**, tous deux des acides aminés non essentiels, représentent deux transmetteurs synaptiques principaux du SNC. Le fait qu'ils soient si largement répandus à travers tout le système nerveux et qu'ils jouent un rôle aussi général dans le métabolisme a fait mettre en doute tout d'abord cette fonction spécifique de transmetteur. Pourtant, on a découvert que l'acide glutamique joue un rôle synaptique spécifique chez les invertébrés où cet acide aminé agit comme transmetteur neuromusculaire, à l'exemple de l'ACh chez les vertébrés. De plus, des faits additionnels prêtent un double rôle métabolique et synaptique à l'acide glutamique chez les vertébrés (Snyder, 1975). L'**acide gamma-aminobutyrique (GABA)** est synthétisé directement à partir de l'acide glutamique. Le GABA est largement utilisé dans le système nerveux des vertébrés et des invertébrés et il est probablement le transmetteur inhibiteur principal du système nerveux des mammifères.

Peptides opioïdes endogènes et les molécules qui leur servent de précurseurs

Les peptides opioïdes ne sont pas synthétisés directement; ils dérivent de plus grosses molécules qui en sont les précurseurs (Khatchaturian et coll., 1985). Ainsi la (Mét)encéphaline et la (Leu)encéphaline, chacune formée de cinq acides aminés, se trouvent contenues dans la proencéphaline, molécule précurseur comportant plus de 250 acides aminés. En réalité, chaque molécule de proencéphaline contient six molécules de (Mét)encéphaline et une molécule de (Leu)encéphaline de même que d'autres opioïdes. La proencéphaline est produite par plusieurs neurones des systèmes nerveux central et périphérique ainsi que dans la médullaire des surrénales. On trouve généralement les encéphalines dans des neurones dont la longueur de l'axone varie entre courte et moyenne.

Un autre précurseur des opioïdes, la pro-opiomélanocortine, est la source d'un opioïde puissant, la bêta-endorphine, et de quelques opioïdes moins actifs. Comme son nom l'indique, la pro-opiomélanocortine contient également d'autres molécules comprenant la stimuline hormonale des mélanocytes et l'hormone adrénocorticotrope (ACTH). La synthèse de la pro-opiomélanocortine est surtout effectuée dans quelques sites peu nombreux où elle est traitée pour produire certains produits finaux. Dans le lobe antérieur de l'hypophyse, elle est transformée pour donner surtout de l'ACTH; dans le lobe intermédiaire de l'hypophyse et dans un noyau de l'hypothalamus, elle donne surtout la stimuline hormonale des mélanocytes et la bêta-endorphine. En général, les neurones qui contiennent la bêta-endorphine sont des neurones à longues projections qui traversent l'hypothalamus médian, le diencéphale et la protubérance.

Enfin, la prodynorphine donne plusieurs opioïdes parmi lesquels la dynorphine A, la dynorphine B et deux néoendorphines. Chacun de ces opioïdes contient, en plus d'unités additionnelles d'acides aminés, la molécule (Leu)encéphaline, ce qui explique les similitudes entre les structures des encéphalines et des dynorphines. Les dynorphines se répartissent un peu partout dans le SNC, des régions du cortex cérébral jusqu'à la corne dorsale de la moelle épinière.

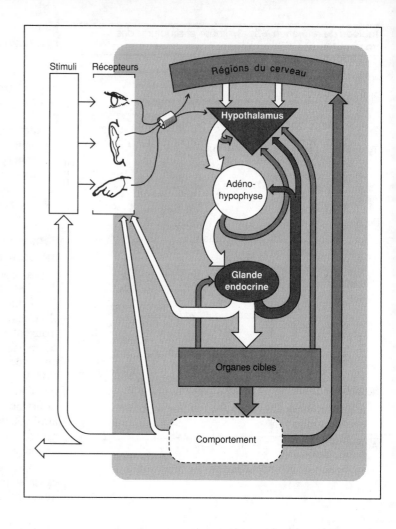

7 Les hormones : un système de communication chimique

ORIENTATION

Le renouvellement constant de nos réserves hormonales est essentiel au maintien de la vie. En concentrations pourtant minimes, certaines hormones sont capables de modifier notre humeur et nos façons d'agir, notre propension à manger ou à boire, notre agressivité ou notre docilité de même que nos comportements reproducteur et parental. D'ailleurs, les hormones font plus qu'influencer le comportement de l'adulte puisque, dès les premiers instants de la vie, elles contribuent à orienter le développement des formes corporelles et peuvent même déterminer les modalités du comportement d'un individu. Plus tard dans la vie, les variations de la production de certaines glandes endocrines et les fluctuations de la sensibilité du corps à certaines hormones deviennent des facteurs déterminants du vieillissement. Les dimensions et la forme des glandes endocrines sont très variables et ces glandes agissent dans diverses parties du corps. Le nom et la localisation anatomique des principales glandes endocrines sont présentés à la figure 7.1.

Les communications entre les différents organes du corps et l'intégration du comportement qui en découle étaient considérées comme du ressort exclusif du système nerveux, jusqu'au début du XXe siècle. Ce n'est qu'à cette époque que des chercheurs prirent conscience du fait que le système endocrinien participe de façon importante à ces fonctions.

On connaissait évidemment depuis fort longtemps l'importance de certaines glandes dans le comportement. Par exemple, Aristote avait décrit les effets de la castration chez les oiseaux et il en comparait les conséquences pour le corps et le comportement avec celles qu'on pouvait observer chez les hommes châtrés. Même s'il ne connaissait pas le mécanisme en cause, il était évident pour lui que les testicules étaient importants dans le maintien de la capacité de reproduction et des caractéristiques sexuelles du mâle. Cette question devait être abordée expérimentalement en 1849 par A.A. Berthold, professeur à Göttingen. Il castra de jeunes coqs et observa le déclin à la fois du comportement de reproduction et des caractéristiques sexuelles

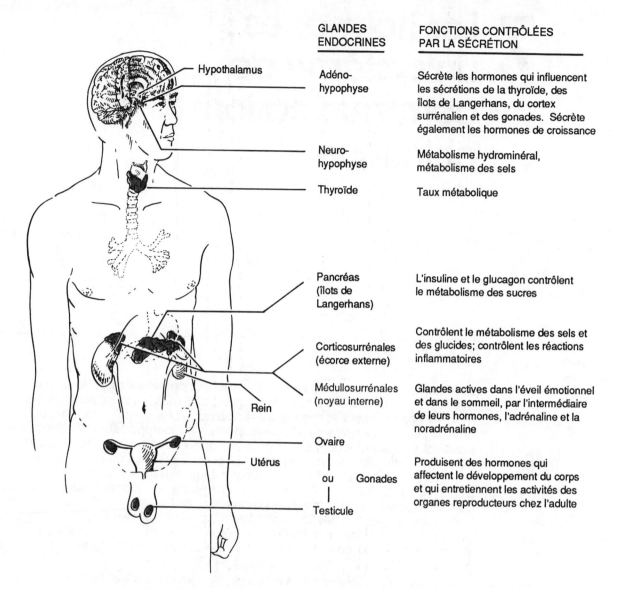

GLANDES ENDOCRINES	FONCTIONS CONTRÔLÉES PAR LA SÉCRÉTION
Adéno-hypophyse	Sécrète les hormones qui influencent les sécrétions de la thyroïde, des îlots de Langerhans, du cortex surrénalien et des gonades. Sécrète également les hormones de croissance
Neuro-hypophyse	Métabolisme hydrominéral, métabolisme des sels
Thyroïde	Taux métabolique
Pancréas (îlots de Langerhans)	L'insuline et le glucagon contrôlent le métabolisme des sucres
Corticosurrénales (écorce externe)	Contrôlent le métabolisme des sels et des glucides; contrôlent les réactions inflammatoires
Médullosurrénales (noyau interne)	Glandes actives dans l'éveil émotionnel et dans le sommeil, par l'intermédiaire de leurs hormones, l'adrénaline et la noradrénaline
Ovaire ou Gonades Testicule	Produisent des hormones qui affectent le développement du corps et qui entretiennent les activités des organes reproducteurs chez l'adulte

Labels on figure: Hypothalamus, Rein, Ovaire, Utérus, Testicule

Figure 7.1 Sites et fonctions de quelques glandes endocrines importantes.

secondaires, comme la crête par exemple. Puis, chez certains de ces oiseaux, il replaça dans la cavité corporelle l'un des testicules dépourvu de ses connexions nerveuses. Cette intervention chirurgicale contribua à rétablir à la fois le comportement normal de ces coqs et leurs crêtes. Berthold en conclut que les testicules libèrent une certaine substance dans le sang, substance nécessaire au comportement et au maintien des caractéristiques sexuelles secondaires du mâle. Les contemporains de Berthold ne crurent pas à l'importance de ses observations parce qu'elles étaient étrangères aux préoccupations de l'époque. Ce n'est que beaucoup plus tard que ce travail a acquis de l'importance; il constitua la première véritable expérience scientifique sur les glandes.

Au XIXᵉ siècle, le physiologiste français Claude Bernard a jeté les bases de cette nouvelle science qu'était l'endocrinologie. Bernard a insisté sur l'importance du *milieu interne*, là où vivent les cellules, et sur l'importance de son intégrité. Selon lui, un milieu interne en équilibre contrôlé est une condition essentielle à une activité autonome de l'organisme. Puis, vers la fin du siècle, des observations expérimentales et cliniques vinrent démontrer l'importance de l'action de plusieurs glandes, comme la thyroïde, les corticosurrénales et l'hypophyse, pour le maintien d'un milieu interne équilibré et, par extension, pour un comportement normal et une bonne santé.

L'émergence de l'endocrinologie comme discipline autonome remonte probablement aux expériences sur la sécrétine, expériences effectuées vers 1905 par Sir William Maddock Bayliss et Ernest Henry Starling. Cette hormone est sécrétée par des cellules de la paroi intestinale à chaque fois que de la nourriture pénètre dans l'estomac; elle circule dans le sang et stimule le pancréas qui, en réponse, libère le suc pancréatique nécessaire à la digestion. En montrant que des cellules spécialisées sécrètent des agents chimiques qui, transportés par la circulation sanguine, contrôlent des organes ou tissus cibles éloignés, Bayliss et Starling ont prouvé que certaines activités de l'organisme pouvaient être contrôlées sans la participation du système nerveux.

Le terme **hormone** a d'abord été utilisé en référence à la sécrétine. Starling (1905) emprunta au grec ancien le mot *hormôn* qui signifie exciter. Peu de temps après, le terme **endocrine** était introduit dans le vocabulaire; il vient de la racine grecque *endo*, dedans et du verbe *krinein*, sécréter. Le terme *endocrine* désigne les glandes qui sécrètent des substances dans la circulation sanguine. L'adjectif *endocrine* est l'antonyme d'**exocrine**, qualificatif appliqué aux glandes qui sécrètent leurs produits par l'intermédiaire de canaux excréteurs dirigés vers des sites d'action externes. Les glandes lacrymales, les glandes sudoripares et la portion du pancréas qui sécrète le suc pancréatique dans un canal menant à l'intestin, sont des exemples de glandes exocrines. Les glandes exocrines sont aussi nommées glandes à sécrétion externe, alors que les glandes endocrines sont dites glandes à sécrétion interne.

Les diverses parties de ce chapitre traiteront des mécanismes qui permettent aux hormones d'accomplir leurs fonctions et des principales glandes endocrines et de leurs hormones, et apporteront des exemples d'influences hormonales sur la physiologie et le comportement. Nous comparerons ensuite les systèmes endocrinien et nerveux en tant que mécanismes de communication et de coordination; enfin, nous montrerons comment les activités des deux systèmes sont intégrées dans le contrôle du comportement.

Il faut se souvenir que, de façon générale, les diverses formes de vie dépendent des messagers hormonaux. Au chapitre 4, nous avons vu que les hormones sont omniprésentes dans le règne animal; même le règne végétal n'échappe pas à cette règle générale, puisque les organismes végétaux utilisent des hormones et des substances qui y sont apparentées. Toutefois, seuls les vertébrés possèdent des glandes endocrines qui sécrètent et entreposent des hormones.

Par ailleurs, les glandes endocrines comme telles ne sont pas les seuls sites de production d'hormones. En réalité, beaucoup d'hormones de l'être humain ont des sources aussi différentes que les neurones de l'hypothalamus ou les cellules de la paroi du tube digestif. On a découvert récemment que le cœur produit des hormones (les cardionatrines) contribuant au contrôle de la pression artérielle et de l'équilibre du sodium dans le corps.

Dans bien des cas, les hormones d'une grande variété d'espèces animales sont semblables, sinon très chimiquement apparentées.

MÉCANISMES D'ACTION DES HORMONES

Avant de considérer les effets d'hormones spécifiques sur le comportement, il faut mentionner brièvement trois aspects de l'activité hormonale : les effets des hormones, les mécanismes par lesquels celles-ci exercent leurs effets et les mécanismes de contrôle de leur sécrétion.

Comment les hormones affectent-elles l'organisme ?

Les hormones exercent leurs effets en influençant l'activité de nos différents organes, de deux façons possibles : 1) en promouvant la prolifération, la croissance et la différenciation de leurs cellules ; 2) en influençant le taux (c'est-à-dire l'intensité) d'activité de leurs cellules.

Ces mécanismes, qui sont à la base du développement, sont en effet influencés par différentes hormones comme la thyroxine, produite par la thyroïde, et les hormones sexuelles produites par les testicules et les ovaires.

Les hormones sont produites à des taux variant avec l'âge, ce qui explique les différents temps de la vie tels l'enfance, l'adolescence et l'âge adulte.

Comment les hormones agissent-elles ?

L'action des hormones sur les organes cibles s'exerce de deux façons principales :

1. Les hormones peptidiques (tableau 7.1) se fixent habituellement à des récepteurs spécifiques de la surface de la membrane des cellules cibles et provoquent la libération d'un **second messager** dans la cellule. Au chapitre 6, nous avons vu que la libération d'un second messager peut également être déclenchée par certains transmetteurs synaptiques.

2. Les hormones stéroïdes traversent la membrane et se fixent à des récepteurs protéiques spécifiques du cytoplasme. Le complexe stéroïde-protéine pénètre ensuite dans le noyau. Là, il entre en interaction avec l'ADN et favorise la transcription de gènes spécifiques, entraînant la production éventuelle de protéines spécifiques.

Nous allons maintenant décrire de façon plus détaillée ces deux principaux modes d'action ainsi que les différentes autres façons dont les hormones influencent l'activité cellulaire.

C'est le même composé qui agit comme second messager pour transmettre les messages de la plupart sinon de toutes les hormones peptidiques. Ce composé est l'**adénosine monophosphate cyclique (AMPc)**. Il peut paraître étonnant que ce soit le même second messager qui serve d'intermédiaire à la production des effets de plusieurs hormones différentes, mais il faut se souvenir que le même type d'influx peut véhiculer toutes sortes de messages nerveux (chapitre 5). La situation est un peu analogue ici.

La spécificité des effets hormonaux est déterminée par la sélectivité des récepteurs des membranes neuronales et par les gènes spécifiques qui sont affectés dans la cellule. Par exemple, la corticotrophine, ou hormone adrénocorticotrope (ACTH), est captée sélectivement par des récepteurs sur la membrane des cellules des corticosurrénales et, dans ces cellules, l'AMPc entraîne la synthèse et la libération d'hormones corticosurrénaliennes.

Les hormones peptidiques agissent habituellement d'une façon relativement rapide, en quelques secondes ou, tout au plus, en quelques minutes. Bien rapide dans ce cas particulier, l'action hormonale est évidemment beaucoup plus lente que l'action nerveuse. Mais elle peut aussi avoir des effets prolongés. Par exemple, l'ACTH favorise aussi la prolifération et la croissance des cellules corticosurrénaliennes et accroît ainsi la capacité à long terme de soutien de la production de leurs hormones.

Tableau 7.1   Quelques hormones classées selon leur nature chimique.

Amines	Polypeptides	Stéroïdes
Adrénaline	Corticotrophine (ACTH)	Hormones sexuelles
Noradrénaline	Folliculostimuline (FSH)	Œstrogènes
Thyroxine	Hormone lutéinisante (LH)	Progestérone
	Thyréostimuline (TSH)	Androgènes
	Insuline	Hormones corticosurrénaliennes
	Glucagon	
	Ocytocine	Glucocorticoïdes
	Hormone antidiurétique	Minéralocorticoïdes
	(vasopressine)	

Polypeptides qui sont des hormones de libération
    Neurohormone hypothalamique libérant la
    somatotrophine (GrHRH)
    Hormone de libération de la thyréostimuline (TRH)
    Hormone de libération de la lutéostimuline (LH-RH)

Par contre, les hormones stéroïdes agissent plus lentement, leurs effets prenant des heures, voire des jours et des semaines à se manifester. La spécificité d'action des stéroïdes est déterminée par les récepteurs intracellulaires. Les hormones stéroïdes traversent beaucoup de cellules sans pour autant y exercer un quelconque effet. Toutefois, si le cytoplasme contient des molécules réceptrices appropriées, ces récepteurs fixent alors l'hormone si bien qu'elle peut se concentrer dans ces cellules cibles. Ainsi, on peut identifier le site d'action d'une hormone en observant où, dans les cellules, les hormones marquées radioactivement se trouveront concentrées. Par exemple, lorsqu'on administre systématiquement de l'œstrogène marqué, ce stéroïde s'accumule dans plusieurs tissus spécifiques, y compris les voies génitales, et dans certains groupes de cellules de l'hypothalamus.

Les hormones peuvent également influencer le fonctionnement cellulaire d'autres façons. Par exemple, des faits démontrent que, en plus de son action lente et durable, l'œstrogène exerce un effet rapide et bref sur certains neurones. On croit que ce sont des récepteurs de la membrane de ces neurones qui seraient en cause (Moss et Dudley, 1984). Ce mécanisme de membrane joue probablement un rôle de médiateur dans la rétroaction négative exercée par l'œstrogène sur la sécrétion de gonadotrophine; ce même mécanisme pourrait également assurer la modulation de l'excitabilité nerveuse dans le comportement de reproduction. Un grand nombre d'études visent actuellement à mieux comprendre le caractère de polyvalence de l'activité hormonale.

Qu'est-ce qui contrôle la sécrétion des hormones ?

Certaines glandes endocrines sécrètent leurs hormones à un rythme assez constant alors que d'autres sont plus sujettes au degré de stimulation. Dans les deux cas, la sécrétion est généralement dirigée et contrôlée de façon à ce que la concentration d'hormones produites convienne aux activités de l'organisme. Fondamentalement, le contrôle exercé est une **rétroaction négative**. Nous allons d'abord étudier des systèmes simples de rétroaction négative, puis des systèmes comportant de grands nombres de réactions en chaîne.

Le diagramme de la figure 7.2 illustre un système simple de contrôle de l'action hormonale. Une hormone agit sur des cellules cibles, modifiant le taux de sécrétion d'une substance dans le liquide extracellulaire; le résultat de cette action contrôle alors le taux de libération de cette hormone par la glande endocrine. Par exemple, l'insuline aide à contrôler la glycémie (taux de glucose dans le sang) de la façon suivante : l'ingestion de glucose amène la libération d'insuline; l'insuline facilite l'entrée du glucose extracellulaire dans le muscle et les tissus adipeux et favorise un usage accru du glucose par les cellules. À mesure que la glycémie diminue, le pancréas réagit en sécrétant moins d'insuline si bien qu'un équilibre tend à se maintenir. L'activité de rétroaction négative d'une hormone est analogue à celle d'un thermostat : dans un système de chauffage, quand la température s'abaisse en deçà d'un certain niveau thermique, le thermostat active la production de chaleur. Quand la température s'élève de quelques degrés au-dessus d'un niveau thermique supérieur, le thermostat cesse d'être opérationnel, si bien que la température est maintenue plutôt constante. Et de la même façon que le thermostat peut être réglé à différentes températures, les points de référence des systèmes endocriniens de rétroaction peuvent également être adaptés pour s'accommoder aux diverses circonstances.

La figure 7.3 illustre le niveau suivant dans l'ordre de complexité des systèmes endocriniens. Dans cet exemple, l'hypothalamus contrôle la glande endocrine. Toutefois, ce contrôle peut mettre à contribution le système nerveux (tel le contrôle de la médullosurrénale), ou une autre hormone (comme la libération de l'hormone de croissance par l'adénohypophyse). La sécrétion d'une glande endocrine affecte des cellules cibles et la rétroaction négative est dirigée vers l'hypothalamus, évitant la glande endocrine.

Un niveau additionnel de complexité (figure 7.4) est mis en évidence par le modèle de contrôle de la sécrétion de la thyroïde. Cette sécrétion est régie par la *thyréostimuline* (TSH), l'une des hormones sécrétées par l'adénohypophyse, qui influencent les activités sécrétrices d'autres glandes endocrines : ces hormones sont nommées **stimulines**. La libération de la TSH est elle-même contrôlée par une hormone de l'hypothalamus nommée **facteur de libération de la thyréostimuline (TRF)**. Dans ce cas-ci, la rétroaction fait intervenir l'hormone de la glande endocrine qui, par la voie hypothalamique, agira sur l'adénohypophyse. Ainsi, le mode d'action de ces contrôles assurés par des messagers chimiques de nature hormonale rappelle les modalités d'opération des servomécanismes. Au chapitre 10, nous allons faire appel à des concepts analogues dans l'analyse du contrôle des fonctions motrices.

Figure 7.2 Contrôle rétroactif négatif de la sécrétion hormonale. Dans cette figure et dans les figures qui suivent, une flèche grise indique l'inhibition.

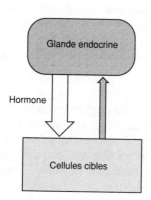

LES PRINCIPALES SÉCRÉTIONS HORMONALES

Dans ce chapitre, nous nous limiterons à la description de certains des effets principaux qu'exercent, par leurs hormones, quelques-unes des principales glandes endocrines. L'exposé sera simplifié car une analyse complète exigerait un volume entier. Une liste plus détaillée des hormones et de leurs fonctions est présentée au tableau de référence, aux pages 245 et 246; pour une analyse plus détaillée, consulter les ouvrages de Gorbman (1983) et de Hadley (1984). Il faut se souvenir que la plupart des hormones ont des fonctions plus variées que ce que l'analyse suivante laissera entendre; de plus, de nombreuses hormones peuvent agir en synergie pour produire certains effets.

Hormones de l'hypophyse

Enchâssée dans une cavité osseuse située à la base du crâne, se trouve l'**hypophyse**, glande dont le volume est d'à peu près un centimètre cube et dont la masse est d'environ un gramme. Cette glande est également nommée pituitaire, d'un mot latin signifiant *mucus* ; moins fréquemment utilisée, cette appellation lui vient d'une croyance désuète voulant que cette glande recueille les déchets de l'organisme et les sécrète par le nez !

Figure 7.3 Circuit de contrôle plus complexe des glandes endocrines qui comprend l'hypothalamus et d'autres régions cérébrales.

Figure 7.4 Contrôle complexe de la sécrétion endocrine, faisant intervenir l'hypothalamus et l'adénohypophyse.

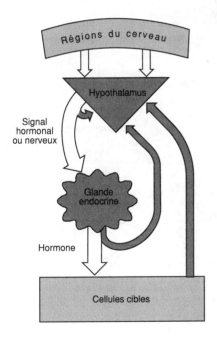

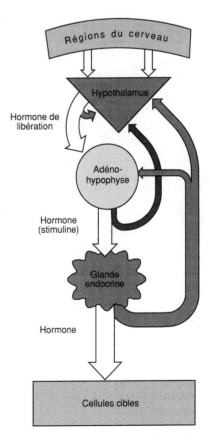

Depuis, l'hypophyse a acquis le titre de glande maîtresse par allusion à son rôle de régulation de plusieurs autres glandes endocrines. L'hypophyse est composée de deux parties principales, celles-ci exerçant des fonctions totalement distinctes et provenant de sources embryonnaires différentes : ce sont l'**adénohypophyse**, ou **lobe antérieur de l'hypophyse**, et la **neurohypophyse** ou **lobe postérieur de l'hypophyse**. L'étymologie grecque du mot hypophyse fait référence à une excroissance provenant de la base du

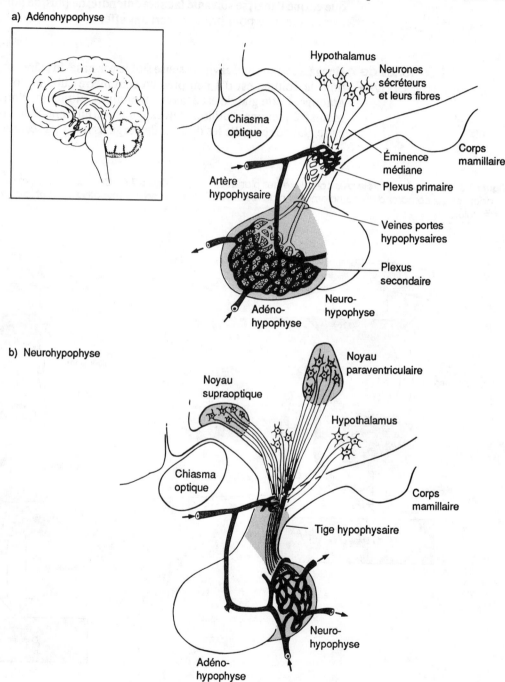

Figure 7.5 L'hypophyse.
a) Adénohypophyse.
b) Neurohypophyse.

cerveau. La racine *adeno* vient du grec, glande, car le lobe antérieur de l'hypophyse est un dérivé de tissu glandulaire. Au contraire, la neurohypophyse est un dérivé de tissus nerveux cérébraux.

La tige hypophysaire, nommée *infundibulum* parce qu'on croyait qu'il s'agissait d'un entonnoir dans la glande, est également représentée sur le dessin de la figure 7.5. Cette structure est faite d'axones et est richement vascularisée. Tous ces axones se dirigent vers la neurohypophyse, l'adénohypophyse ne recevant aucun apport nerveux de ce type.

Hormones de l'adénohypophyse

Les cellules du lobe antérieur de l'hypophyse sécrètent une variété de substances hormonales. La plupart de ces sécrétions sont nommées stimulines parce que leur principal rôle est de contrôler (ou stimuler) des glandes endocrines situées ailleurs, dans le corps. Les activités de plusieurs stimulines sont illustrées à la figure 7.6.

L'hormone de croissance (somatotrophine ou hormone somatotrope, STH) agit sur plusieurs tissus de l'organisme pour influencer la croissance des cellules et des tissus. Elle exerce cette action en intervenant de façon significative dans le métabolisme des protéines. La production quotidienne et la libération de l'hormone de croissance sont plus particulièrement évidentes pendant les premiers stades du sommeil, certains de ceux-ci étant effectivement nécessaires à la libération de cette hormone. Beaucoup d'autres facteurs influencent sa libération comme, par exemple, une chute de la glycémie, une privation de nourriture, l'exercice et le stress (voir l'encadré 7.1).

Plusieurs autres hormones sécrétées par l'adénohypophyse contrôlent la production et la libération d'hormones provenant d'autres glandes endocrines. Mentionnons brièvement quatre de ces stimulines.

L'hormone adrénocorticotrope (ACTH) contrôle la production et la libération des hormones de la corticosurrénale. La concentration sanguine de cette hormone est soumise à un rythme circadien rigoureux. La **thyréostimuline (TSH)** stimule la libération de la thyroxine par la glande thyroïde et influence de façon notable le volume de cette dernière en favorisant une augmentation de la captation d'iode.

Deux stimulines adénohypophysaires viennent influencer l'activité hormonale des gonades. L'une d'elles, la **gonadotrophine B**, est nommée, chez la femelle, **hormone lutéinisante (LH)** à cause de ses effets spécifiques sur le corps jaune; chez le mâle, l'hormone chimiquement équivalente à la LH est l'**hormone stimulant les cellules interstitielles (ICSH)**. La LH stimule la libération des ovules, formés dans les follicules ovariens, et la production de progestérone par le corps jaune; cette hormone essentielle est responsable de l'épaississement de la muqueuse utérine qui doit se préparer à l'éventualité de l'implantation d'un œuf fécondé. Chez le mâle, l'hormone ICSH stimule la production de testostérone par les testicules. L'autre stimuline qui influence les activités des hormones sexuelles est la **folliculostimuline (FSH)**. Cette hormone stimule la sécrétion d'œstrogène, chez la femelle, et de testostérone chez le mâle; elle influence également la production de l'ovule comme celle des spermatozoïdes.

La sécrétion des stimulines est en partie déterminée par les facteurs de libération hypothalamiques qui sont dirigés vers l'adénohypophyse, par les vaisseaux sanguins empruntant l'axe de l'infundibulum. Nous reviendrons sur ces facteurs de libération lors de l'étude plus détaillée de l'hypothalamus.

La neurohypophyse

L'hypophyse postérieure libère deux hormones principales, l'**hormone antidiurétique** (ou **vasopressine**) et l'**ocytocine**. On a d'abord cru que ces substances étaient produites et entreposées dans des cellules de la neurohypophyse, pour être ensuite libérées, à l'arrivée

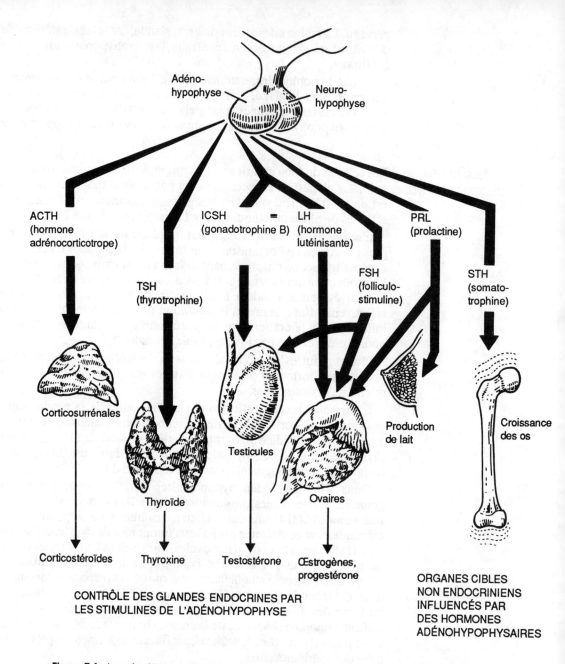

Figure 7.6 Les sécrétions adénohypophysaires comprennent à la fois des sécrétions trophiques et des hormones qui affectent des organes cibles non endocriniens.

de signaux nerveux appropriés provenant des centres hypothalamiques. Ce point de vue s'appuyait sur la présence évidente d'un ensemble élaboré de terminaisons de fibres nerveuses, dans cette région de l'hypophyse. Toutefois, la conception du rôle nerveux de la région postérieure de l'hypophyse a été récemment revue et corrigée.

Génie a eu une enfance extrêmement défavorisée. De l'âge de 20 mois jusqu'à 13 ans, on l'a tenue isolée dans une petite chambre fermée et, la plupart du temps, attachée à une chaise. Ses parents troublés lui donnaient de la nourriture, mais personne ne prenait Génie dans ses bras, ni ne lui adressait la parole. Quand elle fut libérée de sa réclusion et livrée à l'observation des chercheurs, à l'âge de 13 ans et 9 mois, elle avait l'apparence d'une enfant de 6 ou 7 ans (Curtis, 1977).

Il a été démontré que d'autres formes moins horribles de privation familiale entraînent également un arrêt de la croissance. Ce syndrome a été nommé *nanisme psychosocial* pour bien indiquer que le retard de croissance était dû à des facteurs sociaux agissant par l'entremise du système nerveux central et de son contrôle sur les fonctions endocriniennes (Green, Campbell et David, 1984). Quand ces enfants sont libérés de ces conditions de milieu difficiles, plusieurs grandissent alors rapidement. Le taux de croissance de trois *nains psychosociaux* de ce genre, avant et après les périodes de privation affective, est rapporté à la figure de l'encadré 7.1. Ces enfants semblent récupérer une partie du déficit de croissance engendré par de longues périodes de stress.

Comment le stress et la privation affective produisent-ils des déficiences de la croissance ? Ces effets semblent résulter de changements dans le taux de sécrétion de plusieurs hormones, y compris l'hormone de croissance (somatotrophine), la somatomédine et le cortisol. Les deux premières de ces hormones favorisent la croissance cellulaire mais, par contre, des concentrations élevées de cortisol inhibent la croissance. Des essais chez des enfants souffrant de nanisme psychosocial révèlent qu'il n'y a virtuellement aucune libération d'hormone de croissance et ceci peut être dû à l'absence de la neurohormone hypothalamique qui faciliterait la libération de l'hormone de croissance (Brasel et Blizzard, 1974). On a pensé à la perturbation du sommeil comme cause de cette absence (Gardner, 1972). L'hormone de croissance est typiquement libérée pendant certaines étapes du sommeil (chapitre 15) et les enfants soumis à un stress ont un sommeil perturbé. D'autres enfants qui souffrent de nanisme psychosocial ont une concentraion sanguine d'hormone de croissance qui se situe dans la normale mais une concentra-

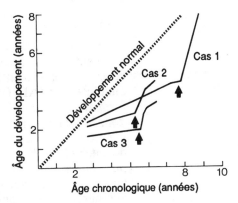

Figure de l'encadré 7.1 Taux de croissance relatif à trois cas de nanisme psychosocial. Le moment où l'enfant a été écarté de l'environnement qui causait un stress psychologique est indiqué dans chaque cas par une flèche. (Adapté de Brasel et Blizzard, 1974.)

tion sanguine de somatomédine peu élevée alors que cette hormone semble être, avec l'hormone de croissance, nécessaire à une croissance normale. D'autres nains psychosociaux ont également une concentration sanguine de cortisol élevée, probablement à cause du stress, et cette hormone inhibe la croissance. Certains des enfants touchés ne donnent aucun des signes de perturbation hormonale. Il existerait donc encore d'autres voies par lesquelles les facteurs affectifs influencent la croissance. Le phénomène pourrait également s'expliquer par le fait que les mesures de concentrations d'homones n'ont pas été prises assez tôt. La reprise de la croissance commence souvent rapidement, dès que l'enfant est écarté de l'environnement pénible, si bien que retarder même d'une journée ou deux peut faire rater l'opération de correction de la dysfonction hormonale.

La croissance est un processus qui fait intervenir un grand nombre de facteurs (hormonaux, métaboliques et diététiques) et qui, par conséquent, peut se dérégler de diverses façons. Les cas de nanisme psychosocial s'avèrent moins rares qu'on ne l'avait supposé antérieurement et les chercheurs qui étudient ce syndrome souhaitent qu'on en devienne plus conscient et qu'on lui accorde une plus grande attention (Green, Campbell et David, 1984).

Les données contemporaines démontrent nettement que des cellules de divers noyaux hypothalamiques, notamment les **noyaux supraoptiques** et les **noyaux paraventriculaires**, synthétisent des hormones ensuite transportées le long de leurs axones (où ces hormones prennent l'apparence de granules denses) vers les terminaisons axonales. Dans ces cellules, les influx nerveux ont pour effet de libérer ces neurosécrétions dans le riche lit vasculaire de la neurohypophyse. En réalité, les terminaisons axonales de ces cellules nerveuses jouxtent des capillaires; la figure 7.5b illustre les relations de ces cellules sécrétrices et des capillaires sanguins.

Les signaux qui activent les cellules nerveuses des noyaux supraoptique et paraventriculaire semblent être associés à la pression osmotique du sang. Des aspects de ce problème concernent la soif et la régulation de l'eau (chapitre 12). La sécrétion de l'hormone antidiurétique (ADH) favorise la conservation de l'eau parce que cette hormone inhibe la formation d'urine (d'où le qualificatif antidiurétique). Les deux noms assez différents donnés à cette hormone reflètent la séquence des découvertes à son sujet. Le premier effet identifié a été celui de l'élévation de la pression sanguine (vasopressine). Puis, plus tard, il devint évident que le rôle physiologique majeur de cette hormone résidait plutôt dans sa puissante activité antidiurétique, l'ADH exerçant ses effets avec moins d'un millième de la concentration sanguine requise pour modifier la pression artérielle. Le nom d'hormone antidiurétique lui convient donc nettement mieux, même si beaucoup de chercheurs utilisent encore l'appellation plus ancienne.

Autre hormone entreposée dans les terminaisons d'axones de la neurohypophyse puis libérée sous l'effet d'influx nerveux, l'ocytocine intervient, chez une femme qui allaite son nourrisson, dans le phénomène d'éjection du lait contenu dans les canaux lactifères des glandes mammaires, ces canaux étant soumis à des effets de contraction exercés par l'ocytocine. Le mécanisme à l'origine de ce phénomène offre un bel exemple de l'interaction du comportement et de la libération d'hormones. Quand un nourrisson ou un jeune animal commence à téter, un délai de 30 à 60 secondes est nécessaire avant que le lait ne parvienne au mamelon. Ce délai est occasionné par une suite d'événements réalisés en plusieurs étapes. La stimulation du mamelon active des récepteurs de la peau qui transmettent cette information, par l'intermédiaire d'une chaîne de plusieurs neurones et synapses, aux cellules hypothalamiques contenant de l'ocytocine. Cette hormone est libérée par la neurohypophyse et passe, via la circulation sanguine, jusqu'aux glandes mammaires, où elle produit une contraction des cellules bordant les parois des canaux lactifères, ce qui pousse le lait au niveau du mamelon (figure 7.7). Dans l'espèce humaine, il faut noter que cette

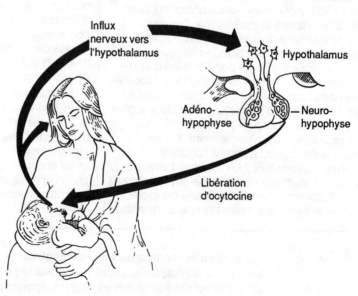

Figure 7.7 Réaction d'éjection du lait faisant intervenir l'hormone ocytocine.

réponse réflexe à la tétée devient souvent conditionnée aux cris du bébé, rendant ainsi le lait immédiatement disponible dès le début de l'allaitement.

L'ocytocine produit également de puissantes contractions du myomètre utérin et contribue à faciliter l'accouchement une fois le travail commencé. Dans le cas d'un travail prolongé qui peut menacer la viabilité du fœtus, on donne souvent des injections d'ocytocine pour accélérer l'accouchement.

Hormones de l'hypothalamus

Les sécrétions de l'adénohypophyse sont contrôlées par des facteurs de libération produits dans des neurones de l'hypothalamus. Ces neurones, situés dans différents noyaux de l'hypothalamus (figure 7.5), fabriquent les neurohormones ou neurosécrétions que sont les **facteurs de libération**, et les déversent sous stimulation nerveuse dans l'éminence médiane de l'hypothalamus. Là se trouve un lit de capillaires sanguins nourrissant la veine porte hypothalamo-hypophysaire qui va irriguer l'adénohypophyse. L'approvisionnement en sang de l'adénohypophyse contient donc plusieurs hormones qui ont été véhiculées par la circulation porte, à partir de l'éminence médiane. La liste de ces hormones comprend maintenant les facteurs de libération de l'hypothalamus favorisant entre autres la libération de la somatotrophine, de la thyréostimuline et de la lutéostimuline.

Les hormones sécrétées par l'hypothalamus constituent donc un élément additionnel de contrôle dans la régulation des sécrétions endocriniennes. Les neurones qui assurent la synthèse de ces hormones de régulation sont soumis à deux sortes d'influence :

1. Ces neurones subissent des influences nerveuses provenant d'autres régions cérébrales. Le système endocrinien est influencé de cette manière par un vaste éventail de signaux nerveux dont l'origine reste encore à élucider : influx d'origines proprioceptives, extéroceptives, cognitives et autres.

2. Ils subissent aussi l'influence de substances chimiques de toutes sortes qui réussissent à franchir la barrière hémato-encéphalique.

Hormones des surrénales

Au-dessus de chaque rein se trouve une **glande surrénale** qui sécrète quatre types d'hormones. Chez les mammifères, la surrénale comprend deux parties principales. L'écorce externe de la glande constitue la **corticosurrénale**, région de la glande composée de trois couches distinctes de cellules, chacune produisant différentes hormones. Le noyau de la glande est la **médullosurrénale**, en réalité une portion du système nerveux autonome qui est abondamment pourvue de nerfs provenant des ganglions autonomes.

La corticosurrénale produit et sécrète une variété d'hormones stéroïdes, notamment les **glucocorticoïdes**, ainsi nommés à cause des effets de ces stéroïdes sur le métabolisme des glucides. Les hormones de ce type, comme l'**hydrocortisone**, produisent des changements marqués dans le métabolisme du glucose, favorisant une élévation de la concentration de ce glucide dans le sang. Elles accélèrent également le catabolisme des protéines. En fortes concentrations, les glucocorticoïdes ont une influence anti-inflammatoire notable, ce qui entraîne une diminution des réactions du corps à l'endommagement des tissus. Des actions biologiques plus étendues de ces substances s'observent dans leurs effets sur l'appétit et l'activité musculaire.

À cause de leurs effets sur les concentrations ioniques de certains tissus du corps (surtout les reins), certaines hormones corticosurrénaliennes ont été nommées **minéralocorticoïdes**. L'**aldostérone** est l'une de ces hormones du deuxième groupe : sa sécrétion favorise la conservation du sodium par le sang et la libération de potassium dans l'urine. Cette action a pour conséquence de maintenir un équilibre homéostatique dans la distribution d'ions entre le sang et les liquides extracellulaires.

La corticosurrénale produit également des hormones sexuelles, la structure moléculaire de ces hormones stéroïdes étant étroitement associée à celle des glucocorticoïdes et des minéralocorticoïdes. Chez l'être humain, la principale hormone sexuelle sécrétée par les corticosurrénales est nommée **androstérone**, hormone responsable notamment, de la distribution des poils chez l'homme et la femme.

La régulation de la concentration des hormones corticosurrénaliennes dans le sang est effectuée en plusieurs étapes (figure 7.8). L'importance de l'hormone hypophysaire ACTH peut être démontrée facilement par une ablation de l'hypophyse, ce qui provoque une atrophie de la corticosurrénale. L'ACTH favorise également la synthèse des stéroïdes dans les surrénales; en effet, l'hydrocortisone n'est sécrétée par les corticosurrénales qu'en présence d'ACTH.

Les corticostéroïdes, surtout l'hydrocortisone, produisent une rétroaction négative sur la libération hypophysaire d'ACTH. Avec une élévation de la concentration des hormones corticosurrénaliennes dans le sang, la sécrétion d'ACTH est supprimée graduellement, entraînant par la suite une diminution de la libération des hormones corticosurrénaliennes. Quand la concentration de corticoïdes dans le sang est trop faible, les cellules hypophysaires qui sécrètent l'ACTH ne sont plus inhibées et la concentration d'ACTH dans le sang s'élève

Figure 7.8 Régulation des sécrétions endocriniennes par les corticosurrénales.

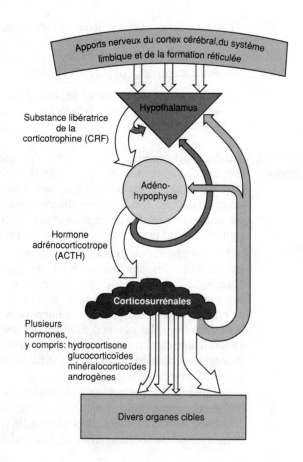

à nouveau : il s'ensuit alors une sécrétion accrue d'hormones produites par les corticosurrénales. La sécrétion d'ACTH est également contrôlée par des mécanismes hypothalamiques, grâce à l'**hormone de libération de la corticotrophine (CRH)** ou **substance libératrice de la corticotrophine (CRF)**. La CRH fournit le signal qui règle le rythme quotidien de libération d'ACTH. Le stress, tant physiologique que psychologique, exerce aussi une influence notable sur la sécrétion d'ACTH. (Le chapitre 15 traite plus à fond de la relation entre le stress et la sécrétion d'ACTH.)

Les hormones des médullosurrénales sont deux amines, l'**adrénaline** et la **noradrénaline**. Au chapitre 6, nous avons souligné que ces hormones jouaient également le rôle de transmetteurs synaptiques dans certains sites du système nerveux.

Hormones du pancréas

Organe de la cavité abdominale logé à la base de l'estomac, le **pancréas** est constitué d'un tissu glandulaire contenant des grappes de cellules nommées **îlots de Langerhans**, ceux-ci sécrétant des hormones directement dans le sang. Ces ensembles de cellules sont dispersés dans le tissu pancréatique principalement constitué d'ensembles cellulaires (les acini) qui exercent une fonction exocrine, ceux-ci sécrétant des enzymes digestives dans les canaux liés à la partie duodénale de l'intestin.

L'**insuline** et le **glucagon**, hormones sécrétées par les îlots de Langerhans, exercent des actions puissantes et régulières sur le métabolisme du glucose. L'insuline est fabriquée dans un type particulier de cellules (*cellules bêta*), à l'intérieur des îlots, et le glucagon est sécrété par un autre type de cellules (*cellules alpha*).

La libération de l'insuline est contrôlée par des facteurs nerveux et des facteurs non nerveux. La glycémie (concentration de glucose dans le sang) dont le contrôle est assuré par l'action sécrétrice des cellules des îlots de Langerhans, joue un rôle primordial dans la libération de l'insuline. Quand la glycémie dépasse un seuil critique, la sécrétion d'insuline est augmentée. L'insuline favorise également un accroissement de la captation de glucose par certains tissus, comme les muscles, et une réduction de la libération de glucose par les cellules du foie. Ces effets entraînent une baisse de la disponibilité du glucose sanguin. Cette réaction en est donc une de rétroaction directe, sans intervention de stimuline.

Les effets de l'insuline sont antagonistes à ceux du glucagon. Contrairement aux actions de l'insuline, celles du glucagon tendent à élever la concentration de glucose dans le sang. La régulation hormonale de la sécrétion de l'insuline et du glucagon est résumée à la figure 7.9. De plus, il existe une action paracrine entre les cellules alpha et bêta adjacentes des îlots de Langerhans; en effet, l'insuline et le glucagon peuvent s'opposer mutuellement dans des endroits précis, au sein même du pancréas, en plus de pouvoir également emprunter la voie endocrinienne. L'action réciproque de l'insuline et du glucagon contribue à maintenir la concentration de glucose dans le sang à l'intérieur des limites nécessaires au bon fonctionnement du cerveau et des autres organes.

La libération de l'insuline est également contrôlée par des influx nerveux atteignant le pancréas par le nerf vague. Quand un individu mange, l'insuline est libérée avant même qu'aucune molécule de glucose n'atteigne la circulation sanguine. Cette libération anticipée se produit en réaction à la stimulation gustative dans la bouche. Lors d'expérimentations avec des animaux, la section du nerf vague empêche la libération anticipée d'insuline en réaction à la déglutition; toutefois, cette intervention chirurgicale n'interfère pas dans la réaction insulinique au glucose déjà présent dans la circulation sanguine. De plus, même les stimuli normalement associés à l'ingestion de nourriture peuvent entraîner la libération d'insuline. Cette réaction est conditionnée et se produit également par la voie du système nerveux puisqu'une section du nerf vague l'abolit.

Figure 7.9 Régulation de la concentration du glucose sanguin par a) le glucagon, b) l'insuline et c) le glucagon et l'insuline à la fois.

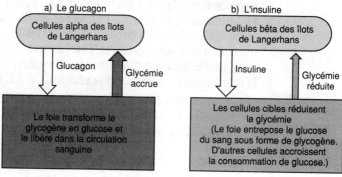

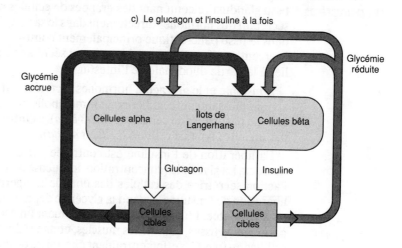

Hormones de la thyroïde

Située sur la face ventrale du cou, juste au-dessous du larynx, la **glande thyroïde** produit et sécrète plusieurs hormones dont la **thyroxine** et la **calcitonine**. Arrangées en forme de sacs (les follicules thyroïdiens), certaines cellules de la thyroïde assurent la synthèse des hormones et les entreposent dans le colloïde qui remplit la cavité folliculaire, d'où le caractère singulier de la thyroïde. En effet, la thyroïde est la seule glande endocrine qui accumule de grandes quantités d'hormones et les libère lentement : normalement, la thyroïde dispose d'une réserve qui peut durer au moins 100 jours.

Le système de contrôle servant à la régulation de la concentration de thyroxine dans le sang est illustré à la figure 7.10. Le contrôle principal est exercé par la **thyréostimuline (TSH)** provenant de l'adénohypophyse. La sécrétion de TSH est régie par deux facteurs, celui qui domine consistant en une rétroaction négative assurée par la concentration d'hormones thyroïdiennes en circulation dans le sang; le second facteur, d'ailleurs moins important, est une neurohormone, l'**hormone de libération de la thyréostimuline (TRH)**. Quand la concentration de la thyroxine dans le sang diminue, il s'ensuit une sécrétion de TRH et de TSH; lorsque la TSH atteint la glande thyroïde, elle entraîne la libération d'hormones thyroïdiennes.

Les connaissances acquises sur le contrôle des sécrétions d'hormones par la thyroïde par mécanisme de rétroaction permettent d'établir un diagnostic d'hyposécrétion (hypothyroïdisme) ou d'hypersécrétion (hyperthyroïdisme) de cette glande. Ces deux désordres sont relativement fréquents. La concentration sanguine de TSH est presque invariablement élevée chez les gens souffrant d'hyperthyroïdisme. À mesure que l'hyperthyroïdisme s'installe, la concentration sanguine de TSH s'élève avant même que l'individu ne manifeste de faibles concentrations sanguines d'hormones thyroïdiennes, parce que la concentration sanguine élevée en TSH maintient les hormones thyroïdiennes à un haut niveau aussi longtemps que possible.

L'hormone thyroïdienne est la seule substance métabolique qui contienne de l'iode, si bien que la production de thyroxine dépend d'une façon critique de la réserve d'iode. Dans les régions du monde où les aliments sont pauvres en iode, il peut arriver que beaucoup de gens souffrent d'hypothyroïdisme. Dans de tels cas, par réaction compensatoire, la thyroïde peut grossir pour produire plus d'hormones : c'est le goitre. Aujourd'hui, l'habitude acquise d'utiliser du sel de table iodé permet de prévenir cette insuffisance thyroïdienne.

La thyroïde joue un rôle essentiel dans le contrôle du métabolisme général et, en particulier, celui des glucides. Cette glande exerce ainsi une influence déterminante sur la croissance, ce qui est surtout évident lorsqu'une insuffisance thyroïdienne apparaît tôt dans la vie. En plus de l'arrêt de la croissance du corps et de malformations du visage qui sont des caractéristiques de ce dysfonctionnement glandulaire, une thyroïde déficiente réduit de façon marquée la dimension du cerveau et des structures cellulaires : c'est le **crétinisme** caractérisé par un faible développement mental. Nous en parlerons plus abondamment lorsque nous traiterons des effets des hormones sur l'apprentissage et la mémoire.

Hormones sexuelles

Pratiquement tous les aspects du comportement de reproduction, y compris l'accouplement et les attitudes parentales, dépendent des hormones sexuelles. Le chapitre 11 étant consacré au comportement et à la physiologie de la reproduction, nous ne décrirons que brièvement, ici, les hormones en cause et certains aspects pertinents de l'anatomie et de la physiologie des organes qui en assurent la sécrétion. Les gonades des mâles et des femelles des vertébrés produisent des hormones et des gamètes (ovules et spermatozoïdes). La production d'hormones est essentielle tant au comportement de reproduction qu'à la formation d'ovules et de spermatozoïdes.

Les testicules

Les testicules sont formés de plusieurs types de cellules. Logées dans les interstices entre les tubules séminifères formés de cellules produisant les spermatozoïdes, les cellules interstitielles produisent et sécrètent l'hormone **testostérone**. (Cette hormone ainsi que les autres hormones masculines sont dites **androgènes**, terme dérivé des mots grecs *andros*, homme et *genos*, origine.) La production et la libération de la testostérone sont contrôlées par une hormone de l'adénohypophyse, hormone nommée **ICSH (hormone stimulant les cellules interstitielles)** ou **LH (hormone lutéinisante)**.

Cette hormone de l'hypophyse est elle-même contrôlée par une substance produite par l'hypothalamus, l'**hormone de libération de la gonadotrophine (GnRH)**, aussi nommée **hormone de libération de la lutéostimuline (LHRH)**. La testostérone contrôle un grand nombre de changements corporels qui deviennent apparents à la puberté, notamment la mue de la voix, le développement de la pilosité corporelle et le volume des organes génitaux. Chez un mâle adulte, les concentrations de testostérone dans le sang varient au cours de la journée, mais les relations entre les rythmes circadiens de cette hormone et le comportement tiennent toujours du mystère. Chez les espèces dont l'accouplement n'est possible qu'à certains moments de l'année, la testostérone a des effets particulièrement remarqua-

Figure 7.10 Régulation de la sécrétion de la thyroxine.

Figure 7.11 Régulation des fonctions des testicules, y compris la sécrétion de testostérone.

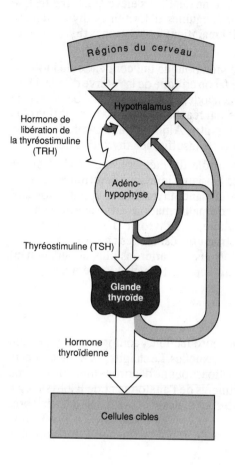

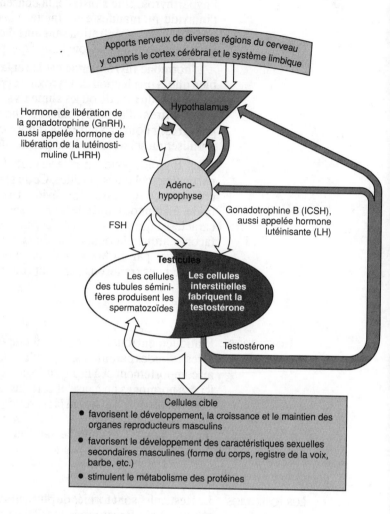

bles sur le comportement et l'apparence. Le mécanisme de contrôle de la sécrétion de la testostérone est résumé à la figure 7.11.

Les ovaires Les ovaires, gonades femelles, fabriquent également des gamètes (ovules) et produisent des hormones. Toutefois, les activités hormonales des ovaires sont plus complexes que celles des testicules. La production d'hormones ovariennes se fait selon un cycle dont la durée varie selon les espèces; chaque cycle dure environ quatre semaines chez l'être humain, mais seulement quatre jours chez le rat. L'ovaire produit deux classes principales d'hormones : les **œstrogènes** et la **progestérone**. (Le terme œstrogène vient du grec *oistros*, fureur et *genos*, origine. Progestérone vient du préfixe latin *pro*, pour et du verbe *gestare*, porter.) La production ovarienne de ces hormones est sous le contrôle de deux hormones de l'adénohypophyse, la **folliculostimuline (FSH)** et l'**hormone lutéinisante (LH)** (la LH est identique à l'ICSH du mâle). La libération des hormones de l'adénohypophyse est contrôlée par une hormone en provenance de l'hypothalamus, l'**hormone de libération de la gonadotrophine (GnRH)**, aussi nommée **hormone de libération de la lutéinostimuline (LHRH)**. Un modèle du mécanisme de contrôle des hormones ovariennes est illustré à la figure 7.12.

Relations entre les hormones sexuelles

Il est intéressant de noter que les trois classes d'hormones sexuelles, les androgènes, les œstrogènes et la progestérone, ont des structures chimiques étroitement apparentées. Comme les stéroïdes de la corticosurrénale, elles sont toutes dérivées du cholestérol et possèdent toutes comme structure de base quatre anneaux carbonés interreliés. De plus, les œstrogènes sont synthétisés à partir des androgènes et les androgènes à partir de la progestérone (tableau 7.2). Les organes génitaux diffèrent quant aux quantités relatives de ces hormones qu'ils produisent. Les testicules, par exemple, ne convertissent qu'une

Figure 7.12 Régulation des fonctions des ovaires, y compris la sécrétion des hormones ovariennes.

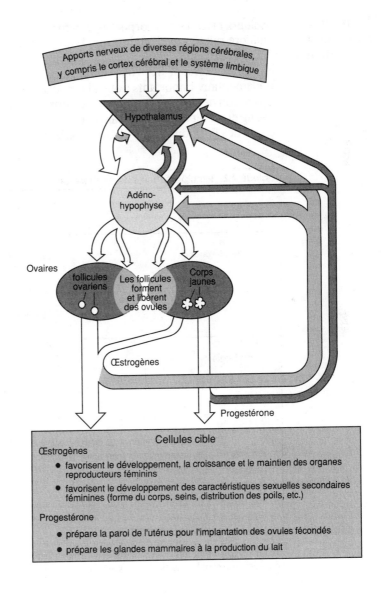

237

proportion relativement faible de testostérone en estradiol, alors que les ovaires transforment la plus grande partie de la testostérone qu'ils fabriquent en estradiol. Les corticosurrénales sécrètent des quantités appréciables d'androstérone sans la métaboliser plus à fond. Une grande partie de la testostérone qui pénètre dans les cellules cérébrales est convertie en estradiol au sein même de ces cellules (voir le chapitre 11).

CERTAINS EFFETS HORMONAUX

Nous avons déjà mentionné que les influences endocriniennes sur les états structuraux ou fonctionnels font souvent intervenir, par mécanisme d'interaction, plusieurs hormones différentes. Nous allons donc considérer brièvement quelques effets hormonaux sur l'homéostasie et sur l'apprentissage et la mémoire; ces fonctions sont influencées de multiples façons par les glandes endocrines. Les effets des hormones sur la croissance ont été traités à l'encadré 7.1.

Hormones et mécanismes homéostatiques

Plusieurs mécanismes corporels apparus au cours de l'évolution permettent d'assurer un équilibre relatif au milieu interne. Walter Cannon, physiologiste américain, a nommé ces mécanismes **homéostasie** (des mots grecs *homoios*, semblable et *statos*, qui se tient). Les hormones exercent des rôles de premier plan dans le contrôle de plusieurs processus fondamentaux importants pour l'homéostasie, notamment ceux qui assurent une bonne répartition des ions et des liquides et ceux qui contrôlent la concentration du glucose dans le sang et au cerveau. Le mécanisme de contrôle du glucose dans le sang servira à illustrer le rôle des hormones dans l'homéostasie du glucose.

Tableau 7.2 Principales voies de synthèse des hormones sexuelles.

Une flèche peut représenter plus d'une seule étape métabolique. Les flèches à une seule pointe indiquent des réactions irréversibles; les flèches à deux pointes indiquent des réactions réversibles.

Habituellement, la concentration du glucose dans le sang varie entre 80 et 130 mg / 100 ml. Certaines hormones comme le glucagon, l'hormone de croissance et l'hydrocortisone provoquent une élévation de la concentration du glucose dans le sang (effet hyperglycémiant). L'insuline produit l'effet inverse. L'équilibre établi entre ces hormones maintient la concentration du glucose sanguin à l'intérieur de limites qui assurent une production maximale d'énergie dans une variété de circonstances. La concentration du glucose dans le sang inhibe elle-même la sécrétion de certaines hormones.

L'échec de ces contrôles entraîne des conséquences graves. Une hyperglycémie prolongée et non contrôlée peut être à l'origine de modifications pathologiques de certaines fonctions physiologiques (cécité résultant d'un diabète, par exemple). Une telle détérioration des tissus peut découler de l'utilisation de voies métaboliques produisant des métabolites inhabituels. Le diabète sucré, maladie caractérisée par une déficience d'insuline, en est une illustration évidente.

Les mécanismes homéostatiques intervenant dans le contrôle du glucose dans le sang sont plus spécialement en évidence durant les périodes de stress ou d'exercices violents. Les changements hormonaux qui accompagnent ces états entraînent une augmentation de la libération de glucose par le foie. Toutefois, si la libération de glucose n'est pas suffisante, le système nerveux central est incapable de produire sa pleine réponse. Un taux de libération normal fait partie intégrante de la réaction d'alarme, la prompte *réaction d'attaque ou de fuite* du corps à toute source de stress. Quand la situation de stress persiste, il se produit alors des réactions à long terme qui font intervenir plusieurs autres hormones.

Dans certains chapitres de cet ouvrage, nous traiterons des mécanismes hormonaux en cause dans d'autres systèmes homéostatiques, notamment l'équilibre hydrominéral (chapitre 11) et les mécanismes hormonaux en cause dans le contrôle du bilan alimentaire et de la masse corporelle (chapitre 12).

Effets des hormones sur l'apprentissage et la mémoire

Les hormones affectent le développement précoce des capacités d'apprendre et de se souvenir ainsi que l'utilisation efficace de ces capacités dès leur formation. Il faut se souvenir que l'hormone thyroïdienne joue un rôle important dans le développement initial du système nerveux. Une sécrétion insuffisante de thyroxine par la thyroïde résulte en une formation de connexions synaptiques inférieure à la normale, ce qui engendre le crétinisme. Les études expérimentales nous ont appris que l'administration d'une drogue inhibitrice de la fonction thyroïdienne à des rats nouveau-nés résulte en une diminution appréciable de la formation des synapses corticales et en une réduction significative de la capacité d'apprentissage. On a rapporté que, chez les rats, le fait de donner à de tels crétins expérimentaux une expérience enrichie, au cours de leur croissance, contribuait dans une large mesure à atténuer leurs déficiences sur le plan du comportement (Davenport, 1976). (Au chapitre 17, nous discuterons des effets de l'enrichissement de l'expérience sur le cerveau.)

On a également montré que, après la période de développement, la capacité d'apprendre et de se souvenir des animaux, jeunes ou adultes, était affectée par les hormones hypothalamiques, l'ACTH, l'ADH et l'ocytocine, de même que par des fractions particulières ou analogues de ces hormones ainsi que la noradrénaline et l'adrénaline, hormones catécholaminergiques des médullosurrénales (McGaugh, 1983; Martinez, 1985). Certaines de ces études seront également abordées au chapitre 17. Dans cette recherche, l'une des hypothèses qui demande à être vérifiée est celle qui suppose que les effets affectifs d'une situation d'apprentissage agiraient sur la libération d'hormones et que les hormones présentes durant la période suivant l'apprentissage auraient un effet de modulation sur la formation de la mémoire. C'est-à-dire que le plaisir, la douleur ou le stress qui accompagnent un épisode d'apprentissage contribueraient, par l'intermédiaire de leurs effets hormonaux consécutifs, à déterminer dans quelle mesure la situation pourra être retenue en mémoire. Des effets hormonaux de ce genre seraient importants pour l'apprentissage par renforcement.

COMPARAISON DES MODES NERVEUX ET HORMONAL DE COMMUNICATION

Après un survol du mode de communication neurochimique (chapitre 6) et de celui de la communication hormonale, dans ce chapitre, il est maintenant possible de comparer les deux systèmes en faisant ressortir leurs différences et leurs similitudes.

La communication assurée par le système nerveux fonctionne un peu à la façon d'un système téléphonique : grâce à des voies préétablies, les messages sont dirigés vers des destinations précises. Par contre, la communication assurée par les hormones agit plutôt comme un système de radiodiffusion : plusieurs messages endocriniens se répandent à travers le corps et peuvent être captés par toute cellule pourvue de récepteurs appropriés. (Toutefois, certains messages hormonaux sont moins largement distribués; par exemple, l'hypothalamus n'envoie ses facteurs de libération qu'à quelques millimètres de distance, à travers les vaisseaux portes, vers l'hypophyse antérieure.) Les messages d'origine nerveuse sont rapides et se mesurent en millisecondes. Les messages de nature hormonale sont plus lents, de l'ordre de quelques secondes ou quelques minutes. La plupart des messages nerveux sont de nature *numérique*, constitués d'influx tout-ou-rien, alors que les messages hormonaux sont de nature *analogique*, c'est-à-dire de force graduée.

Une autre différence entre les communications nerveuse et hormonale porte sur le contrôle volontaire. Il n'est pas possible de faire varier, à l'œil et au doigt, la concentration d'une hormone dans le sang ou la force d'une réponse donnée par le système endocrinien, alors qu'il est possible de lever volontairement le bras, de clignoter des paupières ou d'exécuter beaucoup d'autres actes sous contrôle neuromusculaire. Toutefois, cette distinction entre les systèmes nerveux et hormonal n'est pas absolue. Plusieurs réponses musculaires ne peuvent être exécutées à volonté bien qu'elles soient sous contrôle nerveux. Par exemple, les contractions rythmiques du muscle cardiaque sont contrôlées par le nerf vague, en réponse aux impératifs que représentent l'exercice ou le stress. Pourtant, très peu d'individus sont capables de changer ces réactions rapidement et directement. On dit parfois que nous n'avons pas de contrôle volontaire sur les réponses qui dépendent du système nerveux autonome; celles-ci font intervenir les muscles lisses et les glandes plutôt que les muscles squelettiques. Toutefois cette conclusion mérite certaines nuances : en effet, on entraîne les enfants à acquérir un contrôle volontaire sur les muscles lisses des sphincters qui règlent la miction et la défécation. De plus, les techniques de rétroaction biologique peuvent permettre à certaines personnes de résoudre des problèmes de santé en modifiant leur propre rythme cardiaque et leur pression artérielle (Miller, 1978). L'entraînement peut également assurer le contrôle des comportements régis par les hormones. Par exemple, des rats dont la musculature squelettique est paralysée peuvent être entraînés à modifier leur taux d'excrétion urinaire (Miller et Dworkin, 1978) : on peut présumer que cette réponse ferait intervenir l'hormone antidiurétique. Enfin, nous avons déjà souligné quelques exemples de conditionnement d'autres réponses à participation hormonale, notamment la réaction d'éjection du lait contenu dans les glandes mammaires, grâce à l'ocytocine, et la réaction de prompte libération d'insuline, au moment de manger. Bien que cette distinction ne doive pas être considérée comme absolue, il est nécessaire d'établir une différence entre le système endocrinien involontaire et le système musculaire squelettique qui, lui, est accessible au contrôle volontaire.

En dépit de leurs différences, le système nerveux et le système hormonal présentent d'importantes similitudes. L'utilisation que fait le système nerveux de substances chimiques

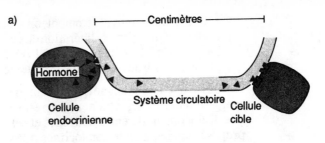

a)

Centimètres

Hormone

Cellule endocrinienne

Système circulatoire

Cellule cible

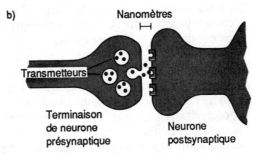

b)

Nanomètres

Transmetteurs

Terminaison de neurone présynaptique

Neurone postsynaptique

spécialisées dans les communications au niveau des jonctions synaptiques ressemble fort à l'utilisation que fait le système endocrinien de ses hormones pour assurer également des communications (figure 7.13). La distance parcourue par les messagers chimiques n'est évidemment pas la même dans les deux cas, puisque l'espace synaptique n'est que de 30 nm (30×10^{-9}m) environ, alors que les hormones peuvent parfois parcourir un mètre, soit la distance entre un site de sécrétion et l'organe cible. Néanmoins, l'analogie entre la transmission chimique aux synapses et la communication hormonale vaut pour plusieurs points spécifiques :

1. La terminaison présynaptique d'un neurone fabrique un transmetteur chimique spécifique et l'accumule pour une libération ultérieure, de la même façon qu'une glande endocrine entrepose son hormone avant de la sécréter.

2. Quand un influx nerveux atteint la terminaison présynaptique, celle-ci libère l'agent transmetteur dans l'espace synaptique. De même, les glandes endocrines sont stimulées pour sécréter des hormones dans la circulation sanguine, certaines glandes répondant à des messages nerveux, d'autres à des messages chimiques.

3. Il existe beaucoup d'agents chimiques de transmission synaptique différents et il y a plusieurs hormones différentes; enfin, on s'aperçoit maintenant que de plus en plus de composés biochimiques jouent les deux rôles, celui d'hormone et celui de neurotransmetteur. La noradrénaline et l'adrénaline agissent en effet comme transmetteurs dans plusieurs synapses cérébrales et sont également sécrétées comme hormones par les médullosurrénales. C'est aussi le cas de l'ACTH, de l'ADH et de la mélanostimuline.

4. Le transmetteur synaptique entre en réaction avec des molécules réceptrices spécifiques, à la surface de la membrane postsynaptique. De même, beaucoup d'hormones entrent en réaction avec des molécules réceptrices spécifiques logées dans la membrane de leurs cellules cibles; la plupart des organes sont dépourvus de récepteurs pour une hormone donnée et, par conséquent, n'entrent pas en réaction avec cette dernière.

5. Dans bien des cas, lorsque les hormones agissent sur les molécules réceptrices, il y a libération d'un second messager au sein des cellules cibles, ce qui permet d'effectuer des changements à l'intérieur de la cellule. Ce processus a été étudié à fond dans le système

endocrinien et, plus récemment, on a découvert que certains mécanismes nerveux font également intervenir la libération de seconds messagers dans le neurone postsynaptique. De plus, c'est le même composé, l'AMP cyclique, qui agit comme second messager en plusieurs endroits, tant dans le système nerveux que dans le système endocrinien.

Nous avons déjà souligné que certains neurones de l'hypothalamus font véritablement la synthèse d'hormones. Les neurosécrétions résultantes permettent difficilement d'établir une distinction nette entre neurones et cellules endocriniennes. En effet, une hypothèse a proposé que les glandes endocrines puissent être un produit de l'évolution de **cellules neurosécrétrices** (Turner et Bagnara, 1976). Une autre hypothèse s'appuie sur de récentes découvertes indiquant que les hormones peptidiques, comme les hormones neuropeptidiques, existent dans les organismes unicellulaires. Les systèmes nerveux et endocrinien seraient donc dérivés de systèmes de communication en opération chez nos lointains ancêtres unicellulaires (Le Roith, Shiloach et Roth, 1982). Une bonne partie de la recherche récente est consacrée à la définition des fonctions des composés peptidiques dans le cerveau (Krieger, 1983). Certains peuvent servir de neurotransmetteurs. Par ailleurs, les peptides se caractérisent par une action plus lente et de plus longue durée que celle des neurotransmetteurs, ce qui a permis de suggérer que les peptides pourraient agir comme des **neuromodulateurs**, substances qui modifient la réactivité des cellules à l'endroit de transmetteurs spécifiques (Barchas, 1977).

ACTIVITÉS INTÉGRÉES DES SYSTÈMES HORMONAL ET NERVEUX

Bien que dans ce chapitre, nous nous soyons limités à l'étude du système endocrinien, il faut se rappeler que ce système est partie intégrante de notre corps et qu'à ce titre, il entre en interaction avec beaucoup d'autres organes, y compris, bien sûr, le système nerveux. La figure 7.14 situe le système endocrinien dans un ensemble plus complet de relations réciproques entre le corps et le comportement de ce dernier. Examinons certaines des relations décrites dans cette figure.

Les stimuli sensoriels déclenchent des influx nerveux qui sont dirigés vers diverses régions du cerveau dont le cortex cérébral, le cervelet et l'hypothalamus. Des réactions de comportement suscitent des changements additionnels dans la stimulation. Par exemple, l'individu peut se rapprocher ou s'éloigner de la source originale de stimulation si bien que cette action modifiera la grandeur de l'image visuelle, l'intensité du son perçu et ainsi de suite. Entre-temps, le système endocrinien modifie les caractéristiques des réactions de cette personne. Si l'évaluation de la situation stimulante requiert une action, l'énergie est mobilisée par l'intermédiaire de voies hormonales. L'état de certains organes récepteurs sensoriels peut être changé également, modifiant ainsi davantage le traitement des stimuli.

Plusieurs comportements exigent une coordination nerveuse et hormonale. Quand une situation de stress est perçue par l'entremise des voies sensorielles nerveuses, par exemple, des sécrétions hormonales préparent l'individu à l'exécution de réponses nécessitant des ressources d'énergie. Les réactions musculaires *d'attaque* ou *de fuite* sont contrôlées par le système nerveux, mais l'énergie dont ces réactions disposent est mobilisée par l'intermédiaire des voies hormonales. La réaction d'éjection du lait par les glandes mammaires constitue un autre exemple de coordination neuro-hormonale.

Dans un système qui combine cellules nerveuses et cellules endocriniennes, quatre sortes de signaux peuvent être utilisés d'une cellule à une autre : d'un neurone à un autre neurone (neuroneuronal), d'un neurone à une cellule endocrine (neuroendocrinien), d'une cellule endocrine à une autre cellule endocrine (endocrino-endocrinien) et d'une cellule endocrine à un neurone (endocrino-neuronal). Ces quatre types de signaux sont utilisés dans le comportement d'approche amoureuse du pigeon ramier. Friedman (1977) a fait cette

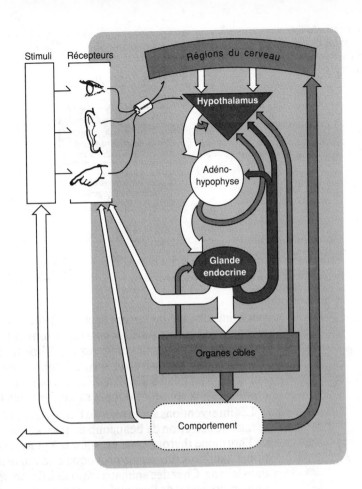

Figure 7.14 Intégration du système endocrinien dans le schéma d'ensemble des relations réciproques corps-comportement.

observation après avoir placé un pigeon mâle de manière à ce qu'il puisse apercevoir une femelle à travers une fenêtre. La stimulation visuelle et la perception font intervenir la transmission neuroneuronale. Le stimulus visuel particulier active un lien neuroendocrinien, ce qui amène certaines cellules neurosécrétrices de l'hypothalamus à sécréter la gonadotrophine B. Puis, arrive une série de signaux endocrino-endocriniens qui entraînent la production accrue et la libération de l'hormone testostérone. Celle-ci modifie alors l'excitabilité de certains neurones par l'intermédiaire d'un lien endocrinoneuronal et aboutit ainsi à la manifestation du comportement d'approche amoureuse. Le pigeon femelle réagit face à ce comportement, apportant ainsi une stimulation visuelle nouvelle et des signaux neuroneuronaux additionnels. (Au chapitre 11, les interactions complexes des pigeons mâle et femelle seront traitées de façon plus détaillée; d'autres exemples de coordination d'activités nerveuses et endocriniennes seront également présentés.)

Le schéma de la figure 7.15 permet de voir comment on peut trouver des relations entre activités endocriniennes et comportement. Par exemple, la concentration d'hormones dans le sang peut être modifiée par intervention chimique, ce qui peut affecter le comportement. Une maladie rare, le syndrome de Cushing, est caractérisée par une concentration élevée de glucocorticoïdes surrénaliens, ce qui cause de l'obésité, de l'hypertension et des troubles mentaux. Depuis 1949, la cortisone étant considérée comme un médicament, des cas de

Figure 7.15 Représentation schématique des relations réciproques entre le comportement et les activités endocriniennes.

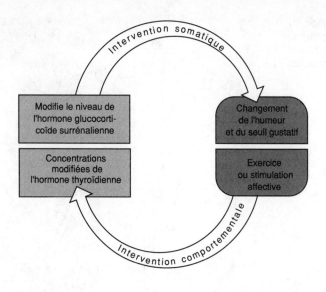

syndrome de Cushing se sont déclarés, à l'occasion, chez des personnes qui avaient reçu des traitements à la cortisone, les concentrations utilisées entraînant une hyperaccumulation de cette hormone. Chez des animaux expérimentaux, l'ablation des surrénales se traduit par une excrétion excessive de sels, ce qui accroît considérablement la préférence de ces animaux pour l'eau salée. En effet, les rats surrénalectomisés manifestent une sensibilité étonnante aux solutions dont la salinité est très faible.

Les interventions sur le plan de l'expérience causent aussi des changements rapides dans le taux de sécrétion de beaucoup de glandes endocrines. Par exemple, le taux de sécrétion de l'hormone thyroïdienne est soumis à plusieurs influences environnementales. L'exécution d'exercices physiques provoque une augmentation de la concentration de thyroxine dans le sang. Chez des animaux exposés à des températures basses, on peut noter également un accroissement de l'activité de la thyroïde et le fait de les maintenir dans cet état provoque une augmentation du volume de la glande thyroïde. Par contre, un stress physique, une douleur et des situations affectives désagréables réduisent l'activité sécrétrice de la thyroïde, conséquence probable d'une libération moins abondante de la thyréostimuline par l'adénohypophyse. La stimulation sensorielle et l'expérience émotive influencent la thyroïde en modulant la sécrétion de l'hormone de libération de la thyréostimuline, à partir de l'hypothalamus.

Résumé

1. Les hormones sont des composés chimiques qui exercent une fonction de signalisation dans le corps. Elles sont sécrétées par des glandes endocrines ou des cellules spécialisées et sont cédées à la circulation sanguine pour ensuite être captées par les molécules réceptrices des cellules cibles.

2. Certaines hormones, la thyroxine par exemple, réagissent avec des récepteurs situés dans une grande variété de cellules, si bien que ces hormones sont en mesure d'influencer la plupart des cellules de l'organisme. D'autres, comme les hormones sexuelles, n'ont des récepteurs que dans certaines cellules ou certains organes spécialisés.

3. Les hormones agissent de manière à faciliter la prolifération et la différenciation des cellules et à moduler l'activité de cellules qui sont déjà différenciées.

4. Les hormones peptidiques se fixent à des molécules réceptrices spécifiques, dans la membrane d'une cellule

cible, et entraînent la libération de molécules d'un « second messager » à l'intérieur de la cellule. Les hormones stéroïdes traversent la membrane et se fixent à des molécules réceptrices dans la cellule.

5. Un système de rétroaction négative supervise et contrôle le taux de sécrétion de chaque hormone. Dans le cas le plus simple, une hormone agit sur les cellules cibles, les amenant à modifier la quantité de substance dans le liquide extracellulaire, ce qui contrôle alors le taux de sécrétion de la glande endocrine.

6. Beaucoup d'hormones tombent sous le contrôle d'un système de rétroaction plus complexe; une stimuline hypothalamique contrôle la libération d'une hormone adénohypophysaire, celle-ci réagissant alors à la sécrétion d'une glande endocrine. En pareil cas, le mécanisme de rétroaction de l'hormone endocrinienne exerce des effets surtout au niveau de l'hypothalamus et de l'adénohypophyse.

7. Souvent, les influences endocriniennes sur diverses structures et fonctions concernent plus d'une hormone, comme dans le cas de la croissance, du métabolisme, de l'apprentissage et de la mémoire.

8. La communication nerveuse se distingue de la communication hormonale par le fait que les signaux nerveux se déplacent rapidement par des voies bien déterminées, alors que les signaux hormonaux se diffusent plus lentement à travers l'organisme.

9. Les systèmes de communications nerveuse et hormonale ont plusieurs caractéristiques en commun. Les deux utilisent des messagers chimiques; la même substance qui agit comme une hormone en certains endroits est un transmetteur synaptique en d'autres endroits. Les deux fabriquent, entreposent et libèrent des messagers chimiques. Enfin, les deux utilisent des récepteurs spécifiques et peuvent faire usage de seconds messagers.

10. Plusieurs comportements font appel à la coordination d'activités nerveuses et hormonales. La transmission de messages dans l'organisme peut faire intervenir des liens neuroneuronaux, neuroendocriniens, endocrino-endocriniens ou endocrino-neuronaux.

Lectures recommandées

Gorbman, A. (1983). *Comparative Endocrinology*. New York : Wiley.

Hadley, M.E. (1984). *Endocrinology*. Englewood Cliffs, N. J. : Prentice-Hall.

Leshner, A. (1978). *An Introduction to Behavioral Endocrinology*. New York : Oxford University Press.

Tableau de référence

Tableau 7.3   Principales glandes endocrines et tissus à fonctions endocrines : leurs hormones et leurs effets principaux.

Glandes	Hormones	Effets principaux
Adénohypophyse	Hormone de croissance	Stimule la croissance
	Thyréotrophine	Stimule la thyroïde
	Corticotrophine (ACTH)	Stimule les corticosurrénales
	Folliculostimuline	Stimule la croissance des follicules ovariens et des tubules séminifères des testicules
	Hormone lutéinisante	Stimule la transformation de follicules en corps jaune; stimule la sécrétion d'hormones sexuelles par les ovaires et les testicules
	Prolactine	Stimule la sécrétion du lait par les glandes mammaires
	Mélanostimuline	Contrôle la pigmentation cutanée chez les vertébrés inférieurs

Tableau 7.3 (Suite)

Glandes	Hormones	Effets principaux
Neurohypophyse	Ocytocine	Stimule la contraction du muscle utérin; stimule la libération de lait par les glandes mammaires
	Vasopressine (hormone antidiurétique)	Stimule une réabsorption accrue de l'eau par les reins
Hypothalamus	Hormones de libération	Contrôlent la sécrétion d'hormones par l'adénohypophyse
	Ocytocine, vasopressine	Voir neurohypophyse
Corticosurrénales	Glucocorticoïdes (corticostérone, hydrocortisone, cortisone, etc.)	Inhibent l'incorporation des acides aminés à la protéine du muscle; stimulent la formation (à partir de sources non glucidiques surtout) et l'entreposage du glycogène; aident à maintenir le glucose à une concentration sanguine normale
	Minéralocorticoïdes (aldostérone, désoxycorticostérone, etc.)	Contrôlent le métabolisme du sodium et du potassium
	Hormones sexuelles (surtout l'androstérone)	Contrôlent la pilosité faciale et corporelle
Testicules	Androgènes (testostérone, dihydrotestostérone, etc.)	Stimulent le développement et le maintien du comportement et des caractéristiques sexuelles primaires et secondaires de l'homme
Ovaires	Œstrogènes (estradiol, estrone, etc.)	Stimulent le développement et le maintien du comportement et des caractéristiques sexuelles secondaires de la femme
	Progestines (surtout la progestérone)	Stimulent le comportement et les caractéristiques sexuelles secondaires de la femme et maintiennent la grossesse
Thyroïde	Thyroxine, tri-iodothyronine	Stimulent les oxydations cellulaires
	Calcitonine	Prévient l'élévation excessive du calcium sanguin
Pancréas	Insuline	Stimule la formation et l'entreposage du glycogène; stimule l'oxydation des glucides; inhibe la formation de nouveau glucose
	Glucagon	Stimule la transformation du glycogène en glucose
Muqueuse du duodénum	Sécrétine	Stimule la sécrétion de suc pancréatique
	Cholécystokinine	Stimule la libération de bile par la vésicule biliaire; peut être un signal de satiété
	Entérogastrone	Inhibe la sécrétion de suc gastrique
Muqueuse pylorique de l'estomac	Gastrine	Stimule la sécrétion de suc gastrique
Parathyroïdes	Parathormone	Contrôle le métabolisme calcique
Pinéale (?)	Mélatonine (?)	Peut aider à contrôler l'hypophyse, peut-être en contrôlant les centres de libération hypothalamiques
Thymus	Thymosine (?)	Stimule la capacité immunitaire des tissus lymphoïdes
Médullosurrénales	Adrénaline (épinéphrine)	Stimule les réactions communément appelées « d'attaque ou de fuite »
	Noradrénaline (norépinéphrine)	Stimule des réactions semblables à celles produites par l'adrénaline, mais cause plus de vasoconstriction et est moins efficace pour transformer le glycogène en glucose

TROISIÈME PARTIE

Traitement de l'information dans les systèmes moteurs et perceptifs

L'énergie qui émane du soleil réchauffe la peau et sa lumière stimule les yeux. Des sons variés, allant des stridulations de certains insectes jusqu'aux interprétations allègres des chœurs d'opéra, réjouissent nos oreilles. La brise légère courbe les poils de l'épiderme et transporte des substances chimiques qui engendrent des sensations d'odeurs agréables ou désagréables. La nourriture que nous absorbons agit sur des récepteurs de la bouche et de l'estomac. Nous sommes entourés d'une énorme variété d'énergies et de substances qui excitent nos sens et transmettent à notre cerveau une large gamme d'informations sur ce qui se passe à l'extérieur et à l'intérieur de notre organisme. Ces informations sont essentielles à la survie. Toutefois, les systèmes sensoriels ne se contentent pas de reproduire ou de refléter passivement les stimuli qui les affectent. La réussite de l'évolution exige une action beaucoup plus sélective. Pour toute espèce donnée, les systèmes sensoriels ne produisent que des images partielles et sélectives de leur univers.

Les influx sensoriels qui parviennent au cerveau ne donnent pas seulement des images dans la tête mais entraînent souvent l'individu à l'action. Des informations diverses donnent lieu à des adaptations corporelles distinctes. C'est le cas d'un bruit émis soudainement. Les yeux se tournent alors presque automatiquement vers la source du son. La complexité des mouvements déclenchés par les événements sensoriels varie du léger déplacement des yeux jusqu'à des séries de mouvements compliqués, comme le comportement de fuite caractéristique d'une espèce donnée. Évidemment, les réponses motrices aux différentes stimulations sensorielles ne sont pas toutes stéréotypées. Elles diffèrent d'une espèce à l'autre, d'un individu à l'autre et d'un moment à l'autre chez un individu. Cette troisième partie traitera des modes de traitement de l'information dans les systèmes moteur et perceptif.

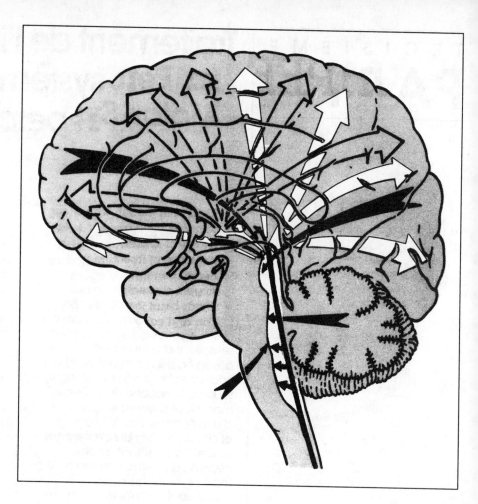

8 Principes à la base de l'expérience sensorielle et du traitement de l'information : le toucher et la douleur

ORIENTATION

Les systèmes sensoriels permettent à l'être humain et aux animaux de reconnaître, d'apprécier et d'évaluer les aspects du monde ambiant qui sont essentiels à la survie. Certaines caractéristiques de l'environnement sont devenues particulièrement significatives pour le succès de l'adaptation de chaque espèce. Même si chaque espèce se sert, pour ainsi dire, de fenêtres différentes pour observer le monde, les processus fondamentaux à la base de la perception se ressemblent beaucoup d'une espèce à l'autre. Nous considérerons d'abord quelques-uns de ces principes de base du traitement de l'information, puis nous examinerons le fonctionnement de certains systèmes sensoriels particuliers.

Chez tous les animaux, certaines parties du corps sont spécialisées et particulièrement sensibles à certaines formes d'énergie. Ces ensembles de récepteurs agissent comme des filtres : ils réagissent à certains stimuli et sont insensibles aux autres. De plus, ces récepteurs transforment et traduisent l'énergie en langage propre au système nerveux, soit sous forme de signalisation électrophysiologique. Chez tout animal, l'information sensorielle fait intervenir des codes qui servent de règles pour associer à l'activité des cellules nerveuses les attributs de l'énergie du stimulus (comme l'intensité). Dès que ces règles sont connues, l'examen des structures d'influx nerveux doit permettre à l'expérimentateur de distinguer celui qui se rapporte à un coucher de soleil de celui qui correspond à un morceau de nourriture. Évidemment, nous commençons à peine à comprendre ces règles et, jusqu'à présent, notre connaissance des codes se limite surtout à des stimuli plutôt simples, comme la couleur et la localisation dans l'espace. La complexité du problème tient en partie au fait que le traitement de l'activité nerveuse sensorielle met en cause plusieurs régions cérébrales, les unes et les autres pouvant utiliser différentes transformations de signaux. De plus, un même événement peut être représenté de façon différente dans les diverses régions du cerveau, puisque chacune de ces régions ne se limite pas à refléter passivement l'apport des influx nerveux. Le traitement des données présente plutôt un caractère actif et fait intervenir des processus qui peuvent consister en des opérations de filtration, d'abstraction et d'intégration, toutes des opérations qui influencent la façon dont les événements sont représentés dans le cerveau.

Tout ce traitement de l'information exige un système élaboré de circuits nerveux et l'évolution de récepteurs sensoriels spécialisés s'est traduite par la formation de régions correspondantes dans le cerveau. De fait, l'examen des dimensions relatives des régions sensorielles du système nerveux d'une espèce donnée peut révéler la contribution proportionnelle des diverses modalités sensorielles à l'adaptation de cette espèce à son environnement. Ce n'est là qu'une des nombreuses façons dont la question de la localisation des fonctions intervient dans l'étude des processus sensoriels et perceptifs.

Les travaux sur les modalités sensorielles ont beaucoup progressé au cours des dernières années. Un ouvrage en psychophysiologie ne permettant pas de décrire de façon exhaustive la nature de toutes les recherches se rapportant à chaque système sensoriel, le présent chapitre traitera d'abord de quelques principes généraux avant que ne soient discutées les questions relatives au toucher et à la douleur; puis, le chapitre 9 sera consacré aux fonctions de la vision et de l'audition.

ORGANISATION DES SYSTÈMES SENSORIELS

Avant d'aborder l'étude des propriétés des mécanismes sensoriels, il est utile de considérer ce que seraient des propriétés idéales, tant du point de vue de la biologie que de l'ingénierie. Si vous participiez à la conception du devis d'un système sensoriel (Charles-Quint, empereur du Saint Empire romain, a déjà dit : « Si j'avais été présent au moment de la Création, j'aurais pu faire d'utiles suggestions. »), vous pourriez proposer, lors des séances de planification, des critères pour le choix des caractéristiques idéales. Vous seriez en mesure d'exiger ce qu'il y a de mieux. Toutefois, il faut se souvenir que *le meilleur* entraîne probablement un coût plus élevé quant au nombre et à la qualité des éléments. Il pourrait donc s'avérer nécessaire de faire certains compromis. De même, il est possible que les divers critères proposés soient conflictuels, ce qui mènerait à des compromis additionnels.

Quels attributs proposeriez-vous ? Il s'avère que l'évolution a engendré des systèmes sensoriels qui se rapprochent de la perfection car ils tiennent compte des besoins des animaux dans leurs niches particulières de l'environnement, et, en outre, de reflètent les coûts et les avantages des divers mécanismes sensoriels. Examinons certaines des caractéristiques idéales et quelques compromis réalistes.

Diverses formes d'énergie

Les types d'énergie et la gamme des substances que l'on trouve dans l'univers sont fort variés. Les divers types d'énergie, la lumière et le son par exemple, font appel à des récepteurs différents pour se transformer en activité nerveuse, de la même manière qu'une photo peut être produite avec un appareil photo et non avec un magnétophone. Les différents systèmes doivent également être séparés dans le cerveau et ne pas converger vers un système sensoriel commun, comme le supposaient les premières hypothèses.

Ainsi, nous obtenons de l'information en établissant des distinctions entre les formes ou types d'énergie du stimulus. Le poète a beau écrire que « l'aurore a éclaté comme le tonnerre », nous tenons la plupart du temps à savoir si un événement dramatique soudain est de nature auditive ou visuelle, tactile ou olfactive. D'ailleurs, l'information que nous apportent nos sens est bien différente. Nous voyons la voiture qui bondit vers nous, nous entendons le fin bourdonnement du moustique qui tourne autour de notre tête, ou nous sentons le gaz qui s'échappe; toutefois, il se peut que nous *n'entendions pas* la voiture avant qu'il ne soit trop tard et il est probable que nous *ne sentions pas* l'odeur du moustique ou *n'apercevions pas* les vapeurs du gaz. Notre modèle sensoriel devra donc pourvoir à la détection et à la discrimination des diverses formes d'énergie.

Au début du XIXe siècle, Johannes Müller, pionnier en physiologie, a su tenir compte de cette nécessité. Il a proposé la doctrine des *énergies nerveuses spécifiques* selon laquelle les récepteurs et les trajets nerveux utilisés par les diverses modalités sensorielles seraient indépendants et fonctionneraient d'une façon propre à chaque modalité. Par exemple, peu importe comment l'œil est stimulé (par exemple lumière, pression mécanique ou choc électrique), la sensation qui se produit est toujours visuelle. Müller a énoncé son hypothèse avant même que ne soit connue la nature de la transmission nerveuse, ce qui explique pourquoi il pouvait supposer que les divers systèmes sensoriels du cerveau utilisaient différentes sortes d'énergie pour transmettre leurs messages. Nous savons aujourd'hui que les messages propres aux diverses modalités sensorielles (c.-à-d. vision, audition, olfaction, toucher, perception de la chaleur, du froid et de la douleur) conservent des formes indépendantes et distinctes, non pas à cause du mode de propagation même des systèmes de transport des messages, mais à cause du maintien de voies nerveuses séparées.

Le fait que chaque espèce animale puisse être sensible à toutes les sortes d'énergies présentes dans son environnement entraînerait toutefois un coût assez considérable. L'évolution a donc fait en sorte que chaque espèce acquière les détecteurs sensoriels dont elle a besoin pour réagir à certaines formes de stimulation, ne pouvant répondre que peu, ou pas du tout, aux autres formes de stimulation.

Réaction aux différentes intensités

Plusieurs formes d'énergie débouchent sur un vaste champ d'intensités possibles. Par exemple, une explosion sonore apporte à l'oreille des millions de fois plus d'énergie que le tic-tac d'une montre; de plus, entre le reflet pâlot du premier quartier de lune et l'éclat du soleil de midi, la différence d'énergie est de l'ordre de 1 à 10 millions. Un système idéal devrait être capable de représenter des valeurs de stimulus correspondant à des écarts aussi grands d'intensité pour que l'observateur puisse avoir une perception exacte, sans aller à tâtons dans l'obscurité et sans être ébloui par une lumière aveuglante. Évidemment, la sensibilité à des stimuli très faibles peut exiger des détecteurs sensoriels très spécialisés, et donc coûteux; un système idéal devrait ainsi être caractérisé par une limite inférieure plus réaliste, c'est-à-dire moins sensible.

Pour que le système puisse réagir à une large gamme d'intensités, il devra être sensible aux différences d'intensité; il devrait donc pouvoir donner des réactions fortes à de légers changements de la force d'un stimulus. En réalité, il est rare que la valeur absolue d'un stimulus représente une valeur d'adaptation très importante. Dans la plupart des cas, c'est la sensibilité au changement des stimuli qui constitue un signal important pour le succès de l'adaptation. Nous réagissons donc surtout au changement, que celui-ci concerne l'intensité, la qualité ou la localisation du stimulus.

Fidélité des réponses

Pour qu'un système sensoriel soit fidèle, il faut que la relation entre tout signal des milieux externe ou interne et la réaction de ce système sensoriel soit constante. En effet, si un stimulus froid engendre indifféremment des sensations de froid, de chaleur, de douleur ou de viscosité, un tel système ne saurait produire que de la confusion. Pour donner des représentations utiles du monde ambiant, un système idéal doit fonctionner de façon fiable.

Rapidité des réponses

Pour qu'un ajustement au monde ambiant soit effectué de façon optimale, il faut que l'information sensorielle soit traitée rapidement. Un conducteur au volant de sa voiture doit percevoir rapidement et correctement les déplacements des autres véhicules s'il veut éviter les collisions. De même, si un prédateur ne peut reconnaître sa proie rapidement et avec précision, la perception de cette proie lui sera inutile. Il y a donc malheureusement conflit entre les propriétés optimales d'un système idéal.

Habituellement, la fidélité d'un processus peut être assurée par l'augmentation du nombre de ses éléments. L'utilisation de plusieurs circuits différents pour le traitement d'un même stimulus (**traitement parallèle**) est un moyen conventionnel d'assurer la fidélité d'un système. En effet, dans les devis d'ingénierie, les programmes de *repli* (*backup*) destinés à garantir la fidélité comportent de telles options de protection contre l'erreur. Toutefois, l'accroissement du nombre des éléments dans les systèmes biologiques exige une plus grande dépense métabolique et peut ainsi se faire aux dépens de la vitesse.

Suppression des informations inutiles

Si vous avez déjà tenté d'entretenir une conversation suivie sur une piste de danse, dans une discothèque, pouvez-vous réellement prétendre que vous entendiez autre chose que le flot envahissant de la musique ? Cet exemple a été choisi pour faire ressortir un paradoxe. Tantôt, nous recherchions un analyseur sensoriel d'une sensibilité et d'une fidélité très délicates; maintenant, nous voulons que cet instrument extraordinaire comporte un mécanisme qui lui permette d'ignorer une partie du monde ambiant ! Dans la vie, d'un moment à un autre, certains stimuli prennent soudainement une importance particulière pendant que d'autres s'estompent et perdent toute signification. L'odeur d'un parfum peut largement s'imposer en présence de l'être cher, mais se révéler un peu incommodante au moment où on consulte une carte routière. Il existe donc différents mécanismes sensoriels qui permettent de supprimer des stimuli par divers moyens comme une variation des seuils, l'adaptation et des formes variées de contrôles direct et indirect. Nous allons maintenant voir comment ces propriétés idéales se manifestent dans les systèmes sensoriels des êtres humains et des autres espèces animales.

LES DIVERS MONDES SENSORIELS

Les différentes espèces captent des aspects distincts du monde environnant. Pour un physicien ou un chimiste, les stimuli détectés par les animaux sont des formes d'énergie physique ou de substances chimiques pouvant être définies et décrites au moyen des échelles et mesures de la physique et de la chimie. Toutefois, les formes d'énergie physique que le physicien et le chimiste peuvent décrire ne sont pas nécessairement des stimuli potentiels pour tous les animaux. En effet, certaines formes d'énergie ne peuvent être décelées par aucun des systèmes connus dans le monde animal. Le tableau 8.1 propose une classification des systèmes sensoriels et des types de stimuli associés à chaque système. L'expression **stimulus adéquat** réfère au type de stimulus auquel un organe sensoriel donné est particulièrement bien adapté. Par exemple, le stimulus convenant le mieux à l'œil correspond à l'énergie photonique; même si une pression mécanique ou un choc électrique appliqués à cet organe sont capables de stimuler la rétine et de produire des sensations de lumière, cela ne signifie pas pour autant que ces stimuli sont adéquats pour l'œil.

Même dans les limites d'une même modalité sensorielle, les organes récepteurs des diverses espèces animales présentent une grande variabilité (voir la figure 8.1 ainsi que le chapitre 9 pour l'évolution de la structure de l'œil).

Variété des réactions

Les systèmes sensoriels d'un animal donné sont très sélectifs à l'égard de toute forme spécifique d'énergie physique. Par exemple, les êtres humains ne perçoivent pas les sons aux fréquences supérieures à 20 000 hertz (Hz). Toutefois, pour la chauve-souris, les vibrations de l'air de 50 000 Hz sont tout autant des ondes sonores que celles de 10 000 Hz. En général, les primates sont incapables de percevoir les sons se situant entre 20 000 et 80 000 Hz, alors que plusieurs petits mammifères ont de bonnes capacités sensorielles à l'intérieur de ce registre.

Dans le domaine visuel également, certains animaux sont capables de déceler des stimuli qui nous échappent. Les abeilles perçoivent les fréquences de la bande ultraviolette.

Tableau 8.1 Les systèmes sensoriels et leurs stimuli adéquats.

Type de système sensoriel	Modalité	Stimuli adéquats
Mécanique	Toucher	Contact avec la surface corporelle
	Audition	Vibrations sonores dans l'air ou dans l'eau
	Vestibulaire	Mouvement et orientation de la tête
	Articulations	Position et mouvement
	Muscles	Tension
Photonique	Vision	Énergie radiante visible
Thermique	Froid	Baisse de la température de la peau
	Chaleur	Hausse de la température de la peau
Chimique	Odorat	Substances odoriférantes dissoutes dans l'air ou l'eau, dans la cavité nasale
	Goût	Stimuli du goût; les catégories d'expérience gustative des mammifères sont le sucré, le sur, le salé et l'amer
	Chimioréceptivité et baroréceptivité	Changements de la concentration de CO_2, du pH et de la pression osmotique

Figure 8.1 Divers types d'yeux. a) Calmar. b) Tortue. c) Serpent. d) Tarsier. e) Aigle. (Photographies de a) Jen et Des Bartlett / Photo Researchers, b) Karl H. Maslowski/Photo Researchers, c) Tom McHug / Photo Researchers, d) A. W. Ambler / National Audubon Society/ Photo Researchers, e) Gordon S. Smith / Photo Researchers.)

a)
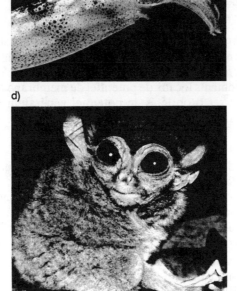

b)
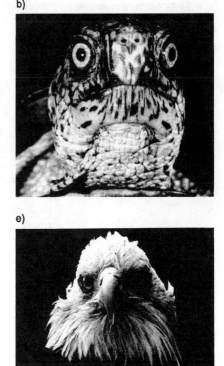

c)

d)

e)

Certains animaux captent les longueurs d'onde qui dépassent l'autre extrémité de notre spectre visuel, soit les radiations infrarouges que nous ne pouvons percevoir que sous forme de chaleur. Ces différences relatives aux capacités sensorielles des espèces dépendent des caractéristiques des récepteurs sensoriels.

La détection de l'énergie trouve son origine dans les propriétés des **récepteurs**. Instruments biologiques qui déclenchent les réactions du corps face aux énergies ou aux substances particulières de l'environnement, les récepteurs y parviennent en transformant les énergies en signaux biologiques ou en transformant en signaux le contact établi avec des substances. Les dispositifs qui changent une forme d'énergie en une autre forme sont des **transducteurs** et l'opération que ceux-ci effectuent est une **transduction**. Les récepteurs sont donc au point d'origine de l'activité nerveuse qui aboutit à des expériences sensorielles perceptives.

Le récepteur lui-même peut être la terminaison d'une fibre nerveuse (figure 8.2). Toutefois, pour la plupart des types de récepteurs, la terminaison de la fibre nerveuse est reliée à une cellule qui n'est pas de nature nerveuse et qui constitue le site réel de la transformation de l'énergie. Par exemple, diverses sortes de corpuscules sont associés à des terminaisons nerveuses dans l'épiderme. L'œil comporte des cellules réceptrices spécialisées qui transforment l'énergie photonique en charges électriques stimulant les fibres du nerf optique. L'oreille interne dispose de cellules ciliées spécialisées dans la transduction de l'énergie mécanique en signaux électriques stimulant les fibres du nerf auditif.

Les récepteurs utilisés par les nombreuses espèces du règne animal sont très diversifiés quant à la forme et aux dimensions, ce qui reflète bien les besoins de survie variés des différents animaux. Les détecteurs de radiations infrarouges s'avèrent essentiels à certains animaux (certaines espèces de serpents) alors que plusieurs espèces de poissons utilisent des récepteurs d'énergie électrique. Le processus de l'évolution est responsable de l'émergence de détecteurs assez spécialisés capables de saisir les influx ou les signaux caractéristiques de niches environnementales particulières. Les récepteurs sont donc conçus de manière à favoriser l'adaptation à des mondes particuliers. En effet, souvent les caractéristiques optimales des récepteurs, en termes évolutifs, correspondent étroitement aux critères de performance optimale conçus par un devis d'ingénierie.

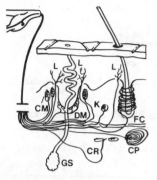

CR	Corpuscule de Ruffini
CM	Corpuscule de Meissner
CP	Corpuscule de Pacini
DM	Disque de Merkel
FC	Follicule pileux
GS	Glande sudoripare
L	Terminaisons nerveuses libres
K	Bulbe terminal de Krause

Figure 8.2 Coupe transversale de la peau faisant voir les diverses sortes de récepteurs.

ACTIVITÉ AU NIVEAU DES SURFACES SENSORIELLES

C'est la structure d'un récepteur qui détermine les formes d'énergie auxquelles celui-ci réagit. Dans tous les cas, les étapes entre l'impact de l'énergie sur un récepteur donné et le déclenchement, dans une fibre nerveuse, d'influx s'éloignant du récepteur font intervenir des changements locaux de potentiel de membrane nommés **potentiels générateurs**. Par la plupart de ses propriétés, le potentiel générateur ressemble aux potentiels excitateurs postsynaptiques décrits au chapitre 5. Ces charges électriques sont les conditions nécessaires et suffisantes à la production d'influx nerveux. Elles font partie du lien causal entre stimulus et influx nerveux.

Les études effectuées par Loewenstein (1971) sur un récepteur nommé **corpuscule (ou organe) de Pacini** ont permis de décrire de façon détaillée le processus du potentiel générateur. Omniprésent dans la peau et les muscles du corps, ce récepteur est particulièrement évident dans les tissus de la paroi abdominale. Il est constitué d'une fibre nerveuse qui pénètre dans une structure ressemblant un peu à un oignon, avec ses couches concentriques de tissu séparées par du liquide (figure 8.3).

L'application de stimuli mécaniques sur ce corpuscule produit un potentiel électrique graduel dont l'amplitude est directement proportionnelle à la force du stimulus. L'influx nerveux est engendré lorsque ce phénomène électrique atteint une amplitude suffisante

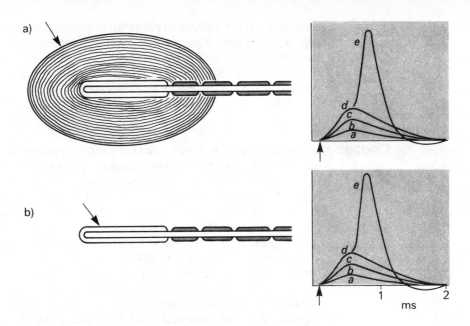

Figure 8.3 Excitation du corpuscule de Pacini.
a) Terminaison nerveuse à l'intérieur du corpuscule. La stimulation mécanique, progressivement de plus en plus forte, produit des potentiels générateurs de plus en plus forts qui atteignent le seuil de décharge de l'axone (niveaux).
b) Terminaison nerveuse après dissection du corpuscule. Une série de stimuli appliqués sur la terminaison produit également des potentiels générateurs et une décharge de l'axone suite à des stimuli de niveau liminal. Cela démontre que le mécanisme de transduction est situé dans la terminaison de l'axone. (De W. R. Loewenstein, *Biological Transducers*. Copyright 1960 par Scientific American, Inc. Tous droits réservés.)

(figure 8.3). Une dissection soignée du corpuscule, pour mettre à nu la terminaison intacte de l'axone, révèle que ce potentiel générateur graduel débute dans la terminaison nerveuse. La pression exercée sur le corpuscule fait plier celui-ci, ce qui déclenche le potentiel générateur. Les événements excitateurs se déroulent dans l'ordre suivant :

1. La stimulation mécanique déforme le corpuscule.
2. Cette déformation entraîne une excitation mécanique de l'extrémité de l'axone.
3. Celle-ci déclenche le potentiel générateur qui peut engendrer des influx nerveux dès que le potentiel générateur a atteint l'amplitude liminale.

Ces événements sont plus complexes dans le cas d'autres systèmes récepteurs, notamment pour les cellules ciliées de l'oreille interne. Des chercheurs ont supposé que les événements se déroulaient de la manière suivante :

1. Une stimulation mécanique fait courber les cellules ciliées.
2. La déformation de la membrane engendre un potentiel récepteur dans la cellule ciliée.
3. Une substance chimique est libérée à la base de la cellule ciliée.
4. Un transmetteur se répand à travers la fente synaptique et stimule la terminaison nerveuse.
5. Un potentiel générateur est alors produit dans la cellule nerveuse.

Voyons maintenant les phénomènes sensoriels déclenchés par les stimuli aux sites des récepteurs sensoriels.

PRINCIPES RÉGISSANT LE TRAITEMENT DE L'INFORMATION SENSORIELLE

Les penseurs de la Grèce antique croyaient que les nerfs étaient des tubes à travers lesquels de minuscules morceaux d'objets stimulants se rendaient vers le cerveau pour y être analysés et identifiés. Même lorsque la conduction fut connue avec plus de précision, au XXᵉ siècle, plusieurs chercheurs croyaient encore que les nerfs sensoriels transmettaient tout simplement vers les centres nerveux une information précise sur la stimulation. Il est maintenant clair que les organes des sens et les voies sensorielles périphériques ne transmettent aux centres nerveux qu'une information partielle et même déformée. Le cerveau est vraiment une machine qui ne se contente pas de copier l'information, mais qui la traite de façon active. Une grande partie de la sélection et de l'analyse se déroule, en réalité, dans les voies sensorielles périphériques. Nous allons donc étudier certains aspects fondamentaux du traitement de l'information comme le codage, l'adaptation sensorielle, l'inhibition latérale, la suppression, les champs récepteurs et l'attention.

Codage

L'information que nous obtenons sur le monde environnant est représentée dans les circuits du système nerveux par des potentiels électriques se développant dans des cellules nerveuses isolées ou des groupes de cellules. Nous venons de considérer la première étape de ce processus, soit la transformation de l'énergie au niveau des récepteurs (transduction). Mais, comment ces événements sont-ils représentés dans les voies nerveuses ? Les phénomènes électriques qui se réalisent dans les cellules nerveuses reflètent d'une certaine façon les stimuli agissant sur l'organisme. Ce processus est souvent désigné sous le terme de *codage*. Un code correspond à un ensemble de règles servant à traduire l'information sous une autre forme. Ainsi, un message en français peut être mis sous forme de code pour fins de transmission, comme c'est le cas en télégraphie avec le code Morse fait de points et de tirets. L'information sensorielle peut être codée en potentiels d'action tout-ou-rien de diverses façons comme, par exemple, selon la fréquence à laquelle les influx arrivent, selon le rythme de leur apparition, et ainsi de suite. Diverses possibilités de représentation nerveuse de l'intensité, de la qualité, de la position et de l'arrangement des stimuli sont donc à considérer.

Intensité du stimulus

Nous réagissons à des stimuli sensoriels qui couvrent une gamme étendue d'intensités. De plus, à l'intérieur d'une telle échelle, nous pouvons déceler de légères différences d'intensité. Comment les diverses intensités que peut prendre le même stimulus sont-elles représentées dans le système nerveux ?

La fréquence des influx nerveux au sein d'une même cellule nerveuse peut représenter l'intensité du stimulus (figure 8.4a). Toutefois, seul un éventail limité d'intensités sensorielles pourrait être représenté de cette façon. En effet, la fréquence maximale de décharge d'une cellule isolée, fréquence atteinte dans des conditions fort artificielles, est d'environ 1 200 à la seconde. La plupart des fibres sensorielles n'émettent pas plus que quelques centaines d'influx à la seconde. Pourtant, le nombre d'intensités différentes qui peut être décelé visuellement et auditivement est beaucoup plus grand que ce que ce code peut offrir. Il faut donc conclure que les variations de la fréquence de décharge d'une cellule ne peuvent pas expliquer l'éventail complet de la perception de l'intensité.

L'action parallèle de plusieurs cellules nerveuses vient faciliter le codage de l'intensité d'un stimulus. L'augmentation de l'intensité du stimulus entraîne le recrutement (ou mobilisation) de nouvelles cellules nerveuses, si bien que l'intensité peut être représentée par le nombre de cellules en action. Le principe du codage d'intensité, nommé **fractionnement de l'étendue du champ** (figure 8.4b), est une variante de cette notion de recrutement. Selon cette hypothèse, des cellules dont la spécialité consiste à intervenir au sein de segments ou

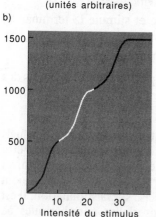

a) Influx par seconde

b)

Intensité du stimulus (unités arbitraires)

Intensité du stimulus

Figure 8.4 Fractionnement d'étendue du champ en codage sensoriel. a) Fréquence de décharge dans trois cellules nerveuses, chacune à seuils différents. La réaction de chacune varie sur une portion de l'étendue du champ des intensités de stimuli. b) Combinaison des fréquences de décharge des trois cellules. Même si aucune des cellules nerveuses représentées en a) ne peut réagir plus fréquemment que 500 fois à la seconde, le taux de réponse des trois cellules prises ensemble peut varier de 0 à 1 500 à la seconde.

de fractions particulières d'une échelle d'intensité, contribueraient à l'identification précise, dans le système nerveux, d'un large éventail de valeurs d'intensité. Ce mode de codage du stimulus exige une réserve de récepteurs et de cellules nerveuses à seuils très variés, certains d'une très grande sensibilité (seuil très bas) et d'autres beaucoup moins sensibles (seuil très élevé).

Type de stimulus

À l'intérieur de toute modalité sensorielle, il est possible de déceler facilement des différences qualitatives entre les stimuli. Par exemple, nous pouvons identifier les longueurs d'onde de la lumière, les fréquences sonores et une variété de sensations dermiques, comme le toucher, la chaleur, le froid et la douleur. Sur quel type de codage reposent ces différences qualitatives ?

Le concept de **voies marquées** répond en grande partie à cette question. Selon cette conception, des cellules nerveuses particulières seraient marquées de façon intrinsèque pour contribuer à des expériences sensorielles distinctes (figure 8.5). L'activité nerveuse dans la voie ainsi marquée serait à la base même de notre perception d'une expérience particulière. Ses qualités seraient prédéterminées. De toute évidence, la division principale des expériences sensorielles en modalités exige des voies marquées; par exemple, la stimulation du nerf optique produit toujours des images visuelles et jamais des sons ou des sensations de toucher. Toutefois, la question du codage de sous-groupes de modalités sensorielles prête à controverse. Les limites de ce concept sont particulièrement évidentes en ce qui concerne la vision. En effet, il ne semble pas exister une voie marquée séparée pour chaque couleur identifiable, bien que quelques couleurs principales semblent emprunter des voies individuelles. Au chapitre 9, nous verrons que la richesse de la gamme des couleurs identifiables semble résulter des activités spatiales et temporelles d'un petit nombre seulement de sortes de cellules différentes.

Localisation du stimulus

Que ce soit à l'extérieur ou à l'intérieur du corps, les positions spatiale d'un objet ou temporelle d'un événement constituent en soi une caractéristique importante de l'information qu'une personne ou un animal retire de l'analyse sensorielle. Certains systèmes sensoriels, notamment les systèmes visuel et somatosensoriel, révèlent cette information par la position même des récepteurs stimulés sur la surface sensorielle. Ainsi, le fait de voir

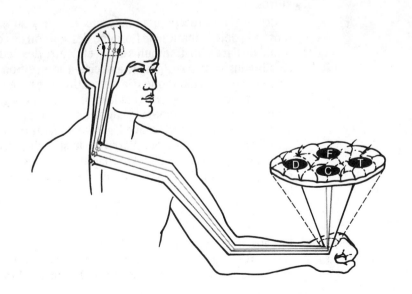

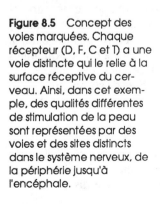

Figure 8.5 Concept des voies marquées. Chaque récepteur (D, F, C et T) a une voie distincte qui le relie à la surface réceptive du cerveau. Ainsi, dans cet exemple, des qualités différentes de stimulation de la peau sont représentées par des voies et des sites distincts dans le système nerveux, de la périphérie jusqu'à l'encéphale.

où se déroule un événement, où se trouve un objet, et la perception du site de stimulation sur la peau dépendent l'un et l'autre des récepteurs précis qui ont été excités. Dans l'un ou l'autre de ces systèmes, chaque récepteur active des voies nerveuses qui transmettent une information unique sur la position du stimulus. Dans ces systèmes, les propriétés spatiales d'un stimulus sont représentées par des voies marquées qui transmettent exclusivement de l'information spatiale. Les cellules des systèmes visuel et tactile sont disposées à tous les niveaux du système nerveux, de la couche de surface des récepteurs jusqu'au cortex cérébral, selon un ordre précis analogue à celui d'une carte géographique. Cette carte n'est pas tout à fait exacte à chaque niveau, mais elle reflète quand même la position et la densité des récepteurs. Un plus grand nombre de cellules participent à la représentation spatiale aussi bien de sites sensibles fortement innervés, comme la fovéa de l'œil ou la surface épidermique des lèvres, qu'à celle de sites moins sensibles, comme la périphérie de la rétine ou la peau du dos.

Toutefois, l'information sur la localisation ne se limite pas aux systèmes sensoriels dont les éléments sont disposés comme ceux des cartes géographiques. Nous savons tous que nous pouvons repérer avec assez d'exactitude la source d'un son ou d'une odeur. Pourtant, les récepteurs périphériques de l'un ou l'autre de ces deux systèmes ne sont pas excités d'une façon qui correspond directement à la position ou à la localisation du stimulus en cause. Dans ces systèmes, la localisation d'un stimulus peut faire intervenir des récepteurs unilatéraux ou bilatéraux, c'est-à-dire une seule oreille ou une seule narine, ou les deux oreilles ou les deux narines. Le mécanisme de détection de la position sera très différent selon que l'activation aura été bilatérale ou unilatérale.

Peut-on vraiment identifier la provenance d'un son avec une seule oreille ? Les recherches démontrent qu'il est possible, avec une seule oreille, de déterminer avec une grande précision la provenance d'un son, pourvu que ce son persiste pendant plusieurs secondes; toutefois, cela est impossible lorsque le son produit est soudain et bref. La détection monophonique de la localisation d'un son dépend de mouvements de la tête; il s'agit d'un échantillonnage, à moments successifs, de l'intensité du son, qui est analogue au *balayage* effectué par un radar. Certains animaux qui possèdent un pavillon de l'oreille mobile (chat) peuvent remplacer les mouvements de la tête par ceux de leurs pavillons auriculaires. La détection monophonique de la localisation des stimuli dépend également de la mémoire à court terme, puisque l'intensité de chacun des stimuli successifs doit être comparée aux autres.

Les systèmes récepteurs bilatéraux (oreilles ou narines) apportent une solution différente à la détermination de l'origine des sons ou des odeurs. Dans les deux cas, le moment relatif de l'arrivée du stimulus à l'un et l'autre des deux récepteurs ou l'intensité relative de ce stimulus sont directement associés à la position du stimulus. Les deux oreilles sont excitées de façon identique si la source du son est à égale distance de l'une et de l'autre. Dès que le stimulus se déplace vers la droite ou vers la gauche, l'excitation des récepteurs est asymétrique. Les circuits de localisation auditive permettent de déterminer avec exactitude si une source sonore se trouve légèrement à droite ou à gauche du centre, même quand la différence dans le moment d'arrivée du stimulus aux deux oreilles n'est que de quelques millionièmes de seconde. Au chapitre 9, nous parlerons des cellules spécialisées qui reçoivent les stimulations des deux oreilles et mesurent les disparités de stimulation entre les deux.

Identité
du stimulus

La capacité de reconnaître les objets suppose la possibilité d'identifier leurs caractéristiques et de les distinguer de celles d'objets déjà connus. Ces compétences viennent habituellement ensemble mais, dans certains cas de lésion cérébrale, elles peuvent être dissociées. Au chapitre 18, nous considérerons les cas exceptionnels d'individus qui peuvent percevoir et décrire les physionomies, mais qui ne sont plus capables de reconnaître les visages familiers.

La perception des caractéristiques exige une information sur les diverses parties ou les différents aspects de l'ensemble du stimulus; souvent, cette information est obtenue grâce aux mouvements de l'organe récepteur. Par exemple, nous pouvons parcourir une scène avec les yeux; par ailleurs, nous écoutons en tournant la tête tandis que d'autres animaux ne font que bouger les oreilles. Dans l'identification d'un objet au toucher, nous déplaçons les doigts pour nous renseigner, non seulement sur sa forme, mais également sur sa rigidité, son élasticité, et ainsi de suite.

Cette exploration met en cause les récepteurs de la peau et ceux des articulations. Quand nous goûtons à la nourriture, nous la déplaçons sur notre langue, car les récepteurs des diverses qualités gustatives sont situés sur différentes parties de la langue. Même pour les odeurs, nous reniflons pour attirer de nouvelles effluves d'air vers les récepteurs du nez. Divers éléments d'information se trouvent ainsi captés durant l'inspection que nous faisons du stimulus. Par ailleurs, le mode d'intégration par le système nerveux de ces éléments pour assurer une perception unifiée n'est que partiellement élucidé.

Adaptation sensorielle

Le traitement de l'information sensorielle a également recours à une *adaptation* des récepteurs, processus consistant en une diminution graduelle de sensibilité manifestée par les récepteurs lorsque la stimulation persiste. Ce phénomène d'adaptation peut être démontré par un enregistrement de l'influx nerveux dans une fibre reliée à un récepteur (figure 8.6); l'observation de l'évolution temporelle des influx nerveux permet de constater un déclin progressif de la fréquence des décharges, à mesure que la stimulation se prolonge.

En fonction du processus d'adaptation, on peut classer les récepteurs en deux grandes catégories :

1. Les **récepteurs toniques** sont ceux dont la fréquence de décharge des influx nerveux ne diminue que lentement, ou pas du tout, pendant un maintien de la stimulation. Autrement dit, ces récepteurs sont relativement peu capables d'adaptation.

2. Les **récepteurs phasiques** sont ceux chez lesquels on observe une chute assez rapide de la fréquence des influx nerveux.

Figure 8.6 Adaptation dans les voies réceptives. L'enregistrement illustre l'adaptation d'un récepteur dont le champ est situé dans le petit doigt de la main. On présente trois niveaux d'intensité dans la stimulation. La diminution de la fréquence de décharge est plus rapide dans le cas du stimulus le moins intense (A). (D'après Knibestöl et Valbo, 1970.)

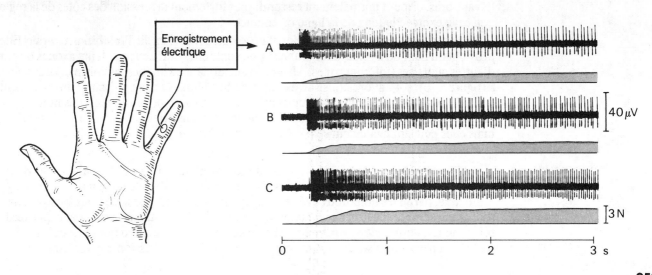

L'adaptation signifie que la perception et l'activité nerveuse se transforment pour donner lieu à une diminution progressive de la représentation exacte de l'événement physique. Par conséquent, le système nerveux pourrait ne plus enregistrer d'activité nerveuse même si le stimulus est toujours présent. Un dysfonctionnement aussi frappant n'est pas le signe d'une défaillance dans l'intégrité des récepteurs; il met plutôt en valeur le rôle important que jouent les changements d'état ou les variations passagères en tant que propriétés efficaces des stimuli.

Chercheur éminent et lauréat du prix Nobel en 1961, Georg von Békésy a insisté sur le fait que l'adaptation est une forme de suppression d'information qui empêche le système nerveux de se trouver envahi par des stimuli n'apportant que peu d'information sur le monde environnant. Par exemple, la pression d'un poil exercée sur la jambe par le frottement du pantalon peut se poursuivre toute la journée; heureusement, plusieurs mécanismes de suppression, dont l'adaptation, nous épargnent le constant barrage d'influx nerveux qui devrait en résulter normalement.

L'adaptation est basée sur des événements d'ordre à la fois nerveux et non nerveux. Dans certains récepteurs mécaniques, par exemple, l'adaptation provient de l'élasticité de la cellule elle-même, notamment dans le corpuscule de Pacini qui détecte la pression mécanique. Le maintien d'une telle pression sur un corpuscule donne une volée initiale d'influx nerveux, suivie d'une chute rapide du nombre de ces influx jusqu'à un niveau virtuellement nul. Grâce à sa dimension, les expérimentateurs sont capables de disséquer ce corpuscule et d'appliquer un stimulus constant à la région terminale de la fibre nerveuse sensorielle, c'est-à-dire de plier le bout du neurone. Dans ce cas, le maintien d'une stimulation mécanique donne lieu à une décharge continue d'influx nerveux. Pour ce récepteur, un tel résultat indique que l'adaptation est une propriété du corpuscule, élément non nerveux. Dans d'autres récepteurs, l'adaptation reflète un changement dans le potentiel générateur de la cellule. Les modifications de cette propriété électrique d'un récepteur sont probablement dues à des changements ioniques qui entraînent une hyperpolarisation.

Inhibition latérale

Dans bien des cas, quand un stimulus agit de façon uniforme sur un groupe de récepteurs, la stimulation est perçue comme plus intense sur les côtés. Par exemple, dans la série de colonnes, chacune d'un gris uniforme, de la figure 8.7, chaque colonne *semble* moins foncée sur son côté gauche, où elle touche à une bande plus foncée. Un tel contraste se produit également dans la sensation tactile; en pressant l'extrémité d'une règle contre la peau de l'avant-bras, on peut normalement ressentir plus fortement la pression des côtés de la règle que celle exercée le long de la ligne de contact.

Cette perception plus aiguë est l'effet d'un processus nerveux dit d'**inhibition latérale**. Elle provient du fait que les neurones d'une région sont reliés entre eux par leurs axones ou par d'autres neurones (interneurones), chacun ayant tendance à inhiber ses voisins. Au chapitre 5 (figure 5.10), nous avons utilisé un exemple de ce phénomène pour discuter du traitement de l'information par de simples circuits nerveux. Beaucoup de ces connexions inhibitrices latérales interviennent à la périphérie ou aux niveaux inférieurs des systèmes sensoriels, mais elles peuvent également se produire dans le cerveau.

Suppression de l'information

Il a déjà été noté que le succès de l'adaptation et de la survie ne dépendent pas d'une reproduction exacte des stimuli internes et externes. Notre réussite en tant qu'espèce exige plutôt que, parmi les nombreux événements qui surviennent autour de nous, nos systèmes sensoriels accentuent les changements de stimuli qui sont importants. Sans capacité de sélectionner, nous serions aux prises avec un surcroît d'information qui se traduirait alors par une image confuse de notre environnement. La suppression de certains apports

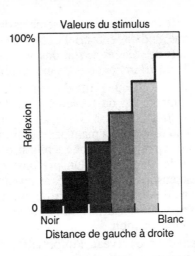

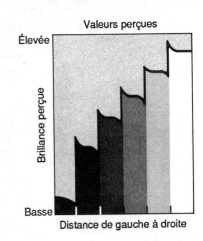

Valeurs du stimulus

Valeurs perçues

Figure 8.7 Conséquences perceptives de l'inhibition latérale. La série de barres à gauche est échelonnée du noir au blanc. Les valeurs d'intensité du stimulus sont données dans le graphique du centre; chaque barre est de largeur identique. Le graphique de droite donne la brillance; chacune des barres apparaît plus brillante sur son côté gauche et plus foncée sur son côté droit.

sensoriels peut également contribuer à réduire le coût métabolique des activités du système nerveux. Il semble bien qu'il serait déraisonnable de nous exposer sans protection au bombardement sensoriel excessif (même s'il était en notre pouvoir de le faire) et une représentation du monde qui se ferait ainsi, sans discernement, serait pour le moins étrangement déroutante.

Les systèmes sensoriels limitent ou suppriment l'information au moins de deux façons. Plusieurs systèmes sensoriels contiennent des structures accessoires capables de réduire le nombre d'influx propagés dans les voies nerveuses. Par exemple, le fait de fermer les paupières réduit la quantité de lumière atteignant la rétine. Dans le système auditif, la contraction des muscles de l'oreille moyenne a pour effet de diminuer l'intensité des sons qui parviennent à la cochlée. Ainsi, grâce à cette forme de contrôle sensoriel, les mécanismes en cause changent l'intensité du stimulus avant que celui-ci parvienne aux récepteurs eux-mêmes.

Une seconde forme de contrôle de l'information fait probablement intervenir les connexions nerveuses provenant du cerveau et dirigées vers la surface du récepteur. Par exemple, un petit groupe de cellules du système auditif situées dans le tronc cérébral possèdent des axones qui sortent de l'encéphale, le long des voies du nerf auditif, et entrent en connexion avec la base des cellules réceptrices. La stimulation électrique de ce circuit peut atténuer les effets des sons, mais d'une façon plus sélective que l'action des muscles de l'oreille moyenne. Pendant des années, les physiologistes intéressés à l'audition ont recherché un lien entre les activités de cette voie efférente vers les cellules ciliées et l'attention sélective. Se pourrait-il que des récepteurs de fréquences spécifiques soient inhibés par des influx provenant des centres nerveux ? L'existence d'un tel lien n'a pu être établie, mais elle comporte toujours la possibilité d'attribuer à ces fibres un rôle fonctionnel.

Traitement de l'information aux différents niveaux du système nerveux

La stimulation sensorielle débouche sur des réactions et des perceptions. Comment en arrive-t-on à ces résultats ? En quelques mots, on peut dire que ces effets se produisent parce que l'information provenant des surfaces réceptrices est traitée de façon distincte aux divers niveaux et régions du cerveau. Ces points de traitement de l'information sont situés sur les voies qui mènent de la surface sensorielle aux plus hauts niveaux du cerveau et chaque système sensoriel a ses propres voies distinctes. Plus spécifiquement, les voies partent des récepteurs et pénètrent dans la moelle épinière ou le tronc cérébral, où des connexions s'établissent avec des groupes distincts de cellules nerveuses. À leur tour, ces cellules envoient des axones vers d'autres groupes de cellules nerveuses; les terminaisons finales des voies ainsi formées constituent des ensembles de neurones situés dans des régions du cortex cérébral. Chaque modalité sensorielle comme le toucher, la vision ou l'audition, possède un ensemble distinct de voies et de stations de relais dans le cerveau, celles-ci formant ladite voie sensorielle ou afférente de cette modalité.

On considère que chaque poste de relais situé sur chacune de ces voies est responsable d'un aspect fondamental du traitement de l'information. Un traitement important de l'information s'effectue, par exemple, au niveau spinal. Une stimulation douloureuse du doigt entraîne un retrait de la main par mécanisme réflexe exécuté par l'intermédiaire des circuits spinaux. Au niveau du tronc cérébral, d'autres circuits peuvent faire tourner la tête vers la source de stimulation. On présume que les aspects les plus complexes de la représentation sensorielle sont réalisés au niveau du cortex cérébral. La compréhension des transformations de signaux qui se produisent à chaque niveau des voies afférentes à l'intérieur du cerveau constitue l'un des objectifs majeurs des études contemporaines du traitement de l'information.

En pénétrant dans le cerveau, l'information sensorielle adopte des voies divergentes, si bien qu'on trouve plus d'une seule représentation de cette modalité, à chaque niveau du système nerveux. La figure 8.8 illustre comment ce phénomène se réalise dans le système somatosensoriel : il existe six régions somatosensorielles distinctes dans le cortex cérébral du singe. Chacune de ces régions est une représentation complète et ordonnée de la surface ou des tissus profonds du corps. On retrouve des ensembles de cartes de ce genre à différents niveaux des voies auditives et visuelles (C.N. Woolsey, 1981 a, b, c). L'une des principales façons d'étudier ces cartes du cerveau consiste en un enregistrement des **champs récepteurs** des cellules qui les comprennent; que sont donc ces champs récepteurs et comment les mesure-t-on ?

Champs récepteurs

Le champ récepteur d'un neurone sensoriel consiste en sa région stimulable. Il possède des caractéristiques de sensibilité qui lui sont propres. Pour déterminer le champ récepteur d'un neurone les chercheurs enregistrent les réponses électriques de ce neurone, lors de l'application d'une variété de stimuli, afin de découvrir comment l'activité de la cellule

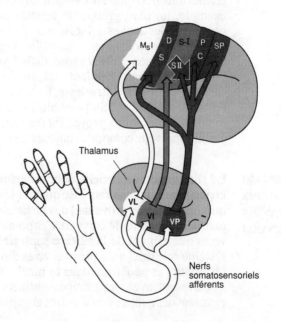

Figure 8.8 Certaines des connexions thalamo-corticales du système somatosensoriel du singe. Des parties différentes du thalamus (ventrolatéral VL représenté en blanc; ventral intermédiaire VI, en gris clair et ventropostérieur VP, en gris foncé) envoient des axones vers diverses régions somatosensorielles du cortex cérébral. (D'après Merzenich et Kaas, 1980.)

Figure 8.9 Identification des champs récepteurs dans le système somatosensoriel. Illustration des procédés utilisés pour identifier les caractéristiques du champ récepteur des neurones sensoriels du cortex cérébral. Des changements du point d'application du stimulus sont réflétés dans l'enregistrement de la réaction des pointes de potentiel nerveux.

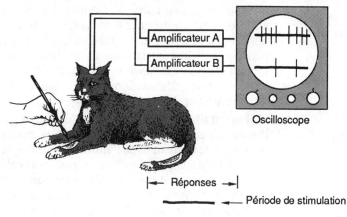

Oscilloscope

|← Réponses →|

Période de stimulation

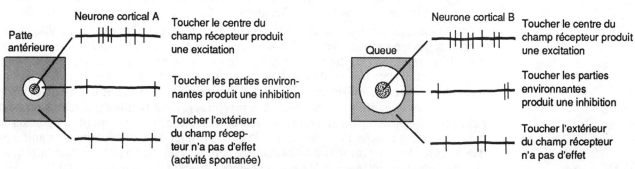

Neurone cortical A

Patte antérieure

Toucher le centre du champ récepteur produit une excitation

Toucher les parties environnantes produit une inhibition

Toucher l'extérieur du champ récepteur n'a pas d'effet (activité spontanée)

Neurone cortical B

Queue

Toucher le centre du champ récepteur produit une excitation

Toucher les parties environnantes produit une inhibition

Toucher l'extérieur du champ récepteur n'a pas d'effet

modifie sa fréquence de repos. Ce mode de détermination des champs récepteurs est illustré à la figure 8.9. À un certain endroit de la patte de l'animal, un neurone A réagit au toucher. Un léger attouchement au centre de cette région entraîne une accélération marquée de la fréquence des influx par rapport à la fréquence de repos. Par contre, un léger attouchement à l'intérieur d'une bande entourant cette région centrale produit une décélération des influx, jusqu'à une fréquence inférieure à la fréquence de repos. Ce champ récepteur comprend donc une région excitatrice entourée d'une bande inhibitrice. D'autres champs récepteurs sont organisés de façon inverse, c'est-à-dire avec des régions inhibitrices entourées de bandes excitatrices. Situé à quelques millimètres de là, sur le cortex somatosensoriel, un neurone B réagit à une stimulation appliquée à une partie de la queue. Les champs récepteurs varient également dans leurs dimensions et leurs formes. Il en est de même pour la qualité de la stimulation qui les active; par exemple, certaines cellules réagissent préférentiellement aux attouchements légers et d'autres aux stimuli douloureux. Bien que ces exemples utilisent des neurones du cortex cérébral, l'étude des cellules des champs récepteurs se fait à tous les niveaux, notamment dans d'autres régions du cerveau (voir également au chapitre 9).

La cartographie du cortex sensoriel

Certaines constatations indiquent que les aires corticales distinctes qui représentent la même surface réceptrice reçoivent vraiment des influx qui sont différents dans une certaine mesure, traitent l'information de façon différente et apportent des contributions variées aux expériences perceptives et aux réactions comportementales. Les influx sont différents puisque les fibres que ces aires corticales reçoivent proviennent de régions distinctes du thalamus (figure 8.8). Les cartes que l'on dresse de ces aires corticales affichent d'ailleurs d'importantes disparités régionales, certaines régions du corps étant surreprésentées par rapport à d'autres.

Dans les régions corticales somatosensorielles, l'aire I (S-I à la figure 8.8) reproduit la carte du côté controlatéral du corps. L'aire S-II reproduit les deux côtés du corps en application superposée, c'est-à-dire que les représentations du bras gauche et du bras droit occupent la même partie de la carte, et ainsi de suite. Certaines des cartes somatosensorielles mettent plus en évidence la surface de la peau, d'autres les muscles et les articulations; certaines des représentations donnent plus d'importance aux stimuli stationnaires, d'autres au mouvement (Mountcastle, 1984).

Il apparaît probable que les différentes régions corticales traitent simultanément les divers aspects de l'expérience perceptive, mais on ne connaît pas encore les détails de ce processus de traitement de l'information. Malgré cette spécialisation, il serait certainement incorrect de supposer qu'une région corticale sensorielle donnée reçoive un paquet d'informations et le traite entièrement, sans communication additionnelle avec les autres régions du cerveau. D'abord, il y a des échanges réciproques entre les régions corticales et les régions thalamiques. De plus, les diverses régions corticales d'une modalité donnée* sont reliées les unes aux autres par des fibres qui forment des boucles sous-corticales.

Même si chaque modalité se trouve représentée par plusieurs champs topographiquement organisés qui reçoivent tous des influx directs en provenance du thalamus, il existe encore des raisons pour reconnaître un champ « primaire » à chaque modalité sensorielle : l'aire primaire est la source principale d'influx vers les autres champs de la même modalité, même si ces champs reçoivent également des influx directs du thalamus. Sur le plan du développement, l'aire primaire est la première à se myéliniser. La structure cytoarchitecturale de l'aire primaire possède les caractéristiques sensorielles les plus nettes : petite dimension des neurones et une couche IV épaisse. Mais le fait de primer dans ce domaine ne signifie pas que le cortex sensoriel primaire est nécessairement plus simple ou plus fondamental quant aux fonctions perceptives que les autres champs corticaux de la même modalité.

La découverte des contributions individuelles et communes apportées à la perception par les diverses régions sensorielles continue de représenter un défi. Il semble bien que les données recueillies récemment ne peuvent s'accommoder d'un modèle hiérarchique rigoureux caractérisé par des aires primaire et secondaire ainsi que des aires d'association. Telle que décrite, la représentation corticale des champs sensoriels pourrait faire apparaître ceux-ci comme étant trop distincts les uns des autres, trop fixes et statiques; il convient donc d'apporter à cette description certaines précisions importantes.

Caractère relatif des cartes corticales

Les représentations des diverses modalités sensorielles se chevauchent considérablement. Par exemple, certaines cellules d'une aire *visuelle* répondent également à des stimuli auditifs, tandis que d'autres répondent à des stimuli tactiles ou vestibulaires. Cette question sera abordée lorsque nous discuterons des effets intermodaux ou intersensoriels.

Les cartes corticales présentent des différences individuelles significatives. Au moyen de techniques anatomiques, Lashley et Clark (1946) ont dressé une carte pour localiser et fixer l'étendue du cortex strié de plusieurs singes araignées; ils ont ainsi pu noter l'existence de grandes différences individuelles. À l'aide d'enregistrements électrophysiologiques, Van Essen (1981) a pu établir la carte de plusieurs régions corticales chez le macaque; il a noté également l'existence de différences individuelles allant jusqu'à des proportions de 2 à 1 en ce qui concerne la dimension du cortex strié ! Par conséquent, au moment de décrire les caractéristiques générales de la représentation corticale, il ne faut pas oublier que sur le plan

---

* Par modalité, nous entendons fonctions sensorielles (ex. : visuelle, olfactive, auditive).

anatomique, il existe des différences individuelles pouvant être responsables de différences de comportement.

Les cartes sensorielles du cerveau semblent changer avec l'état dans lequel se trouve un individu à un moment donné, y compris son état motivationnel, comme la faim (chapitre 13) et son niveau d'activation.

Même chez l'adulte, il se peut que les cartes ne soient pas permanentes et changent un peu avec le temps. Dans les cas d'augmentation ou de diminution d'utilisation d'une partie du corps, comme certains doigts, on a observé que la représentation corticale pouvait s'étendre ou se rétrécir et montrer une certaine réorganisation (Kaas, Merzenich et Killackey, 1983). La question de savoir si les représentations corticales sont dynamiques ou fixes fait actuellement l'objet de controverses et nous ne voulons pas présumer de la réponse qui lui sera donnée. Tel qu'utilisé, le mot carte ne veut pas désigner une représentation fixe puisqu'il existe une réelle possibilité qu'une telle représentation change avec le temps.

Phénomènes dus à l'interaction des modes sensoriels

Plusieurs aires sensorielles du cerveau ne représentent pas une modalité unique, mais sont plutôt associées à un mélange d'influx provenant de diverses modalités. Les cellules sensorielles individuelles peuvent également réagir aux stimuli de plusieurs modalités. Par exemple, nous avons déjà souligné que certaines cellules *visuelles* réagissent également à des stimuli auditifs ou tactiles. De telles cellules **polymodales** révèlent un phénomène de convergence intersensorielle et assurent un mécanisme d'interaction sensorielle. Ces phénomènes intersensoriels sont notamment illustrés par les chats qui souvent ne portent pas attention aux oiseaux, sauf s'ils peuvent les voir et les entendre en même temps; aucun de ces deux sens ne suffit à lui seul à engendrer une réaction (Meredith et Stein, 1983). Récemment, des chercheurs ont découvert que plusieurs cellules cérébrales donnent des réponses très différentes à la stimulation de deux ou plusieurs modalités par rapport aux réponses qu'elles donneraient si une seule modalité était stimulée. Cette interaction peut prendre plusieurs formes. Par exemple, certaines cellules ne réagissent que faiblement, ou pas du tout, à un son ou à une lumière, mais réagissent fortement quand les deux stimuli sont présentés simultanément. D'autres cellules qui réagissent à la lumière donnent une réponse plus faible quand on présente simultanément un son. Des cellules qui sont photosensibles réagissent encore plus fortement lorsque la lumière est accompagnée d'un son, bien que ces cellules ne réagissent pas au son uniquement. L'étude de tels phénomènes est beaucoup plus exigeante que celle des stimuli individuels, car il faut répéter les tests avec diverses combinaisons de stimuli d'intensités différentes. Toutefois, ce type de recherche est important pour la compréhension de plusieurs phénomènes de perception.

Certaines perceptions, par exemple, exigent une combinaison de plusieurs modalités; ainsi, la perception d'une saveur correspond à l'intégration du goût et de l'olfaction. Souvent, les expériences décrites comme *gustatives* comprennent d'importantes composantes olfactives. Par exemple, avec le nez bouché, il est difficile de faire la différence entre le goût d'une pomme de terre crue et celui d'une pomme crue, ce qui explique que souvent les aliments ne sont pas savoureux lorsqu'on souffre d'un rhume.

Lorsque vous avez les yeux ouverts, la perception de la position de votre corps est habituellement déterminée conjointement par des influx visuels et vestibulaires. Si votre tête bouge en même temps que vos yeux fixent une cible, ceux-ci se déplacent de manière à compenser et à maintenir votre regard sur la cible. En l'absence de gravité, comme dans les vols dans l'espace, la correspondance habituelle entre la vision et la gravité exercée sur le corps se trouve perturbée, ce manque de concordance étant probablement en grande partie responsable de la nausée que plusieurs astronautes ressentent au cours de leurs premiers jours dans l'espace.

Dans certains cas, la contribution d'une modalité sensorielle peut dominer celle d'une autre modalité. Par exemple, au cinéma, vous percevez le son comme provenant de la personne que vous voyez en train de parler sur l'écran, mais si vous fermiez les yeux, vous pourriez vous apercevoir que le son provient vraiment d'un haut-parleur situé à côté de l'écran. Dans ce cas, la capacité de localisation auditive cède la place à celle de la vision.

Des expériences récentes (Lackner et Shenker, 1985) ont révélé que la perception visuelle de la position spatiale, comme la localisation auditive, pouvait être fortement influencée par la perception que l'on a de la position de son corps.

Les sujets de ces expériences étaient assis dans l'obscurité et devaient estimer la position occupée par leur index dans l'espace. En réalité, le bras était retenu sur un support rembourré qui fixait le coude en position pliée, plaçant l'index vis-à-vis de la ligne médiane du corps, environ 50 cm devant le visage du sujet. La tête était également en position fixe puisque le sujet devait garder les mâchoires serrant une planche. La stimulation du biceps au moyen d'un vibrateur mécanique créait une sensation d'extension du bras, même si en réalité celui-ci ne bougeait pas. Quand on attachait un petit globe lumineux à l'index, les sujets rapportaient, dans 85 % de tous les essais, que la lumière se mettait à bouger peu après que leur bras leur avait semblé commencer à s'étendre. Ils voyaient le globe lumineux se déplacer dans la même direction que le mouvement perçu de leur bras, quoique en moyenne le globe ne paraissait pas se déplacer autant. Les sujets rapportaient également que leurs yeux se déplaçaient pour suivre la lumière, même si en réalité, ni la lumière, ni les yeux n'avaient bougé. De même, quand on attachait au doigt un petit haut-parleur qui cliquetait, les sujets disaient que le son commençait à se déplacer peu de temps après qu'ils avaient senti leur bras bouger. Enfin, si le globe lumineux et le haut-parleur étaient simultanément attachés au doigt, les deux leur paraissaient se déplacer quand une stimulation vibratoire donnait un mouvement illusoire du bras. La lumière et le son exerçaient également un effet sur la perception du mouvement du bras; quand ces stimuli étaient présents, les mouvements perçus du bras étaient un peu moins amples qu'en l'absence de la lumière et du son. Il y avait donc des effets réciproques entre ces modalités sensorielles.

Il semble que certaines cartes cérébrales possèdent des caractéristiques favorables à une telle intégration intersensorielle. Ainsi, dans les tubercules quadrijumeaux antérieurs, généralement considérés comme le centre visuel du mésencéphale, plusieurs cellules des couches les plus profondes réagissent aux stimuli tactiles ou auditifs de même qu'aux stimuli visuels.

D'ailleurs, l'organisation des cartes de ces différentes modalités est semblable. C'est-à-dire que les cellules qui réagissent à la stimulation d'une position particulière par rapport à l'animal correspondent aux représentations visuelle et somatique. Cette relation s'est avérée exacte autant chez les reptiles que chez les mammifères (Gaither et Stein, 1979). On ne peut pas dire encore si cette similitude d'organisation entre les reptiles et les mammifères actuels ne représente qu'une évolution convergente ou si elle pourrait être le signe d'un ancien plan de représentation cérébrale des modalités sensorielles qui aurait été retenu, lors de la transition de la forme reptilienne à la forme caractéristique des mammifères, il y a plus de 180 millions d'années. Quelle qu'en soit l'origine, cette correspondance de cartes sensorielles favorise probablement les effets intersensoriels et la constance de la perception spatiale, peu importe les sens qui sont utilisés. De plus, dans les tubercules quadrijumeaux, les cartes relatives aux diverses modalités sensorielles correspondent également à la carte des réactions motrices. Cette correspondance est favorable à l'exécution de réponses réflexes rapides dans l'espace, comme celle d'attraper rapidement un moustique sur le dos de la main, que ce soit parce qu'on l'a vu s'y déposer, ou parce qu'on a entendu son bourdonnement ou senti le déplacement d'un poil sur la main.

L'attention   Le concept d'attention est chargé de nombreuses significations qu'il n'est pas facile de démêler. Une approche conceptuelle met l'accent sur l'état d'alerte ou de vigilance qui permet aux animaux de détecter les signaux. Ainsi, l'attention serait une activation généralisée qui nous met à l'affût des stimulations. Dans une autre optique, l'attention est conçue comme un processus permettant de choisir certains apports sensoriels parmi plusieurs autres qui leur disputent la place. Certains chercheurs conçoivent l'attention d'une façon plus introspective, soutenant qu'il s'agit d'un état de réflexion profonde ou d'effort mental permettant la concentration sur une tâche particulière. En somme, une notion qui peut paraître aller de soi est réellement d'une complexité considérable. En physiologie, pour étudier le phénomène de l'attention, on a eu recours à des mesures allant des évaluations du débit sanguin cérébral, pendant des états d'alerte, jusqu'à celles de la fréquence de dépolarisation de cellules individuelles, pendant la réaction sélective à des stimuli particuliers. Le rôle de la formation réticulée du tronc cérébral dans le processus d'attention a également fait l'objet de recherches poussées. Les études des troubles de l'attention ont permis de clarifier les mécanismes de ce processus.

Mécanismes cérébraux de l'attention   Plusieurs sortes de mesures cérébrales révèlent des corrélations entre l'attention et les changements de l'état de conscience. Les mesures du débit sanguin au cerveau témoignent de déplacements du sang vers la région du cortex qui intervient dans le processus d'attention. Ainsi, lorsqu'un sujet écoute un discours, on observe une augmentation du débit sanguin dans les parties supérieures du lobe temporal. Pendant le processus d'attention, l'EEG donne sur toute la surface du crâne une structure d'activation d'ondes rapides de faible amplitude. Quand un sujet se tient à l'affût du signal d'exécution d'une action, on voit apparaître un potentiel particulier, au niveau du cuir chevelu, soit une variation contingente négative (figure 8.10). Les potentiels évoqués, ceux qui dans l'EEG sont engendrés par les stimuli, sont significativement plus grands, lorsque le sujet porte attention au stimulus, que lorsqu'il ignore celui-ci.

L'enregistrement à partir de cellules cérébrales individuelles sert également à déterminer le fin détail des mécanismes d'attention. Dans ce genre de travaux, on entraînera par exemple des singes à fixer une tache lumineuse, puis à cesser d'appuyer sur un levier pour obtenir une récompense dès que la tache s'obscurcit. Les réponses sont enregistrées à partir de cellules corticales dont les champs récepteurs comprennent la tache fixée; certaines de ces cellules sont dans le cortex frontal et d'autres dans le cortex pariétal postérieur. La situation est ensuite compliquée par la présentation d'une seconde tache lumineuse qui tombe dans le champ récepteur de la cellule dont on enregistre l'activité. Dans certains cas, les singes sont entraînés à tourner leur regard promptement vers la seconde tache lumineuse aussitôt que la tache lumineuse fixée s'évanouit. Environ la moitié des cellules sensibles à la stimulation visuelle des régions frontale et pariétale donnent des réponses vigoureuses au moment où l'animal se prépare à déplacer le regard. Dans d'autres cas, les singes sont entraînés à maintenir leur regard fixé sur la première tache lumineuse, mais à relâcher le levier pour la récompense aussitôt que la seconde tache disparaît. Or, dans ce cas, plusieurs des cellules pariétales donnent des réponses plus fortes quand les singes portent attention à la tache lumineuse *excentrique* (la seconde), tandis que les réponses des cellules frontales ne sont pas pour autant plus vigoureuses. Les chercheurs en ont conclu que l'accroissement de la réponse frontale pourrait refléter le transfert de l'information visuelle vers le système oculomoteur, alors que l'augmentattion observée dans l'aire pariétale « semble agir comme un système général d'attention quand le stimulus est important pour l'animal, peu importe la stratégie que l'animal utilise pour prendre le stimulus en main » (Bushnell, Robinson et Goldberg, 1978).

Figure 8.10 Potentiels
évoqués de différences
associées aux stimuli de
couleurs auxquelles on porte
ou non attention. La colonne
de gauche fait voir les ondes
de différences reflétant la
sélection des couleurs aux
sites où on porte attention et
la colonne de droite, les
ondes de différences
associées à la sélection des
couleurs aux sites où on ne
porte pas attention. Les
différences sont nettement
plus grandes aux sites où on
porte attention (colonne de
gauche). Il en est ainsi dans
toutes les régions du cerveau
du lobe frontal (F) au lobe
occipital (O). (D'après Hillyard
et Munte, 1984.)

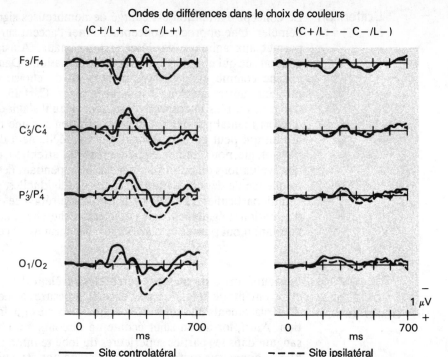

Ondes de différences dans le choix de couleurs

(C+/L+ — C−/L+)   (C+/L− — C−/L−)

F_3/F_4

C'_3/C'_4

P'_3/P'_4

O_1/O_2

Site controlatéral   − − − − Site ipsilatéral

Formation réticulée du tronc cérébral et attention

Dans leur trajet vers le mésencéphale et le diencéphale, les neurones sensoriels poussent également des ramifications vers la **formation réticulée du tronc cérébral**, région qui joue un rôle prépondérant dans l'attention. Le mot **réticulé** vient du latin *reticulum*, qui signifie petit filet ou réseau; ce nom a été choisi parce que cette région contient de petits neurones à ramifications nombreuses. Les voies diffuses de la formation réticulée permettent aux messages d'un conduit sensoriel d'exercer un effet d'activation sur de vastes régions du cerveau (figure 8.11). Une stimulation électrique de la formation réticulée produit une activation rapide et étendue de l'EEG. Par contre, une lésion à la formation réticulée, ou l'inhibition de cette dernière par des drogues, provoque une dépression ou même un coma chez l'individu. Les nombreuses interruptions synaptiques de la formation réticulée la rendent particulièrement sensible à l'influence des neuromodulateurs et des drogues.

Régions corticales et processus d'attention

On a trouvé que certaines régions du cortex cérébral jouent un rôle particulier dans l'attention. Ces données proviennent d'études sur les troubles de l'attention, observés chez des êtres humains et des animaux victimes de lésions corticales précises, ainsi que de l'enregistrement de l'activité de cellules dans diverses régions corticales pendant que des animaux portent attention à des stimuli ou attendent la présentation de stimuli interprétés comme des signes de récompense. L'une des régions corticales qui semble jouer un rôle particulier dans l'attention est le lobule inféropariétal du lobe pariétal postérieur (figure 8.12). Plusieurs des cellules de ce lobule sont polymodales. Certaines d'entre elles sont particulièrement excitables chez le singe qui, entraîné à cet effet, s'attend à voir apparaître un stimulus (Mountcastle et coll., 1981). Des lésions dans cette région ont pour effet

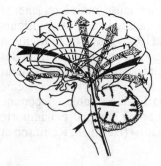

Figure 8.11 Système d'activation réticulaire du tronc cérébral. Ce système reçoit des afférences en provenance des fibres sensorielles et du cortex cérébral (flèches noires). Il envoie des projections diffuses dans le cortex comme l'indiquent les flèches élargies.

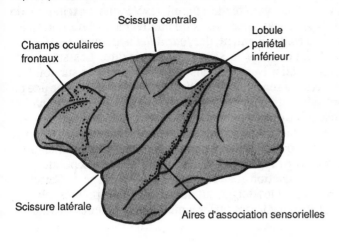

a) Coupe latérale du cerveau du rhésus

Champs oculaires frontaux

Scissure centrale

Lobule pariétal inférieur

Scissure latérale

Aires d'association sensorielles

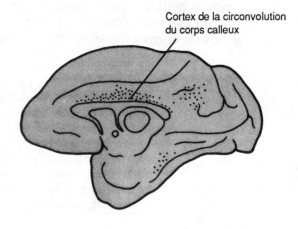

b) Coupe médiane du cerveau du rhésus

Cortex de la circonvolution du corps calleux

Figure 8.12 Régions du cortex qui interviennent dans l'attention, montrées sur des coupes latérale et médiane du cerveau du singe. Le lobule pariétal inférieur du lobe pariétal postérieur semble jouer un rôle spécial dans l'attention. Il entretient des connexions denses avec les trois régions corticales désignées ici par des pointillés. (D'après Mesulam et coll., 1977)

d'engendrer, chez le singe, de l'inattention ou de l'indifférence aux stimuli présentés du côté controlatéral. Au chapitre 18, nous verrons que ce symptôme est particulièrement grave chez les personnes souffrant de lésions du lobe pariétal droit. Les champs oculaires frontaux (figure 8.12) semblent participer à l'exploration visuelle attentive de l'espace. On a trouvé que la partie postérieure du cortex de la circonvolution du corps calleux avait un rôle à jouer dans les aspects motivationnels de l'attention. Ces trois aires corticales sont reliées les unes aux autres par des connexions anatomiques particulièrement prononcées et chacune d'elles reçoit des influx importants, aussi bien de la formation réticulée que de fibres sensorielles (Mesulam, 1981).

LE TOUCHER ET LA DOULEUR

LE TOUCHER

Toute la surface de notre corps est couverte d'une peau servant de frontière entre notre milieu interne et le milieu ambiant. Cette frontière délicate renferme un arsenal de détecteurs permettant de repérer et d'identifier plusieurs types de stimuli qui nous sollicitent. Toutes les formes de stimulation tactile, depuis le mouvement le plus délicat d'un seul poil jusqu'à la pression vigoureuse sur la chair, sont enregistrées par ces détecteurs de l'épiderme. Chez les primates, un des aspects très importants des sensations dermiques repose sur une manipulation active avec les mains, ce qui permet d'identifier et de déplacer des formes diverses. La capacité de reconnaître le chaud et le froid facilement ajoute à la versatilité de la peau. Le domaine de la douleur comporte des aspects encore plus complexes des sensations dermiques. Nous allons donc étudier de quelle manière fonctionnent les organes sensoriels de la peau, puis nous verrons en quoi consiste la douleur.

Sensations
épidermiques
sur toute la
surface du corps

La capacité tactile ne se résume pas simplement au *toucher* ! L'étude approfondie des sensations de la peau au moyen d'une variété de stimuli révèle que l'excitation de l'épiderme peut engendrer des expériences sensorielles qualitativement différentes, notamment la pression, la vibration, le chatouillement, des *fourmillements*, ainsi que des aspects plus complexes comme la douceur ou la sensation d'humidité. Les sensations dermiques varient non seulement qualitativement mais aussi spatialement sur toute la surface du corps. Les études du cercle de sensation (stimulation de l'épiderme avec une ou deux pointes d'un compas) ont démontré l'existence de différences de discrimination spatiale sur la surface corporelle. Cette mesure (dite également seuil *à deux pointes*) s'obtient en déterminant la distance à laquelle il faut placer les deux pointes d'un compas, appliqué sur la peau, pour que ces pointes soient perçues comme deux stimulations distinctes. En effet, lorsqu'elles sont trop rapprochées l'une de l'autre, les deux pointes sont perçues comme une seule source de stimulation quand on les applique sur la peau. Certaines parties du corps, par exemple les lèvres et les doigts, ont des seuils à deux pointes très bas, alors que d'autres parties du corps, comme le dos ou les jambes, ont des seuils très élevés.

Un individu moyen possède une surface cutanée d'environ 3 à 6 mètres carrés. La structure de la peau est complexe, comprenant trois couches distinctes, l'épaisseur relative de chacune variant d'une région à une autre, à la surface du corps. L'épiderme, couche la plus superficielle et la plus mince, est le feuillet cutané dont l'épaisseur est la plus variable, assez épaisse mais très souple sur la surface des mains et des pieds et plutôt délicate sur les paupières. Des millions de nouvelles cellules s'ajoutent quotidiennement à cette couche externe de la peau. Couche intermédiaire de la peau, le derme renferme un réseau abondant de fibres nerveuses et de vaisseaux sanguins, en plus d'un réseau de tissu conjonctif nommé collagène qui donne à la peau sa force. La nature particulière de la peau se complique encore par la présence d'autres excroissances spécialisées comme les poils ou les plumes, les griffes, les sabots et les cornes. Couche la plus profonde du tissu cutané, l'hypoderme contient des cellules adipeuses qui servent d'isolants thermiques et de tampon pour protéger les organes internes contre des chocs mécaniques provenant du milieu ambiant.

La peau contient plusieurs récepteurs de formes variées (Iggo, 1982), notamment les corpuscules de Pacini dont nous avons déjà parlé. Logés profondément dans le derme, ce sont les récepteurs les plus gros que contiennent certaines régions de la peau autour des muscles et des articulations. On en trouve aussi à l'intérieur de l'intestin. Ce sont des récepteurs à réaction rapide qui activent des fibres nerveuses à conduction également rapide. Les corpuscules de Pacini répondent adéquatement aux vibrations de la peau provoquées par une grande variété de fréquences de stimulation. Par contre, ils ne semblent pas manifester la capacité de discrimination des stimuli spatiaux. Autre type de récepteur cutané, le corpuscule de Meissner est particulièrement abondant dans les régions de la peau capables de discrimination spatiale; toutefois, ce genre de récepteur réagit peu aux stimuli vibratoires. Les corpuscules de Meissner sont prédominants dans des régions comme l'extrémité des doigts, la langue et les lèvres. Les mêmes régions contiennent également des récepteurs de forme ovale, les disques de Merkel, qui sont parfois regroupés en faisceaux et sont alors particulièrement sensibles au toucher. La perception de la chaleur et du froid au niveau de la peau a été associée à l'activation de deux autres types de récepteur : les corpuscules de Ruffini et les bulbes de Krause. Toutefois, certains chercheurs insistent sur le fait qu'il ne faut pas nécessairement établir un parallèle entre catégories sensorielles et groupes de récepteurs distincts quant à leur structure (Melzack et Wall, 1962). Les catégories psychologiques de sensations de la peau ont été plutôt définies indépendamment des types structuraux de récepteurs et il n'est pas encore certain qu'il soit possible d'établir une relation simple entre les deux.

Nouvelle technique d'enregistrement de l'activité des nerfs périphériques de l'être humain, la microneuronographie a permis aux chercheurs d'en arriver à une meilleure compréhension des mécanismes de la perception tactile. Il est maintenant possible d'établir une relation entre les mesures de la sensibilité tactile de sujets alertes et l'activité de leurs nerfs périphériques.

Certains des résultats obtenus sur les mécanismes de perception de la main permettront d'illustrer l'apport important de cette technique. Valbo et Johansson (1984) ont évalué à 17 000 le nombre d'unités tactiles logées sous la surface lisse de la main. De ce groupe, quatre types principaux peuvent être identifiés, selon la dimension et la forme de leurs champs récepteurs et selon diverses propriétés fonctionnelles comme la réaction au maintien d'une stimulation (adaptation). Deux de ces groupes de fibres périphériques possèdent des champs récepteurs peu étendus et particulièrement denses, situés à l'extrémité des doigts. L'un de ces deux groupes assure une adaptation rapide à une indentation soutenue de la peau, alors que l'autre continue de donner des réponses durant le maintien d'une stimulation mécanique. Ces deux groupes s'adresseraient donc à des organes récepteurs différents. Les deux autres groupes principaux de fibres ont des champs récepteurs très étendus, pouvant recouvrir un doigt tout entier dans certains cas. Ces fibres à champs récepteurs étendus se subdivisent également en deux sous-groupes : l'un à adaptation rapide, l'autre à adaptation lente. Ce dernier groupe de fibres nerveuses à adaptation lente et à champs récepteurs étendus se montre particulièrement sensible aux stimuli mécaniques se déplaçant à la surface de la peau dans des directions précises. Ces données sont résumées à la figure 8.13.

Ces études microneuronographiques ont apporté une contribution remarquable aux connaissances sur la sensibilité tactile. Les fibres à adaptation rapide révèlent des seuils très bas à l'égard des stimuli mécaniques. De fait, dans certaines de ces fibres, un seul influx nerveux peut être suffisant pour assurer une perception tactile. Ces fibres permettent également de déceler l'effet de l'application d'un seul stimulus électrique.

Transmission vers le cerveau d'informations provenant de la peau

Les influx provenant de la surface de la peau sont dirigés vers la moelle épinière. À l'intérieur de la moelle, les fibres somesthésiques montent vers le cerveau en empruntant au moins deux voies principales : 1) le faisceau de la colonne dorsale et 2) le faisceau antérolatéral, ou spinothalamique (figure 8.14). Les fibres formant le faisceau dorsal entrent dans la moelle et montent vers le bulbe où elles font synapse au noyau de Goll (noyau gracile) et au noyau cunéiforme. Les axones des cellules postsynaptiques forment un faisceau de fibres qui, parvenu au tronc cérébral, traverse du côté controlatéral pour monter jusqu'à un groupe de noyaux du thalamus. Les influx sortant du thalamus se dirigent vers des régions corticales postcentrales formant le cortex dit somatosensoriel.

Le système antérolatéral est disposé de façon différente. Les fibres issues de la peau et se dirigeant vers ce système entrent en synapse avec des cellules de la moelle épinière dont les axones traversent le côté controlatéral de la moelle pour ensuite monter dans les colonnes antérolatérales. Une partie au moins des contributions à ce système concerne les sensations de douleur et de température.

On peut diviser la surface de la peau en bandes, ou **dermatomes**, en fonction du nerf spinal qui comprend le plus d'axones provenant de chacune des régions (figure 8.15). (Un dermatome est une bande de peau innervée par une racine spinale spécifique.) L'arrangement des dermatomes est difficile à interpréter lorsqu'il est conçu en fonction d'un individu en position debout; il se comprend mieux lorsqu'il est représenté en fonction d'un organisme en position quadrupède (figure 8.15).

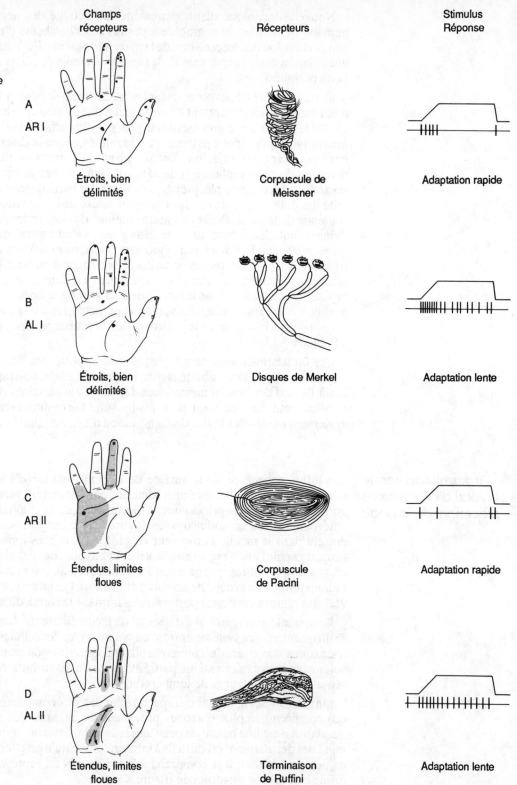

Figure 8.13 Propriétés des mécanorécepteurs de la peau de la main associés au toucher. La colonne de gauche donne la dimension des champs récepteurs. Celle du milieu indique le type de récepteur et celle de droite montre les marques de stimulation et la réaction électrophysiologique. Chaque rangée illustre les caractéristiques des types d'unités tactiles. A) Adaptation rapide des fibres de type 1 (ARI). B) Adaptation lente des fibres de type 1 (ALI). C) Adaptation rapide des fibres de type 2 (ARII). D) Adaptation lente des fibres de type 2 (ALII). (D'après Valbo et Johansson, 1984.)

Champs récepteurs

Récepteurs

Stimulus Réponse

A
AR I

Étroits, bien délimités

Corpuscule de Meissner

Adaptation rapide

B
AL I

Étroits, bien délimités

Disques de Merkel

Adaptation lente

C
AR II

Étendus, limites floues

Corpuscule de Pacini

Adaptation rapide

D
AL II

Étendus, limites floues

Terminaison de Ruffini

Adaptation lente

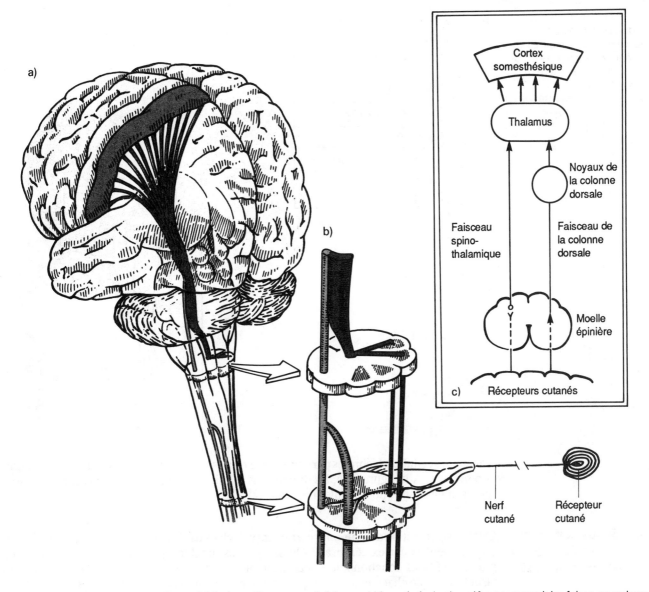

a)

b)

c)

Cortex somesthésique

Thalamus

Noyaux de la colonne dorsale

Faisceau spino-thalamique

Faisceau de la colonne dorsale

Moelle épinière

Récepteurs cutanés

Nerf cutané

Récepteur cutané

Figure 8.14 Le système somesthésique. a) Vue générale du système y compris les faisceaux spinaux ascendants, le relais thalamique et la représentation corticale primaire. Les faisceaux spinaux sont représentés de façon plus détaillée en b) où l'on peut les apercevoir avant et après décussation. Tous les messages afférents doivent traverser de l'autre côté avant d'atteindre le thalamus en c).

Les cellules de toutes les régions du cerveau concernées par la sensation somatique sont disposées selon le plan de la surface corporelle. Par conséquent, chaque région est une carte du corps sur laquelle les aires relatives consacrées aux diverses parties corporelles reflètent la densité des innervations. Étant donné que de nombreuses fibres se rapportent à la surface sensorielle de la tête, notamment aux lèvres, un nombre disproportionné de neurones servent à innerver cette partie du corps. Par contre, beaucoup moins de fibres innervent le

273

Figure 8.15 Dermatomes. Chaque dermatome est desservi par un nerf rachidien différent. Les régions principales de la moelle épinière a) innervent les principaux groupes de dermatomes b).

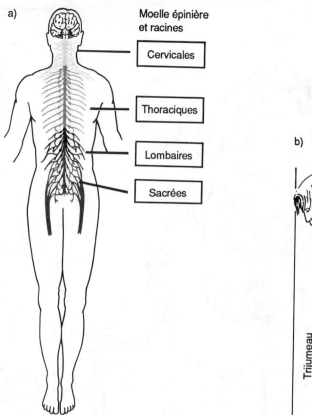

a)

Moelle épinière et racines

Cervicales

Thoraciques

Lombaires

Sacrées

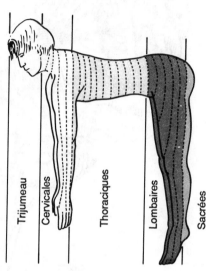

b)

Trijumeau | Cervicales | Thoraciques | Lombaires | Sacrées

tronc, et les cellules cérébrales participant à la représentation du tronc sont beaucoup moins nombreuses. À la figure 8.16, les dimensions relatives des représentations corticales sont représentées dans l'homoncule sensoriel.

Colonnes corticales : spécificité de la modalité et du site

Quelle est la fonction des **colonnes corticales** (voir chapitre 2), colonnes verticales de neurones que contient le cortex cérébral ? On sait depuis longtemps que le cortex comprend de grandes régions fonctionnelles, par exemple les aires somatosensorielles et les aires visuelles, et que chacune de ces régions est une sorte de *carte* du monde sensoriel. Grâce à un travail de pionnier commencé au cours des années 1950, Mountcastle (1984) a pu dresser, à partir de données recueillies à l'aide de microélectrodes, la carte des champs récepteurs de neurones individuels situés dans le cortex somatosensoriel. Ces travaux ont révélé que, si elle possède un champ récepteur précis, chaque cellule corticale ne réagit également qu'à une seule sous-modalité sensorielle. Ainsi, une cellule donnée ne réagit qu'à un seul type spécifique de stimulation (tel un attouchement léger), alors qu'une autre cellule ne réagit qu'à un autre type, par exemple une pression prononcée. De plus, à sa grande surprise, Mountcastle a découvert que les cellules d'une même colonne de neurones réagissent toutes au même site et à la même qualité de stimulation. Toutes les colonnes d'une bande de colonnes adjacentes réagissent au même type de stimulus alors qu'une autre bande est consacrée à une autre sorte de stimulation. À la figure 8.17, la représentation schématique de cette organisation en forme de colonnes montre certaines des colonnes du cortex somatosensoriel correspondant aux doigts de la main gauche.

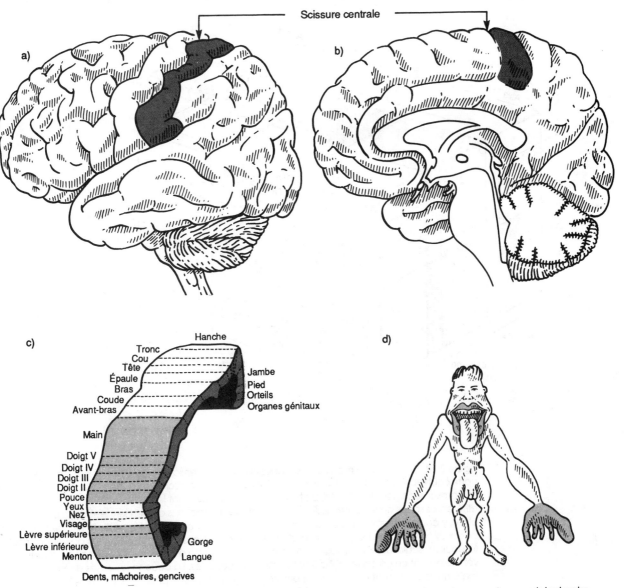

Figure 8.16 Représentation de la surface du corps dans le cortex somatosensoriel primaire. Localisation du cortex somatosensoriel primaire sur la surface latérale a) et sur la surface médiane b) du cerveau humain. On aperçoit en c) l'ordre et l'importance des représentations des diverses régions de la peau. L'homuncule en d) représente la surface corporelle, chaque partie étant reproduite proportionnellement à l'importance de sa représentation dans le cortex somatosensoriel primaire.

Chaque colonne s'étend de la surface (couche I) jusqu'à la base du cortex (couche VI). L'aire 3b du cortex reçoit des influx de récepteurs situés près de la surface de la peau, comprenant à la fois des récepteurs à adaptation rapide (AR) et des récepteurs à adaptation lente (AL). Chacun des types de récepteur alimente en informations des colonnes corticales différentes. Le fait de déplacer la stimulation vers une région voisine sur la peau oriente l'information vers une colonne corticale différente. L'aire 3a du cortex contient des cellules

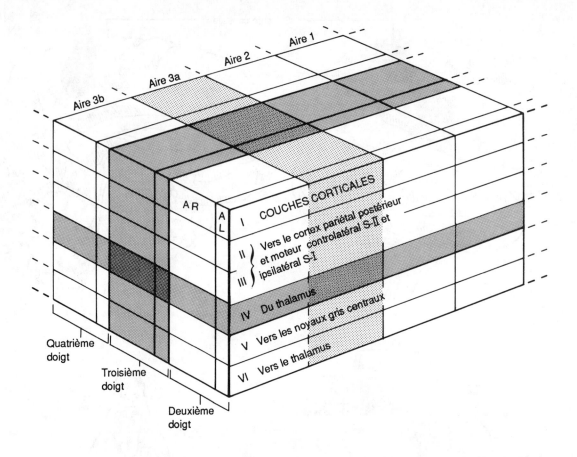

Couches corticales

AR | AL | I | COUCHES CORTICALES

II | Vers le cortex pariétal postérieur
et moteur controlatéral S-II et
III | ipsilatéral S-I

IV | Du thalamus

V | Vers les noyaux gris centraux

VI | Vers le thalamus

Aire 3b | Aire 3a | Aire 2 | Aire 1

Quatrième doigt

Troisième doigt

Deuxième doigt

Figure 8.17 Diagramme montrant l'organisation somatosensorielle en colonnes d'une région du cortex qui représente quelques-uns des doigts de la main gauche. Les différentes régions du cortex somatosensoriel, les aires 3b, 3a, 2 et 1 de Brodmann, reçoivent leurs principales afférences de différentes sortes de récepteurs. Ainsi, la plupart des projections de 3b viennent de la peau superficielle, y compris des récepteurs à adaptation rapide (AR) et à adaptation lente (AL) et on peut voir ces deux types dans des colonnes corticales distinctes. L'aire 3a reçoit des influx provenant des fuseaux musculaires; elle est représentée en gris pâle sur ce diagramme. Le cortex est structuré verticalement en colonnes et horizontalement en couches. La couche IV, où les afférences du thalamus parviennent au cortex, est ombrée en gris foncé. (D'après Kaas et coll., 1979.)

qui réagissent à la stimulation des récepteurs de tension situés dans les muscles; à l'intérieur de cette aire 3a, tout changement de site correspond à la stimulation d'une colonne différente. Ainsi, les colonnes servent à coder un stimulus quant à sa localisation et à sa qualité. Au chapitre 9, nous verrons que la même sorte d'organisation en colonnes caractérise également les aires visuelle et auditive du cortex cérébral. Kandel (1985) a dit de la découverte de l'organisation en colonnes du cortex sensoriel que « c'était pour la physiologie corticale, peut-être le progrès le plus important de ces dernières décennies ».

À chaque niveau du système nerveux somatosensoriel, la surface du corps est représentée par une organisation de cellules nerveuses constituant une carte spatiale de cette surface. La première étape de l'élaboration de cette carte de position corporelle apparaît dans l'organisation des dermatomes individuels, au niveau spinal. Même si des dermatomes se chevauchent dans une certaine mesure, ils sont disposés de façon ordonnée tout le long de la moelle épinière. À divers niveaux du cerveau, la surface du corps se trouve encore représentée par une carte ordonnée de cellules nerveuses. Ainsi, la topographie sensorielle des cellules thalamiques et des aires corticales pertinentes respecte la topographie du corps.

Les travaux sur les *barils corticaux* des rongeurs (T. Woolsey et coll., 1983) démontrent jusqu'à quel point la cartographie du système somatosensoriel de certaines surfaces du corps peut être finement détaillée. Des coupes du cortex somatosensoriel du rat (plan tangentiel à la surface du cortex) font voir des regroupements inhabituels de cellules disposées en structures circulaires. Des coupes successives dans ce même plan font penser aux côtés d'un baril, ce qui explique que ces regroupements ont été nommés barils corticaux. Les parois d'un tel baril sont constituées de corps cellulaires serrés les uns contre les autres, entourant une aire moins dense.

L'enregistrement de l'activité électrique de cellules faisant partie d'un tonneau a révélé que chaque baril est activé par une vibrisse située sur le côté opposé de la tête. De plus, la disposition des vibrisses sur la face de l'animal (figure 4.24) correspond à la disposition des barils dans le cortex. Chez les rongeurs, les vibrisses jouent un rôle important car elles leur permettent l'orientation à travers des passages étroits dans l'obscurité. Au chapitre 4, nous avons souligné l'importance de vibrisses faciales intactes dans le développement ou le maintien de barils corticaux. En effet, chez des rats auxquels on avait enlevé les vibrisses tôt après la naissance, il ne s'est pas formé de barils corticaux par la suite.

Chez le singe, l'étude du rôle du cortex somatosensoriel dans la discrimination des formes a été effectuée en observant l'effet de lésions, dans cette région, et en enregistrant l'activité des neurones individuels pendant que les mains du singe étaient stimulées. Les lésions entravaient leur capacité de distinguer la forme, la dimension et le caractère rugueux ou doux d'objets touchés (Norrsell, 1980). Des lésions séparées furent ensuite pratiquées dans trois parties anatomiquement distinctes de la région somatosensorielle I. Les lésions pratiquées dans une région affectaient surtout la discrimination de la texture, celles affectant une deuxième région nuisant surtout à la discrimination des angles, tandis que les lésions produites dans une troisième région exerçaient un effet négatif sur toutes les formes de discrimination tactile (Randolf et Semmes, 1974).

Un peu comme on l'avait fait dans l'étude de la vision, on a utilisé des grilles spatiales dans la recherche des mécanismes du toucher (Darian-Smith et coll., 1980). Des bandes de métal de largeurs et d'espacements variés étaient déplacées à différentes vitesses sous l'extrémité des doigts de singes pendant qu'on procédait à des enregistrements de l'activité des nerfs sensoriels. Aucune fibre ne pouvait à elle seule refléter de façon exacte la stimulation résultant de chaque arête et indentation du stimulus. L'ensemble des fibres fournissait cependant une reproduction exacte, particulièrement lorsque le stimulus était présenté à une vitesse et avec des espacements optimaux. Des moyens semblables ont été utilisés dans l'étude de la discrimination spatiale de stimuli plus complexes (des points d'écriture Braille ou autres formes minuscules).

Selon les caractéristiques de leurs champs récepteurs, on peut classer les cellules du cortex somatosensoriel en plusieurs catégories (Iwamura et Tanaka, 1978). Environ 25 % de ces cellules réagissent à la stimulation de points de pression simple sur la peau. Un autre quart de ces cellules réagissent mieux à une stimulation particulière de la peau (par exemple, à l'aide d'une sonde en mouvement ou avec une bande ou une baguette étroite). Également 25 % de ces cellules peuvent être activées en stimulant la peau ou en faisant bouger une ou plusieurs articulations des doigts. Environ 12 % des cellules réagissent spécifiquement à une manipulation des jointures. Au cours de cette expérimentation, on ne parvint pas à activer le reste des cellules par stimulation de la peau ou des articulations; toutefois, certaines de ces cellules réagissaient vigoureusement quand l'animal saisissait un objet ou le manipulait.

Certaines de ces cellules de toucher *actif* révélaient des modes de réponses très spécifiques. Par exemple, une unité répondait activement quand le singe palpait une règle ou un petit bloc rectangulaire, mais ne réagissait pas quand il saisissait une balle ou une bouteille, la présence de deux côtés parallèles semblant indispensable à l'activation efficace de cette cellule. Dans la région entourant la même électrode, on a découvert une cellule qui réagissait de façon optimale quand le singe saisissait une balle, cette cellule réagissant bien à la manipulation d'une bouteille et non à celle d'un bloc rectangulaire. La saisie d'objets produit des structures complexes de stimulation des récepteurs de la peau et des articulations. L'information résultant de la stimulation cutanée et de celle des articulations doit atteindre plusieurs unités corticales. Selon toute évidence, les différentes cellules exigent des combinaisons particulières d'influx pour réagir. Ces unités à champs récepteurs complexes du cortex somatosensoriel ressemblent en quelque sorte aux unités à champs récepteurs visuels ou auditifs complexes. Il se peut que ces unités somatosensorielles complexes aient un rôle à jouer dans la discrimination et l'identification d'objets au toucher, mais il faudra poursuivre les recherches avant de savoir comment elles interviennent dans la perception somatosensorielle.

Chez l'être humain, c'est la partie postérieure du cortex pariétal qui est activée pendant une exploration d'objets par le toucher (Roland et Larsen, 1976). Cette observation a été effectuée grâce à un enregistrement du débit sanguin cortical réalisé dans trois situations différentes :

1. L'expérimentateur promenait la main passive de l'observateur sur l'objet stimulus.

2. Le sujet déplaçait sa propre main de façon énergique mais sans toucher à un objet.

3. Le sujet explorait un objet au toucher.

Seule la dernière situation expérimentale permettait d'observer une activation du cortex pariétal postérieur; il est probable, par conséquent, que cette région joue un rôle particulier dans le toucher actif.

LA DOULEUR

La plupart des gens s'entendent pour reconnaître que la douleur est une expérience désagréable capable d'entraîner de grandes souffrances. Il semble donc difficile d'accepter que la douleur puisse jouer un *rôle biologique*.

L'étude des rares individus qui ne ressentent jamais de douleur pourrait nous fournir certains indices sur la signification de la douleur dans l'adaptation. De telles personnes sont insensibles ou congénitalement indifférentes à la douleur. Parfois, certains de ces individus peuvent distinguer une stimulation faite avec la pointe d'une épingle de celle faite avec la tête d'une épingle; toutefois, la piqûre de l'épingle ne leur cause pas de douleur. Les descriptions de ces cas révèlent que le corps de chacun de ces individus porte des cicatrices témoignant de nombreuses blessures (Manfredi et coll., 1981). Les difformités des doigts, des mains et des jambes sont courantes chez ces personnes et la plupart d'entre elles meurent jeunes, souvent à la suite d'un traumatisme corporel excessif. Ces faits laissent supposer que la douleur orienterait le comportement d'adaptation en procurant des avertissements de danger. Les expériences douloureuses nous sont tellement habituelles que nous oublions facilement le rôle d'indicateur que représente la douleur : une sensation de douleur engendre des comportements qui éloignent le corps de la source du mal.

Aspects psychologiques de la douleur

Dans certaines régions du monde, les gens se prêtent avec une indifférence stoïque à des rites, allant jusqu'à la mutilation du corps, qui pousseraient n'importe qui à crier de douleur. Ces cérémonies peuvent comporter des incisions au visage, aux mains, aux bras, aux jambes ou à la poitrine, le piétinement de charbons ardents et d'autres pratiques nettement dommageables pour le corps (figure 8.15). Bien que ces pratiques découlent souvent de rituels religieux, il se présente des expériences comparables dans des circonstances de la vie ordinaire comme, par exemple, chez les athlètes. La guerre est également source d'expériences qui font ressortir la complexité de la sensation de douleur. Beecher (1959) a fait observer que les soldats blessés au combat demandent beaucoup moins de médicaments pour contrôler la douleur que les sujets ordinaires souffrant de blessures comparables. Selon lui, le sens que prend l'expérience de la douleur, variant beaucoup d'un groupe à l'autre, permettrait d'expliquer cette relative insensibilité à la douleur. Pour le soldat, une blessure grave peut signifier le retrait de la zone de combat, ne fût-ce que pour un certain temps. Par contre, pour toute autre personne, des blessures du même ordre peuvent se traduire par une perte financière et des inconvénients personnels. L'apprentissage, l'expérience, l'émotion et la culture sont autant de facteurs qui semblent exercer un effet remarquable sur la douleur.

L'étude approfondie de la douleur en fait ressortir la complexité. La nature, le degré, l'intensité de la douleur sont des paramètres difficiles à évaluer. Les recherches récentes rapportent plusieurs tentatives pour mesurer la douleur, chez les êtres humains et les animaux (Chapman et coll., 1985). À cet égard, Melzack (1984) a conçu une échelle quantitative détaillée pour l'étude du vocabulaire de la douleur. Cette échelle nommée **questionnaire McGill de la douleur** consiste en une liste de mots formant des catégories qui décrivent trois aspects différents de l'expérience douloureuse : 1) la qualité sensorielle, 2) la qualité affective et 3) la qualité évaluative globale. Ainsi, les sujets doivent choisir l'ensemble des mots qui décrit le mieux leur douleur et ils doivent identifier lequel de ces mots correspond le mieux à leur état. Les traitements quantitatifs de l'échelle incluent une sommation des mots choisis et le rang d'importance attribué à chacun. L'une des principales caractéristiques de cette échelle tient au fait qu'elle permet d'établir des distinctions entre les syndromes de la douleur. En somme, les gens utilisent une pléthore de mots distincts pour décrire une expérience douloureuse particulière. Par exemple, les données recueillies chez des groupes différents de sujets indiquent que la douleur engendrée par un mal de dents est décrite différemment de celle produite par l'arthrite. C'est un groupe distinct de termes descriptifs plutôt qu'une simple dimension d'intensité qui permet de distinguer les différents syndromes. En fait, les descriptions choisies permettent une différenciation diagnostique de huit syndromes différents de douleur (Melzack, 1984). La variété des mots utilisés par les gens rend également possible une évaluation de l'efficacité des traitements employés pour le contrôle de la douleur. La question banale du médecin : « Ressentez-vous de la douleur ? » pourra bientôt être remplacée par une analyse détaillée fournissant de meilleurs indices sur l'efficacité des traitements visant le contrôle de l'angoisse et de la souffrance qui accompagnent la douleur. En elle-même, la douleur est une perception complexe et la mesure que l'on en fait doit en tenir compte.

D'autres méthodes et instruments de mesure ont été utilisés dans les études sur la stimulation, en laboratoire, de sujets normaux volontaires. Les premiers travaux de recherche visaient surtout à mesurer le seuil de douleur correspondant à l'intensité de la stimulation minimale nécessaire pour provoquer une première sensation de douleur. D'autres mesures basées sur la présentation d'une série continue de stimuli douloureux portent sur le niveau de *tolérance à la douleur* ; ce niveau correspond au stimulus le plus intense que le sujet peut endurer. Ces deux types de mesures sont fortement influencées par les états psychologiques comme l'anxiété, l'attente et certains aspects subtils des consignes données par les expérimentateurs. De plus, certains chercheurs croient que ces mesures ne sont pas très sensibles aux interventions visant à soulager la douleur, interventions qui s'avèrent très efficaces dans les situations cliniques. Par conséquent, les méthodes de recherche utilisées plus récemment en laboratoire se sont inspirées dans une plus large mesure des types d'évaluations que l'on retrouve dans les recherches cliniques. L'une des situations simples utilisées couramment dans ce type de recherche en laboratoire est celle où le sujet doit évaluer un stimulus douloureux, selon une échelle d'intensité. Dans certaines de ces situations, le sujet définit le degré de douleur en déplaçant un levier sur un cadran qui, à l'une des extrémités, indique *aucune douleur* et à l'autre *forte douleur*. Le sujet déplace le levier quand il perçoit un changement, fournissant ainsi une évaluation de l'évolution de la douleur dans le temps ainsi qu'une estimation des modifications résultant des efforts de soulagement. Les études de la douleur en laboratoire font également appel à des techniques psychophysiques plus complexes, notamment les méthodes de détection de signaux.

Le progrès réalisé dans les recherches sur la douleur, y compris le développement d'une intervention pharmacologique efficace, dépend en grande partie de la recherche fondamentale sur les animaux autres que l'Homme. La compréhension de ce qu'est la douleur, chez les autres animaux, révèle des aspects particuliers de leurs comportements d'adaptation. Des observations comparatives du comportement des êtres humains et des autres animaux face à la douleur ont amené Dennis et Melzack (1983) à soulever plusieurs questions intéressantes à propos de l'expression de la douleur. Ils prétendent que la douleur fait intervenir deux dimensions, celle du traumatisme ressenti par le tissu même et celle de la menace qui en résulte. La douleur associée à une lésion ou à un traumatisme corporel entraîne le maintien de la décharge d'influx nerveux en provenance de la région blessée. Le rôle de ce signal est de provoquer des comportements favorables aux processus de réfection et de guérison, ces comportements incluant une variété de changements comportementaux dont le sommeil, l'activité locomotrice, les activités de toilette, le fait de s'alimenter et de se désaltérer. De plus, Dennis et Melzack laissent entendre que la réponse comportementale appropriée au traumatisme pourrait consister en une inactivité relative. Contrairement au traumatisme ou à la lésion elle-même, la douleur associée à la perception d'un danger imminent de lésion tissulaire peut faire appel à un système comportemental bien différent. Dans un tel cas de menace, la douleur apparaît dès le contact initial avec le stimulus nocif qui, s'il était maintenu en place, produirait un dommage aux tissus. Ainsi, la perception de la douleur peut minimiser l'effet du stimulus agresseur en provoquant une activité vigoureuse qui soustrait l'organisme à la situation nocive. On peut faire un rapprochement entre ces deux différentes dimensions comportementales de la perception de la douleur et les multiples voies ascendantes de la douleur situées dans la moelle épinière et le tronc cérébral. Nous reviendrons bientôt sur cet aspect de la question.

Dennis et Melzack (1983) ont également relevé un autre aspect intéressant de l'expression de la douleur, à savoir l'importance de certaines caractéristiques de l'expression de la douleur qui semblent jouer un rôle de signal social s'adressant à d'autres animaux. Par exemple, quelle pourrait être la valeur d'adaptation de l'émission de cris aigus, à la suite d'une stimulation douloureuse ? Ces auteurs soutiennent qu'une telle expression revêt un sens pour la survie, tant de l'espèce que de l'individu. L'émission de cris permet d'avertir d'autres membres de la même espèce, présents dans l'environnement immédiat, du danger d'une blessure éventuelle; cela peut également déclencher, de la part de congénères, des comportements de soins (toilette, défense, alimentation) susceptibles de contribuer à la survie de la victime.

Voies sensorielles et douleur

Les études contemporaines des mécanismes de la douleur nous offrent une description des caractéristiques des récepteurs de la peau responsables de la transmission de l'information relative à la douleur et des voies de transmission dans le système nerveux central. Toutefois, de nombreux aspects concernant les voies de transmission de la douleur n'ont pas encore été élucidés; d'ailleurs, la recherche continue de nous révéler la complexité de la distribution de l'activité nerveuse engendrée par les stimuli douloureux. Nous allons donc étudier certaines caractéristiques des voies des systèmes nerveux central et périphérique responsables de la transmission des sensations de douleur.

Mécanismes périphériques de la douleur

Dans la plupart des cas, le stimulus qui déclenche la douleur consiste en une destruction ou une lésion partielle du tissu adjacent à certaines fibres nerveuses. Cette modification des tissus entraîne la libération de substances chimiques susceptibles d'exciter des fibres de douleur dans la peau. Diverses substances ont été proposées comme médiateurs chimiques potentiels de la douleur, notamment l'histamine, diverses enzymes protéolytiques et les prostaglandines, groupe particulier d'hormones. Des chercheurs ont isolé d'autres substances associées à l'inflammation qui accompagne la douleur (Granstrom, 1983). Ce domaine de recherche très important pourrait conduire à la découverte de nouveaux médicaments analgésiques capables d'agir à la périphérie du corps.

Existe-t-il des fibres nerveuses périphériques spécialisées dans la signalisation de stimulations nocives ? Cette question a soulevé beaucoup de controverses au cours des années. Des chercheurs ont prétendu qu'il n'y avait pas de récepteurs spécialisés sensibles à des stimulations nocives, mais que la douleur était plutôt déclenchée par un agencement quelconque de stimulations par une grande variété de fibres périphériques afférentes. Toutefois, des recherches récentes de Perl (1984) ont démontré qu'il existe plusieurs populations de fibres périphériques afférentes qui réagissent à une stimulation nocive. Une catégorie comprend des mécanorécepteurs myélinisés à seuil élevé (figure 8.16). Cependant, le type le plus courant de nocicepteur de la peau est un groupe de fibres minces, non myélinisées (les fibres C). Celles-ci réagissent à une stimulation mécanique et à d'autres stimuli nocifs comme la chaleur (figure 8.18). Une activation répétitive de ces fibres par stimulation nocive peut abaisser considérablement les seuils, ce qui constitue une sorte de sensibilisation aux stimuli nocifs. Les recherches récentes ont donc clairement démontré l'existence de groupes spécifiques de nocicepteurs, récepteurs qui réagissent de façon sélective à une stimulation nocive, l'information relative à la douleur étant ensuite transmise dans des fibres spécialisées pour la douleur.

Douleur et voies du système nerveux central

Des fibres afférentes provenant de la périphérie et véhiculant de l'information nociceptive viennent se terminer à l'intérieur des couches superficielles de la corne dorsale de la moelle épinière. L'activité de certaines de ces cellules nociceptives de la moelle est fortement influencée par des systèmes de fibres issues de diverses régions du cerveau, ce qui permet d'envisager la possibilité de trouver des moyens de soulager de la douleur. La moelle épinière comprend plusieurs voies distinctes qui montent vers le cerveau pour y apporter de l'information relative à la douleur (figure 8.19). Le faisceau spinothalamique est une voie ascendante particulièrement importante. Des fibres de douleur qui pénètrent dans la

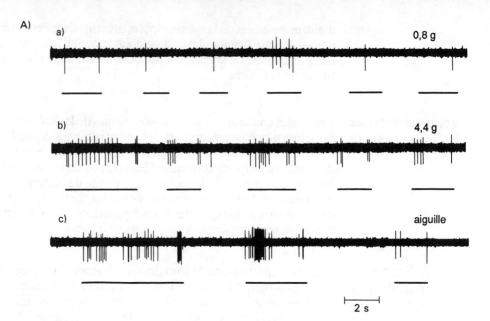

A)

a) 0,8 g

b) 4,4 g

c) aiguille

2 s

B)

a)

50°C
40
30

b)

50°C
40
30

c)

50°C
40
30

d)

50°C
40
30

2 s

Figure 8.18 A) Réactions d'un récepteur à fibres C polymodales à la suite d'une stimulation mécanique de la peau. Les *barres* horizontales indiquent le moment approximatif du contact sur la peau d'un point donné du champ récepteur. a) Stimulateur von Frey réglé à 0,8 g. b) Stimulateur von Frey réglé à 4,4 g. c) Aiguille appliquée assez fort pour qu'elle pénètre dans la peau. (De Bessou et Perl, reproduit avec permission) B) Réactions d'un récepteur nocif à fibres C polymodales suite à un réchauffement cutané (mêmes unités que dans la partie A). *Tracés du haut :* Enregistrement à partir de fibres afférentes. *Tracés du bas :* Température de la thermode (2 mm² de contact) sur le champ récepteur. a) Réchauffement initial. b) Commence 10 s après a). c) et d) Enregistrement continu après que la thermode se fut passivement refroidie suite au réchauffement en b). (De Bessou et Perl, 1969, reproduit avec permission.)

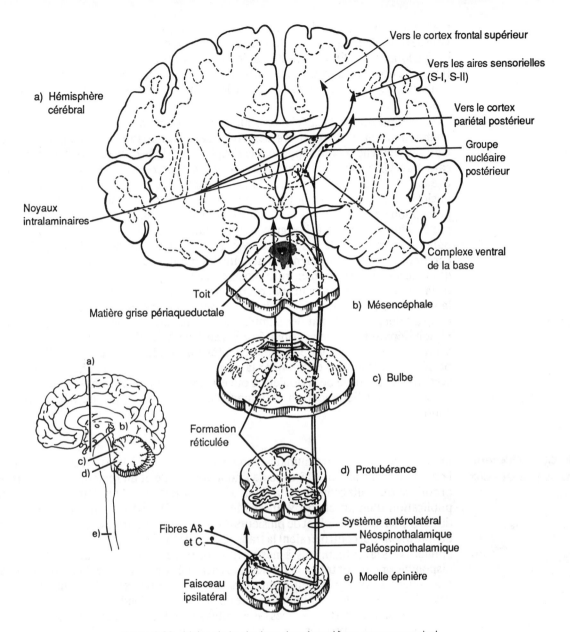

a) Hémisphère cérébral

Vers le cortex frontal supérieur

Vers les aires sensorielles (S-I, S-II)

Vers le cortex pariétal postérieur

Groupe nucléaire postérieur

Noyaux intralaminaires

Complexe ventral de la base

Toit

Matière grise périaqueductale

b) Mésencéphale

c) Bulbe

Formation réticulée

d) Protubérance

Système antérolatéral
Néospinothalamique
Paléospinothalamique

Fibres Aδ et C

Moelle épinière

Faisceau ipsilatéral

a)
b)
c)
d)
e)

Figure 8.19 Voies de la douleur dans le système nerveux central.

moelle épinière viennent faire synapse sur des neurones de la corne dorsale dont les axones traversent la moelle et aboutissent dans plusieurs noyaux du thalamus. Beaucoup d'autres voies de transmission de la douleur ont également été identifiées dans la moelle épinière. Les propriétés de réaction douloureuse de diverses parties de ces voies ont été nettement démontrées; un peu comme dans le cas des fibres périphériques, il existe, à divers niveaux du système nerveux central, plusieurs cellules qui réagissent de façon préférentielle aux stimuli mécaniques intenses et à d'autres sources de douleur. Une caractéristique à la fois fascinante, et toujours étonnante, des voies de la douleur tient au fait que leur interruption

283

n'atténue la perception de la douleur que d'une façon transitoire. Après une section d'une voie de la douleur dans la moelle, la douleur diminue, mais revient après quelques semaines ou quelques mois. On interprète habituellement ces données en supposant que la perception de la douleur se trouve renforcée dans les voies intactes qui restent. Nous allons voir, toutefois, que les voies de transmission de la douleur comportent d'autres aspects complexes.

La complexité de l'expérience douloureuse elle-même vient ajouter à la difficulté de compréhension des propriétés des voies de transmission du système nerveux central. Certains chercheurs ont supposé que l'expérience de la douleur pourrait avoir un double caractère. Un de ces aspects serait un volet *sensori-discriminatif*, à savoir la perception qu'un événement douloureux s'est produit, la capacité de localiser le ou les sites où il a été déclenché et d'identifier la nature de l'événement qui l'a produit. L'autre aspect de la perception des événements douloureux a été nommé élément *affectivo-motivationnel*, caractéristique affective à l'origine des conduites d'échappement et des mécanismes de défense spécifiques de l'espèce (Casey, 1980). Au moyen des techniques de stimulation cérébrale et d'enregistrement de l'activité des cellules nerveuses, on a démontré l'existence d'une certaine séparation entre les voies cérébrales qui transmettent ces différents aspects de la douleur. Des chercheurs ont découvert qu'il existe, dans le tronc cérébral, des sites où la stimulation électrique déclenche un comportement d'échappement ressemblant beaucoup à celui provoqué par des stimuli douloureux. De plus, les cellules nerveuses de cette région démontrent une sensibilité préférentielle à la stimulation nocive. Enfin, dans le cerveau, l'existence d'un ensemble de sites qui modulent la douleur d'une façon assez profonde vient encore compliquer la délinéation des voies cérébrales. La description de systèmes de contrôle de la douleur a ouvert la voie à un important regain d'intérêt pour la douleur, particulièrement en réanimant l'espoir de découvrir de nouveaux moyens de contrôle.

Contrôle de la douleur : Mécanismes et voies

Depuis longtemps, l'être humain cherche à se soustraire à la souffrance et à l'angoisse de la douleur. Au cours de l'histoire de l'humanité, mille et un remèdes ont été proposés. Le problème du soulagement de la douleur a de nouveau retenu l'attention à la suite de la publication d'un article de Wall et Melzack (1965) : ceux-ci laissaient entendre que la douleur pouvait être l'objet de plusieurs influences modulatrices, certaines agissant comme des *portillons* qui contrôleraient la transmission de l'information sur la douleur, de la moelle épinière vers le cerveau. Puis, à mesure que l'on prit conscience du nombre limité de moyens disponibles pour contrôler la douleur, les activités de recherche dans ce domaine se sont multipliées. Les progrès réalisés au cours des vingt dernières années, tant à partir de l'étude des syndromes de douleur humaine que de la recherche fondamentale sur les animaux, ont donné naissance à certaines idées fascinantes sur la douleur et son soulagement. Quelques-uns des principaux progrès enregistrés récemment dans ce domaine sont résumés dans les paragraphes qui suivent.

Les opiacés et le soulagement de la douleur

Pendant des siècles, les propriétés de l'opium relatives au soulagement de la douleur ont soulevé l'admiration. Extrait d'une variété de pavot, l'opium sert à produire la morphine, l'une des formes les plus efficaces de contrôle pharmacologique de la douleur. Pendant des années, les chercheurs ont essayé de comprendre comment les opiacés arrivaient à soulager la douleur et ils y sont finalement parvenus lorsqu'ils ont pu montrer que le cerveau contenait des substances naturelles semblables aux opiacés. Cette découverte suggérait que le cerveau pouvait être doté de mécanismes intrinsèques permettant un contrôle de la transmission de l'information relative à la douleur. Il se pourrait en effet que le cerveau module la douleur d'une manière analogue à l'action des opiacés exogènes comme la morphine. Plusieurs catégories d'opiacés endogènes ont été découvertes (chapitre 6) et diverses hypothèses ont été proposées pour expliquer comment ces substances s'intègrent dans les circuits d'information sur la douleur (Basbaum et Fields, 1984).

Il existe trois familles distinctes de substances endogènes qui ressemblent aux opiacés (chapitre 6). Ce sont les encéphalines, les dynorphines et la bêta-endorphine. La distribution de ces substances dans le cerveau est très variable; toutefois, leur concentration dans le tronc cérébral a particulièrement retenu l'attention parce que ces régions du tronc cérébral ont été les premières à être mises en cause dans le contrôle de la douleur. Dès le début, plusieurs chercheurs ont pu démontrer que la stimulation de l'aire grise périaqueductale du tronc cérébral produisait une analgésie anatomique de cette région. Une injection d'opiacés à cet endroit donnait les mêmes résultats, ce qui permet de supposer que cette région contient des récepteurs synaptiques pour les substances analogues aux opiacés. Les voies afférentes vers cette région sont assez diversifiées et comprennent des axones venant de certaines régions du cortex cérébral, du noyau amygdalien et de l'hypothalamus. De plus, il existe une importante contribution provenant de la moelle épinière qui, on le présume, apporte de l'information de caractère nociceptif. Basbaum et Fields (1978, 1984) ont proposé un modèle de contrôle, par le tronc cérébral, de la

Figure 8.20 Circuit de l'inhibition de la douleur. La partie droite de la figure indique les détails des interactions synaptiques à chaque niveau. (D'après Basbaum et Fields, 1984.)

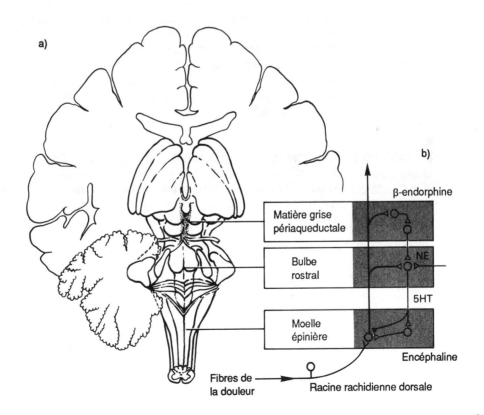

transmission de la douleur dans la moelle épinière (figure 8.20b). Selon ce modèle, l'excitation des neurones de l'aire grise périaqueductale entraîne, par l'intermédiaire de neurones contenant de l'endorphine, l'inhibition d'une influence descendante sur des neurones du bulbe. Dans la partie rostrale du bulbe, des influences descendantes activent des neurones contenant de la sérotonine qui envoient des axones dans la moelle épinière et inhibent des neurones qui transmettent l'information provenant de la périphérie. De cette façon, l'information est bloquée par le jeu direct de portillons dans la moelle. La stimulation électrique du faisceau descendant provoque une inhibition de la réaction des cellules de relais sensoriels de la moelle épinière face aux stimulations nocives de la peau. Les auteurs de cette étude présentent beaucoup de données à l'appui de ce modèle, y compris une démonstration anatomophysiologique de l'existence de voies nerveuses qui descendent du tronc cérébral jusqu'aux divers niveaux de la moelle épinière. La neuropharmacologie du circuit qu'ils proposent est complexe et d'autres recherches sont nécessaires pour préciser plusieurs des aspects détaillés des mécanismes d'inhibition descendante.

Soulagement de la douleur à partir d'une stimulation électrique de la peau

De tout temps, l'être humain a eu recours à des techniques étranges dans l'espoir de parvenir à soulager la douleur. L'un des procédés les plus singuliers a sûrement été l'application de courants électriques sur le corps. Il y a des siècles déjà, on plaçait des anguilles électriques sur les sites douloureux. Depuis quelque temps, une nouvelle technique dite de *stimulation nerveuse électrique transcutanée* (*TENS*) est de plus en plus utilisée pour supprimer certains types de douleur qui se sont avérés difficiles à maîtriser par d'autres moyens. Cette technique consiste en une administration de pulsations électriques, au moyen d'électrodes attachées à la peau, afin d'exciter les nerfs de la région douloureuse. La stimulation elle-même ne cause pas de douleur mais plutôt une sensation de chatouillement. Dans certains cas, on peut de cette façon procurer un soulagement important de la douleur, soulagement qui se maintient pendant des heures après la stimulation. Les meilleurs résultats sont obtenus lorsque la stimulation électrique est appliquée tout près de la source de douleur. Ce procédé est particulièrement efficace dans la suppression de douleurs qui résultent de lésions de nerfs périphériques. L'action analgésique de cette technique est due, au moins en partie, à des opiacés endogènes, puisqu'une administration de naloxone bloque cet effet analgésique.

Soulagement de la douleur à l'aide de stimulations mécaniques

Les blessures corporelles douloureuses, résultats d'accidents, sont le lot de chacun de nous; se heurter un orteil contre un meuble, par exemple, donne non seulement lieu à l'émission d'une série de jurons, mais de plus, nous incite souvent à nous stimuler nous-mêmes la peau, en frottant vigoureusement la région blessée. Évidemment, ce type de *premiers soins* comporte de nombreux aspects physiologiques; toutefois, est-il vraiment possible qu'une stimulation de la peau à la suite d'une blessure ait un effet analgésique ? Des recherches expérimentales et cliniques récentes démontrent qu'un type particulier de stimulation tactile de nature vibratoire est capable d'atténuer certains types de douleur chez l'être humain.

Une étude de grande envergure réalisée par Lundeberg (1983) sur des sujets souffrant de douleurs chroniques ou aiguës, consista en une exploration systématique des possibilités de soulagement de la douleur par application de stimulations vibratoires à la peau. Dans cette étude, les sujets souffrant de douleurs aiguës éprouvaient ces douleurs depuis moins de 14 jours, alors que les sujets victimes de douleurs chroniques souffraient depuis longtemps (6 mois à 22 années, selon les cas). La douleur a été évaluée de diverses façons. Les sujets ont répondu au questionnaire d'évaluation de la douleur de McGill, après avoir situé l'intensité de leur douleur sur une échelle simple comportant sept degrés (0 = aucune douleur, 6 = douleur atroce). Une évaluation subjective de la douleur a également été effectuée au moyen d'un simple levier que les sujets pouvaient déplacer d'une position neutre vers l'un des deux côtés afin d'indiquer si la douleur augmentait ou diminuait. Le traitement consistait en une application d'un vibrateur électromécanique à diverses parties du corps correspondant à l'origine apparente de la douleur. Les sujets souffraient d'une variété de troubles. Le soulagement obtenu a été comparé aux taux d'efficacité de la stimulation électrique de la peau (TENS), à ceux de l'aspirine et à ceux d'une sorte de vibrateur placebo qui émettait des sons de vibration sans produire de vibration réelle. La stimulation vibratoire était appliquée durant des périodes prolongées; on utilisait généralement une période de stimulation de 45 minutes. Chez un fort pourcentage, souffrant aussi bien de douleur aiguë que de douleur chronique, on a pu observer une réduction de la douleur, la durée de ce soulagement variant de 3 à 12 heures. Les meilleurs résultats ont été obtenus avec des stimuli de 100 à 200 Hertz appliqués à la surface de la peau, sous pression modérée (figure 8.21). Cette méthode de soulagement s'est avérée aussi efficace que la méthode TENS.

Des recherches subséquentes ont porté sur une étude psychophysique détaillée de cette méthode appliquée à des sujets normaux (Bini et coll., 1984). Dans cette étude, on produisait de la douleur chez des sujets volontaires soumis à une stimulation électrique au moyen d'une électrode implantée directement dans le nerf médian du poignet. Les sujets percevaient dans le doigt la douleur ainsi produite. Puis, des stimuli vibratoires étaient appliqués à la région du doigt où la douleur était ressentie. Les sujets devaient évaluer l'ampleur de la douleur en déplaçant un levier selon une échelle variant de 0 à 5. La stimulation du nerf était effectuée à l'intensité la plus forte que le sujet déclarait pouvoir *endurer*. On procédait ensuite à une stimulation vibratoire de la peau et les sujets indiquaient tout changement dans la douleur en répondant par des mouvements du levier d'évaluation. On pouvait constater une analgésie frappante lorsque les stimuli vibratoires étaient appliqués sur la région de la peau correspondant à la projection de la douleur. Ces effets sont illustrés à la figure 8.20. Aucune analgésie n'était observée lorsque la stimulation vibratoire était pratiquée à l'extérieur de la région de projection de la douleur. D'autres traitements mécaniques de la peau comme un frottement, une pression ou un refroidissement avaient un effet analgésique beaucoup moins prononcé; il faut donc en conclure que la stimulation vibratoire est extrêmement efficace pour l'atténuation de la douleur.

Figure 8.21 (À gauche) Protocole expérimental en vue de l'application de stimuli vibratoires à une région de douleur faciale. Le sujet déplace le levier pour indiquer une modification de la douleur. (À droite) Effet de la stimulation vibratoire sur la douleur au haut de la mâchoire à droite. Les stimuli vibratoires sont appliqués pendant 1, 5, 10, 15 ou 30 minutes, respectivement. La réduction de la douleur est indiquée par un mouvement vers le bas sur le tracé (100 % indique un soulagement complet de la douleur) et un mouvement vers le haut dénote une augmentation de l'intensité subjective de la douleur. Les barres horizontales à l'intérieur de la figure indiquent la durée de la stimulation vibratoire. (D'après Lundeberg, 1983.)

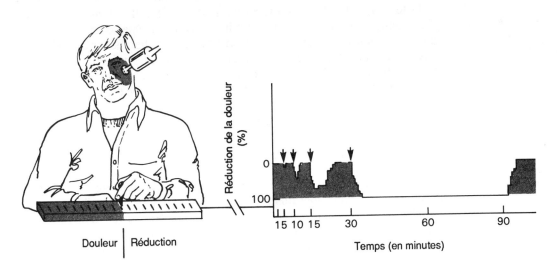

Placebos Un peu par déformation professionnelle, les scientifiques sont des êtres sceptiques qui ont tendance à traiter de façon très critique les résultats de cures miraculeuses. Au cours des années, l'un des domaines qui a suscité beaucoup de scepticisme est celui de l'efficacité des placebos pour le contrôle de la douleur. L'usage a consacré l'utilisation du terme placebo pour décrire ce qu'on donne à un sujet pour lui faire plaisir (le contenter) plutôt que pour le guérir. Ainsi, le placebo a toujours été considéré comme une sorte de traitement magique. Au cours de l'histoire, on a considéré comme des substances pouvant servir à contrôler la douleur des mixtures aussi étranges que des excréments de crocodile, de la mousse raclée sur la tête d'un criminel qui avait été pendu, une larme cristallisée provenant de l'œil d'un daim mordu par un serpent et plusieurs autres traitements plus convenables, comme des pilules sans effet chimique.

Des scientifiques ont eu recours à la pilule inactive (placebo) comme substance témoin dans les expériences visant à évaluer les effets de substances chimiquement actives. Mais, en clinique, la tradition orale a toujours été riche d'anecdotes sur les mérites des placebos. Des observations étonnantes de la part de chercheurs nous ont fourni certains indices sur les raisons qui font que les placebos semblent efficaces pour le soulagement de la douleur chez certains sujets.

Dans leurs études, Levine et ses collaborateurs (1978) ont eu recours à des sujets volontaires à qui on venait d'extraire les dents de sagesse, intervention particulièrement douloureuse qui devrait, selon toute attente, rendre les gens concernés malheureux ! On a dit à ces personnes qu'on leur donnait un analgésique, sans préciser sa nature. Certains reçurent des médicaments à base de morphine, d'autres des solutions salées (placebo). Le tiers de ceux qui avaient reçu le placebo ont connu un soulagement de leur douleur. Pour étudier les mécanismes de cet effet placebo, les chercheurs ont donné du naloxone à d'autres qui avaient également reçu le placebo.

Il faut se souvenir que le naloxone bloque les effets des opiacés ou substances apparentées, tant endogènes qu'exogènes. Les personnes traitées avec un placebo et le naloxone n'ont pas connu de soulagement de la douleur, ce qui signifie que le soulagement dû au placebo se fait par l'intermédiaire d'un système opiacé endogène. Cet effet a pu être observé surtout lorsque des doses très fortes de naloxone ont été administrées à des sujets sensibles au placebo (ceux qui disaient que leur mal de dents se résorbait après administration de la pilule inactive).

Dans une analyse critique des études du mode d'action des placebos, Grevert et Goldstein (1985) ont relevé un certain nombre de failles dans les travaux traitant de ce phénomène. Des facteurs comme l'utilisation d'un groupe contrôle approprié et la dose de naloxone employée se sont avérés critiques dans la recherche sur les placebos. De plus, nous savons maintenant qu'il existe dans le cerveau plusieurs types de récepteurs de substances de type opiacé et que l'affinité du naloxone pour ces divers récepteurs varie considérablement, si bien qu'un effet négatif de l'administration de naloxone n'élimine pas de façon définitive la possibilité de médiations par des opiacés endogènes.

Dans une étude s'adressant aux critiques des recherches antérieures sur les placebos, Grevert, Albert et Goldstein (1983) ont montré que le naloxone n'éliminait pas totalement l'analgésie provenant du placebo, mais qu'il réduisait plutôt l'efficacité du placebo. Ces résultats ont été obtenus dans des expériences sur des sujets normaux chez qui on avait provoqué de la douleur par gonflement d'un brassard à tensiomètre sur le bras. Cela permet de supposer que deux mécanismes (l'un concernant les opiacés, l'autre pas), contribuent à l'analgésie produite par un placebo, ce qui est une conclusion analogue à celle fournie par les études sur l'analgésie créée par le stress. Les études à venir aideront à comprendre les multiples facettes de ce phénomène du soulagement de la douleur.

Acupuncture

Au cours des dernières années, plusieurs des personnes qui ont visité la Chine ont avoué être très enthousiasmées par les effets résultant de l'utilisation de l'acupuncture dans le soulagement de la douleur. Certains ont manifesté du scepticisme devant cette forme de traitement, alors que d'autres ont signalé que cette méthode thérapeutique prend ses origines dans la Chine antique et a subi avec succès l'épreuve de centaines d'années d'utilisation. La première description de l'acupuncture remonte à au moins trois mille ans. Ayant adopté des formes variées, cette méthode de traitement consiste essentiellement en une application d'aiguilles à des points spécifiques de la peau. Dans certains cas, dès qu'elles sont en position, les aiguilles sont manipulées par le thérapeute alors que dans d'autres cas, une stimulation électrique ou thermique est appliquée par l'intermédiaire des aiguilles ainsi placées. Les sites d'application des aiguilles dépendent des endroits où la douleur est ressentie et des caractéristiques de l'état douloureux.

L'acupuncture occupe maintenant une place parmi les diverses méthodes utilisées dans le traitement de plusieurs types différents de douleurs chronique et aiguë. Les médias ont souvent vanté les mérites de cette méthode et ont présenté celle-ci comme un moyen de contrôle des douleurs de diverses origines. On a cependant fait preuve de plus de retenue dans l'évaluation clinique des résultats de l'acupuncture, en faisant remarquer avec raison que seuls quelques individus souffrant de douleurs chroniques parviennent à connaître un soulagement prolongé. Il semble qu'au moins une partie des propriétés de blocage analgésique de l'acupuncture serait attribuable à la libération d'endorphines (Pomeranz, 1983). En effet, l'utilisation combinée de substances antagonistes des endorphines et de l'acupuncture bloque également les effets de contrôle de la douleur exercés par cette méthode chinoise. Il faudra poursuivre les recherches dans des milieux cliniques avant de pouvoir préciser la nature de ce type de contrôle de la douleur. La transposition sur les animaux des procédés utilisés auprès d'humains contribuera également à la compréhension de ce remède, ancien peut-être, mais qui a résisté à l'épreuve du temps.

Analgésie causée par le stress

Plusieurs situations expérimentales au cours desquelles on utilise des traitements inhabituels comme la stimulation électrique du cerveau exercent un effet d'inhibition de la douleur. Ce genre d'études démontre l'existence de circuits de contrôle de la douleur, mais il ne nous renseigne aucunement sur les façons dont les systèmes inhibiteurs seraient ordinairement mis en branle. En effet, quelles sont les conditions responsables de l'activation du contrôle de la douleur par le truchement des endorphines ? Dans l'espoir de trouver une réponse à cette question, des chercheurs ont étudié l'inhibition de la douleur qui peut découler de conditions de stress. Certains ont émis l'hypothèse que l'activation des systèmes cérébraux provoquée par le stress pourrait survenir chaque fois que la douleur menace de réduire à néant l'efficacité des stratégies permettant de faire face à la réalité. Les études sur la façon dont la douleur pourrait contrôler la douleur elle-même ont ouvert de nouvelles perspectives sur les mécanismes responsables de ces effets.

Il y a déjà plusieurs années, des chercheurs avaient démontré que chez les rats, l'application de chocs électriques légers à une patte exerçait un effet analgésique. D'autres formes de stress (tel un bain d'eau froide) entraînaient une inhibition des réponses de douleur. Des observations additionnelles ont permis de supposer que ce type d'analgésie résultant du stress se produirait par l'intermédiaire d'opiacés endogènes du cerveau. En effet, pour plusieurs aspects, l'analgésie découlant du stress ressemblait à celle produite par les opiacés (Bodnar et coll., 1980). On a notamment observé les ressemblances suivantes : 1) comme pour les opiacés, on constate que la répétition de l'expérience de stress entraîne une réduction de l'efficacité analgésique; 2) on constate un phénomène de tolérance croisée entre les opiacés et les agents de stress, ce qui signifie que la réduction de l'analgésie due à la répétition du stress entraîne en parallèle une réduction de l'inhibition de la douleur par les opiacés. Toutefois, les substances antagonistes des opiacés, comme le naloxone, ont des effets variables sur l'analgésie résultant du stress, soulevant ainsi la possibilité qu'une certaine partie de cette analgésie ne soit pas attribuable aux opiacés endogènes. Des recherches plus récentes ont approfondi cette question.

Des études provenant des laboratoires de John Liebeskind, chercheur émérite dans le domaine de la douleur, ont utilisé des rats placés en situations de stress, ces situations consistant en une application à une patte de chocs électriques inéluctables (Terman, Shavit, Lewis, Cannon et Liebeskind, 1984). Divers groupes de rats étaient soumis à différents programmes d'application de chocs à une patte et les changements du seuil de la douleur étaient évalués au moyen d'une technique couramment utilisée dite *test de la chiquenaude à la queue*. Cette évaluation consiste en une mesure du niveau de chaleur radiante produite par une chiquenaude appliquée à la queue du rat. Dans ces études, le rôle des endorphines était déterminé par l'administration d'une substance antagoniste des opiacés, le naloxone. Dans cette situation expérimentale, le stress résultant du choc inéluctable se traduit par un accroissement de la latence de la réaction à la chiquenaude à la queue, démontrant ainsi que le stress exerce effectivement un effet analgésique. L'administration de naloxone donne lieu à une complication curieuse. Quand l'analgésie est produite par de brèves périodes de choc à une patte, le naloxone renverse la réponse analgésique, ce qui indique que cette réaction est attribuable à un système cérébral de type opiacé. Par contre, les substances antagonistes des opiacés n'ont que peu d'effet sur l'analgésie résultant du stress quand cet état est produit par des périodes de choc prolongées. Ces résultats démontrent que le stress agit à la fois sur un système analgésique sensible aux substances du type opiacé et sur un système de contrôle de la douleur étranger aux circuits propres aux opiacés. Ce sont des paramètres relativement précis des stimuli provocateurs du stress qui semblent déterminer sur lequel de ces deux systèmes le stress agira. Les deux systèmes de contrôle de la douleur font probablement appel à des éléments semblables puisque les lésions de la moelle épinière perturbent les deux formes d'analgésie résultant du stress. Le fait que certaines lésions du tronc cérébral puissent affecter l'analgésie attribuable aux opiacés sans affecter l'analgésie qui ne leur est pas attribuable (Terman et coll., 1984) démontre une certaine séparation des voies de transmission de ces effets. Ces données de recherche ont une grande importance dans le choix de stratégies d'intervention auprès de l'être humain. Les travaux à venir aideront peut-être à déterminer s'il existe des formes additionnelles de soulagement de la douleur qui seraient contrôlées par d'autres circuits.

Résumé

1. Il existe un système sensoriel qui apporte au cerveau des informations sélectives sur les événements et les conditions internes et externes. Il ne capte et ne traite que l'information pertinente à l'organisme auquel il appartient.

2. Le système sensoriel idéal est capable d'établir une distinction entre certaines des formes d'énergie disponibles; il réagit à une grande variété d'intensités, est très sensible à un changement de stimuli, réagit de façon fiable et rapide et supprime l'information qui n'est pas désirée.

3. Des stimuli que certaines espèces perçoivent facilement sont tout à fait inaccessibles à d'autres espèces qui ne possèdent pas les récepteurs nécessaires.

4. Certains récepteurs consistent en de simples terminaisons nerveuses libres, mais la plupart comprennent des cellules spécialisées dans la transduction de formes particulières d'énergie.

5. La transduction d'énergie au niveau des récepteurs sensoriels met en cause la production d'un potentiel générateur qui stimule les neurones sensoriels.

6. Le codage est la traduction de l'information provenant des récepteurs en activité nerveuse.

7. On appelle adaptation la diminution progressive de la fréquence des influx lorsque la même stimulation est maintenue. Cette décélération est lente pour les récepteurs

toniques, mais rapide pour les récepteurs phasiques. L'adaptation protège le système nerveux contre toute stimulation redondante.

8. Parmi les mécanismes de suppression d'information, on compte des structures accessoires des voies descendantes allant des centres nerveux vers les récepteurs et les circuits centraux.

9. Le champ récepteur d'une cellule est constitué par l'aire de stimulation qui modifie la réponse de cette cellule.

10. La présence de noyaux successifs le long d'une voie sensorielle expliquerait que l'information peut être soumise à des traitements différents et peut-être successivement de plus en plus complexes.

11. L'attention consiste en un renforcement temporaire de certains messages sensoriels, ce renforcement se produisant au cours d'états particuliers vécus par un individu. L'attention serait associée à l'intervention du système d'activation de la formation réticulée du tronc cérébral.

12. La peau comprend plusieurs types distincts de récepteurs à sensibilités spécifiques. Les influx issus de la peau traversent plusieurs voies spéciales distinctes, y compris le système de la colonne dorsale et le faisceau spinothalamique.

13. La surface du corps se trouve représentée à chaque niveau du système somatosensoriel; au niveau du cortex cérébral, il existe de nombreuses cartes de cette surface corporelle.

14. La douleur sert à guider le comportement d'adaptation en fournissant des indications sur le caractère dommageable des stimuli. La douleur est un état complexe fortement influencé par les facteurs culturels et plusieurs aspects de l'expérience individuelle.

15. La sensation de douleur est soumise à plusieurs conditions de contrôle ou de modulation, notamment à des circuits comprenant des synapses à endorphines dans le cerveau et la moelle épinière. Un des éléments de la modulation de la douleur consiste en la présence de voies descendantes qui prennent origine dans le tronc cérébral et inhibent l'activité nerveuse afférente au niveau des synapses de la moelle épinière.

16. On est arrivé à contrôler la douleur chez l'être humain en utilisant, entre autres méthodes, la stimulation électrique et la stimulation mécanique de la peau, la stimulation électrique de régions au sein du thalamus et du tronc cérébral, et l'acupuncture.

Lectures recommandées

Autrum, H., Jung, R., Lœwenstein, W.R., MacKay, D.M. et Teuber, H.L. (éds). (1971-1981). *Handbook of Sensory Physiology* (9 volumes). Berlin et New York : Springer-Verlag.

Fields, H.L. (1988). *Pain*. New York : McGraw-Hill.

Goodwin, A.W. et Darian-Smith, I. (éds). (1985). *Hand Function and the Neocortex*. Berlin : Springer-Verlag.

Kitchell, R.L. et Erickson, H.H. (éds). (1983). *Animal Pain*. Bethesda, Md. : American Physiological Society.

Masterton, R.B. (éd.). (1978). *Handbook of Behavioral Neurobiology : vol. 1, Sensory Integration*. New York : Plenum.

Rowe, M. et Willis, W.D. (éds). (1985). *Development, Organization and Processing in Somatosensory Pathways*. New York : Alan R. Liss.

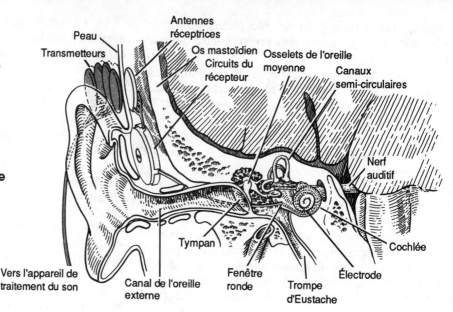

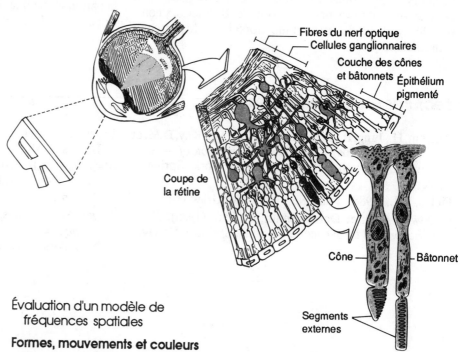

9 Audition et vision

Les sons et les images sont les principaux intermédiaires qui nous renseignent sur l'état de notre environnement immédiat et influencent notre comportement. Chez la plupart des vertébrés, l'audition et la vision représentent le lien qui les relie au monde extérieur. En effet, ce sont ces systèmes sensoriels qui en définissent, pour chaque animal, les aspects les plus importants. D'une espèce à l'autre, les différences observables dans le fonctionnement de ces systèmes sensoriels sont plutôt d'ordre quantitatif que qualitatif; chaque espèce semble posséder son propre registre, visuel ou auditif. Pour l'être humain, ce sont les sons du langage qui constituent le domaine d'énergie acoustique le plus important; par ailleurs, ce sont des fréquences sonores très élevées, imperceptibles à l'oreille humaine, qui orientent le vol rapide de la chauve-souris en quête de nourriture.

Nous allons donc considérer quelques-uns des principaux attributs des systèmes auditif et visuel. Les recherches dans ces deux domaines ont progressé très rapidement; nous présentons ici des données fondamentales, en insistant sur les fascinantes découvertes récentes. Nous allons commencer par l'audition, puisque ce système s'est développé à partir de récepteurs mécaniques apparentés aux éléments somatosensoriels dont nous avons parlé au chapitre 8.

L'AUDITION

Les sons jouent un rôle important dans le comportement de plusieurs animaux. Chez l'être humain, les phonèmes sont les éléments fondamentaux de milliers de langues. Le chant mélodique d'un oiseau mâle attire la femelle; les grognements, les cris stridents et les murmures inarticulés des primates signalent le danger, la détresse ou la satisfaction. Les baleines, les hiboux et les chauves-souris exploitent les propriétés directionnelles du son pour localiser les proies ou éviter les obstacles. L'usage du son que font ces animaux met en évidence une caractéristique du traitement de l'information auditive : la possibilité de discerner avec grande précision les propriétés temporelles des signaux acoustiques. Le système auditif d'un être humain est capable de capter les changements rapides d'intensité et de fréquence sonores. En réalité, la vitesse du traitement de l'information auditive est telle que l'oreille qui analyse des fréquences rivalise avec les instruments électroniques modernes.

<table>
<tr><td>

SOURCES DE LA PERCEPTION AUDITIVE

</td><td>

La détection des vibrations de l'air est une caractéristique de l'audition, chez l'humain et plusieurs autres mammifères. Comment les vibrations des particules de l'air deviennent-elles paroles, musique et autres sons que nous captons ? Le début d'une perception est déterminé par la nature même de toutes les composantes périphériques du système auditif qui façonne les forces qui agissent sur les fibres du nerf auditif. Quelles sont donc ces étapes initiales de l'excitation auditive ? L'encadré 9.1 décrit certains aspects essentiels du stimulus auditif.

</td></tr>
</table>

ENCADRÉ 9.1	Données techniques sur le stimulus auditif

La plupart des animaux émettent des sons. L'audition permet à l'être humain et aux animaux de capter les énergies produites à des fins de communication ou autres. Le son consiste en un changement répétitif de la pression d'un milieu donné, généralement l'air ou l'eau. Dans l'air, ce changement se produit parce que les particules sont déplacées par un système vibratile mécanique, par exemple la glotte du larynx, un diapason ou le cône d'un haut-parleur. En quittant sa position de repos, le diapason comprime les particules de l'air, ce qui fait passer la pression aérienne au-dessus de la pression atmosphérique. On appelle cycle l'alternance de réduction et d'expansion de l'air. La figure illustre la dispersion des particules de l'air produite par le diapason. Le diapason n'ayant qu'une fréquence de vibration, on dit qu'il produit un ton pur et on peut le représenter par une onde sinusoïdale.

Deux mesures servent à décrire un ton pur :

1. La fréquence, ou nombre de cycles par seconde, mesurée en hertz (Hz) (par exemple, la note moyenne a une fréquence de 440 Hz).

2. L'amplitude ou intensité (distance sur laquelle se déplacent des particules pendant une période de temps donné) habituellement mesurée sous forme de pression ou de force par unité de surface et exprimée en dynes par centimètre carré (dyn/cm^2).

La plupart des sons sont plus compliqués que le ton pur. Le son produit par un instrument de musique, par exemple, contient une fréquence *fondamentale* et des *harmoniques*. La fondamentale est la fréquence de base et les harmoniques sont des multiples de la fondamentale. Si la fondamentale est de 440 Hz, les harmoniques sont de 880, 1320, 1760 ... Quand des instruments différents jouent la même note, les intensités relatives des

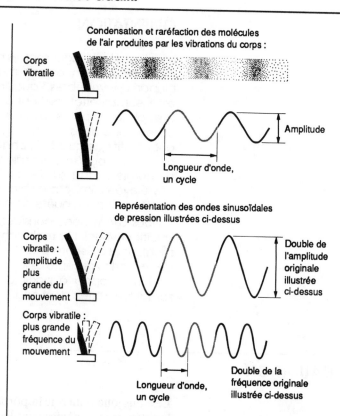

Figure 1 de l'encadré 9.1 Le stimulus auditif. L'amplitude et la fréquence de vibration d'un ton pur ou d'une onde sinusoïdale peuvent varier.

diverses harmoniques varient et c'est cette différence qui donne à chacun sa qualité ou son timbre caractéristique. Toute structure complexe peut être analysée en

Les ondes sonores sont captées par l'oreille externe (figure 9.1), structure constituée du **pavillon** et d'un canal qui mène au tympan. L'oreille externe est une caractéristique spécifique des mammifères qui représentent une grande variété de formes et de dimensions des oreilles. Les dimensions de l'oreille externe reflètent en partie les facteurs de l'évolution associés à la dissipation de la chaleur. Comparons la petitesse de l'oreille des renards de l'Arctique aux grandes oreilles de ceux qui vivent dans des zones tempérées (chapitre 12). L'oreille externe revêt une assez grande importance, puisque sa forme contribue de façon significative à la transformation physique des énergies sonores. Loin de n'être qu'un entonnoir qui dirige les ondes sonores vers le tympan, l'oreille externe, grâce à ses *collines* et ses *vallées*, modifie le caractère des sons. Certaines fréquences se trouvent amplifiées, d'autres réduites. À cet égard, la forme de l'oreille externe est donc particulièrement

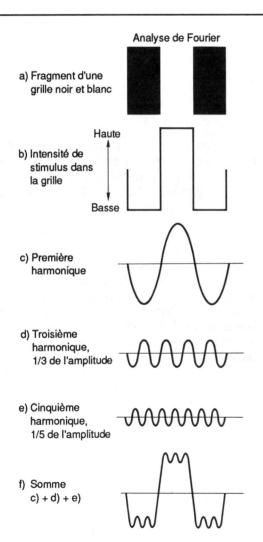

Analyse de Fourier

a) Fragment d'une grille noir et blanc

b) Intensité de stimulus dans la grille

Haute

Basse

c) Première harmonique

d) Troisième harmonique, 1/3 de l'amplitude

e) Cinquième harmonique, 1/5 de l'amplitude

f) Somme c) + d) + e)

fonction de la somme des ondes sinusoïdales qui la composent, opération dite **analyse de Fourier** (d'après le mathématicien français qui l'a découverte). Nous verrons plus loin que l'analyse de Fourier peut s'appliquer également aux structures visuelles. La figure 2 de l'encadré 9.1 montre comment une onde complexe peut se décomposer en ondes sinusoïdales de fréquences diverses.

Étant donné que l'oreille est sensible à une vaste gamme de pressions, l'intensité sonore est généralement exprimée en décibels (dB). On définit un décibel comme suit :

$$N\,(\text{dB}) = 20 \log P_1 / P_2$$

où N est le nombre de décibels et P_1 et P_2 sont les pressions comparées.

Dans les études sur l'audition, le niveau de référence communément utilisé est de 0,0002 dyn/cm^2 (P_2 dans la formule présentée ci-dessus); c'est là la plus petite pression nécessaire pour qu'un auditeur humain moyen puisse entendre un ton de 1000 Hz. Sur cette échelle, un murmure a une intensité d'environ 10 fois 0,0002 dyn/cm^2 et le bruit produit par un avion à réaction passant au-dessus de nos têtes est d'environ un million de fois plus intense que le niveau de référence; le murmure correspond à environ 20 dB et le bruit de l'avion à environ 120 dB. La conversation normale se situe à environ 60 dB.

Figure 2 de l'encadré 9.1 Illustration de l'analyse de Fourier. Un patron répétitif complexe comme cette onde carrée peut être analysé pour donner les ondes sinusoïdales qui le composent.

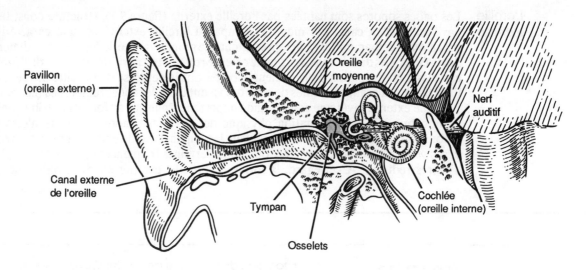

Figure 9.1 L'oreille externe, l'oreille moyenne et l'oreille interne.

importante dans le processus de localisation des sons. Certains animaux sont dotés d'un ensemble complexe de muscles rattachés à l'oreille externe, ce qui leur permet d'orienter leurs pavillons vers les sources du son. Les animaux qui, à l'instar de la chauve-souris, sont reconnus pour leur grande aptitude à localiser les sons ont des oreilles particulièrement mobiles.

L'oreille moyenne

L'ensemble acoustique de l'oreille externe est séparé des cellules réceptrices de l'oreille interne par un groupe de structures comprenant des os et des muscles qui constituent l'**oreille moyenne** (figure 9.1). Une chaîne de trois os, les **osselets**, relie le **tympan**, qui ferme l'extrémité du canal de l'oreille externe, à l'oreille interne par une ouverture dite **fenêtre ovale**. Les osselets sont les plus petits os du corps. Les légers déplacements de la membrane du tympan mettent cette chaîne en mouvement. Quel est le rôle joué par ces os minuscules dans la transmission du son ? Les osselets sont nécessaires parce que les forces mécaniques infimes exercées par les particules de l'air pourraient difficilement comprimer le liquide de l'oreille interne. Les liaisons mécaniques de l'oreille moyenne permettent de concentrer sur la petite fenêtre ovale les pressions exercées sur la grande membrane du tympan; ce dispositif amplifie considérablement la pression exercée par un son, et suffit pour stimuler l'oreille interne.

Au cours du passage dans l'oreille moyenne, les sons intenses sont atténués par des muscles associés à deux des osselets : le marteau, relié au tympan, et l'étrier relié à la fenêtre ovale. Ces muscles préviennent les déplacements trop faciles des osselets et limitent les chocs. Ils préviennent les blessures que des sons très violents et prolongés pourraient causer aux cellules ciliées de la cochlée. Ils entrent également en activité pendant la déglutition et lorsque le corps est en mouvement, c'est pourquoi nous n'entendons que très peu les sons produits par notre propre corps.

L'oreille interne

C'est au sein des structures complexes de l'oreille interne que les propriétés mécaniques du son sont converties en activité nerveuse. Pour vraiment comprendre le mécanisme de la transmission sonore, il est indispensable d'examiner soigneusement l'oreille interne. Chez les mammifères, la partie de l'oreille interne qui sert à l'audition est une structure en spirale nommée **cochlée** (du grec *kochlos*, limaçon), insérée dans l'os temporal (figure 9.2). Chez l'être humain adulte, le diamètre de cet organe complexe n'est que d'environ 4 mm, soit à peu près la dimension d'un pois. Si on la déroulait, la cochlée aurait environ 35 à 40 mm de long. La partie la plus rapprochée de la membrane de la fenêtre ovale forme la base de la spirale et l'extrémité, ou tête de la cochlée, est l'apex. Le long de la cochlée, on observe trois canaux principaux : le **canal du tympan**, le **canal vestibulaire** et le **canal cochléaire**. Une coupe transversale de la cochlée met en évidence l'existence de ces trois canaux (figure 9.2c). Toute la structure est remplie d'un liquide incompressible. Si une pression est exercée sur la fenêtre ovale, il faut qu'il y ait ailleurs une membrane mobile : c'est la **fenêtre ronde** qui sépare le canal cochléaire de la cavité de l'oreille moyenne.

Les principaux éléments nécessaires à la transduction auditive se trouvent sur la **membrane basilaire**, membrane de la cochlée environ 5 fois plus large à l'apex qu'à la base, même si la cochlée elle-même se rétrécit en montant vers l'apex. À l'intérieur du canal cochléaire, chevauchant la membrane basilaire, on trouve l'**organe de Corti** qui contient les cellules sensorielles (**cellules ciliées**), un montage complexe de cellules de soutien et les terminaisons des nerfs auditifs. On y trouve deux séries de cellules sensorielles : une rangée unique de **cellules ciliées internes** et trois rangées de **cellules ciliées externes** (figure 9.2d). Le diamètre des cellules ciliées, de forme cylindrique, est d'environ 5 μm, leur longueur variant entre 20 et 50 μm. Des poils, ou cils, émergent de l'extrémité supérieure de la cellule ciliée (figure 9.2e). Chaque cellule peut posséder 100 à 200 de ces poils. Leur longueur est de 2 à 6 μm et les cils des cellules ciliées externes se prolongent jusque dans des sillons situés au fond de la **membrane de Corti**. Par contre, les cellules ciliées internes ne semblent pas avoir de contact direct avec cette dernière.

Les fibres nerveuses de l'audition entrent en synapse à la base des cellules ciliées. Alors que chaque cellule ciliée interne a sa propre fibre nerveuse auditive, plusieurs cellules ciliées externes partagent une même fibre. Chez l'être humain, environ 50 000 fibres auditives provenant de chacune des deux cochlées pénètrent dans le tronc cérébral et entrent en synapse avec des ensembles de cellules nommés **noyaux cochléaires** dorsaux et ventraux. De plus, les fibres afférentes (allant des organes sensoriels vers le système nerveux central) et les fibres efférentes (transportant des influx centrifuges) établissent des points de contact dans le voisinage des cellules ciliées. Il se peut que l'activité des fibres efférentes module l'excitabilité des terminaisons des fibres nerveuses et des cellules ciliées (Teas, 1989). L'encadré 9.2 donne une brève description de l'évolution de l'organe complexe de l'audition.

Transduction auditive au niveau des cellules ciliées

On n'a pas encore découvert, même après des années de recherches intensives, le processus qui lie les événements mécaniques complexes qui se déroulent à l'intérieur de la cochlée à l'excitation des fibres nerveuses auditives. Les chercheurs savent depuis longtemps que de grosses électrodes placées dans ou près de la cochlée captent deux types de réaction électrique lors d'une stimulation sonore. L'une de ces réactions dite microphonique cochléaire est un miroir virtuel de la forme de l'onde acoustique (c.-à-d. comme si c'était un microphone). L'autre type, le potentiel de sommation, est l'enveloppe du potentiel microphonique cochléaire. Les chercheurs ont cru pendant longtemps que ces potentiels étaient reliés au processus de réception et qu'ils pouvaient générer des événements. Ce concept s'appuyait notamment sur leur disparition chaque fois que les cellules ciliées

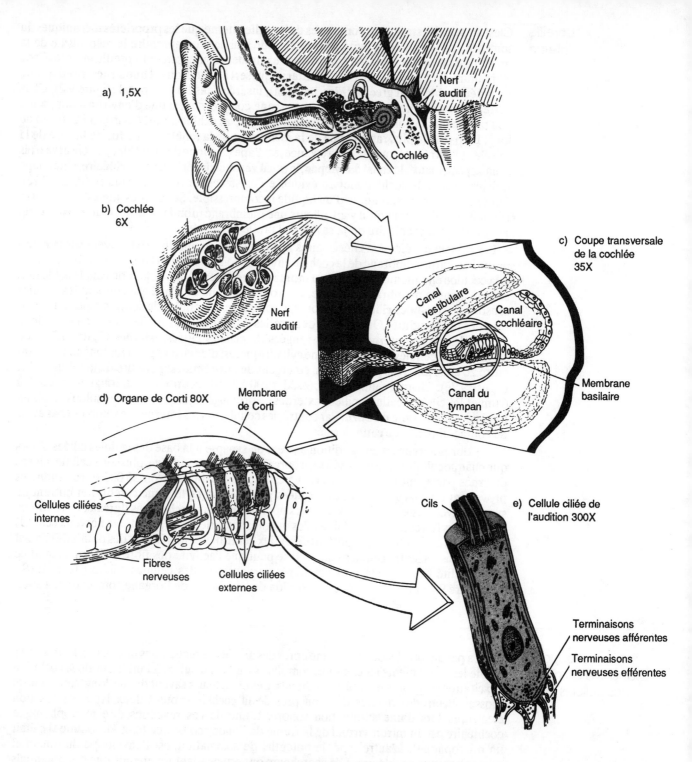

a) 1,5X

Nerf
auditif

Cochlée

b) Cochlée
6X

Nerf
auditif

c) Coupe transversale
de la cochlée
35X

Canal
vestibulaire

Canal
cochléaire

Canal du
tympan

Membrane
basilaire

Membrane
de Corti

d) Organe de Corti 80X

Cellules ciliées
internes

Fibres
nerveuses

Cellules ciliées
externes

Cils

e) Cellule ciliée de
l'audition 300X

Terminaisons
nerveuses afférentes

Terminaisons
nerveuses efférentes

Figure 9.2 Structure de l'oreille interne présentée à des grossissements de plus en plus grands. a) Coupe à travers la tête (1,5X). b) Cochlée (6X). c) Coupe de la cochlée (35X). d) Organe de Corti (80X). e) Cellule ciliée de l'oreille (300X).

avaient été détruites par des drogues (certains antibiotiques, par exemple) ou par un traumatisme acoustique. De nouveaux faits ont contribué à clarifier cette question.

Des techniques récentes ont permis d'approfondir l'étude des cellules ciliées (Hudspeth, 1983). Les mouvements de liquides déclenchés par un son dans le limaçon osseux engendrent des vibrations de la membrane basilaire. Ces vibrations courbent les extrémités des cellules ciliées présentes dans la membrane de Corti à peu près parallèle à la membrane basilaire. Lorsque cette dernière est ainsi soulevée, les cellules ciliées situées entre ces deux membranes se courbent. Des enregistrements faits par Hudspeth (1983), à partir de cellules ciliées isolées, laissent supposer que chaque cellule ciliée pourrait avoir une direction de sensibilité maximale.

La petite dimension des cellules ciliées et leur inaccessibilité avaient longtemps limité la compréhension du processus de transduction. Les études de Hudspeth ont montré que de très légers déplacements de touffes de cils déclenchent des changements rapides dans les conduits ioniques de la membrane de la cellule ciliée. La chute du potentiel de membrane, qui résulte des modifications ioniques, influence les mouvements des ions calcium à la base de la cellule ciliée. Dans cette région, le mouvement centripète du calcium amène ses vésicules à se fusionner à la membrane et à libérer leur contenu chimique. Semblables à des transmetteurs, ces molécules traversent la fente séparant la cellule ciliée des terminaisons du nerf auditif et viennent se lier aux récepteurs de la terminaison nerveuse. Cet événement entraîne à son tour une dépolarisation, type de potentiel générateur qui conduit à l'activation de l'influx nerveux. Certains mouvements de la touffe de cils donnent l'effet contraire, soit une surpolarisation qui ferme les conduits de calcium et réduit la quantité de transmetteur libéré. La figure 9.3 donne une description de ces événements, basée sur les travaux de Hudspeth.

Dallos (1985) a fait des enregistrements intracellulaires des réactions de cellules ciliées externes chez les mammifères et a démontré qu'il était possible d'enregistrer deux types de réponses électriques à partir de ces cellules : un changement rapide, comme la réaction microphonique cochléaire, et une modification plus lente de la ligne de base, analogue au potentiel de sommation.

VOIES CÉRÉBRALES DU SYSTÈME AUDITIF

Les influx du nerf auditif se répartissent des deux côtés du cerveau de façon complexe (figure 9.4). Chaque fibre nerveuse auditive se sépare en deux branches en pénétrant dans le tronc cérébral. Chaque branche se dirige vers un segment d'un groupe de cellules nommé **noyaux cochléaires**, le segment dorsal ou le segment ventral (figure 9.4). L'arrangement des fibres qui sortent des noyaux cochléaires est assez complexe et suit plusieurs trajets. Des voies sont dirigées vers le **complexe olivaire supérieur**, qui reçoit des afférences des noyaux cochléaires gauche et droit. L'approvisionnement bilatéral de ce groupe de cellules est le premier niveau d'interaction binaurale du système auditif; il a une importance primordiale pour les mécanismes de localisation auditive. Plusieurs autres voies parallèles convergent vers les **tubercules quadrijumeaux postérieurs** qui constituent le centre auditif du mésencéphale. Les fibres efférentes des tubercules quadrijumeaux postérieurs se dirigent vers le **noyau du corps genouillé médian** du thalamus. Les axones des cellules postsynaptiques du genouillé médian s'étendent eux-mêmes jusqu'au **cortex auditif** du lobe temporal. Ce dernier comprend plusieurs régions adjacentes, dont la plupart, selon une carte ordonnée, représentent les positions sur la membrane basilaire.

Plusieurs systèmes sensoriels comportent à la fois des voies ascendantes et descendantes. Ainsi, aux voies afférentes qui atteignent les niveaux supérieurs du cerveau s'ajoutent des voies efférentes qui ramènent des influx vers la périphérie. Le système auditif en est un

L'histoire de l'évolution du système audio-vestibulaire est mieux connue que celle des autres systèmes sensoriels, car ces récepteurs enchâssés dans l'ossature crânienne ont laissé des traces fossilisées. On a pu décrire en détail les origines de l'audition en combinant l'étude des fossiles à celle de plusieurs animaux vivants (van Bergeijk, 1967; Wever, 1974). Nous résumons ici les points les plus importants de cette évolution.

Il est généralement admis que la terminaison nerveuse qui constitue l'organe récepteur de l'audition est issue du système vestibulaire, qui perçoit le mouvement et la position. Ce système vestibulaire provient de l'évolution du **système de la ligne latérale**, système sensoriel que possèdent plusieurs sortes de poissons et certains amphibiens. Le système de la ligne latérale est formé d'un éventail de récepteurs disposés le long du corps; des cils minuscules émergent des cellules sensorielles de la peau. Ces cils sont enracinés dans de petites colonnes de gélatine nommées **cupules**. Les déplacements de l'eau par rapport à la surface du corps stimulent ces récepteurs, ce qui permet à l'animal de percevoir les courants produits par les mouvements d'autres animaux, proies ou prédateurs. L'information provenant de la ligne latérale permet aux poissons de rester en bancs, chaque poisson percevant les courants produits par les autres. Le canal de la ligne latérale a la forme d'une cannelure qui entoure partiellement les cupules. On suppose que les premiers canaux semi-circulaires se sont formés à partir d'un bout du canal de la ligne latérale qui aurait pénétré à l'intérieur du corps. Cela dotait l'animal d'un détecteur de déplacement vers la droite ou vers la gauche, à l'abri de la stimulation de la peau. Cette sensibilité aux changements de direction est devenue optimale lorsque le canal a finalement évolué vers une forme à peu près circulaire.

La lamproie est pourvue de récepteurs de ligne latérale; ceux qui sont illustrés à la figure 3.8 forment une rangée de cercles qui s'éloignent de l'œil. Diverses espèces de lamproie ont un ou deux canaux semi-circulaires de chaque côté, qui perçoivent les mouvements giratoires de la tête. L'organe vestibulaire de la lamproie possède des chambres plus grandes, le saccule et l'utricule, qui détectent la position et les mouvements linéaires de la tête. Le saccule et l'utricule se sont également développés à partir du système de la ligne latérale. La sensibilité de ces organes à la position et aux mouvements se trouve accrue par la présence de minuscules morceaux d'os qui donnent du lest aux cupules. Ces cristaux sont appelés otolithes (pour oreille et pierre). À l'instar des mammifères, y compris l'être humain, la lamproie marine est pourvue d'otolithes (voir la figure 9.12). Toutefois, elle n'a pas de terminaison nerveuse encapsulée constituant un organe récepteur de l'audition; au cours de l'évolution, ce dernier n'est d'abord apparu que chez le poisson pourvu de mâchoires.

Le développement de l'oreille interne s'est effectué chez le poisson, grâce à l'évolution d'un organe, la vessie natatoire, qui avait une fonction totalement différente : le maintien de l'équilibre. Plusieurs espèces de poissons possèdent cette cavité remplie de gaz, située dans l'abdomen. Les vibrations de l'eau amènent la vessie d'air à se contracter et à se dilater, ce qui la rend plus sensible aux vibrations. Dans certaines familles de poissons, le sac s'est agrandi et est entré en contact avec le labyrinthe vestibulaire; chez d'autres, des os en série ont relié la vessie natatoire au labyrinthe. Dans les deux cas, les animaux ont développé une plus grande sensibilité aux vibrations de leur environnement et une nouvelle partie du labyrinthe s'est formée, en

exemple frappant. Aux niveaux inférieurs du tronc cérébral, se trouve un groupe de cellules dont les axones forment un faisceau allant du nerf auditif à la cochlée. Ces fibres efférentes se ramifient à profusion dans la cochlée et établissent des synapses à la base de presque toutes les cellules ciliées. Plusieurs études ont tenté de déterminer le rôle fonctionnel de ces fibres. Leur action est surtout inhibitrice, une excitation électrique de ce faisceau réduisant la fréquence des impulsions nerveuses engendrées par des sons dans les voies afférentes du nerf auditif. Des chercheurs ont laissé entendre que cette voie efférente pourrait servir à supprimer le bruit et à intensifier les signaux auditifs (Dewson, 1968; Teas, 1989). Elle peut

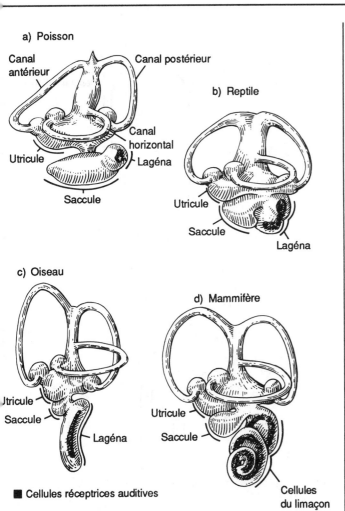

a) Poisson

Canal antérieur
Canal postérieur
Canal horizontal
Utricule
Lagéna
Saccule

b) Reptile

Utricule
Saccule
Lagéna

c) Oiseau

Utricule
Saccule
Lagéna

■ Cellules réceptrices auditives

d) Mammifère

Utricule
Saccule
Cellules du limaçon osseux

conjonction avec cette sensibilité aux vibrations. On trouve ce conduit, appelé lagéna (du mot latin signifiant flacon), chez les poissons à arêtes, les amphibiens, les reptiles et les oiseaux. Il est l'équivalent du limaçon osseux de l'ordre des mammifères.

Le système auditif a donc évolué à partir du système vestibulaire, lui-même issu du système de la ligne latérale. Les produits plus récents de l'évolution animale présentent des canaux auditifs plus longs, pourvus de cellules ciliées et de fibres nerveuses auditives plus nombreuses (figure de l'encadré 9.2). On présume que c'est cette amélioration du système qui est responsable de l'excellente discrimination auditive caractéristique des animaux supérieurs.

Bien que l'on puisse considérer ces développements évolutifs comme des étapes de l'émergence des organes vestibulaire et auditif de l'être humain, il ne faut pas croire qu'ils seraient apparus dans ce but. Suivant un processus de sélection naturelle, l'adaptation répondait à un besoin. La variabilité de la sensibilité au sein du règne animal a permis l'évolution vers une sensibilité accrue et l'émergence de nouveaux modes sensoriels.

Figure de l'encadré 9.2 Évolution de l'oreille interne et de l'appareil vestibulaire. Au cours de son évolution, la partie terminale de l'organe auditif est devenue progressivement de plus en plus complexe, permettant une meilleure discrimination des sons. (D'après Retzius, 1881, 1884.)

également protéger les cellules ciliées contre les effets dommageables des bruits intenses (Wiederholt, 1988).

DISCRIMINATION DE LA HAUTEUR TONALE

La plupart d'entre nous pouvons discriminer de très petites différences dans la fréquence des sons entre 20 et 20 000 Hz. Nous parlons habituellement de *différence minimale de fréquence discriminable entre deux sons*. La différence détectable, d'environ 2 Hz pour les stimuli jusqu'à 2 000 Hz, augmente au-dessus de cette fréquence. Notons que la hauteur

Figure 9.3 La réaction d'une cellule ciliée aboutit à la transmission d'un signal électrique vers le cerveau, le long de la fibre nerveuse afférente située à la base du point de contact avec la cellule. Les quatre parties de l'illustration font voir le cheminement de cette réaction. Lorsque la touffe de cils se trouve déplacée, les conduits de transduction s'ouvrent a). Les ions potassium pénètrent dans la cellule et la différence de potentiel entre la cellule et les liquides environnants diminue. La réduction de la différence de potentiel, appelée dépolarisation, se propage presque instantanément à travers la cellule b). Dans la partie inférieure de la cellule se trouvent les conduits qui laissent passer le calcium de façon sélective. La dépolarisation provoque l'ouverture de ces conduits et, par conséquent, l'entrée du calcium. Près de la base de la cellule, il y a des vésicules qui contiennent un neurotransmetteur. Les ions calcium provoquent la fusion des vésicules avec la partie de la membrane de surface de la cellule ciliée qui est à la base c). En se fusionnant, les vésicules libèrent le neurotransmetteur qu'elles contiennent. Ce neuro-transmetteur, dont on ignore la nature chimique, se répand à travers l'espace synaptique entre la cellule ciliée et le neurone : il excite ensuite le neurone qui transmet un message au cerveau le long de l'une des fibres du huitième nerf crânien d).

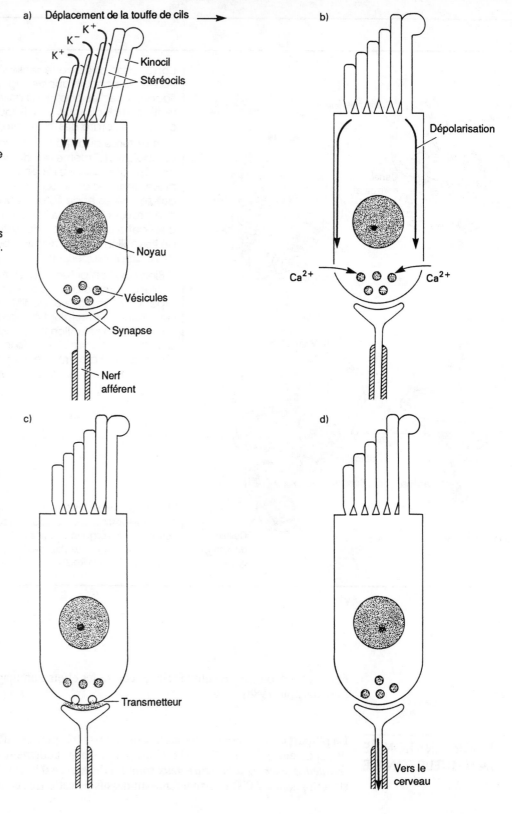

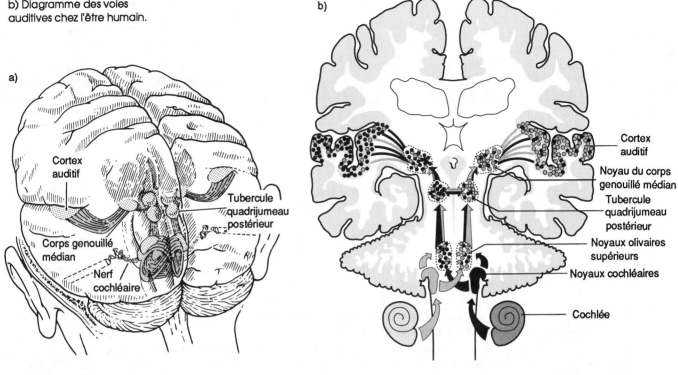

Figure 9.4 a) Voies auditives du cerveau humain. b) Diagramme des voies auditives chez l'être humain.

Labels dans a) : Cortex auditif ; Corps genouillé médian ; Nerf cochléaire ; Tubercule quadrijumeau postérieur

Labels dans b) : Cortex auditif ; Noyau du corps genouillé médian ; Tubercule quadrijumeau postérieur ; Noyaux olivaires supérieurs ; Noyaux cochléaires ; Cochlée

tonale et la fréquence ne sont pas synonymes. La **hauteur** réfère uniquement à l'expérience sensorielle, c'est-à-dire aux réactions des sujets aux sons, alors que la **fréquence** définit une propriété physique des sons. Cette distinction est importante, notamment parce que la fréquence n'est pas l'unique facteur qui détermine l'expérience de hauteur tonale et également parce que les changements de hauteur et les modifications de fréquence ne se produisent pas exactement en parallèle.

On a proposé deux théories pour expliquer la capacité de discerner les fréquences. L'une, dite **théorie de l'emplacement**, voudrait que la perception de la hauteur tonale dépende du point de déplacement maximal de la membrane basilaire. Dans cette optique, l'*emplacement* définit également l'identité des neurones qui sont stimulés dans les voies auditives centrales, c'est-à-dire que des cellules nerveuses spécifiques répondraient à des fréquences de stimulation particulières. L'autre théorie, maintenant connue sous le nom de **théorie des salves**, met l'accent sur les relations entre la fréquence des sons de stimulation et la structure ou la synchronisation des décharges nerveuses. Dans cette optique, l'activité d'une cellule nerveuse individuelle révélerait la fréquence de stimulus de l'influx, car chaque fois que le stimulus change de fréquence, la réponse du neurone se trouve modifiée. La représentation la plus rudimentaire de cette notion laisserait supposer, par exemple, qu'un ton de 500 Hz devrait donner lieu à 500 impulsions nerveuses à la seconde, alors que le même neurone devrait traduire un ton de 1000 Hz par une fréquence de 1000 impulsions à la seconde. Dans les deux cas, la décharge de l'influx nerveux serait liée à la phase même du stimulus, c'est-à-dire qu'elle ne se produirait qu'à un moment particulier du cycle. Une telle représentation

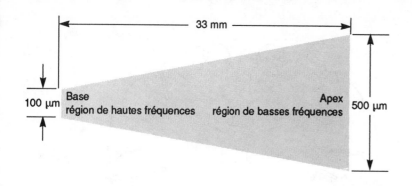

Figure 9.5 Membrane basilaire et fréquence du stimulus. Dans ce diagramme, la membrane basilaire est représentée comme si elle était déroulée. Le haut du diagramme donne les dimensions de la membrane basilaire. Remarquez qu'on utilise des échelles différentes pour la longueur et la largeur. Notez, dans la partie inférieure du diagramme, que le point le plus élevé du mouvement de la membrane se déplace progressivement vers la base à mesure que la fréquence de stimulation augmente. (cps = cycles par seconde = Hz).

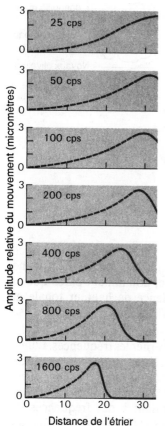

par liaison de phase peut être réalisée avec une plus grande précision lorsque plusieurs fibres sont en cause, d'où le terme *salve* qui suggère la simultanéité du déclenchement du processus.

La théorie de l'emplacement et la théorie des salves ne sont pas nécessairement contradictoires; en effet, la meilleure conception contemporaine de la perception de la hauteur tonale les réconcilie : c'est la **théorie de la duplicité**. Le principe des salves semble s'appliquer aux sons d'environ 20 à 1500 Hz, alors que celui de l'emplacement vaut particulièrement pour les sons de plus de 1500 Hz environ. Certains résultats physiologiques appuient la théorie de l'emplacement tandis que d'autres données tendent à confirmer plutôt la théorie des salves.

Nous avons déjà souligné que la région de vibration maximale le long de la membrane basilaire est associée à la fréquence du stimulus. Un changement de cette fréquence entraîne une modification dans la région de perburbation maximale (figure 9.5). Georg von Békésy a trouvé un moyen astucieux d'observer directement l'emplacement de l'amplitude maximale des ondes en déplacement dans la cochlée d'un animal et il a noté une syntonisation de fréquence assez prononcée. Des études plus récentes, faisant appel à des techniques très différentes pour l'observation du mouvement de la membrane basilaire, indiquent que les relations entre l'emplacement sur la membrane basilaire et les fréquences de stimulus sont encore plus étroites que Békésy ne l'avait supposé (Rhode, 1984). Dans le cas de sons complexes à plusieurs composantes de fréquence, la cochlée exécute une sorte d'analyse de Fourier; les diverses fréquences sont représentées par des pointes de vibration situées à différents emplacements le long de la membrane basilaire. Au cours de l'évolution, la précision de la représentation des emplacements s'est améliorée avec l'allongement de la membrane basilaire et une augmentation du nombre de cellules ciliées et de fibres nerveuses auditives.

Les représentations cérébrales de la fréquence de stimulus respectent l'emplacement sur la membrane basilaire. L'examen des réponses de cellules nerveuses, à la suite de la présentation de stimuli de fréquence et d'intensité variées, a révélé l'existence d'une telle reproduction point par point. Les données de ces expériences sont présentées sous forme de courbes de syntonisation qui décrivent la sensibilité des cellules nerveuses à la fréquence, à différents niveaux d'intensité. La figure 9.6 présente ces courbes. On trouve des neurones hautement syntonisés à tous les niveaux du système auditif, du nerf auditif jusqu'au cortex. Ces données portent à croire que les cellules situées à des niveaux successifs n'entretiennent pas de rapports hiérarchiques quant à l'évaluation de la fréquence.

Au cours des dernières années, de nombreuses données neurophysiologiques ont permis de supposer que la sensation de hauteur tonale peut également faire intervenir un codage

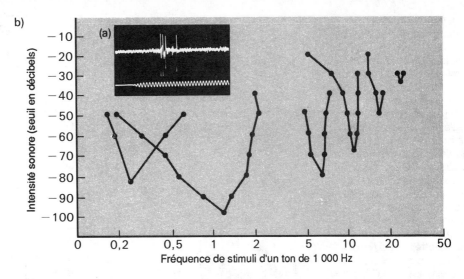

Figure 9.6 Exemple de courbes de syntonisation de cellules nerveuses du système auditif et méthode pour les obtenir. Les courbes s'obtiennent en mesurant les réactions nerveuses a) à des sons d'intensités et de fréquences diverses. Ces courbes sont des mesures de seuil. Le graphique b) présente six unités nerveuses enregistrées à partir du nerf auditif. (De Kiang, 1965.)

qui aurait recours à la structure d'activité des cellules nerveuses pour en tirer l'information relative à la fréquence des sons. Les neurones individuels pourraient transmettre de cette façon, et sur une large échelle, de l'information sur la fréquence. Dans ces expériences, on mesure habituellement la distribution des intervalles entre les influx nerveux engendrés par un stimulus. On peut dire qu'un neurone code la fréquence du son si cette distribution est la même que l'intervalle entre les cycles successifs du son ou un multiple de ce dernier. Cette sorte de codage est très marquée aux fréquences inférieures à ~ 1500 Hz, mais on l'a également observée jusqu'à 4 000 Hz. Il semblerait donc que les propriétés de fréquence d'un son peuvent être codées dans les voies auditives en termes 1) de distribution de l'excitation parmi les cellules (codage par emplacement ou par représentation topotonique) et 2) de la structure de l'activité dans des cellules allant du nerf auditif vers le cortex auditif. Chaque niveau du système auditif (noyaux cochléaires, tubercules quadrijumeaux postérieurs, corps genouillés latéraux et régions auditives du cortex) compose une carte des fréquences selon un arrangement ordonné de sites. La figure 9.7 en donne un exemple, celui des tubercules quadrijumeaux postérieurs.

Les sons complexes comme ceux de la parole sont des mélanges de fréquences. Le système auditif effectue une analyse de Fourier utile mais incomplète si bien que lorsque nous entendons un son complexe, nous réagissons à diverses fréquences. Par exemple, nous discernons les voyelles parce qu'elles ont leur fréquence propre et nous reconnaissons les instruments de musique par les intensités relatives des diverses fréquences harmoniques.

LOCALISATION D'UNE SOURCE SONORE

Dans les meilleures conditions, un individu peut localiser une source sonore avec une marge d'erreur d'environ un degré d'angle. Cette aptitude dépend de l'interaction des deux oreilles bien que, dans certaines circonstances, la détection monauriculaire des sources acoustiques soit presque aussi bonne que la détection biauriculaire. (La localisation monauriculaire est possible lorsque les sons persistent assez longtemps et que la tête est en mesure de bouger.) Quelles caractéristiques du stimulus sont importantes dans l'analyse biauriculaire de la localisation auditive ?

Un système biauriculaire de traitement utilise comme indice de localisation auditive les différences d'intensité sonore et le moment d'arrivée entre les deux oreilles. Des différences plus complexes, comme le spectre de fréquence, entrent également en ligne de compte. En

Figure 9.7 Carte des fréquences auditives dans les tubercules quadrijumeaux postérieurs du chat. a) Vue latérale du cerveau du chat, faisant voir le plan de coupe à travers les tubercules quadrijumeaux postérieurs. b) Coupe transversale à travers les tubercules quadrijumeaux postérieurs. c) Site des cellules marquées 2-DG dans le cas d'une stimulation de 2 000 Hz. d) Site des cellules marquées : stimulation de 21 000 Hz. e) Cartographie tonotopique des tubercules quadrijumeaux postérieurs du chat basée sur les études 2-DG de Servière, Webster et Calford (1984).

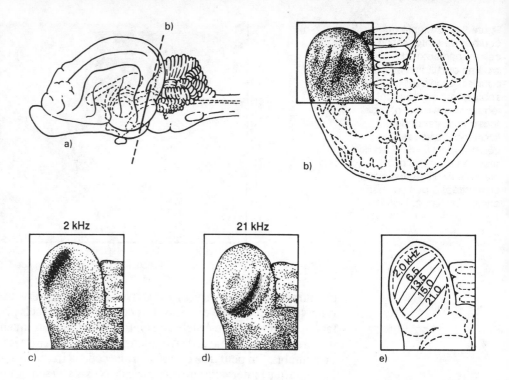

toutes circonstances, l'importance relative de ces indices interauriculaires dépend des propriétés du son et de l'environnement acoustique, par exemple la réverbération sonore. Certains sons présentent des différences interauriculaires d'intensité lorsqu'ils n'arrivent pas selon un plan médian par rapport au corps, la tête projetant alors une ombre sonore. C'est la grosseur de la tête qui détermine quelles fréquences sonores seront effectivement bloquées, car les ondes longues des sons de basse fréquence contournent la tête. Ces effets sont illustrés à la figure 9.8. Dans le cas des basses fréquences, on ne perçoit pratiquement aucune différence d'intensité entre les deux oreilles, peu importe où se présentent les sons selon un plan horizontal. Pour ces fréquences, les différences temporelles sont les indices principaux de la position du son. Aux fréquences supérieures, l'ombre sonore projetée par la tête d'un chat engendre des différences significatives d'intensité interauriculaire. Les auditeurs humains ne perçoivent pas, à partir de l'observation de leur propre activité, qu'ils utilisent des indices différents pour la localisation des sons de haute et de basse fréquences. En général, nous sommes conscients des résultats du traitement nerveux de l'information, mais pas du processus de traitement lui-même.

Comment le système nerveux analyse-t-il les caractéristiques biauriculaires d'un environnement acoustique ? Les divers niveaux du tronc cérébral présentent beaucoup de possibilités d'interaction biauriculaire. Par exemple, les cellules nerveuses sont en mesure de recevoir des influx provenant des deux oreilles. C'est le complexe olivaire supérieur qui représente le niveau le plus bas où se produisent des effets interauriculaires; au-dessous de ce point du système auditif, aucun effet interauriculaire n'est possible. Plusieurs chercheurs ont démontré que des cellules situées dans la région olivaire supérieure étaient particulièrement sensibles aux différences interauriculaires de temps et d'intensité. Les tubercules quadrijumeaux postérieurs reçoivent des influx en provenance de plusieurs noyaux du tronc cérébral à afférences biauriculaires, ce qui a amené les chercheurs à prêter une attention particulière aux propriétés biauriculaires des neurones de cette région. Trouve-t-on dans les

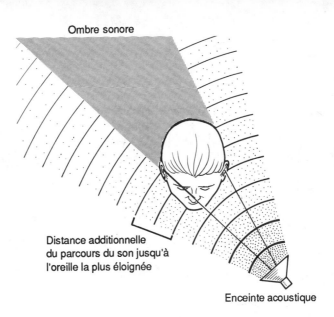

Figure 9.8 Indices servant à l'audition biauriculaire. À partir des sources sonores localisées d'un côté et de l'autre de la ligne du point d'observation, les deux oreilles reçoivent une information quelque peu différente. La tête bloque le passage de certaines fréquences (supérieures à 1000 Hz), produisant ainsi des différences binauriculaires d'intensité sonore. De même, les sons prennent plus de temps à atteindre l'oreille la plus éloignée, ce qui donne des différences binauri-culaires au moment de leur arrivée.

Ombre sonore

Distance additionnelle du parcours du son jusqu'à l'oreille la plus éloignée

Enceinte acoustique

tubercules quadrijumeaux postérieurs des neurones qui réagissent à certaines positions du son et non à d'autres ? Les réponses à cette question diffèrent selon les espèces étudiées.

Dans le cas des mammifères, on a peu d'indices de l'existence de détecteurs capables d'isoler des petits morceaux de l'espace acoustique (Masterton et Imig, 1984). On pourrait conclure que la détection acoustique provient de l'addition de l'activité de plusieurs cellules selon des modes spatiaux ou temporels particuliers; ou que la localisation auditive se déroule à l'un des niveaux supérieurs du système nerveux. Middlebrooks et Pettigrew (1981) ont étudié les neurones corticaux du chat pour savoir s'ils étaient capables de sélectivité; ils ont utilisé un montage, présenté à la figure 9.9a, qui permet de produire un son n'importe où dans une sphère encerclant la tête du chat et d'enregistrer les réactions de neurones individuels. Environ la moitié des neurones étudiés ont montré une certaine sélectivité spatiale. Certains réagissaient à un son provenant de n'importe où dans le demi-champ controlatéral. La grande zone grise de la figure 9.9b illustre bien ce champ réceptif. D'autres neurones sensibles à la position révélaient des champs réceptifs relativement petits qui ne réagissaient qu'aux sons tombant dans l'axe de l'oreille controlatérale. La portion centrale de la figure 9.9b illustre le champ réceptif de cette unité axiale. Ces unités axiales étaient situées dans la partie du cortex auditif primaire où elles sont syntonisées avec les fréquences élevées; cette constatation concorde avec le fait que les fréquences supérieures projettent des ombres sonores plus prononcées et qu'elles sont dites *quasi optiques*. Les auteurs n'ont trouvé aucune indication de l'existence d'une carte systématique de l'espace sonore comme il s'en trouve dans le cerveau du hibou.

On a trouvé chez le hibou, dont les moyens d'existence dépendent de sa capacité de localisation auditive, des représentations complètes et détaillées de l'espace auditif. Chez l'oiseau, dans la structure équivalente aux tubercules quadrijumeaux postérieurs, certaines cellules en donnent plutôt une représentation sphérique. Chacune d'elles possède un champ réceptif comprenant les sons qui proviennent d'un petit cône d'espace centré sur la tête du hibou. Les cellules juxtaposées dans le noyau représentent des régions voisines de l'espace auditif (Knudsen et Konishi, 1979; Knudsen, 1984b).

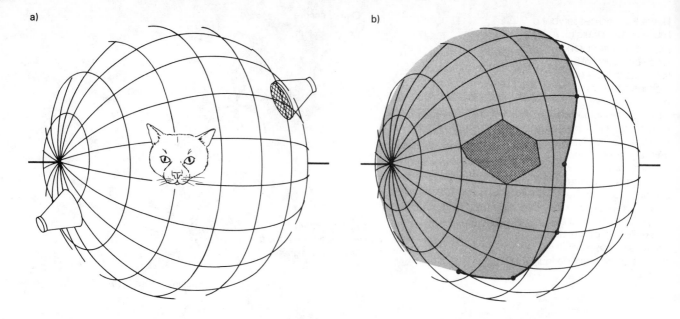

Figure 9.9 Neurones auditifs du cortex du chat qui sont sensibles à la localisation spatiale de la source sonore. On déplace une enceinte acoustique sur la surface d'une sphère imaginaire d'un mètre de rayon. Environ 25 % de tous les neurones du cortex auditif primaire ont des champs réceptifs recouvrant la moitié du champ total, comme la partie grise en b). Encore 25 % ont des champs réceptifs alignés avec l'axe de l'oreille controlatérale par rapport au neurone. (D'après Middlebrooks et Pettigrew, 1981.)

Les espaces auditif et visuel du hibou sont représentés dans le toit optique et les cartes des deux sens correspondent (Knudsen, 1981). La plupart des cellules de cette région réagissent à la fois aux stimuli visuels et aux stimuli auditifs et toutes les cellules auditives réagissent de façon spécifique à la direction spatiale. Dans la plupart des cas, le champ réceptif visuel d'une cellule se trouve à l'intérieur du champ réceptif auditif de la même cellule. Il se pourrait que cet alignement étroit des cartes auditive et visuelle de l'espace soit à l'origine de signaux pour des réactions motrices par rapport à la position du stimulus. Nous verrons maintenant comment les premières expériences de la vie influencent les mécanismes de la perception auditive.

INFLUENCE DE L'EXPÉRIENCE SUR LA PERCEPTION AUDITIVE

Chez l'être humain, l'enfant dispose déjà, à la naissance, de capacités auditives variées. En effet, des données d'observation indiquent que le fœtus réagit aux sons. L'évolution postnatale fait intervenir des changements structuraux complexes, partout dans les voies auditives. Ces modifications s'accompagnent d'améliorations graduelles de la perception. Comme le monde dans lequel pénètre l'enfant est rempli de sons complexes comme ceux de la parole, on peut se demander si l'expérience sonore du nouveau-né influence d'une certaine manière l'évolution structurale et physiologique progressive de son système auditif. L'expérience aide-t-elle, d'une façon ou d'une autre, à façonner ou à moduler ce système ? À cet égard, l'un des aspects de l'expérience auditive qui est particulièrement intéressant est celui de la localisation. Plusieurs animaux manifestent à la naissance une capacité rudimentaire de localiser les sons. Dans l'espèce humaine, les nouveau-nés présentent souvent des mouvements oculaires dirigés vers la provenance du stimulus sonore. Toutefois, les changements de dimensions de la tête et des oreilles modifient le caractère de l'information utilisée pour la localisation des sons et diverses études ont démontré que les capacités de localisation des animaux s'améliorent avec la maturité.

Des observations faites auprès d'enfants atteints de surdité bilatérale et munis de différents types de prothèses acoustiques (Beggs et Foreman, 1980) montrent que l'expérience auditive contribue vraisemblablement au développement de la capacité de localiser les sons. On a fourni à un premier groupe d'enfants une prothèse qui transmettait le même son aux deux oreilles. À un autre groupe d'enfants, on a donné des appareils distincts pour chaque oreille si bien que, contrairement à ceux du premier groupe, ces enfants recevaient des indices tant soit peu différents dans les deux oreilles (stimuli dichotiques). Malgré les prothèses, les deux groupes vivaient dans un environnement sonore pauvre. Lorsque, après quelques années, ils furent soumis à un examen, les enfants du groupe ayant reçu des prothèses biauriculaires localisaient les sons d'une manière significativement plus précise que ceux qui avaient été privés d'indices dichotiques.

Knudsen (1984) a réalisé des expériences particulièrement élégantes sur le hibou, oiseau dont la perception biauriculaire est très aiguë. Pour évaluer l'impact de la privation de stimulation biauriculaire après la naissance, il lui bouchait une oreille, réduisant l'intensité sonore de 20 à 40 dB. Il appliqua ce traitement à différents groupes d'âges variés. Une fois l'oreille bouchée, l'animal faisait de graves erreurs de localisation du côté de l'oreille non bloquée. Les hiboux qui avaient moins de huit semaines au moment de l'intervention se mirent progressivement à compenser la disparité biauriculaire résultant de l'occlusion d'une oreille. Toutefois, lorsque leur oreille était débloquée, ils commettaient de graves erreurs de localisation du côté opposé. Les animaux plus vieux étaient moins susceptibles de faire des ajustements pendant la période suivant l'occlusion, au cours de laquelle l'animal faisait l'expérience de nouvelles relations entre les indices auditifs et la localisation dans l'espace. Knudsen et Knudsen (1985) ont démontré récemment le rôle critique que joue la vision dans ce processus d'ajustement de la localisation auditive. Ils ont constaté que les hiboux de grange qui avaient une oreille bouchée ne corrigeaient pas leurs erreurs de localisation auditive si on les privait de la vue. De plus, quand leurs yeux étaient munis de prismes qui faisaient dévier leur champ visuel d'un angle de 10°, l'ajustement de la localisation auditive se faisait conformément à cette erreur visuelle.

L'étude neurophysiologique de ces hiboux révèle certaines caractéristiques des mécanismes sous-jacents (Knudsen, 1985). Chez les hiboux de grange, le toit optique contient des cellules nerveuses qui sont bimodales, c'est-à-dire qu'elles réagissent aux stimuli auditifs et aux stimuli visuels. Knudsen a constaté que ces neurones réagissent sélectivement au site de la source sonore et à l'information visuelle spatiale. Les sensibilités spatiales auditive et visuelle montrent des alignements similaires, c'est-à-dire qu'ils correspondent à peu près aux mêmes positions. Lorsqu'on modifie la correspondance entre les indices de localisation auditive et de position visuelle au moyen d'un bouchon auriculaire, on observe un phénomène intéressant. Bien que la correspondance se trouve modifiée par le bouchon auriculaire, les champs récepteurs auditifs s'alignent bien avec les champs récepteurs visuels, au moment d'un test réalisé au cours des mois suivants. Mais, l'enlèvement du bouchon amène les aires réceptrices auditives les plus sensibles à dévier de l'alignement avec les champs visuels d'une cellule nerveuse. Ces modifications de la syntonisation spatiale auditive ne se sont pas produites chez un animal adulte qu'on avait traité de la même façon, si bien qu'on peut supposer que ce processus lié à l'expérience est soumis à une période critique des premières phases du développement. Ces données neurophysiologiques correspondent donc à celles obtenues dans les études comportementales de la localisation des sons. Les changements observés dans ces études peuvent découler de modifications anatomiques de circuits neurologiques en voie de maturation ou de modulations de l'efficacité synaptique.

LA SURDITÉ ET SA CORRECTION

Les enquêtes sur la santé ont révélé qu'aux États-Unis, au moins 5 à 10 millions d'individus sont handicapés par un trouble auditif quelconque. La gravité de ces perturbations varie, elle va de difficultés occasionnelles de perception de la parole (chute de sensibilité de 41 à 55 dB, entre 500 et 2 000 Hz) à une incapacité totale d'entendre quoi que ce soit (chute de 91 dB, entre 500 et 2 000 Hz). Plusieurs de ces troubles auditifs surviennent très tôt dans la vie; les estimations courantes indiquent qu'aux États-Unis, environ 100 000 enfants souffrent d'un handicap majeur de l'audition.

Types de troubles auditifs

On classifie généralement les troubles de l'audition selon le site affecté par des changements pathologiques. Les principales catégories sont :

1. La **surdité de transmission** groupe les troubles auditifs associés à une pathologie des cavités de l'oreille externe ou de l'oreille moyenne.
2. La **surdité neurosensorielle** groupe les troubles auditifs causés par des lésions du nerf auditif ou de la cochlée.
3. La **surdité centrale** groupe les troubles auditifs provoqués par des lésions de voies ou de centres auditifs, incluant des sites du tronc cérébral, du thalamus ou du cortex.

La surdité de transmission

La surdité de transmission correspond à une perte auditive résultant d'une absence d'excitation mécanique transmise au limaçon osseux. Elle peut être attribuable à une cause aussi simple qu'une obstruction due à la présence de cire dans l'oreille ou à des conditions plus complexes interférant avec le mouvement libre des osselets de l'oreille moyenne. L'infection de l'oreille moyenne peut également nuire à la transmission des énergies mécaniques. Étant donné que l'oreille moyenne se trouve reliée aux voies respiratoires supérieures par la trompe d'Eustache, les infections de la gorge peuvent, dans certaines conditions, atteindre l'oreille moyenne. Ce problème se présente particulièrement chez les jeunes enfants, leur trompe d'Eustache étant très courte. La perte de sensibilité caractéristique de la surdité de transmission touche toutes les fréquences, bien que les plus élevées semblent particulièrement visées.

La surdité neurosensorielle

La majeure partie des victimes de la surdité souffrent de troubles de l'ouïe qui mettent en cause une destruction des mécanismes cochléaires, en particulier des cellules ciliées; les conditions affectant le fonctionnement de la cochlée sont assez variées et incluent les maladies héréditaires, les perturbations métaboliques, les contacts avec des substances toxiques, les traumatismes et les bruits trop intenses. Le résultat final est le même : les fibres du nerf auditif ne transmettent pas l'information acoustique au cerveau de façon normale. Examinons quelques exemples qui ont particulièrement attiré l'attention.

La surdité attribuable aux médicaments résulte surtout des propriétés toxiques d'un groupe d'antibiotiques comprenant la streptomycine, la kanomycine et la gentamicine. Les propriétés ototoxiques de ces substances furent découvertes lorsqu'on commença à utiliser la streptomycine pour traiter la tuberculose. Malgré l'efficacité remarquable de cet antibiotique dans le traitement de cette maladie, on s'est vite aperçu que le prix à payer pour une telle guérison était énorme, plusieurs malades présentant de graves lésions cochléaires ou vestibulaires. Chez certains sujets, la streptomycine entraînait une perte totale et irréversible de l'ouïe. Cet antibiotique, comme plusieurs autres de même nature, engendre une défectuosité grave de l'audition par la destruction pratiquement complète des cellules ciliées du limaçon osseux. Ce sont généralement les fréquences les plus élevées qui sont affectées. Ce résultat correspond aux observations histologiques de l'évolution de la destruction, les premiers signes de changement étant observés dans la région basale de la cochlée. Les terminaisons du nerf auditif situées près des cellules ciliées restent viables, ce qui permet l'application de nouveaux types de prothèses (décrits plus loin).

Les défectuosités de l'ouïe attribuables au bruit touchent les mécanismes de l'oreille interne. L'intérêt porté à la question de la pollution sonore de l'environnement et à l'avènement de la musique rock ont attiré l'attention, notamment celle des spécialistes en audiologie et en otologie. Le fait d'être soumis brusquement à des sons de forte intensité ou celui de vivre continuellement dans un milieu très bruyant peut endommager la cochlée. Les premiers changements histologiques observés dans l'oreille interne concernaient les cellules ciliées, les cellules ciliées externes étant plus vulnérables à un traumatisme sonore que les cellules ciliées internes. La progression de ces changements peut conduire chez certains individus à la destruction de l'organe de Corti et de ses fibres nerveuses. La figure 9.10 montre les effets d'une telle destruction dans une région de la cochlée. Avec le temps, le site de perturbation ayant d'abord affecté la cochlée tend à prendre de l'ampleur, même en l'absence de traumatismes acoustiques additionnels. Il faut souligner que ces effets pathologiques sont la plupart du temps attribuables à un traumatisme acoustique grave résultant de l'action prolongée de sons d'intensité supérieure à 120 dB, comme il s'en produit dans le voisinage d'un engin à réaction ou d'un orchestre rock.

Des recherches récentes portent à croire que la combinaison de sons intenses et l'usage de certains médicaments très accessibles peut affecter considérablement l'ouïe. Prenons l'aspirine. On sait maintenant que ce médicament, dont l'usage est fort répandu depuis près d'un siècle, peut affecter l'audition, notamment chez les arthritiques habitués à en consommer de fortes doses pour combattre la douleur et l'inflammation. Chez ces sujets, la perte auditive due à l'aspirine peut être assez impressionnante, la diminution d'acuité auditive pouvant atteindre 40 dB pour les fréquences élevées et être associée à une sensation de bruits ou de tintements dans les oreilles (acouphène). À dose beaucoup plus faible, on

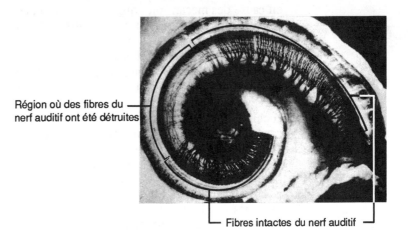

Figure 9.10 Cochlée droite d'un individu mort à l'âge de 71 ans, après avoir été soumis pendant très longtemps à des bruits intenses. La cochlée présente les signes d'une dégénérescence marquée des fibres du nerf auditif. On a obtenu cette vue de la cochlée en enlevant l'os temporal qui la recouvrait. (D'après Bredberg, 1968.)

Région où des fibres du nerf auditif ont été détruites

Fibres intactes du nerf auditif

constate un autre aspect des pertes auditives reliées à l'aspirine. Des études de McFadden et Plattsmier (1983) ont montré que la perte temporaire de l'ouïe attribuable à des sons intenses est considérablement amplifiée quand le sujet a pris une dose relativement faible d'aspirine pendant deux jours. Les doses étaient de 1 à 3 cachets par jour, dose habituelle pour des personnes souffrant de rhumes, de grippe ou de céphalées. Les effets alors attribuables à l'aspirine seule sont minimes. Toutefois, ces mêmes doses accentuaient considérablement le déplacement du seuil de l'audition quand le sujet était exposé à des sons intenses. De plus, l'aspirine prolongeait également la durée de la période de recouvrement qui suivait l'exposition à de tels sons.

La surdité centrale

Les pertes auditives résultant de lésions ou de dysfonctions du cerveau se limitent rarement à une simple perte de sensibilité (Bauer et Rubens, 1985). Les symptômes dits de **surdité verbale** offrent un exemple de la complexité des changements que les lésions cérébrales corticales entraînent dans la perception auditive. C'est ce que l'on observe dans les cas nombreux où des individus peuvent prononcer et entendre normalement les sons simples, mais s'avèrent incapables de reconnaître les mots. Des chercheurs ont supposé que cette perturbation pourrait être due à une lenteur anormale de l'analyse temporelle des stimulations auditives. On trouve d'autres exemples de surdité centrale dans le syndrome de **surdité corticale** responsable du fait que des personnes éprouvent de la difficulté à reconnaître les stimuli auditifs, tant verbaux que non verbaux. C'est un syndrome rare qui résulte d'une destruction bilatérale des innervations devant parvenir au cortex auditif. Heureusement, il s'agit habituellement d'une anomalie passagère qui reflète peut-être la diversité des voies auditives centrales — l'existence de traitements parallèles de l'information dans le système auditif.

Stimulation électrique du nerf auditif chez les sourds

Au cours des dernières années, les chercheurs ont tenté de rétablir l'audition chez des individus souffrant de surdité profonde en stimulant directement le nerf auditif au moyen de courants électriques (Lœb, 1985; Schindler, 1986). Cette méthode a progressé rapidement, si bien que ce qui était au début des *rêves de gloire* de la part des chercheurs s'est transformé en un instrument électronique qui a reçu le sceau d'approbation de la *U.S. Food and Drug Administration* (Régie américaine de surveillance de la qualité des aliments et drogues) en vue d'une utilisation clinique généralisée. Quels seront les bénéficiaires de cet appareil ? Dans plusieurs types de perte neurosensorielle de l'ouïe, la lésion entraînant la surdité met en cause des mécanismes qui affectent les cellules ciliées. La recherche a démontré que l'excitabilité électrique du nerf auditif reste intacte, même si les cellules ciliées ont été complètement détruites. C'est le cas des lésions attribuables aux médicaments ototoxiques. Quelles sont les réponses sensorielles obtenues par la stimulation électrique du nerf auditif ? Pour exciter le nerf auditif, la technique la plus courante consistait à insérer quelques fils dans la cochlée jusqu'aux terminaisons du nerf (figure 9.11). Les sujets percevaient des tons correspondant partiellement à l'organisation tonotropique de la cochlée. Plusieurs facteurs techniques viennent malheureusement limiter le nombre de canaux efficaces, si bien que même s'il est possible d'insérer tout un jeu d'électrodes, le champ des fréquences qu'on peut exciter demeure assez restreint. La quantité d'informations transmissibles de cette façon est très limitée par rapport à l'étendue de fréquences qu'on peut discerner en audition normale. Il n'en demeure pas moins que plusieurs observations auprès de personnes sourdes montrent que, lorsque la stimulation est contrôlée au moyen des sons captés par un microphone, la stimulation électrique du nerf auditif facilite beaucoup certains comportements liés à l'audition. Ainsi, cette substitution partielle du

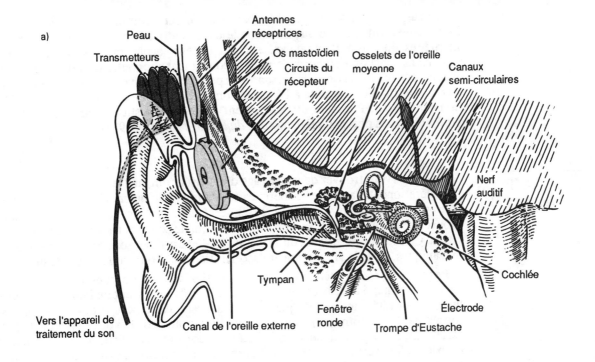

a)

Peau

Transmetteurs

Antennes
réceptrices

Os mastoïdien
Circuits du
récepteur

Osselets de l'oreille
moyenne

Canaux
semi-circulaires

Nerf
auditif

Cochlée

Électrode

Tympan

Fenêtre
ronde

Trompe d'Eustache

Canal de l'oreille externe

Vers l'appareil de
traitement du son

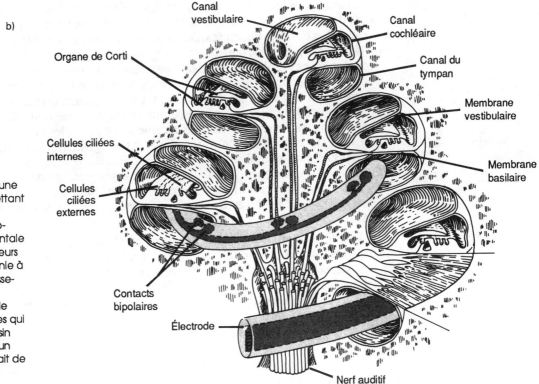

b)

Canal
vestibulaire

Canal
cochléaire

Organe de Corti

Canal du
tympan

Membrane
vestibulaire

Membrane
basilaire

Cellules ciliées
internes

Cellules
ciliées
externes

Contacts
bipolaires

Électrode

Nerf auditif

Figure 9.11 a) Dessin d'une coupe de l'oreille permettant d'apercevoir les points d'implantation d'une prothèse auditive expérimentale conçue par des chercheurs de l'Université de Californie à San Francisco. b) Grossissement de l'intérieur de la cochlée. (Les rangées de cellules ciliées sensorielles qui apparaissent sur ce dessin seraient absentes chez un sujet typique qui souffrirait de surdité neurosensorielle) (D'après Loeb, 1985.)

processus de transduction permet aux sourds de percevoir certaines sources sonores de l'environnement, comme une automobile ou un individu qui approche. Ces aspects élémentaires du comportement, axé sur des facteurs acoustiques, vont de soi pour des personnes dont l'ouïe est normale, mais ils constituent une contrainte pour les sourds. Cette forme de prothèse sensorielle présente des perspectives d'avenir encore plus intéressantes par sa contribution possible à la perception du langage et, partant, à la facilitation de la communication. Plusieurs études portent sur cette question intimement reliée à une compréhension plus complète du *code du langage* (Moore, 1984).

PERCEPTION VESTIBULAIRE

Quand vous vous trouvez dans une cage d'ascenseur qui monte, vous ressentez nettement l'accélération. De la même manière, en tournant la tête ou en négociant rapidement une courbe raide en voiture, vous percevez le changement de direction. La sensibilité au mouvement peut causer le *mal de mer* à ceux qui ne sont pas habitués à ce type de stimulation. Ce sont les récepteurs du **système vestibulaire** qui informent le cerveau des forces mécaniques, telles la gravitation et l'accélération, qui exercent leurs effets sur le corps.

Les récepteurs du système vestibulaire sont situés dans des parties de l'oreille interne qui sont en continuité avec la cochlée. (Le terme *vestibulaire* vient du latin *vestibulum*, vestibule, et fait référence au fait que le système vestibulaire occupe des trous, ou passages, formés dans l'os temporal.) Chez les mammifères, une portion de ce système vestibulaire est constituée par trois **canaux semi-circulaires**, conduits remplis de liquide et orientés dans l'espace selon trois axes différents (figures 9.12a et 9.12b). L'extrémité de chacun de ces canaux se prolonge par une structure en forme de sac nommée **utricule** (petite outre). Enfin, située sous l'utricule, se trouve un autre sac rempli de liquide, le **saccule** (petit sac).

Comme dans le cas du système auditif, les récepteurs situés à l'intérieur de ces structures sont des groupes de cellules ciliées dont un mouvement de courbure des cils provoque l'excitation de fibres nerveuses. Dans chacun des canaux semi-circulaires, les cellules ciliées (figure 9.12d) se retrouvent dans une région élargie, l'**ampoule** (figure 9.12c). Les poils des cellules ciliées y sont enracinés dans une masse gélatineuse (figure 9.12e). L'orientation des poils ou cils est assez précise et détermine le type de force mécanique à laquelle ils sont particulièrement sensibles. Les trois canaux semi-circulaires sont placés à angle droit l'un par rapport à l'autre; ainsi, une accélération angulaire dans toute direction se trouve captée par l'un ou l'autre d'entre eux. Les récepteurs des saccules et des utricules réagissent à la position statique de la tête. Dans la membrane gélatineuse, la présence de minuscules cristaux osseux (les otolithes) accroît la sensibilité de ces récepteurs au mouvement (figures 9.12e et 9.12f). À la base des cellules ciliées de ces récepteurs, on trouve des fibres nerveuses dont les connexions avec les cellules ciliées ressemblent beaucoup aux connexions existant dans les parties auditives de l'oreille interne. L'encadré 9.2 donne une description de l'évolution des organes terminaux de l'appareil vestibulaire.

Les dispositions structurales des voies cérébrales affectées à l'excitation vestibulaire reflètent les relations étroites entre cette excitation et les divers ajustements musculaires du corps. Les fibres nerveuses des récepteurs vestibulaires de l'oreille interne pénètrent dans les niveaux inférieurs du tronc cérébral et font synapse dans un groupe de noyaux, les **noyaux vestibulaires** (figure 9.13). Certaines des fibres contournent cette structure pour se rendre directement au cervelet, un des centres de contrôle de la motricité. Les efférences des noyaux vestibulaires sont plutôt complexes, ce qui correspond bien aux influences qu'elles exercent sur le système moteur.

Il existe un aspect de l'activation vestibulaire dont plusieurs d'entre nous préféreraient se passer. Certains types d'accélération du corps, comme celle que nous éprouvons comme

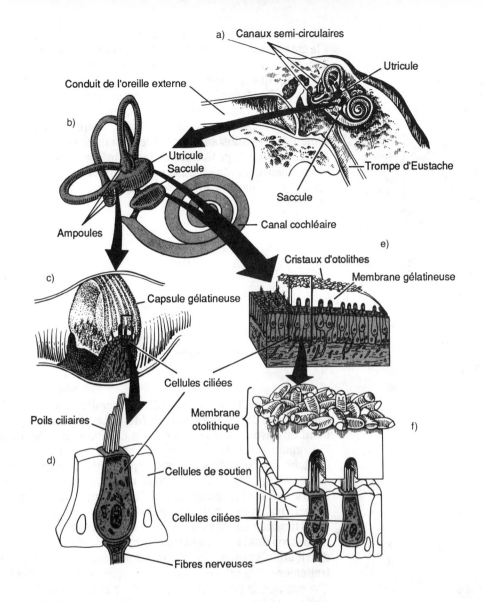

Figure 9.12 Structure périphérique du système vestibulaire. a) Position de l'appareil vestibulaire dans l'os temporal. b) Orientation des canaux semi-circulaires, de l'utricule et du saccule. c) Ampoule, ou terminaison, de canal semi-circulaire et cellules ciliées, grossies en d). e) Surface réceptrice (grossie en f) d'un saccule et d'un utricule laissant apparaître des otolithes cristallisés.

a) Canaux semi-circulaires
Utricule
Conduit de l'oreille externe
Trompe d'Eustache
b)
Utricule
Saccule
Saccule
Canal cochléaire
Ampoules
e)
Cristaux d'otolithes
Membrane gélatineuse
c)
Capsule gélatineuse
Cellules ciliées
Membrane otolithique
Poils ciliaires
f)
d)
Cellules de soutien
Cellules ciliées
Fibres nerveuses

passagers d'un paquebot, d'un avion, d'une voiture ou d'un véhicule de parc d'attractions, peuvent causer des malaises connus généralement comme le *mal des transports*. Un effet semblable peut être provoqué par *stimulation thermique*, c'est-à-dire en versant de l'eau chaude dans l'un des conduits de l'oreille; cela déclenche des mouvements des liquides de l'oreille interne qui entraînent une stimulation mécanique. Le mal des transports résulte surtout de mouvements de basses fréquences qu'un individu est incapable de contrôler. Toutefois, il faut noter que dans une voiture, ce sont les passagers et non le chauffeur qui souffrent de ce mal. La théorie du conflit sensoriel, l'une des principales théories qui tentent d'expliquer ce phénomène, prétend que ce malaise résulte de la présence de messages sensoriels contradictoires, surtout d'un désaccord entre l'information vestibulaire et l'information visuelle. Par exemple, lorsqu'un avion monte brusquement, le système vestibulaire se trouve stimulé alors que les yeux enregistrent une position constante, à l'intérieur de l'avion. Négocier rapidement une courbe sur la route peut, par exemple, engendrer des

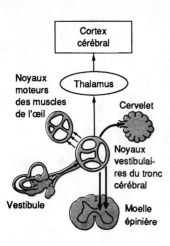

Figure 9.13 Voies principales du système vestibulaire.

conflits entre l'information venant de l'accélération et celle provoquant des forces reliées à la gravitation (Benson, 1982). Pourquoi souffrons-nous du soi-disant *mal de mer* ? Michel Treisman (1977), spécialiste de la psychologie expérimentale, a proposé une théorie suggérant que le conflit sensoriel propre à certaines conditions de mouvement donnerait naissance à des réactions, apparues au cours de l'évolution, pour libérer le corps des poisons qui ont été absorbés. Dans pareil cas, divers influx sensoriels provenant des yeux, du nez et des papilles gustatives sonnent l'alarme, donnant suite à des étourdissements et au vomissement de la substance potentiellement toxique. Cette réaction a des conséquences évidentes pour la protection de la vie, même si elle ne peut aider en tant que réaction aux mouvements des véhicules. Les gens dont le système vestibulaire a été détruit par des agents toxiques ou par les effets secondaires des antibiotiques n'éprouvent pas le mal des transports.

LA VISION

La perception visuelle joue un rôle de premier plan dans l'adaptation de plusieurs animaux, surtout celle des espèces diurnes. Même ceux qui habitent des niches écologiques relativement obscures (comme le hibou, la chauve-souris, les poissons abyssaux) ont besoin de l'information captée par les récepteurs de lumière. Certains animaux nocturnes sont dotés de globes oculaires énormes par rapport à leur dimension corporelle, qui, probablement, les aident à capter les faibles quantités de lumière disponible pendant la nuit. Certains invertébrés sont tellement avides de lumière qu'ils sont pourvus de multiples récepteurs de lumière répartis sur tout le corps; par ailleurs, certains amphibiens ont des photorécepteurs logés directement dans le cerveau. Les perceptions visuelles de chaque espèce dépendent de la façon dont le cerveau traite l'information fondamentale qu'il reçoit de l'œil quant à la distribution spatiale des diverses longueurs d'onde de la lumière. Différents modes de traitement de la même information reçue nous permettent de prendre des décisions quant à la couleur, la position, la profondeur et la forme des stimuli visuels. Le mécanisme de traitement de l'information visuelle fait maintenant l'objet de recherches très intenses dont certains des aspects les plus intéressants, de l'œil jusqu'au système nerveux, méritent d'être soulignés.

SOURCES DE LA PERCEPTION VISUELLE

L'œil est un organe complexe qui permet non seulement de capter la lumière, mais également de former des images détaillées assurant une perception de scènes et d'objets de l'environnement. Ses fonctions nécessitent l'intervention de muscles internes et de muscles externes soumis à un contrôle nerveux précis. Avant de nous interroger sur l'évolution de cette structure photosensible, examinons brièvement les aspects particuliers de son anatomie. La conversion de la lumière en activité neuronale comporte une série d'étapes qui se déroulent dans les cellules réceptrices de la rétine et commencent par des transformations photochimiques.

L'œil des vertébrés : un instrument d'optique

Notre capacité de discerner visuellement les scènes et les objets dépend de tout un ensemble de structures et de processus. Interviennent d'abord les structures et les processus oculaires qui permettent à cet organe de former des images optiques assez exactes sur les cellules photosensibles de la rétine. À l'instar d'une caméra, l'œil possède des lentilles responsables de la mise au foyer de la lumière incidente dans le système (figure 9.14). La lumière se déplace en ligne droite jusqu'à ce qu'elle rencontre un changement de densité du médium, ce qui fait courber les rayons lumineux. (L'encadré 9.3 présente quelques-unes des caractéristiques du stimulus optique.) La cornée de l'œil, à courbure fixe, effectue une déviation importante des rayons lumineux, tandis que le cristallin, dont la forme est contrôlée par les muscles ciliaires de l'intérieur de l'œil, opère des ajustements additionnels. Étant donné qu'un observateur contrôle le degré de contraction des muscles ciliaires, le cristallin peut être amené à procéder à la mise au foyer sur la rétine d'objets plus ou moins rapprochés; ce processus de mise au foyer est le processus d'accommodation. La forme du globe oculaire de plusieurs individus est telle que le cristallin se trouve incapable d'amener les images parfaitement au foyer sur la rétine. Des verres ou des lentilles de contact peuvent corriger cet état; des interventions chirurgicales permettent également de modifier la courbure de la cornée. En vieillissant, le cristallin perd de son élasticité et est de moins en moins capable de modifier sa courbure. Des verres à deux ou à trois foyers permettent alors de rétablir la précision de la vision à différentes distances.

La quantité de lumière pénétrant dans l'œil dépend de la grandeur de la pupille, tout comme l'ouverture du diaphragme contrôle la lumière qui entre dans la caméra. Au chapitre 2, nous avons indiqué que la dilatation de la pupille est contrôlée par la portion sympathique du système nerveux autonome, tandis que sa contraction est sous contrôle parasympathique. Habituellement, les deux portions du SNA sont en activité si bien que la dimension de la pupille reflète un état d'équilibre résultant de l'influence exercée par les deux portions du système nerveux autonome. Lors d'un examen de l'œil, on peut utiliser un médicament pour bloquer la transmission de l'acétylcholine dans les synapses parasympathiques de l'iris; ce médicament provoque une détente des fibres musculaires du sphincter et laisse l'iris s'ouvrir complètement. D'autres drogues ou médicaments, la morphine par exemple, stimulent l'innervation sympathique; une constriction très forte des pupilles est un indice qu'il y a abus de ces drogues.

Le cristallin et le liquide du globe oculaire absorbent des longueurs d'onde lumineuses spécifiques. Ainsi, avant que l'énergie lumineuse ne parvienne jusqu'à la rétine, le stimulus visuel a déjà été filtré et sa distribution en longueurs d'onde substantiellement modifiée.

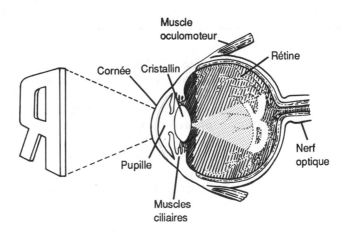

Figure 9.14 Anatomie interne de l'œil humain.

L'énergie physique à laquelle notre système visuel réagit consiste en une bande de radiation électromagnétique. Cette radiation se présente en très petits paquets d'énergie nommés **quanta**. Chaque quantum est défini par un nombre unique, sa longueur d'ondes (la distance entre deux sommets voisins d'une activité vibratoire). Le système visuel de l'être humain ne réagit qu'aux quanta dont les longueurs d'onde se situent à l'intérieur d'un éventail très étroit, de 400 à 700 nm environ (figure de l'encadré 9.3). De tels quanta d'énergie lumineuse sont des photons (du mot grec signifiant lumière). Même si la bande d'énergie radiante dans les limites de laquelle les animaux sont capables de voir s'avère étroite, elle se prête bien à une réflexion exacte de la lumière sur la surface des objets qui se situent dans le champ de dimensions intervenant dans la plupart de nos comportements. Les ondes radio conviennent bien à la représentation d'objets de dimension astronomique alors que les rayons X pénètrent sous la surface des objets.

Chaque photon est une très petite quantité d'énergie; la quantité exacte dépend de sa longueur d'onde. Un seul photon dont la longueur d'onde est de 560 nm ne contient que $3,55 \times 10^{-19}$ joules d'énergie. Une lampe de 100 watts (W) n'émet qu'à peu près 3 watts de lumière visible, le reste de l'énergie émise étant de la chaleur. Toutefois, ces 3 watts de lumière représentent 8 quintillions (8×10^{18}) de photons par seconde ! Quand ils pénètrent dans l'œil, les quanta peuvent provoquer des sensations visuelles. La nature exacte de telles sensations dépend à la fois de la longueur d'onde des quanta et du nombre de quanta à la seconde.

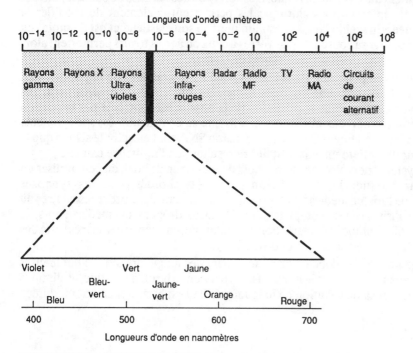

Figure de l'encadré 9.3 Spectre électromagnétique à l'intérieur duquel la lumière visible (voir agrandissement au bas de la figure) ne représente qu'une petite fraction.

Les muscles fixés à la surface externe du globe oculaire contrôlent la direction du regard (figure 9.15), à la manière d'un photographe orientant sa caméra dans une direction donnée. La fixation de cibles, mobiles ou non, exige un contrôle fin de ces muscles. Lorsque nous regardons des objets à distance, les deux yeux bougent ensemble; toutefois, quand nous examinons un objet rapproché, les deux yeux convergent sur la cible. À cet égard, le système visuel ressemble à une caméra tridimensionnelle munie d'une paire de lentilles. Dans ces conditions, la convergence et l'accommodation interviennent toutes les deux dans la mise au foyer.

Ce bref aperçu démontre l'importance, au niveau de l'organe récepteur de la vision, d'un contrôle fin et élaboré des muscles intra-oculaires et extra-oculaires dans l'identification, la mise au foyer et la poursuite des stimuli visuels. Certains de ces processus sont réglés surtout à partir de réflexes comme le contrôle de la grandeur de la pupille par l'intensité de la lumière ambiante. D'autres processus dépendent du *feed-back* mettant en cause les perceptions résultant du traitement de l'information visuelle. Mais, dans tous les cas, ces processus dépendent de la stimulation des cellules photosensibles de la rétine. C'est de cette étape des processus visuels dont nous discuterons maintenant. À cet égard, l'œil ressemble à une caméra de télévision contenant un dispositif constitué de plusieurs petits éléments photosensibles qui transmettent des signaux électriques en fonction de l'intensité de la lumière qu'ils reçoivent.

Évolution de l'œil

a) Muscles de l'œil droit vus du côté droit

b) Mouvement de haut en bas

Droit supérieur

Droit inférieur

c) Rotation

Oblique supérieure

Oblique inférieure

d) Mouvement de gauche à droite

Droit interne

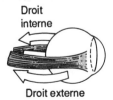

Droit externe

Figure 9.15 Muscles oculomoteurs et types de mouvements qu'ils produisent.

Lorsqu'on examine un organe aussi complexe que l'œil d'un mammifère ou celui d'un octopode ou d'une mouche, il est difficile de s'imaginer comment cette structure a pu se former au cours de l'évolution. Pourtant, l'étude des diverses espèces d'animaux vivants révèle une progression ininterrompue du développement de structures aptes à assurer un mécanisme de mise au foyer, mécanisme en évidence aussi bien dans les cellules photosensibles très simples que dans des organes de plus en plus complexes. Voici quelques-unes des étapes qui conduisent à la formation d'un œil comme celui d'un mammifère ou d'un octopode :

1. Le regroupement de cellules photosensibles en un même endroit pour servir d'organes photorécepteurs; ce changement représente une amélioration par rapport à la dispersion des cellules réceptrices, car il facilite la production de réactions différenciées aux stimuli affectant les diverses régions de la surface corporelle.

2. Le rassemblement en grappes de photorécepteurs au fond de dépressions en forme de fosse ou de cupule dans la peau; cette disposition des cellules permet de mieux distinguer les stimuli qui proviennent de directions différentes et accroît le contraste entre un stimulus et un fond de lumière ambiante.

3. Le rétrécissement du sommet de la fosse ou de la cupule pour former un petit orifice de manière à ce que l'œil puisse effectuer une bonne mise au foyer, à l'instar d'un sténopé de caméra (trou d'épingle faisant office de lentille photographique).

4. La fermeture de cet orifice au moyen d'une peau transparente ou remplissage de la cupule avec une substance transparente, afin de protéger l'œil contre la pénétration de substances étrangères qui pourraient blesser les cellules réceptrices ou bloquer la vision.

5. La formation d'une lentille par épaississement de la peau, cette transformation améliorant la mise au foyer tout en laissant la possibilité d'un orifice assez grand, ce qui permet une vision précise même lorsque la lumière n'est pas très intense.

L'étude de diverses espèces animales démontre que les organes récepteurs ont évolué de façon indépendante dans au moins 40 lignées phylogénétiques différentes (Salvini-Plawen et Mayr, 1977); par conséquent, l'évolution d'un tel organe n'est évidemment pas un fait inhabituel dans l'histoire des formes animales. Parmi les représentants actuels d'au moins une vingtaine de ces lignées phylogénétiques, on peut noter une séquence régulière d'yeux dont l'efficacité est croissante. Cette série comprend 15 lignées différentes qui ont chacune évolué vers des yeux munis d'un cristallin et capables d'effectuer une mise au foyer de la lumière.

Apparemment, la seule condition requise au déclenchement du développement d'un œil est l'existence de cellules sensibles à la lumière. La sélection naturelle a pu alors aider au développement des mécanismes auxiliaires nécessaires à l'amélioration de la vision. Plusieurs sortes de cellules manifestent une sensibilité à la lumière et des lignées phylogénétiques diverses ont utilisé des points de départ différents. Les cellules d'origine épidermique (cellules de la peau) ont été le plus fréquemment utilisées; toutefois, plusieurs lignées (y compris l'ancêtre chordé des vertébrés) ont développé leurs récepteurs visuels à partir de cellules d'origine nerveuse.

Trois mécanismes fondamentaux peuvent contribuer à la production d'une image visuelle : l'utilisation d'un cristallin (œil d'une caméra), d'une ouverture ponctuelle ou d'un œil composé muni de récepteurs à tubes étroits (ommatidies) disposés en éventail afin d'assurer une orientation dans des directions différentes. Parmi les animaux dont l'œil est muni d'un cristallin, on trouve non seulement les vertébrés et certains céphalopodes (comme la pieuvre), mais aussi certains insectes et certains lamellibranches. Chez les animaux dont l'œil est muni d'une ouverture ponctuelle, on trouve l'allotide et le nautile. Chez les animaux dont l'œil est formé d'ommatidies (œil composé), on compte les insectes et la plupart des crustacés (comme les crabes). Ces trois façons principales de former des images visuelles ne constituent pas une liste exhaustive des mécanismes engendrés par l'évolution; en effet, certains animaux (comme le pétoncle) utilisent des miroirs pour se former des images visuelles, et un animal marin microscopique (Copelia), doté de quelques récepteurs lumineux seulement, déplace ces derniers de part et d'autre dans un mouvement de balayage pour explorer l'image formée par le cristallin (Land, 1984).

Chez les céphalopodes comme le calmar et la pieuvre, l'évolution d'un système visuel semblable, sur plusieurs points, à celui des vertébrés (du poisson à l'être humain) permet de supposer que le développement d'un système visuel comporte, dans le cas d'un animal à déplacements rapides, des contraintes de première importance. Considérons certaines des principales ressemblances et différences entre les systèmes visuels des céphalopodes et des vertébrés. Dans les deux cas, les yeux relativement gros possèdent de nombreux récepteurs et ont la capacité de recueillir de grandes quantités de lumière. La quantité de lumière incidente est réglée par une pupille et la mise au foyer par un cristallin. Toutefois, dans la structure de l'œil, l'organisation de la rétine présente une différence importante. Dans l'œil des vertébrés, la lumière doit traverser neurones et vaisseaux sanguins pour atteindre les récepteurs; la région (papille) où les axones neuronaux et les vaisseaux sanguins pénètrent dans la rétine et en sortent est un scotome nommé **tache aveugle**. Au contraire, chez les céphalopodes, l'organisation de la rétine est plus efficace; la lumière parvient directement aux récepteurs : neurones et vaisseaux sanguins sont situés derrière les récepteurs et il n'y a pas de tache aveugle. Chez les céphalopodes et les vertébrés, la structure détaillée des cellules réceptrices est assez différente. De plus, un stimulus visuel provoque la dépolarisation des cellules réceptrices de la rétine d'un céphalopode (et de la plupart des invertébrés), alors qu'il produit une surpolarisation des récepteurs rétiniens, chez les poissons et les mammifères. Chez les pieuvres et les poissons, les yeux bougent dans leur assise, chaque œil étant mu par six paires de muscles. On peut penser que de tels mouvements oculaires vont de soi; pourtant, la plupart des mammifères, à l'exception des primates, sont incapables de déplacer leurs yeux indépendamment de leur tête, orientant principalement le regard en faisant bouger toute la tête. Les ressemblances principales entre les yeux des céphalopodes et ceux des vertébrés constituent des exemples d'évolution convergente. Par ailleurs, les différences sont des exemples de la façon dont on peut arriver à des fonctions similaires aux moyens de structures et de processus plutôt distincts et d'origines différentes.

La rétine La première phase du traitement de l'information visuelle se déroule dans la **rétine**, surface réceptrice située à l'intérieur de l'œil (figure 9.16). À l'intérieur de la rétine, plusieurs types de cellules forment des couches distinctes (figure 9.16b). Les **cônes** et les **bâtonnets**, éléments récepteurs proprement dits, entrent en synapse avec des **cellules bipolaires,** celles-ci se rattachant à des **cellules ganglionnaires** dont les axones forment le **nerf optique**. Il se produit une forte compression des influx qui prennent naissance dans les éléments récepteurs, car

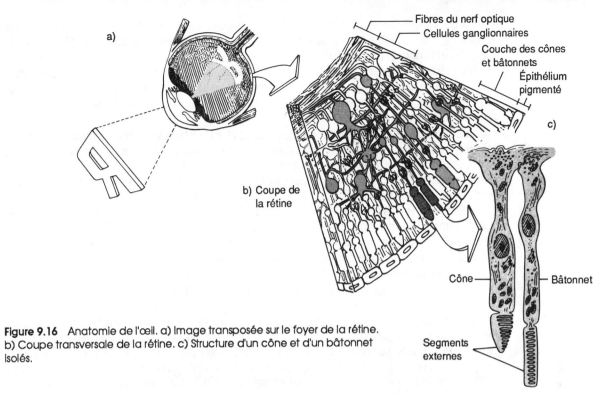

a)

Fibres du nerf optique
Cellules ganglionnaires
Couche des cônes et bâtonnets
Épithélium pigmenté

c)

b) Coupe de la rétine

Cône — Bâtonnet

Segments externes

Figure 9.16 Anatomie de l'œil. a) Image transposée sur le foyer de la rétine. b) Coupe transversale de la rétine. c) Structure d'un cône et d'un bâtonnet isolés.

Figure 9.17 Structure détaillée d'éléments rétiniens. a) Un bâtonnet isolé. b) Segments extérieurs d'un bâtonnet. c) Connexions synaptiques à la base d'un bâtonnet. d) Connexions de bâtonnets avec d'autres cellules rétiniennes.

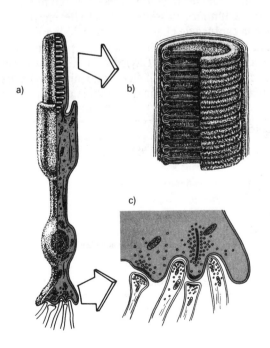

a)

b)

c)

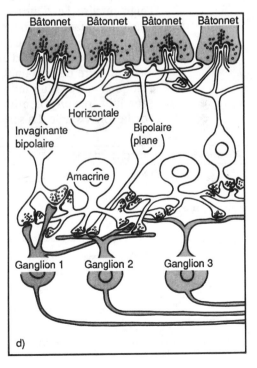

Bâtonnet   Bâtonnet   Bâtonnet   Bâtonnet

Horizontale

Invaginante bipolaire

Bipolaire plane

Amacrine

Ganglion 1   Ganglion 2   Ganglion 3

d)

321

il n'y a qu'un million de cellules ganglionnaires pour environ 125 millions de cônes et de bâtonnets. Les **cellules horizontales** et les **cellules amacrines** de la rétine (figure 9.17) complètent la population des cellules nerveuses; ces cellules jouent un rôle particulièrement significatif dans les interactions inhibitrices de l'intérieur de la rétine. C'est le grand nombre des cellules rétiniennes qui explique comment il peut y avoir autant de traitement d'information à ce niveau du système visuel. Les signaux qui en résultent convergent sur les cellules ganglionnaires.

Chez l'être humain, l'étude de la sensibilité révèle l'existence de deux systèmes fonctionnels différents correspondant à deux populations différentes de récepteurs dans la rétine. Un de ces systèmes intervient aux niveaux plus faibles d'intensité lumineuse et met en cause les bâtonnets; c'est le **système scotopique** (du mot grec pour obscurité). L'autre système entre en activité aux niveaux plus élevés d'intensité lumineuse et est sensible à la couleur; ce système fait intervenir les cônes et prend le nom de système **photopique** (du mot grec pour lumière). Le fonctionnement de ces deux systèmes, dont la sensibilité diffère, permet à l'œil humain d'agir sur un vaste champ d'intensités. Les caractéristiques des systèmes photopique et scotopique sont résumées au tableau 9.1.

Ce sont la structure et la biochimie de ces deux types de récepteurs qui expliquent leur sensibilité extraordinaire. Observé au microscope, un segment de la structure des cônes et des bâtonnets ressemble à des crêpes superposées (figure 9.17b). Chacune des couches d'un tel empilement est nommée disque. L'empilement de disques accroît la probabilité de capter des quanta de lumière. Cette caractéristique prend une importance singulière, puisque la lumière se trouve réfléchie dans plusieurs directions par la surface du globe oculaire, du cristallin et du milieu liquide de l'œil. Cette dispersion de la lumière fait que de petites quantités seulement atteignent vraiment la surface rétinienne.

Les quanta de lumière qui frappent les disques sont captés par des photopigments spéciaux. Le pigment que contiennent les cônes est la **rhodopsine**. Les études de George Wald (1964), pionnier dans ce domaine, ont permis de définir la structure chimique de ce pigment visuel et d'autres encore. Il a démontré que cette molécule de protéine changeait de forme quand elle était exposée à la lumière. Des recherches récentes ont montré que la forme de rhodopsine transformée par la lumière possède une activité enzymatique et déclenche une cascade d'événements : la capture de chaque quantum de lumière entraîne la fermeture de centaines de conduits de sodium dans la membrane photoréceptrice et bloque l'entrée d'un million d'ions sodium (Schnapf et Baylor, 1987). La fermeture des conduits crée un potentiel générateur constituant le signal électrique initial de l'activation de la voie visuelle. La sensibilité du bâtonnet est en partie déterminée par son exposition

Tableau 9.1 Résumé des propriétés des systèmes visuels photopique et scotopique.

	Système photopique	Système scotopique
Récepteurs*	Cônes	Bâtonnets
Nombre de récepteurs par œil (approximatif)	6 millions	120 millions
Photopigments**	Trois opsines, à la base de la vision des couleurs	Rhodopsine
Sensibilité	Faible : exige une stimulation relativement forte; utilisée par la vision diurne	Forte : peut être stimulée par une lumière de faible intensité; utilisée pour la vision nocturne
Situation dans la rétine***	Dans ou près de la fovéa	À l'extérieur de la fovéa
Dimension du champ récepteur	Petit; par conséquent l'acuité est forte	Grand; par conséquent l'acuité est faible

   * Voir la forme des cônes et bâtonnets à la figure 9.16c
   ** Voir la figure 9.22 pour les sensibilités spectrales des photopigments
   *** Voir la figure 9.25 pour la répartition des cônes et des bâtonnets dans la rétine

antérieure à la lumière; ainsi une intensité donnée de stimulation engendre un potentiel récepteur plus important si cette stimulation est précédée de stimuli plus faibles plutôt que de stimuli plus forts. Les cônes contiennent trois pigments différents.

VOIES CÉRÉBRALES DU SYSTÈME VISUEL

Les produits du traitement visuel dans la rétine convergent sur les cellules ganglionnaires; leurs axones forment le nerf optique qui transmet l'information visuelle au cerveau. Quelques-uns ou tous les axones du nerf optique d'un vertébré sont décussés, c'est-à-dire qu'ils se dirigent vers l'hémisphère cérébral opposé (figure 9.18). Une plus forte proportion d'axones sont décussés lorsqu'il s'agit d'animaux dont les yeux sont disposés latéralement avec peu de chevauchement binoculaire. Lorsqu'ils parviennent au **chiasma optique**, les axones du nerf optique de l'être humain se divisent en deux groupes. Les axones de la moitié de la rétine la plus rapprochée du nez (rétine nasale) traversent vers le côté opposé du cerveau. La moitié de la rétine la plus rapprochée du côté de la tête (rétine temporale) projette ses axones du même côté de la tête. La proportion du nerf optique qui est décussée varie beaucoup d'une espèce à l'autre; elle est de 90 % chez le rat et de 50 % environ chez un primate.

La **bandelette optique** est formée par les axones des cellules ganglionnaires rétiniennes, dès que ceux-ci ont traversé le chiasme optique. La plupart des axones de la bandelette optique aboutissent dans le **noyau genouillé latéral** qui fait partie du thalamus. Certains axones quittent la bandelette optique et aboutissent dans les **tubercules quadrijumeaux antérieurs** du mésencéphale. Des faisceaux relativement petits d'axones se rendent jusqu'aux noyaux du diencéphale qui participent au contrôle des cycles quotidiens (rythmes circadiens) de comportement (chapitre 14).

Les interactions synaptiques du corps genouillé latéral peuvent mettre en cause des influences exercées par d'autres régions cérébrales, la formation réticulée par exemple. Les axones des cellules postsynaptiques du corps genouillé latéral forment les **radiations optiques** aboutissant dans les aires visuelles primaires du **cortex occipital**. Les régions corticales qui entourent le **cortex visuel primaire** (figure 9.18) ont également des fonctions surtout visuelles. C'est à ce niveau cortical que les influx provenant des deux yeux convergent et créent la possibilité d'effets binoculaires.

Les diverses aires visuelles du cortex

Des études récentes ont révélé que chaque modalité sensorielle correspondait à plusieurs régions corticales et que la plupart de celles-ci étaient disposées de façon à composer une carte topographique ordonnée de la surface réceptrice (C.N. Woolsey, 1981 a, b, c). (Le terme *topographique* fait référence à une représentation systématique, mais qui ne respecte pas nécessairement l'ordre de grandeur; c'est comme une carte dessinée sur une surface en caoutchouc qui conserverait l'ordre des objets dessinés mais non leurs dimensions.) Par exemple, un examen récent du cortex du singe-hibou (singe du Nouveau Monde) a révélé l'existence de six aires visuelles dont chacune est une représentation topographique de la rétine (figure 9.19a). Aucune autre espèce n'a encore bénéficié d'une cartographie aussi complète, mais il semble également que la plupart des régions visuelles corticales du macaque (singe de l'Ancien Monde) présentent des cartes ordonnées de la rétine. Des indices de plus en plus nombreux montrent que différentes régions corticales participent parallèlement au traitement des divers aspects de la perception, comme la couleur, la localisation et la forme. Une bonne partie des travaux fondamentaux en neurophysiologie visuelle ont été effectués sur le chat, mais la vision des couleurs doit être étudiée chez les primates car, chez les mammifères autres que l'Homme, seuls les primates ont une bonne vision des couleurs.

Figure 9.18 Voies cérébrales du système visuel. a) Voies visuelles dans le cerveau humain. b) Représentation des champs visuels sur les rétines et leurs projections vers les hémisphères cérébraux. Le champ visuel droit envoie ses projections à l'hémisphère cérébral gauche et le champ visuel gauche à l'hémisphère droit.

a)

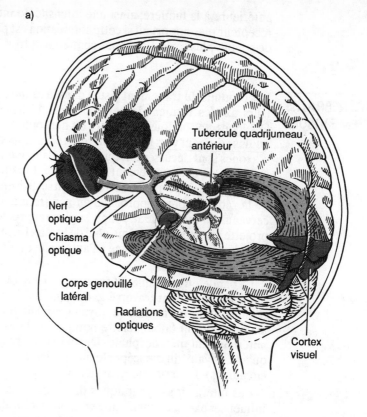

Tubercule quadrijumeau antérieur

Nerf optique

Chiasma optique

Corps genouillé latéral

Radiations optiques

Cortex visuel

b)

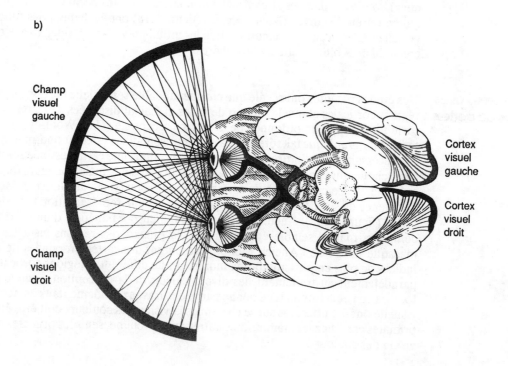

Champ visuel gauche

Champ visuel droit

Cortex visuel gauche

Cortex visuel droit

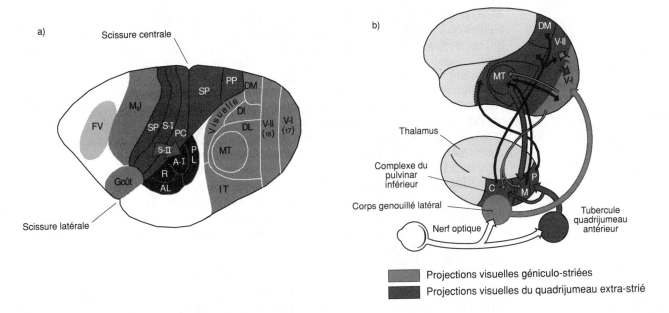

Figure 9.19 a) Subdivisions du néocortex et fonctions sensorielles chez un singe du Nouveau Monde. La plus grande partie du cortex occipital et du cortex pariétal montre des représentations systématiques des surfaces sensorielles, tout comme le font des parties des régions temporale et frontale. *Subdivisions visuelles*: V-I, aire visuelle primaire (correspondant à l'aire 17 de Brodmann); V-II, aire visuelle secondaire (ou aire 18); DI, dorso-intermédiaire; DL, dorsolatérale; DM, dorsomédiane; IT, inférotemporale; MT, moyenne temporale; FV, frontovisuelle. Il se peut qu'il y ait aussi des fonctions visuelles dans la région pariétale postérieure (PP). *Subdivisions auditives*: A-I, aire auditive primaire; AL, antérieure latérale; PL, postérieure latérale; R, champ auditif rostral. *Subdivisions somatosensorielles*: S-I, aire somatosensorielle primaire; S-II, aire sensorielle secondaire (cachée dans la scissure latérale); SP, représentation sensorielle profonde (muscles et articulations); PC, aire postérieure cutanée; PP, aire pariétale postérieure; M$_s$I, aire I motrice sensorielle. b) Quelques-unes des connexions thalamocorticales du système visuel des singes. Le nerf optique envoie des axones au noyau genouillé latéral et aux tubercules quadrijumeaux antérieurs. Le noyau genouillé latéral envoie des projections vers le cortex strié (V-I). Les projections des tubercules quadrijumeaux antérieurs vont vers le complexe du pulvinar inférieur du thalamus. Les divisions centrale (C) et postérieure (P) du pulvinar inférieur envoient des projections vers les régions corticales visuelles qui sont à l'extérieur de V-I et le pulvinar inférieur moyen (M) reçoit une projection importante du cortex extrastrié. Le schéma fait voir aussi des connexions corticocorticales. (D'après Merzenich et Kaas, 1980.)

Voies parallèles fonctionnellement distinctes, du thalamus au cortex

Chaque région sensorielle du cortex reçoit des influx provenant d'une ou de plusieurs régions du thalamus. Certaines divisions du thalamus envoient des projections à une seule région corticale, alors que d'autres en envoient à plus d'une région. Les divergences dans la circulation de l'information sensorielle ne s'arrêtent pas là. Les régions sensorielles du cortex renvoient des axones au thalamus, habituellement vers leurs propres points de départ, mais parfois également vers d'autres divisions du thalamus. La figure 9.19b montre quelques-unes des projections thalamiques du système visuel du singe.

Disposition en colonnes du cortex visuel primaire

La disposition en colonnes des neurones du cortex visuel primaire s'est révélée d'une richesse inimaginable depuis à peine quelques années. Cette organisation est encore plus complexe que celle du cortex somatosensoriel (chapitre 8), car le cortex visuel primaire a des représentations séparées pour au moins quatre dimensions du stimulus visuel. Dans son ensemble, le cortex visuel primaire représente des localisations dans le champ visuel et donne des cartes plus grandes et plus détaillées de la région centrale que de la périphérie.

Mais, au sein d'une aire donnée représentant une certaine partie du champ visuel, il y a des bandes ou alignements distincts de cellules qui correspondent à l'œil ipsilatéral et d'autres, qui correspondent à l'œil controlatéral. Ces bandes contiennent des colonnes de neurones dans lesquelles tous les champs récepteurs captent sélectivement les stimuli de même orientation angulaire, au sein du champ visuel. C'est-à-dire que, dans une colonne, toutes les cellules sont syntonisées pour les stimuli en position verticale (orientation 0°); dans une colonne adjacente, toutes les cellules réagiront préférentiellement aux stimuli d'angle 10° par rapport à la verticale; dans une autre colonne, la réaction se fera aux stimuli d'angle 20°, et ainsi de suite. De plus, on a récemment découvert que les bandes de colonnes ipsilatérale et controlatérale de chaque région contiennent des *pâtés* ou *chevilles* qui sont probablement associés à la vision des couleurs (Hendrickson, 1985; Livingstone et Hubel, 1984). L'organisation du cortex visuel est représentée sous forme de diagramme à la figure 9.20 (comparer à la figure 8.16 concernant le cortex somatosensoriel).

Examinons d'un peu plus près cette organisation complexe et les méthodes qui servent à son étude (Gouras, 1985; Hendrickson, 1985; Kandel, 1985). Un premier aspect a été découvert grâce à l'enregistrement électrophysiologique des champs récepteurs de neurones individuels; il s'agit de l'existence de bandes allongées de cellules qui réagissent de façon préférentielle à la stimulation de l'un des deux yeux. Chaque bande a une largeur de 350 à 500 μm. Malgré le fait que de telles bandes comprennent des milliers de colonnes corticales, celles-ci sont toujours connues sous le nom de **colonnes de dominance oculaire** (CDO). La dominance oculaire est particulièrement nette dans la large couche IV du cortex visuel primaire où toute cellule ne réagit qu'à l'un des deux yeux; au-dessus et au-dessous de cette couche IV, la plupart des cellules réagissent à la stimulation des deux yeux.

Les nouvelles techniques de traçage anatomique qui se sont multipliées depuis le début des années 1970 ont confirmé l'existence des CDO et ont fourni des renseignements additionnels à leur sujet. Par exemple, lorsqu'on injecte dans un œil une petite dose d'acide aminé radioactif, une partie de cet agent se trouve transportée le long des neurones, traverse les synapses et atteint le cortex visuel. L'examen autoradiographique du cortex montre alors des bandes parallèles de radioactivité dans la couche IV et ces bandes correspondent aux CDO. Grâce à la technique autoradiographique utilisant le 2-désoxyglucose (chapitre 2), on a pu démontrer l'activation de neurones situés à l'extérieur de la couche IV. On a administré du 2-désoxyglucose radioactif à un singe dont on avait recouvert un œil; une autoradiographie subséquente a révélé l'existence non seulement de bandes d'environ 350 μm de large dans la couche IV, mais aussi de points de radioactivité d'à peu près 150 μm de large dans les autres couches; ces points se situaient le long des centres des bandes de dominance oculaire. La présence de ces points démontre que quelques-uns des neurones dans les autres couches des bandes sont également surtout monoculaires.

Les bandes de dominance oculaire contiennent des colonnes individuelles de 30 à 100 μm de diamètre. Des enregistrements à l'aide de microélectrodes ont montré que toutes les cellules au sein de chaque colonne partagent la même préférence pour des stimuli d'une orientation ou d'un azimut donné à l'intérieur du champ visuel. Quand on déplace l'électrode d'une colonne à une autre, l'axe préférentiel d'orientation change d'environ 10° d'angle. L'axe préférentiel d'orientation est présenté sous forme de diagramme au haut de chaque colonne, le long du volet droit de la figure 9.20, mais cette orientation est caractéristique de toutes les cellules dans toute la profondeur de la colonne.

Des régions du cortex à forme de cheville interrompent la progression des colonnes d'orientation. Les cellules comprises dans ces chevilles ou *pâtés* ne réagissent pas de façon préférentielle à l'orientation, mais manifestent des préférences vis-à-vis de la couleur. Ce sont des cellules à double opposition (par exemple, qui réagissent par excitation au rouge et par inhibition au vert : un neurone rouge positif, vert négatif) et leurs champs récepteurs

Figure 9.20 Organisation en bandes et en colonnes corticales du cortex visuel primaire des primates. Les cellules du noyau du corps genouillé latéral (en bas à gauche) envoient des projections distinctes vers le cortex. Les cellules en provenance de l'œil droit sont représentées dans les couches 1, 3 et 6 (en gris) du corps genouillé et elles envoient des projections vers les colonnes de dominance oculaire droite dans le cortex. Les colonnes de dominance oculaire gauche alternent avec les colonnes de dominance droite. Des colonnes dans lesquelles toutes les cellules sont syntonisées à des stimuli qui se présentent, selon un angle visuel particulier, constituent des subdivisions encore plus fines. On aperçoit, dans les couches supérieures et inférieures, des « chevilles » corticales : les cellules de ces régions sont responsables de la vision des couleurs et elles reçoivent leurs influx des quatre couches supérieures du corps genouillé. (D'après Kandel et Schwartz, 1985.)

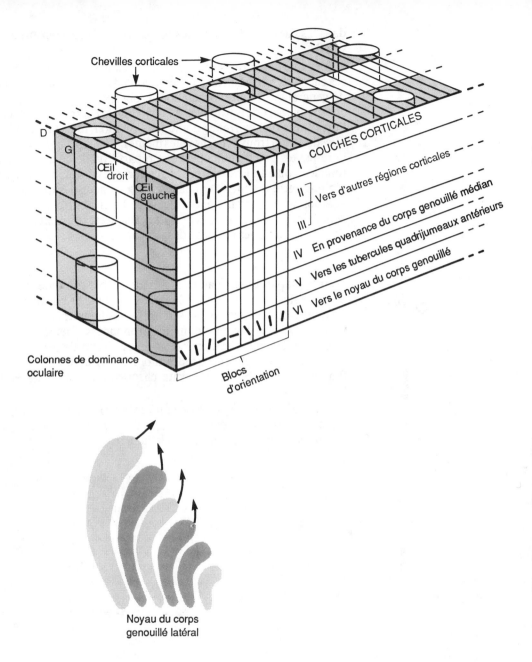

sont ronds, sans axes d'orientation. Les chevilles corticales ont environ 150 à 200 µm de diamètre et courent le long des centres des colonnes de dominance oculaire; elles sont plus abondantes et plus grosses dans les régions du cortex qui représentent le centre du champ visuel, plus rares et plus petites dans les régions qui représentent la périphérie. Des techniques chimiques indiquent que les neurones de ces chevilles sont capables d'un taux d'activité plus élevé que les cellules situées entre les chevilles. Par exemple, on peut faire apparaître les chevilles sur un plan anatomique en utilisant le colorant d'une enzyme (cytochrome oxydase) caractéristique des mitochondries et dont l'activité varie avec le niveau d'activation cellulaire des neurones. On trouve également, de façon préférentielle

327

dans les chevilles, les enzymes des deux systèmes transmetteurs de l'acétylcholine et du GABA.

Bien que des enregistrements sur des singes macaques indiquent que des neurones dans ces chevilles sont associés à la perception des couleurs, on n'est pas encore certain du degré de généralité de cette association. L'observation voulant que ces chevilles se retrouvent chez la plupart des primates, et non chez les carnivores et les rongeurs, semble appuyer l'hypothèse de l'existence d'une telle relation, mais une étude plus poussée a soulevé des questions. On trouve ces chevilles même chez les primates nocturnes (comme le tamia) dont la rétine est pauvre en cônes; une répartition de ce genre semble s'accorder mal avec la fonction couleur. Les afférences et efférences différentielles des régions de chevilles et des régions entre les chevilles soulèvent également des questions que seules des recherches additionnelles permettront d'élucider. Le déchiffrement de l'organisation détaillée des connexions et des fonctions du cortex visuel est suffisamment problématique pour tenir les chercheurs occupés pendant des décennies.

VISION DES COULEURS

Pour la plupart d'entre nous, le monde visible présente plusieurs tonalités chromatiques discernables : le bleu, le vert, le jaune, le rouge et les tonalités intermédiaires. Toutefois, pour environ 8 % des hommes et 0,5 % des femmes, certaines de ces distinctions chromatiques n'existent pas ou sont moins prononcées. Bien que le terme de **cécité chromatique** soit généralement admis pour décrire les défauts de perception de la couleur, il arrive que même ceux qui souffrent de telles anomalies visuelles soient capables de discerner certaines tonalités chromatiques; la cécité chromatique totale est extrêmement rare chez l'être humain.

L'apparition d'une tache de lumière comporte d'autres aspects que la tonalité chromatique. Le solide des couleurs (figure 9.21) permet de distinguer trois dimensions fondamentales de notre perception de la lumière :

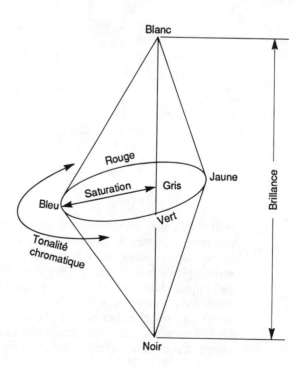

Figure 9.21 Solide des couleurs mettant en évidence les trois dimensions fondamentales de la perception de la lumière.

1. La **brillance** (ou phanie), variant de l'obscurité jusqu'à la pleine illumination et correspondant à la dimension verticale (figure 9.21).

2. La **tonalité chromatique**, qui varie autour du cercle des couleurs en passant par le bleu, le vert, le jaune, l'orange et le rouge.

3. La **saturation** variant des couleurs pleines et riches, à la périphérie du cercle, vers le gris au centre du cercle. Par exemple, en partant du rouge à la périphérie, les couleurs deviennent plus pâles en allant vers le centre, passant du rose au gris.

Chez les mammifères, la perception des couleurs dépend à la fois de l'existence de cellules réceptrices spécialisées pour des bandes de certaines longueurs d'onde de la lumière et du traitement de l'information par des neurones des circuits nerveux de la rétine.

Cellules réceptrices de la couleur

Les **cônes** sont les récepteurs de la vision des couleurs. Les animaux dont la rétine est constituée uniquement de bâtonnets (le rat), sont incapables de percevoir les couleurs. Au début du XIXe siècle, on avait déjà émis l'hypothèse que trois types de cônes différents servaient de base à la vision des couleurs. En 1852, cette **hypothèse trichromatique** s'imposa grâce à l'appui du grand physiologiste-physicien Hermann von Helmholtz. Ce dernier croyait à l'existence dans la rétine de cônes sensibles au bleu, au vert et au rouge et il pensait que chacun de ces types de cônes empruntait une voie distincte vers le cerveau. La couleur d'un objet pourrait donc être reconnue en fonction du récepteur de couleur qui est activé. Ce serait comme la perception discriminatoire du toucher, du chaud ou du froid, qui dépend du type de récepteur cutané qui est activé. Le physiologiste Ewald Hering devait apporter une explication différente. S'appuyant sur l'expérience visuelle, il proposa l'existence de trois paires de couleurs opposées (bleu-jaune, vert-rouge et noir-blanc) et de trois mécanismes physiologiques fondamentaux, chacun mettant en cause une substance photosensible à valeurs positives et négatives antagonistes qui devaient donc servir de base à la vision des couleurs. Nous verrons que l'**hypothèse des processus antagonistes** et l'**hypothèse trichromatique** ont été intégrées dans la théorie des couleurs qui prévaut actuellement, bien que ni l'une ni l'autre ne soit suffisante en elle-même.

Existe-t-il trois sortes de cônes à propriétés chromatiques différentes ? Au cours des dernières années, les mesures des photopigments des cônes ont partiellement appuyé l'hypothèse trichromatique. En effet, chaque cône de la rétine humaine possède l'une des trois sortes de pigments. Toutefois, ces pigments n'ont pas les distributions spectrales plutôt étroites prévues par Helmholtz. Le système de couleurs proposé par Helmholtz aurait donné une vision des couleurs plutôt pauvre et une acuité visuelle insatisfaisante. La vision des couleurs serait pauvre parce qu'il ne serait possible de distinguer que quelques tonalités chromatiques différentes; à l'intérieur de la région du spectre à longue longueur d'onde, il n'y aurait que le rouge et non pas tout l'éventail des couleurs que nous voyons. L'acuité serait insatisfaisante parce que le grain de la mosaïque rétinienne serait grossier; un stimulus rouge ne pourrait affecter que le tiers des récepteurs. En réalité, l'acuité est aussi bonne en lumière rouge qu'elle l'est en lumière blanche.

Effectivement, le système visuel de l'être humain n'a pas de récepteurs de couleurs dont chacun serait sensible à une portion restreinte seulement du spectre visible. Deux des trois pigments des cônes rétiniens réagissent à la lumière de presque toute longueur d'onde. Ces pigments ont bien des pointes de sensibilité qui sont différentes dans une certaine mesure, mais elles ne sont pas aussi éloignées l'une de l'autre que Helmholtz l'avait prévu. Une pointe se produit à environ 410 nm (dans la partie bleue du spectre), une autre à environ 531 nm (le vert) et la troisième à environ 559 nm (jaune-vert) (figure 9.22). Il faut noter qu'aucune des courbes n'atteint sa pointe dans la partie rouge du spectre.

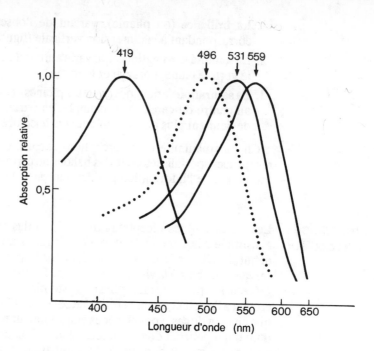

Figure 9.22 Sensibilité spectrale de photopigments humains. L'information la plus à jour sur l'absorption spectrale des photopigments rétiniens de l'être humain provient d'analyses microdensitométriques des segments externes des cônes et bâtonnets. Les données de cette figure sont basées sur des récepteurs de sept échantillons oculaires (3 femmes, 4 hommes). La courbe avec un maximum à 419 nm est basée sur 5 cônes sensibles aux ondes courtes; la courbe qui a son sommet à 531 nm, sur 45 cônes sensibles aux ondes de longueur moyenne et la courbe au sommet à 559 nm, sur 53 cônes sensibles aux ondes longues. La courbe dont le sommet est à 496 nm représente la moyenne de 39 bâtonnets (De Mollon, 1982.)

Dans les conditions ordinaires, presque tout objet visuel stimule au moins deux sortes de cônes, permettant ainsi une grande acuité visuelle et une bonne perception de la forme. Les sensibilités spectrales des trois types de cônes sont assez différentes les unes des autres et le traitement de l'information nerveuse décèle et amplifie ces différences pour en extraire l'information sur la couleur. Certaines cellules ganglionnaires et certaines cellules situées aux niveaux supérieurs du système visuel sont spécifiques de la couleur, mais les cellules réceptrices ne le sont pas. De même, les récepteurs ne sont pas spécifiques de la forme, mais la forme est décelée plus tard dans les centres visuels par comparaison des efférences provenant de récepteurs différents. Puisque les cônes ne sont pas des détecteurs de couleur, les noms les plus appropriés qu'on puisse leur donner peuvent être basés sur les aires de pointe de leur sensibilité de longueur d'onde; court (C) pour le récepteur à sensibilité de pointe à 419 nm, moyen (M) à 531 nm et long (L) à 559 nm.

La localisation des gènes déterminant les pigments rétiniens de couleur a été récemment précisée sur les chromosomes humains et les séquences d'acides aminés pour les pigments des cônes ont été identifiées (Nathans, 1987). Les similitudes de la structure des trois gènes permettent de supposer que ceux-ci sont tous dérivés d'un gène ancestral commun. Les gènes des pigments à ondes longues et à ondes moyennes, plus particulièrement, occupent des positions adjacentes sur le chromosome X et se ressemblent beaucoup plus l'un l'autre que l'un ou l'autre ne ressemble au gène du pigment à ondes courtes sur le chromosome 6. Le fait que l'être humain et les singes de l'Ancien Monde ont les deux pigments M et L, alors que les singes du Nouveau Monde n'ont qu'un seul pigment d'ondes plus longues avait déjà laissé supposer que la différenciation des pigments M et L résultait d'une évolution plutôt récente. De plus, les gènes déterminant les pigments M et L varient entre les individus et des variantes particulières parmi ces gènes de pigments correspondent à des variantes de la vision des couleurs (la présumée cécité chromatique). C'est dire que l'examen détaillé des photopigments d'une personne peut maintenant révéler si elle possède une vision normale des couleurs ou si elle souffre d'une des anomalies reconnues de discrimination des couleurs.

Circuits rétiniens de la couleur

C'est dans la rétine que sont logés les circuits nerveux qui captent l'information relative à la couleur et qui sont responsables du contraste dans la brillance de parties adjacentes du champ visuel. Une grande partie du traitement nerveux de l'information se passe donc dans la rétine qui contient des centaines de millions de cellules nerveuses. Le produit de ce traitement d'information est transporté vers les centres supérieurs par le million d'axones de chacun des deux nerfs optiques. La complexité de l'anatomie de la rétine est mise en évidence aux figures 9.17 et 9.18. Les cellules ganglionnaires de la rétine sont donc des neurones de projection alors que les autres cellules de la rétine sont des neurones de circuit local, selon la distinction faite au chapitre 2 entre neurones de projection et neurones de circuit local.

Chez des singes de l'Ancien Monde, des enregistrements qui ont été effectués sur des cellules ganglionnaires témoignent d'une discrimination des couleurs toute semblable à celle des êtres humains à vision normale des couleurs. On découvrit que la plupart des cellules ganglionnaires et les cellules du noyau genouillé latéral sont sensibles au spectre de la lumière; elles se déchargent à certaines longueurs d'onde et sont inhibées par d'autres longueurs d'onde. Les cellules du noyau genouillé latéral se comportent de la même façon que les cellules ganglionnaires de la rétine; la plupart des travaux ont porté sur ces cellules du noyau genouillé, parce qu'il y est plus facile de procéder à des enregistrements. Russell L. De Valois est un chef de file dans ce domaine de recherche et une bonne partie de l'information que nous allons présenter ici provient de ses travaux. La figure 9.23a montre la réponse d'une telle cellule quand une tache lumineuse au centre du champ récepteur de cette cellule passe d'une longueur d'onde à une autre. La décharge est inhibée entre 420 et 600 nm environ, puis stimulée dans la région couvrant à peu près 600 nm et plus. Une cellule comme celle-là est dite *rouge moins vert* $(+R -V)$. Étant donné que les deux régions du spectre ont des effets antagonistes sur le taux de décharge de la cellule, on a là un exemple d'une **cellule spectralement antagoniste**. La figure 9.23 fournit des exemples de réponses des quatre sortes principales de cellules spectralement antagonistes.

On peut présumer que chaque cellule ganglionnaire spectralement antagoniste reçoit, à partir de cellules bipolaires, des influx provenant de deux sortes différentes de cônes. Les connexions d'une sorte de cônes seraient excitatrices et celles de l'autre seraient inhibitrices. Les modes de connexions sont illustrés à la figure 9.24. Les cellules ganglionnaires enregistrent donc la différence dans la stimulation des diverses populations de cônes. Par exemple, une cellule $+V -R$ réagit à la différence d'excitation des cônes M moins L; une cellule $+R -V$ réagit à L moins M. (Au chapitre 6, il a été noté qu'un neurone peut traiter l'information en soustrayant un influx d'un autre; nous avons ici un exemple de ce type de traitement de l'information.) Même si les sommets des courbes de sensibilité des cônes M et L ne sont pas très différents, la courbe de différence M moins L donne un sommet bien marqué autour de 500 nm (dans la partie verte ou bleu-vert du spectre). La fonction de différence L moins M donne un sommet autour de 650 nm (dans la partie orange du spectre). Ainsi, en soustrayant une fonction de cône de l'autre, on obtient deux courbes de réaction nerveuse nettement différentes. Les neurones sensibles au spectre peuvent à juste titre être

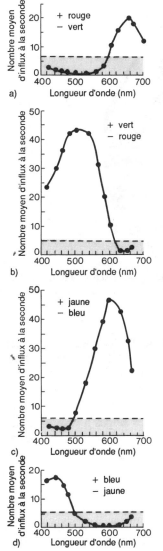

Figure 9.23 Réactions chez le singe macaque de quatre types principaux de cellules spectralement antagonistes du genouillé latéral. Ces cellules sont dites spectralement antagonistes parce que chacune d'elles est inhibée par la lumière appartenant à une portion du spectre et excitée par la lumière appartenant à une autre partie (D'après De Valois et De Valois, 1975.)

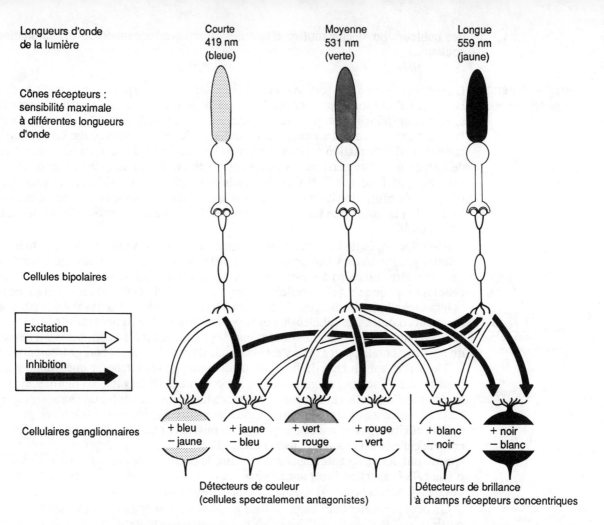

Figure 9.24 Modèle des connexions des systèmes de vision de la couleur dans la rétine (D'après De Valois et De Valois, 1975.)

nommés cellules de la couleur, alors qu'il est préférable de considérer les cônes comme des récepteurs de lumière qui alimentent plusieurs circuits, en vue de la détection de la forme, de la profondeur et du mouvement, tout aussi bien que de la tonalité chromatique.

Dans le noyau genouillé latéral du singe, 70 à 80 % des cellules sont spectralement antagonistes, alors que chez le chat, il existe très peu (environ 1 %) de cellules spectralement antagonistes. Cette différence explique bien la facilité qu'ont les singes à distinguer les longueurs d'onde, tandis qu'il est très difficile d'entraîner des chats à discerner même des grandes différences de longueurs d'onde.

Circuits corticaux de la couleur

Dans le cortex, l'information sur la couleur sert apparemment à diverses sortes de traitement d'information. Certaines cellules corticales sont spectralement antagonistes et peuvent même accentuer les différences de tonalité chromatique. Il se peut que ces cellules contribuent à la perception de la couleur. On a dit que certaines régions visuelles corticales, notamment l'aire V4, étaient particulièrement bien pourvues de cellules sensibles à la couleur (Zeki, 1983). Chez l'être humain, la perception de la couleur semble nécessiter l'intervention du cortex, car certaines lésions corticales l'abolissent. Toutefois, Boynton (1988) fait remarquer que nous sommes encore loin de comprendre comment l'activité des différentes régions corticales s'intègre pour engendrer la perception de la couleur chez l'être humain.

La vision de la couleur caractéristique de l'être humain est rare chez les mammifères. Elle existe très peu chez les rongeurs (les rats) et les carnivores (les chats et chiens). Elle est moyenne chez les prosimiens (tel le tupaïa) et est très bonne chez les singes et les primates. Il est possible que la vision des couleurs remonte à ceux de nos ancêtres qui se nourrissaient de fruits et habitaient dans les arbres. Cependant, cette vision n'est pas réservée à certaines espèces de l'ordre des mammifères; elle a apparemment évolué de façon indépendante dans plusieurs lignées comprenant certains mollusques, certains insectes, certains poissons et certains reptiles.

LOCALISATION DES STIMULI VISUELS

La capacité de localiser les stimuli visuels dans l'espace dépend de notre habileté à répondre à deux questions : dans quelle direction se situe l'objet-stimulus ? (question qui se rapporte au champ visuel); à quelle distance se trouve-t-il ? (question se rapportant à la perception de la profondeur).

Champ visuel

Chaque niveau successif du champ visuel est une carte détaillée du monde visible. La rétine reçoit d'abord une image exacte, qui y est projetée par le système optique de l'œil, plus particulièrement la cornée et le cristallin. Elle émet ensuite des signaux le long des axones vers les aires visuelles du diencéphale et du mésencéphale et ces signaux respectent la disposition spatiale des points de stimulation. Enfin, d'autres axones viennent transmettre l'information visuelle à plusieurs aires visuelles dans le cortex cérébral et, là encore, on a des cartes détaillées du monde visible.

Tout en respectant l'ordre du champ visuel, chacune des cartes nerveuses avantage certaines régions aux dépens des autres; c'est-à-dire que chaque carte est topographique et ne donne pas une copie exacte des relations spatiales du monde extérieur. L'une des raisons qui expliquent que les cartes soient topographiques est que certaines portions de la surface rétinienne ont une concentration de récepteurs plus denses que d'autres. La région dite fovéa (du mot latin qui veut dire *fosse*) possède une concentration de cônes très dense et constitue une région centrale d'acuité maximale (figure 9.25a). Les données de la figure qui portent sur la concentration des cônes proviennent d'une étude classique d'Østerberg (1935), mais elles ne sont basées que sur une seule rétine. Plus récemment, Curcio et ses collaborateurs (1987) ont mesuré quatre autres rétines. Les données d'Østerberg se situent dans le même champ, mais les quatre rétines couvrent une gamme de 3 :1 quant au nombre de cônes par millimètre carré dans la fovéa. Se pourrait-il que de tels écarts soient reliés aux différences individuelles d'acuité visuelle ?

Les bâtonnets n'ont pas la même distribution; absents dans la fovéa, ils sont plus nombreux que les cônes à la périphérie de la rétine. La pénétration des vaisseaux sanguins dans la rétine y crée une faille non observable dans les conditions ordinaires de vision. Cette petite région de la rétine ne renferme pas de récepteurs et la lumière qui la frappe n'est pas visible, c'est pourquoi elle est nommée tache aveugle.

Le fait que la projection de l'espace visuel sur les régions cérébrales soit topographique ne veut pas dire que notre perception spatiale se trouve déformée. Il reflète plutôt l'acuité de la discrimination spatiale qui est la meilleure dans la partie centrale du champ visuel.

Figure 9.25 Acuité visuelle et position rétinienne. Les cônes sont concentrés dans la fovéa et cette concentration diminue rapidement de part et d'autre. Il n'y a pas de bâtonnets dans la fovéa; leur plus forte concentration se situe à environ 20° de la fovéa. À environ 16° du côté nasal de la rétine, on trouve une région circulaire où les axones des cellules ganglionnaires quittent la rétine et à travers laquelle passent les veines et artères. Cette région est dépourvue de récepteurs et les petits objets dont les images sont projetées sur cette région sont invisibles, d'où le nom de tache aveugle. (À partir des données de Østerberg, 1935.) Comme l'indique le graphique du bas de la figure, c'est à la fovéa que l'acuité est maximale. En s'éloignant de la fovéa, l'acuité diminue progressivement, de la même façon que diminue la concentration des cônes (voir le graphique du haut).

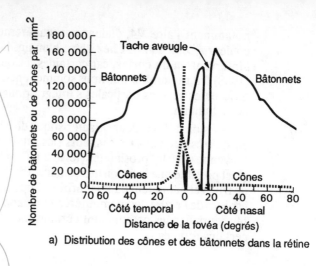

a) Distribution des cônes et des bâtonnets dans la rétine

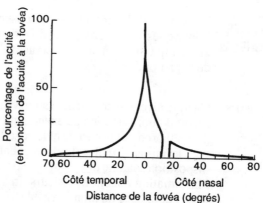

b) Variation de l'acuité visuelle dans la rétine

Pour cette raison, la lecture se fait avec la fovéa et l'œil saute d'un point à l'autre, le long d'une ligne imprimée ou sur une scène que l'on examine.

L'étude des régions de cécité résultant de blessures fait ressortir l'ordre excessivement rigoureux des cartes du champ visuel. Le point de lésion sur les voies visuelles permet de prédire avec exactitude où se situera la faille perceptive, ou **scotome**, dans le champ visuel. Le scotome n'est pas une tache noire dans le champ visuel; c'est plutôt un point où rien ne peut être perçu. Même si, au sens usuel, il n'y a pas de perception à l'intérieur du scotome, il arrive dans certains cas qu'une personne puisse opérer certaines discriminations visuelles (voir l'encadré 9.4 sur la *vision aveugle*).

Perception de la profondeur

Plusieurs personnes croient que les principes de la perception de la profondeur ont été découverts par les artistes de la Renaissance, ceux-ci ayant procédé, avec justesse, à l'analyse de scènes en termes de lignes et d'angles qui les composaient. Mais des études récentes ont montré que la profondeur peut être perçue en l'absence de lignes et d'angles et que la perception de profondeur peut, dans certains cas, précéder la perception de la forme. De même, la façon dont le système visuel s'acquitte de la perception de la profondeur a continué de prêter à controverse et de donner lieu à des observations originales, même au cours de la dernière décennie.

Jusqu'à tout récemment, on était convaincu que la vision spatiale (ou même toute forme de vision) de l'être humain nécessitait l'intervention du cortex occipital. Ainsi, même si les niveaux inférieurs du système visuel fonctionnaient normalement, une lésion du cortex devait conduire à la cécité. Puis, on découvrit que, en le récompensant, on pouvait entraîner un singe soumis à une ablation du cortex occipital à pointer le doigt avec exactitude vers des taches lumineuses. Cette différence apparente dans la capacité visuelle des êtres humains et des singes, après lésion du cortex visuel, pouvait notamment révéler une différence fondamentale dans les relations cerveau-comportement de l'Homme et des autres primates, ou encore pouvait inciter les chercheurs à étudier les capacités visuelles des sujets souffrant de lésions cérébrales au moyen de techniques comportementales semblables à celles utilisées avec les animaux incapables de parler. Quelques chercheurs relevèrent ce défi.

Rares sont les malades dont seul le cortex visuel a été détruit, mais quelques-uns d'entre eux ont pu être étudiés assez soigneusement. En Angleterre, un sujet étudié par Weiskrantz et ses collègues (1985) en est un bon exemple. On avait dû prélever chez cette personne une petite tumeur dans le cortex visuel de l'hémisphère droit; au cours des tests de routine qui suivirent l'intervention, le sujet sembla être complètement aveugle dans les hémichamps gauches des deux yeux, même en présence de fortes lumières. Lors des premiers tests expérimentaux, on demanda au sujet d'étendre le bras et de toucher sur un écran le point où l'on projetait brièvement un stimulus visuel dans la partie aveugle du champ. (C'est le même genre de tâche que des singes avaient été entraînés à exécuter, en échange de récompenses.) Demander une telle chose à quelqu'un qui se dit incapable de voir paraît étrange mais en fait, il devait *deviner* où le stimulus pouvait se trouver à chaque essai, ce qu'il acceptait de faire. Il devint vite évident qu'il était capable de localiser les stimuli avec assez de précision. Mis au courant des résultats de ces essais, après plusieurs heures de tests, il en fut tout étonné. Plus tard, il parla d'*impressions* qu'il avait eues à l'effet que quelque chose pouvait se trouver là, mais il persista dans son refus de reconnaître ces impressions comme étant analogues aux sensations de *voir* que lui permettaient ses hémichamps droits. On lui demanda ensuite de deviner si le stimulus était une ligne horizontale, ou verticale, ou alors un X plutôt qu'un

O. Son évaluation s'avéra exacte dans 75 % des cas de stimuli d'une dimension de 12° d'angle; il fut encore plus précis avec des stimuli qui étaient plus grands. Son seuil d'acuité dans l'hémichamp *aveugle* atteignait moins de 2 minutes d'arc. Cette aptitude a ainsi été nommée *vision aveugle*. Malgré une incapacité de percevoir, le sujet peut discriminer visuellement, ce qui soulève des questions importantes, sur les plans théorique et pratique.

Ces sujets pourraient-ils acquérir suffisamment d'acuité et de confiance dans la vision aveugle pour pouvoir l'utiliser dans leurs activités quotidiennes ? Chez des singes affectés de lésions partielles du cortex strié, la capacité de déceler une tache lumineuse dans la région aveugle s'accroissait avec la pratique. De plus, l'entraînement était spécifique, puisque les régions du champ visuel soumises à la pratique récupéraient cette habileté plus rapidement que les régions non soumises (Mohler et Wurtz, 1977). Humphrey (1970) a rapporté qu'un singe à cortex strié complètement détruit avait appris à discerner les cibles, et utilisait sa vision pour éviter les obstacles. Loin d'imposer des stimuli à un animal passif, l'entraînement actif semble nécessaire à l'amélioration de la discrimination visuelle, après des lésions au cortex strié (Cowey, 1967). Au début d'un tel entraînement, l'animal semble découvrir son espace visuel viable, si bien que l'exécution de la tâche peut alors s'améliorer assez rapidement.

Les observations relatives à la vision aveugle ont permis d'émettre l'hypothèse que la vision peut s'effectuer grâce à des voies non corticales, notamment les circuits visuels mettant en cause les tubercules quadrijumeaux antérieurs. Toutefois, certains chercheurs ont remis en question l'existence d'une vision aveugle. Par exemple, Campion, Latto et Smith (1983) ont proposé que cet effet puisse résulter de la dispersion de lumière jusqu'à des régions de la rétine qui stimuleraient du cortex visuel intact. De plus, selon eux, cette vision aveugle pourrait refléter une vision résiduelle dans des aires corticales visuelles endommagées, mais non détruites. Ces études ont soulevé un vif débat car ces observations très intéressantes prennent une importance particulière dans le domaine de la réhabilitation des individus souffrant de cécité corticale. L'Homme se livre à diverses activités en se basant sur des stimuli à peine perceptibles ou même subliminaux. Cependant, des recherches additionnelles s'imposent avant qu'on puisse dire si l'entraînement en vision aveugle peut vraiment servir à des individus aveugles.

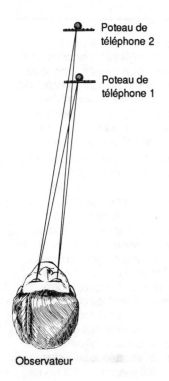

Poteau de
téléphone 2

Poteau de
téléphone 1

Observateur

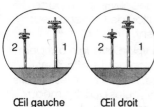

Œil gauche   Œil droit

Figure 9.26 Objets tels qu'ils sont vus par chacun des deux yeux. On appelle disparité binoculaire la différence entre les deux images.

Par exemple, des travaux sur des arrangements de points répartis au hasard (Julesz, 1971; Julesz et Spivack, 1967) ont enrichi nos connaissances de la perception en profondeur. Les cibles gauche et droite de points répartis au hasard qui constituent ces stimuli sont identiques, à l'exception d'une région centrale (un carré ou une autre forme quelconque) qui, sur l'une des cibles, se trouve légèrement déplacée horizontalement. Chacune des cibles semble avoir la même texture de points répartis au hasard et aucune forme n'est visible sur l'une ou l'autre de ces cibles. En vision stéréoscopique (l'œil gauche regardant la cible gauche et l'œil droit la cible droite), la région déplacée horizontalement est perçue comme déplacée en profondeur. Selon la direction du déplacement, elle est perçue soit en avant, soit en arrière de la région environnante. De plus, ce n'est qu'en vision stéréoscopique de la profondeur que la forme de la région déplacée devient apparente.

Les deux visions légèrement différentes que les deux yeux ont d'une scène constituent le stimulus à la base de la perception de profondeur (voir la figure 9.26). Ce phénomène est celui de la **stéréopsie** (des racines grecques signifiant « solide » et « vision »). La différence entre les visions des deux yeux se nomme **disparité binoculaire**. Des travaux récents proposent maintenant une explication plus exacte de la stéréopsie (Poggio et Poggio, 1984; von der Heydt et coll., 1978). Plusieurs cellules corticales ont des champs récepteurs à syntonisation très étroite, avec peu ou pas de disparité rétinienne; c'est-à-dire que ces cellules sont en syntonisation avec le plan de fixation ou une région très rapprochée de celui-ci. Par contre, il existe d'autres cellules qui manifestent de la disparité rétinienne, mais les diverses cellules ne sont pas syntonisées à un large éventail de profondeurs différentes. Il n'y a plutôt que deux types de cellules à disparités rétiniennes assez grandes : un de ces ensembles est excité par les stimuli qui sont en avant du plan de fixation et inhibé par ceux qui sont à l'arrière, alors que l'autre ensemble réagit inversement. Les cellules des aires striées et péristriées sont donc réparties en trois catégories : celles qui sont en syntonisation avec le plan de fixation, celles qui sont en syntonisation avec la région derrière le plan de fixation et celles en syntonisation avec la région devant le plan de fixation.

À peu près au moment où cette recherche était entreprise, des résultats d'études psychophysiques basées sur des observateurs humains ont fourni des preuves indépendantes du fait qu'il n'existe que quelques voies ou conduits nerveux pour la perception de la profondeur. Des chercheurs ont trouvé que certains individus qui voient *normalement* sont en fait partiellement stéréo-aveugles. C'est-à-dire que, à partir des seuls indices stéréoscopiques, certains sujets sont spécifiquement incapables de localiser la profondeur d'un objet situé à l'arrière du plan de fixation; d'autres ne peuvent pas utiliser ce genre d'indices pour localiser la profondeur d'un objet en avant du plan de fixation (Richards, 1977; Jones, 1978). Ces résultats indiquent l'existence de deux voies à syntonisation large pour la profondeur : une voie pour les objets situés n'importe où au-delà du plan de fixation et une autre pour ceux qui sont situés en avant. Occasionnellement, il peut arriver que l'une ou l'autre de ces voies fonctionne mal ou manque totalement à un individu.

PERCEPTION DES FORMES

Nous reconnaissons les individus et classifions les stimuli selon leur dimension, leur forme et leur place dans le champ visuel. Les chercheurs ont tenté (et tentent toujours) de découvrir la façon dont les circuits nerveux réalisent ces fonctions de la vision spatiale. Une grande partie de ces travaux portent sur l'étude de l'activité électrique de neurones situés à divers niveaux du système visuel et essaient de définir les relations entre cette activité et la perception visuelle. La plupart des chercheurs postulent que pour reconnaître une scène visuelle, il faut d'abord décomposer les structures complexes en unités quelconques, chaque cellule individuelle de la voie visuelle ne réagissant qu'à certains aspects de la partie de la structure qui tombe dans le champ récepteur de la cellule. Il doit ensuite y avoir synthèse de ces unités pour donner une image complexe. Malheureusement, on n'est pas encore arrivé à définir la nature de l'analyse initiale.

Les deux principaux modèles courants d'analyse sont le **modèle du détecteur de caractéristiques** et le **modèle du filtre de fréquences spatiales**. Nous examinerons chacun de ces deux modèles en notant dans quelle mesure ils permettent ou non d'expliquer les faits relatifs à la perception de la forme.

Modèle du détecteur de caractéristiques

Les champs récepteurs des cellules du système visuel sont différents d'un niveau du système à un autre. Les champs récepteurs des cellules ganglionnaires de la rétine sont concentriques et de deux types fondamentaux : ils sont pourvus d'un centre d'excitation entouré d'un cercle d'inhibition (centre *on*, périmètre *off*) ou d'un centre inhibiteur entouré d'un cercle d'excitation. Le centre et son contour sont toujours antagonistes et ont tendance à annuler mutuellement leur activité. Cette caractéristique explique pourquoi l'illumination du champ visuel est moins efficace pour activer une cellule ganglionnaire qu'une petite tache lumineuse bien placée ou une ligne ou une arête qui traverse le centre du champ récepteur de la cellule. Les caractéristiques temporelles des champs récepteurs des cellules ganglionnaires varient également. Chez le chat, on a identifié trois principaux types de cellules ganglionnaires (Sherman, 1985). Environ 75 % des cellules ganglionnaires manifestent une activité soutenue tant que la stimulation se poursuit; ces récepteurs toniques ont reçu le nom de **cellules X**. Chez d'autres cellules (5 % environ), l'activité est transitoire, forte au début puis diminuant rapidement; ces récepteurs phasiques sont les **cellules Y** (il existe également des **cellules W**, à réactions lentes et plutôt variables). Nous verrons que, de la rétine aux centres visuels supérieurs, les cellules W, X et Y envoient des projections séparées et remplissent des fonctions différentes. Les cellules du corps genouillé latéral ont des champs récepteurs concentriques dont les propriétés ressemblent beaucoup à celles décrites pour la rétine (voir la cellule thalamique A à la figure 9.27).

Cependant, le relais suivant qui est le cortex visuel a posé une énigme. Les taches lumineuses efficaces pour les cellules ganglionnaires ou les cellules du corps genouillé latéral ne se sont pas avérées très efficaces au niveau cortical. En 1959, le problème de la stimulation des cellules du cortex visuel a été résolu lorsque Hubel et Wiesel ont rapporté que ces cellules exigeaient des stimuli plus spécifiques : stimuli allongés, lignes ou barres à position et orientation particulières dans le champ visuel (figure 9.27, cellule B). Certaines cellules corticales ne réagissaient pas non plus si le stimulus ne bougeait pas. Chez certaines de ces cellules corticales, le mouvement seul était suffisant, alors que d'autres étaient encore plus exigeantes, le mouvement devant se faire dans une direction spécifique (figure 9.27, cellule C).

Le pouvoir que détiennent des stimuli spécifiques d'engendrer des réponses vigoureuses dans des cellules visuelles a vite été confirmé par d'autres chercheurs et a donné lieu à une grande quantité de recherches productives. Ce succès a également conduit à l'acceptation générale du modèle théorique proposé par Hubel et Wiesel; toutefois, au cours des dernières années, on a soulevé des objections à propos de ce même modèle. Avant d'étudier le modèle théorique de Hubel et Wiesel, nous allons considérer d'abord quelques données additionnelles fournies par ces auteurs.

Les cellules corticales ont été regroupées en quatre catégories distinctes, en fonction des types de stimuli nécessaires à la production de réponses maximales. Des cellules dites **cellules corticales simples** réagissent mieux à une arête ou à une barre d'une largeur donnée, orientée et située de façon particulière dans le champ visuel. Ces cellules ont donc été quelquefois nommées détecteurs de barres ou détecteurs d'arêtes. Les **cellules corticales complexes** possèdent des champs récepteurs comme les cellules simples, mais elles manifes-

Figure 9.27 Réactions de cellules cérébrales à des stimuli spécifiques. L'enregistrement par microélectrode révèle que les champs récepteurs des cellules du cerveau varient considérablement. Les cellules visuelles du thalamus ont des champs récepteurs concentriques comme ceux des cellules ganglionnaires de la rétine (A). Toutefois, les cellules corticales peuvent soit manifester de la spécificité d'orientation (B), soit ne réagir qu'au mouvement qui se fait dans une direction donnée (C), soit même n'être sensible qu'à une forme particulière (non montré).

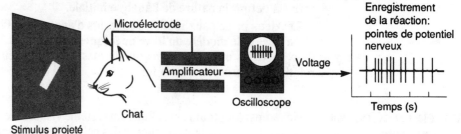

ENREGISTREMENT DES CHAMPS RÉCEPTEURS DES CELLULES VISUELLES

Microélectrode

Amplificateur

Oscilloscope

Voltage

Enregistrement de la réaction: pointes de potentiel nerveux

Temps (s)

Stimulus projeté sur l'écran

Chat

EXEMPLES DE CHAMPS RÉCEPTEURS DE CELLULES CÉRÉBRALES

A. Cellule thalamique à champ concentrique; centre *on*
  1. Réponse à la lumière, au centre du champ de la cellule
  2. Réponse à la lumière, à la périphérie du champ de la cellule

Stimulus

Réponse

Période de stimulation

B. Cellule corticale sensible à l'orientation. Cette cellule ne réagit fortement que lorsque le stimulus est une barre verticale.

C. Cellule corticale sensible à la direction du mouvement. Cette cellule ne réagit fortement que lorsque le stimulus se déplace vers le bas. Elle réagit faiblement à un mouvement vers le haut et ne réagit pas du tout aux mouvements de côté.

tent une certaine latitude quant à la situation des stimuli. C'est-à-dire qu'elles réagiront à une barre de dimension et d'orientation spécifiques n'importe où à l'intérieur d'une région donnée du champ visuel. Des cellules dites **hypercomplexes 1** ont des aires d'inhibition nettes aux deux extrémités; en effet, elles donnent une meilleure réponse quand la barre est d'une longueur limitée, l'allongement de la barre au-delà d'une certaine limite réduisant l'amplitude de la réponse. Des travaux subséquents ont montré que les cellules simples et complexes possédaient également cette propriété, dans une certaine mesure du moins. Enfin, certaines cellules sont dites **hypercomplexes 2**; elles réagissent préférentiellement à deux segments de lignes qui s'entrecroisent selon un angle donné. Hubel et Wiesel n'avaient fait qu'une brève mention de ce type de cellules, mais leur existence a donné lieu à beaucoup de spéculations théoriques.

Somme toute, le modèle théorique de Hubel et Wiesel est hiérarchique, c'est-à-dire que les événements plus complexes y sont construits à partir d'afférences provenant d'événements plus simples. On pourrait, par exemple, considérer qu'une cellule corticale simple reçoit des influx venant d'une rangée de cellules du corps genouillé latéral. On pourrait penser qu'une cellule corticale complexe reçoit ses influx d'une rangée de cellules corticales simples. D'autres théoriciens ont fait des extrapolations à partir du modèle de Hubel et Wiesel, imaginant des cascades de circuits cellulaires pour la détection de toute forme possible. Il a été ainsi suggéré qu'en utilisant suffisamment de niveaux d'analyse, il serait possible d'élaborer une unité qui rendrait un individu capable de reconnaître sa grand-mère, si bien que la littérature scientifique a souvent fait référence à de telles **cellules grand-mères** hypothétiques.

Il se pourrait bien qu'un tel modèle théorique soit valide, mais les critiques y ont relevé un grand nombre d'aspects problématiques, certains d'une nature théorique, d'autres issus d'observations empiriques. D'abord, un circuit *pour reconnaître grand-maman* exigerait un nombre considérable de cellules, même plus probablement qu'il n'en existe dans le cortex cérébral. Chaque étape successive de la hiérarchie repose évidemment sur la précédente, mais Hoffman et Stone (1971) n'ont observé pratiquement aucune différence dans la latence des réponses entre cellules corticales simples et complexes. Si différence il y a, c'est plutôt que les cellules complexes auraient des réactions un peu plus rapides, alors que la théorie hiérarchique exige que les cellules simples réagissent avant les autres. Des travaux additionnels ont montré que la projection de la rétine vers le cortex se fait par des systèmes parallèles plutôt que par une succession de systèmes hiérarchiques. Les cellules ganglionnaires X envoient des projections principalement aux cellules corticales simples, alors que les cellules ganglionnaires Y s'adressent surtout aux cellules corticales complexes (Wilson et Sherman, 1976). De plus, les projections corticales des cellules X se font presque totalement vers le cortex visuel primaire (cortex strié), alors que les projections des cellules Y se trouvent à l'extérieur tout autant qu'à l'intérieur de l'aire striée. Au moment même où l'on reconnaissait que ce modèle soulevait des difficultés, un autre modèle était proposé.

Modèle du filtre de fréquences spatiales

Pour étudier ce modèle, il est nécessaire de se familiariser avec une façon d'aborder la vision spatiale bien différente du point de vue adopté habituellement (Westheimer, 1984; De Valois et De Valois, 1988). La fréquence spatiale d'un stimulus correspond au nombre de cycles pâle-foncé qu'il comporte par degré d'espace visuel. Par exemple, les deux parties de la figure 9.28 présentent des différences dans l'espacement des barres et, par conséquent, dans leurs fréquences spatiales.

La technique de fréquence spatiale applique l'analyse de Fourier ou la théorie des systèmes linéaires, plutôt qu'une analyse des structures visuelles en barres et angles. Au moment où nous avons traité du stimulus auditif (encadré 9.1), nous avons vu qu'il était possible, par analyse, de décomposer tout stimulus auditif complexe et répétitif en la somme de ses ondes sinusoïdales. On peut appliquer le même principe d'analyse de Fourier aux structures visuelles. Lorsqu'on fait varier de façon sinusoïdale le stimulus, on obtient une structure semblable à celle de la figure 9.29. Par analyse, on peut décomposer une série de bandes noires et blanches, comme celles de la figure 9.28, en la somme d'une onde sinusoïdale visuelle et ses harmoniques impaires. Il est également possible d'analyser un stimulus visuel ou une scène visuelle complexe au moyen de la technique de Fourier, auquel cas on tient aussi compte des composantes de la fréquence à divers angles d'orientation. Pour reproduire ou percevoir un stimulus visuel ou une scène complexe avec exactitude, le système doit tenir compte de toutes les fréquences spatiales en cause. L'élimination par filtrage des fréquences élevées entraîne la perte des petits détails et des contrastes prononcés; l'élimination des basses fréquences amène la perte des grandes régions uniformes et des transitions graduelles. La figure 9.30 fait voir comment le filtrage des fréquences spatiales affecte une photographie.

10 cycles

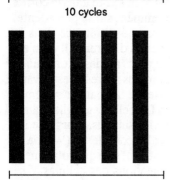

5 cycles

Figure 9.28 Fréquences spatiales. La grille du haut a une fréquence spatiale qui équivaut à deux fois celle de la grille du bas, puisqu'on trouve deux fois plus de bandes noires et blanches dans le même espace.

Figure 9.29 Grilles visuelles avec modulation sinusoïdale de l'intensité lumineuse. Si l'intensité lumineuse est fortement modulée, comme dans l'onde sinusoïdale de plus forte intensité en a), la grille présente un contraste prononcé b). Si l'intensité est moins fortement modulée (voir la courbe sinusoïdale de plus faible intensité en a)), la grille donne un contraste plus faible c). Les bandes de lumière en b) et en c) paraissent plus larges que les bandes foncées à cause de la non-linéarité des récepteurs visuels.

En 1968, Campbell et Robson ont supposé que le système visuel comprenait plusieurs conduits qui seraient syntonisés à différentes fréquences spatiales, à l'instar du système auditif qui a des conduits pour diverses fréquences acoustiques. Cette hypothèse a été corroborée par les résultats d'une expérience sur l'adaptation sélective à la fréquence (Blakemore et Campbell, 1969). Dans cette expérience, une personne passait une minute ou plus à examiner une grille visuelle comme, par exemple, l'une des deux moitiés de la figure 9.28; on déterminait ensuite sa sensibilité face à des grilles à différents espacements. Les résultats indiquèrent que la sensibilité était réduite à la fréquence à laquelle le sujet s'adaptait. Cette hypothèse de l'existence de multiples conduits de fréquence spatiales

« ... eut un impact révolutionnaire, car elle donna lieu à des conceptions entièrement différentes de la façon dont le système visuel pourrait opérer dans le traitement des stimuli spatiaux. Elle suggère que, plutôt que de détecter spécifiquement des caractéristiques semi-naturelles comme des barres et des arêtes, le système agirait de façon à décomposer les stimuli complexes pour obtenir leurs composantes individuelles de fréquences spatiales au moyen d'une sorte d'analyse de Fourier. (...) Peu importe le jugement éventuel quant à la validité de ce modèle particulier, l'hypothèse de Campbell et Robson aura joué un rôle déterminant en révélant à ceux qui font de la recherche sur le processus de la vision les nombreuses façons que pourrait utiliser le système visuel pour analyser le monde en ayant recours à des éléments étrangers à nos descriptions verbales des scènes (visuelles) ». (De Valois et De Valois, 1980, p. 320.)

On a mesuré ensuite les réactions des cellules corticales aux stimuli de fréquences spatiales (Maffei et Fiorentini, 1973; Hochstein et Shapley, 1976; De Valois, Albrecht et Thorell, 1977). On trouva que la syntonisation des cellules corticales était plus précise pour la dimension des grilles de fréquence spatiale que pour la largeur des barres.

Dans les cellules ganglionnaires de la rétine, on constata que les cellules X étaient syntonisées à des fréquences spatiales plus élevées que les cellules Y voisines. Comme les cellules X donnaient une syntonisation optimale à des fréquences environ trois fois plus élevées que les cellules Y, Sherman (1985) a émis l'hypothèse que les cellules Y serviraient à discriminer les caractéristiques les plus fines des structures visuelles, alors que les cellules Y réagiraient aux aspects plus grossiers de ces mêmes structures.

a) Distribution spatiale de l'intensité du stimulus

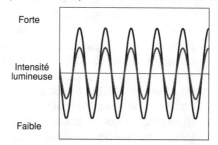

b) Grille spatiale à fort contraste

c) Grille spatiale à faible contraste

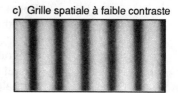

a) b) c)

Figure 9.30 Groucho Marx soumis à un filtrage spatial. a) Photographie normale. b) Image floue ou filtrée avec faible taux de passage des fréquences spatiales. c) Reproduite en profil ou filtrée avec taux élevé de passage des fréquences spatiales. (Vision Consultants, Dr. John W. Mayhew et Dr. John P. Frisby.)

Évaluation d'un modèle de fréquences spatiales

Le modèle de fréquences spatiales continue d'inspirer bon nombre de recherches (Shapley et Lennie, 1985), même si le concept de l'existence de conduits multiples de fréquences spatiales n'exige pas que l'on procède à une analyse de Fourier approfondie de l'image optique (Westheimer, 1984). En effet, loin de présenter une infinité ou même un très grand nombre de composantes sinusoïdales dans une analyse de Fourier, le champ récepteur d'une cellule corticale ne laisse voir qu'un axe d'excitation et une bande nette d'inhibition périphérique de chaque côté.

Chez l'être humain, l'approche *fréquences spatiales* s'est avérée utile dans l'analyse de divers aspects de la vision, y compris la perception de barres et de carreaux (de type plaid) (De Valois, De Valois et Yund, 1979), l'analyse des illusions d'optique (Ginsburg, 1971, 1975) et des interactions de diverses parties d'un stimulus sur les réponses perceptives (Palmer, sous presse). Par exemple, on peut interpréter l'illusion tête de flèche de Müller-Lyer (figure 9.31) en termes de filtrage spatial. La flèche à tête s'ouvrant vers l'extérieur est en réalité plus longue que la flèche à tête tournée vers l'intérieur, si l'on ne considère que l'information provenant des basses fréquences. Alors que les conduits à fréquences supérieures du système visuel donnent une information précise sur les positions et longueurs des lignes de cette figure, les conduits de fréquence inférieure contribuent également à l'information relative à la dimension et ils indiquent que la flèche ouvrant vers l'extérieur est plus longue. Selon cette approche, on peut interpréter également divers stimuli pris en exemple par les psychologues de la Gestalt. C'est ainsi que la répartition de points au hasard, proposée par Wertheimer, points qui peuvent être perçus comme des points individuels ou comme des objets plus grands (des colonnes), prend effectivement ces deux caractéristiques différentes selon qu'ils sont perçus par l'entremise de conduits à hautes ou à basses fréquences spatiales; quand on utilise un filtre à basses fréquences, cette image classique est faite de colonnes solides.

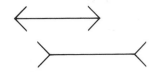

Figure 9.31 L'illusion tête-de-flèche de Müller-Lyer.

341

Il existe de plus en plus d'indices à l'effet qu'il y a traitement d'information parallèle des divers aspects de la perception visuelle; ces nombreux indices proviennent de plusieurs sources, notamment de la recherche des fonctions des systèmes W, X et Y de projections rétiniennes et de l'étude des effets des lésions cérébrales sur la perception.

Systèmes parallèles de projection rétinienne

Les chercheurs qui ont étudié les réactions des cellules ganglionnaires de la rétine ont d'abord remarqué des différences dans les caractéristiques temporelles de ces réactions. Ensuite, en voulant retracer le trajet des axones de ces cellules ganglionnaires, ils ont découvert que les divers types de cellules ont des destinations différentes. Comme les données recueillies chez les primates s'écartent jusqu'à un certain point de celles obtenues chez les chats, nous examinerons les deux séries de données.

Chez le chat, les cellules W, qui représentent environ 10 % de l'ensemble des cellules ganglionnaires de la rétine, sont des petites cellules dont la plupart envoient des projections vers les tubercules quadrijumeaux antérieurs. Les cellules X représentant environ 80 % du total, ont un corps cellulaire de dimensions moyennes et envoient des projections au noyau genouillé latéral. Les cellules Y (10 % du total environ), sont dotées de gros corps cellulaires à ramifications dendritiques très étendues; elles recueillent ainsi de l'information à partir de champs récepteurs relativement vastes. Leurs axones ont un gros diamètre et transmettent les influx rapidement, surtout au genouillé latéral, mais également aux tubercules quadrijumeaux antérieurs. Dans le noyau du genouillé latéral, les terminaisons des cellules X et Y sont anatomiquement séparées.

Le rôle de ces systèmes dans le fonctionnement cortical n'est pas encore bien défini (Sherman, 1985) mais des chercheurs ont proposé les fonctions et voies suivantes. L'information provenant des cellules W serait traitée pour servir au contrôle des mouvements de la tête et des yeux, en réaction à la stimulation visuelle. Les champs récepteurs des cellules X sont petits et leur information serait traitée en fonction d'une analyse détaillée et d'une haute résolution de la forme visuelle. Les champs récepteurs des cellules Y sont, au contraire, très vastes et leur information servirait à l'analyse fondamentale de la forme et du mouvement; ils aident probablement le chat à se déplacer au sein de son espace visuel et à faire porter son regard et son attention sur les objets qui bougent à l'intérieur de son champ visuel. Même si on trouve relativement peu de cellules Y dans la rétine, chacune de ces cellules entre en contact avec plusieurs cellules du corps genouillé, si bien que la voie Y comprend le tiers des cellules du corps genouillé latéral du chat. À partir du corps genouillé, la voie des cellules Y se rend non seulement vers l'aire 17, mais également jusqu'aux aires 18 et 19 et vers d'autres régions du cortex. Dans la recension de Sherman (1985), on peut trouver des informations additionnelles sur ces systèmes de projection.

Les différences dans les fonctions spatiales des systèmes X et Y peuvent être reliées aux effets de la privation sensorielle durant la période critique du développement visuel. Quand un chaton est contraint à garder un œil fermé pendant les premiers mois suivant sa naissance, son développement visuel et surtout celui de ses cellules Y sont sérieusement affectés. La mauvaise discrimination spatiale que manifestent ces chatons est probablement principalement attribuable au manque de développement de leurs circuits de cellules Y.

Les primates ont également des cellules ganglionnaires de la rétine qui possèdent des propriétés diverses, mais on ne saurait leur appliquer directement la classification adoptée pour le chat. Les chercheurs qui étudient les systèmes visuels des primates utilisent comme clef l'organisation structurale du corps genouillé latéral; or, l'anatomie du corps genouillé latéral des primates est assez différente de celle du chat. En effet, le corps genouillé des primates est formé de six couches (figure 9.20). Les quatre couches dorsales sont dites parvocellulaires parce que leurs cellules sont petites (du latin *parvus*, petit). Les deux couches ventrales sont dites magnocellulaires car leurs cellules sont grosses. Ces couches ventrales contiennent des cellules dont les propriétés ressemblent à celles des cellules Y du chat (à vastes champs récepteurs et à grande activité phasique) et elles contiennent également certaines cellules dont les propriétés ressemblent plus à celles des cellules X. Il est important de noter que les cellules des couches magnocellulaires ne donnent pas de réactions spectralement antagonistes aux longueurs d'onde, c'est-à-dire qu'elles ne distinguent pas les couleurs. Les cellules des couches parvocellulaires sont semblables aux cellules X des félins, en ce qu'elles ont de petits champs récepteurs et de faibles réactions toniques, mais elles distinguent les couleurs. Des chercheurs prétendent que le système magnocellulaire est l'équivalent de tout le système visuel thalamocortical des félins; de plus, ils croient que le système parvocellulaire est un nouveau produit de l'évolution chez les primates.

Ceux qui travaillent dans le domaine utilisent maintenant les noms des principales divisions du corps genouillé latéral pour désigner deux subdivisions majeures dans les voies visuelles des primates : le **système parvocellulaire** semble être responsable surtout de l'analyse de la couleur et de la forme ainsi que de la reconnaissance des objets; le **système magnocellulaire** semble servir surtout à la perception de la profondeur et du mouvement (Livingstone et Hubel, 1988). À partir du genouillé, chaque division envoie des projections à des couches et à des aires différentes du cortex cérébral. Dans l'aire visuelle primaire, les projections parvocellulaire et magnocellulaire sont distinctes mais entremêlées. Par exemple, les *chevilles* corticales (figure 9.20), amas de cellules qu'on croit responsables de la vision des couleurs, font partie du système parvocellulaire. Au-delà de l'aire visuelle 2, les deux systèmes semblent se séparer plus complètement. Le tableau 9.2 donne un résumé des projections des système parvocellulaire et magnocellulaire ainsi que des discriminations dont on les croit responsables.

Indices cliniques d'un processus parallèle

Nous avons vu que la disposition anatomique du système visuel vient appuyer le concept d'un traitement parallèle de l'information visuelle, c'est-à-dire que les divers aspects d'une scène visuelle seraient traités simultanément par différents circuits nerveux. Ces aspects comprennent la forme, la couleur et le mouvement de la stimulation. Des faits cliniques militent également en faveur de cette même conception : des anomalies génétiques ou des lésions au cerveau peuvent empêcher certains aspects de la perception visuelle de se manifester alors qu'elles laissent les autres aspects intacts. Il a déjà été noté, par exemple, que certains individus, dont la vision est par ailleurs normale, sont partiellement aveugles en vision stéréoscopique. L'observation de tels sujets montre qu'il existe deux canaux à syntonisation ample par rapport à la profondeur visuelle, l'un pour les localisations

Tableau 9.2 Systèmes de projection parallèle dans le système visuel des primates.

Caractéristiques	Système magnocellulaire	Système parvocellulaire
Projection dans le noyau du corps genouillé latéral	Deux couches ventrales	Quatre couches dorsales
Projections dans le cortex cérébral	Entrelacées dans les aires visuelles 1 et 2 mais plus séparées plus loin	
	Région médiane temporale (MT) et pariétale-occipitale	Aire 4, région occipito-temporale
Discriminations effectuées :	« Où »	« Quoi »
	Profondeur spatiale	Forme
	Mouvement	Couleur

n'importe où au-delà du point de fixation et l'autre pour les localisations à n'importe quel endroit entre l'observateur et le point de fixation. Chacun de ces canaux peut fonctionner indépendamment de l'autre.

Dans certains cas, la lésion cérébrale entrave la discrimination des tonalités chromatiques en laissant apparemment intacts les autres aspects de la vision; ces cas sont susceptibles d'accompagner les lésions des aires corticales 18 et 37 (Kolb et Whishaw, 1985). D'autres cas portent sur l'incapacité de discerner le mouvement des objets; ceux-ci sont généralement associés à des lésions situées à la jonction des régions temporale et occipitale. Après des lésions cérébrales spécifiques résultant d'une attaque, certains malheureux ne peuvent plus reconnaître des catégories particulières d'objets, même s'ils sont toujours en mesure de les décrire en termes de forme et de couleur. Ce type d'incapacité est l'**agnosie** (des racines grecques *a*, sans et *gnosis*, connaissance). Une forme d'agnosie, rare mais particulièrement frappante, concerne l'incapacité de reconnaître les visages, ou **prosopagnosie**; cette forme d'agnosie est susceptible d'accompagner les lésions des aires corticales 20 et 21 de l'hémisphère droit. Un cas de ce genre a inspiré le titre d'un livre récent, *The Man Who Mistook His Wife for a Hat* (L'homme qui a pris sa femme pour un chapeau) (Sacks, 1985). Au chapitre 18, nous traiterons des agnosies résultant de lésions cérébrales.

Résumé

Audition

1. La perception auditive commence par une série de processus par lesquels les ondes sonores aboutissant à l'oreille sont modifiées par les propriétés structurales et fonctionnelles des parties externe et moyenne de cet organe.

2. La transduction de l'énergie mécanique en excitation du nerf auditif se déroule dans l'oreille interne (la cochlée). Une étape clef de ce processus consiste en un recourbement des cils des cellules ciliées quand les mouvements du liquide de la cochlée font vibrer la membrane basilaire.

3. Des changements dans les conduits ioniques de la membrane des cellules ciliées produisent des courants générateurs qui entraînent la libération de substances à la base des cellules ciliées. Les molécules ainsi libérées se combinent à des récepteurs situés sur les terminaisons du nerf auditif, engendrant ainsi l'excitation des fibres auditives.

4. La discrimination de la hauteur tonale fait intervenir deux types de codage nerveux différents; les influx nerveux des basses fréquences sont en lien de phases avec le stimulus (théorie des salves), alors que les fréquences supérieures sont représentées par le site de stimulation maximale, le long de la membrane basilaire (théorie de l'emplacement).

5. Les fréquences sonores se distribuent comme sur des cartes bien ordonnées à travers toutes les voies auditives du cerveau. C'est le principe de la cartographie tonotopique.

6. La localisation auditive dépend surtout des différences dans le temps d'arrivée (pour les sons de basses fréquen-

ces). Plusieurs cellules nerveuses du système auditif sont excitées par la stimulation provenant de l'une ou l'autre des deux oreilles; certaines de ces cellules sont particulièrement sensibles à une étroite bande d'indices des stimuli auditifs reliés à la différence dans le temps ou l'intensité.

7. Au début de la vie d'un individu, l'expérience de stimulation sonore peut avoir une influence sur le comportement de localisation auditive et sur la réception des neurones des voies auditives.

8. La surdité peut résulter de changements pathologiques à n'importe quel niveau du système auditif. La surdité de conduction résulte d'entraves à la transmission du son vers la cochlée, dues à des changements dans l'oreille externe ou l'oreille moyenne. La surdité neurosensorielle réfère à des défectuosités attribuables à la lésion de la cochlée ou du nerf auditif. La surdité centrale correspond à des troubles auditifs résultant de lésions des voies cérébrales du système auditif.

9. On peut maintenant soulager certaines formes de surdité par stimulation électrique directe du nerf auditif; cette stimulation se fait à l'aide de dispositifs qui enregistrent et transforment les stimuli acoustiques.

Vision

10. L'œil des vertébrés est une structure complexe qui sert à former des images optiques détaillées et précises sur les cellules réceptrices de la rétine.

344

11. Au cours de l'évolution, des organes photorécepteurs se sont développés de façon indépendante chez plusieurs lignées phylogénétiques différentes ; plusieurs espèces ont ainsi acquis des yeux contenant un cristallin qui permet une mise au foyer de la lumière.

12. Le premier stade du traitement de l'information visuelle se déroule dans la rétine où des cellules qui contiennent des photopigments sont excitées par l'énergie photonique. Deux sortes de cellules réceptrices de la rétine, les cônes et les bâtonnets, représentent les stades initiaux de deux systèmes, les systèmes scotopique (à faible luminosité) et photopique (à forte luminosité).

13. Les voies cérébrales du système visuel comprennent le corps genouillé latéral du thalamus, le cortex visuel primaire et d'autres régions corticales. Des axones de cellules ganglionnaires vont jusqu'aux tubercules quadrijumeaux antérieurs du mésencéphale.

14. Le cortex comporte plusieurs aires visuelles, chacune présentant une carte topographique du champ visuel, mais chacune traitant également un aspect différent de l'information visuelle comme la forme, la couleur, le mouvement.

15. À l'instar des cortex somatosensoriel et auditif, le cortex visuel primaire est composé de colonnes de neurones. Ces colonnes et groupes de colonnes fournissent des représentations séparées des deux yeux, l'orientation angulaire des stimuli, leur position dans le champ visuel et la couleur.

16. Chez le primate de l'Ancien Monde et chez l'être humain, la discrimination de la tonalité chromatique dépend de l'existence de trois photopigments de cônes différents et du fait que les connexions rétiniennes donnent quatre sortes différentes de cellules ganglionnaires de couleur (ou cellules spectralement antagonistes).

17. La localisation des stimuli visuels dans l'espace se trouve facilitée par la présence de cartes spatiales détaillées à tous les niveaux du système visuel. La perception binoculaire de la profondeur (stéréognosie) dépend de cellules corticales syntonisées pour la stimulation au plan de fixation, ou à l'avant ou à l'arrière de ce plan.

18. Il existe deux principaux modèles courants pour la perception des formes et des stimuli visuels : le modèle du détecteur de caractéristiques et le modèle du filtre de fréquences spatiales.

19. Chez le chat comme chez les primates, des systèmes parallèles de projection, s'étendant de la rétine au cerveau, servent à différents aspects de la projection visuelle.

20. Des faits cliniques viennent également appuyer le concept de traitement parallèle, car des anomalies génétiques ou encore des lésions cérébrales peuvent entraver certains aspects de la perception visuelle et en laisser d'autres intacts.

Lectures recommandées

Barlow, H.B. et Mollon, J.D. (éds). (1982), *The Senses.* Cambridge, England : Cambridge University Press.

De Valois, R.L. et De Valois, K.K. (1988). *Spatial Vision.* New York : Oxford University Press.

Fein, A. et Levine, J. (éds). (1985). *The Visual System.* New York : Alan R. Liss.

Jacobs, G. (1982). *Comparative Color Vision.* New York : Academic Press.

Pickles, J.D. (1982). *An Introduction to the Physiology of Hearing.* New York : Academic Press.

Romand, R. (éd.) (1983). *Development of Auditory and Vestibular Systems.* New York : Academic Press.

Rose, D. et Dobson, V.G. (éds). (1985). *Models of the Visual Cortex.* New York : Wiley.

Yost, W.A. et Nielsen, D.W. (1985). *Fundamentals of Hearing.* New York : Holt, Rinehart et Winston.

10 La fonction motrice

Notre comportement, comme celui des autres animaux, comprend un large éventail d'activités dont la complexité s'étend du simple mouvement des doigts jusqu'aux exploits athlétiques les plus compliqués. Les cabrioles des danseurs de ballet et les ébats d'un insecte en plein vol sont marqués au sceau de l'élégance, de la grâce et de la complexité (figure 10.1). D'ailleurs, les mouvements ordinaires de tous les jours mettent également à contribution une suite complexe d'activités musculaires. Il suffit de penser, par exemple, à tous les muscles dont l'intervention est nécessaire pour prononcer un simple mot. Les activités de la langue, du larynx, de la gorge, des lèvres, de la cage thoracique et du diaphragme doivent être finement coordonnées pour qu'il soit possible de produire ne fût-ce que le plus simple des sons. Et la marge d'erreur permise pour que le mot soit audible et intelligible est très mince. Par exemple, la différence entre la prononciation de *ton* et de *don* ne dépend presque entièrement que du relâchement ou de la tension des cordes vocales au moment de dire le mot.

Tout mouvement coordonné nécessite l'intervention de mécanismes nerveux sous-jacents capables de choisir les muscles appropriés. De plus, la production d'un mouvement coordonné exige que des mécanismes nerveux de la moelle épinière et du cerveau déterminent avec précision les quantités d'excitation ou d'inhibition requises aux synapses pertinentes. Il est très important, enfin, que les motoneurones entrent en activité dans l'ordre qui convient. Comment toutes ces conditions sont-elles assurées ? Pour répondre à cette question, il faut tenir compte d'une foule de détails concernant aussi bien les muscles en cause que les systèmes complexes de contrôle mis en jeu. Nous verrons que la recherche sur ces systèmes de contrôle a débouché sur des méthodes nouvelles de traitement neurochimique et physique des défectuosités du comportement moteur.

Nous allons donc étudier la nature des mouvements produits et leur coordination, en fonction du comportement, des systèmes de contrôle et surtout des aspects neurobiologiques.

ASPECTS COMPORTEMENTAUX

La reptation, la marche, le vol et la natation sont autant de façons différentes de se déplacer d'un endroit à un autre. L'analyse détaillée des mouvements et des activités de différents animaux fournit quelques indices relatifs aux mécanismes sous-jacents. L'observation du battement vigoureux des ailes des insectes indique, par exemple, que le système nerveux de ces animaux contient un générateur de rythme, ou oscillateur. Les démarches variées des animaux quadrupèdes permettent de supposer que des oscillateurs différents se trouvent

a)

Figure 10.1 Activités complexes : a) Pas de danse. (Martha Swope) b) Insecte en vol. (Stephen Dalton FIIP FRPS.)

b)

agencés entre eux de façon précise mais variable. La grande variété des mouvements que les gens apprennent met en évidence toute la gamme des possibilités d'ajustements du système moteur. Il est donc nécessaire d'établir une classification des mouvements et des modes d'action.

Classification des mouvements et des modes d'action

Les premiers efforts de classification des différents types de mouvement ont sans doute commencé par la distinction entre mouvement réflexe et mouvement volontaire. Dès le XVIIe siècle, le philosophe Descartes insistait particulièrement sur cette distinction, celle-ci, aux XVIIIe et XIXe siècles, prenant encore plus d'importance avec les découvertes des propriétés fondamentales de la moelle épinière. Pendant cette période, les scientifiques ont observé que les racines dorsales de la moelle avaient des fonctions sensorielles et que les racines ventrales contenaient des fibres motrices; les connexions sensorimotrices semblaient servir de base aux mouvements simples. À la même époque, les expériences réalisées sur des **animaux dits spinaux** (animaux dont la moelle épinière avait été séparée du cerveau) démontraient que la stimulation de la peau était capable de déclencher des mouvements simples et stéréotypés comme, par exemple, le mouvement d'un membre visant à le soustraire à une stimulation douloureuse.

À la fin du XIXe siècle et au début du XXe siècle, le physiologiste britannique Charles Sherrington a publié une longue série d'études sur les animaux spinaux. Il démontra que la stimulation de la peau de ces animaux, en la pinçant par exemple, entraînait des actions simples. Plusieurs observations du genre l'amenèrent à dire que les unités de base du mouvement étaient des **réflexes,** qu'il définissait comme des réactions innées, simples et fortement stéréotypées face à des stimuli particuliers. Sherrington considérait les réflexes comme des actes *involontaires* déclenchés par des stimuli externes. Il a montré que la force et l'amplitude d'un réflexe étaient associées à l'intensité du stimulus. Ses travaux devaient donner le ton à une série d'efforts intenses visant à identifier les variétés de réflexes et retracer leurs trajets dans le système nerveux, notamment dans la moelle épinière. Les trajets de certains réflexes se limitent à la moelle épinière, formant des liens entre racines ventrale et dorsale, alors que d'autres comprennent des boucles plus longues reliant entre eux des segments de la moelle ou même des régions cérébrales.

La stimulation des surfaces de la peau, des muscles ou des articulations peut déclencher de nombreuses réponses très stéréotypées. Plusieurs de nos capacités fondamentales de survie dépendent du caractère automatique et rapide de ces réactions. On peut se demander toutefois si les réflexes sont vraiment les éléments fondamentaux des mouvements et des activités. Malheureusement, il arrive qu'une saine explication d'un phénomène engendre des excès dans son interprétation, ce qui a été le cas dans ce domaine. Il était inévitable que la notion de réflexe prête flanc à la critique dès le moment où cette notion pouvait servir à expliquer, de façon plutôt simpliste, les comportements complexes. Par exemple, Sherrington croyait que les actes complexes étaient simplement des combinaisons de réflexes plus simples déployés selon un certain ordre temporel. La critique la plus cinglante de cette perspective a porté sur les tentatives faites pour analyser, en termes de réflexes, des séquences complexes de comportement comme celui de la parole. Les explications du processus de phonation basées sur les réflexes insistent, par exemple, sur le fait que les mouvements et les sons associés à chacun des éléments de la parole constituent les stimuli qui déclenchent l'élément suivant. S'il en était ainsi, la parole ne serait qu'une série d'unités stimulus-réponse enchaînées ensemble, chaque réponse déclenchant l'unité suivante.

Mais il semble, au contraire, que celui qui parle utilise un plan selon lequel plusieurs unités (les différents sons produisant la parole) sont disposées en un ensemble plus vaste. Il arrive parfois que les unités soient mal placées tandis que l'ensemble se trouve conservé : cela donne une contrepèterie. Une telle inversion des lettres ou syllabes d'un ensemble peut se produire naturellement, par inadvertance, ou être recherchée comme dans l'expression grivoise *femme molle de la fesse* (au lieu de *femme folle de la messe*) de Rabelais.

Des chercheurs ont pu démontrer récemment que plusieurs séquences complexes de comportement sont régies par un plan interne et ne sont pas engendrées par une *chaîne* de réflexes. Ces actions peuvent même se produire en l'absence de toute autre forme de contrôle. Les exemples d'un tel type de plans d'action internes vont des mouvements exigeant de l'adresse, comme ceux d'un pianiste, jusqu'aux simples comportements d'échappement d'animaux aussi petits que l'écrevisse.

Les animaux peuvent se livrer à une variété déconcertante d'activités motrices. Une étape importante pour la compréhension de ces actions et des mécanismes nerveux sous-jacents consiste à classifier ces comportements. Un modèle de classification des mouvements, selon une perspective éthologique, est présenté au tableau 10.1. Ce modèle insiste sur les propriétés fonctionnelles de l'action plutôt que sur ses relations précises avec la musculature. Une des caractéristiques principales de beaucoup de mouvements tient à leur caractère rythmique (répétition ordonnée de mouvements et de contractions musculaires). Cette caractéristique s'applique à la locomotion, à la respiration, à la mastication, au grattement, au battement du cœur et aux mouvements péristaltiques de l'intestin. Nous traiterons bientôt des modes de programmation et de modulation des mouvements rythmiques.

Le tableau 10.1 peut également servir à établir une distinction entre mouvements et actions. La partie de ce tableau intitulée *réflexes simples* comprend des activités musculaires brèves et unitaires, communément nommées mouvements. Ce sont des événements séparés qui, dans bien des cas, se limitent à une seule partie du corps, par exemple un membre. Les autres parties du tableau 10.1 dressent la liste de comportements séquentiels complexes,

Tableau 10.1 Une classification de mouvements, de postures et de comportements simples avec exemples pour chacun.

I. Réflexes simples	
Réflexe myotatique (d'étirement)	Réflexe patellaire
Réflexe d'éternuement	Sursaut
Réflexe de clignement à la menace	Réflexe pupillaire

II. Postures et changements de posture	
La station debout	Le recul
La station couchée	Le balancement
La station assise	La posture de miction

III. Locomotion	
Marche	Reptation
Course	Rampement
Natation	Traque (pistage)
Vol	Saut (à cloche-pied)

IV. Orientation sensorielle	
Tourner la tête	Toucher
Fixer des yeux	Flairer
Prêter l'oreille	Goûter

V. Modèles d'action propres aux espèces
Ingestion : goûter, mâcher, mordre, aspirer, boire
Approche amoureuse : parader, flairer, poursuivre, retraiter
Échappement et défense : siffler, cracher, se soumettre, se tapir
Toilettage : se laver, se lisser, se lécher
Gestes : grimacer, dresser la queue, loucher, montrer les dents, sourire

VI. Habiletés acquises			
La parole	La sculpture	L'habillage	Les sports
L'utilisation d'outil	La conduite automobile	La peinture	La danse

souvent orientés vers un objectif. On pourrait inclure dans de tels comportements des mouvements variés mettant en cause plusieurs parties du corps. C'est à ce type de mouvement plus complexe que nous appliquons la notion d'action.

Les éthologistes ont donné le nom d'**actions fixes** aux réactions complexes propres à l'espèce. En réalité, il existe des variations considérables dans l'expression de ces actions tant d'un individu à l'autre que chez un même individu. C'est pourquoi Barlow (1977) a proposé plutôt l'expression d'**action modale**, suggérant ainsi qu'il s'agit d'un mode typique de comportement qui laisse quand même place aux variations individuelles.

Techniques d'analyse des mouvements et des actes

Le chercheur qui tente de définir, de décrire et de quantifier les actes et les mouvements se trouve confronté à une variété et une complexité déroutantes. Toutefois, la cinématographie met à notre disposition des descriptions globales, tandis que la photographie ultrarapide nous fournit un portrait détaillé des mouvements, même les plus vifs.

La photographie ultrarapide apportant une quantité excessive de données, il a fallu élaborer des méthodes de simplification ou d'analyse numérique. Les techniques photographiques qui réduisent la quantité totale de données, par exemple les clichés à poses multiples, ont permis de créer des images étonnantes du mouvement humain. Les techniques de simulation graphique par ordinateur ont été récemment appliquées à ce domaine d'étude et fournissent des exemples frappants de la représentation des mouvements. Le monde du sport utilise des analyses détaillées de certaines activités réalisées par des athlètes (figure 10.2). Les données utilisées pour créer ces portraits sont des photographies à intervalles temporels ou de l'information fournie par des détecteurs fixés aux articulations.

Les enregistrements électriques permettent des descriptions plus détaillées de l'activité des muscles qui sont à l'origine de ces actions. Étant donné que la contraction musculaire est accompagnée de potentiels électriques engendrés dans les fibres musculaires, des aiguilles insérées dans le muscle ou des électrodes posées sur la peau recouvrant le muscle fournissent des indications utiles sur cette activité musculaire. La technique de l'**électromyographie (EMG)** est décrite à la figure 10.3. En plaçant des électrodes sur (ou dans) différents muscles, on obtient une image électrique de la contraction des divers muscles intervenant dans une action précise.

Nous n'avons pas à apprendre à respirer, à avaler ou à retirer la main d'une surface brûlante. À l'instar de nombreuses autres, ces actions sont des réflexes très stéréotypés et même le niveau d'attention de l'individu qui pose ces actes ne saurait changer leur caractère

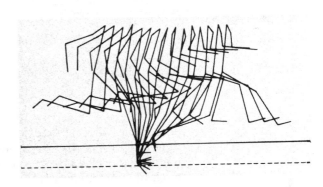

Figure 10.2 Une coureuse et la représentation par ordinateur de ses mouvements. (Tracé : *Science Digest*, juin 1982, page 66. Photographie : John Russell / Focus on Sports).

Acquisition d'aptitudes motrices

essentiel. Ces réactions sont généralement dites *involontaires*. Par contre, il faut un entraînement explicite pour apprendre à parler, à écrire, à jouer au tennis, à composer un numéro de téléphone et à exécuter maintes autres activités, des plus triviales aux plus extraordinaires, qui sont le lot de l'expérience générale des êtres humains. Les caractéristiques de ces activités sont très variables, souvent idiosyncrasiques, et sont très différentes d'un individu à l'autre. Ces actions qui font appel à des habiletés motrices sont généralement dites *volontaires*. Comment acquiert-on de telles habiletés ?

L'exécution de tout mouvement exigeant de l'adresse montre que plusieurs types d'informations sont essentielles à l'acquisition d'une habileté motrice. La figure 10.4 décrit un modèle d'apprentissage d'une habileté motrice (Keele et Summers, 1976). Ce modèle

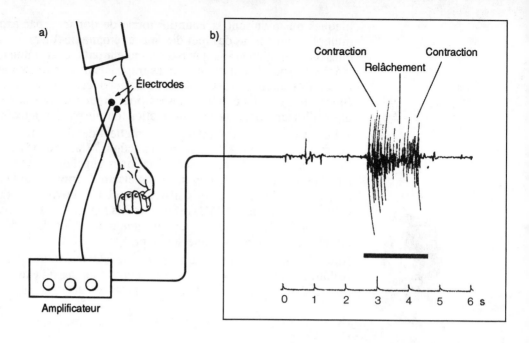

Figure 10.3 Enregistrement électrique de l'activité musculaire nommé électromyogramme.
a) Position des électrodes sur les muscles de l'avant-bras. b) Activité de contraction et de
relâchement musculaires.

postule que l'information parvenant au muscle provient d'un programme cérébral hypothétique dirigeant la synchronisation et l'intensité des efférences nerveuses vers les muscles (débit moteur). La rétroaction, provenant de récepteurs dans les articulations et d'autres modes d'information (visuelle ou auditive), permet la comparaison avec un certain modèle cérébral de la tâche à accomplir; dans d'autres cas, les mécanismes de contrôle de l'exécution du mouvement ne seront pas nécessaires. Welford (1974) fait remarquer que, à un certain stade de l'apprentissage de mouvements d'adresse, il y a une perte de la conscience de l'activité (sentiment d'exécution automatique). Il croit qu'une exécution plus rapide devient possible parce que les boucles de rétroaction exercent moins d'impact.

ASPECTS CYBERNÉTIQUES

Les descriptions du génie mécanique portant sur la régulation et le contrôle des machines ont contribué grandement à l'étude des mécanismes qui règlent et contrôlent les mouvements des animaux. Les ingénieurs rencontrent généralement deux problèmes dans la conception et la construction des machines : 1) comment minimiser, sinon éviter, une erreur et 2) comment effectuer une tâche rapidement et efficacement. Il faut en effet viser précision et vitesse. Deux types de mécanismes de contrôle servent habituellement à obtenir une performance optimale en fonction de ces critères : ce sont les **mécanismes de contrôle à boucle fermée** et ceux **à boucle ouverte**.

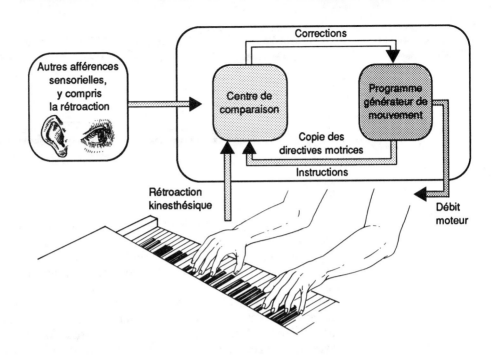

Figure 10.4 Modèle d'acquisition d'une habileté motrice.

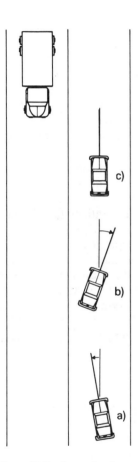

Figure 10.5 Exemple de contrôle par rétroaction dans la conduite automobile. a) La voiture tourne sur la gauche. b) Une correction excessive fait tourner la voiture sur la droite. c) La cible est atteinte.

Essentiellement, ce sont les mécanismes à boucle fermée qui assurent la circulation de l'information entre un élément sous contrôle et le dispositif qui règle son fonctionnement. Au chapitre 7, le contrôle de la sécrétion endocrine faisait référence à un mécanisme à boucle fermée (figures 7.2, 7.3 et 7.4). En effet, l'exemple du thermostat qui contrôle la température d'une pièce a servi à illustrer certaines des caractéristiques d'un système de rétroaction négative. Nous allons maintenant recourir à un exemple plus compliqué dans lequel un être humain (conducteur d'automobile) joue un rôle principal. Dans ce cas-ci, la variable sous contrôle est la position d'une automobile sur la route (figure 10.5) et le système visuel du conducteur fournit une information continue et pouvant exiger un mouvement de correction.

Cet exemple constitue un cas typique d'une boucle de rétroaction schématisée à la figure 10.6. Selon l'analogie en cause ici, le système contrôlé est l'automobile. L'entrée (**input**) dans le système est la position du volant et la sortie (résultat ou **output**) est la position de la voiture sur la route. Le **transducteur** est un élément qui mesure le résultat et le **détecteur d'erreur** évalue les différences entre le résultat réel et le résultat souhaité (le signal de contrôle). Dans cet exemple, les termes transducteur, détecteur d'erreur et contrôleur désignent tous des attributs de la personne qui conduit la voiture. Plus spécifiquement, le transducteur réfère au système visuel du conducteur, le détecteur d'erreur à certaines propriétés du système perceptif et le contrôleur à l'appareil musculaire utilisé pendant la conduite de l'automobile. La position réelle de la voiture est comparée à la position souhaitée sur la route et des corrections sont apportées au système de contrôle dans le but de réduire au minimum la différence entre les deux positions (en postulant que le conducteur désire rester sur la route). La seule façon dont la voiture pourrait demeurer sur la route sans contrôle de rétroaction (comme si, par exemple, le conducteur conduisait les yeux fermés) serait à l'aide d'un souvenir exact de tous les virages et courbes de la route. (En fonction de ce qui suit,

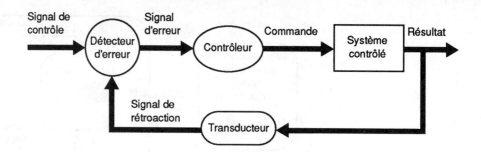

Figure 10.6 Diagramme d'un mécanisme de contrôle par rétroaction.

on pourrait considérer un système de mémoire de ce genre comme une forme de contrôle à boucle ouverte.)

Certains systèmes inanimés utilisent des contrôles à boucle fermée, d'autres se servent de mécanismes à boucle ouverte. Les contrôles à boucle ouverte sont ceux qui ne font pas intervenir des formes externes de rétroaction; le résultat (output) est mesuré par un détecteur mais l'activité est préprogrammée. Les contrôles à boucle ouverte sont nécessaires aux systèmes mécaniques qui doivent réagir tellement rapidement qu'il ne peut y avoir de délai pour l'utilisation d'une voie de rétroaction. Le mode de fonctionnement des ascenseurs est un exemple connu de contrôle à boucle ouverte : leurs vitesses d'accélération et de décélération sont fixées à l'avance. En appuyant sur un bouton pour indiquer un étage particulier, on met en branle l'ensemble du programme prédéterminé.

En plus de donner des réponses rapides, les systèmes à boucle ouverte ont l'avantage de ne pas faire d'erreur et d'agir de façon invariable. La fiabilité de ces systèmes est assurée par des dispositifs qui fournissent un signal de contrôle reconnu pour son efficacité ou pour sa capacité d'anticiper l'erreur possible. Dans les systèmes vivants, une anticipation de cette nature peut découler d'un apprentissage antérieur. Par exemple, dans l'apprentissage du piano, il peut arriver que des éléments nerveux acquièrent les propriétés d'un contrôle à boucle ouverte. En effet, certaines caractéristiques du système moteur cérébral sont capables de fournir des contrôles anticipateurs basés sur les erreurs qui auraient initialement été associées à des directives de rétroaction ou de contrôle à boucle fermée. Cette forme de contrôle à boucle ouverte correspond en quelque sorte à une *information proactive* (en anglais, *input feed forward*). De toute évidence, cette forme de contrôle doit mettre à contribution un mécanisme capable de faire des suppositions éclairées quant à la sorte de correction qui pourrait être requise.

ASPECTS NEUROBIOLOGIQUES

Les actions adaptatives sont le produit de directives engendrées par le traitement nerveux de l'information dans le cerveau et dans la moelle épinière; ces actions donnent alors lieu à une activité nerveuse dans les motoneurones reliés aux muscles. L'appareil nerveux est constitué de plusieurs éléments différents disposés selon divers niveaux de complexité. On a identifié dans le système nerveux central quatre niveaux différents de systèmes de contrôle moteur hiérarchiquement organisés. Le premier de ces niveaux est la moelle épinière qui s'occupe des mouvements réflexes. À ce niveau, le traitement de l'information est relativement rigide et fait intervenir plusieurs mécanismes automatiques. C'est le tronc cérébral qui représente le niveau suivant. Il sert à l'intégration des ordres moteurs provenant des niveaux supérieurs du cerveau et à la transmission des influx en provenance de la moelle épinière. Le niveau supérieur suivant est le cortex moteur primaire d'où proviennent

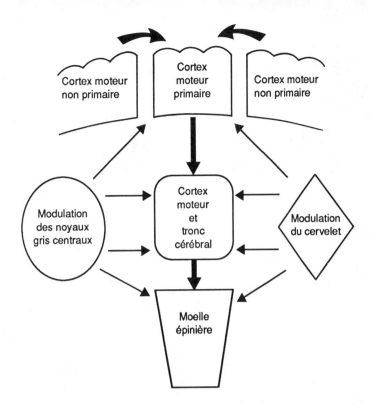

Figure 10.7 Diagramme des éléments principaux du système nerveux qui contribuent au contrôle des mouvements.

certaines des commandes principales. Les activités qui se déroulent dans les aires adjacentes au cortex moteur primaire révèlent l'existence d'un autre niveau cortical de traitement de l'information. D'autres régions cérébrales interviennent également dans la modulation des activités de ces systèmes de contrôle à organisation hiérarchique. Le cervelet et les noyaux gris centraux exercent une influence considérable sur les systèmes moteurs. L'information provenant des surfaces corporelles, des muscles, des articulations et des extérorécepteurs est dirigée vers tous les niveaux du contrôle moteur et des systèmes de modulation. La figure 10.7 présente une esquisse du plan fondamental de l'organisation du contrôle moteur. Les explications qui suivent respecteront l'ordre du schéma organisationnel de cette figure.

Avant d'examiner les propriétés de chacun des niveaux de contrôle neurologique, nous allons d'abord considérer certaines des caractéristiques des muscles et des os qui déterminent les propriétés des mouvements.

Ce qui est contrôlé : l'activité des muscles squelettiques

Toute action emprunte son caractère aux propriétés mécaniques corporelles de celui qui la pose et aux signaux nerveux qui sont transmis aux muscles. Considérons brièvement les façons dont les propriétés mécaniques du corps déterminent et limitent le mouvement.

Propriétés mécaniques du système squelettique

Certaines propriétés d'une action résultent des caractéristiques du squelette et des muscles eux-mêmes. Par exemple, la longueur, la forme et la masse des membres d'un animal déterminent la nature de sa démarche. Les muscles eux-mêmes possèdent des propriétés élastiques semblables à celles d'un ressort, propriétés qui influencent la synchronisation du comportement; par ailleurs, les limites à la vitesse et la force de leur contraction imposent des limites à certaines réponses motrices.

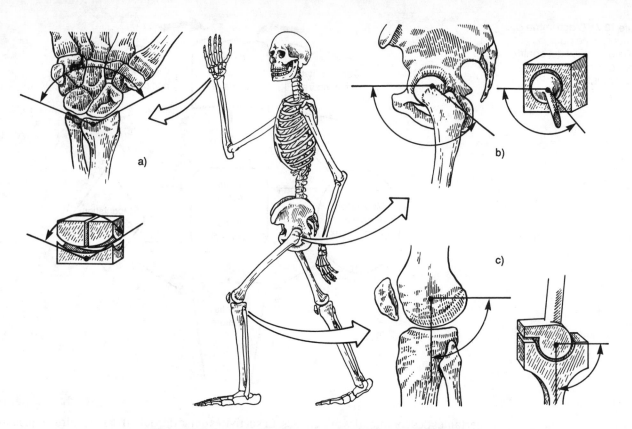

Figure 10.8 Le squelette humain offre des exemples d'articulations et de mouvements. À côté de chaque articulation, on voit un modèle mécanique qui indique les sortes de mouvements que peut effectuer l'articulation en cause. a) L'articulation du poignet se déplace sur deux plans principaux, latéral et vertical. b) Celle de la hanche est un « joint universel ». c) Celle du genou ne se déplace que sur un plan.

Le système squelettique de tout vertébré est constitué de plusieurs os de forme, de masse et de longueur variées. Une expérience pénible nous aura vite appris que les os eux-mêmes ne sont pas flexibles. Les principaux points de flexion sont les articulations, points de rencontre des os associés formant un ensemble. L'apparence précise des différentes articulations varie et ces différences déterminent la façon d'utiliser une partie donnée du corps. À la figure 10.8, une illustration du squelette humain présente des exemples d'articulations et de leurs possibilités cinétiques. Il faut noter que certaines des articulations, la hanche par exemple, sont à toutes fins pratiques des joints universels qui permettent une mobilité sur plusieurs plans. D'autres articulations comme le coude ou le genou, sont plus limitées et ne tolèrent que peu de déviation à partir de l'axe principal de rotation.

La masse et la forme des os en cause jouent également un rôle significatif dans le fonctionnement d'une articulation. Par simple comparaison de la dimension et de la forme de ces os, on pourrait directement prédire plusieurs aspects des différences de mouvement qu'on observe entre les espèces. La comparaison des mains des êtres humains avec celles des autres primates explique, par exemple, pourquoi seuls les humains sont capables d'une préhension précise des objets entre le pouce et l'index.

Le squelette ne peut participer à des mouvements que lorsqu'il est recouvert de muscles. La disposition des muscles sur le corps (dimensions et points d'attache sur les os) révèle les formes de mouvement dont les muscles sont responsables. Par leur contraction, certains muscles produisent des forces qui supportent la masse du corps; d'autres assurent des mouvements autour des articulations. Par contre, certains muscles n'exercent aucune action sur le squelette, notamment les muscles qui font bouger les yeux, les lèvres et la langue et ceux qui contractent l'abdomen. Des recherches récentes ont permis de mieux comprendre les mécanismes moléculaires de la contraction des **fibres musculaires** (encadré 10.1).

La contraction des fibres musculaires est responsable des mouvements ou du maintien de la posture, selon le mode de rattachement mécanique des muscles en cause à un ou plusieurs os. La figure 10.9 illustre la disposition des muscles autour d'une articulation typique. Les tendons rattachent les muscles aux os. Les divers muscles sont disposés en opposition, l'un par rapport à l'autre, autour d'une même articulation. Ainsi, lorsqu'un groupe de muscles se contracte (se raccourcit), l'autre groupe entre en extension (s'allonge); ces groupes de muscles exercent une action dite *antagoniste*. La coordination de l'action autour d'une articulation exige donc qu'un ensemble de motoneurones soit excité lorsque l'ensemble antagoniste est inhibé. Il est également possible de verrouiller un membre dans une position donnée par contraction graduelle des muscles opposés.

La vitesse, la précision, la force et l'endurance sont des qualités recherchées dans les mouvements musculaires, mais les exigences des actions relatives à un comportement sont variables, par rapport à ces qualités. Au moins deux types principaux de fibres musculaires (fibres *rapides* et fibres *lentes*) sont associés à ces exigences. Par exemple, les mouvements oculaires doivent être rapides et précis pour qu'il soit possible de suivre les mouvements des objets et de déplacer le regard d'une cible à une autre. Cependant, les fibres des muscles du globe oculaire n'ont pas à maintenir la tension pendant de longues périodes, car le programme nerveux les utilise à tour de rôle, permettant à certaines fibres de se détendre pendant que les autres se contractent. Les muscles du globe oculaire sont donc constitués de fibres musculaires *rapides*. Par contre, dans le muscle d'une jambe, les fibres *rapides* réagissent promptement et intensément; toutefois, ces fibres se fatiguent vite, parce qu'elles servent surtout aux activités caractérisées par une tension musculaire qui change fréquemment, comme dans la marche ou dans la course. Moins fortes mais plus résistantes à

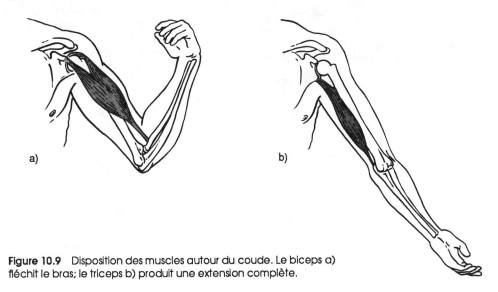

Figure 10.9 Disposition des muscles autour du coude. Le biceps a) fléchit le bras; le triceps b) produit une extension complète.

357

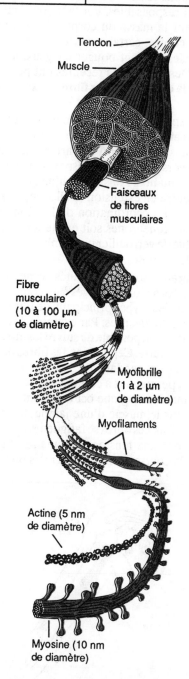

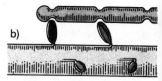

Figure 2 de l'encadré 10.1 Mécanisme responsable du mouvement des fibres musculaires.

La plupart de nos mouvements résultent essentiellement de la contraction de fibres musculaires. Les recherches effectuées pour connaître la façon dont les muscles se contractent ont permis d'identifier les éléments qui composent les fibres et d'analyser leurs propriétés physiologiques (Hoyle, 1970; Murray et Weber, 1974).

Chaque fibre musculaire est constituée de plusieurs filaments de deux types disposés d'une façon très régulière (figure 1 de l'encadré 10.1). Des bandes de filaments relativement épais et des bandes de filaments plus minces donnent aux fibres une apparence striée. Les deux sortes de filaments se chevauchent toujours dans une certaine mesure. La contraction du muscle accroît le chevauchement, les filaments glissant au-delà l'un de l'autre et réduisant la longueur totale de la fibre musculaire.

Qu'est-ce qui amène les fibres à glisser les unes sur les autres ? À fort grossissement au microscope électronique, les filaments épais présentent des prolongements en forme de rames ou ponts transversaux qui entrent en contact avec les filaments minces (figure 2 de l'encadré 10.1). Pendant la contraction, ces ponts transversaux tournent, poussant ainsi les filaments minces. En fait, un pont transversal parcourt une certaine distance puis perd contact; il retourne à sa position originale, reprend contact et pousse à nouveau. Les diagrammes de la figure 10.2 de cet encadré illustrent l'action cyclique d'un pont transversal. Une seule contraction musculaire donne lieu à plusieurs de ces cycles. Les mouvements des ponts transversaux sont déclenchés quand les ions calcium entrent en contact avec des parties des protéines du filament musculaire. Par ailleurs, la libération de ces ions calcium est contrôlée par les potentiels d'action de la cellule musculaire déclenchés par les influx nerveux. Les nerfs moteurs contrôlent donc une série d'événements électrophysiologiques, chimiques et mécaniques qui assurent la contraction mécanique des fibres musculaires.

Figure 1 de l'encadré 10.1 Composition des muscles. Les diverses parties de ce diagramme représentent différents agrandissements de la taille de grandeur nature au haut du diagramme jusqu'à un grossissement de 2 millions de fois au bas.

la fatigue, des fibres *lentes* sont mêlées aux fibres rapides; les fibres lentes sont utilisées surtout pour le maintien de la posture.

Étant donné leurs besoins variables d'énergie rapide, les fibres lentes et les fibres rapides utilisent des enzymes différentes pour leur métabolisme. Les chercheurs ont pu, par conséquent, se servir de colorants différents pour ces deux types de fibres et calculer la proportion de chaque type dans les divers muscles. On constate que les proportions de fibres lentes et de fibres rapides varient avec les muscles, ce qui sert de base à la classification des muscles.

Des différences dans la précision et le contrôle des divers mouvements dépendent également du nombre de neurones contrôlant une masse musculaire donnée. On a un contrôle nerveux précis lorsqu'un seul axone ne se trouve relié qu'à un petit nombre de fibres musculaires. On peut ainsi mieux comprendre la définition d'une **unité motrice** : elle est constituée d'un axone moteur et des fibres musculaires qu'il contrôle. Le **taux d'innervation** correspond au rapport entre l'axone moteur et le nombre des fibres musculaires. Les muscles responsables des mouvements délicats, ceux des yeux par exemple, possèdent des taux d'innervation élevés (pour les yeux, 1 : 3). Par contre, les muscles de la jambe montrent des taux d'innervation de un pour plusieurs centaines; par conséquent, la même commande de contraction se trouve transmise simultanément à des centaines de fibres.

Contrôle des mouvements : rétroaction sensorielle en provenance des muscles et des articulations

Pour produire des mouvements du corps rapides et coordonnés, les mécanismes intégrateurs du cerveau et de la moelle épinière doivent connaître l'état des muscles, la position des membres et les ordres donnés par les centres moteurs. Cette sorte d'information relative à la posture et aux mouvements corporels est dite **proprioceptive** (de racines latines signifiant « soi » et « réception »). Hasan et Stuart (1988) ont fait une recension du rôle de la proprioception dans le contrôle des mouvements.

La séquence et l'intensité de l'activation musculaire sont surveillées et réglées par des récepteurs sensoriels qui apportent de l'information sur l'état des muscles et des articulations; ces renseignements sont utilisés par les circuits qui mettent en branle et guident les mouvements. Plusieurs sortes de récepteurs peuvent renseigner sur la longueur du muscle ou son état de contraction. La figure 10.10 illustre deux types principaux de récepteurs : les **fuseaux neuro-musculaires**, situés *en parallèle* avec les fibres musculaires, et les **organes neuro-tendineux de Golgi**, disposés au bout des muscles, une extrémité rattachée au tendon et l'autre au muscle lui-même, et donc *en série* par rapport à l'ensemble tendon-muscle. L'irritabilité mécanique des fuseaux et des organes neurotendineux est différente. La tension exercée sur un muscle, comme celle qui se produit dans plusieurs sortes de

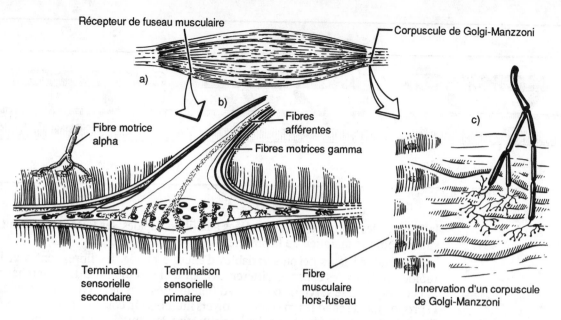

Récepteur de fuseau musculaire

Corpuscule de Golgi-Manzzoni

a)

b)

Fibre motrice alpha

Fibres afférentes

Fibres motrices gamma

c)

Terminaison sensorielle secondaire

Terminaison sensorielle primaire

Fibre musculaire hors-fuseau

Innervation d'un corpuscule de Golgi-Manzzoni

Figure 10.10 Récepteurs musculaires. a) Site des fuseaux neuro-musculaires dans le corps du muscle et des corpuscules de Golgi-Manzzoni au bout du muscle. b) Structure typique d'un fuseau neuro-musculaire. On peut voir deux types, primaire et secondaire, de terminaisons de récepteur. Les fibres motrices gamma contrôlent une portion contractile du fuseau. c) Terminaison sensorielle typique d'un corpuscule de Golgi-Manzzoni.

mouvements, active les fuseaux neuro-musculaires et, transitoirement, les organes tendineux. Le raccourcissement du muscle pendant la contraction active les organes tendineux parce qu'ils sont rattachés au bout du muscle. Ainsi, ces deux sortes de récepteurs transmettent au système nerveux central toute une gamme d'informations sur les activités musculaires (figure 10.11).

Les études classiques en physiologie, celles de Sherrington surtout, ont fait ressortir l'importance de ces récepteurs dans le mouvement. Mott et Sherrington (1895) ont montré que des singes chez qui on a pratiqué une section des fibres afférentes (sensorielles) provenant des muscles, n'utilisent pas le membre désafférenté, même lorsque les connexions efférentes (motrices) entre les neurones moteurs et les muscles sont épargnées. Le membre désafférenté n'est pourtant pas paralysé, puisqu'il peut passer à l'action, mais l'absence d'information en provenance du muscle aboutit à un manque relatif d'utilisation. Des études récentes ont apporté des nuances à ce tableau. Teodoru et Berman (1980) ont démontré qu'un singe est capable de fléchir volontairement un membre désafférenté en réaction à un signal visuel utilisé comme stimulus conditionné pour évitement de choc. En effet, ces animaux ont exécuté une simple flexion de l'avant-bras, même si le bras semblait paralysé, en comportement libre.

Bien que la désafférentation d'un avant-bras entraîne une paralysie apparente de ce membre, le résultat est tout à fait différent quand les deux avant-bras sont désafférentés. Dans ce dernier cas, les singes recouvrent l'usage coordonné de leurs avant-bras en quelques mois (Taub, 1976). Lorsqu'un seul membre est désafférenté, le singe tire avantage de l'autre membre. Toutefois, lorsque les deux sont également affectés, le singe est obligé d'apprendre à les utiliser et il parvient à le faire. Les résultats indiquent que le singe est alors capable d'une assez bonne coordination de ses mouvements, même en l'absence de rétroaction de la part de ses bras.

Cependant, même dans le cas de la désafférentation d'un seul bras, l'utilisation forcée peut conduire au retour de l'usage coordonné des deux bras. Ce phénomène a été observé dans des expériences où la main du membre intact avait été entourée d'une sphère pour empêcher le singe de saisir des objets tout en le laissant libre de faire des mouvements des doigts pour éviter une atrophie des muscles. Le membre désafférenté a graduellement acquis de la dextérité et, en quelques semaines, l'animal a réussi à exécuter des mouvements fins comme ceux que nécessite la gestuelle associée à l'alimentation. Plusieurs mois plus tard, la balle qui recouvrait la main intacte fut retirée et le singe exécuta des mouvements coordonnés des deux membres. Toutefois, quand l'usage forcé durait moins de quatre mois, les mouvements du membre désafférenté régressaient rapidement.

L'ensemble des travaux sur la désafférentation chez l'être humain aide beaucoup à comprendre le processus de rétroaction sensorielle. Un rapport de recherche récent décrit ce qui est arrivé à un sujet qui avait perdu les afférentations sensorielles provenant des muscles, des articulations et de la peau, mais dont les fonctions motrices avaient été épargnées (Marsden, Rothwell et Day, 1984). Ce sujet s'adonnait à une large gamme d'activités manuelles, y compris des mouvements de préhension, ce qui est un exemple frappant des aptitudes motrices qu'il avait retenues : il était capable de conduire sa voiture à transmission manuelle ! Par contre, il ne faut pas minimiser l'importance de son infirmité. En effet, les mouvements délicats des doigts, comme ceux exigés pour écrire ou boutonner ses vêtements, étaient très diminués. De plus, après avoir fait l'achat d'une nouvelle voiture, il découvrit qu'il était incapable d'exécuter les mouvements des bras nécessaires à sa conduite et il dut continuer d'utiliser son ancienne voiture. Les auteurs ont émis l'opinion que la rétroaction sensorielle était particulièrement importante dans le cas des mouvements exigeant le maintien d'une contraction musculaire ou dans le cas de ceux qui constituent des formes de mouvements relativement nouvelles. La rétroaction sensorielle serait donc un ingrédient important de la dextérité et de l'apprentissage moteur.

Le fuseau neuro-musculaire

Le fuseau neuro-musculaire des vertébrés est une structure complexe constituée d'éléments tant afférents qu'efférents. La figure 10.10 présente les éléments principaux d'un fuseau neuro-musculaire. Un fuseau neuro-musculaire est une sorte de cylindre dont la

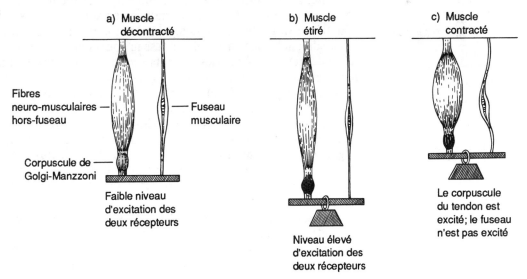

Figure 10.11 Excitation des récepteurs musculaires. a) Muscle décontracté. b) Muscle étiré. c) Muscle contracté.

a) Muscle décontracté

Fibres neuro-musculaires hors-fuseau

Fuseau musculaire

Corpuscule de Golgi-Manzzoni

Faible niveau d'excitation des deux récepteurs

b) Muscle étiré

Niveau élevé d'excitation des deux récepteurs

c) Muscle contracté

Le corpuscule du tendon est excité; le fuseau n'est pas excité partie centrale est plus large et les extrémités effilées. Les petites fibres neuro-musculaires que contient chaque fuseau sont dites « intrafuseau » et les fibres ordinaires situées à l'extérieur des fuseaux sont dites « hors-fuseau ». Le fuseau neuro-musculaire renferme deux sortes de récepteurs : 1) une terminaison sensorielle primaire ou centrale et 2) une terminaison sensorielle secondaire ou distale. Ces terminaisons concernent des parties différentes du fuseau (figure 10.10). La terminaison primaire est enroulée en spirale dans une région dite du sac nucléaire (région centrale de la fibre intrafuseau). Les fibres secondaires partent de l'extrémité mince du fuseau.

Comment se produit l'excitation de ces éléments ? Supposons qu'un muscle est étiré, comme c'est le cas lorsqu'il supporte une charge. Si vous essayez de tenir le bras droit allongé devant vous, paume de la main tournée vers le haut, et si quelqu'un dépose un objet sur votre main, celui-ci ajoute à la charge supportée par vos biceps. Le fuseau musculaire est également étiré et la déformation consécutive des terminaisons sur le fuseau déclenche des influx nerveux dans les fibres afférentes. Deux facteurs sont à considérer quand un muscle est étiré. L'un est la vitesse de modification de la longueur du muscle : ainsi, dans l'exemple utilisé, la vitesse de modification dépend de la masse de la charge et de la vitesse à laquelle la masse est appliquée. Le second facteur est la force continue qui doit être exercée par le muscle pour empêcher la charge de tomber. Dans ce cas-ci, la force dépend uniquement de la masse de la charge.

Les différents éléments récepteurs de la fibre neuro-musculaire manifestent une sensibilité variable à l'égard de ces deux caractéristiques du changement de la longueur musculaire. Les terminaisons primaires ou centrales donnent une décharge maximale au début de l'allongement du muscle, puis elles s'adaptent pour donner un taux de décharge plus faible. Par contre, les terminaisons secondaires ou distales montrent une sensibilité maximale au maintien de la longueur du muscle et ne changent leur taux de décharge que lentement, pendant la phase initiale de l'allongement. À cause de ces différences de sensibilité, on dit que les terminaisons primaires agissent comme des indicateurs dynamiques de la longueur musculaire et les terminaisons secondaires comme des indicateurs statiques. Cette distinction est probablement due à la façon dont les récepteurs sont insérés dans le fuseau plutôt qu'à une différence dans les fibres nerveuses elles-mêmes.

Contrôle efférent du fuseau neuro-musculaire

Les fuseaux neuro-musculaires servent non seulement au maintien de la posture mais également à la coordination des mouvements. Ces fuseaux sont informés de l'activité planifiée ou de l'activité en cours, grâce à une innervation de neurones moteurs particuliers qui modifient la tension au sein du fuseau pour contrôler ainsi la sensibilité des récepteurs de ce dernier. Ces neurones moteurs sont dits **efférents gamma,** pour les distinguer des **motoneurones alpha**, à conduction plus rapide, qui se rendent aux fibres musculaires squelettiques (figure 10.10). Les motoneurones efférents gamma sont reliés à une région contractile du fuseau (région du myotube). Les corps cellulaires de ces fibres se trouvent dans les cornes ventrales de la moelle épinière. Une activité dans les fibres gamma entraîne un changement dans la longueur et la tension du fuseau, celui-ci modifiant sa sensibilité à l'égard des modifications de la longueur des fibres musculaires hors-fuseau adjacentes. Il s'ensuit que le nombre d'influx engendrés dans les afférents primaires et secondaires dépend de deux facteurs : 1) l'allongement du muscle et 2) la tension du fuseau neuro-musculaire au repos.

Correspondant à cette dualité des parties afférentes du fuseau, il existe deux catégories de contrôle efférent gamma. La fibre efférente gamma dynamique rend les terminaisons sensorielles primaires du fuseau plus sensibles aux changements dans la longueur du muscle. La fibre efférente gamma statique exerce un effet de modulation sur la sensibilité des fibres, tant primaires que secondaires avec, comme résultat, un accroissement de la réaction au maintien de l'allongement, avec atténuation de la réaction à la variation de l'allongement. Environ 30 % de toutes les fibres efférentes sont des efférents gamma, ce qui constitue un indice de l'importance du système efférent gamma.

Voyons maintenant comment les motoneurones efférents gamma contribuent à la coordination des mouvements. En utilisant l'exemple initial, supposons que plutôt que de continuer à tenir le bras droit devant vous, vous déplacez votre avant-bras de bas en haut. Si le fuseau neuro-musculaire n'avait qu'un seul degré fixe de tension interne, il ne pourrait contribuer à surveiller et coordonner ce mouvement. Au moment où l'avant-bras se déplace vers le haut, les fibres intrafuseau et hors-fuseau se raccourcissent. Étant donné que le raccourcissement du fuseau élimine la tension, les terminaisons sensorielles devraient cesser de réagir. Mais la situation réelle est plus complexe. À mesure que le muscle raccourcit, les efférents gamma accroissent proportionnellement la tension sur les fibres intrafuseau.

Nous avons déjà mentionné qu'il est possible de changer les points de référence des appareils de rétroaction; il est possible, par exemple, de modifier sur un thermostat le degré de température désiré. De la même manière, les fuseaux neuro-musculaires sont informés des changements de la longueur du muscle et ils aident ainsi à contrôler tout écart au programme en cours.

Alors que les fuseaux neuro-musculaires réagissent principalement à l'allongement, les organes neuro-tendineux de Golgi sont particulièrement sensibles à la contraction ou au raccourcissement du muscle. Ils sont plutôt insensibles à un allongement passif du muscle, puisqu'ils sont rattachés à un élément qui est élastique. Leur rôle est de détecter la surcharge qui risquerait d'endommager muscles et tendons. La stimulation de ces récepteurs inhibe les muscles qui tirent sur le tendon et écarte, en relâchant la tension, le risque de dommage mécanique.

Contrôle nerveux des mouvements au niveau de la moelle

Les cellules nerveuses qui sont directement responsables de l'excitation des muscles sont celles qui sont situées dans la région ventrale de la moelle épinière (motoneurones rachidiens) et dans les noyaux de plusieurs nerfs crâniens du tronc cérébral (figures de référence 2.12 et 2.13). C'est le niveau le plus simple du contrôle nerveux des neurones moteurs. C'est l'activité de ces cellules qui déterminent le moment du déclenchement, la coordination et la cessation de l'activité musculaire. Pour comprendre la physiologie du mouvement, il est nécessaire de savoir d'où proviennent les impulsions reçues par les motoneurones, et également de connaître l'origine de ces motoneurones et leur mode de fonctionnement. Cette tâche est difficile car des influences variées affectent simultanément les motoneurones. Certaines provenant des muscles afférents et des circuits intrinsèques de la moelle épinière ne se manifestent qu'à un seul niveau spinal. Par contre, d'autres parviennent aux cellules motrices à partir de plusieurs voies cérébrales. C'est pourquoi les motoneurones spinaux et rachidiens sont désignés comme étant la voie commune finale.

C'est dans les noyaux moteurs des nerfs crâniens (comme ceux du nerf facial et du trijumeau) que se trouvent les motoneurones qui innervent les muscles de la région de la tête; ceux qui innervent la musculature du reste du corps sont situés dans la moelle épinière.

Des propriétés importantes permettent de distinguer les motoneurones les uns des autres. Ces différences contribuent à une activité musculaire soit graduée et coordonnée dans le temps, soit saccadée, brusque et intense. La différence principale qui caractérise les cellules motrices tient à leurs dimensions qui entraînent des différences physiologiques importantes. En général, les petits motoneurones innervent les muscles lents et sont plus facilement excités par les courants synaptiques; ils sont donc activés avant les gros motoneurones. Ces derniers innervent les muscles rapides et ont tendance à réagir après les petites cellules car ils répondent moins rapidement à l'excitation des courants synaptiques. On retrouve des gros et des petits motoneurones à plusieurs niveaux de la moelle.

Réflexes médullaires

Une façon d'étudier les mécanismes médullaires consiste à sectionner sous le bulbe la moelle épinière (animal spinal), pour observer ensuite les formes de comportements qui peuvent être engendrés par une stimulation au-dessous du point de section. Évidemment, tous les mouvements dépendant des mécanismes cérébraux disparaissent, de même que les sensations provenant des régions inférieures au niveau de section.

Dès que la moelle épinière a été sectionnée, l'animal tombe dans un état nommé **choc spinal**. Cet état est caractérisé par une période de temps où l'irritabilité synaptique des neurones de la moelle est réduite, après que ceux-ci ont cessé de communiquer avec le cerveau. Chez l'être humain, cette période peut durer pendant des mois; chez les animaux moins évolués que les primates (chats et chiens), cette période peut se limiter à quelques heures. Au cours de cette période, il est impossible d'engendrer, par stimulation cutanée ou par excitation des muscles afférents, l'un ou l'autre des réflexes qui dépendent de la moelle épinière.

Toutefois, après cette période, on peut susciter divers types de réflexes et les propriétés des mouvements ainsi provoqués chez les animaux spinaux ont permis de mieux comprendre l'organisation fondamentale des cellules nerveuses de la moelle en vue du contrôle du mouvement. Parmi les mouvements possibles, divers réflexes myotatiques paraissent suffisants pour supporter le poids d'un animal debout, pendant de brèves périodes. La stimulation de la peau d'un animal spinal peut également déclencher des effets réflexes; ceux-ci sont faciles à démontrer par stimulation intense du coussinet plantaire chez le chat ou le chien spinal. Cette stimulation déclenche un retrait brusque du membre, réaction dite réflexe de **flexion**. Contrairement au réflexe myotatique qui met en cause une voie monosynaptique, le réflexe de flexion fait intervenir une voie multisynaptique au sein de la moelle épinière.

Entre autres comportements qu'on peut mettre en évidence chez un animal spinal, il y a ceux de la vidange de la vessie et de l'érection du pénis. Ainsi, des propriétés très fondamentales du mouvement sont *partie intégrante* de l'organisation de la moelle épinière elle-même et peuvent se passer de l'intervention du cerveau. La figure 10.12 décrit certaines de ces réactions.

Le comportement d'un animal spinal révèle également la présence dans la moelle épinière de centres de contrôle. Une stimulation mécanique des pieds ou une stimulation électrique de la moelle peut, par exemple, déclencher des mouvements rythmiques des jambes. Si la moelle épinière a été sectionnée à un niveau supérieur (voir la figure 10.12c), les mouvements en alternance des membres sont coordonnés comme dans la marche, ce qui signifie que les centres de contrôle des membres sont reliés entre eux (Grillner, 1985). Nous reviendrons bientôt sur cette question au chapitre de la locomotion.

Réflexe myotatique

Le réflexe myotatique est un bon exemple de contrôle automatique au niveau spinal. L'étirement d'un muscle entraîne sa contraction, réaction dite **réflexe myotatique**. L'imposition d'une masse ou d'une charge à un muscle permet de comprendre facilement la condition physiologique qui prévaut dans le cas de l'étirement d'un muscle. À la figure 10.13, par exemple, une masse (effet de perturbation) est déposée sur la main, produisant ainsi un étirement brusque du muscle 1 (M1). Des forces gravitationnelles (i.e la masse du corps lui-même) peuvent engendrer un effet semblable au niveau de plusieurs articulations. Le circuit qui empêche l'échappement de la charge, ou tout simplement la chute du corps

STIMULATION

RÉPONSE

a) Réflexe myotatique

 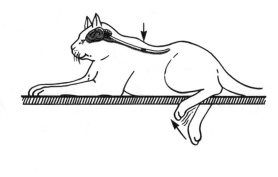

b) Réflexe de flexion et d'extension croisée

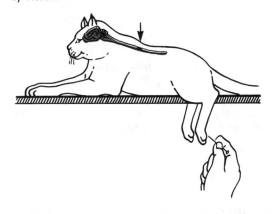 

c) Réflexe de grattage

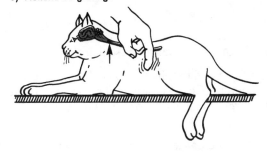 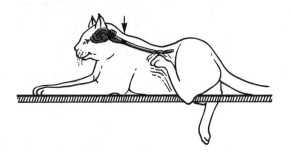

Figure 10.12 Réflexes spinaux chez le chat spinal. Le niveau de section de la moelle est représenté par une flèche. a) L'étirement du membre arrière déclenche la contraction musculaire s'opposant à l'étirement. b) Une stimulation douloureuse du coussinet plantaire déclenche la flexion du membre arrière du même côté de la stimulation et l'extension du membre arrière contralotéral. c) En grattant le flanc de l'animal au-dessous du niveau de section, on déclenche des mouvements de grattage rythmiques et précis.

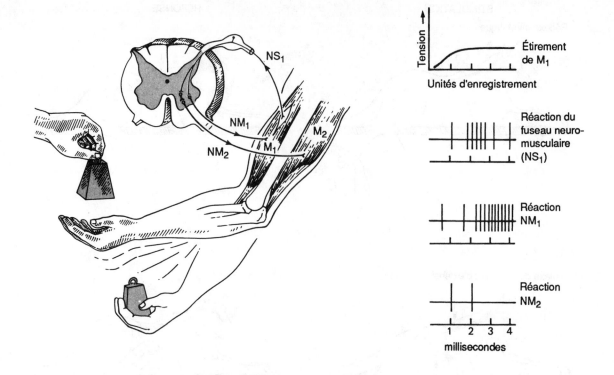

Figure 10.13 Circuit du réflexe myotatique. NM₁ est le nerf moteur qui se rend au muscle 1 (M₁) et NM₂ le nerf moteur qui se rend au muscle 2 (M₂). Les réponses caractéristiques aux divers stades de ce circuit sont illustrées à droite.

sous son propre poids, est un circuit qui relie les fuseaux neuro-musculaires et les muscles en cause. On peut décrire les événements illustrés à la figure 10.13 de la façon suivante :

1) Imposition d'une perturbation.

2) Étirement du muscle.

3) Excitation des éléments afférents du fuseau neuro-musculaire.

4) Production de potentiels synaptiques excitatoires par les afférents du fuseau neuro-musculaire aux jonctions synaptiques. (Ces afférents sont en liaison directe c.-à-d. de façon monosynaptique avec les motoneurones, dont les fibres se rendent jusqu'au muscle étiré.)

5) Réception des influx du motoneurone par le muscle, ce qui engendre contraction et ainsi, l'étirement ou l'allongement du muscle opposé.

Cette séquence représente un système de rétroaction négative simple qui tend à ramener le membre à la position souhaitée (voir la figure 10.13). L'inhibition des motoneurones alimentant le muscle antagoniste (M₂) compte parmi les influences additionnelles exercées par l'activation du système neuro-musculaire. Ces derniers effets se produisent de façon bisynaptique (deux synapses). Ainsi, dans l'illustration de la figure 10.13, l'information provenant du fuseau se termine sur le neurone intercalaire dont les influx vont jusqu'au motoneurone qui alimente M_2. Une activité postsynaptique inhibitrice se produit à ce point de rencontre. Cette action combinée fait alors intervenir l'excitation du muscle étiré produite par le fuseau (et par les muscles travaillant en synergie) et l'inhibition du système musculaire antagoniste.

Évidemment, les réflexes médullaires ne se produisent habituellement pas de façon isolée. Ils sont intégrés et contrôlés par l'activité des circuits cérébraux dont nous allons maintenant parler.

Potentialisation sélective des circuits nerveux rachidiens Le contrôle des mouvements fait intervenir une **potentialisation sélective** des circuits nerveux, c'est-à-dire que l'activité de certains circuits se trouve facilitée alors que l'activité d'autres circuits est inhibée. Le principe de potentialisation sélective peut être illustré de façon pratique en considérant comment un animal parvient à se déplacer sur un terrain raboteux. Durant la marche, le mouvement de chacune des pattes de l'animal exige deux phases distinctes : 1) une phase de balancement, lorsque le membre est soulevé et porté vers l'avant (phase déclenchée par le réflexe de flexion) et 2) une phase de position, qui fournit appui et propulsion et fait intervenir le réflexe d'extension. Au cours de la locomotion, ces deux phases sont produites en alternance régulière par un centre de contrôle spinal. Si l'animal marche sans encombre, sur une surface plane, les phases en alternance assurent un déplacement régulier. Que se produit-il lorsqu'il rencontre des obstacles ? Par exemple, qu'arrive-t-il si, pendant le mouvement, on tape sur l'avant ou le dessus de la patte ? Cette partie de la patte de l'animal est la plus susceptible de se buter à quelque chose qui pourrait faire trébucher l'animal ou qui pourrait faire glisser la patte.

Des expériences ont démontré que le même stimulus appliqué à l'avant de la patte d'un chat spinal peut engendrer une réaction de flexion ou d'extension, selon la phase du mouvement à laquelle est parvenue la patte lorsqu'on tape sur celle-ci (Forssberg, Grillner et Rossignol, 1975). Durant un cycle d'activité, lorsque la patte est projetée en avant, une tape appliquée à l'avant de la patte engendre une flexion dans toutes les articulations de la jambe : celles des orteils, de la cheville, du genou et de la hanche. Cette flexion soulève la jambe et peut lui permettre d'éviter un objet susceptible autrement de faire obstacle au mouvement vers l'avant et de faire trébucher le chat. Si la même tape est donnée au moment où le chat amorce sa phase de position, la stimulation déclenche ou renforce le réflexe d'extension. Ceci accélère le déroulement de la phase de position et le renforce, si bien qu'un objet en mouvement qui aurait pu faire glisser le pied du chat a moins de chances de le faire.

Ainsi, selon la phase de mouvement de la jambe, il y a potentialisation sélective d'une sorte de réflexe et inhibition de l'autre sorte. Des stimuli identiques engendrent donc des réflexes opposés de flexion ou d'extension, selon l'état de l'animal à ce moment-là. Nous pourrons mieux constater la force de ce principe de potentialisation sélective lorsque nous traiterons de la motivation à la partie IV de ce volume.

Contrôle cérébral du mouvement Les voies reliant le cerveau aux motoneurones crâniens et spinaux sont nombreuses et extrêmement complexes, surtout du point de vue fonctionnel. Les relations entre les principales régions du cerveau intervenant dans le contrôle du mouvement sont illustrées sous forme de diagramme à la figure 10.7. Les mouvements complexes font définitivement intervenir des programmes du cerveau et les recherches dans ce domaine portent principalement sur la découverte de ces programmes. Certaines de ces voies apportent une information assez spécifique qu'on peut dégager en examinant les conditions caractéristiques qui produisent de l'activité dans une voie donnée. La voie vestibulospinale, par exemple, fournit des renseignements importants sur la position de la tête et cette information exerce un impact sur les muscles posturaux, permettant ainsi d'effectuer les ajustements corporels.

La figure 10.7 donne une idée de la variété des voies reliant le cerveau aux motoneurones spinaux. Les conceptions du (des) rôle(s) différentiel(s) de chacun de ces systèmes dans l'intégration et le contrôle du mouvement se sont beaucoup appuyées sur les observations des changements de posture et de locomotion déclenchés par des interventions expérimentales dans ces régions. Les données cliniques provenant de victimes de lésions cérébrales ont permis d'établir des distinctions anatomiques et fonctionnelles utiles entre deux systèmes moteurs, nommés systèmes moteurs pyramidal et extrapyramidal.

Le **système pyramidal** (ou **système corticospinal**) fait référence aux corps cellulaires de neurones situés à l'intérieur du cortex cérébral et à leurs axones qui traversent le tronc cérébral, formant la voie pyramidale (figure 10.14). La voie pyramidale se distingue nettement des autres voies motrices au moment où elle traverse les parties antérieures du

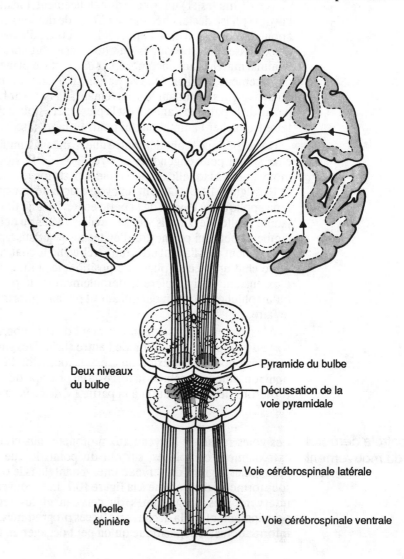

Deux niveaux du bulbe

Pyramide du bulbe

Décussation de la voie pyramidale

Voie cérébrospinale latérale

Moelle épinière

Voie cérébrospinale ventrale

Figure 10.14 Système moteur pyramidal (ou corticospinal). La plupart des fibres pyramidales se dirigent du côté opposé du bulbe (décussation de la voie pyramidale) et descendent dans la moelle par la voie cérébrospinale latérale.

368

bulbe. Une coupe du bulbe montre cette voie sous la forme d'une protubérance antérieure présentant en quelque sorte l'aspect d'un coin pour fendre le bois (pyramide) et située de chaque côté de la ligne médiane.

En plus de ce courant corticospinal qui passe par la voie pyramidale, plusieurs autres voies motrices relient le cerveau au tronc cérébral et à la moelle épinière. Comme elles passent à l'extérieur des pyramides du bulbe, ces voies et les structures qui y sont associées sont considérées comme formant le **système extrapyramidal**.

Niveau du tronc cérébral

Le tronc cérébral comprend plusieurs structures qui revêtent une très grande importance dans le contrôle des mouvements. Tout d'abord, on trouve, dispersés dans toute cette région, des noyaux moteurs crâniens dont les axones innervent la tête et le cou (figure 10.15). De plus, des voies provenant des niveaux supérieurs traversent le tronc cérébral et entrent, dans certains cas, en connexion avec diverses régions du tronc cérébral. Enfin, à l'intérieur même du tronc cérébral se trouve un vaste bassin de neurones reliés entre eux et constituant la formation réticulée, système qui module divers aspects des mouvements. Certaines zones de cette formation réticulée facilitent les mouvements, alors que d'autres ont un effet inhibiteur. Ces influences sont transmises par des voies descendantes prenant origine à divers endroits dans la formation réticulée et entrant en relation avec des neurones intercalaires de la moelle où elles modifient l'irritabilité des circuits moteurs spinaux. Les neurones de la formation réticulée participent également au contrôle des mécanismes fondamentaux de régulation de la respiration.

Cortex moteur primaire

Chez l'être humain, les lésions cérébrales affectant la voie pyramidale entraînent générale- ment une paralysie partielle des mouvements du côté du corps opposé à la lésion cérébrale. Cette perturbation est plus forte dans les muscles distaux comme ceux de la main et engage particulièrement les muscles fléchisseurs. Ainsi, les êtres humains victimes de telles lésions ne sont généralement pas portés à utiliser le membre ainsi affecté.

Parce qu'elles sont dues à des blessures accidentelles ou à des maladies, les lésions observées chez l'être humain ne se limitent habituellement pas à une seule structure nerveuse. Les symptômes résultant des dommages causés au système corticospinal et certaines des complications des changements observés peuvent être attribuables en partie à l'intervention d'autres systèmes de contrôle moteur. Les lésions limitées aux voies pyramidales que l'on produit expérimentalement chez les autres primates semblent donner des changements similaires, mais l'ensemble de la symptomatologie est moins grave. Six mois après une interruption bilatérale des voies pyramidales, les singes sont capables de courir, grimper et étendre correctement le bras pour saisir la nourriture. Les pertes persistantes dont ils témoignent sont une limite de la capacité de bouger les doigts individuellement et une tendance générale à faire des mouvements plus lents que normale- ment, mouvements qui succombent rapidement à la fatigue. Malgré la difficulté qu'ils éprouvent à relâcher la nourriture qu'ils tiennent à la main, ils peuvent facilement relâcher la poigne en grimpant. Les séquelles des lésions pyramidales sont moins graves chez les mammifères évolutivement inférieurs aux primates.

Quelle signification ces déficiences prennent-elles quant au rôle général du système corticospinal ? Malgré les efforts de nombreux chercheurs, aucune réponse définitive n'a été donnée à cette question. En tentant de le faire, on a utilisé des enregistrements effectués au niveau des cellules pyramidales au cours de mouvements variés et on a procédé à un examen plus poussé des relations anatomiques entre le cortex moteur et les autres niveaux des systèmes de contrôle du mouvement. Nous allons considérer brièvement certaines des idées qui ont résulté de ces études.

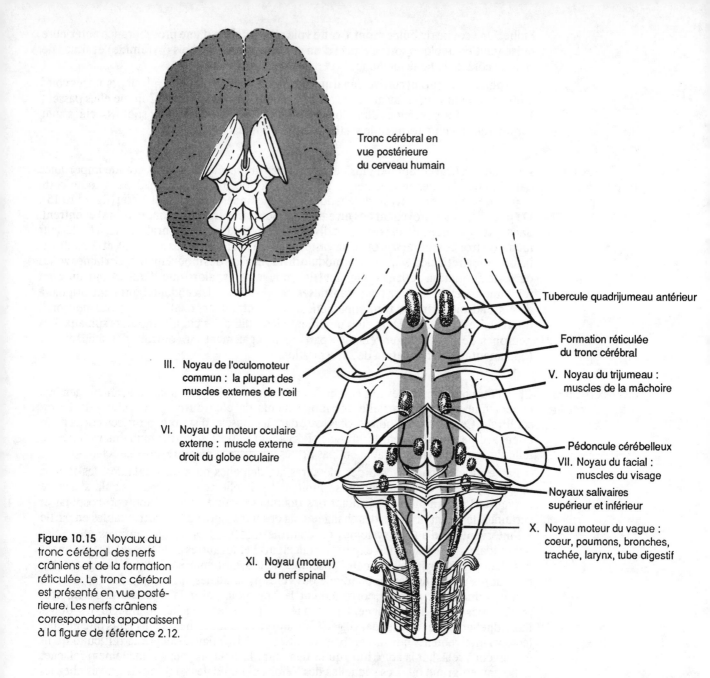

Tronc cérébral en vue postérieure du cerveau humain

Tubercule quadrijumeau antérieur

Formation réticulée du tronc cérébral

V. Noyau du trijumeau : muscles de la mâchoire

III. Noyau de l'oculomoteur commun : la plupart des muscles externes de l'œil

VI. Noyau du moteur oculaire externe : muscle externe droit du globe oculaire

Pédoncule cérébelleux

VII. Noyau du facial : muscles du visage

Noyaux salivaires supérieur et inférieur

X. Noyau moteur du vague : coeur, poumons, bronches, trachée, larynx, tube digestif

XI. Noyau (moteur) du nerf spinal

Figure 10.15 Noyaux du tronc cérébral des nerfs crâniens et de la formation réticulée. Le tronc cérébral est présenté en vue postérieure. Les nerfs crâniens correspondants apparaissent à la figure de référence 2.12.

Vers la fin du XIXe siècle, plusieurs expérimentateurs ont démontré que la stimulation électrique de certaines régions du cortex cérébral pouvait entraîner des mouvements corporels, la flexion des membres en particulier. Ces premiers résultats, et ceux de plusieurs expériences semblables faites depuis, ont donné des cartes des mouvements engendrés par stimulation corticale, surtout ceux déclenchés par une région du cortex cérébral située à l'avant du cortex somatosensoriel et maintenant nommée **cortex moteur**. La figure 10.16 présente une carte du cortex moteur de l'être humain. Sur ces cartes, les plus vastes régions motrices sont consacrées aux mouvements les plus développés et les plus complexes de chaque espèce. Par exemple, chez l'être humain et les autres primates, les champs corticaux qui participent aux mouvements des mains sont extrêmement grands. Des études plus récentes ont montré que des colonies de cellules sont reliées à des groupes particuliers de muscles et que leur représentation corticale se situe probablement dans des colonnes verticales (Ghez, 1985), principe organisationnel apparenté à celui qu'on observe dans les systèmes sensoriels corticaux. Bien qu'une importante fraction des fibres de la voie pyramidale prennent leur origine dans l'aire dite motrice du cortex, cette fraction ne rend compte que d'un tiers environ du nombre total des fibres pyramidales. Une autre forte composante vient de la circonvolution postcentrale (cortex somatosensoriel), soit environ 20 %. D'autres fibres pyramidales proviennent encore de plusieurs autres régions corticales. Ainsi, la fonction motrice se trouve donc distribuée dans plusieurs aires corticales.

Figure 10.16 Carte du cortex moteur primaire de l'être humain sur les surfaces latérale a) et médiane b) du cerveau. c) Séquence et grandeur proportionnelle des représentations motrices des différentes parties du corps. d) Les proportions de l'homuncule font voir les dimensions relatives des représentations motrices des parties du corps.

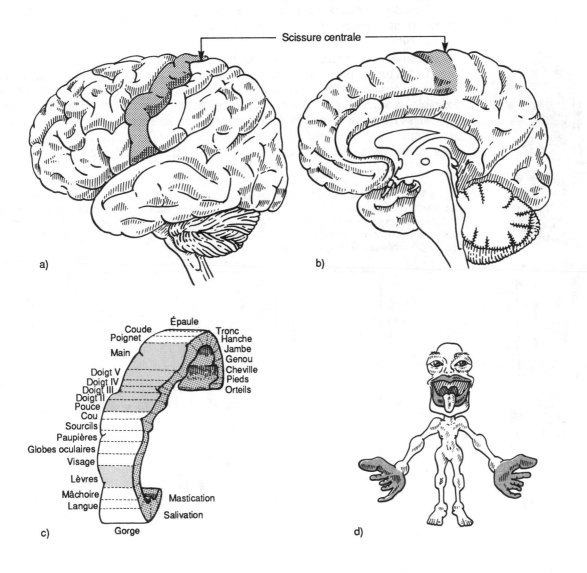

Des données comme celles découlant de l'observation clinique et des études sur la stimulation du cortex moteur en ont amené plusieurs à croire que le système de la voie motrice corticopyramidale constituerait le mécanisme responsable de l'exécution du mouvement volontaire. Dans cette optique, le cortex moteur représenterait des types particuliers de mouvement et l'activation de ses cellules constituerait l'ordre donné en vue de l'excitation des motoneurones crâniens et spinaux appropriés. Cependant, les études anatomiques qui définissent les relations entre le cortex moteur et les motoneurones spinaux n'apportent qu'un appui ambigu à cette notion. La voie pyramidale des primates est pourvue de connexions monosynaptiques avec les motoneurones, surtout ceux d'entre eux qui concernent le contrôle des segments distaux des membres supérieurs (mains, poignets et doigts). Pourtant, la plupart des neurones des voies pyramidales influencent les motoneurones spinaux par l'intermédiaire de voies polysynaptiques et partagent le contrôle de ces cellules motrices avec d'autres voies descendantes. Les études comparatives du nombre de fibres des voies pyramidales indiquent, chez plusieurs espèces différentes de mammifères, que la dimension de la voie pyramidale est avant tout proportionnelle à la dimension du corps et à la complexité du comportement moteur typique de l'espèce. Il est permis de douter que la voie pyramidale soit requise pour la mise en marche et l'exécution du mouvement, puisque plusieurs mammifères actifs ne possèdent que de très petites voies pyramidales.

Un examen plus direct de la fonction de la voie pyramidale a tiré avantage d'enregistrements effectués à partir de ces cellules, pendant l'exécution de mouvements. Ce type d'expérience vise à déterminer la relation entre les mesures de décharges nerveuses (par exemple, la vélocité et la force) et le degré de déplacement du membre. Evarts et ses collègues (1984) ont procédé à des enregistrements de l'activité des cellules cérébrales de singes entraînés à exécuter des mouvements spécifiques (figure 10.17). Ils ont découvert que les neurones de la voie pyramidale émettent des influx avant l'exécution d'un mouvement

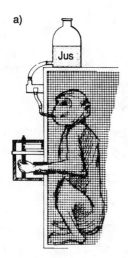

Figure 10.17 Graphique représentant les temps de latence des cellules du cortex moteur en réponse à des mouvements déclenchés à partir de l'information visuelle. a) Dispositif expérimental. b) Type de mouvement de la main. c) Le graphique indique que la plupart des unités motrices du cortex précentral déchargent avant le début de la réponse (R), alors que la plupart des unités du cortex postcentral déchargent après le début de la réponse.

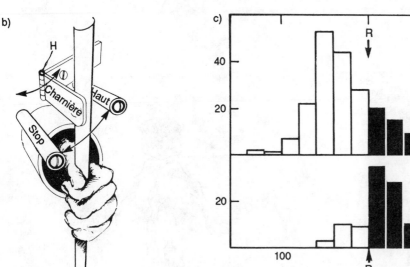

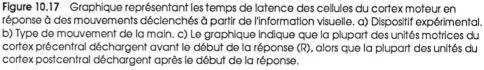

et que le taux de décharge de certaines cellules est proportionnel à la force engendrée par le mouvement. Par contre, la relation entre la position finale d'un membre (son déplacement) et l'activité des cellules du cortex moteur était moins évidente.

Malgré le fait que la plupart des conceptions du rôle de la voie motrice cortico-pyramidale insistent pour considérer le mouvement volontaire et le contrôle de l'exécution d'un mouvement comme constituant les principales caractéristiques fonctionnelles de ce système, des chercheurs ont proposé d'autres interprétations. Le neurophysiologiste Arnold Towe (1971) soutient que ce système est le résultat d'un développement évolutif plutôt récent. Chez les vertébrés actuels, par exemple, les mammifères sont les seuls à être dotés d'un système corticospinal. Plusieurs des autres vertébrés dépourvus de voie pyramidale (oiseaux et poissons) sont capables d'exécuter une gamme de mouvement assez compliqués. Towe fait également observer que la section de cette voie n'empêche pas le mouvement d'un membre. Selon lui, ce système n'est pas le mécanisme responsable de l'exécution du mouvement volontaire en soi, mais plutôt un mécanisme permettant de contrôler l'irritabilité de réseaux situés ailleurs (dans le tronc cérébral, par exemple). Le système corticospinal joue un rôle plus direct dans la surveillance et le contrôle de plusieurs apports de l'environnement extérieur, ainsi que dans l'orientation du mouvement — non son déclenchement — basée sur les évaluations sensorielles. Cette perspective nouvelle pourrait ouvrir des voies intéressantes aux futures recherches dans ce domaine.

Cortex moteur non primaire

Entre le cortex moteur primaire et l'aire préfrontale, se trouvent de grandes portions du lobe frontal formant le **cortex moteur non primaire**. Ce cortex moteur possède deux régions distinctes : le cortex moteur supplémentaire, situé en grande partie sur la face médiane de l'hémisphère, et le cortex prémoteur situé en avant du cortex moteur primaire (figure 10.18). Le cortex moteur supplémentaire reçoit des influx des noyaux gris centraux et le

Figure 10.18 Carte des aires motrices corticales chez l'être humain. Le cortex moteur primaire se situe tout juste devant la scissure centrale. À l'avant de l'aire motrice primaire on trouve le cortex prémoteur et le cortex moteur supplémentaire.

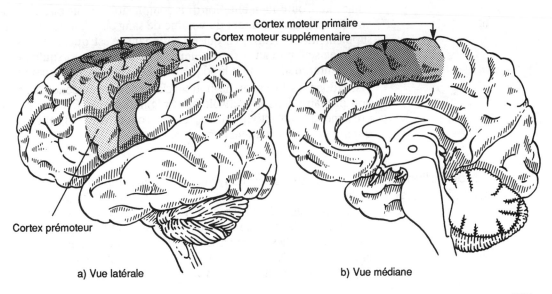

Cortex moteur primaire
Cortex moteur supplémentaire

Cortex prémoteur

a) Vue latérale

b) Vue médiane

cortex prémoteur reçoit des influx du cervelet. Nous discuterons bientôt des rôles des noyaux gris centraux et du cervelet dans la modulation des mouvements. Depuis longtemps, ces régions motrices corticales non primaires sont considérées comme intervenant dans le contrôle des mouvements qui exigent de la dextérité; des études récentes sur les réactions du cerveau, pendant l'exécution d'un mouvement volontaire, semblent confirmer cette hypothèse. Nous allons d'abord considérer certaines études effectuées sur des primates (à l'exception de l'espèce humaine), puis examiner certaines observations fascinantes faites sur des sujets humains alertes.

L'enregistrement à partir d'unités isolées sur des singes éveillés a montré que le taux de décharge de plusieurs cellules nerveuses du cortex moteur non primaire change, tout juste avant le déclenchement de mouvements conditionnés opérants comme, par exemple, la pression sur un levier après apparition d'un stimulus sensoriel. Dans ces régions, des cellules nerveuses réagissent également à l'apparition d'un stimulus sensoriel sans que celui-ci n'entraîne de mouvement manifeste (Wise et Strick, 1984). De tels résultats ont soulevé la possibilité que ces régions participent à l'orientation sensorielle du mouvement. De plus, ces études révèlent également que les régions corticales motrices non primaires sont particulièrement actives durant la préparation de mouvements exigeant de la dextérité.

Les études anatomiques de l'être humain ont donné des résultats comparatifs intéressants. Le volume du cortex prémoteur est relativement beaucoup plus grand chez l'être humain que chez les autres primates (Freund, 1984). Les sujets souffrant d'une lésion bilatérale du cortex moteur supplémentaire sont incapables de bouger ou de parler volontairement même si des mouvements réflexes et automatiques restent possibles. Ces séquelles qui persistent longtemps permettent de supposer que cette région participe à la conception et au déclenchement du mouvement (Freund, 1984). Les sujets montrant des lésions unilatérales du cortex prémoteur conservent un contrôle des mouvements délicats des doigts, mais la stabilité de la position du corps et de la démarche est altérée. On observe également chez eux une importante perturbation de la coordination des deux mains.

Les études sur la circulation sanguine et le métabolisme faites par Roland (1980, 1984) livrent d'intéressantes observations. Ainsi, lors de l'exécution de tâches plutôt simples, comme celle de tenir un ressort comprimé entre deux doigts d'une même main, Roland a noté que la circulation sanguine augmente de façon marquée dans l'aire du cortex moteur primaire controlatéral correspondant à la main, ainsi que dans l'aire somatosensorielle adjacente. Toute augmentation de la complexité de l'une ou l'autre tâche motrice à exécuter entraîne un accroissement du volume de sang circulant qui rejoint alors le cortex moteur supplémentaire. Enfin, ce qui est étonnant, c'est que l'accroissement de la circulation sanguine se limite au cortex moteur supplémentaire lorsqu'on demande aux sujets de se représenter mentalement la séquence de ces mouvements complexes.

Ces données de recherche mettent clairement en évidence l'importance du cortex moteur non primaire dans le contrôle et la régulation des activités motrices complexes. Il faut présumer que les activités de ces régions sont intégrées à celles du cortex moteur en vue de donner un comportement coordonné.

Modulation du contrôle moteur

Les perturbations des mouvements de l'être humain à la suite de lésions cérébrales ou de maladies ont permis de supposer que, en plus des régions cérébrales déjà mentionnées, beaucoup d'autres parties du cerveau interviennent dans certains aspects du contrôle moteur. Le rôle exact de ces autres régions cérébrales reste à préciser, mais on peut tout au moins dire qu'elles servent à la modulation du fonctionnement des régions plus directement engagées dans le contrôle moteur. Ces systèmes modulateurs incluent notamment les noyaux gris centraux et le cervelet.

Les **noyaux gris centraux** comprennent un groupe de noyaux du cerveau antérieur (noyau caudé, putamen, globus pallidus) ainsi que certaines structures du tronc cérébral qui leur sont étroitement associées (locus niger et noyau rouge). La figure 10.9 fait voir les sites et les connexions principales de ces structures. Les lésions de ces régions produisent, chez l'être humain, des entraves au mouvement qui semblent assez différentes de celles résultant de la section des voies pyramidales.

Les études démontrent que les afférences des noyaux gris centraux proviennent d'une région étendue du cortex cérébral, ainsi que du thalamus et du locus niger. Chacune des structures des noyaux gris centraux possède une représentation topographique de la musculature du corps. Ces données portent également à conclure que les noyaux gris

Figure 10.19 Les noyaux gris centraux, le cervelet et leurs connexions motrices.

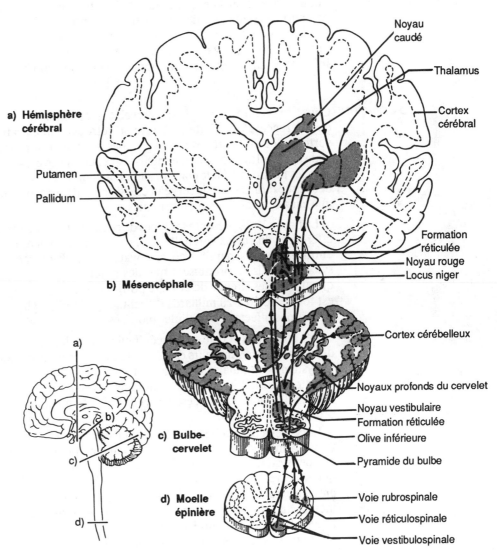

375

centraux sont subdivisés en deux systèmes principaux. L'un est centré sur le noyau caudé dont les afférences proviennent essentiellement du cortex frontal d'association; l'autre système est centré sur le putamen dont les influx proviennent des zones corticales sensorimotrices. Conformément à ces différences dans les connexions, les lésions du noyau caudé entraînent des perturbations des comportements relativement complexes, par exemple dans le cas des aspects de l'orientation spatiale d'un comportement. Par contre, les conséquences des lésions du putamen sont d'ordre plus exclusivement moteur, affectant la force et la vitesse des réponses.

Les études des noyaux gris centraux faites sur les animaux ont porté sur des lésions et sur l'enregistrement de l'activité d'unités isolées pendant des réactions motrices (DeLong et coll., 1984). Les résultats de ces travaux portent à croire que les noyaux gris centraux pourraient jouer un rôle dans la détermination de l'amplitude et de la direction du mouvement plutôt que dans le déclenchement de l'action.

Les activités des réseaux des noyaux gris centraux semblent donc porter sur la modulation des actions déclenchées par d'autres circuits cérébraux contrôlant le mouvement, circuits comme les systèmes corticaux moteur et prémoteur. Evarts et ses collaborateurs (1984) ont souligné un aspect additionnel des fonctions des noyaux gris centraux. Leurs travaux indiquent que ces noyaux sont particulièrement importants pour engendrer les mouvements influencés par le souvenir, par opposition à ceux guidés par contrôle sensoriel.

Le cervelet Chez les vertébrés supérieurs, le cervelet est constitué d'un feuillet à plusieurs replis (figure de référence 2.28). Cette structure se retrouve chez pratiquement tous les groupes de vertébrés et chez certains de ces groupes, ses dimensions varient en fonction de l'étendue et de la complexité des mouvements. Par exemple, le cervelet est de plus grande dimension chez les poissons dont le comportement locomoteur est très élaboré que chez ceux qui sont beaucoup moins actifs; le cervelet est également plus gros chez les oiseaux capables de voler que chez ceux qui en sont incapables.

La figure 10.20 présente les types de cellules et les circuits de base du cervelet. Toutes les efférences du cortex cérébelleux passent par les axones des cellules de Purkinje, ceux-ci entrant tous en synapse avec les noyaux profonds du cervelet. À ce niveau de connexion synaptique, ils ne produisent que des potentiels postsynaptiques inhibiteurs. Par conséquent, tous les circuits de la vaste portion corticale de ce système qui, chez l'être humain, est formé de 10 à 20 milliards de cellules de la microglie, ont pour effet de produire des inhibitions affectant les cellules motrices.

Les afférences vers le cortex cérébelleux proviennent à la fois de sources sensorielles et d'autres systèmes moteurs du cerveau. Les afférences sensorielles sont issues notamment du système vestibulaire, des récepteurs des muscles et des articulations, ainsi que de sources somatosensorielles, visuelles et auditives. Les voies pyramidales et non pyramidales contribuent à l'apport vers le cervelet et reçoivent en retour les influx provenant des noyaux profonds du cervelet.

Le cervelet peut donc être décrit de façon caractéristique comme une structure qui reçoit une information importante, tant des systèmes qui surveillent et contrôlent les mouvements que des systèmes qui exécutent ces mouvements. C'est pourquoi on a longtemps considéré que le cervelet jouait un rôle dans le contrôle rétroactif du mouvement. On a aussi laissé entendre que le cervelet élaborait des programmes nerveux pour le contrôle des mouvements exigeant de la dextérité, particulièrement quand ceux-ci sont répétitifs et automatiques. Il a été démontré récemment que le cervelet participait à l'acquisition et à la rétention des réponses motrices (voir le chapitre 17).

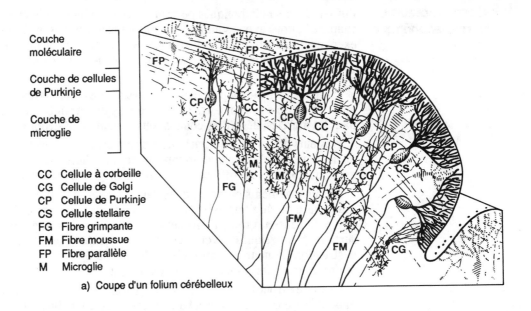

Couche
moléculaire

Couche de cellules
de Purkinje

Couche de
microglie

CC Cellule à corbeille
CG Cellule de Golgi
CP Cellule de Purkinje
CS Cellule stellaire
FG Fibre grimpante
FM Fibre moussue
FP Fibre parallèle
M   Microglie

a) Coupe d'un folium cérébelleux

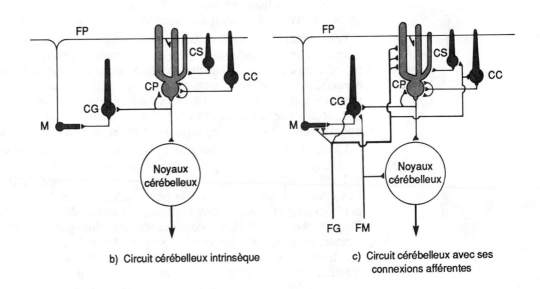

b) Circuit cérébelleux intrinsèque

c) Circuit cérébelleux avec ses
    connexions afférentes

Figure 10.20 Un folium du cervelet et les circuits nerveux fondamentaux du cervelet.

**TROUBLES MOTEURS
CHEZ L'ÊTRE HUMAIN**

Une grande partie de la mécanique du corps se trouve engagée dans le mouvement; c'est pourquoi les caractéristiques des perturbations motrices apportent des indices sur les sites et la nature de la pathologie du système moteur. Avant de décrire les désordres associés au contrôle moteur assuré par le système nerveux central, mentionnons quelques exemples de handicaps sérieux entravant l'exécution des mouvements, ainsi que l'origine de ces handicaps, en commençant par le système musculaire squelettique.

Plusieurs états métaboliques peuvent affecter la biochimie et la structure du muscle. Au chapitre 7, nous avons souligné que plusieurs hormones, notamment celle de la thyroïde, exerçaient une influence sur la biochimie et la fonction du muscle. Une concentration trop faible de l'hormone entraîne une faiblesse musculaire et une lenteur de contraction chronique.

L'origine de beaucoup de maladies musculaires est plus mystérieuse, mettant apparemment en cause des anomalies biochimiques qui entraînent des modifications structurales dans les muscles, désordres connus sous le nom de dystrophie musculaire.

Plusieurs de ces troubles, surtout ceux apparaissant chez les enfants, semblent consister en des états métaboliques anormaux qui seraient héréditaires. Les techniques d'ingénierie génétique pourraient offrir des moyens de diagnostiquer et de traiter ces troubles.

Des changements pathologiques dans les neurones moteurs engendrent une paralysie musculaire ou une faiblesse dans l'exécution des mouvements. La destruction d'origine virale de neurones moteurs (poliomyélite) a déjà représenté une perspective terrifiante, surtout en Amérique du Nord et en Europe occidentale. Cette maladie se traduisait par la destruction de neurones moteurs de la moelle épinière et, dans les cas plus graves, de neurones moteurs crâniens du tronc cérébral.

Parmi les troubles moteurs mettant en cause le point de jonction synaptique neuro-musculaire, on note une variété d'états toxiques réversibles. Dans les régions tropicales, par exemple, les morsures de serpent entraînent des blocages neuro-musculaires dus à la libération de substances toxiques. Les venins fortement toxiques de certains serpents contiennent une substance qui bloque les sites récepteurs postsynaptiques de l'acétylcholine.

Les études portant sur les mécanismes d'action de ce venin ont permis de comprendre en quoi consiste la **myasthénie grave**, l'un des troubles musculaires les plus débilitants. Cette maladie est caractérisée par une extrême faiblesse des muscles squelettiques. (Le terme *myasthénie* vient de deux mots grecs : *myo* signifiant muscle et *asthenos*, sans force.) Les symptômes débutent souvent dans les muscles de la tête, provoquant la chute des paupières, la diplopie et un ralentissement de la parole. Dans les stades plus avancés, la paralysie des muscles contribuant à la déglutition et à la respiration peut devenir une menace à la vie.

Les études physiologiques sur la myasthénie ont révélé des anomalies de la transmission synaptique (Rowland, 1986). Le principal problème relevé dans ces travaux est une réduction des potentiels synaptiques enregistrés au niveau de la jonction neuro-musculaire. Les études de Drachman (1983) ont montré que les jonctions neuro-musculaires des personnes myasthéniques comptent un nombre très réduit de sites récepteurs d'acétylcholine. De plus, chez ces sujets, ces jonctions sont morphologiquement aplaties et simplifiées par rapport aux jonctions synaptiques normales (figure 10.21). À cause de ces modifications de la synapse neuro-musculaire, la transmission est beaucoup moins efficace et les potentiels d'action présynaptiques sont souvent incapables de déclencher des potentiels d'action musculaire postsynaptiques. Les recherches fondamentales sur les animaux et les études poursuivies auprès de malades ont permis de conclure que les responsables de ces changements sont des anticorps qui s'attaquent aux récepteurs musculaires d'acétylcholine.

On peut reproduire cet état avec du sérum prélevé chez ces malades et injecté aux animaux. Plusieurs études démontrent le rôle du thymus dans le déclenchement de cette maladie auto-immune (Engel, 1984). Des cellules du thymus peuvent précisément donner naissance à un anticorps néfaste au récepteur de l'acétylcholine et les faits cliniques démontrent que l'ablation du thymus soulage ces malades. Un autre type d'intervention clinique efficace consiste en une réduction temporaire du nombre des anticorps par extraction du plasma sanguin de ces sujets, procédé nommé plasmaphérèse.

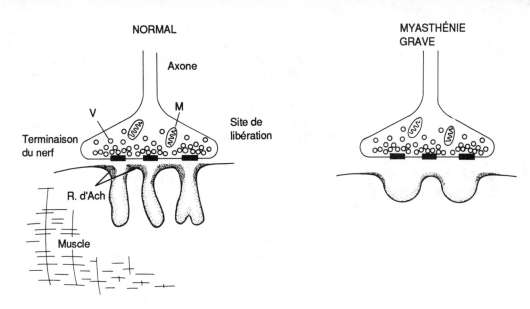

Figure 10.21 Diagrammes des jonctions neuro-musculaires normales et myasthéniques. La jonction de la myasthénie grave présente une réduction du nombre des récepteurs d'acétylcholine (zones pointillées), des plis postsynaptiques peu nombreux et peu profonds, un espace synaptique élargi et une terminaison nerveuse présynaptique normale. (Adapté de Drachman, 1983.)

NORMAL

MYASTHÉNIE GRAVE

Axone

V   M

Terminaison du nerf

Site de libération

R. d'Ach

Muscle

Troubles moteurs au niveau de la moelle épinière

La guerre, les sports et les accidents sont la cause de plusieurs formes de blessures de la moelle épinière qui entraînent des troubles moteurs. Les blessures de la moelle proviennent généralement de forces appliquées contre le cou et le dos, ce qui cause des fractures de la colonne vertébrale et produit des compressions du tissu nerveux de la moelle. Les déplacements brusques de la tête, engendrés par un impact lors d'un accident de voiture, peuvent également donner lieu à des lésions de la moelle épinière.

Une section complète de la moelle entraîne une paralysie avec perte des réflexes au-dessous du niveau de la lésion; c'est la paralysie flasque et elle survient le plus souvent lorsqu'il y a eu destruction d'une partie considérable de la moelle épinière. Par contre, certaines formes de blessures à la moelle produisent une simple section, sans destruction étendue de tissu. Dans ces cas, les réflexes partant d'un niveau inférieur à la blessure sont souvent exagérés, car le tissu intact n'exerce plus une influence d'amortissement provenant des voies inhibitrices du cerveau.

Plusieurs de ces blessures ne se traduisent pas par une section de la moelle épinière, mais par des contusions ou des compressions. Les changements physiologiques qui apparaissent dans la moelle, après une blessure, contribuent beaucoup aux effets directs d'un accident. L'œdème, l'hémorragie et une chute brusque du débit sanguin viennent compliquer la situation. On a maintenant recours aux médicaments pour limiter les effets de propagation de la blessure. Par exemple, les endorphines qui sont probablement libérées au moment de l'accident contribuent à l'intensification du traumatisme aigu; l'administration, à des animaux expérimentaux, de substances qui bloquent l'action des endorphines réduit les effets à long terme du traumatisme subi par la moelle. La possibilité de rétablir les connexions dans la moelle épinière blessée tient toujours du rêve; toutefois, ce rêve ne semble plus aussi irréalisable qu'on le croyait il y a encore quelques années. Des chercheurs travaillant sur la moelle épinière de la lamproie ont montré que plusieurs mois après que leur moelle eut été sectionnée, ces animaux retrouvent leurs capacités de nager (Cohen, 1982). Des études anatomiques faites sur ces animaux à l'aide de colorants marqués ont permis de démontrer que des axones s'étaient développés dans l'espace produit chirurgicalement dans la moelle. Chez les rats et les chats, des axones émettent des bourgeons sur le site du traumatisme spinal, ceux-ci pouvant contribuer au moins partiellement au recouvrement du réflexe spinal (Goldberger et Murray, 1985). Ces observations raniment l'espoir en la possibilité, chez l'être humain, d'une régénérescence de la moelle épinière lésée. Peut-être pourrait-on alors assurer la précision du processus de régénérescence en utilisant des greffes de tissu nerveux qui serviraient de filons *orienteurs* (Aguayo, 1985). Chez l'être humain, l'utilisation d'enzymes pour empêcher la formation de cicatrices pourrait également éliminer un des obstacles à des formes adaptatives de rétablissement des connexions dans la moelle épinière lésée. La reconstitution de la moelle épinière après blessure pourrait rendre inutiles les fauteuils roulants qui sont actuellement le symbole d'une impuissance tragique dans le domaine de la réhabilitation.

Tronc cérébral et défectuosités motrices

Les blessures et les maladies qui atteignent le tronc cérébral ont des effets profonds sur la motricité, car les voies principales reliant le cerveau antérieur et la moelle épinière traversent cette région. Par ailleurs, on y trouve plusieurs rassemblements très denses de cellules nerveuses qui contrôlent et modulent divers aspects du mouvement et de l'action. Les noyaux moteurs des nerfs crâniens en font partie. Quelques-uns des syndromes mettant en cause le tronc cérébral prennent des aspects plutôt dramatiques. Une maladie caractérisée par une perte importante de cellules du tronc cérébral donne une combinaison inusitée de symptômes dont, notamment, la disparition du contrôle volontaire des mouvements oculaires verticaux, le ralentissement et la confusion de la parole, une rigidité des muscles du cou et du corps et la démence. Ce syndrome est celui de la *paralysie évolutive supranucléaire*. (Le terme supranucléaire indique que la lésion se situe au-dessus des noyaux du tronc cérébral responsables des mouvements oculaires.) Une récente étude *post mortem* détaillée de malades a révélé des pertes caractéristiques de neurotransmetteurs dans les noyaux gris centraux qui communiquent avec les noyaux moteurs du tronc cérébral (Kish et coll., 1985; Ruberg et coll., 1986). Ces chercheurs ont remarqué l'existence d'une réduction prononcée de dopamine dans le noyau caudé et le putamen mais non dans les voies dopaminergiques du système limbique. De plus, il y a également dégénérescence de cellules cholinergiques des noyaux gris centraux qui sont les cibles des axones contenant de la dopamine. Il est possible que les pertes cholinergiques associées à cette maladie soient responsables du déclin intellectuel.

À la fin des années 1930, la brillante carrière de Lou Gehrig, joueur de base-ball des Yankees de New York, a contribué à sensibiliser le public à l'existence d'un trouble dégénératif inusité qui se traduit par la destruction des motoneurones du tronc cérébral et de la moelle épinière. La médecine a donné à ce syndrome le nom de *sclérose latérale amyotrophique*, mais les journalistes américains l'ont fait connaître comme la *maladie de Lou Gehrig*. Récemment, l'intérêt s'est porté à nouveau sur cette maladie quand le sénateur américain Jacob Javits a attiré l'attention sur les efforts personnels requis dans l'évolution d'une maladie qui paralyse sa victime petit à petit tout en épargnant ses capacités intellectuelles. Les symptômes qui caractérisent le début de ce désordre dépendent du niveau du système nerveux où la destruction des neurones moteurs commence (Tandan et Bradley, 1985). L'origine de cette maladie est encore mystérieuse. De nombreuses causes possibles font l'objet de vérifications, notamment une prédisposition génétique, un vieillissement prématuré, une intoxication minérale, des virus, une réponse immunitaire et des dysfonctions des glandes endocrines.

Cortex cérébral et défectuosités motrices

Chez l'être humain, les perturbations de la motricité dues à des attaques ou à des lésions du cortex cérébral font partie du scénario habituel de l'étude clinique du cerveau. Le changement le plus fréquent est la paralysie ou une paralysie partielle (parésie) des mouvements volontaires, qui résulte habituellement de lésions dans le cortex cérébral controlatéral. De plus, on note un certain degré de spasticité, surtout sous la forme d'une rigidité accrue en réaction au mouvement forcé des membres. Cette spasticité reflète l'exagération des réflexes myotatiques. Des réflexes anormaux font également leur apparition, par exemple l'écartement et l'extension des orteils qu'on déclenche en frottant la plante du pied (réflexe de Babinski). Le tableau clinique révèle certaines modifications au cours des mois suivant la lésion du cortex cérébral. La paralysie initiale se modifie lentement avec le retour de certains mouvements volontaires de la partie proximale des membres, mais le contrôle des mouvements délicats des doigts est rarement recouvré. Ce tableau observé chez l'être humain est assez différent de celui qui se présente chez les autres mammifères. Par exemple, chez le rongeur, les déficits engendrés par l'ablation du cortex moteur sont beaucoup plus provisoires, alors que chez les primates (l'être humain excepté), ces déficits sont en grande partie limités aux mouvements délicats des membres.

Les dommages des zones non motrices du cortex cérébral, notamment de certaines régions du cortex pariétal ou du cortex frontal d'association, entraînent des modifications plus complexes du contrôle moteur. Dans ces régions, les blessures peuvent engendrer de l'apraxie, ou incapacité de répondre à de simples ordres d'exécution de mouvements déjà appris. Les tests usuels de l'apraxie comprennent notamment des directives comme *faites bonjour de la main*, *tirez la langue*, *souriez*, ou des requêtes plus compliquées comme *pliez cette feuille et placez-la dans son enveloppe*. Il peut arriver que les victimes d'apraxie soient incapables d'obéir à ces demandes dans le cas où il n'y a pas de paralysie, de perte intellectuelle ou de déficit motivationnel évident. Par ailleurs, il est étrange de constater que le malade est capable d'exécuter avec précision les mêmes gestes au cours de comportements routiniers spontanés (Heilman et Rothi, 1985).

Défectuosités motrices mettant en cause les systèmes de modulation

Les rôles de modulation des noyaux gris centraux et du cervelet deviennent particulièrement évidents chez l'être humain lorsqu'on considère la gamme étendue de troubles moteurs résultant d'atteintes graves à ces systèmes. Parmi les nombreux indices d'une absence de modulation de la part des noyaux gris centraux et du cervelet, on observe des défaillances du mouvement, des projections brusques et désordonnées des membres, des torsions inusitées des bras, des jambes, du torse, des hanches et du cou. Voyons, à partir de quelques exemples, en quoi consistent ces troubles moteurs résultant de lésions aux deux principaux systèmes modulateurs.

Les noyaux gris centraux

Les maladies affectant les noyaux gris centraux entraînent des lenteurs de mouvement, des modifications profondes du tonus musculaire et plusieurs mouvements anormaux caractéristiques qui se rapportent typiquement et spécifiquement aux sites anatomiques des lésions au sein de ce système. Beaucoup de ces signes d'endommagement des noyaux gris centraux sont le reflet de la libération des contraintes que ceux-ci imposent normalement au contrôle de la motricité. Avec la disparition de ces contraintes, il semble que l'activité déclenchée dans les autres régions ne soit pas réprimée. Dans certains cas, ces modifications du mouvement sont causées par l'absence d'activité synaptique inhibitrice. La défaillance des systèmes modulateurs donne lieu à trois formes de tremblement.

1. Le **tremblement au repos**, observé lorsque la région affectée, un membre par exemple, n'est pas complètement appuyée sur quelque chose; ce tremblement se produit même quand il n'y a aucune tentative de mouvement.

2. Le **tremblement postural**, évident lorsque l'individu essaie de maintenir une position, comme garder le bras ou la jambe en extension.

3. Le **tremblement d'intention**, qui n'est provoqué que pendant un mouvement volontaire lorsque, par exemple, le sujet étend le bras pour saisir un objet.

Le tremblement au repos, dont la fréquence est habituellement de 5 à 6 cycles/s est surtout caractéristique de la **maladie de Parkinson,** maladie humaine la plus courante des noyaux gris centraux. Dans cette maladie, comportant également d'autres troubles moteurs caractéristiques, le tremblement au repos met en cause les extrémités du corps et peut également affecter les paupières et la langue. Cette maladie dégénératrice se présente surtout chez les individus âgés de 40 à 60 ans. Elle débute par une perte de cellules dans le locus niger. Au cours des dernières années, le traitement de cette maladie a grandement été amélioré grâce au progrès des connaissances fondamentales sur les relations anatomiques entre le locus niger et le noyau caudé, ainsi qu'à la découverte du transmetteur synaptique propre à ces voies de transmission nerveuse. Les influx partant du locus niger se rendent au noyau caudé et utilisent la dopamine comme transmetteur synaptique.

Les victimes de la maladie de Parkinson présentent un déficit de dopamine dans le noyau caudé; une thérapie de remplacement au moyen d'un précurseur de la dopamine (L-DOPA) amène une diminution du tremblement, en plus de soulager d'autres symptômes. L'usage de certains tranquillisants, surtout ceux du groupe des phénothiazines, peut également donner lieu à un syndrome semblable à celui de Parkinson. Ce syndrome se développe parce que ces médicaments empêchent le stockage de la dopamine ou parce qu'ils bloquent la membrane du récepteur postsynaptique aux endroits où la dopamine agit comme transmetteur.

Des cas attribuables à l'usage d'une drogue illégale (voir l'encadré 10.2) sont également des indicateurs des origines de cette maladie.

Le tremblement postural peut résulter de processus pathologiques dans les noyaux gris centraux ou le cervelet. Il existe également des formes congénitales de tremblement postural.

Le tremblement d'intention survient le plus généralement à la fin d'un mouvement et peut être attribuable à l'un des nombreux états pathologiques qui mettent en cause les noyaux gris centraux ou le cervelet.

Les mouvements choréiques et le ballisme constituent des exemples de mouvements très exagérés mettant en cause les noyaux gris centraux. Les **mouvements de la chorée** sont incontrôlables, brefs et forts; ils ressemblent à des *caricatures* bizarres du mouvement normal. Ils peuvent comprendre un mouvement saccadé des doigts, une grimace ou un déplacement des pieds semblable à une danse. La **chorée de Huntington** est un trouble génétique caractérisé par des mouvements inhabituels accompagnés de changements profonds de la fonction mentale. Chez certains de ces sujets, on a découvert que le nombre des cellules du noyau caudé était réduit de façon significative. (Le mot chorée vient du grec *khoreia*, danse. Le mot chœur provient de la même racine; en effet, à cette époque, les membres d'un chœur exécutaient une danse en chantant.) Pour les aspects génétiques et neuroanatomiques de la chorée de Huntington, il faut revoir l'encadré 4.3.

Le ballisme réfère à un balancement incontrôlable et violent des membres. Le mouvement est soudain et peut porter sur un seul côté du corps. Chez l'être humain et le singe, ce syndrome peut résulter de lésions affectant le noyau sous-thalamique.

Les exemples cités d'exagération du mouvement dans les maladies affectant le système extrapyramidal font référence à des troubles hypercinétiques (*hyper* signifie *au-dessus* de la normale et *cinétique* concerne le mouvement). Ces exemples mettent en évidence le rôle majeur qu'exerce l'inhibition dans le contrôle normal de la motricité; sans inhibition adéquate, un individu est forcé d'exécuter une variété de mouvements malgré lui. Il existe également une importante catégorie d'effets hypercinétiques menant à de la raideur motrice (akinésie) et de la rigidité (accroissement du tonus musculaire). Ces déficits font également partie du syndrome de Parkinson.

L'étude de la maladie de Parkinson s'est avérée très difficile parce que, jusqu'à tout récemment, il n'était pas possible de reproduire une perturbation semblable chez les animaux de laboratoire. Toutefois, des erreurs commises dans la synthèse de drogues à des fins d'usage illicite ont récemment permis la production du premier modèle valable de la maladie de Parkinson. Cette saga a débuté avec l'admission, dans un hôpital de Californie, de plusieurs toxicomanes qui présentaient une symptomatologie plutôt inhabituelle. Curieusement, bien qu'ils fussent tous dans la vingtaine, ils présentaient des symptômes évidents de la maladie de Parkinson, maladie normalement observée chez des individus de 50 ans ou plus. Ces jeunes malades exécutaient des mouvements lents, manifestaient des tremblements des mains et leur visage était figé et sans expression. Tous ces toxicomanes avaient utilisé une forme artisanale d'héroïne de synthèse. Ce fait, associé au souvenir d'un rapport publié plusieurs années plus tôt sur un trouble inhabituel résultant d'un accident de laboratoire, a permis de conclure que l'héroïne de synthèse contenait une neurotoxine qui causait des lésions cérébrales typiques de la maladie de Parkinson (Langston, 1985; Kopin et Markey, 1988). De plus, le diagnostic de la maladie de Parkinson fut confirmé dans ces cas par la réponse thérapeutique au L-DOPA.

Des études chimiques ont contribué à identifier une substance contaminante de l'héroïne de synthèse appelée MPTP. Plusieurs toxicomanes ont été en contact avec cette substance mais relativement peu d'entre eux ont été victimes de ce trouble qui ressemble à la maladie de Parkinson. Toutefois, des études récentes ont indiqué que ceux qui ne présentent pas de tels symptômes montrent, par contre, une diminution de leurs concentrations de dopamine cérébrale (Calne et coll., 1985). Il est possible que le contact avec cette substance rende ces individus plus vulnérables à la maladie de Parkinson quand ils vieilliront.

On a par ailleurs découvert que les singes sont aussi sensibles à la toxine que les êtres humains et ils subissent un ensemble permanent de modifications qui sont pratiquement identiques à celles que l'on observe chez l'être humain souffrant de la maladie de Parkinson. De plus, les sites de lésions au cerveau sont identiques à ceux des victimes de la maladie de Parkinson. La substance MPTP se retrouve en grandes concentrations dans des régions comme le locus niger et le noyau caudé. Cette substance est fortement concentrée dans ces régions parce que la MPTP entre en liaison sélective avec une forme de l'enzyme monoamine oxydase qui y est également abondante. L'interaction avec cette enzyme conduit à la formation d'un métabolite hautement toxique, le MPP^+. Récemment, des chercheurs ont suggéré que la neuromélanine, pigment naturel retrouvé dans le locus niger, pourrait expliquer le caractère sélectif des lésions produites par la MPTP (Snyder et D'Amato, 1985). Ils ont montré que le MPP^+ manifeste une singulière affinité chimique pour ce pigment. Ainsi, les cellules contenant de la neuromélanine accumulent le MPP^+ jusqu'à des niveaux toxiques et comme les cellules du locus niger contiennent de grandes quantités de ce pigment, elles sont particulièrement vulnérables à l'impact destructeur du MPP^+. Dans les autres parties du cerveau, les concentrations de MPP^+ diminuent après le contact; par contre, les concentrations de MPP^+ dans les cellules du locus niger peuvent effectivement continuer à augmenter pendant un certain temps, après le contact.

On peut protéger les animaux contre l'impact toxique de la MPTP en leur administrant des inhibiteurs de la monoamine oxydase et de certaines autres drogues (D'Amato et coll., 1987). Il est concevable que ces substances puissent retarder l'évolution de la maladie de Parkinson chez les sujets humains.

La découverte d'un modèle de cette maladie chez les primates permet d'envisager des possibilités de recherches qui faciliteraient une meilleure compréhension des bases réelles de cette maladie. Des chercheurs ont émis l'hypothèse que chez l'être humain, la maladie de Parkinson pourrait être due au contact avec une substance toxique inconnue. Deux employés de laboratoire ont contracté la maladie par inhalation ou par contact cutané avec la MPTP. Ceci laisse supposer qu'un contact passager et presque banal avec la MPTP pourrait être suffisant pour déclencher cette maladie. Des toxines de l'environnement (certains herbicides) donnent peut-être lieu à des contacts avec le MPP^+ (Snyder et D'Amato, 1986). Ce modèle toxicologique devrait au moins mettre en évidence certains aspects du mécanisme de la mort cellulaire chez les victimes de la maladie de Parkinson. Par ailleurs, le modèle MPTP a déjà permis d'entrevoir l'utilisation de traitements toxicologiques prometteurs.

Étant donné que cet organe module plusieurs aspects de l'activité motrice, il n'est pas étonnant de constater que les affections du cervelet donnent lieu à de nombreuses anomalies du comportement. L'étude des symptômes permet à un observateur d'identifier avec précision la partie du cervelet qui est en cause (Dichgans, 1984).

Un type de lésion du cervelet qui est relativement fréquent est une forme de tumeur qui se développe habituellement au cours de l'enfance. La tumeur envahit une partie du cervelet étroitement reliée au système vestibulaire et provoque alors des perturbations de l'équilibre. La victime marche *comme un marin saoul* et éprouve de la difficulté à se tenir debout. Souvent, elle se tient les pieds écartés pour essayer de se maintenir en équilibre. L'anomalie est généralement limitée aux jambes et au tronc, n'affectant pas les bras. Normalement, notre environnement semble rester stable, quand nous marchons ou bougeons la tête, parce que les mouvements des yeux compensent ceux de la tête. Toutefois, pour certaines des victimes d'une lésion du cervelet, le monde ambiant semble bouger chaque fois qu'elles déplacent la tête. Des sujets normaux portant des lentilles prismatiques apprennent vite à compenser l'effet du nouveau rapport entre le mouvement des yeux et la perception d'un changement de direction. Les personnes affectées par des lésions dans la partie vestibulaire du cervelet n'en sont pas capables, ce qui indique que cette partie du cervelet est importante pour un tel apprentissage.

Certains alcooliques connaissent une dégénérescence du lobe antérieur du cervelet. L'endommagement de cette partie du cervelet s'accompagne souvent d'anomalies de la démarche et de la posture. Les jambes, et non les bras, sont ataxiques (perte de coordination). La perte de coordination et le vacillement dénotent que le sujet ne compense pas normalement les déviations habituelles de la position et de la posture. Plusieurs chercheurs ont émis l'opinion que le cervelet fonctionne comme un comparateur dans un circuit de rétroaction négative, comparant les mouvements en cours avec les niveaux cibles et transmettant des ordres de correction pour compenser tout écart aux valeurs visées (revoir la figure 10.6). Il est possible que le fait pour le cortex cérébelleux de disposer de cartes sensorielles et motrices qui sont en registre (c.-à-d. parfaitement superposées), favorise la comparaison des actes en cours avec les positions visées et les vitesses de mouvement des parties du corps.

Certaines maladies du cervelet peuvent entraîner des difficultés d'élocution; il s'agit surtout d'un problème de motricité plutôt que d'une difficulté d'ordre cognitif. Les données actuelles indiquent qu'une région située à la gauche du vermis est le plus souvent mise en cause dans les troubles cérébelleux de la parole, mais il est possible que d'autres régions du cervelet interviennent également (Gilman, Blœdel et Lechtenberg, 1981). Une lésion des parties latérales du cervelet entraîne souvent des difficultés de coordination motrice. On donne le nom de décomposition du mouvement à l'un des problèmes de cette nature car les gestes sont séparés en fragments individuels plutôt que d'être exécutés en douceur. Un sujet qui présentait cette anomalie après lésion de son hémisphère cérébelleux droit décrivait ainsi les effets de cette lésion : « Les mouvements de ma main gauche sont exécutés de façon subconsciente, mais il me faut penser chaque mouvement de mon bras droit. En me tournant, j'arrive à un arrêt net et je dois réfléchir avant de continuer ». Le cervelet n'est donc pas nécessaire au déclenchement des actions ou à la planification des séquences de mouvements, mais il est essentiel pour faciliter l'activation et pour regrouper les mouvements de façon économique (Brooks, 1984).

INNOVATIONS DANS LE TRAITEMENT DES TROUBLES MOTEURS

Depuis l'Antiquité, on cherche à remplacer les parties du corps qui ont été perdues à la suite d'accidents ou de maladies. Les dents et les membres artificiels sont deux exemples bien connus de ce que sont les **prothèses** (du mot grec *prothesis*, addition). Les progrès enregistrés dans la connaissance des mécanismes du mouvement et de leur contrôle nerveux ont permis d'améliorer constamment les prothèses et ont rendu possible le remplacement complet d'un membre absent. L'utilisation du terme prothèse s'est étendue au point où maintenant ce mot désigne également l'addition d'une structure qui ne remplace pas une partie du corps mais en facilite le fonctionnement. C'est le cas du stimulateur cardiaque électronique, ou *pacemaker*, qui assure la régularité du fonctionnement du cœur quand le contrôleur électrique du rythme de cet organe est devenu défectueux.

Un bras artificiel contrôlé par la pensée

Bien que l'idée de concevoir des mains et des bras artificiels soit très ancienne, l'utilité de ces prothèses a connu des limites jusqu'à tout récemment. Dans certains cas, on a pourvu des mains mécaniques de parties mobiles auxquelles il a été possible de rattacher les tendons des muscles de l'avant-bras, afin de permettre à un amputé une certaine variété de mouvements. Certains amputés ont ainsi appris à saisir et à manipuler, dans une certaine mesure, grâce à ces dispositifs; toutefois, l'utilisation de telles prothèses nécessite un long entraînement. Plus récemment, on a conçu des mains et des bras artificiels améliorés qu'un amputé peut utiliser avec très peu d'entraînement. Le bras artificiel semble permettre de faire tout ce que veut son usager. De petits moteurs sont installés dans le bras pour fournir l'énergie aux mouvements; l'opération de ces moteurs est contrôlée par un micro-ordinateur logé dans le bras. L'ordinateur reçoit de l'information sur l'activité des muscles intacts de l'épaule, de la poitrine et du cou de l'individu. Lorsqu'un bras bouge, il se produit simultanément des contractions coordonnées et compensatoires dans les parties voisines du corps et l'arrangement de ces contractions varie d'après le mouvement particulier du bras. L'ordinateur peut ainsi savoir quel mouvement du bras est visé en analysant la façon dont s'activent les parties associées du corps. Les divers moteurs du bras artificiel agissent alors avec plus ou moins de force en fonction de l'information reçue. La rétroaction se fait grâce à la traction du bras sur le reste du corps.

Les chercheurs s'emploient maintenant à fournir une rétroaction plus complète des mouvements et des forces au sein du bras artificiel. Pour ce faire, ils placent, à l'intérieur du bras, divers détecteurs qui produisent une stimulation sous la forme de touchers ou de vibrations sur des plaques adjacentes de peau. Cette technique donne une rétroaction plus adéquate, mais l'amputé doit apprendre à interpréter et à utiliser cette rétroaction.

Rétroaction et troubles moteurs

L'acquisition des mouvements exigeant une habileté motrice complexe pour exécuter des prouesses athlétiques ou jouer d'un instrument de musique démontre qu'on peut, par apprentissage, modifier le contrôle cérébral du mouvement. L'apprentissage du contrôle du déclenchement, de l'organisation et de l'interruption du mouvement est évident dans le cas de plusieurs habiletés acquises au cours de la vie. Serait-il possible de parvenir, à la suite d'un entraînement, à réduire ou à éliminer les mouvements anormaux ? Plusieurs études ont maintenant montré qu'on pourrait avoir recours aux techniques de conditionnement opérant, conçues pour la recherche sur les animaux, et utiliser ces techniques à des fins thérapeutiques dans le cas d'une série de troubles moteurs attribuables à des dysfonctionnements cérébraux. Cette technique thérapeutique est également connue sous le nom de **rétroaction biologique**, car les signaux utilisés pour la modification opérante sont choisis parmi les mouvements mêmes que fait l'individu en cause. Certains de ces procédés sont utilisés dans les études cliniques.

Toutes les méthodes de rétroaction biologique se ressemblent même si les applications varient. On décèle d'abord un mouvement, une déviation posturale ou un niveau de tension musculaire au moyen d'un appareil d'enregistrement. Dans certains cas, l'observation est effectuée par électromyographie, technique pouvant fournir des renseignements précis sur l'activité de très petites unités motrices. Cette information sur les événements ou les états de la motricité est transmise au sujet sous forme de voyants lumineux ou de signaux sonores. Plus exactement, on voit, à ce que les événements moteurs captés par les appareils d'enregistrement contrôlent, l'apparition et la disparition de voyants lumineux ou de sons. Grâce à des données de nature extéroceptive et des informations habituelles provenant des récepteurs des articulations et des muscles, le sujet est informé d'un mouvement exécuté par son corps, ou encore de sa posture ou de la tension d'une partie de son corps. On demande au sujet de faire disparaître (ou apparaître) le signal pendant une période aussi longue que possible, en usant de tous les moyens possibles pour y arriver, y compris la pensée, les images mentales ou la simple détente musculaire.

Cette technique a remporté beaucoup de succès dans le traitement des troubles moteurs, notamment dans la réduction de la tension musculaire et de la force des mouvements anormaux. On peut soulager les céphalées attribuables à une tension excessive des muscles du front en transmettant aux sujets des signaux de rétroaction biologique en provenance de ces muscles. Brudny (1976) a utilisé la rétroaction biologique d'une façon remarquablement efficace pour traiter le torticolis, perturbation neuro-musculaire caractérisée par une contraction extrême des muscles du cou, ce qui produit une déviation de la tête. Cette réaction est souvent spasmodique, donnant lieu à une contraction intermittente marquée des muscles sur un côté du cou. Brudny (1982) a démontré qu'on pouvait utiliser l'activité spastique des muscles du cou et accroître la tension des muscles de l'autre côté du cou de façon à contrer la force qui produit la déviation de la tête. Un cas traité par Bernard Brucker (et décrit par Miller, 1985) révèle le rôle que peut jouer la rétroaction biologique dans la réhabilitation consécutive à un traumatisme cérébral. Un garçon qui avait été frappé par une automobile, à l'âge de trois ans, avait gardé comme séquelles de cet accident des mouvements spastiques et très rigides. Il lui était impossible de plier le coude ou d'ouvrir la main droite. À l'âge de 9 ans, il fut soumis pendant deux semaines à des séances de rétroaction biologique visant à augmenter la force et la coordination des muscles. Le traitement lui permit d'utiliser sa main dans plusieurs activités quotidiennes, comme celles de s'habiller et de manger. Le signal de rétroaction utilisé était une information électromyographique relative aux muscles en cause.

DÉVELOPPEMENT DES FONCTIONS MOTRICES

On comprend mieux les fonctions motrices lorsqu'on constate à quel point elles apparaissent tôt dans le cycle vital d'un individu, comment elles se développent, de l'enfance à la maturité, et dans quelle mesure elles diminuent à la fin de la vie.

Développement du fœtus et activité fœtale

Les études sur le développement du mouvement doivent d'abord porter sur le développement du fœtus dans l'utérus car ce dernier n'est ni passif, ni tranquille. En effet, il arrive que des femmes enceintes soient surprises par la soudaineté d'un vigoureux coup de pied du bébé qu'elles portent.

L'évolution des mouvements du fœtus humain s'étudie à l'aide de l'échogramme ultrasonique (Birnholtz, 1981; Birnholtz et Farrell, 1984). Cette technique permet d'examiner tôt, au cours de la vie fœtale, de petits mouvements, tels les mouvements isolés de l'œil. Les réflexes locaux commencent à se former vers la 11e ou 12e semaine après la conception. Ces réflexes sont des changements moteurs sélectifs qui ne mettent pas en cause l'ensemble du corps. C'est à ce stade que le fœtus commence à ouvrir la bouche et à avaler. Les mouvements de la langue apparaissent vers la 14e semaine.

Le rôle fonctionnel de la grande variété de réflexes fœtaux a fait l'objet de nombreuses discussions durant des années. S'appuyant sur une étude approfondie, Hall et Oppenheim (1987) ont proposé trois hypothèses distinctes pour expliquer les rôles fonctionnels des mouvements du fœtus :

1. Il se peut que les premiers comportements ne reflètent que le fait de la formation d'un circuit nerveux qui ne deviendra significatif qu'à un stade ultérieur du développement.

2. Les premiers comportements du fœtus constitueraient un élément nécessaire dans le façonnement des réponses plus complexes qui viennent plus tard. Par exemple, il est possible que les mouvements *spontanés* du fœtus humain soient indispensables à l'acquisition ultérieure d'une capacité locomotrice ordonnée.

3. Le comportement du fœtus pourrait remplir une fonction immédiate d'adaptation.

Nous avons déjà souligné qu'il n'existe pas de preuve définitive de l'influence de la répétition de mouvements par le fœtus sur sa performance motrice subséquente. Hall et Oppenheim (1987) citent plusieurs travaux qui démontrent que l'administration, à des embryons d'amphibiens, de drogues qui bloquent l'activité nerveuse n'a pas d'influence sur le développement ultérieur de la capacité de nager d'un têtard. Toutefois, Hall et Oppenheim notent qu'il existe de nombreuses études révélant que les réponses comportementales du fœtus sont des adaptations importantes au développement fœtal lui-même, notamment au développement musculosquelettique. Chez le fœtus, les muscles squelettiques ne se développent pas normalement lorsque les mouvements de celui-ci sont déficients.

Développement moteur de l'enfant

Plusieurs études en psychologie de l'enfant se sont intéressées aux capacités motrices des nouveau-nés. La description de l'évolution des habiletés motrices, au cours de la prime enfance, consiste souvent à identifier l'âge auquel les nouveau-nés et les enfants parviennent à accomplir des gestes moteurs, comme se tenir debout, marcher et manipuler des objets. À l'instar d'autres changements biomécaniques, l'allongement des os et l'acquisition de la masse musculaire sont responsables de la manifestation de plusieurs des premières capacités motrices. Le programme nerveux de la marche existe, par exemple, dès la naissance, comme on peut le constater en tenant le nouveau-né debout (en supportant son poids) et en plaçant ses pieds en contact avec une surface solide. Dans ces conditions, le bébé exécute des mouvements de pas avec ses pieds. La capacité de marcher n'apparaît pas, cependant, avant l'âge de 12 à 18 mois, car le squelette osseux et l'ensemble de la musculature ne sont pas suffisamment développés avant cette période; en effet, les pièces du squelette mettent du temps à s'ossifier chez l'être humain.

Le calendrier de l'émergence des divers réflexes a été établi pour plusieurs animaux. Fox (1970) a étudié l'évolution des réflexes chez le chat et le chien; il a observé ces animaux tous les jours, de leur naissance jusqu'à l'âge de 2 à 4 mois, et noté un ensemble de comportements réflexes. Certaines des réponses qu'il a étudiées sont : la rétraction réflexe provoquée par des stimuli douloureux, habituellement un pincement de la pulpe des orteils; le réflexe de redressement engendré lorsque l'animal est couché sur le dos, ce qui amène celui-ci à essayer de se retourner pour se remettre sur ses pattes; le réflexe de positionnement des membres antérieurs consistant en leur extension lorsqu'ils sont mis en contact avec une surface dure comme le dessus d'une table; enfin, le réflexe auditif de tressaillement (réflexe de Moro). Le moment d'apparition de réponses réflexes caractéristiques de l'adulte est spécifique de chaque espèce et dépend de la séquence selon laquelle différents comportements deviennent nécessaires à l'espèce.

Vieillissement et modifications de la motricité

À mesure que nous vieillissons, nous devenons plus faibles et plus lents, constatation désolante mais correspondant malheureusement à la réalité. Nous ne pouvons tout au plus discuter que de l'évaluation de l'ampleur de ces changements. En dépit de cette diminution de vitesse et de force, se pourrait-il que le vieillissement représente un gain en terme de précision des habiletés motrices ?

Chez l'être humain, la période située entre 20 et 29 ans correspond à l'apogée de sa force musculaire; puis, chacune des décennies suivantes est marquée par un déclin de plus en plus prononcé. Ces modifications se manifestent dans pratiquement tous les systèmes moteurs efférents et le déclin ressenti semble attribuable à des changements dans les propriétés des muscles et des articulations. L'étude des activités humaines en milieu de travail démontre que ce déclin est moins évident chez les gens qui s'adonnent à un travail exigeant de la force.

La rapidité d'action est particulièrement sensible à l'outrage des ans. L'exécution des tâches motrices, simples ou compliquées, exige plus de temps après la période de pointe de 20 à 29 ans. Sur l'ensemble d'une vie et en fonction d'une moyenne établie à partir de tâches variées, l'évaluation de la réduction d'efficacité motrice se situe entre 20 et 40 %. Cette réduction est le fait de changements tant dans le système musculaire que dans les réseaux de traitement de l'information qui décident des mouvements. Des tâches relativement simples semblent subir des modifications majeures. La capacité d'écriture décroît en vitesse entre les groupes d'âge de 20 à 29 et 60 à 69 ans. Le ralentissement de cette activité et de plusieurs activités semblables qui demandent de petits mouvements musculaires n'est pas le fait de limitations musculaires mais plutôt celui de modifications dans le traitement central de l'information qui fait intervenir des décisions servant à orienter le mouvement. Ceci a pu être mis en évidence dans des études révélant qu'il est possible de réduire les effets du vieillissement en fournissant au sujet des signaux d'avertissement qui le préparent à l'exécution du mouvement visé. Toutefois, ce ralentissement se fait au profit d'une plus grande précision du mouvement exécuté, pourvu que les tâches n'exigent pas une information perceptive complexe.

Sur le plan physiologique, ce déclin de la motricité est observable à plusieurs niveaux du système neuromoteur. Il a été possible de démontrer que le cerveau est soumis à des transformations neurochimiques et neuroanatomiques. Par exemple, chez les adultes normaux, les concentrations d'enzymes catalysant la synthèse de la dopamine diminuent avec l'âge et la quantité de dopamine que contiennent les noyaux gris centraux diminue d'environ 13 % par décennie (Stahl et coll., 1986).

Au chapitre 4, nous avons mentionné certains des changements neuroanatomiques qui surviennent avec l'âge. Scheibel et coll., (1977) ont attiré l'attention sur la perte de cellules de Betz, catégorie de grosses cellules nerveuses du cortex moteur de l'être humain. Scheibel croit que la chute progressive de cette population cellulaire réduit le nombre de fibres dans une voie à conduction rapide reliant le cerveau aux motoneurones et participant à la locomotion.

Les rats âgés présentent des troubles moteurs qui apparaissent surtout lorsqu'ils doivent nager. On peut observer une perturbation semblable chez de jeunes rats après atteinte grave des cellules productrices de dopamine. L'administration de L-DOPA, précurseur de la dopamine, et celle d'apomorphine, drogue stimulant les récepteurs de la dopamine, atténuent de façon considérable les troubles moteurs des rats âgés (Marshall et Berrios, 1979). Ces constatations s'accordent avec celles faites à la suite d'examens *post mortem* de cerveaux humains. Il semble donc que les perturbations motrices observées chez les organismes vieillissants pourraient résulter du déclin des activités des cellules à dopamine et de leurs récepteurs postsynaptiques.

POINTS DE VUE COMPARÉS SUR LES MOUVEMENTS ET L'ACTIVITÉ

Chez divers animaux, la comparaison des ressemblances et des différences dans l'exécution d'actions particulières peut permettre de mieux comprendre l'anatomie et la physiologie du mouvement. Certaines différences découlent de spécialisations anatomiques de l'ossature, comme celle des os des membres postérieurs servant à sauter. D'autres font ressortir des spécialisations nerveuses comme l'innervation fixe du membre antérieur qui permet une plus grande dextérité dans l'utilisation des membres antérieurs, chez les primates et les ratons laveurs. La locomotion, le comportement d'évitement et la vocalisation sont donc des processus qui méritent d'être considérés dans une perspective de comparaison.

La locomotion   La locomotion est assurée de diverses façons dans le monde animal. Chez certains animaux, elle se fait au moyen de changements de la forme du corps, par exemple les mouvements sinueux du corps d'un serpent qui se faufile dans l'herbe ou les oscillations de la queue d'un poisson dans l'eau. Par ailleurs, la propulsion par jet brusque du calmar et le mouvement soudain de fuite à reculons que l'écrevisse produit par flexion spontanée de la queue constituent des exemples encore plus spectaculaires de locomotion réalisée par modification de la forme du corps. Chez de nombreux autres animaux, notamment l'être humain, la locomotion est assurée par des membres conçus à cette fin et qui produisent les forces requises par un mouvement. Les vitesses maximales de déplacement enregistrées pour différentes espèces sont illustrées de manière comparative à la figure 10.22. Certains animaux comme le guépard ne maintiennent leur vitesse maximale que sur de courtes distances seulement.

Peu importe comment les animaux parviennent à se déplacer, dans tous les cas le processus de locomotion est basé sur le rythme. En effet, pour tous les animaux, le déplacement consiste en des cycles répétés d'un même geste, que ce soit le battement sans fin des ailes ou la répétition de séquences particulières de mouvements des jambes. La recherche contemporaine en neurosciences a accordé beaucoup d'attention à la base nerveuse des cycles répétitifs de la locomotion. Est-ce que ceux-ci dépendent de l'impact sensoriel du mouvement lui-même ou refléteraient-ils l'action d'oscillateurs endogènes fournissant les programmes locomoteurs fondamentaux auxquels les motoneurones obéissent volontiers ?

En plus de la nature cyclique et répétitive du processus de locomotion, il existe d'autres aspects de ce phénomène qui nécessitent une explication neurologique. Par exemple, tout cycle isolé d'un acte locomoteur fait intervenir une activation séquentielle et coordonnée de plusieurs muscles dont l'excitation est soigneusement graduée. Les comparaisons entre plusieurs animaux, de l'insecte à l'être humain, indiquent que les cycles répétitifs des activités locomotrices sont engendrés par des oscillateurs intrinsèques.

Les mouvements rythmiques semblent provenir de mécanismes prenant origine dans la moelle épinière. Ces rythmes peuvent être indépendants des influences cérébrales et des influx afférents. Grillner et Zangger (1979) et Grillner (1985) ont récemment démontré l'origine centrale de ces rythmes locomoteurs. En bref, leur étude porta sur des chats spinaux dont on a sectionné les racines dorsales (sensorielles) de la moelle épinière : des stimulations électriques brèves à l'une ou l'autre des racines dorsales donnaient un électromyogramme « de marche » durant quelques secondes dans les muscles des membres postérieurs (figure 10.23). Les résultats de l'activation de motoneurones ou de muscles spinaux donnent également différents types de coordination qui sont des variantes de mouvements stéréotypés comme le galop. L'activité des muscles en cause constitue des modèles moteurs assez apparentés aux mouvements réels exécutés par des animaux intacts. La quantité de matière spinale minimale requise pour générer un rythme locomoteur significatif correspond à une suite de trois segments spinaux intacts. Les centres spinaux examinés dans cette étude et dans d'autres du même genre contrôlent diverses activités locomotrices. Ainsi, les voies reliant le cerveau à la moelle épinière ne donnent pas naissance au rythme essentiel, mais peuvent contrôler son déclenchement et lui apporter des corrections découlant d'autres influences engendrées par le cerveau. Des préparations anatomophysiologiques d'invertébrés ont permis de démontrer clairement le phénomène de production de rythmes locomoteurs (Selverston, 1985).

km/h	0	16	32	48	64	80

Figure 10.22 Comparaison des vitesses de locomotion maximales de plusieurs espèces de vertébrés. La plus grande vitesse de vol est environ deux fois la plus grande vitesse de course, qui est environ deux fois aussi rapide que la vitesse de nage la plus grande.

Le comportement d'échappement et d'évitement

Les réactions d'échappement et d'évitement font partie de l'ensemble des réponses qui permettent à l'animal de se défendre contre les prédateurs. Ces actions nécessitent évidemment d'être exécutées très rapidement et avec beaucoup d'agilité. La rapide projection en arrière de l'écrevisse, le *sauve-qui-peut* de la blatte et le comportement d'évasion du papillon de nuit pourchassé par une chauve-souris sont autant d'exemples de réponses d'échappement efficaces. Parce qu'il prend chez les plus simples d'entre eux un caractère très stéréotypé, ce comportement a été étudié en profondeur chez les vertébrés, aussi bien au niveau des circuits nerveux qu'au niveau du comportement. Le système d'échappement de la blatte offre un exemple intéressant de ce type de recherche. Camhi (1983) a décrit les caractéristiques des stimuli déclencheurs et des circuits nerveux intermédiaires. Quand un prédateur s'approche, la blatte se retourne et court rapidement. Les blattes décèlent les prédateurs éventuels grâce à des détecteurs éoliens très sensibles disposés sur des appendices semblables à des antennes, à l'extrémité postérieure du corps. Chacun de ces organes détecteurs comprend environ 200 cils. L'ablation de ces cils empêche

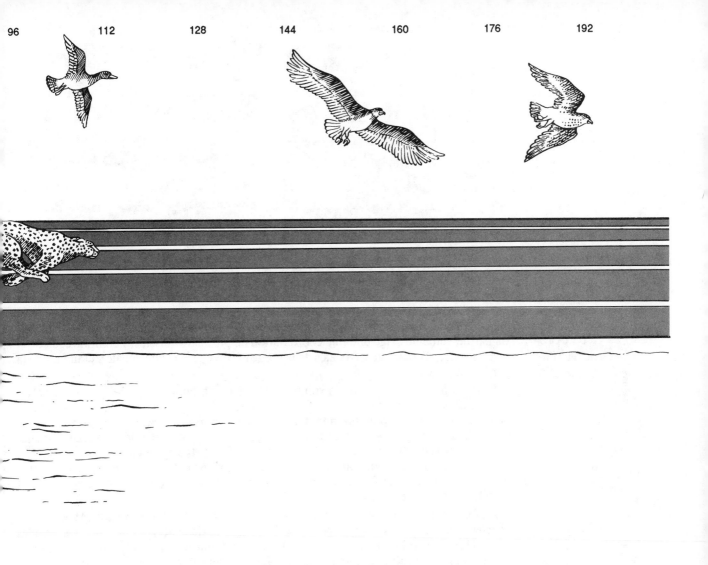

les blattes d'éviter les prédateurs. Ces récepteurs sont donc très sensibles et semblent fournir les seuls signaux utiles au comportement d'échappement. De plus, ces récepteurs ne réagissent pas à l'accélération de l'air produite par les mouvements de l'animal lui-même. La différence essentielle vient de ce que l'accélération des mouvements exécutés par l'animal est beaucoup plus faible que celle produite par un prédateur qui s'approche.

Le réseau nerveux qui entraîne l'activation des mouvements d'évasion comprend deux neurones géants, un de chaque côté du corps, qui sont reliés aux cellules ciliées. Ces neurones géants montent à travers le corps de l'animal et entrent en connexion avec des neurones contrôlant les muscles des pattes. La persistance de l'activité nerveuse semble être une des caractéristiques de ce circuit car, normalement, la blatte court sur une distance considérable à la suite de l'application d'une seule bouffée d'air. Les neurones géants du calmar (chapitre 5) sont également des neurones moteurs qui servent à des réactions d'échappement.

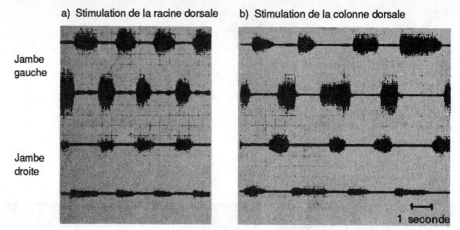

a) Stimulation de la racine dorsale   b) Stimulation de la colonne dorsale

Jambe gauche

Jambe droite

1 seconde

Figure 10.23   Modèle de marche représenté dans des électromyogrammes de muscles des membres postérieurs d'un chat spinal et désafférenté (Grillner et Zangger, 1979.)

La parole, les vocalisations et les pleurs

La parole humaine exige une fine coordination de plusieurs muscles, y compris ceux de la respiration, ceux des cordes vocales de la gorge et ceux de la cavité vocale s'étendant de la gorge à la bouche.

Les muscles qui participent à l'expiration de l'air comprennent ceux du diaphragme et de la poitrine. Ces derniers contrôlent les niveaux absolus de pression de l'air et les changements dans la pression d'air marquant les pauses de la parole. Chez l'être humain, certaines fibres de la voie pyramidale aboutissent dans la région thoracique de la moelle épinière. Cette voie participe notamment au contrôle de mouvements exigeant une certaine dextérité (mouvements des doigts). Dans ce cas-ci, les connexions thoraciques ne participent probablement pas au contrôle de la respiration mais plutôt à une utilisation complexe des muscles respiratoires à des fins d'élocution.

La formation précise des sons met à contribution les muscles qui contrôlent les cordes vocales et la forme des cavités vocales de la bouche et de la gorge. Plusieurs des muscles utiles, comme ceux des lèvres, ont un faible rapport d'innervation puisqu'un contrôle serré est absolument requis pour que les sons deviennent des signaux intelligibles. Par exemple, il faut noter les très petites différences de positionnement de la langue exigées pour la production des consonnes *d* et *t* ou les effets également subtils produits par la position de la langue et des lèvres lorsqu'on prononce les lettres *b* et *p*.

Dans le cas de la parole, le contrôle par rétroaction est particulièrement intéressant car il est multimodal, c'est-à-dire qu'il a recours aux récepteurs musculaires, aux récepteurs tactiles et à l'audition des sons. Le chapitre 18 décrit l'organisation nerveuse sous-jacente à l'activité de la parole (c.-à-d. la représentation des programmes de mouvement dans le cerveau).

Plusieurs animaux, y compris l'être humain, utilisent également les structures servant à la respiration pour produire des sons caractéristiques de l'espèce. Dans la plupart des cas, ces sons sont formés par expulsion d'air hors des poumons ou d'une poche, de façon à ce que l'air traverse une structure capable de vibrer lorsqu'elle est étirée adéquatement. La coordination de l'activité musculaire s'avère essentielle à plusieurs étapes chez l'être humain, notamment pour la production de la parole. Chez les autres mammifères, ces étapes comprennent également un contrôle de l'expiration pulmonaire (poussant l'air à travers les replis vocaux), l'application d'une pression sur ces replis et des modifications dans la forme des cavités vocales (gorge et bouche). Beaucoup des vocalisations des animaux sont assez complexes et exigent un contrôle du mouvement fort précis sans quoi elles risquent d'être un charabia acoustique.

Chez les primates autres que l'être humain, le comportement vocal s'accompagne de mouvements faciaux étonnants et très élaborés. Plusieurs chercheurs ont enregistré le répertoire sonore des primates et certains ont cartographié les régions cérébrales intervenant dans la production des sons. Par exemple, Detlev Ploog (1981) a observé le comportement vocal du sagouin, petit singe d'Amérique du Sud qui vit dans une jungle épaisse. Dans un tel environnement, les signaux auditifs prennent une importance particulière pour la communication. L'auteur a fait un relevé des types de vocalisation et de la valeur sociale ou du contexte de ces sons, puis il a fait des expériences pour vérifier s'il était possible de provoquer des vocalisations caractéristiques par stimulation cérébrale localisée. Ses cartes de la distribution des sites cérébraux à l'origine de réponses vocales imitant des sons produits naturellement font apparaître une concentration de régions sous-corticales particulièrement denses dans les structures intervenant dans le contrôle des réactions émotionnelles. La stimulation des voies motrices n'a pas donné de son caractéristique, ce qui permet de supposer que le programme de comportement vocal ne serait pas directement accessible dans le système moteur proprement dit. Dans ce cas-ci, il semble que c'est dans d'autres régions sous-corticales qu'il s'organise. Des lésions dans une région limitée du tronc cérébral entraînent chez le singe la perte du comportement vocal. Par ailleurs, contrairement à l'importance du contrôle sous-cortical de la vocalisation chez les autres primates, la parole humaine est en grande partie organisée au niveau du cortex cérébral.

Le répertoire vocal de beaucoup de jeunes animaux comporte des sons de détresse comparables à ceux des pleurs de l'être humain. En tant qu'activité motrice, ces vocalisations correspondent à une séquence d'actions complexes relativement stéréotypées (Newman, 1985). Chez le nouveau-né humain, la durée de chaque *unité* formée par des pleurs varie de 0,5 à 1 seconde, et chaque unité est répétée 50 à 70 fois par minute. Cette structure oscillatoire fondamentale est évidente dès la naissance et reste la même jusqu'à une période tardive de l'enfance où l'on rencontre plus de différences individuelles. La structure sonore des pleurs à la naissance est un indice de l'intégrité du développement du système nerveux central (Lester, 1985). Par exemple, les nouveau-nés qui ont subi diverses sortes de traumatismes à la naissance ont des pleurs dont la fréquence sonore de base est accrue et dont la fréquence fondamentale est variable. De fortes variations de la hauteur tonale peuvent signifier que l'activité cérébrale est désordonnée et qu'elle ne bénéficie peut-être pas des minutieux contrôles inhibiteurs. L'analyse spectrographique des sons de pleurs produits par les nouveau-nés permet d'envisager une nouvelle façon d'aborder l'évaluation diagnostique des nouveau-nés humains.

Résumé

1. Les comportements qu'on peut observer ont à leur base des contractions musculaires. Les contractions musculaires sont contrôlées par des influx nerveux qui parviennent aux muscles par l'intermédiaire de fibres nerveuses motrices.

2. Les réflexes sont des types de mouvements relativement simples et stéréotypés qui sont engendrés par la stimulation de récepteurs sensoriels; leur ampleur est proportionnelle à l'intensité de la stimulation.

3. Le contrôle de plusieurs réflexes est assuré par des circuits de rétroaction négative à boucle fermée. Certains comportements, cependant, sont tellement rapides qu'ils sont à boucle ouverte, c'est-à-dire qu'ils sont préprogrammés et déterminés intrinsèquement sans contrôle rétroactif.

4. Beaucoup d'actes appris exigeant de la dextérité possèdent également des contrôles à boucle ouverte et ne subissent pas l'influence de l'intensité du stimulus, pour autant que cette intensité soit au-dessus du seuil.

5. Lorsqu'un muscle est étiré, un circuit réflexe déclenche une contraction dont l'action contribue à redonner au muscle sa longueur initiale; cette réaction est un réflexe myotatique. L'allongement du muscle est détecté par des récepteurs particuliers, les fuseaux musculaires, qui font partie des structures internes du muscle.

6. La sensibilité du fuseau musculaire est ajustable par l'intermédiaire d'influx efférents qui déterminent les divers degrés de contraction du muscle. Cet ajustement permet un contrôle souple de la posture et du mouvement.

7. La voie finale commune des influx vers les muscles squelettiques se trouve dans des motoneurones dont les corps cellulaires sont, chez les vertébrés, situés dans la corne ventrale de la moelle épinière et à l'intérieur du tronc cérébral. Ces motoneurones reçoivent leurs influx de sources variées, y compris des afférences sensorielles provenant des racines de la moelle, d'autres neurones de la moelle et de fibres descendantes issues du cerveau.

8. Des circuits situés à l'intérieur de la moelle épinière sont à la base des réflexes spinaux; ceux-ci peuvent être déclenchés même après une section de la moelle qui coupe les connexions avec le cerveau.

9. Particulièrement bien formée chez les primates, la voie corticospinale participe principalement au contrôle des mouvements fins des extrémités. Ses fibres partent surtout du cortex moteur primaire et se rendent directement aux motoneurones spinaux ou à des cellules intercalaires de la moelle épinière.

10. Parmi les régions cérébrales qui participent à la modulation du mouvement, on compte les noyaux gris centraux (noyau caudé, putamen, globus pallidus), des noyaux importants du tronc cérébral (locus niger et noyau rouge) et le cervelet.

11. Des perturbations du mouvement peuvent résulter d'atteintes à l'un des nombreux niveaux du système moteur : les muscles, les neurones moteurs et les jonctions neuro-musculaires, la moelle épinière, le tronc cérébral, le cortex cérébral, les noyaux gris centraux et le cervelet. Les caractéristiques des troubles moteurs dépendent du niveau où le dommage s'est produit et permettent en même temps d'identifier ce site.

12. L'utilisation de prothèses permet d'atténuer les effets de certains troubles moteurs; d'autres victimes de troubles moteurs peuvent être soulagées par stimulation directe d'une région donnée du cerveau. La rétroaction biologique négative s'est avérée efficace pour maîtriser plusieurs sortes de troubles moteurs.

13. Beaucoup d'actes locomoteurs dépendent de structures de contrôle oscillatoires.

14. Certaines actions, par exemple la parole, exigent une coordination très fine de plusieurs muscles.

Lectures recommandées

Brooks, V.B. (1986). *The Neural Basis of Motor Control.* New York : Oxford University Press.

Smyth, M.M. et Wing, A.M. (éds). (1984). *The Psychology of Human Movement.* New York : Academic Press.

Talbot, R.E. et Humphrey, D.R. (éds). (1979). *Posture and Locomotion.* New York : Raven.

Towe, A. et Luschei, E. (éds). (1981). *Handbook of Behavioral Neurobiology : Vol. 5. Motor Coordination.* New York : Plenum.

Contrôle des comportements : la motivation

Jusqu'ici, nous avons étudié les rôles d'intégration des systèmes nerveux et endocrinien, les possibilités d'action des systèmes sensoriel et perceptif et les modes de formation et de coordination des réponses motrices. Comment, par ailleurs, un organisme choisit-il parmi les nombreuses options offertes par ces systèmes ? Le répertoire comportemental de la plupart des mammifères comprend à cet égard la recherche et la consommation d'eau, l'expérience de rêves imagés, la toilette, l'adoption de comportements sexuels, la communication avec les autres, le changement de position pour trouver un coin plus chaud ou plus frais, le dégagement pour se soustraire aux situations douloureuses ou menaçantes et l'expérience de sensations plus ou moins agréables. La plupart de ces comportements sont évidemment nécessaires au bien-être de l'individu et à la perpétuation de l'espèce. Pourtant, toutes ces activités différentes ne peuvent se dérouler en même temps. Certaines d'entre elles exigent des actes moteurs mutuellement incompatibles : par exemple, un animal ne peut pas manger en même temps qu'il se soustrait à un danger. Certaines doivent s'exercer à des endroits ou à des moments différents : par exemple, les moments et les endroits qui conviennent au sommeil ne permettent pas à l'animal de trouver de l'eau pour étancher sa soif. Par conséquent, il arrive souvent que l'exécution d'un comportement particulier en exclue un autre, si bien que différentes motivations doivent être satisfaites l'une à la suite de l'autre. Dans cette quatrième partie, nous tenterons donc de répondre à la question suivante : comment les systèmes corporels parviennent-ils à assurer la satisfaction de tous les besoins fondamentaux ?

11 La sexualité

Un touriste américain de passage en France aperçoit une mouche dans son potage. Dans son meilleur français, il dit : « Garçon, regardez **le** mouche dans ma soupe ». Le garçon le corrige aussitôt : « **La** mouche, monsieur ». Et le touriste de répliquer : « Comme vous avez de bons yeux ! »

Le mâle et la femelle se ressemblent beaucoup chez certaines espèces. Mais, chez plusieurs autres, de grandes différences permettent de distinguer les deux sexes. On dit que les espèces caractérisées par deux sexes nettement différents sont *sexuellement dimorphes* (dimorphe : *qui peut prendre deux formes*; voir la figure 11.1). Chez quelques-unes mieux connues, le mâle adulte est habituellement plus gros que la femelle (les êtres humains, les chiens, les dindes) et chez d'autres, le mâle est beaucoup plus visible par sa coloration (le merle noir à plastron, le babouin mandrill) ou par un appendice quelconque (panache de l'orignal, crinière du lion). Toutefois, chez d'autres espèces, la femelle est plus grosse (l'hyène, le hamster, le faucon des marais) ou se distingue par ses couleurs plus vives (le poisson-lune, le phalarope).

Dans le monde vivant, le sexe contribue beaucoup plus à la variabilité des formes qu'on ne le conçoit habituellement. Il y a évidemment les différences d'apparence et de comportement entre femmes et hommes, de même que les conduites spécifiques dans l'accouplement, l'accouchement et les soins parentaux, en plus des différences marquées observables au cours de la croissance et associées à des modifications des capacités reproductrices et à l'acquisition d'une identité sexuelle. La grande variabilité observée chez les gens — comme les différences au sein d'une même famille — est également attribuable à la reproduction sexuée. La reproduction sexuée permet des permutations génétiques qui ne sont pas possibles dans la reproduction asexuée, mode de reproduction propre à plusieurs plantes et à quelques animaux. Grâce à la reproduction sexuée, chacun des parents fournit la moitié de l'héritage génétique du nouvel individu et leur contribution donne un assortiment aléatoire de gènes. Sauf pour les jumeaux identiques, les possibilités de combinaisons de gènes sont tellement nombreuses qu'il ne se trouve pas deux êtres humains possédant exactement le même patrimoine héréditaire.

La variabilité génétique engendrée par la reproduction sexuée a contribué à favoriser une évolution relativement rapide. Compte tenu de la variété d'individus qui ont pu exister à un moment donné, on estime que ce sont ceux qui ont fait preuve de la plus grande capacité d'adaptation aux modifications de leur environnement qui ont joui d'un avantage certain sur le plan de la reproduction. C'est ainsi que la vie a établi de nouvelles niches écologiques et que de nouvelles espèces sont apparues.

a) Babouins mandrill

b) Paon et paonne

c) Pigeons ramiers

d) Mantes religieuses

e) Jacanas

Figure 11.1 Dans ces couples, qui est la femelle ? Chez le babouin mandrill, le mâle est le plus gros et son visage comporte des surfaces d'un bleu vif. Le paon est plus gros que la paonne et a des couleurs plus brillantes. L'apparence externe du mâle et de la femelle est identique dans le cas du pigeon ramier mais l'un et l'autre se comportent différemment durant la période de la cour. La femelle des mantes religieuses et des jacanas est plus grosse que le mâle.

La reproduction sexuée exige une division des tâches qui peut être réalisée de diverses façons. Chez plusieurs espèces les deux sexes vivent séparément pendant une bonne partie de leur vie. Il faut toutefois que cette séparation soit interrompue suffisamment longtemps pour que l'ovule et le spermatozoïde se rencontrent. Le moment de la copulation et le mode d'accouplement varient énormément. Chez certains mammifères, la femelle ne copule qu'un jour par an; chez d'autres espèces, elle le fait pendant la saison d'accouplement qui dure quelques mois. D'autres peuvent s'accoupler tout au long de l'année. Chez certaines espèces, c'est la femelle qui prend l'initiative, tandis que chez quelques autres les deux sexes s'adonnent à des activités réciproques dès le début. On observe d'autres différences dans le soin apporté aux jeunes. Chez certaines espèces, les jeunes sont abandonnés à eux-mêmes, dès leur naissance ou à l'éclosion de l'œuf, alors que chez d'autres, les nouveau-nés dépendent des soins des parents pendant des jours, des mois, ou même des années. Dans la plupart des cas, la femelle est le principal pourvoyeur de soins, chez d'autres, c'est le mâle, chez d'autres encore, les deux parents partagent cette responsabilité.

Cette variété de comportements sexuels permet-elle de tirer des conclusions générales sur le comportement reproducteur et parental et sur les mécanismes physiologiques qui y sont associés ? Est-il possible d'expliquer la variété du comportement et de l'apparence physique à partir de principes généraux ? Des recherches nombreuses et variées nous permettent d'aborder cette question selon les aspects décrits au premier chapitre. Nous présenterons d'abord les principaux comportements liés à la reproduction et aux activités sexuelles; nous traiterons ensuite de leur évolution et de leur développement au cours d'une vie; nous ferons enfin un inventaire des connaissances sur ce sujet et nous exposerons les hypothèses proposées sur les mécanismes nerveux et hormonaux qui seraient à la base des comportements sexuels.

ÉTUDES DESCRIPTIVES DU COMPORTEMENT DE REPRODUCTION

Nous allons d'abord décrire les stades successifs du comportement de reproduction et les types d'interactions entre les partenaires. Nous verrons ensuite ce que les études descriptives nous apprennent sur le comportement de reproduction de trois espèces animales utilisées dans plusieurs expériences : le pigeon ramier, le rat et la drosophile. Il sera également question des études descriptives du comportement sexuel humain. Enfin, nous ferons le lien entre plusieurs aspects de ces comportements et les processus neurohormonaux.

Phases et relations réciproques du processus d'accouplement

On observe, dans le comportement d'accouplement de plusieurs animaux, quatre étapes distinctes successives (figure 11.2); chacune de ces étapes exige une interaction entre deux individus. La réussite de la rencontre dépend d'un échange de stimulations entre les partenaires. Plusieurs descriptions des conduites d'accouplement ont fait porter l'attention sur le mâle comme initiateur et source d'une plus grande variation du comportement de copulation; la contribution de la femelle a souvent été décrite en termes de réceptivité et de coopération. Toutefois, des travaux récents ont mis l'accent sur une approche plus équilibrée (Beach, 1976, p. 105) :

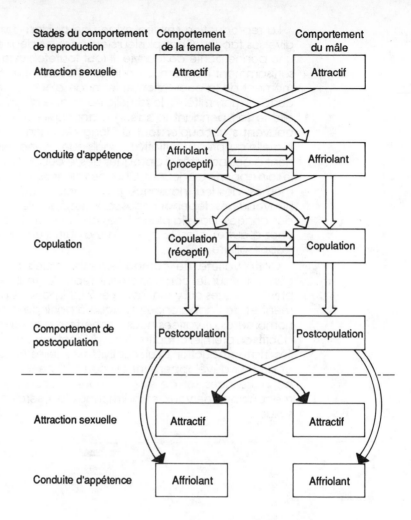

Figure 11.2 Stades du comportement de reproduction, illustrant l'interaction des partenaires mâle et femelle. La phase de postcopulation comprend une chute temporaire de l'attraction sexuelle du partenaire et l'inhibition de la conduite d'appétence (proceptive). L'inhibition est représentée ici par les flèches à pointes noires. (D'après Beach, 1977.)

À chacune des étapes, la participation des deux sexes est égale : c'est-à-dire que l'attraction est mutuelle et que les deux sexes prennent l'initiative sexuelle et adoptent un comportement d'appétence; l'accouplement comporte des phases consommatoires et postconsommatoires, autant chez la femelle que chez le mâle.

Le premier stade, celui de l'**attraction sexuelle**, est nécessaire pour permettre un rapprochement du mâle et de la femelle et, dans plusieurs espèces, cette rencontre ne se produit que lorsque les deux sont en rut. On peut évaluer l'attrait des animaux femelles en mesurant, dans des conditions normales, les réactions des mâles à leur égard; l'intensité ou la rapidité de la réaction d'approche et le fait qu'il y ait éjaculation durant l'accouplement comptent parmi les mesures typiques les plus souvent utilisées. Par exemple, chez certaines espèces de singes, les mâles sont stimulés par l'*apparence sexuelle* de la femelle, c'est-à-dire lorsque la peau de celle-ci se gonfle sous l'influence des œstrogènes. Mais l'attraction ne s'exerce pas à sens unique; en effet, lorsque les singes femelles sont en **œstrus** (état de réceptivité sexuelle de la femelle, nommé état de chaleur ou rut), elles sont portées à s'approcher des mâles, abordant de préférence les mâles normaux plutôt que ceux qui sont châtrés. Par ailleurs, les chiens sont fortement attirés par l'odeur des sécrétions vaginales d'une femelle en rut. Cet attrait peut diminuer si on empêche la femelle de connaître sa période de rut ou si le mâle est soumis à une castration. Les chiennes en rut préfèrent l'odeur des chiens normaux à celle des châtrés, mais cette préférence des femelles disparaît lorsque la période de rut est terminée.

Chez les femelles d'espèces comme le rat, le chien, le singe, le babouin et le chimpanzé, il a été démontré que le degré d'attraction sexuelle dépend de la concentration des œstrogènes. Les femelles de ces espèces connaissent des cycles réguliers pendant lesquels la période d'ovulation est caractérisée par de fortes concentrations d'œstrogènes. L'attrait sexuel maximise donc la probabilité de copulation au moment où la femelle est féconde et susceptible d'être fécondée. Deux méthodes ont toutefois permis de démontrer que les concentrations d'œstrogènes dans le sang ne sont pas les seuls facteurs déterminants de l'attraction sexuelle :

1. Dans certaines expériences, on a pratiqué une ovariectomie sur des chiennes auxquelles on a ensuite administré des quantités d'œstrogènes devant compenser la perte d'hormones résultant de l'ablation des ovaires. Même si leur concentration sanguine d'hormones était la même, certaines chiennes attiraient plus les mâles que d'autres femelles non soumises à ce traitement.

2. Chez les chiens et les singes, tous les mâles ne préfèrent pas les mêmes femelles : l'attrait dépend donc en partie de l'œil (ou du nez) de celui qui admire (ou qui hume).

Les animaux ne font pas qu'émettre des stimuli qui attirent les membres du sexe opposé. Souvent, ils s'engagent dans une seconde étape, le **comportement d'appétence**, ou comportement qui aide à établir, maintenir ou améliorer l'interaction sexuelle. Le mâle peut, par exemple, poursuivre la femelle et faire des tentatives de copulation, tandis que la femelle peut aborder le mâle et adopter la position de copulation. Beach (1977) a proposé le terme de **comportement proceptif** pour désigner une conduite d'appétence de la femelle. L'adjectif *proceptif* suggère la recherche et la facilitation actives du comportement d'accouplement. On classe parmi les comportements proceptifs le fait de s'approcher des mâles et de rester près d'eux, celui de produire des réactions spécifiques qui invitent à la copulation ou la sollicitent et celui de s'adonner en alternance à des comportements d'approche et d'évitement. Le mouvement pour s'éloigner semble orienter le mâle à la position de monte ou saillie nécessaire à la copulation des quadrupèdes. La femelle du rat s'éloigne habituellement du mâle en courant et en adoptant un type particulier de mouvements de sautillement et de soubresauts qui excitent le partenaire éventuel et accroissent la probabilité de copulation. À l'instar de l'attrait, la *proceptivité* atteint son sommet durant la partie du cycle œstrien où la concentration d'œstrogènes est maximale. À la suite de l'ablation des ovaires, ce qui élimine la source principale d'œstrogènes, la proceptivité s'estompe mais peut être rétablie par une administration d'œstrogènes. Comme chez les rats, une administration d'œstrogènes accroît la proceptivité des singes.

La troisième étape, celle du **comportement de copulation**, inclut une série de gestes propres à l'espèce et fortement stéréotypés chez la plupart des espèces. Chez les mammifères, les principales actions du mâle consistent à monter la femelle, pousser son arrière-train, insérer le pénis en état d'érection (**intromission**) et expulser le liquide séminal avec force (**éjaculation**). La femelle se limite à adopter la position qui facilite l'intromission et à maintenir cette attitude jusqu'à ce que l'éjaculation à l'intérieur du vagin se soit produite. Souvent, on nomme **réceptivité** la prédisposition de la femelle à manifester ces attitudes nécessaires et suffisantes à l'éjaculation intravaginale par le mâle. Chez certaines espèces (tel le chat), l'œstrogène est la seule hormone nécessaire à la réceptivité, alors que chez d'autres (tel le chien), la réceptivité n'existe que lorsque la concentration d'œstrogènes est élevée et que celle de la progestérone commence à augmenter; la progestérone agit alors en synergie avec l'œstrogène. Les mécanismes nerveux de la réceptivité apparaissent plus simples que ceux de la proceptivité et la réceptivité admet moins de différences individuelles que la proceptivité. Par exemple, chez la femelle du rat, l'ablation du cortex cérébral n'entrave pas la réceptivité mais perturbe les réactions proceptives; de plus, les réactions de sautillement, de soubresauts et d'accroupissement ne sont pas orientées vers le mâle, ni synchronisées avec les réactions de ce dernier. Il s'ensuit que l'attrait pour ces femelles se trouve réduit, si bien que les mâles choisissent constamment de s'accoupler avec des femelles intactes même si les femelles sans cortex cérébral sont également réceptives.

Certaines espèces passent par une quatrième étape, celle du **comportement de postcopulation**. Ce comportement peut inclure plusieurs activités telles la réaction de roulement par terre (chez le chat) et celle de faire sa toilette (chez le rat). On note également des modifications de la prédisposition à s'engager dans des accouplements ultérieurs. Après l'exécution d'une séance de copulation, plusieurs animaux ne s'accouplent pas avant une certaine période, même en présence d'un partenaire réceptif. Cette période peut durer

Figure 11.3 Comportement de reproduction du pigeon ramier. Le cycle commence très tôt après qu'on a placé un mâle et une femelle dans une cage contenant les matériaux de nidification et un bol en verre vide (1). L'activité relative à l'approche amoureuse commence par la *révérence avec roucoulement* du mâle (2). Le mâle et, ensuite, la femelle émettent un *appel au nid* caractéristique pour indiquer leur choix d'un site de nidification (3). Suit une semaine ou plus de construction du nid, en collaboration (4); la construction atteint son point culminant avec la ponte de deux œufs (5). Les adultes s'occupent tour à tour de l'incubation des œufs (6), qui parviennent à éclosion après environ 14 jours (7). Les pigeonneaux sont nourris au *lait de jabot* (8). Au fur et à mesure que les jeunes oiseaux apprennent à picorer le grain, les parents continuent de les nourrir, mais en manifestant de moins en moins de disposition à le faire (9). Quand les pigeonneaux atteignent 2 à 3 semaines, les adultes les ignorent et ils peuvent commencer un nouveau cycle de comportement de reproduction (10). (Extrait de D. S. Lehrman, *The Reproductive Behavior of Ring Doves*. Copyright © 1964 par Scientific American, Inc. Tous droits réservés.)

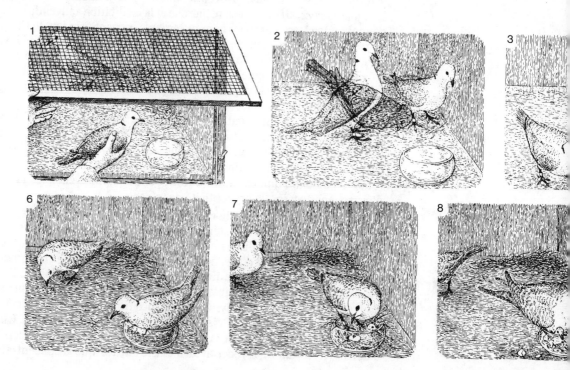

quelques minutes, des heures ou des jours, selon l'espèce et les circonstances. Chez plusieurs espèces, elle sera de plus courte durée s'il s'agit de s'accoupler avec un nouveau partenaire plutôt qu'avec le même partenaire.

Comportement de reproduction du pigeon ramier

On reconnaît le pigeon ramier (ou palombe), proche parent du pigeon domestique, au demi-cercle noir qu'il porte sur l'arrière de son cou (figure 11.3). Le mâle et la femelle sont d'apparence identique et on ne peut les distinguer que par l'examen des organes génitaux internes, grâce à un procédé chirurgical. En laboratoire, le pigeon ramier est en phase de reproduction la plus grande partie de l'année, pourvu que la photopériode et la température soient convenables. Ces oiseaux atteignent la maturité sexuelle à l'âge de 5 mois. Lorsqu'une femelle et un mâle, qui ont déjà fait l'expérience de la reproduction, sont placés dans une cage contenant un bol de verre vide et une provision de matériaux de nidification, ces oiseaux commencent leur cycle normal de comportement de reproduction, cycle que des psychologues ont déjà décrit en détail (Lehrman, 1965; Cheng, 1979).

Le mâle est le premier à manifester de l'attrait sexuel. Il commence immédiatement à faire sa cour, se pavanant d'une extrémité à l'autre de la cage, s'inclinant et roucoulant devant la femelle tout en la poursuivant. Seul le mâle a ce comportement d'inclinaison accompagné de roucoulements. Une journée ou deux après, la femelle commence à manifester des réactions, en battant des ailes d'une façon particulière et en se rapprochant du mâle. La vue de la parade amoureuse du mâle et le son de son roucoulement exercent indubitablement un attrait sur la femelle. Ces stimuli engendrent des réactions neuroendocriniennes précises même lorsque les animaux se trouvent séparés par une cloison de verre (Friedman, 1977). Après quelques jours ensemble, les oiseaux signifient habituellement qu'ils ont choisi l'emplacement du nid, en s'accroupissant à cet endroit et en émettant un roucoulement d'appel au nid. En laboratoire, l'emplacement du nid est un bol en verre tandis que, dans la nature, ce serait un endroit concave, sur le sol. Quand le mâle

est accouplé à une femelle qui n'est pas facile à éveiller, il continue son *roucoulement-révérence* et son *roucoulement-nid* à une fréquence qui ne se dément pas pendant des semaines, tant que la femelle n'émet pas l'appel au nid. Dès que la femelle commence le roucoulement-nid, le mâle abandonne graduellement ce même comportement. La femelle se trouve ainsi à indiquer au mâle le moment où il devrait cesser de roucouler et passer au comportement suivant de la séquence, soit la construction du nid. Pendant cette étape, ils s'engagent dans des activités différentes, mais complémentaires, le mâle rassemblant et transportant les matériaux vers la femelle qui s'occupe de la plus grande partie de la construction du nid, qui exige normalement une semaine ou plus. L'image du nid terminé est un signal essentiel à l'arrêt de l'activité de nidification.

Une fois le nid en place ou presque achevé, les pigeons commencent à copuler. La femelle s'accroupit très bas et le mâle lui monte sur le dos, battant des ailes pour garder son équilibre : son **cloaque** entre en contact avec celui de la femelle. (Comme beaucoup d'oiseaux, les pigeons ne possèdent ni pénis ni vagin. Le sperme et les œufs sortent du cloaque, orifice commun des voies intestinale, urinaire et génitale.)

Quand la femelle devient visiblement plus attachée au nid, signe qu'elle est sur le point de pondre, la copulation cesse. Elle pond le premier œuf une semaine environ après le commencement de la construction du nid; le second apparaît deux jours plus tard. À partir de ce moment, le mâle et la femelle se remplacent pour couver les œufs, le mâle durant à peu près 6 heures, vers le milieu de chaque journée, et la femelle le reste du temps.

Les œufs éclosent après environ 14 jours et les parents nourrissent les petits de *lait de jabot*, liquide épais sécrété, à cette phase du cycle, par le jabot de l'oiseau adulte (le jabot est une poche de l'œsophage). Les pigeonneaux quittent le nid après 10 à 12 jours, mais continuent de quêter la nourriture et de la recevoir de leurs parents. Pendant les quelques jours qui suivent, les parents alimentent de moins en moins les jeunes oiseaux et les pigeonneaux acquièrent la capacité de picorer les grains déposés sur le plancher de la cage. Le parent mâle continue souvent de fournir le lait de jabot aux petits pendant plusieurs jours, après que la femelle a cessé de le faire. Quand les petits ont 15 à 25 jours, l'adulte mâle peut recommencer à faire la cour à la femelle. Le cycle entier dure donc 6 à 7 semaines. À l'état naturel, il ne se produit habituellement qu'un cycle par année, à moins que les premiers œufs n'aient pas été fécondés, auquel cas les oiseaux peuvent connaître un autre cycle de reproduction (Cheng, 1977).

Chaque phase du cycle de reproduction peut subir l'influence d'états hormonaux particuliers. La concentration d'une ou plusieurs hormones affecte le comportement qui, à son tour, stimule les liens neuroendocriniens modifiant la sécrétion des hormones.

Comportement de reproduction des rongeurs

Le comportement de reproduction des rongeurs est bien connu pour son efficacité et sa diversité, quel que soit l'habitat occupé par ces animaux. Contrairement aux oiseaux, les rats ne s'engagent pas dans de longues périodes d'approche séductrice, et les partenaires n'ont pas tendance non plus à rester ensemble pendant des périodes prolongées. L'attraction agit surtout par l'odorat. Cependant, les différentes espèces de rongeurs se distinguent beaucoup par certains aspects de leur comportement de reproduction : les quelques exemples qui suivent serviront à illustrer cette diversité. Nous avons déjà décrit la conduite d'appétence de la femelle du rat, caractérisée par des soubresauts, des sautillements et des retraits. Les femelles de quelques autres espèces manifestent des comportements similaires alors que d'autres ont un comportement tout à fait différent. Pour la copulation, le mâle monte la femelle par l'arrière et lui saisit les flancs avec ses pattes antérieures. Si la femelle est réceptive, elle reste immobile et adopte une position qui facilite l'intromission; en position

Figure 11.4 Copulation chez le rat. Le soulèvement de la croupe de la femelle (*position de lordose*) et la déflection de sa queue rendent l'intromission possible. (Extrait de Barnett, 1975.)

dite **lordose** et propre à la femelle, l'arrière-train est soulevé et la queue tournée d'un côté (figure 11.4). Une fois le pénis introduit dans le vagin, le comportement du mâle varie un peu, selon les espèces; chez certaines espèces (telle la souris domestique), le mâle s'adonne à des poussées intravaginales répétitives, alors que chez d'autres espèces (tel le rat de Norvège), le mâle ne pratique qu'une seule poussée pelvienne par intromission.

Chez certaines espèces, le mâle peut éjaculer dès la première intromission. Chez d'autres, il monte et descend successivement plusieurs fois, l'éjaculation ne survenant qu'après plusieurs intromissions. Sauf pour la souris pygmée de Norvège, le mâle de la plupart des espèces de rongeurs éjacule plus d'une fois pendant un même épisode d'accouplement. De plus, chez la plupart des espèces de rongeurs, le mâle retire son pénis et laisse la femelle après l'éjaculation; mais, chez certaines espèces, le pénis reste turgescent dans le vagin pendant plusieurs minutes, ce qui constitue une réaction dite de **verrouillage**. D'abord considérée comme une caractéristique des carnivores, cette réaction a été observée par la suite chez le mâle de plusieurs espèces de rongeurs.

Une séquence se termine quand l'animal, malgré la présence d'un partenaire réceptif, ne s'adonne plus à un comportement de copulation. Selon les espèces, la durée de la période inactive de postéjaculation peut varier de quelques minutes à 24 heures ou plus.

Chez le rat, seule la mère prend soin des petits. Vers la fin d'une période de gestation de 21 jours, la femelle construit un nid. Les ratons naissent à un moment où leur développement est encore rudimentaire, ce qui signifie qu'ils auront besoin de soins prolongés : en effet, les ratons ont une peau sans poils et sont incapables de contrôler leur température corporelle; de plus, leurs yeux et leurs oreilles ne s'ouvrent que 13 jours après la naissance. La mère garde les ratons à la chaleur, les allaite et les reprend s'ils se glissent à l'extérieur du nid. D'autres rongeurs dits **précoces**, tel le cobaye, révèlent à la naissance un état de développement beaucoup plus avancé. Par conséquent, les petits de ces espèces ne restent pas très longtemps avec leur mère et peuvent, si nécessaire, s'en tirer sans les soins maternels, tôt après la naissance.

Comportement de reproduction de la drosophile

L'étude de *Drosophila* (ou drosophile, mouche du vinaigre, mouche des fruits) est en bonne partie à l'origine des progrès considérables réalisés en génétique au XXe siècle. En effet, c'est grâce à ce diptère qu'on a pu étudier de façon exhaustive la transmission héréditaire aussi bien des caractères anatomiques que des caractéristiques du comportement. Les comportements d'approche sexuelle et de copulation de plusieurs variétés de drosophiles sont maintenant bien connus. En apportant également une information génétique précieuse

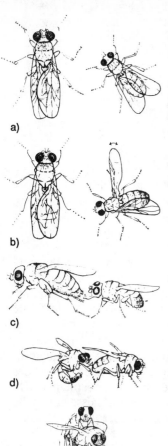

a)

b)

c)

d)

e)

Figure 11.5 Comportement de reproduction de la drosophile. a) Le mâle s'oriente par rapport à la femelle; b) il fait vibrer son aile la plus rapprochée de sa partenaire et abaisse l'autre aile; c) il lèche la région génitale de la femelle et d) il adopte la position de copulation. e) Si la femelle est réceptive, le couple entre en copulation. (Extrait de Manning, 1965.)

sur le phénomène d'accouplement, la description de leurs comportements fournit un exemple stéréotypé complexe pour un animal « simple » et montre que des chimiorécepteurs interviennent dans le comportement d'accouplement.

La voici en résumé. Le mâle tape doucement la femelle avec une patte antérieure. Lors de ce contact, des récepteurs enregistrent l'information chimique et tactile nécessaire à l'identification de l'espèce. Si la femelle appartient à la même espèce que lui, il se tient près d'elle et la suit dans ses déplacements (figure 11.5a). Il étend l'aile la plus rapprochée de sa tête et la fait vibrer. Ce geste contribuerait à stimuler des récepteurs chimiques sur les antennes de la femelle, amplifiant l'odeur du mâle. Cette activité est aussi un stimulus auditif : en effet, les mâles font vibrer leur aile à des rythmes différents, selon l'espèce, et ces vibrations produisent différents *chants d'amour*. La durée de cette phase varie d'une espèce à l'autre.

Même si les drosophiles peuvent s'accoupler efficacement dans l'obscurité, le mâle regarde la femelle pour se diriger vers elle. Les mouvements de cette dernière le stimulent : il multiplie alors ses avances (Tompkins et coll., 1982). Si elle accepte, elle n'essaie pas de s'éloigner et manifeste sa réceptivité. Il tourne derrière elle, déploie sa trompe buccale et lèche sa région génitale. Il essaie enfin de copuler : la femelle étend ses ailes et ouvre ses plaques génitales pour permettre l'intromission.

Il ne faudrait pas croire que cette séquence soit immuable; des données récentes montrent qu'il ne s'agit pas d'un **modèle d'action fixe**, qui se poursuit jusqu'à la fin du cycle, une fois ce dernier déclenché. Son déroulement repose sur un échange continu de signaux entre le mâle et la femelle qui peut, dès les premières étapes, décider de l'interrompre. En outre, l'effet du *chant d'amour* dure plusieurs minutes et des gènes de l'apprentissage et de la mémoire modifient sa réaction (Quinn et Greenspan, 1984).

Ce comportement complexe assurerait plus d'une fonction. Il empêche, sans aucun doute, une reproduction croisée entre les diverses espèces de drosophiles. Il se peut qu'il joue également un rôle dans la sélection sexuelle. En effet, la femelle ne se montre pas réceptive au départ : elle ne réagit qu'à un partenaire qui lui fait une cour insistante et qui est, par conséquent, plus susceptible d'être fécond qu'un soupirant moins actif.

Diverses souches de drosophiles mutantes s'avèrent incapables d'exécuter l'une ou l'autre partie de la séquence d'accouplement. Il est possible d'étudier en laboratoire ces souches mutantes qui ne pourraient se reproduire à l'état naturel. Des chercheurs ont pu, grâce à des techniques utilisées en génétique, découvrir certains des contrôles nerveux qui permettent à la drosophile de s'accoupler.

À l'instar de la plupart des insectes et même de plusieurs espèces de vertébrés, ni l'un ni l'autre des parents ne prend soin des petits. Toutefois, la femelle de la drosophile a tendance à pondre ses œufs à un endroit où ils sont susceptibles de survivre et où les larves ont des chances de trouver de la nourriture au moment de l'éclosion des œufs.

Comportement de reproduction de l'être humain

Au début des années 1940, le professeur Alfred Kinsey constata qu'il y avait peu d'informations objectives sur le comportement sexuel de l'être humain. Pour combler cette lacune, il se mit à demander à des amis et à des collègues des détails sur leur vie sexuelle. Puis il élabora un questionnaire normalisé et une procédure. Il essaya d'obtenir un échantillon représentatif de la population américaine, selon le sexe, l'âge, l'appartenance religieuse et l'éducation. Il finit par accumuler des renseignements sur des dizaines de milliers d'hommes et il publia les résultats de cette vaste enquête en 1948. En 1953, le rapport Hite sur le comportement sexuel de la femme américaine venait compléter la première publication.

On a ensuite observé le comportement et les réactions physiologiques de personnes au moment où elles s'adonnaient à des rapports sexuels ou à la masturbation. John B. Watson, fondateur de la psychologie du comportement, avait probablement été le premier à entreprendre de telles études. Mais sa recherche, effectuée au début des années 1920, avait déclenché un scandale et lui avait coûté son poste de professeur. Le plus élaboré et le mieux connu des projets de ce genre a été réalisé au milieu des années 1950 sous la direction du médecin William Masters et de la psychologue Virginia Johnson (1965, 1966, 1970). Leur étude a largement contribué à l'accroissement de nos connaissances sur les réactions physiologiques qui se produisent dans les diverses parties du corps durant les rapports sexuels, leur déroulement dans le temps et les relations entre ces réactions physiologiques et l'expérience des individus.

Chez la plupart des espèces de mammifères, y compris les primates autres que l'être humain, le mâle monte la femelle par l'arrière; toutefois, chez l'être humain, les positions face à face sont les plus usuelles. On a décrit, particulièrement en Orient, une grande variété de positions de coït. Plusieurs couples varient leur position d'une séance à l'autre, ou même au cours d'une même séance. La variété du comportement de reproduction est une caractéristique qui distingue l'espèce humaine des autres espèces.

Masters et Johnson (1965) ont résumé les modèles de réactions typiques des hommes et des femmes (figures 11.6a et b). Les deux sexes connaissent quatre phases successives : une montée de l'excitation, l'atteinte d'un plateau, l'**orgasme** (point culminant de l'expérience sexuelle où les sensations sont très agréables) et l'achèvement. Malgré cette similitude des réactions de l'homme et de la femme, il existe certaines différences caractéristiques. L'une des différences importantes vient de ce que l'on observe souvent une plus grande variété de séquences chez la femme. Alors que les hommes n'ont qu'un modèle de base, les femmes en présentent trois (figure 11.6b). La seconde différence vient de ce que la plupart des hommes, contrairement aux femmes, connaissent une phase réfractaire absolue à la suite d'un orgasme. La plupart des hommes ne peuvent avoir une érection complète ou un autre orgasme avant qu'un certain temps ne se soit écoulé; la durée de cette période peut varier de quelques minutes à quelques heures, selon les individus et d'autres facteurs. Beaucoup de femmes peuvent avoir plusieurs orgasmes en succession rapide.

Dans le cas du mâle, l'excitation s'accroît en réaction à la stimulation qui peut être mentale ou physique, ou les deux à la fois. Le taux d'accroissement de l'excitation varie en raison de plusieurs facteurs. Si la stimulation se prolonge, le niveau d'excitation atteint un sommet ou plateau. À un certain moment au cours de cette phase, les réactions réflexes de l'orgasme sont déclenchées. S'ensuit alors une dissipation graduelle de l'excitation pendant la phase d'achèvement. La phase de montée et celle d'achèvement de l'excitation représentent habituellement les phases les plus longues du cycle. De façon caractéristique, la phase de plateau ne dure que quelques minutes et l'orgasme ne dure habituellement qu'une minute ou moins.

Le modèle le plus fréquemment rencontré chez la femme (courbe A, figure 11.6b) prend une forme comparable à celui de l'homme. Chez les deux sexes, les deux premières phases s'accompagnent d'une congestion des vaisseaux sanguins des parties génitales. Cette réaction provoque l'érection du pénis chez l'homme et la lubrification ainsi qu'un gonflement du vagin chez la femme. L'orgasme est caractérisé par des contractions musculaires rythmées chez les deux sexes : chez la femme, ces contractions se produisent dans les muscles bordant le vagin. Il existe également des différences temporelles typiques dans les réactions.

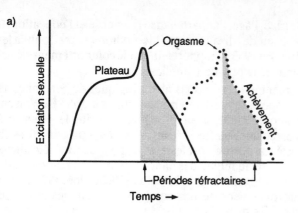

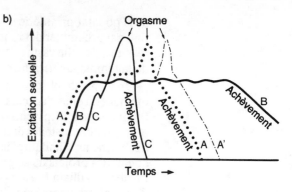

Figure 11.6 Cycles de réaction sexuelle a) des hommes et b) des femmes. Ces diagrammes sont purement schématiques et ne représentent aucune mesure physiologique particulière, bien que la fréquence cardiaque varie de cette même façon. a) Un modèle mâle typique comportant une phase réfractaire absolue après l'orgasme. b) Trois modèles observés chez les femmes. Les modèles des hommes et des femmes présentent beaucoup de variations individuelles. (D'après Masters et Johnson, 1965.)

Les femmes prennent habituellement un peu plus de temps que les hommes à atteindre l'orgasme durant la relation sexuelle et ne connaissent pas de phase réfractaire.

Les femmes présentent fréquemment deux autres modèles. Dans le modèle B, le niveau d'excitation élevé, atteint dans la phase de plateau, n'arrive pas tout à fait à déclencher l'orgasme; l'excitation sexuelle se dissipe alors graduellement, après une période de plateau prolongée. Par contre, le modèle C est rapide et de nature explosive. La réaction d'orgasme est atteinte sans qu'il y ait de plateau et l'achèvement est également rapide. L'orgasme de ce modèle a tendance à être à la fois plus long et plus intense.

Les similitudes et les différences de réactions sexuelles peuvent servir à illustrer le principe général énoncé au chapitre 1, à savoir qu'à certains égards chaque individu ressemble à tout le monde, qu'il ressemble à certaines personnes sous d'autres aspects et que, sous d'autres aspects encore, il est unique. L'existence de différences entre groupes et entre individus ne vient ni contredire les données de la recherche sur les facteurs biologiques qui déterminent le comportement, ni en diminuer la valeur. Certaines des différences observées dans le comportement sont reliées à des différences dans la composition génétique; d'autres se rapportent à des différences dans le niveau hormonal. Enfin, certaines de ces différences trouvent une explication dans l'expérience passée et l'apprentissage, qui ont également des bases biologiques. Les mécanismes biologiques de l'apprentissage sont définis aux chapitres 16 et 17.

Le fait que la réaction d'orgasme soit de nature réflexe et qu'elle ne puisse être contenue, une fois qu'un certain niveau d'excitation a été atteint, ne signifie pas qu'elle échappe à l'apprentissage ou à d'autres influences psychologiques. Il est maintenant connu que l'entraînement peut permettre de modifier le seuil et le cours temporel de la manifestation de plusieurs réactions du système nerveux autonome. On affirme que des formes couramment utilisées de thérapie sexuelle, basées sur les études des réactions physiologiques, aident plusieurs individus à avoir une expérience plus complète de la stimulation sexuelle et facilitent chez bien des couples une coordination plus adéquate de leur comportement (Kaplan, 1974; Masters et Johnson, 1970).

La perspective ontogénétique est particulièrement utile dans l'étude de la sexualité et du comportement. Elle aide à répondre à la question suivante : *Comment une personne assume-t-elle l'identité sexuelle masculine ou féminine ?* C'est-à-dire, comment identifie-t-on son propre moi et comment les autres arrivent-ils à nous reconnaître comme un homme ou comme une femme ? Évidemment, les changements marquants qui affectent, au cours de la vie d'un individu, son anatomie génitale et son statut reproducteur y sont pour beaucoup. Il en est de même, chez l'être humain, des nombreux stades du développement sexuel survenu avant la naissance, lequel est à l'origine de la divergence progressive établie entre les sexes. Le fait de parvenir à l'identité sexuelle met en cause, par ailleurs, des influences sociales et culturelles de premier ordre qui peuvent être tout aussi importantes que le développement de tout l'héritage anatomo-physiologique. La figure 11.7 illustre schématiquement les principales étapes du cheminement vers l'identité sexuelle de l'adulte, en indiquant la chronologie prénatale et postnatale de son avènement.

Les hormones jouent dans le développement et la différenciation des structures corporelles un rôle dit **organisateur**. Plus tard dans la vie, certaines hormones jouent également un rôle activateur par leur action sur l'induction et la modulation du comportement de reproduction. Dans certains cas, l'activation ne peut se faire à moins qu'une organisation spécifique ne se soit également réalisée alors que dans d'autres cas, l'activation ne dépend pas d'une organisation hormonale antérieure. Généralement, les effets organisationnels se produisent tôt dans la vie et sont permanents, alors que les effets d'activation arrivent plus tard et sont réversibles. On ne peut pas classer tous les effets hormonaux dans un tel schéma dichotomique (Arnold et Breedlove, 1985). Par exemple, les changements structuraux entrent dans la catégorie des effets organisationnels et pourtant, dans certains cas, des modifications des niveaux d'hormones sexuelles peuvent entraîner des changements dans la dimension des neurones cérébraux d'animaux adultes. Il n'en reste pas moins que l'organisation et l'activation sont des notions utiles qui méritent d'être retenues au moment de considérer le rôle des hormones et des autres facteurs dans l'ontogenèse d'un homme ou d'une femme.

Différenciation prénatale des structures reproductrices

La série d'événements qui, au cours de l'embryogenèse, décide du sexe de l'enfant à naître peut être comparée à une course à relais où des coureurs différents parcourent divers segments de la piste (Money, 1977). En effet, selon que le spermatozoïde qui féconde l'ovule apporte un chromosome X ou un chromosome Y, le zygote engendré par l'union des deux gamètes détient une paire de chromosomes sexuels XX ou XY. Ainsi, c'est la nature de cette paire de chromosomes sexuels qui détermine si les gonades en formation chez le fœtus, donc encore indifférenciées, se transformeront en ovaires ou en testicules.

Chez l'être humain, la différenciation des gonades en testicules commence vers la 7e semaine après la conception, tandis que le processus embryonnaire responsable de la différenciation des gonades en ovaires s'amorce plus tard, vers la 12e semaine. Les testicules doivent se former tôt car les androgènes qu'ils produisent sont nécessaires aux étapes suivantes de la formation du mâle. À ce stade (7 à 12 semaines de grossesse), chaque embryon possède deux systèmes de canaux spécifiques : le **canal de Müller**, qui peut se transformer en organes génitaux féminins (trompe de Fallope, utérus et vagin supérieur) et le **canal primitif**, qui peut se transformer en organes génitaux mâles (épididyme, canal déférent, vésicules séminales) (figure 11.8). La présence ou l'absence de testicules détermine lequel des deux systèmes de canaux va se développer.

Les testicules sécrètent une substance provoquant la formation du canal primitif et inhibant celle du canal de Müller. Bien qu'on ne connaisse pas parfaitement encore la

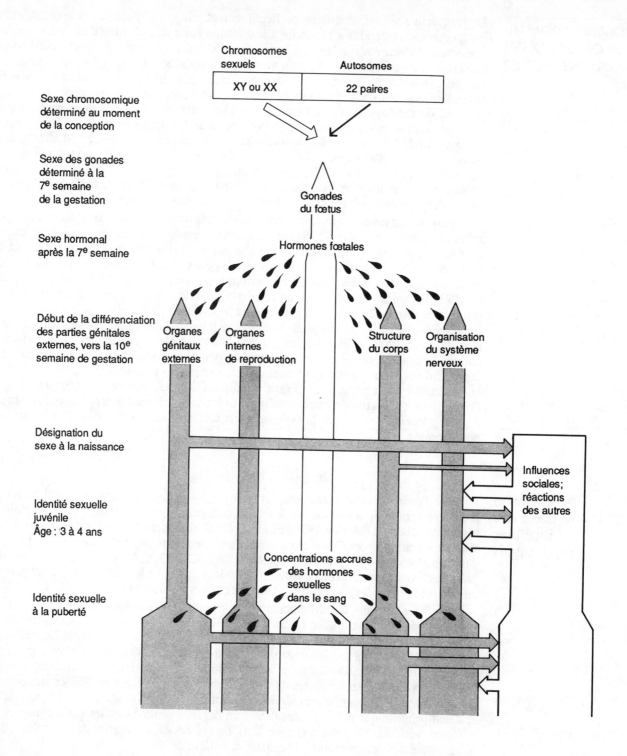

Figure 11.7 Étapes de l'acquisition de l'identité sexuelle de l'adulte.

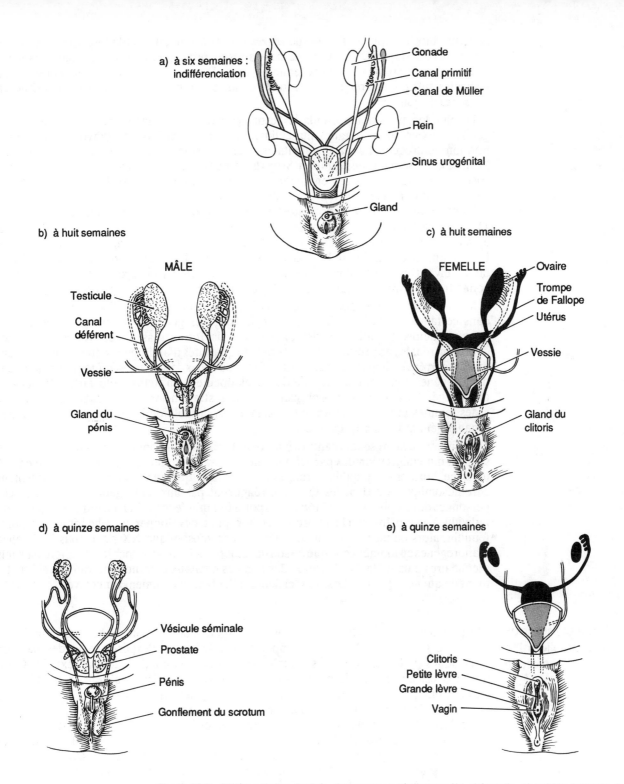

Figure 11.8 Différenciation fœtale des organes génitaux mâle et femelle, chez l'être humain, à partir de structures indifférenciées chez l'embryon de six semaines.

411

structure biochimique du **facteur de régression de Müller**, il semble bien que ce soit une hormone peptidique. On croyait que les ovaires sécrétaient une substance contribuant à la formation du système de canaux féminins, mais depuis, on a découvert que l'absence de testicules suffit à assurer la formation d'organes féminins, ce qui se produit même en l'*absence* de gonades.

De plus, lorsqu'ils sont présents, les testicules contribuent à la différenciation des parties génitales externes en organes masculins, grâce à la sécrétion de dihydrotestostérone, hormone androgène. Les parties génitales externes restent toutefois indifférenciées jusqu'à la fin de la 12e semaine de gestation. Si des hormones androgènes n'agissent pas sur eux, ces tissus se différencient alors en organes génitaux féminins. Ainsi, le gland des parties génitales indifférenciées devient le gland du pénis sous l'influence des hormones androgènes, alors qu'en absence de dihydrotestostérone, il se transforme en gland du clitoris (figure 11.8). Chez le fœtus, le gonflement labioscrotal se transforme sous l'influence des androgènes, en scrotum et, à partir de leur position initiale près des reins, les testicules descendent dans le scrotum. En absence d'androgènes, le gonflement labioscrotal forme les grandes lèvres de la vulve. Dès la 12e semaine du développement embryonnaire, il est possible de reconnaître la forme caractéristique (mâle ou femelle) des organes génitaux.

Même lorsque le fœtus est de sexe femelle, donc dépourvu de testicules, il peut arriver, dans certaines conditions cliniques, que les organes génitaux adoptent quand même, lorsque soumis à l'influence des androgènes, la forme masculine. Normalement, les corticosurrénales ne produisent que de petites quantités d'androgènes; toutefois, il se peut que des surrénales hyperactives, celles du fœtus ou celles de la mère, sécrètent suffisamment d'androgènes, à la période critique du développement du fœtus, pour faire adopter aux organes génitaux un phénotype masculin. L'administration de médicaments androgéniques à des femmes enceintes est un autre facteur responsable de l'apparence masculine des organes génitaux des nouveau-nés.

Malgré tout, la présence d'androgènes dans la circulation sanguine ne garantit pas à elle seule la masculinisation des parties génitales : il faut, en effet, que les tissus reçoivent un message hormonal et qu'ils y réagissent. Il existe quelques individus à complément chromosomique XY dont les tissus ne réagissent pas aux androgènes, si bien que ces personnes développent un phénotype corporel féminin (encadré 11.1). Par conséquent, un individu à complément chromosomique XY peut développer un phénotype corporel féminin, alors qu'un individu à complément chromosomique XX peut, sous l'influence d'androgènes au moment critique de son développement, développer les caractères sexuels secondaires d'un mâle. Or, la forme des organes génitaux externes détermine habituellement de quelle façon on classifie socialement l'enfant et comment on l'élève.

Facteurs sociaux influençant l'identité sexuelle

L'expérience acquise est le dernier facteur déterminant de l'identité sexuelle. On s'intéresse beaucoup maintenant à évaluer l'importance relative de l'expérience et des facteurs biologiques (telles les hormones sexuelles) dans la formation de l'identité sexuelle. Cette question est à l'origine de nombreuses recherches. Les individus dont la constitution chromosomique et l'éducation ne se renforcent pas l'une l'autre sont tout désignés pour ce genre d'étude. Dans certains cas, l'apparence des organes génitaux à la naissance n'est ni complètement masculine, ni totalement féminine et il peut arriver que les parents ou le médecin se trompent sur l'identification du sexe du nouveau-né. Par exemple, lorsque des corticosurrénales hyperactives, au cours de la période fœtale, sont responsables de l'apparence masculine des organes génitaux d'une fille, il peut arriver à la naissance que cet individu génétiquement femelle soit identifié comme étant un garçon, si bien que cette enfant mal identifiée sera éduquée comme un garçon, se comportera à la manière d'un

Certaines personnes peuvent posséder un complément chromosomique caractérisé par une paire de chromosomes sexuels caractéristiques du mâle (XY) tout en étant phénotypiquement d'allure féminine (figure de l'encadré 11.1). Il s'agit d'un cas rare de personnes à récepteurs androgènes déficients, si bien que les androgènes n'ont pas d'effets sur le cerveau ou sur le corps. Quelles conséquences cet état entraîne-t-il sur l'anatomie et la personnalité d'un tel individu ? Il possède des testicules, puisque la différenciation des testicules ne dépend pas des androgènes; toutefois, ces gonades mâles restent à l'intérieur de la cavité abdominale tout en produisant normalement des hormones sexuelles. Par contre, comme les cellules du corps sont insensibles anx androgènes, les organes génitaux externes adoptent une forme féminine et, à la naissance, le nouveau-né est associé au sexe féminin. À la puberté, les testicules accroissent leur production d'androgènes ainsi que d'œstrogènes. La quantité normale d'œstrogènes produite par le mâle est suffisante pour entraîner la féminisation complète de la structure osseuse et de la silhouette du corps, y compris la croissance des seins, si les androgènes n'inhibent pas ce développement. Cependant, un individu insensible aux androgènes ne peut pas se reproduire, ce qui permet parfois de diagnostiquer son état. Le vagin est court et doit être allongé par intervention chirurgicale. L'utérus n'a pas été formé car, pendant la période fœtale, les testicules ont permis la libération du facteur de régression de Müller. Il n'y a donc pas d'ovaires, si bien qu'à la puberté il n'y a pas de menstruations. Ces individus ont généralement une pilosité corporelle, sinon absente, du moins très réduite, car le développement de la pilosité corporelle et faciale résulte de la stimulation de l'androsténédione, hormone androgène sécrétée principalement par les corticosurrénales; la sensibilité à cette hormone, comme à d'autres androgènes d'ailleurs, s'en trouve réduite.

Une étude portant sur 14 femmes et jeunes filles ayant dépassé l'âge de la puberté et toutes insensibles aux androgènes (Money et Ehrhardt, 1972), a démontré que leur personnalité n'était pas différente de celle des profils habituels des femmes américaines. La plupart d'entre elles démontraient de l'intérêt pour les enfants, même si beaucoup s'étaient résignées à ne jamais pouvoir enfanter. La plupart entretenaient des expériences hétérosexuelles et aucune n'a rapporté d'expérience homosexuelle à l'âge

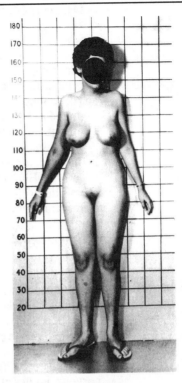

Figure de l'encadré 11.1 Photographie d'un mâle génétique insensible aux androgènes. Malgré que les chromosomes de cet individu comprennent la paire d'hétérochromosomes XY, l'insensibilité de l'organisme aux hormones mâles a fait que le développement du corps s'est orienté vers le modèle féminin. (Extrait de J. Money et A.A. Ehrhardt, *Man and Woman, Boy and Girl*, copyright 1972 par John Hopkins, University Press, Baltimore MD. Avec permission de l'éditeur.)

adulte. Certaines s'étaient mariées et « deux des femmes mariées avaient adopté chacune deux enfants et se révélaient de bonnes mères, avec un bon sens de la maternité » (p. 111). Presque toutes ces femmes insensibles aux androgènes se considéraient totalement satisfaites du rôle féminin. Chez de tels individus, l'appariement chromosomique mâle n'est pas pertinent : tous les facteurs d'organisation hormonale du cerveau, d'identification sexuelle à la naissance, d'éducation et de forme corporelle sont conformes à l'identité sexuelle féminine.

garçon et voudra devenir un homme. À l'âge de la puberté, on peut provoquer la masculinisation du corps au moyen d'une thérapie androgène; ce traitement biologique est nécessaire pour obtenir une forme corporelle correspondant à l'identité sexuelle acquise. Une telle personne est donc un homme par identité et rôle sexuels, bien que son complément chromosomique sexuel soit XX. Nous discuterons plus loin des résultats obtenus dans la recherche sur l'influence de l'état congénital des surrénales sur la personnalité (page 422).

Dans certains cas, l'identification ultérieure plus exacte du sexe mène à un renversement de la désignation sexuelle (c.-à-d. que les parents décident d'élever l'enfant comme une fille plutôt que comme un garçon ou inversement). Avant l'âge de 3 ou 4 ans, ce changement s'effectue facilement (Hampson, 1965). Au-delà de cet âge cependant, le changement peut engendrer des problèmes de personnalité, car l'identité sexuelle de l'enfant semble se fixer vers l'âge de 3 ans. Toutefois, des adultes ont parfois pu passer avec succès d'un rôle sexuel au rôle opposé. Hampson (1965) prétend que dans tous les cas semblables de renversement sexuel réussi qu'il a étudiés, les individus en cause avaient entretenu depuis longtemps des doutes quant à leur *vrai* sexe et s'étaient perçus eux-mêmes, avant ce changement, comme des *imposteurs*. Même si on estime généralement que l'expérience socioculturelle peut l'emporter sur les facteurs biologiques dans la détermination de l'identité sexuelle (cf. Money et Ehrhardt, 1972), quelques cas étudiés récemment montrent la nécessité de reconsidérer pareille conclusion. Ces cas portent à croire que l'influence exercée par des concentrations sanguines normales d'hormones mâles, de la période du développement fœtal jusqu'à la fin de la puberté, pourrait être déterminante et annuler les conséquences d'avoir été éduqué comme une fille jusqu'à l'âge de la puberté.

Les hormones sexuelles déterminent-elles l'organisation des circuits nerveux ?

Le fait que, chez le rat et chez les autres rongeurs, la présence ou l'absence d'androgènes, à l'approche de la naissance, semble déterminer la nature du comportement sexuel adulte est à l'origine de nombreuses recherches et controverses. D'ailleurs, ces différences sexuelles dans le comportement ne se limitent pas à l'activité de reproduction; beaucoup d'autres comportements, comme ceux de l'agression et de l'exploration, sont également tributaires des différences sexuelles. Puisque le comportement dépend aussi des circuits nerveux, un des effets possibles des androgènes sur le développement s'exerce sur l'organisation de ces circuits comme sur celle des structures périphériques du corps. Cette notion dérive d'études commencées au cours des années 1930 et qui ont révélé qu'à la naissance, l'administration d'androgènes à des rats femelles avait pour effet de masculiniser leur comportement. Des femelles ainsi traitées ne parvenaient donc pas à ovuler, à l'âge adulte, et avaient de plus en plus tendance à adopter le comportement de copulation du mâle (saillie) et de moins en moins tendance à manifester un comportement de copulation caractéristique de la femelle (lordose).

La découverte du fait que le cerveau des mâles est, chez plusieurs espèces, anatomiquement différent de celui des femelles a conduit, au début des années 1970, à l'inauguration d'une nouvelle phase de recherche des influences hormonales sur l'organisation du cerveau (Arnold et Gorski, 1984; Feder, 1984). Il a été possible, dans bien des cas, d'éliminer ou même de renverser de telles différences chez des animaux soumis à des expériences comportant des traitements hormonaux dès le jeune âge. On a trouvé, par exemple, que les rats des deux sexes se distinguaient par la quantité d'un type de synapses dans la région préoptique du cerveau; l'administration d'androgènes à des femelles naissantes ou la castration de nouveau-nés de sexe mâle abolissait ces différences (Raisman et Field, 1973). Un noyau de la région préoptique médiane du rat est six fois plus gros chez les mâles que chez les femelles; la dimension de ce noyau a pu être modifiée par un traitement hormonal appliqué à des rats nouveau-nés (Gorski et coll., 1977, 1978). La découverte d'une différence anatomique analogue entre le cerveau des hommes et celui des femmes (de Vries, de Bruin, Uylings et Corner, 1981) confirme que les hormones influencent l'organisation du cerveau humain. Chez certaines espèces d'oiseaux chanteurs, le volume des régions cérébrales qui contrôlent le comportement vocal est plusieurs fois plus grand chez le mâle que chez la femelle. Il a également été possible de modifier ces différences grâce à des traitements hormonaux dès le jeune âge (Nottebohm et Arnold, 1976). Un noyau sexuellement dimorphe de la moelle épinière des rongeurs (Breedlove et Arnold, 1981) s'est avéré un excellent modèle pour la recherche expérimentale. Avant d'étudier quelques-uns de ces dimorphismes et leur dépendance envers les hormones sexuelles, précisons d'abord la façon dont ces hormones opèrent sur le système nerveux.

Les œstrogènes, médiateurs de certains effets des androgènes

Un phénomène intrigant observé au cours des expériences sur l'administration d'hormones sexuelles à des rats et à d'autres rongeurs, à la naissance, a révélé que non seulement la testostérone, mais également l'estradiol et d'autres œstrogènes, ont pour effet de masculiniser le comportement et d'empêcher l'ovulation. On constata plus tard que la testostérone pouvait être métabolisée pour produire notamment de l'estradiol et de la dihydrotestostérone (voir le tableau 7.2). Ces conversions métaboliques peuvent se produire dans les gonades ou au sein des neurones. Les données suivantes viennent militer en faveur du rôle majeur des œstrogènes dans la différenciation masculine : a) les drogues qui bloquent la conversion de la testostérone en estradiol inhibent le développement masculin; même si la testostérone parvient aux cellules, elle doit y être convertie en estradiol pour exercer son effet de masculinisation; b) les rats qui sont génétiquement insensibles aux androgènes adoptent un comportement mâle malgré le fait que leurs organes génitaux aient l'apparence de ceux des femelles; c'est donc que les androgènes agissent directement sur le développement génital mais qu'ils ont besoin d'être transformés en œstrogènes pour pouvoir exercer une action sur les structures nerveuses.

La constatation que les œstrogènes, à l'instar des androgènes, engendrent une masculinisation du cerveau et du comportement a soulevé une autre question : comment alors expliquer l'existence d'animaux qui manifestent des comportements de femelles ? En somme, pourquoi les rats nouveau-nés de sexe femelle ne sont-ils pas masculinisés par l'estradiol sécrété par leurs ovaires ? On a proposé deux réponses différentes à cette question. L'hypothèse la plus généralement soutenue s'appuie sur la découverte de la présence, dans le plasma sanguin des fœtus de rongeurs, d'une protéine qui fixe les œstrogènes (l'**alpha-1-fœto-protéine** ou AFT) (Nunez et coll., 1971). Certains croient que, alors que les œstrogènes sont ainsi fixés et empêchés de pénétrer dans le cerveau durant la période fœtale et peu de temps après la naissance, les androgènes eux, ont libre accès au cerveau. Une partie de la testostérone est alors transformée en estradiol dans les neurones, ce qui a pour effet de masculiniser certaines cellules nerveuses, tandis que d'autres sont affectées directement par la testostérone elle-même. Les œstrogènes administrés expérimentalement peuvent opérer la masculinisation parce qu'ils sont en quantités suffisantes pour saturer le système de fixation. Döhler et coll. (1984) ont mis en doute le fait que l'AFT empêche les œstrogènes d'arriver jusqu'aux neurones, puisqu'on a trouvé de l'AFT à l'intérieur des neurones et que l'AFT peut même servir d'agent de transport des œstrogènes. Refusant d'accepter l'hypothèse de fixation, Döhler et ses collaborateurs ont donc plutôt proposé que la différenciation sexuelle au niveau du cerveau soit contrôlée d'une façon quantitative par une faible concentration d'œstrogènes qui serait nécessaire pour établir le modèle féminin de comportement alors qu'un niveau élevé d'œstrogènes serait indispensable à la différenciation mâle des circuits nerveux. Il s'agirait alors d'un cas où une différence quantitative du niveau d'œstrogènes dans les cellules nerveuses entraînerait des différences qualitatives dans l'organisation nerveuse et le comportement. D'autres travaux seront nécessaires pour parvenir à déterminer laquelle de ces deux hypothèses est à retenir.

Lors de l'étude des divers dimorphismes sexuels dans le système nerveux, il sera important de découvrir les rôles joués par les différentes hormones sexuelles. Nous

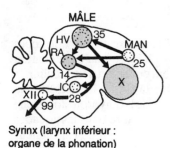

Syrinx (larynx inférieur :
organe de la phonation)

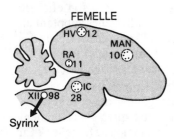

Syrinx

Figure 11.9 Dessins schématiques de cerveaux d'oiseaux chanteurs, mâle et femelle. Les cercles représentent les régions cérébrales impliquées dans la production du chant. La dimension de chacun des cercles est proportionnelle au volume de la région cérébrale; ces régions ont été agrandies pour qu'on puisse distinguer nettement leurs dimensions relatives. Les points indiquent les régions qui captent la testostérone; les chiffres représentent les pourcentages de cellules marquées après injection de testostérone radioactive. (HV : hyperstriatum ventral; IC : noyau intercolliculaire; MAN : noyau macrocellulaire du neostriatum antérieur; RA : nucleus robustus de l'archistriatum; X : aire X du locus parolfactorium; XII : noyau du XIIe nerf crânien.) (D'après Arnold, 1980.

voudrons également savoir dans quelle mesure la notion d'organisation sexuelle du cerveau, formulée principalement à partir de la recherche sur les rongeurs, peut s'appliquer aux primates, y compris les êtres humains.

Il ne semblait pas, jusqu'à tout récemment, que les œstrogènes puissent jouer un rôle dans l'organisation des circuits cérébraux. Cette conclusion découlait d'expériences tendant à démontrer que l'ablation des organes sécréteurs d'œstrogènes (ovaires et corticosurrénales) chez des rats nouveau-nés n'empêchait pas l'organisation du cerveau selon le type femelle : sous l'influence d'œstrogènes exogènes, ces rats parvenus à l'âge adulte étaient capables d'ovuler et de se comporter en femelles sexuellement réceptives, dans les tests d'accouplement. Plus tard, on comprit que les rats qui n'ont pas atteint la maturité accumulent de l'œstrogène pendant plusieurs jours et que, par conséquent, l'ovariectomie et la surrénalectomie n'éliminent pas cette hormone du corps pendant la période critique pour l'organisation sexuelle du cerveau. Puisque l'hormone ne pouvait être éliminée du corps, on conçut une autre façon de procéder : les rats naissants furent traités avec un composé qui se fixe aux récepteurs cellulaires d'œstrogène et empêche ainsi l'œstrogène d'exercer son action. À l'âge adulte, lorsque ces rats furent soumis au test, on découvrit que le traitement antiœstrogène antérieur avait empêché l'ovulation et avait réduit de façon marquée le nombre de sujets faisant preuve de réceptivité sexuelle, au cours des tests d'accouplement (Döhler et coll., 1984). Ces tests de comportement de reproduction indiquent donc que, chez le rat, l'œstrogène est indispensable à l'organisation femelle normale du système nerveux. De plus, des indices permettent de croire que les œstrogènes affectent, d'une façon subtile mais mesurable, le développement précoce du cerveau (cf. Diamond, 1980) et celui du comportement d'exploration (Stewart et Cygan, 1980).

Chez certains oiseaux, on a trouvé un exemple évident des effets hormonaux sur les circuits cérébraux qui contrôlent les comportements sexuellement dimorphes. Ce comportement est celui du chant que les oiseaux mâles utilisent pour courtiser les femelles et écarter les autres mâles de leur territoire. On a retracé les circuits du cerveau qui contrôlent le comportement du chant chez le canari (Nottebohm, 1980) et chez le pinson rayé (Arnold, 1980). Plusieurs noyaux cérébraux du mâle sont sensiblement plus gros que ceux de la femelle et le mâle possède un gros noyau cérébral absent chez la femelle (figure 11.9). Un grand nombre des cellules de ces noyaux accumulent des androgènes. Dans le cas du canari, un traitement aux androgènes permet de transformer une femelle qui a déjà pondu des œufs fécondés, et de l'amener à manifester un comportement mâle, y compris le chant typique de ce sexe (Nottebohm, 1979). Lorsque le traitement est efficace, les dimensions des noyaux cérébraux qui contrôlent le chant s'accroissent pour atteindre un volume qui se rapproche de celui des noyaux du mâle. Une femelle adulte du pinson rayé soumise à un traitement hormonal ne chantera pas pour autant; toutefois, une femelle qui serait soumise, dès sa naissance, au traitement hormonal, pourrait apprendre à chanter et, par le fait même, les noyaux cérébraux responsables de la production du chant prendraient, chez cette femelle, des dimensions plus grandes.

Les expérimentateurs ont découvert qu'à l'intérieur même d'un seul noyau cérébral, divers aspects du dimorphisme peuvent se trouver sous le contrôle d'hormones sexuelles différentes. Gurney (1981) a procédé à l'implantation de pellets d'hormones chez des pinsons rayés femelles, le lendemain de leur naissance; une fois ces oiseaux devenus adultes, il a mesuré trois aspects du noyau RA (figure 11.9) qui sert au contrôle vocal. Ces mesures visaient : a) le nombre de neurones formant le noyau, b) le diamètre moyen des corps cellulaires des neurones de ce noyau et c) l'espace moyen entre ces neurones. Cette dernière mesure est un indicateur de la densité des connexions entre neurones : plus les connexions sont nombreuses, plus les corps cellulaires sont repoussés loin les uns des autres. Les effets observés, évalués par comparaison avec des sujets témoins qui n'avaient été soumis à aucun

416

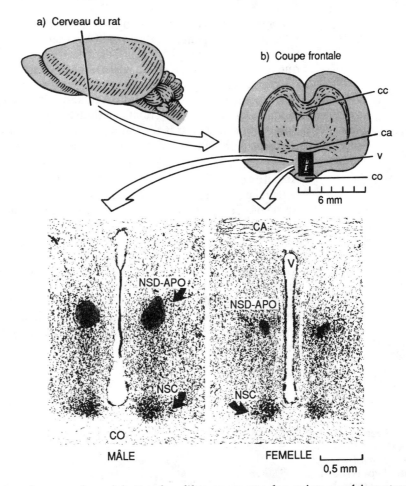

Figure 11.10 Noyau sexuellement dimorphe de l'aire préoptique du rat. a) Sur une vue latérale du cerveau du rat, la ligne droite indique le plan de section d'une coupe frontale dans cette région. b) Section frontale à ce niveau. Le rectangle noir met en évidence l'origine des grossissements de cette région représentés plus bas par des coupes réelles du cerveau. (ca : commissure antérieure; cc : corps calleux; co : chiasma optique; nsc : noyau suprachiasmatique; v : troisième ventricule.) Ces coupes agrandies montrent les différences marquées de la dimension des noyaux sexuellement dimorphes de l'aire préoptique (NSD-APO) chez des rats mâle et femelle. (Coupes gracieusement fournies par Roger A. Gorski.)

traitement hormonal, variaient selon l'hormone que les sujets expérimentaux avaient reçue : testostérone, estradiol ou dihydrotestostérone (DHT). La testostérone a masculinisé les trois aspects du noyau des femelles, doublant à la fois le nombre et la dimension des cellules et accroissant de presque 5 fois l'importance de l'intervalle entre les neurones. Par contre, l'estradiol a eu peu d'effet sur le nombre des cellules mais s'est avéré pratiquement aussi efficace que la testostérone pour la masculinisation de la dimension des cellules et de l'espace entre celles-ci. La DHT a eu un effet différent : elle a doublé la quantité de cellules, provoqué une faible augmentation de leur dimension et n'a eu aucun effet sur l'intervalle entre les cellules. Il semble donc que la testostérone produit ses effets sur la quantité des cellules parce qu'elle est transformée en DHT à l'intérieur des neurones; par ailleurs, elle affecte la dimension des neurones et l'intervalle entre ceux-ci par transformation en estradiol. Le nombre des cellules semble donc être régi indépendamment de la dimension et de l'intervalle cellulaire.

Le premier noyau sexuellement dimorphe découvert dans un cerveau de mammifère se trouve dans l'aire préoptique médiane du rat (Gorski et coll., 1977, 1978). Ce noyau sexuellement dimorphe de l'aire préoptique (**NSD-APO**) est 6 fois plus gros chez les rats mâles adultes que chez les femelles (figure 11.10) et sa dimension peut être modifiée en traitant les femelles nouveau-nées à la testostérone ou à l'estradiol (Gorski et coll., 1981). Ainsi, la testostérone affecte normalement ce noyau par la voie de l'estradiol. Cette conclusion a été corroborée par l'utilisation de rats présentant une mutation (**tfm**) qui réduit

417

le nombre des récepteurs androgènes de 10 à 15 % de la valeur normale, sans affecter les récepteurs œstrogènes. Cette anomalie est semblable à celle des êtres humains insensibles aux androgènes : voir, à cet effet, l'encadré 11.1. On a constaté, chez les rats à mutation tfm, que le NSD-APO était de dimension mâle, démontrant que l'estradiol masculinise cette région du cerveau. Ce noyau est évidemment utile à l'étude de l'effet des hormones sur le développement, mais son utilité est quand même limitée par le fait qu'on n'a pas encore défini la signification fonctionnelle du NSD-APO. On sait que cette région est généralement importante pour la régulation du comportement sexuel mâle, mais l'aire préoptique participe à plusieurs processus d'intégration et les détails restent encore à préciser.

Le noyau spinal du muscle bulbo-caverneux (NSB) des rongeurs est un cas de dimorphisme sexuel du système nerveux dont on connaît les fonctions. Chez les rats et les autres rongeurs, la femelle ne possède pas de muscle bulbo-caverneux, muscle qui, chez le mâle, est rattaché au pénis. Cela semble aller de soi mais, chez la plupart des mammifères, y compris les carnivores et les primates, les femelles comme les mâles sont pourvus de muscles bulbo-caverneux, même si ces derniers prennent des formes différentes. Le NSB des rats mâles a été identifié en injectant de la peroxydase de raifort dans le muscle bulbo-caverneux et en localisant les cellules de la moelle épinière qui contenaient de la peroxydase de raifort. Chez le rat, le NSB du mâle adulte comprend environ trois fois plus de neurones que celui de la femelle et les cellules du NSB de cette dernière sont à peu près moitié moins grosses que celles du mâle : ce dimorphisme est illustré à la figure 11.11 (Breedlove et Arnold, 1980). Le rôle de cette différence dans le nombre des cellules du NSB chez la femelle n'a pas encore été précisé.

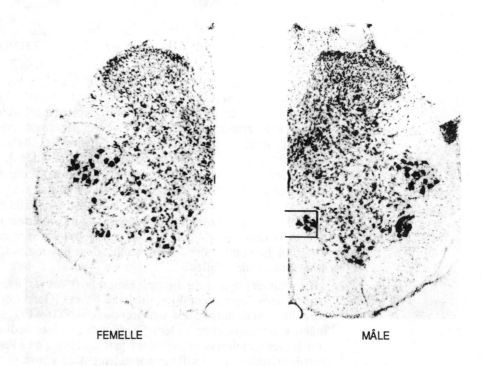

Figure 11.11 Coupes transversales de la moelle épinière de jeunes rats adultes, laissant voir un noyau sexuellement dimorphe. À l'intérieur du rectangle de la partie droite, on voit plusieurs gros neurones fortement marqués par des colorants et qui appartiennent au noyau spinal du muscle bulbo-caverneux (NSB); cette coupe provient d'un rat mâle. Pour fins de comparaison, on présente à gauche une section identique provenant d'un rat femelle, mais on n'aperçoit que peu de gros neurones noirs dans la région du NSB. (Extrait de Breedlove et Arnold, 1981.)

FEMELLE

MÂLE

⊢——⊣ 400 μm

Ce noyau dimorphe a également servi de système modèle pour l'étude du rôle des hormones dans le développement et la maturation du système nerveux. On a découvert que les différences sexuelles propres au noyau spinal sont attribuables à la présence d'androgènes au début de la vie, alors que les œstrogènes ne jouent aucun rôle ou presque dans cette différenciation. De plus, en ce qui concerne la synchronisation du développement, le nombre et la dimension des cellules peuvent être réglés indépendamment l'un de l'autre. L'administration de testostérone à des rats femelles, 5 jours après la naissance, a pour effet de masculiniser les cellules NSB; administrée plus tard, la testostérone ne produit pas cet effet de masculinisation; toutefois, l'effet le plus important est obtenu avec une injection de testostérone avant la naissance du rat femelle. La période critique pour l'accroissement de la dimension des cellules NSB s'étend jusqu'à 11 jours après la naissance. Inefficace si on la donne avant la naissance, la DHT est aussi efficace que la testostérone quand elle est administrée après la naissance. Les rats mâles possédant un gène mutant (tfm) les rendant insensibles aux androgènes sécrètent des androgènes en concentrations normales, mais le muscle bulbo-caverneux ne se développe pas chez eux et leur NSB est semblable à celui des femelles (Breedlove, 1984). Les influences hormonales sur le développement de ce noyau spinal sont donc assez différentes de celles qui régissent le développement du noyau sexuellement dimorphe de l'aire préoptique.

Par quel mécanisme la testostérone favorise-t-elle un plus grand nombre de neurones dans le NSB des mâles adultes que dans celui des femelles ? Des recherches récentes ont montré qu'au cours du développement fœtal, le NSB des rats femelles ressemble à celui des mâles; la présence de testostérone durant la dernière période prénatale et la première période postnatale protège les neurones du NSB de la mortalité cellulaire très forte qui affecterait autrement ce noyau (Breedlove, 1984).

À la suite de cette recherche sur le rat, on a étudié un noyau analogue (noyau d'Onuf) chez le chien et chez l'être humain; ce noyau s'est révélé sexuellement dimorphe également (Forger et Breedlove, 1986).

Différences sexuelles inscrites dans le cerveau humain ?

Les disputes quant à l'existence ou non de différences sexuelles dans le cerveau de l'être humain durent depuis plus d'un siècle (McGlone, 1980; Swaab et Hofman, 1984). Au début des années 1980, des chercheurs ont rapporté que la forme du corps calleux était dimorphe et qu'il était relativement plus volumineux chez la femme (Baack, Lacoste-Utamsing et Woodward, 1982; Lacoste-Utamsing et Holloway, 1981). Mais, des études poussées du corps calleux effectuées antérieurement n'avaient pas révélé de telles différences et certains autres chercheurs (Witelson, 1985) n'ont pas été capables de reproduire ces données. Bien qu'il paraisse douteux qu'on puisse jamais déceler du dimorphisme sexuel à quelque niveau de l'anatomie macroscopique du cerveau humain, on a toutefois rapporté la présence de dimorphisme dans certains noyaux cérébraux. En effet, des chercheurs hollandais ont trouvé une différence sexuelle dans la forme d'un noyau hypothalamique associé aux rythmes circadiens (noyau suprachiasmatique) (de Vries, de Bruin, Uylings et Corner, 1984). Puis, à la suite des rapports sur la présence d'un noyau sexuellement dimorphe dans l'aire préoptique du cerveau du rat (figure 11.10), d'autres anatomistes hollandais ont découvert la présence d'un noyau analogue dans le cerveau de l'être humain; de plus, ce noyau est deux fois et demi plus volumineux et contient plus du double de neurones chez l'homme que chez la femme (Swaab et Fliers, 1985). Il semble que ce soit là le premier rapport de l'existence d'une différence sexuelle en ce qui concerne le nombre de cellules dans une région du cerveau humain. Chez les deux sexes, on observe un déclin prononcé du volume de ce noyau et du nombre de cellules qu'il contient à mesure que le sujet vieillit, mais le rapport 2:1 entre homme et femme persiste.

Les hormones exercent-elles, chez les primates, le même rôle dans l'organisation des circuits nerveux du cerveau ?

La plupart des recherches sur les effets organisateurs des hormones sexuelles ont porté sur les rongeurs, bien qu'il en existe aussi des exemples se rapportant aux oiseaux et aux êtres humains. Parce qu'elle dérive de la recherche sur les rongeurs, certains critiques ont laissé entendre que la notion de l'influence organisatrice des hormones sexuelles ne peut vraiment s'appliquer au-delà de cette limite (Bleier, 1983). Cette prise de position semble beaucoup trop restrictive. S'il est vrai que certaines des données d'observation ne sont pas les mêmes chez les rongeurs et chez les primates, l'image d'ensemble est pourtant semblable dans les deux cas. Considérons certaines de ces différences et similitudes.

Voici d'abord deux cas où les androgènes présents à la naissance n'affectent pas les singes de la même façon que les rats. Premièrement, l'hypothalamus du mâle est capable, chez le singe, de prendre en charge l'ovulation si on implante un ovaire : les androgènes présents à la naissance n'entravent donc pas, dans l'hypothalamus, le développement de la capacité d'ovulation, comme dans le cas de l'hypothalamus du rat (Knobil, 1974). Deuxièmement, malgré les tentatives des chercheurs pour découvrir si les androgènes présents à la naissance pourraient, comme chez le rat, affaiblir la réceptivité des singes femelles, on n'a pas pu démontrer l'existence d'un tel effet chez le singe (Goy et Resko, 1972).

Les androgènes présents à la naissance influencent le comportement des primates de deux façons, ce qui permet de supposer que l'organisation cérébrale s'en trouve modifiée. Premièrement, ces androgènes réduisent effectivement le comportement proceptif de la femelle du singe, même s'ils n'atténuent pas sa réceptivité (Thornton et Goy, 1983). Le comportement proceptif précédant habituellement le comportement réceptif, la femelle qui n'est pas proceptive n'arrivera pas normalement à manifester sa réceptivité; le chercheur doit donc recourir à des méthodes spéciales pour vérifier un tel effet. Deuxièmement, l'administration prénatale d'androgènes à des singes femelles provoque une masculinisation de leur comportement ludique (Goy et Phœnix, 1971). Ainsi, bien que les androgènes présents à la naissance n'exercent pas sur les cerveaux des primates tous les effets qu'ils exercent sur ceux des rongeurs, il existe quand même des preuves indéniables de leur influence organisatrice sur le cerveau des primates.

La découverte de l'existence de différences sexuelles dans le cerveau de l'être humain, même avant la naissance, est une preuve additionnelle de l'effet des hormones sexuelles sur l'organisation cérébrale. Voyons donc maintenant des faits qui permettent d'envisager la possibilité d'une influence organisatrice des hormones sexuelles sur la personnalité.

Le développement sexuel prénatal influence-t-il la personnalité ?

Dans son évolution normale, le développement sexuel divergent exerce-t-il une influence quelconque sur les différences de personnalité qui existent entre hommes et femmes ? Est-ce que le fait d'avoir été anormalement mis en contact avec des hormones au cours du développement fœtal se reflète dans la personnalité ? À maints égards, il est difficile de répondre à ces questions. En effet, les traits de personnalité sont variables et se mesurent difficilement; de plus, le développement de la personnalité repose sur l'action combinée de plusieurs facteurs et il n'est donc pas facile d'isoler l'effet exercé par un facteur particulier; enfin, la question des différences sexuelles est délicate puisqu'elle est reliée aux droits politiques et sociaux des individus des deux sexes. Certaines découvertes s'avèrent importantes bien qu'elles soient incomplètes et ne permettent pas, dans bien des cas, de tirer des conclusions définitives.

Différences de manifestation de la personnalité attribuables au sexe

Quelles sont les différences de personnalité clairement attribuables au sexe ? Les psychologues Eleanor Maccoby et Carol Jacklin (1974) ont rassemblé et évalué des milliers d'études qui avaient tenté de mesurer de prétendues différences entre garçons et filles ainsi qu'entre hommes et femmes. Elles en ont conclu que plusieurs de ces supposées différences ne résistent pas à un test de mesure objective; seules quatre principales différences sexuelles peuvent être considérées comme assez bien établies. Dans une recension critique du livre de Maccoby et Jacklin, Jeanne Block (1976) a mis en évidence plusieurs difficultés méthodologiques inhérentes aux tentatives d'évaluation des études sur les différences sexuelles. Elle a noté d'abord que la plupart des études considérées par Maccoby et Jacklin portaient sur des enfants de moins de 5 ans, âge où il est possible que certaines différences sexuelles ne se soient pas encore manifestées. Effectivement, Block a montré qu'en classifiant les études d'après l'âge des sujets, plus ces derniers étaient âgés (jusqu'au début de l'âge adulte), plus forte était la proportion des études qui donnaient des différences significatives de personnalité attribuables au sexe. Elle en conclut que le sexe est responsable de plus de différences de personnalité que Maccoby et Jacklin n'en avaient reconnues.

Depuis la recension de Maccoby et Jacklin, on a conçu des méthodes d'analyse de la recherche plus rigoureuses et plus concluantes. Malgré la prévalence continue de recensions incomplètes et informelles, on dispose maintenant, comme l'ont démontré Green et Hall (1984), de méthodes quantitatives pour résumer et analyser la documentation scientifique. Dans l'une de ces évaluations quantitatives d'études sur l'influence sociale, Eagley et Carli (1981) ont trouvé, par exemple, que les hommes sont moins affectés par l'influence de la société dans plusieurs types de situations sociales que ne le sont les femmes. Même si elles n'étaient pas grandes, ces différences n'en étaient pas moins statistiquement significatives.

Malgré toutes les réserves à l'endroit de la recension de Maccoby et Jacklin, il faut reconnaître que leur évaluation est la plus importante qui ait été effectuée dans ce domaine, et que les différences sexuelles qu'elles ont identifiées doivent sûrement être acceptées, même si on admet qu'il en existe d'autres. Les quatre principales différences sexuelles reconnues par Maccoby et Jacklin sont les suivantes :

1. Les filles ont plus d'aptitudes verbales que les garçons. L'importance de la différence moyenne varie d'une étude à l'autre, étant en général de l'ordre de 0,25 d'écart type.
2. Les garçons obtiennent des scores d'aptitudes spatio-visuelles plus élevés. Cette supériorité aux tests spatiaux s'accroît durant les études secondaires et atteint environ 0,4 d'écart type.
3. Les garçons obtiennent des scores d'aptitudes mathématiques plus élevés.
4. Les garçons et les hommes sont plus agressifs que les filles et les femmes.

Même si elles sont toutes statistiquement significatives, ces différences n'ont pas d'importance d'un point de vue pratique et ne sont pas très utiles pour la prédiction de différences entre deux individus. Il est évident, par exemple, que malgré le fait que les filles aient dans l'ensemble un score d'aptitudes verbales moyen supérieur, plusieurs garçons ont des scores plus élevés que la fille moyenne. De même, plusieurs filles se classent mieux que le garçon moyen en ce qui concerne les aptitudes spatiales. Les ressemblances générales dans le rendement des deux sexes sont plus frappantes que les différences. Puisque de telles différences de groupes apparaissent de façon constante, il n'en demeure pas moins qu'il est intéressant de se demander dans quelle mesure l'une ou l'autre d'entre elles peuvent être attribuées à des facteurs biologiques. Maccoby et Jacklin ont conclu que les facteurs biologiques étaient plus évidemment en cause dans les mesures de l'agressivité et des aptitudes spatio-visuelles. Les faits invoqués à l'appui d'une composante biologique qui serait à la base de la plus grande agressivité des mâles sont les suivants :

1. Cette différence apparaît dans toutes les sociétés étudiées.
2. Une différence sexuelle semblable est observée chez les primates non humains (figure 11.12).

Figure 11.12 Différences sexuelles dans le comportement agressif de jeunes singes rhésus. Les mâles s'adonnent fréquemment à la lutte, comme ceux qui se trouvent au premier plan. Les femelles, comme celles de l'arrière-plan, sont plus calmes. (Photographie gracieusement fournie par H. F. Harlow.)

3. Les androgènes élèvent le niveau d'agressivité et les œstrogènes l'abaissent; par exemple, un traitement aux androgènes appliqué à des singes femelles accroît significativement le niveau d'agressivité et le taux des chamailleries ludiques.

Les données à l'appui de facteurs biologiques qui seraient à la base des aptitudes spatiovisuelles proviennent surtout d'études génétiques révélant l'existence d'un gène récessif lié au sexe qui contribue à l'obtention de scores élevés aux tests d'aptitudes spatiales. Environ 50 % des hommes et 25 % des femmes présentent ce facteur sur le plan phénotypique. Les autres facteurs affectant également l'aptitude spatiale ne semblent pas liés au sexe. Évidemment, l'entraînement et la pratique influencent également les capacités spatiovisuelles, si bien que la tendance liée au sexe peut se trouver renforcée dans certaines circonstances socioculturelles et aucunement renforcée dans d'autres circonstances.

Anomalies du système endocrinien du fœtus et personnalité

Dans l'étude des effets inhabituels exercés sur la personnalité d'un être humain par le système endocrinien, avant la naissance, les chercheurs s'appuient sur les anomalies endocriniennes spontanées ou encore sur les traitements hormonaux prescrits aux femmes enceintes (Ehrhardt et Meyer-Bahlburg, 1981; Rubin, Reinisch et Haskett, 1981). Des effets hormonaux prénatals ont été rapportés dans le cas de certains comportements sexuellement dimorphes, comme par exemple la dépense d'énergie et la répétition des rôles parentaux par les enfants; ces effets sont toutefois subtils. En voici quelques exemples.

Dans le cas de l'anomalie congénitale d'origine génétique caractérisée par une croissance excessive de la glande surrénale (maladie de Wilkins ou **hyperplasie surrénalienne congénitale, HSC**), le cortex de la glande ne sécrète pas d'hydrocortisone (cortisol), mais au cours de la vie fœtale et par la suite, il sécrète des androgènes en quantités excessives. Par conséquent, si le fœtus est de sexe féminin, les organes génitaux externes se masculinisent; cependant, l'apparence des individus génétiquement mâles n'est pas changée puisque, normalement, leurs testicules produisent des androgènes. Après la naissance, on peut corriger cette situation par une thérapie de remplacement en utilisant des corticostéroïdes qui maintiendront la production d'androgènes surrénaliens à un niveau normal. Chez les filles, il est possible, au cours des premières semaines de vie extra-utérine, de féminiser chirurgicalement les organes génitaux externes. À la puberté, avec une régulation adéquate des hormones sexuelles, le développement se fait normalement; de plus, la fonction sexuelle et la fécondité sont normales.

Les études effectuées sur la personnalité ont suggéré la présence de certaines différences entre les enfants ainsi androgénisés avant la naissance et leur fratrie ou des sujets normaux appariés. Les fillettes souffrant d'hyperplasie (HSC) affichaient durant l'enfance des signes prolongés de grande dépense d'énergie (activité de plein air intense, identification de garçon manqué) et un comportement de répétition du rôle maternel atténué (peu d'intérêt au jeu avec les poupées et au soin des poupons). Statistiquement significatives, ces tendances n'étaient quand même pas excessives; elles se situaient à l'une des extrémités de l'échelle de comportement féminin jugé acceptable dans notre société. De plus, on pouvait au moins partiellement imputer aux influences sociales ces différences de personnalité. Les parents étant conscients de l'existence d'organes génitaux indéfinis à la naissance, il est possible que ces fillettes hyperplasiques aient été élevées un peu différemment des sujets témoins. Les garçons hyperplasiques ne se distinguaient des sujets témoins que par la manifestation d'une plus grande dépense d'énergie dans le jeu et les sports.

Chez un groupe de 38 individus génétiquement mâles d'une communauté rurale de la République Dominicaine, on a découvert une déficience enzymatique qui empêche la conversion de la testostérone en dihydrotestostérone, ce qui, par conséquent, retarde beaucoup la formation des organes génitaux masculins (Imperato-McGinley et coll., 1974, 1979, 1981). Les organes génitaux internes étaient bien ceux de mâles, mais les organes génitaux externes étaient mal définis; 18 de ces enfants avaient été élevés comme s'il s'agissait de fillettes. Non seulement les organes génitaux de ces individus adoptèrent-ils, à la puberté, la forme masculine, mais en dépit de leur éducation, l'identité sexuelle changea dans 17 des 18 cas, et ces garçons orientèrent leur intérêt sexuel vers les filles. Confrontée aux faits rapportés précédemment qui laissent à penser que l'identité sexuelle est difficle à modifier après l'âge de 3 ou 4 ans, cette observation est plutôt surprenante. Il faut noter toutefois que dans la plupart des cas étudiés aux États-Unis, où le sexe reconnu aux fins de l'éducation de l'individu n'était pas conforme au sexe chromosomique ou au sexe des organes génitaux, on avait eu recours à des méthodes additionnelles pour renforcer les effets de l'éducation, y compris l'ablation des gonades et la thérapie utilisant des hormones du sexe adopté. Dans le cas des enfants de la République Dominicaine, il y avait évidemment des pressions sociales exercées contre le changement d'identité et de rôle sexuels, mais ces pressions n'étaient pas appuyées par des traitements chirurgicaux ou hormonaux. Au moment où les présumées fillettes constatèrent, à la puberté, que leurs seins ne se développaient pas et que leur corps adoptait au contraire une forme masculine, elles optèrent pour l'identité sexuelle masculine. Le climat plutôt permissif de la communauté rurale dominicaine n'imposait pas une barrière infranchissable à ce changement. Il est évident, en effet, que les gens de cette région connaissent cette anomalie et l'acceptent comme inhabituelle mais aucunement alarmante. Il faudra donc poursuivre les recherches si l'on veut préciser le mode d'interaction des facteurs socioculturels et biologiques dans le développement de l'identité sexuelle.

Les études dont il a été fait mention précédemment indiquent que la présence prénatale d'hormones peut exercer certaines influences sur la personnalité et le comportement, de même que sur la constitution physique. Il se peut que certaines différences subtiles de la personnalité résultent de variations des concentrations d'hormones prénatales se situant, par ailleurs, dans les limites d'une échelle normale, mais ce fait n'a pas encore été démontré.

ÉVOLUTION DE LA SEXUALITÉ

La question de la possibilité d'une influence hormonale sur la personnalité est complexe et il faudra d'autres recherches avant qu'il soit possible d'évaluer dans quelle mesure les hormones prénatales sont capables d'engendrer des différences individuelles quant à la personnalité.

Le processus d'évolution assuré par la sélection naturelle dépend notamment du mode de reproduction utilisé par une espèce et de la capacité de survie des individus de cette espèce. Le succès qu'ont connu les individus d'une espèce donnée repose, en termes d'évolution, sur leur capacité de reproduire leur bagage génétique. Ainsi, l'étude du comportement de reproduction est particulièrement appropriée selon cette approche évolutive, puisqu'elle concerne le comportement qui rend l'évolution possible.

La reproduction sexuée favorise une abondance de nouvelles combinaisons génétiques, si bien qu'un nouveau-né représente un individu capable de s'insérer plus facilement dans une variété d'environnements différents que ne saurait le faire l'individu issu d'une reproduction asexuée. La « sexualité est donc une adaptation en vue de la survivance; c'est probablement l'adaptation maîtresse » (Adler, 1978, p. 658). La sexualité fait intervenir deux partenaires distincts, un mâle et une femelle, et nécessite également l'union d'un spermatozoïde et d'un ovule. L'incroyable variété de modalités de cette union explique en grande partie la diversité des formes et des comportements des animaux. Dans cette optique, quels sont les critères nécessaires au succès du comportement reproducteur et quelle influence peuvent exercer l'évolution et le développement culturel sur la sexualité de l'être humain ?

Adaptations associées à la reproduction sexuée

Le succès du comportement reproducteur chez les animaux complexes est assuré notamment par les conditions suivantes :

1. Le mâle et la femelle doivent cohabiter ou se rencontrer. Ce critère exige des mécanismes assurant l'attraction sexuelle (cf. le pigeon ramier) et la reconnaissance de l'espèce, du sexe et de la maturité sexuelle des partenaires éventuels.

2. Lorsque plusieurs partenaires de la bonne espèce et du sexe approprié sont disponibles, l'individu doit choisir un partenaire. Cette sélection a un effet sur les chances de survie des gènes de cet individu. Chez plusieurs espèces, la femelle assume une plus grande part que le mâle dans la reproduction, notamment en ce qui concerne les responsabilités associées à la gestation. La femelle prend donc plus de temps à choisir son partenaire si bien que le mâle doit s'adonner à une parade amoureuse complexe afin de bien démontrer qu'il est un candidat valable. Dans leur manifestation du comportement d'appétence, mâles et femelles de plusieurs espèces expriment des préférences à l'endroit d'individus particuliers du sexe opposé. (À cet égard, nous ne voulons pas laisser entendre que les *stratégies de reproduction* seraient conscientes ou intentionnelles. Il s'agit plutôt d'adaptations organiques et comportementales qui ont été soumises au processus évolutif parce qu'elles portent à conséquences, sans pour autant présupposer un geste conscient de la part des protagonistes.)

3. Le processus de reproduction a plus de chances de réussir s'il est entrepris au bon moment et dans un endroit favorable. Dans plusieurs parties du monde, les ressources alimentaires ne sont optimales que pendant une brève saison. Il peut arriver que les animaux habitant ces régions s'accouplent à un certain moment de l'année, de telle manière que les petits naîtront au moment où les ressources alimentaires sont susceptibles d'être optimales. D'autres espèces peuvent migrer sur de grandes distances pour aller se reproduire dans des milieux plus favorables.

4. Une fois le moment, l'endroit et le partenaire choisis, des modalités spécifiques de copulation restent nécessaires pour assurer l'union du spermatozoïde et de l'ovule. La copulation met en cause un ensemble complexe d'ajustements comportementaux réciproques. Des circuits nerveux particuliers servent d'intermédiaires à ces attitudes et, chez plusieurs espèces, l'activité de ces circuits se trouve facilitée par la modification du niveau des hormones. Lorsque nous avons décrit la copulation des rongeurs, nous avons remarqué l'existence d'une grande variabilité parmi les espèces. Dewsbury (1975) a essayé de relier ces différences aux conditions écologiques dans lesquelles les diverses espèces auraient évolué. Ainsi, que l'éjaculation n'exige qu'une seule brève insertion du pénis ou qu'elle nécessite des intromissions répétitives, cette pratique

particulière semble reliée au fait que l'environnement expose l'animal à des prédateurs, ou qu'au contraire il l'en protège. Le comportement en milieu naturel de plusieurs espèces de rongeurs n'est pas encore assez bien connu pour permettre de vérifier certaines des hypothèses sur la signification possible de leurs modes de reproduction. Dewsbury n'a décelé aucun développement linéaire dans l'histoire évolutive du comportement de reproduction des rongeurs. Au contraire, certains comportements semblent avoir connu une évolution qui s'est faite de façon répétitive, en réaction aux pressions de sélection particulières qui se sont exercées sur des espèces spécifiques.

5. Chez certaines espèces, la reproduction exige une réaction physiologique postcopulatoire de la part de la femelle. Les chattes et les lapines, par exemple, ne peuvent ovuler qu'après avoir copulé, réaction dite d'*ovulation réflexe* ou *ovulation provoquée par coït*. La réussite de l'accouplement ne se trouve pas limitée, chez ces espèces, à une période d'ovulation régulière du cycle de la femelle. Par contre, chez les espèces où l'ovulation se fait spontanément, de façon cyclique, la copulation déclenche la sécrétion de LH (hormone lutéinisante) et de progestérone qui favorise alors l'implantation de l'ovule fécondé dans la muqueuse utérine. Chez certaines espèces, la réceptivité disparaît après la copulation, évitant ainsi toute perturbation de la gestation.

6. Le comportement des parents peut accroître les chances de survie des petits. Quelques exemples permettront d'apprécier la gamme et la variété de ce type de comportements. Chez certaines espèces, les deux parents contribuent aux soins parentaux, comme dans le cas du pigeon ramier. Les parents qui prennent tous les deux soin de leurs petits, se ressemblent physiquement d'habitude. Dans d'autres espèces, un seul des deux parents s'occupe des petits : lorsque c'est le cas chez les mammifères, c'est toujours la mère qui assure le soin aux nouveau-nés. Chez les oiseaux, c'est habituellement celui des deux qui a le plumage le plus terne et le plus uni, ce qui aide probablement à protéger ce parent et ses petits des prédateurs. La plupart du temps, le parent au plumage moins coloré est la femelle; le phalarope est toutefois l'un des cas d'exception. La femelle du phalarope est plus grosse et plus colorée que le mâle de cette espèce; c'est elle qui fait la parade amoureuse avant l'accouplement, qui choisit l'emplacement du nid et défend ce dernier contre les autres femelles. Dès qu'elle a pondu ses œufs, par ailleurs, elle quitte le nid et le mâle a la responsabilité de couver les œufs et de prendre soin des petits.

La classe des mammifères est caractérisée par le fait que les femelles possèdent des glandes mammaires développées servant à alimenter les petits. Certains théoriciens ont prétendu qu'il n'est pas possible d'expliquer l'origine des glandes mammaires en s'appuyant sur le principe de la sélection de l'individu le plus fort, puisque ces glandes contribuent à la nutrition d'un autre individu. Il faut bien comprendre, toutefois, que ces glandes sont très importantes pour la survie des gènes de la mère, dans sa progéniture. En définitive, le succès de l'évolution repose sur la survivance par la reproduction.

Dans certaines espèces de vertébrés, notamment chez les tortues, les grenouilles et chez quelques espèces d'oiseaux, aucun des parents ne prend soin des petits. Par contre, la femelle favorisera souvent le développement de ses petits en plaçant les œufs à un endroit susceptible de faciliter leur éclosion et la croissance subséquente des petits. Le coucou échappe souvent à ses devoirs parentaux en déposant ses œufs dans le nid d'un oiseau d'une autre espèce, qui prend alors soin des petits de l'intrus. (Cette habitude du coucou est à l'origine du mot *cocu* utilisé pour désigner l'époux ou l'épouse dont le conjoint est infidèle.)

Sélection sexuelle La compréhension des différences entre les sexes n'est chose facile pour personne, y compris les scientifiques. Charles Darwin a pu observer de nettes différences dans l'anatomie

Figure 11.13 Comportement de reproduction des phoques éléphants. a) Mâle dominant avec son harem. Les petits phoques à pelage noir sont des nourrissons. On aperçoit au loin, à la périphérie du harem, d'autres mâles adultes. b) Un mâle dominant se prépare à la copulation avec un membre de son harem. Remarquez l'important dimorphisme de taille entre mâle et femelles. (Photographies de M. R. Rosenzweig.)

et le comportement des mâles et des femelles de plusieurs espèces, mais il n'a pas été en mesure d'expliquer ces différences par le principe de la sélection naturelle; il proposa donc la notion de **sélection sexuelle** (Darwin, 1871). Selon Darwin, la sélection naturelle dépend du succès des deux sexes d'une espèce donnée à s'approvisionner convenablement en nourriture et à éviter les blessures et évidemment la mort. Il eut recours à la sélection sexuelle pour expliquer pourquoi certains individus possèdent un avantage reproductif par rapport à d'autres individus de leur sexe et de leur espèce. Chez les phoques éléphants par exemple, certains mâles adultes s'accouplent avec un grand nombre de femelles alors que d'autres mâles ne sont pas autorisés à s'accoupler (figure 11.13). On a observé que, dans une même espèce, certaines femelles plus que d'autres s'accouplaient, saison après saison, avec des mâles plus vigoureux.

Dès le début, certains scientifiques n'ont pas voulu admettre cette distinction entre sélection naturelle et sélection sexuelle; cette question prête d'ailleurs encore à controverse (Le Bœuf, 1978). Cette conception dichotomique de la sélection est moins populaire aujourd'hui qu'au temps de Darwin, car les généticiens ont redéfini la notion du *plus fort* en fonction de la contribution au patrimoine génétique de la génération plutôt qu'à l'amélioration des chances de survie comme l'entendait Darwin. La plupart des recherches actuelles sont consacrées à l'étude *des stratégies de reproduction* employées par les mâles et les femelles de diverses espèces pour garantir la transmission de leurs gènes à la génération suivante. Certains de ces travaux comprennent des études sur le terrain auprès de populations naturelles dont les membres sont observés au cours de générations successives. Grâce à ces études, on ne considère plus que la sélection sexuelle et les stratégies de reproduction se limitent à la période d'accouplement; ces notions englobent maintenant toutes les caractéristiques favorisant l'accouplement et la fécondation, de même que celles se rapportant aux soins parentaux.

On croit que la sélection sexuelle découle de l'inégalité de l'investissement des deux sexes dans un rejeton commun. Une des façons courantes de formuler cette hypothèse est de supposer que, à l'origine, les cellules sexuelles (gamètes) des deux sexes avaient probablement la même dimension. Tout comme le font actuellement les poissons qui frayent, les organismes vivants d'alors relâchaient simplement leurs cellules sexuelles dans l'eau dans laquelle ils vivaient et les cellules qui se fusionnaient formaient des rejetons. Ces gamètes

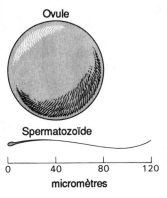

Ovule

Spermatozoïde

0   40   80   120
micromètres

étaient trop gros pour que l'organisme les produise en grandes quantités, mais trop petits pour contenir suffisamment de nourriture capable de satisfaire aux exigences considérables du développement de l'embryon. Une spécialisation dans la production de petits ou de gros gamètes pouvait permettre une meilleure adaptation, si bien que ces changements survinrent (figure 11.14). Avec le temps, l'un des deux sexes, maintenant nommé mâle, commença à produire des cellules sexuelles plus petites et plus abondantes. Comme ces petits spermatozoïdes avaient peu de réserves nutritives, ils ne pouvaient vivre longtemps et devaient entrer en contact avec les ovules le plus tôt possible. C'est pourquoi l'évolution des spermatozoïdes fut marquée par l'acquisition de la mobilité. Un développement subséquent devait se traduire par la sélection de mâles qui plaçaient les spermatozoïdes plus près des femelles, cette évolution atteignant son point culminant lorsque la fécondation interne apparut. Les femelles de leur côté se spécialisèrent dans l'autre direction, en produisant de gros gamètes pourvus de réserves nutritives capables d'assurer l'exigente croissance de l'embryon. La dimension plus importante de l'ovule, par rapport à celle du spermatozoïde, représentait de la part de la femelle un plus grand investissement énergétique et métabolique dans le rejeton commun. Après cet investissement initial supérieur, il devenait plus avantageux pour la femelle de protéger son rejeton par des investissements additionnels mettant en cause les soins maternels, dans plusieurs espèces. La figure 11.15 illustre les investissements respectifs du mâle et de la femelle du pigeon ramier dans les rejetons de cette espèce. Chez de nombreuses espèces, l'investissement de chacun des sexes montre une différence encore plus marquée que chez d'autres.

Systèmes d'accouplement

On a établi des relations entre les investissements respectifs des mâles et des femelles de plusieurs espèces et les différents systèmes d'accouplement qui prévalent dans le monde

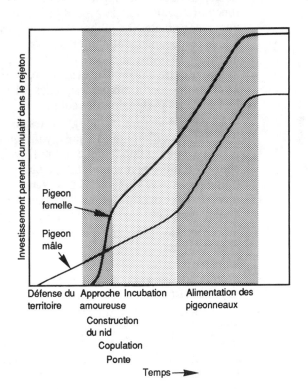

Figure 11.15 Courbes hypothétiques des investissements d'une femelle et d'un mâle pigeons ramiers dans leur rejeton, au cours du cycle de reproduction. (D'après Erickson, 1978 et Trivers, 1972.)

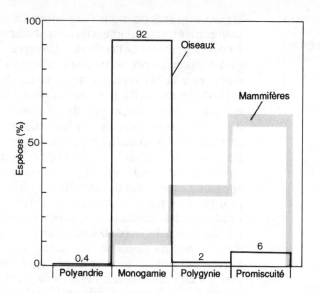

Figure 11.16 Distribution des systèmes d'accouplement chez les oiseaux et les mammifères. Les graphiques indiquent le pourcentage des espèces qui se situent dans les quatre catégories principales. Les estimations pour les oiseaux (puisées chez Lack, 1968) sont assez précises; c'est pourquoi le graphique qui se rapporte à eux est tracé avec des lignes précises et les pourcentages sont donnés, contrairement aux mammifères, pour lesquels les données sont moins précises. (Les données concernant les oiseaux sont de Lack, 1969; les estimations se rapportant aux mammifères sont tirées de Daly et Wilson, 1978.)

animal. Il existe plusieurs possibilités de systèmes d'accouplement : ce sont notamment la monogamie, la polygamie, la polyandrie et la promiscuité (figure 11.16).

Dans la **monogamie** (des racines grecques *monos* qui signifie seul et *gamos*, mariage), une femelle et un mâle forment un couple reproducteur. Ce couple peut être formé pour toute la vie ou ne durer que pendant une seule saison de reproduction. On a observé des couples monogames à vie chez plusieurs espèces d'oiseaux, dont les pigeons. Connue depuis des siècles, la fidélité des pigeons est utilisée depuis longtemps pour symboliser l'amour. On rencontre également la monogamie chez certaines espèces de petites antilopes, chez quelques primates (les gibbons) et dans plusieurs sociétés humaines. (Cela ne veut pas dire que le réaccouplement n'interviendra pas si le couple est brisé ou si l'un des partenaires meurt.) L'expression *couple lié* est utilisée pour décrire cette relation plutôt durable et exclusive entre une femelle et un mâle. Beaucoup de recherches s'intéressent actuellement à l'étude des conditions par lesquelles se forment de telles relations et les mécanismes de ce lien entre les partenaires des couples.

La **polygamie** (des racines grecques *polus*, nombreux et *gamos*, mariage) peut prendre deux formes différentes. La **polygynie** (*gunê* qui signifie femme) est l'accouplement d'un mâle avec plus d'une femelle. La polygynie s'observe chez certains oiseaux (l'autruche), chez de nombreux mammifères (le phoque éléphant, le cerf et le singe macaque) et dans plusieurs sociétés humaines. La **polyandrie** (*andros* qui signifie homme) est l'accouplement d'une femelle avec plus d'un mâle. Ce mode de reproduction, plutôt rare, s'observe chez quelques espèces d'oiseaux (le jacana : figure 11.1) et dans quelques sociétés humaines.

La **promiscuité** est un type de relation qui existe entre les animaux qui s'accouplent avec plusieurs membres du sexe opposé sans pour autant former d'associations durables avec leurs partenaires sexuels. Chez plusieurs espèces de rongeurs, on observe ce système de promiscuité qui se traduit par une forte compétition des mâles pour l'accouplement avec les femelles disponibles.

Les mammifères se distinguent des oiseaux quant aux fréquences relatives de ces différents systèmes d'accouplement (figure 11.16). La distribution rapportée pour les oiseaux est basée sur des estimations de Lack (1968) : parmi les quelque 8 600 espèces d'oiseaux, il estime que 92 % exploitent la monogamie, 2 % la polygamie, moins de 0,5 % la polyandrie et 6 % la promiscuité, mettant en cause la rivalité que se livrent les mâles dans leur recherche des femelles. Seules des estimations très partielles existent pour les mammifères, puisqu'on ne s'est pas encore réellement préoccupé d'étudier les systèmes d'accouplement de la plupart des 4 000 espèces reconnues. Presque 1 700 des espèces formant la classe des mammifères sont des rongeurs et, chez ces derniers, c'est la polygynie et la promiscuité qui prédominent. La même chose semble devoir s'appliquer aux autres ordres les mieux connus de la classe des mammifères, soit celui des insectivores (la taupe et la musaraigne), celui des pinnipèdes (le phoque), celui des ongulés (les bovins et le cerf) et celui des primates. La monogamie peut se présenter plus fréquemment chez les carnivores, notamment chez les chiens.

Chez les oiseaux et les mammifères, le système d'accouplement entretient des relations avec le dimorphisme corporel. Darwin avait observé que chez les oiseaux, les mâles et les femelles des espèces monogames avaient des tailles comparables, alors que dans les cas des espèces où l'on rencontre la polygynie, le mâle avait tendance à être plus gros que la femelle. On a observé récemment la même relation entre le degré de dimorphisme sexuel, quant à la taille, et le degré de polygynie dans plusieurs ordres de mammifères, notamment les primates (Alexander et coll., 1979). Le degré de polygynie de ces espèces de la classe des mammifères a été mesuré à partir d'observations faites sur le terrain, portant sur l'ordre de grandeur des harems. La correspondance entre polygynie et dimorphisme semble être plus faible chez les primates que chez les phoques ou les ongulés, bien que cette relation soit statistiquement très significative. D'ailleurs, cette faiblesse apparente pourrait être au moins partiellement attribuable à la difficulté d'en arriver à des estimations très exactes, basées sur l'observation des primates vivant en milieu naturel.

Impact de l'évolution sur la sexualité humaine

Les êtres humains partagent avec tous les mammifères leurs principales formes d'adaptation du comportement reproductif; ils sont également façonnés par l'histoire de la famille des hominidés et par les développements culturels de leur propre espèce, *homo sapiens*. Si nous étions des chercheurs venant d'une autre planète et si nous savions que les êtres humains sont des mammifères de taille assez grande, caractérisés par un dimorphisme sexuel moyen quant à la taille (le rapport moyen entre la taille de l'homme et de la femme étant de 1,08), nous pourrions nous attendre à découvrir un système d'accouplement tendant vers la polygynie (Alexander et coll., 1979). Les anthropologues ont étudié les usages matrimoniaux en cours dans des centaines de sociétés humaines (Bourguignon et Greenbaum, 1973) et y ont observé une grande variété. Une fois les observations regroupées en grandes catégories (figure 11.18), on constate que la polygynie existe dans la plupart des sociétés humaines, mais dans plusieurs d'entre elles elle n'est pratiquée que par une petite minorité. Bien qu'étant l'exception, la polyandrie y existe également. Dans plusieurs sociétés, la monogamie est la seule forme qui soit acceptée et elle est, en fait, beaucoup plus répandue que cet énoncé peut le laisser croire car, même dans les sociétés qui acceptent la polygamie, la plupart des mariages sont monogames.

Nous en savons évidemment beaucoup plus sur l'héritage humain que le simple fait qu'il s'inscrit dans l'histoire des mammifères : l'évolution humaine a été notamment orientée vers un important accroissement de la dimension du cerveau et le développement d'un style de vie comportant des divisions de travail entre les sexes. Les rôles sexuels se sont spécialisés non seulement dans les fonctions de reproduction, comme chez tous les autres mammifères, mais également en rapport avec l'économie du groupe. Les différences sexuelles dans les rôles économiques n'ont pas cependant pris un caractère absolu; l'évolution s'est faite dans le sens d'un partage et les différents milieux culturels ont assigné les tâches de diverses façons. Toutes les activités spécifiquement humaines ont exigé plus de capacité d'apprentissage que ne le demandaient les modes de vie plus simples et l'importance des comportements acquis s'est accrue avec la complexification des cultures.

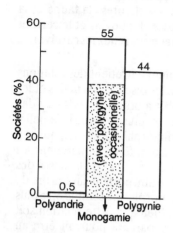

Figure 11.17 Distribution des normes matrimoniales dans les sociétés humaines. Ces données sont basées sur 854 sociétés représentatives de toutes les régions du globe, pour lesquelles on possède une information assez complète consignée dans les *Human Relations Area Files* (Fichiers par régions sur les relations humaines). La monogamie est la forme de mariage la plus fréquente, bien que, dans 39 % des sociétés, la monogamie dominante s'accompagne de mariages occasionnels du type polygynie. (Les graphiques sont basés sur des données de Bourguignon et Greenbaum, 1973.)

Cette histoire de l'évolution peut aider à illustrer la grande variété de comportements sexuels et de comportements sexuellement différents qu'on retrouve dans des groupes qui appartiennent à notre propre culture, en plus d'expliquer la variété beaucoup plus grande observable dans l'ensemble des sociétés humaines. Certains anthropologues et psychologues voient également dans cette histoire une base possible d'explication des tendances vers les différences d'aptitudes et de tempéraments que nous avons déjà décrites. Avant de projeter cette image kaléidoscopique de la sexualité dans les divers milieux culturels, considérons brièvement en quoi consistent ces différences sexuelles.

À partir des résultats des recherches sur la préhistoire de l'être humain et de ceux des études anthropologiques, Beach (1977) propose l'explication suivante de l'évolution des caractéristiques comportementales des hommes et des femmes (pp. 18-19) :

« On peut concevoir que, dans le cheminement de l'évolution humaine, la sélection naturelle ait agi pour produire et accroître des différences génétiques entre hommes et femmes, différences qui lentement et progressivement amélioreraient les aptitudes des deux sexes dans l'exécution de leurs rôles distincts et augmenteraient ainsi l'efficacité du groupe social, en tant que mécanisme de survivance. Les différences sexuelles adaptatives pourraient virtuellement comprendre des caractéristiques affectives et des caractéristiques intellectuelles, mais il se peut bien que les variables les plus significatives aient été des différences liées au sexe, portant sur certaines caractéristiques de motivation et sur des types particuliers d'aptitudes d'apprentissage... Des différences sexuelles se rapportant à de tels potentiels ou propensions seraient plutôt relatives qu'absolues. Elles se manifesteraient par un apprentissage plus rapide et efficace des modèles masculins par les hommes et des modèles féminins par les femmes. »

La puissance et la souplesse de l'apprentissage humain, rendues possibles par le volume du cerveau, ont ouvert la voie à l'apparition d'une variété remarquable de modèles sexuels dans les sociétés et les groupes culturels. Ce n'est pas qu'on puisse ignorer les contraintes biologiques ultimes qui s'appliquent à la reproduction, mais plutôt que les capacités biologiques des êtres humains peuvent être utilisées avec grande souplesse et peuvent être incorporées dans des systèmes culturels qui interprètent la sexualité de façons très différentes. Au cours des années 1940 et 1950, lorsque Kinsey a publié ses descriptions du comportement sexuel aux États-Unis, plusieurs personnes se sont montrées surprises devant les différences observées dans les groupes culturels américains définis par région, par niveau d'éducation et selon leur appartenance religieuse. Mais, les anthropologues ont noté des différences beaucoup plus grandes encore (Davenport, 1977). On peut trouver des attitudes presque opposées face à la sexualité. Dans certaines sociétés, la sexualité est perçue négativement — évitée et même crainte — et les relations sexuelles sont en grande partie réservées à la procréation. D'autres sociétés accordent une grande valeur à l'expression de la sexualité et l'encouragent même : on la célèbre dans les arts et les chansons, et toutes les formes de beauté lui sont associées.

MÉCANISMES NERVEUX ET HORMONAUX DU COMPORTEMENT DE REPRODUCTION

Le comportement sexuel s'avérant tellement varié et complexe, plusieurs chercheurs essaient de découvrir et de comprendre les mécanismes corporels qui le sous-tendent. Quels sont les mécanismes nerveux et hormonaux du comportement de reproduction des femmes et des hommes ? Si les hormones contribuent à l'organisation des circuits nerveux, quelles sont les caractéristiques essentielles de ces circuits ? Est-ce que certains des effets organisateurs des hormones seraient attribuables à leur influence sur les structures périphériques du corps plutôt que sur le système nerveux lui-même ?

Bien que les mécanismes corporels responsables des comportements sexuels soient loin d'être complètement compris, les expériences sur les animaux et les études cliniques chez l'être humain aident à préciser plusieurs parties de ce tableau d'ensemble. Certains chercheurs ont tenté de retracer les trajets nerveux et d'identifier les régions cérébrales qui participent au comportement de reproduction, d'autres se sont intéressés aux modulations hormonales de ces circuits. Étant donné l'immense importance des interactions entre le système nerveux et le système endocrinien dans l'activité de reproduction, il est impossible de traiter ces deux systèmes tout à fait séparément; il faut donc plutôt mentionner en alternance mécanismes nerveux et influences hormonales.

Réflexes sexuels

Certaines réactions motrices dépendent de circuits nerveux situés à l'intérieur de la moelle épinière (chapitre 10) et on a découvert que les mêmes structures sont en cause dans le cas des réflexes sexuels. Quand la moelle épinière est sectionnée ou gravement endommagée au point où aucun influx nerveux ne passe entre le cerveau et la partie de la moelle située au-dessous de la blessure, il reste possible de déclencher certains réflexes dans la partie inférieure du tronc et dans les jambes. Ces réflexes dépendent entièrement des circuits de la moelle épinière. Chez les mâles, tant chez l'humain que chez les autres mammifères, l'érection et l'éjaculation sont sous le contrôle de la moelle épinière. Un patient paraplégique (celui dont la moelle épinière a été sectionnée ou gravement endommagée à la suite d'un accident ou d'une maladie) ne peut exercer de contrôle volontaire sur la musculature située au-dessous du niveau de la section; celui-ci n'éprouve donc plus aucune sensation dans ces régions. Pourtant, certains mâles paraplégiques ont pu, grâce aux réflexes spinaux, féconder leurs épouses.

Réflexes sexuels chez les animaux spinaux mâles

La stimulation de différentes parties du pénis d'un chien qui a subi une section de la moelle épinière peut engendrer trois réflexes de reproduction distincts (Hart, 1978) :

1. De légères poussées du pelvis avec érection partielle du pénis. En copulation normale, cette réaction précède l'intromission.

2. Une réaction éjaculatoire intense. L'expulsion du liquide séminal s'accompagne de vigoureux mouvements du pelvis et du soulèvement en alternance des pattes postérieures. Ce réflexe est le seul réflexe de reproduction qui soit de courte durée et qui prenne fin subitement. La continuation de la stimulation ne prolonge pas cette réaction.

3. Le maintien de l'érection et l'émission du liquide séminal. Cette réaction dure 10 à 30 minutes environ, en diminuant d'intensité. Ce réflexe se produit probablement chez le mâle intact, pendant la réaction de verrouillage du coït.

Il faut noter que l'hormone testostérone exerce des effets variables sur ces réflexes; de plus, les réflexes spinaux ne comprennent pas uniquement des réactions dépendant des nerfs du système nerveux autonome (érection et éjaculation), mais également des réactions qui dépendent des nerfs squelettiques (comme les mouvements des pattes). On a là un bel exemple de la coordination de réactions du système nerveux autonome et du système nerveux périphérique.

Réflexes sexuels chez les animaux spinaux femelles

Chez les chiennes et les chattes spinales, la stimulation de la région génitale engendre plusieurs réactions réflexes d'accouplement. Par exemple, le train arrière s'oriente vers le côté de la stimulation et la queue se soulève ou s'arque de côté. Chez l'animal intact, ces réactions réceptives faciliteraient l'intromission. L'élévation du pelvis (réaction de lordose) ne se produit pas chez les animaux dont la moelle épinière a été sectionnée dans la région thoracique moyenne, car ce réflexe requiert la participation des muscles du dos situés au-dessus comme au-dessous du niveau de section. Dans le cas d'animaux où la section spinale est pratiquée dans la région thoracique supérieure, il devient possible de provoquer l'élévation du pelvis.

Chez le rat, la réaction de lordose est tellement stéréotypée qu'on avait présumé qu'il s'agissait d'un réflexe spinal, mais cette hypothèse n'a pas encore pu être vérifiée. Les observations sur les animaux spinaux ont conduit à l'hypothèse que la réaction de lordose serait organisée à partir du cerveau (Pfaff et coll., 1972). Il est difficile, cependant, de croire qu'une réaction qui se produit par l'intermédiaire de la moelle épinière chez le chien et le chat puisse exiger des circuits cérébraux chez le rat (Hart, 1978); l'étude de cette question se poursuit.

Influences des hormones sur les réflexes spinaux

Les réflexes spinaux ne sont ni fixes, ni immuables; ils peuvent, au contraire, être modulés de diverses façons. Normalement, des influx nerveux provenant du cerveau engendrent une facilitation de certains circuits spinaux et une inhibition d'autres circuits de ce genre. La présence du mâle peut, par exemple, suffire à stimuler la chatte ou la chienne et à lui faire adopter la pleine position réceptive, sans aucun contact tactile entre les deux partenaires; une truie peut donner une réaction de lordose lorsque stimulée par le cri d'accouplement du sanglier. Cette stimulation se fait par l'intermédiaire de récepteurs à distance et d'une analyse par le cerveau. De plus, les réflexes spinaux présentent des changements qu'on peut classer parmi les apprentissages — ils sont sujets à l'accoutumance, à la sensibilisation et au conditionnement (à ce sujet, voir le chapitre 16).

L'action des hormones représente un autre agent principal de modulation des réflexes spinaux. Des études sur des chiens non spinaux montrent que l'ablation chirurgicale des gonades (la castration) entraîne, chez certains mâles, une réduction de la motivation pour la copulation; même chez les chiens qui continuent à saillir des femelles et qui parviennent à l'intromission, on observe une diminution prononcée du verrouillage de coït et la réaction éjaculatoire intense peut s'avérer moins forte que chez les animaux intacts. On a entrepris des expériences sur des chiens spinaux pour vérifier si la testostérone affecterait ces réflexes.

Dans ces expériences, les chiens étaient castrés et chaque animal recevait des injections de testostérone, pendant une période de test, et aucune hormone durant une autre période (Hart, 1968). L'effet le plus évident du manque de testostérone a été la durée de la réaction stimulée de verrouillage. Les chiens qui ont d'abord été testés après injections de testostérone montraient une durée moyenne de verrouillage de 12 min; après l'arrêt du traitement hormonal, la durée diminuait progressivement et n'était plus que de 4 min après 60 jours. Les chiens qui ont d'abord été testés sans traitement de testostérone ont donné une durée de verrouillage de 2 min; avec le traitement, la durée a augmenté progressivement, atteignant 10 min après 60 jours. Alors que ces aspects *autonomes* des réactions étaient nettement affectés par la présence ou l'absence de testostérone, les réactions musculaires squelettiques des pattes et des muscles dorsaux ne donnaient aucun signe d'une influence du traitement hormonal.

Ces résultats démontrent nettement une influence des hormones sur les réflexes dépendant des circuits spinaux, mais prouvent-ils vraiment que les hormones sexuelles agissent directement sur les neurones spinaux ? Pas nécessairement. On a fait remarquer que les hormones sexuelles affectent les composantes sensorielles aussi bien que les composantes motrices du mécanisme de la réaction. Les récepteurs sensoriels de la peau du pénis du rat s'atrophient en l'absence d'androgènes et se régénèrent quand la concentration d'androgènes est rétablie (Beach et Levinson, 1950). De même, le volume des muscles du pénis qui jouent un rôle dans l'érection et l'éjaculation est affecté par les androgènes (Hayes, 1965). L'effet des hormones sur de telles structures périphériques du corps peut-il expliquer toutes les influences hormonales sans aucune participation essentielle du système nerveux ? La distinction entre les effets d'une hormone sur le pénis et ses effets sur le système nerveux peut se faire à l'aide de l'hormone dihydrotestostérone (DHT). À faibles doses (25 µg), la DHT préserve, chez les rats castrés, le volume et la sensibilité du pénis, mais elle ne maintient pas le comportement sexuel (Feder, 1971; Hart, 1973). Ces données s'opposent donc à une interprétation mettant en cause une réaction exclusivement périphérique. De plus fortes doses de cette hormone (200 µg ou plus) réussissent à rétablir les réactions sexuelles et avec ces doses, on a observé que l'hormone s'accumulait dans les cornes ventrales de la moelle épinière (Sar et Stumpf, 1977). Il apparaît donc qu'au moins une partie de l'influence de la testostérone doit s'exercer directement sur les neurones pour qu'un comportement sexuel se manifeste.

Régions du cerveau et comportement de reproduction

Alors que plusieurs aspects des réflexes de copulation trouvent leur intégration au niveau spinal, l'attraction sexuelle et le comportement d'appétence exigent, chez les vertébrés, la participation de régions cérébrales. De plus, des régions du cerveau servent à la modulation de l'activité des circuits spinaux, en facilitant ou en inhibant cette activité. On a démontré que l'aire préoptique joue un rôle important dans le comportement de reproduction des mâles d'un grand nombre de classes de vertébrés (mammifères, oiseaux, grenouilles et poissons). Les régions cérébrales importantes pour le comportement de reproduction des femelles se situent dans l'hypothalamus antérieur ou latéral, derrière l'aire préoptique. Quelles sont les principales données qui ont permis de tirer ces conclusions relatives aux sites préoptiques et hypothalamiques ? La figure 11.18 montre ces régions chez le rat, animal utilisé dans une grande partie de ces recherches.

L'aire préoptique et le comportement de reproduction des mâles

Plusieurs techniques expérimentales apportent des preuves convergentes de la participation de l'aire préoptique (APO) dans le comportement de reproduction du mâle. Rappelons que dans la région préoptique médiane, il existe un noyau qui est beaucoup plus gros chez le rat mâle que chez la femelle (figure 11.10). La destruction bilatérale de cette région abolit l'activité de copulation chez les mâles des rats (Larsson et Heimer, 1964), des chats (Hart

a) Cerveau du rat, montrant le plan de coupe des sections frontales ci-contre

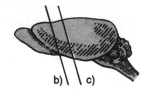

b) Section frontale à travers l'aire préoptique

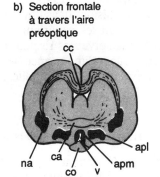

c) Section frontale à travers l'hypothalamus

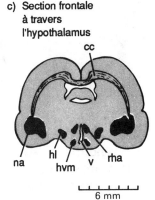

Figure 11.18 Régions du cerveau du rat qui jouent un rôle important dans le comportement de reproduction. La présentation latérale du cerveau en a) montre où les sections en b) et en c) ont été pratiquées (apl : aire préoptique latérale; apm : aire préoptique médiane; ca : commissure antérieure; cc : corps calleux; co : chiasma optique; hl : hypothalamus latéral; hvm : hypothalamus ventromédian; na : noyau amygdalien; rha : région hypothalamique antérieure). Des expériences décrites dans le texte démontrent que l'aire préoptique médiane (en b)) joue un rôle important dans le comportement de reproduction des mâles de plusieurs espèces. Quelques travaux indiquent que l'un ou l'autre des sites hypothalamiques (en c)) joue également un rôle important dans le comportement de reproduction des femelles.

et coll., 1973), des chiens (Hart, 1974) et des singes (Sling et coll., 1978). Malgré qu'ils soient intacts, les circuits spinaux de ces animaux ne reçoivent pas de facilitation des circuits cérébraux, et les mâles qui ont subi de telles lésions cérébrales ne montent les femelles qu'occasionnellement et ce, sans intromission. Chez les rats intacts, la stimulation de l'APO par des électrodes implantées accroît ou engendre même l'activité sexuelle du mâle (van Dis et Larsson, 1971; Perachio et coll., 1973). Des cellules de l'APO captent des androgènes de la circulation sanguine. L'activité sexuelle de mâles castrés peut être rétablie en introduisant de faibles quantités de testostérone dans le cerveau; l'APO est la région la plus sensible, au moins chez le rat (Johnston et Davidson, 1972).

L'aire préoptique est également en cause dans le comportement de copulation de type mâle manifesté par des femelles. La femelle du rat monte souvent d'autres femelles et exécute des poussées du pelvis. Les lésions de l'APO abolissent ces comportements chez la femelle, mais le comportement sexuel caractéristique de la femelle n'en est pas affecté (Singer, 1968). L'introduction de testostérone dans l'APO de femelles facilite le comportement de saillie; l'estradiol le facilite également, mais seulement si l'introduction de testostérone se fait dans une région postérieure à l'APO (Dörner et coll., 1968a, b).

Les régions hypothalamiques et le comportement de reproduction des femelles	Les régions hypothalamiques où des lésions abolissent effectivement le comportement sexuel féminin varient quelque peu d'une espèce à l'autre. Chez le rat, les lésions de l'hypothalamus antérieur se sont avérées les plus efficaces pour abolir le comportement de reproduction typique de la femelle, alors que chez la femelle du hamster, les lésions du noyau ventromédian étaient plus efficaces que celles de l'hypothalamus antérieur (Kow et coll., 1974). Par contre, des lésions pratiquées dans certaines régions hypothalamiques postérieures à l'aire préoptique se sont avérées efficaces chez plusieurs espèces de mammifères. (Les études des espèces n'appartenant pas à la classe des mammifères ont davantage porté sur le comportement sexuel du mâle que sur celui de la femelle.) L'introduction d'estradiol dans l'hypothalamus a un effet de facilitation sur l'activité sexuelle de la femelle de plusieurs espèces de rongeurs; habituellement, ces sites d'introduction hormonale se trouvent en position un peu antérieure par rapport aux sites des lésions efficaces. Ainsi, chez le rat, l'introduction d'hormones dans l'aire préoptique médiane accroît les réactions de lordose, alors que des lésions dans l'hypothalamus antérieur les abolissent (Singer, 1968). Ce sont principalement les expériences avec lésions qui permettent de distinguer les différentes structures nerveuses responsables du comportement sexuel des mâles et des femelles et qui indiquent l'importance de l'une et l'autre des deux voies hypothalamiques de l'activité de reproduction des femelles.

Influences des hormones sur le comportement de reproduction	Les hormones participent à l'activité de reproduction de trois façons différentes au moins :

1. Nous avons vu précédemment qu'une hormone testiculaire joue, chez le fœtus, un rôle d'organisation dans la formation de structures de reproduction et dans le façonnement de certains circuits cérébraux.

2. Les hormones ont également un rôle activateur dans le déclenchement ou la facilitation du comportement de reproduction qui dépend de circuits nerveux et de structures effectrices déjà organisées.

3. En plus de ces deux rôles généralement reconnus, on croit maintenant que les hormones pourraient également jouer un **rôle de modulation** (ou rôle de soutien), en permettant aux circuits nerveux et à d'autres structures de maintenir leur sensibilité aux influences

hormonales. C'est-à-dire que la présence d'hormones, pendant des périodes prolongées, affecterait la propension des tissus à réagir à des changements de niveau hormonal à court terme.

Nous avons déjà souligné qu'il est possible de relier les phases successives du comportement de reproduction du pigeon ramier aux rôles d'activation et de modulation des hormones. Quelles influences exercent les hormones sur le comportement du pigeon ? Comment les hormones influencent-elles le comportement de reproduction des mammifères autres que l'être humain ? De quelle manière le comportement sexuel de l'être humain est-il influencé par les hormones ?

| Influence des hormones sur le comportement de reproduction du pigeon | Les chercheurs tentent présentement, dans 3 types d'expériences de revérifier si des hormones spécifiques provoquent ou modulent certains comportements. |

1. L'hormone ou la source sécrétrice de l'hormone est éliminée de façon à vérifier si le comportement disparaît ou diminue de manière sensible.

2. Le niveau hormonal initial est rétabli afin de vérifier si le comportement réapparaît.

3. On détermine, dans des conditions normales, si la concentration systémique de l'hormone s'accroît quand le comportement se produit, pour décroître quand il cesse.

Les recherches sur le pigeon ramier illustrent de façon adéquate la manière d'utiliser ces méthodes. Les rôles des hormones dans les séquences complémentaires des comportements de reproduction des pigeons, mâle et femelle, ont fait l'objet d'importantes recherches depuis les années 1950. Bien que le problème ne soit pas complètement résolu, ces travaux établissent déjà l'existence de plusieurs relations importantes entre hormones et comportement.

Le déclenchement de la parade amoureuse du pigeon mâle dépend d'une concentration normale de testostérone et de la présence d'une femelle adulte. Un mâle adulte castré depuis plusieurs semaines manifesterait peu d'activités de parade amoureuse, même en présence d'une femelle. (En quelques heures, la testostérone en circulation est métabolisée par l'organisme, mais les androgènes déclenchent dans le système nerveux des effets qui durent des jours ou même des semaines.) Mais une injection de testostérone de remplacement engendre des activités de sollicitation amoureuse. Par ailleurs, comme l'adulte mâle normal ne manifeste pas de comportement de sollicitation en l'absence d'une femelle, il est évident que la situation stimulante a autant d'importance que les facteurs hormonaux et nerveux. Lorsqu'un mâle qui a été isolé, est placé en présence d'une femelle, sa concentration de testostérone sanguine commence à s'élever. On peut détecter une augmentation en moins de quelques heures et le niveau continue à s'élever durant les premiers jours des avances amoureuses (figure 11.19). Cependant, cette élévation de la concentration d'hormones dans le sang n'est pas nécessaire au déclenchement de l'activité de sollicitation puisqu'elle se produit après le début de cette activité. D'ailleurs, en considérant les cycles successifs de reproduction, l'accroissement de la concentration de testostérone ne semble pas entretenir de corrélation avec ce comportement. Cette hausse constitue probablement un facteur de sécurité pour assurer que la performance ne souffre pas des fluctuations du taux de sécrétion de testostérone.

Le comportement de la femelle du pigeon pendant la période de sollicitation amoureuse témoigne d'une relation encore plus évidente avec les niveaux d'hormones sexuelles. La vue d'un mâle manifestant des activités de sollicitation à son endroit déclenche une élévation du niveau d'œstrogènes; cette hausse débute un jour ou deux après que le couple a été placé dans la même cage et elle se poursuit à peu près jusqu'au moment où commence la construction du nid (figure 11.19a). Pendant les étapes successives de la sollication amou-

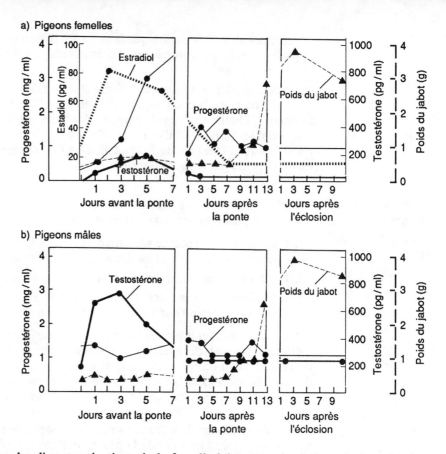

Figure 11.19 Changements hormonaux chez les pigeons ramiers, femelles et mâles, durant le cycle de reproduction. Les concentrations d'estradiol, de progestérone et de testostérone ont été mesurées dans le plasma sanguin. Le poids du jabot procure un indice de la concentration de l'hormone prolactine qu'on ne peut pas encore mesurer directement chez le pigeon. Remarquez la montée rapide d'estradiol chez la femelle et celle de la testostérone chez le mâle, tôt durant la période des avances amoureuses (jours avant la ponte). (D'après Silver, 1978.)

reuse, les diverses réactions de la femelle laissent croire à des relations étroites avec la concentration sanguine d'œstrogènes (Cheng, 1974). L'ablation des ovaires abolit les réactions d'attraction et de proception de la femelle. L'administration d'œstrogènes rétablit ces réactions qui reprennent alors variant, selon l'ordre normal des étapes, du battement des ailes à l'accroupissement proceptif. Sans l'addition de la progestérone, l'œstrogène à lui seul n'arrive pas cependant à rétablir les comportements de nidification. Normalement, la concentration de progestérone augmente également durant la sollicitation amoureuse, mais elle accuse un retard par rapport à celle des œstrogènes (figure 11.19a). La combinaison de ces deux hormones engendre le roucoulement de nidification, la nidification, la ponte des œufs et l'incubation.

Les oiseaux qui n'ont pas connu la parade amoureuse et la nidification ne couvent habituellement pas les œufs qui leur sont présentés. Toutefois, une femelle isolée, à laquelle on injecte des œstrogènes et de la progestérone pendant quelques jours avant de lui offrir les œufs, acceptera de les couver. De même, un mâle isolé couvera pourvu qu'il y soit préparé par injection de testostérone et de progestérone.

La suppression du comportement d'accouplement durant l'incubation a été attribuée à la sécrétion de prolactine par l'adénohypophyse. Bien que la prolactine déclenche la production de lait de jabot chez les deux parents, son effet sur l'acceptation de l'accouplement semble s'exercer principalement sur la femelle. Les tests d'acceptation de l'accouplement sont effectués avec des oiseaux, parvenus à divers stades du cycle de reproduction, que l'on place dans une autre cage avec un nouveau partenaire. La femelle accepte un nouveau partenaire pendant certaines parties du cycle, sauf lorsque la sécrétion de prolactine est élevée. Lorsque la femelle possède une concentration sanguine réduite en prolactine au point où elle cesse de nourrir les pigeonneaux, elle est de nouveau prête à la reproduction. Par contre, même si son niveau de prolactine reste assez élevé, le mâle est disposé à recommencer l'accouplement avec sa partenaire : la prolactine n'inhibe donc pas la capacité d'accouplement chez le mâle.

Dans le cycle de reproduction, le passage d'une étape du comportement à l'étape suivante est guidé, chez la femelle, par les modifications de concentrations sanguines d'œstrogènes, de progestérone et de prolactine. Les modifications de concentrations d'œstrogènes et de progestérone (hormones ovariennes) résultent de la perception des avances amoureuses du mâle, tandis que l'accroissement de prolactine provient de la stimulation tactile et visuelle engendrée par les œufs. Nécessaire au succès de la reproduction, le synchronisme entre le comportement des deux parents est assuré principalement par le fait que le mâle ajuste son comportement à celui de la femelle; il ne semble pas être influencé par la modification des concentrations d'hormones. Mis à part l'effet de la prolactine sur la sécrétion du lait de jabot, le seul besoin hormonal du mâle consiste en un approvisionnement régulier de testostérone. Cette hormone, ajoutée à la stimulation qu'offre le comportement de la femelle, lui permet de jouer ses rôles successifs durant le cycle de reproduction.

Le caractère bidirectionnel des interactions comportementales mérite d'être signalé. Dans le schéma circulaire (figure 11.20), les interventions dans le système hormonal affectent le comportement, et les interventions dans le comportement (comme le fait de

Figure 11.20 Résumé des changements affectant le comportement et la concentration sanguine des hormones sexuelles durant le cycle de reproduction du pigeon ramier. La figure décrit les relations réciproques entre mâle et femelle et entre les variables comportementales et somatiques.

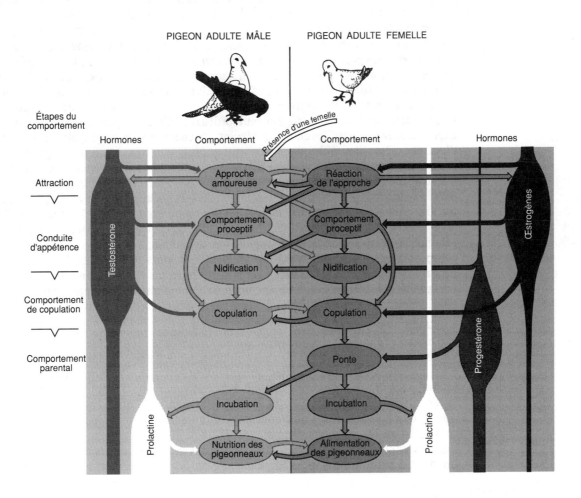

437

placer une femelle en présence d'un mâle qui lui fait des avances) affectent le niveau hormonal.

Comment les hormones influencent-elles le comportement de reproduction chez les mammifères ? Dans quelle mesure ces influences sont-elles semblables ou différentes chez diverses espèces de mammifères ? Dans quelle mesure sont-elles les mêmes ou différentes chez les deux sexes ?

Chez certaines espèces de mammifères, la femelle adulte non gravide connaît un cycle régulier de production d'œstrogènes et de progestérone. Chez le rat, ce cycle dure 4 à 5 jours. Les mâles reproducteurs de ces espèces maintiennent une concentration quotidienne moyenne d'androgènes plutôt stable, bien qu'il y ait des fluctuations à court terme. La production cyclique des hormones par les femelles est nécessaire à la production régulière d'ovules et aux changements physiologiques qui affectent les voies génitales. Ces changements hormonaux déterminent-ils également les comportements d'appétence, de proceptivité et de réceptivité ? Chez les mâles, les différences de concentrations d'androgènes sont-elles responsables des variations individuelles qualitatives et quantitatives des comportements de reproduction ?

Influences hormonales chez les femelles n'appartenant pas au groupe des primates

Chez les rats, et pratiquement chez tous les non primates, les concentrations d'hormones ovariennes jouent un rôle déterminant dans le comportement de reproduction de la femelle. L'ablation des ovaires entraîne une disparition définitive de la réceptivité sexuelle. Il y a plus de deux mille ans, Aristote rapportait un fait déjà connu des éleveurs : *On extirpe les ovaires des truies pour étouffer leur appétit sexuel.* Une connaissance plus approfondie de la chimie des hormones a permis aux chercheurs de procéder à des expériences de remplacement dans le but de découvrir les rôles respectifs de l'œstrogène et de la progestérone et afin de préciser les relations entre les concentrations d'hormones et divers comportements. Chez certaines espèces, l'œstrogène seul suffit à rétablir le comportement de réceptivité, par exemple chez les chats, les chiens, les lapins, les chèvres et les singes, alors que, dans le cas d'autres espèces, il semble que deux hormones soient nécessaires (comme pour les rats, les souris, les cobayes et les vaches). Chez le rat, des injections répétées de faibles doses d'œstrogène font réapparaître la réaction de lordose. La réceptivité est mesurée à l'aide du *quotient de lordose*, c'est-à-dire le nombre de fois qu'une femelle adopte la position de lordose par rapport au nombre de fois qu'elle est montée par un mâle. On a constaté que le quotient de lordose est une fonction monotone de la dose d'œstrogène de remplacement (Davidson et coll., 1968). L'œstrogène ne produit pas immédiatement d'effet sur le comportement; il faut compter au moins un ou deux jours avant qu'un effet ne se manifeste. La progestérone prend quelques heures à produire ses effets. On ne connaît pas encore parfaitement la série d'événements qui interviennent entre l'augmentation des hormones ovariennes dans le sang et l'effet de facilitation des circuits nerveux.

Effets des hormones chez les femelles des primates

Chez les primates, la dépendance du comportement de reproduction de la femelle vis-à-vis des hormones est moins évidente; on note également une grande variabilité individuelle. Chez les singes, certaines femelles demeurent réceptives après l'ablation des ovaires, mais les mâles sont moins attirés vers elles. Les tentatives en vue d'établir une corrélation entre la réceptivité des femelles et la phase du cycle menstruel qui y correspondrait n'ont pas donné de résultats tout à fait constants. D'ailleurs, à l'instar de l'œstrogène et de la progestérone, la testostérone semble jouer un rôle dans les changements du comportement qui surviennent durant le cycle. Il est important de noter que les études sur les animaux donnent des différences interindividuelles plus prononcées dans le cas de l'initiative (la

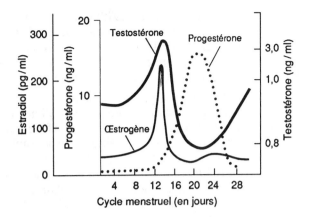

Figure 11.21 Fluctuations des concentrations d'hormones chez des singes femelles durant le cycle menstruel. (1 picogramme = 10^{-12} g; 1 nanogramme = 10^{-9} g) (D'après Herbert, 1978.)

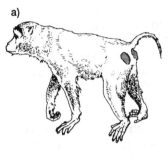

Figure 11.22 Comportement proceptif de femelles de singes rhésus. a) La position de *présentation* caractérisant la femelle qui tourne ses organes génitaux vers le mâle, la queue de côté. La *peau sexuelle* des fesses est de couleur rose. b) L'*abaissement de la tête*, caractérisant la femelle qui branle la tête de haut en bas et qui soulève du sol ses organes génitaux.

proceptivité) que dans celui de la réceptivité. Confrontés à de telles complications, on ne peut brosser qu'un tableau sommaire de certaines des observations les mieux fondées et de certaines des conclusions actuellement acceptées.

L'attrait de la femelle du singe pour le mâle s'accroît avec une augmentation substantielle d'œstrogènes dans leur sang, ce qui se produit un peu avant le milieu du cycle menstruel (figure 11.21). Les œstrogènes produisent des modifications dans le taux de sécrétions vaginales et provoquent un œdème de la *peau sexuelle* des fesses (figure 11.22). Certains mâles réagissent à la fois à la stimulation olfactive et à la stimulation visuelle. Une thérapie de remplacement par des œstrogènes rend leur attrait aux femelles ovariectomisées, ce que révèlent clairement les réactions des mâles à leur égard. Cet effet est produit aussi bien par l'administration directe d'œstrogène dans la circulation sanguine que par l'administration plus locale, dans le vagin : le système nerveux n'intervient donc pas nécessairement. L'addition de progestérone, hormone normalement plus abondante après l'ovulation (figure 11.21), réduit l'attrait.

Des chercheurs croient que le comportement proceptif est particulièrement influencé par les androgènes sécrétés par les ovaires et les glandes surrénales des femelles. La figure 11.21 montre que les femelles ont des concentrations sanguines plus fortes en testostérone qu'en estradiol (type le plus abondant d'œstrogène); toutefois, l'estradiol est une hormone à action beaucoup plus puissante en proportion de la masse corporelle. Durant le cycle menstruel, la concentration de testostérone fluctue plus ou moins parallèlement à celle des œstrogènes. L'ablation totale des ovaires et des surrénales supprime la sécrétion de testostérone. Une thérapie de remplacement, par hydrocortisone, supplée aux fonctions surrénaliennes essentielles et le remplacement par des œstrogènes restaure l'attrait sexuel, sans toutefois augmenter le désir sexuel. Pourtant, ces femelles par ailleurs normales et en bonne santé font peu de tentatives pour avoir accès aux mâles (Everitt et Herbert, 1972). Par conséquent, les œstrogènes qui rendent attrayantes et réceptives les femelles des primates ne sont pas à l'origine du comportement proceptif. Les injections de testostérone rétablissent le comportement proceptif et l'introduction d'une faible quantité de testostérone dans l'hypothalamus en fait autant (Everitt et Herbert, 1975) : cet effet est donc produit par l'intermédiaire du système nerveux. On n'est pas tout à fait certain que la proceptivité varie avec les changements de concentration sanguine de testostérone durant le cycle menstruel. Des variables irrégulières, comme la sécrétion d'hormones et la durée du cycle, viennent compliquer ce genre de recherche. À l'aide de techniques statistiques permettant de tenir compte d'une telle variabilité, Bonsall et ses collaborateurs (1978) concluent que les femelles des singes rhésus atteignent un sommet statistiquement significatif de proceptivité en milieu de cycle; cet effet se manifesta même chez sept femelles sur neuf. Par contre,

439

Johnson et Phœnix (1978) ont été incapables d'établir l'existence d'une relation significative entre le comportement proceptif et les fluctuations des concentrations d'hormones pendant les cycles menstruels de dix femelles de singes rhésus. S'il existe vraiment un cycle de proceptivité chez les femelles des singes, l'évidence en est fortement atténuée par la variabilité inter et intra-individuelle.

Les effets apparents de la progestérone sur la proceptivité forcent à la prudence dans l'interprétation des observations. L'injection de cette hormone fait augmenter les tentatives des singes femelles pour obtenir la faveur des mâles. Cela signifierait-il que la progestérone stimule les régions cérébrales responsables du comportement proceptif, comme le fait la testostérone ? Des travaux subséquents ont montré que de très faibles doses de progestérone, introduites dans le vagin, contrecarraient les effets locaux des œstrogènes, mais ne modifiaient pas les concentrations sanguines. Dans ce cas également, les femelles augmentaient leurs invitations sexuelles à l'endroit des mâles. Les expérimentateurs ont proposé que la progestérone rendrait les femelles moins attrayantes aux mâles qui, par conséquent, réagiraient mollement. Ce qui expliquerait que les femelles doivent multiplier leurs efforts (Baum et coll., 1977).

Chez les primates, elles manifestent une certaine réceptivité, même quand elles ont subi une ovariectomie et une surrénalectomie. La thérapie de remplacement par œstrogènes entraîne un accroissement important de la réceptivité et l'addition d'androgènes amène la réceptivité à des niveaux tout à fait normaux. La progestérone semble n'avoir que peu ou pas d'effet sur la réceptivité. En conclusion, chez les primates, tous les aspects du comportement de reproduction des femelles sont affectés par les concentrations d'hormones et les hormones sexuelles jouent des rôles nettement différents dans ce comportement.

Effets des hormones chez les mammifères mâles

Les hormones sexuelles exercent moins rapidement leurs effets sur le comportement de reproduction chez les mâles que chez les femelles. Chez le rat, par exemple, certains mâles maintiennent le comportement complet de copulation pendant quelques semaines après la castration, même si les androgènes résiduels sont métabolisés en quelques heures; le comportement s'estompe vraiment, mais beaucoup plus lentement que les concentrations sanguines d'androgènes (Davidson, 1966b). Chez les chats, les mâles qui ont expérience de l'accouplement continuent de s'accoupler pendant des semaines après la castration, mais peu de mâles sans expérience antérieure copulent lors des tests qui suivent la castration (Rosenblatt et Aronson, 1958). Il se peut donc que les circuits nerveux qui ont été modifiés par l'expérience n'aient pas besoin de facilitation hormonale.

Les différences dans le comportement de reproduction des mâles semblent moins dépendre des concentrations sanguines d'androgènes que des différences dans la sensibilité aux hormones des cellules nerveuses. Le premier indice de l'existence de différences individuelles dans la sensibilité a été détecté par l'analyse de résultats surprenants provenant de la mesure du comportement de reproduction de cobayes, avant et après castration (figure 11.23; Grunt et Young, 1953). Les animaux avaient été séparés en trois groupes (forte, moyenne et faible tendances) sur la base de leur performance à des tests d'accouplement, avant castration. Sous l'effet d'une thérapie de remplacement (de la 27e à la 36e semaine), les groupes obtinrent le rang qu'ils avaient avant la castration (figure 11.23) et le fait de doubler la dose de testostérone ne modifia pas ce rang. Après la castration, la thérapie de remplacement par des androgènes rétablit également les différences individuelles observées dans le comportement de sollicitation amoureuse chez les pigeons ramiers mâles (Hutchison, 1971). Des résultats comme ceux-là ont amené les chercheurs à envisager la possibilité de l'existence de différences individuelles dans la sensibilité des neurones aux hormones.

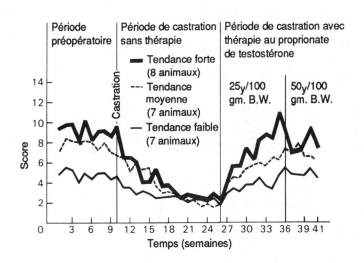

Figure 11.23 La concentration sanguine en hormones sexuelles ne détermine pas entièrement le taux d'activité sexuelle. Une fois que la castration de cobayes mâles eut réduit leur activité sexuelle, on donna à chaque animal, à partir de la 26ᵉ semaine, la même quantité de testostérone. Le groupe qui avait manifesté une forte activité sexuelle avant castration retrouva cette forte activité; les animaux qui avaient le score le plus faible à l'origine gardèrent les scores les plus bas. Le fait de doubler la quantité d'hormones n'avait pas amélioré les scores. (D'après Grunt et Young, 1953.)

Influences des hormones sur le comportement sexuel des femmes

Les tentatives en vue d'établir des relations entre les concentrations d'hormones sexuelles et le comportement sexuel des femmes s'appuient sur plusieurs catégories de faits, soit les variations des concentrations d'hormones survenant normalement pendant le cycle menstruel, les déviations du cycle normal dues à des déficiences quelconques du système neuroendocrinien et les effets produits par les hormones administrées la plupart du temps pour des fins de contraception. Plusieurs études recensées par Bancroft (1978) ont porté sur la fréquence relative des rapports sexuels durant le cycle menstruel, mais les résultats obtenus ne sont pas concluants. La plupart des travaux rapportent que la fréquence des rapports sexuels est maximale à la suite de la menstruation, quoique certains travaux la situent avant la menstruation, tandis que quelques-uns la situent plutôt vers le milieu du cycle, après l'ovulation. Une fréquence maximale observée au milieu du cycle se comprendrait facilement en ce sens qu'il accroîtrait logiquement la possibilité de fécondation, mais les données en faveur d'une telle fréquence maximale sont contradictoires et ne permettent pas de formuler des conclusions valables. Le tableau général en est plutôt un de variabilité individuelle.

L'usage de contraceptifs oraux ne semble pas exercer d'effets notables sur le moment où ont lieu les rapports sexuels durant le cycle. Cette observation indique que le moment précis d'apparition des hormones ovariennes n'a pas beaucoup d'influence sur le comportement, pas plus d'ailleurs que celui de l'apparition des hormones hypophysaires et hypothalamiques puisque celles-ci sont inhibées par les contraceptifs oraux. (Voir l'encadré 11.2.)

L'interruption de la menstruation avant l'âge de la ménopause dépend de l'un des trois niveaux du système neuroendocrinien, plus fréquemment, l'hypothalamus. L'augmentation de sécrétion de la gonadotropine B (hormone lutéinisante, LH) nécessaire à l'ovulation ne se produit pas, malgré la sécrétion constante de LH et de gonadotropine A (follicostimuline, FSH). Cette hausse semble constituer le point névralgique de la séquence des événements de la reproduction (Federman, 1979). Cette augmentation de la concentration de LH dans le sang est inhibée par plusieurs facteurs d'influence, notamment une déficience nutritionnelle, un refus pathologique de manger (l'anorexie mentale) et plusieurs sortes d'angoisses ou de détresse psychologiques. Cet état, souvent nommé *aménorrhée émotionnelle* ou *aménorrhée psychique* (ou *aménorrhée hypothalamique*, à cause de ses origines), démontre l'importance du contrôle nerveux des hormones ovariennes. Une déficience fonctionnelle de l'hypophyse est également, dans quelques cas rares, à l'origine de l'aménorrhée; il s'agit alors des concentrations de LH et de FSH qui sont faibles, contrairement à l'aménorrhée émotion-

Mode d'action des hormones dans la reproduction et la contraception

L'étude du cycle endocrinien de la femme a rendu possible le contrôle de la reproduction, permettant ainsi d'aider les couples à avoir les enfants qu'ils désirent ou à éviter les grossesses non souhaitées. Chez l'être humain, on peut se demander, quand on étudie la relation entre le cycle menstruel et le processus de reproduction, si l'on peut associer le cycle menstruel à des changements du comportement.

Dans un cycle menstruel de 28 jours, la concentration de FSH (hormone de l'adénohypophyse) commence à augmenter quelques jours avant les menstruations et stimule la maturation d'un follicule ovarien et de son ovule (figure de l'encadré 11.2). Cette hormone stimule également l'ovaire à sécréter des œstrogènes, principalement l'estradiol, qui favorisent l'épaississement de l'endomètre utérin. Les œstrogènes sont en concentration maximale dans le sang vers la 12ᵉ journée, ce qui déclenche le jour suivant une hausse de la production de l'hormone lutéinisante (LH) : l'ovulation suit dans les 24 heures. Le follicule qui a relâché l'ovule devient alors un corps jaune qui sécrète de la progestérone. Cette hormone continue à favoriser l'épaississement de la muqueuse utérine, la préparant à l'éventualité de l'implantation d'un ovule fécondé. L'œuf, ou ovule fécondé, subit d'abord plusieurs divisions de mitose, puis sécrète une hormone qui maintient la production de progestérone par le corps jaune. Par la suite, ce sera le placenta qui sécrétera la progestérone. Quand la fécondation ne se produit pas, la sécrétion de progestérone décroît vers le jour 24 du cycle, entraînant la nécrose d'une partie de l'endomètre utérin, suivie de l'évacuation d'une partie de la couche fonctionnelle de la muqueuse utérine, lors des pertes menstruelles.

Il est souvent possible d'améliorer, par traitement hormonal, la régularité de l'ovulation chez les femmes qui éprouvent des problèmes de rythme ovulatoire. Parfois, ce type de traitement entraîne la libération de plusieurs ovules du même coup, ce qui explique la plus grande fréquence de naissances de quintuplés et de sextuplés qu'on observe de nos jours.

Les traitements aux hormones peuvent également servir à empêcher l'ovulation; les anovulants chimiques commercialisés dès les années 1950, dans le but de contrôler les naissances, assurent ce type d'intervention. Les préparations les plus fréquemment utilisées contiennent un mélange de progestérone et d'œstrogènes de synthèse. Ces hormones exercent deux fonctions :

1. Elles suppriment la sécrétion des gonadotrophines hypophysaires par rétroaction négative, si bien qu'aucun follicule ovarien n'étant stimulé, l'ovulation est impossible. En fait, l'hypothalamus, qui réagit à une concentration élevée d'hormones stéroïdes dans

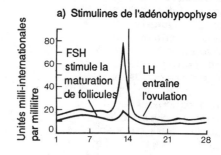

a) Stimulines de l'adénohypophyse

FSH stimule la maturation de follicules

LH entraîne l'ovulation

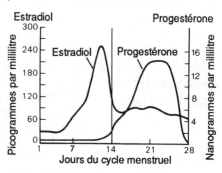

b) Hormones ovariennes

Estradiol — Progestérone

c) Changements dans les ovaires

Maturation de follicules — Ovulation — Le corps jaune sécrète la progestérone

Figure de l'encadré 11.2 Cycles des changements au cours du cycle menstruel humain : a) stimulines de l'adénohypophyse, b) hormones ovariennes et c) l'ovaire.

le sang ne fournit pas assez d'hormones nécessaires à la libération de gonadostimulines par l'hypophyse.
2. Elles stimulent l'épaississement de la muqueuse de l'utérus et causent ainsi les menstruations.

nelle. L'aménorrhée peut également résulter d'une dysfonction ovarienne; cependant, cette anomalie ne se présente que rarement chez les jeunes femmes.

Aux États-Unis, c'est généralement vers l'âge de 48 ans qu'une femme cesse sa production ovarienne de follicules matures et débute sa ménopause. On constate alors une nette augmentation de la concentration de FSH, indice que l'arrêt de production de follicules n'est pas dû à une défectuosité du système hypothalamo-hypophysaire mais à une diminution de la réaction des ovaires. Étant donné le rôle des relations de rétroaction dans le contrôle des hormones ovariennes, une chute de leur concentration sanguine entraîne une hausse de la concentration de FSH dans le sang (figure 7.12). L'arrêt de la production d'ovules rend évidemment impossible une grossesse. De plus, le fait que les follicules ne soient plus formés empêche la sécrétion d'œstrogènes et de progestérone par les ovaires, bien que certains œstrogènes puissent encore être sécrétés par les corticosurrénales. La chute de la concentration sanguine des œstrogènes peut entraîner divers symptômes, mais elle ne résulte pas en un arrêt du comportement sexuel.

Ainsi, malgré l'importance vitale du système endocrinien pour la reproduction, on n'a pas constaté que les différences individuelles quant aux concentrations d'hormones exerçaient une forte influence sur la fréquence ou la qualité du comportement sexuel. Bancroft en conclut : « On a assisté à un besoin très largement répandu de trouver une clef hormonale qui simplifierait la compréhension du comportement sexuel de l'être humain. Nous n'avons aucune raison de nous attendre à la découverte de relations simples » (1978, p. 514).

Influences des hormones sur le comportement sexuel des hommes

Chez les hommes en bonne santé dont l'âge se situe entre 18 et 60 ans, les concentrations sanguines de testostérone varient, sur une échelle normale assez étendue, entre 350 et 1 000 ng par 100 ml de sang. À l'intérieur des limites de cette distribution, les différences individuelles ne semblent pas avoir d'effet sur le comportement sexuel. Après l'âge de 60 ans environ, la concentration moyenne de testostérone dans le sang a tendance à diminuer progressivement bien qu'environ la moitié des hommes de plus de 80 ans et qui sont en bonne santé se comparent encore, sur l'échelle normale, à des hommes plus jeunes.

L'homme qui se plaint d'impuissance ou de stérilité montre souvent une concentration sanguine de testostérone inférieure à 400 ng ou une faible numération de spermatozoïdes. Les méthodes courantes permettent souvent d'identifier le niveau du système neuroendocrinien défectueux, si bien que des thérapies appropriées s'avèrent efficaces dans plusieurs cas. On peut déceler un dysfonctionnement aux niveaux suivants :

1. Il arrive que l'hypothalamus ne fournisse pas les quantités normales d'hormones (GnRH) responsables de l'activation de la sécrétion de la gonadotrophine hypophysaire.

2. Il est possible que l'hypophyse ne libère pas assez d'hormone lutéinisante (LH) et de folliculostimuline (FSH). Les gonadotrophines hypophysaires sont libérées par secousses, si bien qu'il faut plus d'un échantillon pour valider un test. Quand les concentrations sanguines sont faibles, on peut administrer des GnRH pour vérifier si l'hypophyse libère normalement les hormones LH et FSH.

3. L'anomalie peut être attribuable aux testicules qui, tout en étant stimulés par des quantités adéquates de gonadotrophine hypophysaire, ne produisent pas suffisamment de testotérone. Dans ce cas, on constate que la concentration de LH se situe au-dessus de la normale, puisque l'hypothalamus et l'hypophyse ne reçoivent pas suffisamment de rétroaction négative de la testostérone.

Chez les hommes de 60 ans et plus, la chute de la concentration sanguine de testostérone s'accompagne donc d'une hausse de la concentration de LH dans le sang, ce qui révèle une diminution fondamentale de la fonction hormonale des gonades.

On a constaté que, dans le cas des hommes dont la concentration sanguine de testostérone est plus basse que le seuil critique et qui se plaignent d'un manque de réactivité sexuelle, l'administration de testostérone à quelques semaines d'intervalle aidait à restaurer l'activité sexuelle.

Ainsi, dans une étude à double insu, six hommes atteints d'hypogonadisme ont reçu, toutes les quatre semaines, soit de la testostérone à effets persistants, soit une substance témoin inactive. Puis on a procédé à un contrôle quotidien de leur activité sexuelle. Chez cinq des six sujets, les effets stimulants de la testostérone sur l'activité sexuelle furent rapides et fiables, ne pouvant être attribués à un effet placébo (Davidson et coll., 1979).

Plusieurs études ont tenté de découvrir si les gonadotrophines et les hormones testiculaires des homosexuels différaient de celles des hétérosexuels. Recensés par Bancroft (1978) et Meyer-Bahlburg (1984), les résultats se sont révélés très variés. Parmi les études qui semblent avoir été faites avec soin, certaines suggèrent que les homosexuels mâles possèdent des concentrations sanguines de testostérone moindres. Il semble très improbable que les différences quantitatives de production d'hormones sexuelles chez les hommes puissent être tenues responsables de l'orientation sexuelle en général. Peu de recherches ont été effectuées jusqu'à maintenant pour vérifier la possibilité de l'influence de facteurs endocriniens sur l'homosexualité féminine. La majorité des femmes homosexuelles semblent posséder des concentrations sanguines d'œstrogènes et d'androgènes normales. Il existe des indices qui permettraient de croire qu'un tiers des sujets examinés avaient une concentration élevée de testostérone, mais on a pensé que cette différence apparente était peut-être attribuable à des problèmes d'échantillonnage. Bancroft doute que les études sur les glandes endocrines puissent apporter quelque réponse simple aux questions sur l'homosexualité, mais la recherche en ce domaine se poursuit.

On considère donc, actuellement, que la plupart des différences individuelles observées dans le comportement sexuel de l'homme et de la femme ne peuvent s'expliquer en termes de différences individuelles dans les concentrations sanguines d'hormones sexuelles. Il est certain que les hormones sont importantes pour le développement initial des structures reproductrices et l'apparition subséquente des caractéristiques sexuelles secondaires. Elles jouent également un rôle d'activation en facilitant le déclenchement et le maintien des comportements sexuels. Cependant, les grandes variations de la concentration de ces hormones dans le sang n'ont pas d'effets évidents sur la quantité ou la qualité des activités sexuelles de l'être humain. Dès que sont constitués les circuits nerveux de ces comportements, d'autres sources de stimulation peuvent suffire, même en l'absence de facilitation endocrinienne.

Résumé

1. Le phénomène de la sexualité introduit de la variété de diverses façons dans le monde vivant, notamment par les différences sexuelles dans l'apparence et le comportement, par les changements liés à la sexualité qui influencent le comportement au cours d'une vie et par des mutations génétiques qui ont assuré la rapidité de l'évolution.

2. Le comportement d'accouplement présente quatre phases : l'attraction sexuelle, le comportement d'appétence ou proceptif, le comportement de copulation et le comportement après copulation. Chaque étape exige une interaction entre le mâle et la femelle.

3. L'arrangement chromosomique XY ou XX détermine si les gonades de l'embryon se transformeront respectivement en testicules ou en ovaires.

4. Chaque embryon comporte deux systèmes primitifs de conduits qui créent la possibilité de la formation de structures génitales internes masculines ou féminines. Chez le fœtus, s'il n'y a pas sécrétion d'une hormone testiculaire, c'est le système féminin qui se développe.

5. On a observé une différenciation sexuelle des structures cérébrales chez les rats, les oiseaux chanteurs et, récemment, chez les êtres humains. Les deux sexes se différencient quant à la dimension et aux connexions de certaines structures du cerveau; ces différences peuvent être modifiées par un traitement hormonal.

6. Le développement sexuel prénatal semble exercer certaines influences sur la personnalité et le comportement humain. Il faudra poursuivre encore les recherches avant

de savoir dans quelle mesure ces différences sexuelles sont biologiquement déterminées.

7. La reproduction sexuelle efficace exige que les sexes se réunissent et choisissent des partenaires convenables, que le moment et l'endroit de la reproduction soient appropriés et que des comportements de copulation (et parfois même après copulation) se manifestent. De plus, les soins des parents peuvent accroître les chances de survie des rejetons.

8. On explique par la sélection sexuelle les avantages que certains individus possèdent sur le plan de la reproduction, par rapport à d'autres individus de leur sexe et de leur espèce. La sélection sexuelle est basée sur un investissement inégal de la part de l'un et l'autre sexe dans la production d'un rejeton unique.

9. L'évolution de la sexualité humaine peut s'expliquer dans les adaptations que l'être humain partage avec les autres mammifères aussi bien que dans son cheminement spécifique, à travers le temps de sa propre évolution. Le fait que le volume du cerveau de la lignée des hominidés ait triplé a favorisé la flexibilité et la variété du comportement humain, y compris l'activité de reproduction.

10. Plusieurs réactions motrices intervenant dans la copulation sont intégrées dans des circuits spinaux. La testostérone affecte directement ces réactions chez le mâle. Normalement ces réactions spinales sont modulées par l'activité des régions cérébrales.

11. L'attraction sexuelle et le comportement d'appétence des vertébrés dépend de l'activité du cerveau. L'aire préoptique intervient particulièrement dans le comportement de reproduction du mâle; des régions de l'hypothalamus situées à l'arrière de l'aire préoptique sont spécifiquement en cause dans le comportement sexuel des femelles.

12. Les hormones jouent un rôle organisateur dans la formation des organes de reproduction et des circuits nerveux; plus tard, elles jouent un rôle d'activation dans le déclenchement ou la facilitation du comportement de reproduction. Elles aident également au maintien et à la modulation de la sensibilité aux hormones des circuits nerveux.

13. Les séquences complémentaires des comportements sexuels du mâle et de la femelle sont admirablement intégrées chez le pigeon ramier. Dans le cas de la femelle, la transition d'une étape à l'autre est marquée de changements dans les concentrations sanguines d'œstrogènes, de progestérone et de prolactine. Le mâle peut assumer son rôle à la plupart des étapes grâce à un approvisionnement adéquat et régulier d'androgènes et grâce à une tendance à suivre les indications découlant du comportement de la femelle, lorsque celle-ci passe d'une étape à l'autre.

14. Chez les mammifères, au moment de la reproduction, les femelles de certaines espèces connaissent un cycle régulier marqué par des hausses et des baisses de leurs concentrations sanguines d'œstrogènes et de progestérone. La proceptivité et la réceptivité du rat dépendent du cycle hormonal. Cette dépendance aux changements hormonaux est moins absolue chez les primates autres que l'être humain.

15. Dans le cas des primates, les œstrogènes comme les androgènes accroissent la réceptivité bien qu'on puisse continuer d'observer une certaine réceptivité même en l'absence de l'une ou l'autre de ces hormones.

Lectures recommandées

Adler, N.T. (éd). (1981). *Neuroendocrinology of Reproduction*. New York : Plenum.

Beach, F.A. (éd.), (1977). *Human Sexuality in Four Perspectives*. Baltimore : John Hopkins University Press.

Crews, D. (éd.). (1986). *Psychobiology of Reproductive Behavior : An Evolutionary Perspective*. New York : Prentice Hall.

Daly, M. et Wilson, M. (éds). (1978). *Sex, Evolution and Behavior*. (2e éd.) North Scituate, Mass. : Duxbury Press.

De Vries, G.J., De Bruin, J.P.C., Uylings, H.B.M. et Corner, M.A. (éds). (1984). *Progress in Brain Research : Vol. 61. Sex Differences in the Brain*. Amsterdam : Elsevier Science Publishers.

Rosen, R. et Rosen, L.R. (1981). *Human Sexuality*. New York : Alfred A. Knopf.

12 Thermorégulation et hydratation

ORIENTATION

Les aborigènes du centre de l'Australie, habitués à vivre nus, trouvent confortable de dormir sans abri pendant l'hiver, alors que la température descend jusqu'à 4°C. Tout anthropologue occidental de passage dans cette région désertique semi-aride frissonnerait misérablement, s'il n'était protégé du froid que par une mince couverture; après quelques semaines pourtant, il s'adapterait au stress engendré par le froid. C'est que durant cette période, l'anthropologue aurait, comme les aborigènes, maintenu la température interne de son corps à environ 37°C. Les êtres humains ont été capables de survivre presque sur toute la surface du globe, en s'adaptant aux conditions climatiques, sauf dans les régions de froid ou d'altitude extrêmes (figure 12.1). Ils apprennent maintenant à vivre pendant de longues périodes sous l'eau et dans l'espace.

Notre corps, comme celui des autres animaux, est un système complexe, voué au maintien de la vie, et qui a évolué durant des millions d'années. Même lorsque la température extérieure est beaucoup plus froide ou beaucoup plus chaude, la température des cellules du corps se maintient dans des limites qui permettent un fonctionnement normal. Ces cellules baignent dans un milieu liquide, riche en nutriments, aux caractéristiques à peu près constantes. Cette constance est le propre des mammifères et des oiseaux (sauf certains cas d'exception dont nous parlerons plus loin). Claude Bernard a souligné son importance et Walter Cannon a proposé le terme d'**homéostasie** pour la désigner (chapitre 7).

Dans ce chapitre, nous allons étudier les processus qui contrôlent la température du corps et l'absorption des liquides, tandis qu'au chapitre 13, nous aborderons le thème de la régulation de la faim (réserves de nourriture et métabolisme). La plupart du temps, la régulation thermique la maintient relativement constante, mais il se produit parfois un changement contrôlé, par exemple un léger abaissement de la température du corps pendant le sommeil, ou une chute importante de la température durant une période d'hibernation. Les systèmes de régulation de la température, des liquides et des nutriments ont une importance vitale et sont interreliés. Ainsi, le maintien de la température du corps force l'organisme à puiser dans ses réserves énergétiques corporelles; son refroidissement est assuré par une évaporation de l'eau contenue dans l'air des poumons ou par la sudation, ce qui entraîne une perte d'eau. Le déficit hydrique agira donc sur le mécanisme de la sensation de soif pour permettre un rétablissement de la réserve normale d'eau dans les tissus. Nous décrirons plus loin d'autres interactions entre ces systèmes.

a)

b)

Figure 12.1 L'adaptation à des climats très différents met en cause des changements dans le comportement, la physiologie et l'anatomie. On en a des exemples en comparant a) un Esquimau de l'Arctique avec b) un habitant des régions du Nil de l'Afrique tropicale. (a) © Karl H. Maslowski, 1977/Photo Researchers, Inc. b) © Lynn McLaren / Photo Researchers, Inc.)

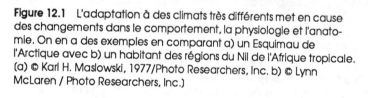

PROPRIÉTÉS DES MÉCANISMES HOMÉOSTATIQUES

Les mécanismes homéostatiques qui contrôlent la température, le niveau des liquides corporels ainsi que le métabolisme sont tous des **systèmes de rétroaction négative**. Pour chacun d'eux, il existe une valeur déterminée appelée, par analogie, **point de réglage** ou zone de réglage (figure 12.2). Au chapitre 7, nous avons abordé la notion de systèmes de rétroaction négative en traitant de la régulation de la sécrétion hormonale. Quand le système de chauffage d'un édifice est commandé par un thermostat, une chute de température sous le point de réglage active le thermostat qui déclenche à son tour le système. Lorsque le

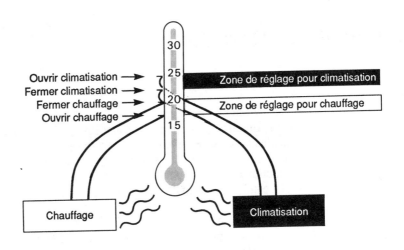

Figure 12.2 Systèmes de chauffage et de climatisation à commande thermostatique.

thermostat enregistre une élévation suffisante de la température, il commande l'arrêt du système car il existe, en réalité, une petite marge de variation de température entre les signaux de *fonctionnement* et d'*arrêt*, pour éviter que le système ne parte et n'arrête constamment. Il s'agit plutôt d'une *zone* que d'un *point de réglage*. On peut changer le point de réglage, par exemple l'abaisser la nuit pour économiser l'énergie. On peut également installer un système de refroidissement à commande thermostatique pour le contrôler. Tous ces systèmes maintiennent une température interne confortable.

La température corporelle de la plupart des mammifères et des oiseaux se maintient habituellement entre 36°C et 38°C, bien que cette zone de réglage puisse varier en fonction des conditions de l'organisme et des objectifs. Dans certaines parties du corps, la température est maintenue grâce au contrôle étroit de récepteurs internes qui perçoivent tout écart par rapport à la valeur déterminée. Si cet écart dépasse le seuil, une action correctrice ramène la température à l'intérieur de la zone de réglage. Les ajustements thermophysiologiques internes se font automatiquement, alors que d'autres actions correctrices requièrent un ajustement à l'environnement, allant parfois jusqu'à la modification de comportements appris. Ce modèle attire plusieurs chercheurs, car il ressemble à un système physique connu (le contrôle thermostatique) et permet de noter plusieurs observations sur le comportement. Mais il existe d'autres modèles que les circuits de rétroaction négative.

SYSTÈMES À COMMANDES MULTIPLES

Les capsules spatiales possèdent des unités de contrôle multiples et des systèmes parallèles, ou dispositifs de soutien, qui assurent la continuité des fonctionnements mécanique ou électrique. Une déficience n'est donc pas fatale puisque les systèmes parallèles prennent la relève. L'évolution a multiplié les systèmes : cela complique l'identification des mécanismes qui maintiennent la régularité des fonctionnements, mais les effets de l'interférence entre eux, pris en charge par les systèmes alternatifs, sont négligeables. Nous n'en tenterons pas moins de découvrir, pour chaque système corporel homéostatique, les signaux qui déclenchent ou qui interrompent l'action correctrice.

RÉGULATION DE LA TEMPÉRATURE

Nos cellules ne peuvent survivre qu'à l'intérieur de certaines limites de température, mais pour qu'elles fonctionnent efficacement, les limites sont beaucoup plus restreintes. Au-dessus de 45°C environ, la plupart des protéines sont inactivées et commencent à perdre leur structure tridimensionnelle précise, laquelle est essentielle au maintien de leurs fonctions spécifiques. Sous 0°C, l'eau que contiennent les cellules forme des cristaux de glace qui perturbent l'organisation interne et le fonctionnement des membranes, détruisant les cellules elles-mêmes. L'efficacité optimale des systèmes enzymatiques des mammifères et des oiseaux n'est possible que dans une zone étroite située autour de 37°C; un écart de quelques degrés seulement entrave sérieusement leur fonctionnement. Même si les cellules peuvent résister à des fluctuations plus prononcées, l'action intégrée des systèmes corporels s'en trouve affectée. Une fièvre légère peut, par exemple, provoquer du délire chez les enfants. D'autres animaux, par ailleurs, supportent plus facilement les changements de température corporelle. Dans les laboratoires de physiologie, des nerfs et des muscles isolés continuent de fonctionner assez bien, même si on modifie leur température de 10°C ou plus, mais dans l'action intégrée, les mammifères ne résistent pas à un tel changement.

TYPES DE RÉGULATION

Depuis des siècles, on sait que les mammifères et les oiseaux possèdent des moyens de régler leur température corporelle, différents de ceux des autres animaux. Les méthodes d'identification de ces différences se sont précisées puis affinées avec le temps, ce qui n'empêche pas l'usage persistant d'une terminologie faisant référence à l'ancienne division entre espèces *à sang chaud* (les mammifères et les oiseaux) et espèces *à sang froid* (toutes les autres formes animales). L'étude d'un plus grand nombre d'espèces a démontré que cette classification est inappropriée. Le lézard scélopore et l'iguane du désert, deux espèces dites *à sang froid*, donnent généralement une température corporelle inférieure d'un ou deux degrés par rapport à la température normale du corps humain, ce qui ne peut être qualifié de température froide. Pour cette raison, celle qu'on a adoptée par la suite distingue les animaux **homéothermes** (du grec *homoios*, semblable et *thermos*, chaleur), qui maintiennent une température du corps constante, et les animaux **poïkilothermes** (du grec *poikilos*, variable) dont la température varie en fonction de celle de l'environnement. Cette classification s'est également avérée inadéquate, car il existe plusieurs espèces de mammifères dont la température varie pendant une période d'hibernation. Par ailleurs, plusieurs invertébrés vivant dans les profondeurs des océans n'ont jamais à subir un refroidissement des eaux abyssales, si bien que leur température corporelle demeure constante.

La classification actuellement privilégiée distingue les animaux dont la température corporelle est contrôlée principalement par des processus métaboliques internes et ceux dont la température est contrôlée par l'environnement et qui, par conséquent, reçoivent la plus grande partie de leur chaleur de l'environnement de ces derniers. Les premiers sont dits **endothermes** (du grec *endon*, dedans) et les seconds **ectothermes** (du grec *ektos,* dehors). La plupart de ces derniers contrôlent effectivement leur température, par réaction comportementale, en se déplaçant par exemple vers des endroits favorables ou en modifiant leur plan d'exposition aux sources externes de chaleur. Les endothermes (surtout des mammifères et des oiseaux) contrôlent également leur température par le choix d'environnements favorables, mais c'est d'abord et avant tout en effectuant une variété d'ajustements internes qu'ils procèdent à la régulation fondamentale de leur température corporelle.

La régulation par utilisation de sources de chaleur externes a été la première forme de thermorégulation à apparaître dans l'évolution et elle fait appel à des mécanismes assez simples.

Régulation thermique externe par réaction comportementale

L'iguane marin des îles Galapagos peut rester immergé une heure ou plus à brouter des herbes marines, dans de l'eau dont la température est de 10°C à 15°C plus froide que la température idéale de son corps. Il sort ensuite de l'eau et s'étend sur un rocher pour permettre le rétablissement de sa température interne. Pendant qu'il se réchauffe, il expose tout son corps au soleil pour absorber autant de chaleur que possible (figure 12.3a). Quand la température atteint le niveau souhaité, 37° C, l'iguane se place face au soleil pour réduire l'absorption de chaleur et parfois même se dresse sur ses pattes pour éloigner son corps des surfaces chaudes (figure 12.3b). Plusieurs ectothermes contrôlent leur température par des moyens semblables. Par exemple, certains serpents ajustent leurs anneaux afin d'exposer plus ou moins de surface corporelle aux rayons du soleil et ainsi maintenir leur température interne relativement constante durant la journée.

Les abeilles contrôlent la température de la ruche. Elles maintiennent la température moyenne entre 35°C et 36° C près des larves ou des nymphes. Lorsque la température est trop basse, elles se groupent et frissonnent, produisant de la chaleur. Si elle est trop élevée, elles éventent leur progéniture en battant des ailes et réduisent ainsi la température par évaporation d'eau (Heinrich, 1981).

Les mammifères et les oiseaux, qui sont des endothermes, contrôlent également l'exposition de leur corps aux rayons du soleil et à des surfaces chaudes ou froides, de façon à

Figure 12.3 Contrôle de la température corporelle par le comportement. a) Au moment où il émerge des eaux froides de la mer, un iguane marin des îles Galapagos fait monter sa température corporelle en se collant à un rocher chaud et en s'étendant de tout son long au soleil. b) Une fois que sa température a atteint un niveau suffisant, l'iguane réduit le contact corporel avec le rocher et se place face au soleil pour minimiser l'exposition de sa surface corporelle à la chaleur. Ces comportements lui assurent un excellent moyen de contrôler la température de son corps. (Photographie de M. R. Rosenzweig.)

a)   b)

abuser le moins possible de leurs mécanismes internes de régulation. Par exemple, la mouette argentée s'oriente face au soleil, ou de côté, en fonction du niveau de température ambiante (Lustick, Battersby et Kelty, 1978). Dans les déserts chauds, plusieurs petits mammifères comme le rat kangourou restent dans des terriers profonds durant le jour et n'apparaissent à la surface que la nuit, lorsque l'air est relativement frais.

Les populations humaines ont trouvé plusieurs moyens pour s'adapter au froid ou à la chaleur. Les Esquimaux, par exemple, ont appris à confectionner des vêtements à propriétés isolantes optimales, mais qui laissent sortir un peu de chaleur à travers des orifices. La construction d'abris efficaces, la mise en commun de la chaleur corporelle, le choix du régime alimentaire et l'utilisation de lampes à l'huile de phoque sont autant d'adaptations culturelles caractéristiques des Esquimaux (Moran, 1981).

Dans un laboratoire où il existe des températures variant de la chaleur au froid, qu'il soit ectotherme ou endotherme, un animal passera la plus grande partie de son temps à sa température ambiante préférée. Ce choix démontre que la température idéale varie d'une espèce à l'autre. Même des organismes vivants aussi rudimentaires que les bactéries s'orientent vers la zone de température qui leur est la plus propice. Un individu nu, au repos, préfère une température d'environ 28°C; le même individu, suffisamment vêtu, préfère une température d'environ 22°C. Quand un être humain ou un animal est placé dans une situation expérimentale où il a le choix entre un compartiment plus chaud ou plus froid que sa température idéale, il alterne souvent entre les deux compartiments, ce qui lui permet de maintenir sa température interne à l'intérieur de la zone thermique souhaitée.

Bligh (1985), un chercheur renommé dans ce domaine, résume ainsi la question : il classe en trois groupes les comportements de thermorégulation des ectothermes et des endothermes : 1) celui où il y a modification de l'exposition de la surface du corps, comme se recroqueviller ou étendre les membres; 2) celui où il y a modification de l'isolation externe, comme utiliser des vêtements ou un nid; 3) celui où il y a sélection d'un endroit ou d'un environnement qui comporte moins de stress thermique, comme rechercher une zone ombragée ou se réfugier dans un terrier. Ces catégories subissent l'influence de divers facteurs dont les signaux homéostatiques, les hormones, les rythmes biologiques, d'autres facteurs relevant de l'expérience et de la cognition. Ces derniers sont particulièrement importants dans le contrôle du comportement de thermorégulation de l'être humain. Sur ce point, il faut noter que nos semblables attendent rarement d'avoir froid avant de se mettre un manteau. L'être humain anticipe les signaux homéostatiques parce qu'il est capable d'utiliser des représentations du monde basées sur l'expérience.

Régulation interne

La régulation normale de notre température corporelle résulte d'un équilibre précis entre des processus qui accroissent et maintiennent la chaleur et d'autres qui la dissipent. Voyons-en quelques-uns. Où et quand la température est-t-elle contrôlée dans le corps ? Comment sont contrôlés ces processus ? Lorsqu'un animal réduit son besoin de régulation en entrant dans un état de torpeur (comme le font quotidiennement certaines espèces de chauves-souris) ou en hibernant durant des mois (tels les tamias), sa température est-elle contrôlée ou s'abaisse-t-elle tout simplement pour s'ajuster à celle de l'environnement ?

Mécanismes permettant d'accroître la chaleur

Le métabolisme, qui est un mode d'utilisation des réserves nutritives entreposées dans l'organisme, est un vaste ensemble de réactions chimiques qui libèrent de la chaleur; tous les tissus vivants produisent de la chaleur. Le tableau 12.1 donne les quantités de chaleur produites par un adulte, au cours de diverses activités allant du sommeil aux exercices violents. [L'unité de chaleur est la kilocalorie (kcal), ou 1 000 calories, qui représente la

Activité	Chaleur (kcal / h)
Au repos ou pendant le sommeil	65
Éveillé et assis paisiblement	100
Exercice léger	170
Exercice modéré	290
Exercice violent	450
Exercice très violent	600

quantité de chaleur requise pour élever d'un degré Celsius la température de 1 000 cc d'eau.] Le cerveau dégage une proportion importante de la chaleur produite quand le corps est au repos, soit environ 20 kcal. Quand les activités corporelles augmentent, la production de chaleur par le cerveau ne s'élève pas beaucoup, mais celle des muscles peut presque décupler. À l'instar des appareils mécaniques, les muscles au travail produisent une grande quantité de chaleur. Les muscles ont à peu près la même efficacité que les engins qui fonctionnent au pétrole; chacun produit environ 4 à 5 fois autant de chaleur que de travail mécanique. La figure 12.4 présente quelques-uns des principaux moyens d'accroissement et de dissipation de chaleur.

La production de chaleur est étroitement associée à l'importance de la surface corporelle en cause, puisque les échanges de chaleur avec l'environnement se font en grande partie à la surface du corps. Un gros animal comme l'éléphant n'a, relativement, que peu de surface cutanée par rapport au volume de son corps; un animal de petite taille, comme un canari ou un rat, présente un rapport surface / volume élevé. Ce rapport diminue avec l'augmentation du volume (figure 12.5). Les rapports surface / volume sont importants dans la production et la dissipation de la chaleur corporelle, car cette dernière est produite par le tissu corporel (volume) et dissipée à la surface du corps.

Au tableau 12.2, les valeurs sont calculées pour plusieurs espèces en fonction de la masse corporelle, de la surface du corps et de la production thermique. Les plus petits animaux perdent leur chaleur plus rapidement à cause de leur rapport surface / volume plus élevé; ils doivent donc produire plus de chaleur proportionnellement à leur volume corporel que

Tableau 12.2   Masse corporelle et production de chaleur chez certains oiseaux et mammifères.

Espèce	Masse du corps (kg)	Surface du corps (m²)	Dépense quotidienne d'énergie		
			Total (kcal)	Par unité de masse corporelle (kcal / kg)	Par unité de surface corporelle (kcal / m²)
Canari	0,016	0,006	5	310	760
Rat	0,2	0,03	25	130	830
Pigeon	0,3	0,04	30	100	670
Chat	3,0	0,2	150	50	750
Homme	60	1,7	1 500	25	850
Éléphant	3 600	24	47 000	13	2 000

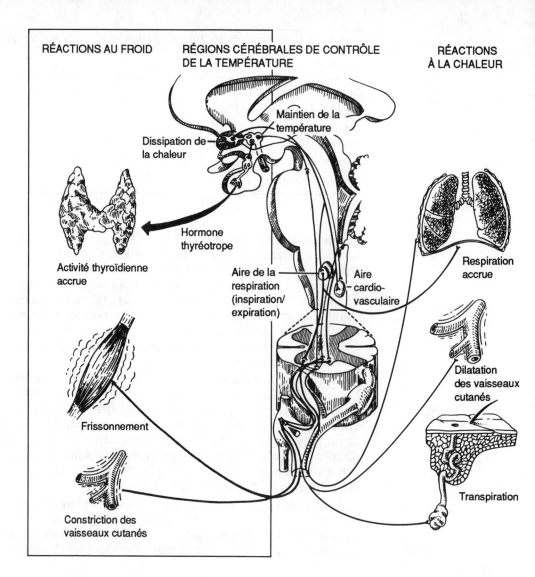

RÉACTIONS AU FROID

RÉGIONS CÉRÉBRALES DE CONTRÔLE DE LA TEMPÉRATURE

RÉACTIONS À LA CHALEUR

Maintien de la température

Dissipation de la chaleur

Hormone thyréotrope

Activité thyroïdienne accrue

Aire de la respiration (inspiration/ expiration)

Aire cardio-vasculaire

Respiration accrue

Frissonnement

Dilatation des vaisseaux cutanés

Transpiration

Constriction des vaisseaux cutanés

Figure 12.4 Quelques-uns des principaux moyens permettant au corps humain d'accroître, de conserver et de perdre la chaleur ainsi que les contrôles nerveux qui en sont responsables.

les animaux plus gros. À l'aide des données du tableau, on peut déduire qu'il faut 20 chats pour avoir une masse égale à celle d'un être humain; pourtant, ces 20 chats produisent le double de la quantité de chaleur émise par un individu d'une masse égale. (Cela explique qu'ils coûtent si cher à nourrir.) Les petits animaux produisent donc par unité de masse corporelle, beaucoup plus de chaleur que les gros : du canari à l'éléphant, le rapport est de plus de 20 à 1.

Le taux de production de chaleur peut s'ajuster pour répondre aux conditions particulières, surtout dans certains organes. On trouve des dépôts de graisses brunes notamment autour des organes vitaux du tronc et tout près des niveaux cervical et thoracique de la

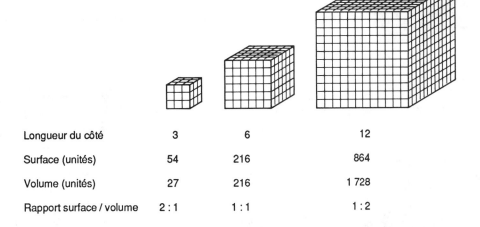

Figure 12.5 Le rapport surface / volume d'un solide décroît avec l'augmentation du volume.

Longueur du côté	3	6	12
Surface (unités)	54	216	864
Volume (unités)	27	216	1 728
Rapport surface / volume	2 : 1	1 : 1	1 : 2

colonne vertébrale. Dans des conditions de froid, le système nerveux sympathique déclenche une augmentation du métabolisme des cellules de graisses brunes. Le mécanisme de production de chaleur le plus évident est celui de l'activité musculaire. À basse température, les influx nerveux induisent les cellules musculaires à se contracter de façon asynchrone, ce qui engendre des frissons plutôt que des mouvements. Chez l'être humain, un frissonnement est déclenché lorsque la température du corps se rapproche de 36,5°C. Cette réaction se propage des muscles faciaux vers les bras et les jambes. On peut juger de l'intensité métabolique de cette réaction par le fait qu'elle s'accompagne d'une augmentation de la consommation d'oxygène, consommation qui peut quintupler dans le cas d'un frissonnement extrême. Au moyen de fines électrodes intramusculaires, on peut détecter des frissons de petite amplitude, imperceptibles à la simple observation.

Mécanismes de conservation de la chaleur

En situation de crise d'énergie interne, la conservation de la chaleur corporelle prend de l'importance. Lorsque la température ambiante est beaucoup plus basse que la température interne idéale, il faut une grande dépense métabolique pour maintenir la chaleur du corps au niveau souhaité. Les animaux mourraient s'ils ne disposaient pas de moyens efficaces pour conserver leur chaleur interne. Étant donné les fortes pressions de la sélection naturelle en faveur de la conservation de la chaleur, l'évolution a fait apparaître plusieurs types différents d'adaptation; parmi les plus importantes, il y a les dimensions du corps, sa forme et les adaptations de la peau.

Le volume du corps est un moyen important de conservation de chaleur. Puisque les besoins principaux de chaleur se situent à l'intérieur du corps, les tissus périphériques doivent être capables d'isoler les organes internes; la peau et les extrémités corporelles révèlent habituellement une température plus basse que la température interne du corps. Parce qu'il n'ont pas à compenser autant de pertes de chaleur que les plus petits animaux, les animaux de grande taille ont un métabolisme de base moins élevé. Nous avons déjà souligné qu'au sein d'un groupe de mammifères ou d'animaux étroitement apparentés, ceux qui vivent à des températures plus basses sont plus grands que ceux qui vivent dans des environnements plus chauds. Et même dans les zones tempérées, un très petit mammifère comme la musaraigne doit, pour satisfaire ses besoins métaboliques, manger presque constamment.

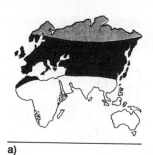

a)

b)

c)

Figure 12.7 Variations de la taille du pavillon de l'oreille de renards habitant a) l'Arctique, b) les zones tempérées et c) des climats tropicaux.

Figure 12.6 Deux formes de même volume mais de surfaces différentes.

La forme agit également sur la conservation de la chaleur. À la figure 12.6, la forme humanoïde possède exactement le même volume que la forme accroupie à sa droite; toutefois, la forme humanoïde, plus svelte, possède une surface qui est à peu près le double de celle de la forme compacte. Étant donné son rapport surface / volume moins élevé, dans un climat froid, le corps plus compact conserve mieux la chaleur et maintient plus facilement sa température interne constante. Les différents groupes d'êtres humains montrent une tendance marquée vers une évolution de formes corporelles plus allongées et plus sveltes dans les tropiques, et de constitutions plus courtes et plus trapues, dans les régions plus froides (figure 12.1); toutefois, les migrations et l'hybridation raciale ont contribué à atténuer cette tendance. Chez plusieurs groupes d'animaux, les appendices du corps (les oreilles, la queue) sont plus petits dans le cas des espèces arctiques que dans celui des espèces tropicales apparentées. La figure 12.7 illustre ce phénomène par les variations de la dimension du pavillon de l'oreille chez des espèces de renard habitant différentes zones climatiques.

La fourrure des mammifères et les plumes des oiseaux sont des adaptations spéciales de la peau qui concourent à mieux isoler le corps des animaux de leur environnement. Dans les climats froids, les gros mammifères ont habituellement un épais manteau de fourrure, tandis que les petits mammifères ne sauraient que faire d'épaisses fourrures qui seraient pour eux une entrave sérieuse à leurs déplacements. Pour que fourrure et plumes remplissent leur rôle d'isolant de façon efficace, il faut les garder en bon état, ce qui est une des raisons pour lesquelles mammifères et oiseaux consacrent une grande partie de leur temps à les lécher et les lisser. Une bonne isolation est une condition essentielle de survie pour un animal comme la loutre de mer, qui passe sa vie en eau froide. Un petit coin de fourrure en broussaille ouvrirait la route à une perte de chaleur qui pourrait s'avérer fatale. La plupart des espèces d'oiseaux sont dotées d'une glande de lissage ou glande d'huile, située près de la base de la queue, qui est utilisée pour lisser les plumes et les rendre imperméables.

Mécanismes de dissipation de la chaleur

Il peut être tout aussi important de se débarrasser de la chaleur. Même en climat froid, l'activité musculaire, productrice d'énergie, engendre de la chaleur qui doit être dissipée rapidement. Dans les climats chauds, la température du corps doit être maintenue au-dessous de celle de l'environnement. L'évaporation constitue donc un moyen efficace pour dissiper la chaleur et l'évolution a fourni d'autres moyens. Chez l'être humain, les chevaux et les bestiaux, la transpiration aide à prévenir l'hyperthermie. Plusieurs espèces animales, dont le chien, le chat et le rat, où une petite partie seulement de la surface du corps est pourvue de glandes sudoripares, doivent haleter pour évaporer la moiteur de la bouche, de la gorge et des poumons. On a observé que les rats couvraient leur fourrure de salive pour accroître l'aire d'évaporation. On a aussi découvert que les abeilles domestiques évitaient l'hyperthermie céphalique au moyen de l'évaporation (Heinrich, 1979). Quand la température ambiante est élevée, elles régurgitent des gouttelettes de nectar sur leur langue; l'évaporation abaisse leur température et concentre le nectar.

Diriger du sang vers la surface du corps contribue également à diminuer la chaleur, pourvu que la température du milieu ambiant soit plus fraîche que celle du corps; beaucoup d'animaux le font. L'éléphant tire profit de ses larges oreilles fortement vascularisées qui accroissent sa surface corporelle de façon appréciable. Le sang qui y est dirigé peut facilement dissiper la chaleur excédentaire. Chez certaines espèces, l'oreille représente le quart de la surface du corps. Le débit sanguin dans le pavillon de l'oreille est contrôlé par le système nerveux autonome : quand il y a diminution de la circulation sanguine du pavillon de l'oreille, la température du corps s'élève. Chez l'être humain, la distribution plus ou moins grande des vaisseaux sanguins dans la peau influence considérablement la température du corps. Certaines régions du corps, par exemple certaines parties du visage, les mains et les pieds, participent de façon toute particulière à ce type de thermorégulation. À l'intérieur de ces régions, le débit sanguin peut varier considérablement.

Les chameaux s'adaptent à la chaleur de deux façons, selon la disponibilité relative de l'eau. Lorsque l'eau est disponible à volonté, le chameau utilise l'évaporation, par halètement et respiration, pour maintenir sa température entre 36°C et 38°C. Lorsque l'eau est plus rare, il laisse sa température descendre jusqu'à 34°C, exploitant la fraîcheur de la nuit, et la laisse monter jusqu'à 41°C, durant l'après-midi. Ce processus contribue à économiser environ cinq litres d'eau par jour. En laissant sa température tomber au-dessous de la normale durant la nuit, le chameau est en mesure d'accepter plus de chaleur durant le jour, puisque le réchauffement s'amorce à 34°C et non à 37°C (Schmidt-Nielsen, 1964).

Par un jour de canicule, un chien peut poursuivre un lapin jusqu'à ce que ce dernier meure d'hyperthermie cérébrale. Pourquoi cet effort est-il fatal au lapin et non au chien ? C'est que, même si la course élève la température des deux animaux, le cerveau du chien est doté d'un système spécial de refroidissement dont le lapin est dépourvu (Baker, 1979). Ce système de refroissement est une combinaison d'adaptations des systèmes respiratoire, assurant une évaporation adéquate, et circulatoire, servant ici d'échangeur de chaleur (figure 12.8). Grâce à ce réseau de vaisseaux sanguins situé juste sous la base du cerveau, le sang veineux périphérique plus frais fait baisser la température du sang artériel avant qu'il ne pénètre dans le cerveau. L'échange de chaleur est possible parce que les vaisseaux sanguins artériels et veineux forment un réseau de fins capillaires qui, par juxtaposition, entrent en contact étroit les uns avec les autres. Galien, grand anatomiste romain du IIe siècle, avait nommé ce réseau enchevêtré le *rete mirabile* (réseau admirable). Il l'avait découvert dans le cerveau des animaux domestiques et avait présumé qu'il existait également chez l'être humain. Il croyait que c'était le site de la transformation des *esprits animaux* (fluide animal), provenant des artères en *esprits psychiques* (ou fluide) qui coulaient à l'intérieur des tuyaux creux des nerfs. En réalité, ce réseau n'existe pas chez l'être humain ou autres primates, pas plus d'ailleurs que chez les chevaux, les rongeurs, les marsupiaux et beaucoup d'autres espèces. Des carnivores en sont dotés, de même que les moutons et les bestiaux.

Le sang veineux qui rafraîchit le réseau artériel provient surtout des régions du nez et de la bouche, si bien qu'il s'y produit un accroissement du refroidissement corporel par évaporation durant l'exercice. Dans le cas du chien, la ramification considérable des passages nasaux représente une surface énorme. Ce système combiné d'évaporation et d'échange de chaleur est tellement efficace que, pendant les 5 à 10 premières minutes d'exercice, la température du cerveau du chien tombe vraiment au-dessous de son niveau caractéristique de l'état de repos.

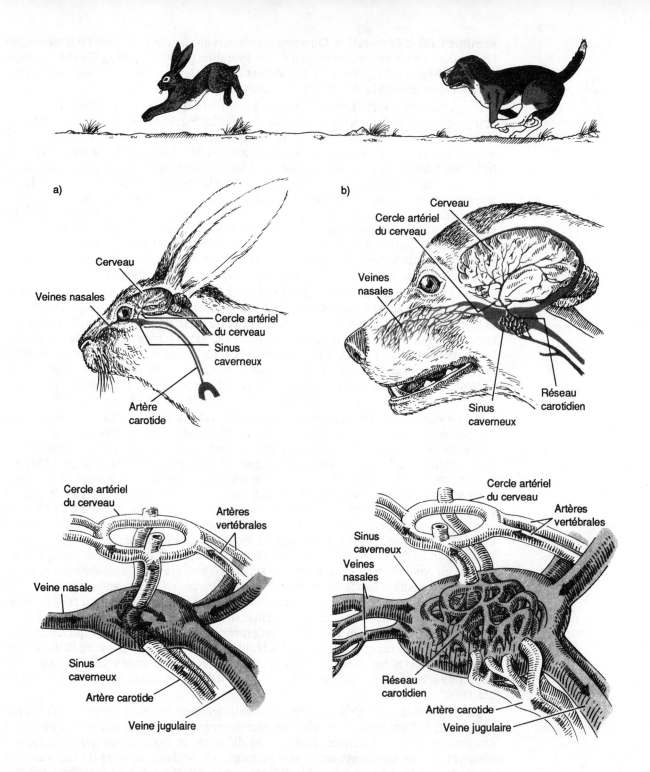

a)

b)

Figure 12.8 Raison pour laquelle l'exercice surchauffe seulement certains animaux. L'exercice produit de la chaleur, mais certaines espèces, comme le chien, disposent d'un système spécial de refroidissement et d'échange de chaleur. D'autres espèces, comme le lapin, ne possèdent pas ce système particulier de refroidissement.

Le système nerveux contrôle et règle tous les processus de production et de perte de chaleur avec, dans certains cas, l'aide du système endocrinien. Quelles sont les parties du système nerveux qui contribuent à ces processus et quels sont les principes sous-jacents ? Les recherches qui ont été entreprises dans ce domaine au siècle dernier, et qui ont connu récemment des progrès rapides, fournissent quelques réponses.

Au cours des années 1880, des physiologistes avaient observé que la destruction de certains sites de l'hypothalamus du chien provoquait une élévation de sa température corporelle. Dans des expériences devenues classiques, Barbour (1912) a pu faire varier la température de chiens expérimentaux en implantant des fils d'argent dans leur hypothalamus. Quand il chauffait les fils, la température du corps s'abaissait; quand il les refroidissait, elle s'élevait. Ces résultats permettaient de supposer que la température du corps est contrôlée dans l'hypothalamus et que, lorsqu'elle s'y élève ou s'abaisse, des activités de compensation sont déclenchées. Des travaux subséquents, qui utilisent un enregistrement électrique à partir de cellules isolées, ont révélé l'existence de cellules qui réagissent de façon spécifique à de légères élévations ou diminutions de la température du cerveau : ces cellules se trouvent dispersées dans toute l'aire préoptique (APO) et dans la partie antérieure de l'hypothalamus.

Chez les mammifères, des expériences de lésions de l'hypothalamus indiquent que des sites différents assurent deux sortes de régulation : 1) la régulation par comportement locomoteur et autre mode que les mammifères partagent avec les ectothermes, et 2) les régulations physiologiques qui sont le propre des endothermes. Des lésions de l'hypothalamus latéral des rats ont aboli la régulation de la température par le comportement, mais elles n'ont pas modifié les réactions thermorégulatrices autonomes comme le frissonnement et la vasoconstriction (Satinoff et Shan, 1971; Van Zœren et Stricker, 1977). Par contre, des lésions dans l'APO de rats ont entravé les réponses autonomes, mais elles n'ont pas affecté des comportements, telle la pression sur un levier pour activer ou désactiver des lampes réchauffantes ou des ventilateurs de refroidissement (Satinoff et Rutstein, 1970; Van Zœren et Stricker, 1977), ce qui constitue un exemple clair de circuits parallèles commandant, de deux façons différentes, la même variable.

À la surface du corps, des récepteurs enregistrent la température et fournissent l'information requise pour assurer le contrôle des processus de thermorégulation. En pénétrant dans un environnement froid sans vêtements chauds appropriés, vous vous mettez à frissonner bien avant que la température de votre corps ne s'abaisse. De même, lorsque vous entrez dans une serre chaude ou un bain sauna, vous vous mettez à transpirer avant même que votre température hypothalamique n'ait augmenté. La peau fournit donc de l'information aux circuits nerveux centraux, qui déclenchent alors immédiatement une action correctrice. On a découvert que la moelle épinière était également une région de contrôle de la température; en effet, au cours d'une expérimentation, le réchauffement ou le refroidissement de la moelle épinière entraînait chez les animaux des réactions compensatoires. L'information provenant de régions diverses (hypothalamus, peau et moelle épinière) converge vers les circuits de thermorégulation.

On ne connaît qu'une partie des circuits nerveux qui contrôlent la température : il reste notamment à préciser lequel des processus de base est vraiment utilisé. Voici les possibilités que nous allons étudier :

1. Un circuit de rétroaction à point de réglage endogène (à l'intérieur du corps).

2. Des systèmes de rétroaction multiples, chacun commandant une réaction de thermorégulation différente.

3. Des circuits réflexes pour les capteurs de chaleur et les capteurs de froid reliés les uns aux autres, sans point de réglage endogène.

Plusieurs chercheurs font appel au modèle de circuit à rétroaction négative avec point de réglage endogène (modèle du thermostat illustré à la figure 12.2). Nous décrirons plus loin un modèle de rétroaction servant au contrôle des réserves d'eau du corps et, au chapitre 13, nous présenterons un modèle de rétroaction applicable au contrôle de l'alimentation.

Il ne semble pas toutefois qu'on puisse expliquer de façon satisfaisante toutes les facettes de la thermorégulation par l'existence d'un *thermostat* unique. Nous avons déjà souligné qu'il semble y avoir des sites cérébraux différents qui assurent la régulation comportementale et la régulation autonome. Cependant, comme l'affirme Satinoff (1983), même deux circuits de thermorégulation ne sauraient suffire. Par exemple, en réchauffant de petites régions du diencéphale et du mésencéphale de rats, Roberts et Mooney (1974) ont enregistré trois réactions dans le répertoire des comportements de perte de chaleur. Quand un rat était exposé à une chaleur croissante, il commençait par faire sa toilette, puis il allait et venait fébrilement dans sa cage pour enfin s'allonger, immobile. Un réchauffement localisé du cerveau ne donnait pas ce comportement en série : chacun de ces aspects du comportement avait plutôt tendance à être engendré par des points de réchauffement dans une région différente. La position d'étalement de l'animal était déclenchée par des points de chauffage dans l'aire préoptique, alors que le comportement de toilette n'était provoqué qu'à partir de sites de la région postérieure de l'hypothalamus et du bulbe ventral. Les mouvements de va-et-vient étaient déclenchés par des points qui allaient, à travers le mésencéphale, de l'aire septale jusqu'au bulbe et ils pouvaient se produire en combinaison avec l'étalement ou la toilette. Ces données indiquent l'existence de voies indépendantes multiples entre les détecteurs thermiques et les effecteurs moteurs. De plus, il semble y avoir une hiérarchisation dans les circuits de thermorégulation, certains logés au niveau de la moelle, d'autres concentrés dans le mésencéphale, et d'autres enfin au niveau du diencéphale. Les sections ou ablations de certaines régions du système nerveux révèlent qu'il existe des capacités de régulation à chacun de ces niveaux. Cependant, les animaux spinaux ou décérébrés meurent au froid ou à la chaleur, parce qu'ils ne réagissent pas avant que la température du corps ne s'écarte de 2°C à 3°C des valeurs normales.

Selon Satinoff (1983), ces résultats signifient que les zones thermiques neutres sont plus étendues dans les régions inférieures du système nerveux (figure 12.9). Ce sont les systèmes de thermorégulation du niveau diencéphalique qui ont les zones neutres les plus étroites et, normalement, ils coordonnent et ajustent l'activité des autres systèmes. Cet arrangement peut laisser croire qu'il n'y a qu'un unique système, alors qu'en réalité, il s'agirait de systèmes multiples reliés les uns aux autres.

La plupart des chercheurs conçoivent un système à point de réglage déterminé (ajustable toutefois), d'autres prétendent qu'il n'est pas nécessaire de faire intervenir un signal de référence ou point de réglage (Bligh, 1985). Ces derniers soutiennent que les faits relatifs à la régulation de la température peuvent s'expliquer par le fait que la stimulation des capteurs du froid déclenche une production de chaleur et la stimulation des capteurs de la chaleur déclenche une perte de chaleur. Le signal de référence ou point de réglage apparent serait alors le point d'intersection des sensibilités de ces deux types de thermorécepteurs (figure 12.10). Quand la température corporelle s'écarte de ce point neutre, dans une direction ou l'autre, le processus de production ou de perte de chaleur est déclenché, ce qui tend à ramener la température au point neutre. En d'autres termes, l'antagonisme des deux systèmes serait responsable de la régulation homéostatique de la température. Le fait qu'un seul des deux processus entre en action, à un moment donné, et ce, même si les diverses sensibilités de deux types de récepteurs se chevauchent, pourrait être dû à la présence d'influences inhibitrices croisées entre les deux voies; seul le processus le plus fortement

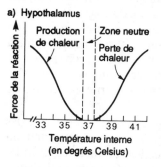

a) Hypothalamus

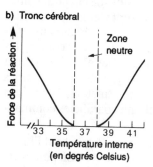

b) Tronc cérébral

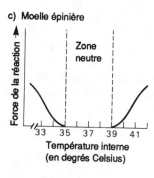

c) Moelle épinière

Figure 12.9 Zones thermiques neutres des systèmes de thermorégulation à différents niveaux du système nerveux. Les zones neutres sont plus étroites aux niveaux supérieurs du système nerveux. (D'après Satinoff, 1978.)

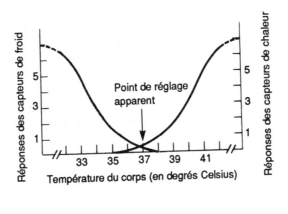

Figure 12.10 Point de réglage apparent de la température situé au point d'intersection des courbes de réponse des capteurs de froid et des capteurs de chaleur.

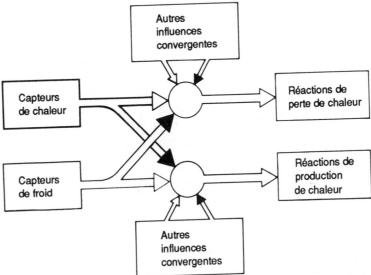

Figure 12.11 Système de thermorégulation utilisant des composantes réciproquement antagonistes. Aucun point de réglage ou signal de référence n'est requis. (D'après Bligh, 1979.)

excité des deux aboutirait alors à la réaction. La figure 12.11 donne le schéma de base d'un tel circuit.

Est-ce qu'un pareil circuit, sans point de réglage précis, pourrait permettre des changements de la température neutre ou température cible, comme ceux qui se produisent dans le cas des rythmes circadiens, de la torpeur ou de l'hibernation ? Oui, puisque des changements de cette nature pourraient se réaliser en modulant l'activité des afférences réceptrices des deux circuits principaux. L'hypothalamus des mammifères possède des neurones thermosensibles qui sont actifs sur un éventail de températures et, par conséquent, il y a place à modulation. Bien que chez un animal non hibernant (tel le cobaye), la plupart de ces neurones soient devenus silencieux au-dessous de 30° C, chez un animal hibernant (tel le hamster doré), ils sont restés actifs jusqu'à 15°C ou moins (Heller, 1985).

Contrôle de la température au cours de l'hibernation

Les tamias de la Sierra de Californie hibernent pendant huit mois de l'année environ. Durant une bonne partie de cette période, ils conservent leur énergie en laissant leur température tomber jusqu'à quelques degrés au-dessous de la température ambiante : leur température interne peut alors s'abaisser jusqu'à 10° C ou moins. En hibernation, le tamia se recroqueville pour former une boule entièrement couverte de fourrure et son taux

461

cardio-respiratoire chute bien en deçà de sa valeur à l'éveil. Durant cette période passée sous terre, il s'éveille à certains intervalles et se réchauffe pendant quelques heures, puis il hiberne à nouveau. Plusieurs espèces de petits mammifères font ainsi.

Lorsque le tamia entre en hibernation, cette chute de la température du corps ne signifie pas qu'il a abandonné la régulation endothermique et a régressé à un niveau ectothermique plus primitif. Contrairement aux ectothermes, les hibernants peuvent s'éveiller et recouvrer une température corporelle normale de 37°C, même quand la température ambiante reste basse. Des études récentes en laboratoire ont montré qu'ils abaissent leur point de réglage de température d'une façon progressive et régulière. À une valeur donnée de la température de l'hypothalamus, si une électrode implantée dans l'hypothalamus est refroidie de quelques degrés seulement, on note que l'écureuil ou le tamia réagit en se réchauffant. Il semble donc que le thermostat de l'animal s'abaisse graduellement pendant qu'il entre en hibernation (Heller, Cranshaw et Hammel, 1978). Si la température ambiante chute jusqu'à des niveaux dangereusement bas, l'écureuil s'éveille, ce mécanisme d'alarme-sécurité l'empêchant de geler.

Le signal d'alarme pour l'éveil et le réchauffement ne dépendent pas d'un contrôle situé au même endroit chez toutes les espèces. En effet, chez le tamia, ce contrôle se trouve dans la tête; si l'hypothalamus est légèrement chauffé pendant que le reste du corps est refroidi au-dessous du niveau d'alarme, l'écureuil continue son hibernation. Par contre, on peut éveiller le lérot en lui appliquant un stimulus froid aux pattes. Cet animal hiberne couché sur le dos, les pattes en l'air.

On pourrait supposer que l'hibernation a évolué pour devenir une extension adaptative de la baisse de température qui se produit pendant la phase d'activité électro-encéphalographique lente du sommeil (Heller, 1979). Les études électrophysiologiques ont en effet révélé des similitudes entre l'hibernation et le sommeil à ondes lentes.

RÉGULATION DE LA TEMPÉRATURE PAR APPRENTISSAGE

Les aborigènes d'Australie sont capables de résister au froid de la nuit en exerçant un contrôle vasomoteur, précis et localisé, sur la température de leur peau. Contrairement aux Européens ou aux Américains, ils ne compensent pas les pertes durant les nuits froides par une augmentation de la production de chaleur. Ils évitent plutôt ces pertes par la constriction des vaisseaux sanguins périphériques, constriction commençant à des niveaux plus élevés que dans le cas des Occidentaux notamment. Lorsque ces aborigènes ont recours au feu pour se réchauffer, leur contrôle vasomoteur enregistre des réactions à localisations précises. Les artérioles du côté de leur corps exposé au feu sont dilatées, ce qui permet à la chaleur d'irradier, alors que celles du côté opposé sont fermées, pour empêcher la perte de chaleur (Hicks, 1964). Ce contrôle est effectué par régulation nerveuse de la constriction des vaisseaux sanguins. Un exemple commun et visible de ce type de contrôle est celui de l'individu qui rougit. Puisque c'est le système nerveux qui procède à la thermorégulation, il est possible d'acquérir un certain contrôle de cette difficulté.

Apprentissage du contrôle de la température de la peau

Avec un entraînement approprié, nous serions probablement tous capables d'exercer un contrôle précis et localisé sur notre circulation sanguine périphérique et la température de notre peau. Cette possibilité a été étudiée non seulement par curiosité, mais pour soulager les victimes de la maladie de Raynaud et des migraines. Dans la maladie de Raynaud, il peut arriver que la circulation sanguine dans les doigts soit arrêtée, par exposition au froid ou, parfois, en réaction à des états émotifs. Cette maladie peut rendre le travail au froid pénible et entraîner des engelures.

Un entraînement à la rétroaction biologique est efficace pour instaurer l'autorégulation de la température de la peau (Taub, 1977; Taub et School, 1978). Voici l'essentiel de la technique : on assoit le sujet confortablement, dans une pièce à faible éclairage; on fixe des électrodes thermosensibles sur des points variés d'une de ses mains; une lampe de rétroaction blanche le tient constamment informé de l'intensité de la température moyenne de sa main. Après une période de stabilisation, on lui demande de faire accroître la température de sa main (et l'intensité de la lumière) ou de la diminuer. Puis, on lui dit : « Vous allez être capable de modifier la température de votre main sans bouger. On sait que la tension musculaire nuit à ce changement. Détendez-vous et pensez que votre main devient plus chaude (ou plus froide) ». L'entraînement se poursuit habituellement pendant quelques jours successifs.

Alors que plusieurs expérimentateurs rapportent que cet entraînement de rétroaction biologique est efficace pour le contrôle de la température, certains n'ont pas eu de succès et l'importance des effets obtenus varie considérablement. Taub et School (1978) ont présenté des données expérimentales indiquant que le *facteur humain*, c'est-à-dire l'interaction entre l'expérimentateur (ou thérapeute) et le sujet, est extrêmement important dans l'entraînement à la rétroaction thermique. L'expérimentateur d'un des groupes s'en tenait à une attitude impersonnelle, utilisant les noms de famille, et évitant toute conversation étrangère à l'expérience et tout contact visuel. Dans un autre groupe, le même expérimentateur adoptait une attitude amicale, appelant le sujet par son prénom, le regardant fréquemment et encourageant l'établissement d'une relation amicale. Les deux groupes ont réalisé un apprentissage significatif, mais à la fin de la période d'entraînement de 10 jours, le groupe traité de façon impersonnelle donnait un effet moyen de 0,7°C seulement, alors que le groupe traité amicalement atteignait un changement moyen de 2,3°C. Cette différence remarquable constitue l'effet le plus considérable observé pour chacune des variables étudiées dans ces expériences. Les chercheurs en ont conclu : « Il est presque impossible d'exagérer l'importance de la variable "attitude" de l'expérimentateur pour le succès de l'entraînement de rétroaction thermique. Il semble hautement probable que le facteur humain a également une importance déterminante pour le succès d'autres types d'entraînement de rétroaction biologique » (Taub et School, 1978, p. 617). Sur le plan des mécanismes physiologiques, on ne sait pas encore à quoi correspond le *facteur humain*. Peut-être ne fait-il intervenir tout au plus que le réglage d'un niveau de tension musculaire qui favoriserait l'apprentissage.

On a constaté que les victimes de la maladie de Raynaud pouvaient apprendre à contrôler la température de leur peau aussi facilement que les sujets normaux. Plusieurs études ont montré qu'un tel apprentissage aide ces personnes à s'adapter au stress du froid et aux autres stress, et à éviter la vasoconstriction qui constitue un véritable handicap. On a aussi fait état de résultats positifs dans le cas du contrôle des migraines par entraînement à la rétroaction biologique des réponses vasculaires. L'étude de cette forme d'apprentissage et de ses applications semble être réservée à un avenir prometteur.

Apprentissage du contrôle de la température interne

L'apprentissage peut également servir à contrôler la température interne du corps. Cette question a été étudiée dans des expériences de conditionnement à l'administration de la morphine, drogue déclenchant une hausse de la température corporelle (hyperthermie). Si cette drogue est administrée en association avec des stimuli spécifiques, ces derniers parviennent à provoquer une hausse de la température corporelle. Ainsi, en injectant de la morphine à un rat, une fois par jour, pendant plusieurs jours et chaque fois dans la même salle d'expérimentation, le seul fait de placer l'animal dans cette pièce finit par provoquer une hausse de température. La réalité est plus complexe, car c'est en mobilisant des réactions de dissipation de chaleur pour réduire sa température que l'animal réagit à l'hyperthermie déclenchée par la morphine. Par conséquent, si on injecte de la morphine à un rat, tous les jours au même moment pendant une certaine période, et si on supprime ensuite la drogue, une réaction hypothermique se produit à un moment correspondant à celui où la morphine avait été injectée les jours précédents.

On comprend donc que les résultats se soient avérés variables et même contradictoires étant donné la présence de deux réactions, hypothermique et hyperthermique. Dans des conditions expérimentales conçues pour vérifier diverses hypothèses, on a constaté récemment que l'hyperthermie et l'hypothermie étaient associées à des stimuli différents. L'hyperthermie établit des liens avec les stimuli de l'environnement, par exemple les stimuli visuels ou auditifs, mais elle n'est pas conditionnée au moment de la journée choisi pour l'administration de la drogue. Par contre, l'hypothermie est conditionnée aux indices temporels et non aux indices de l'environnement (Eikelboom et Stewart, 1981). Ainsi, l'une et l'autre de ces deux réactions d'augmentation et de diminution de la température du corps peuvent, selon les circonstances, faire l'objet d'apprentissage.

DÉVELOPPEMENT DE LA THERMORÉGULATION

Les petits de plusieurs espèces d'animaux sont incapables d'assurer une bonne régulation de leur température; pour le faire, ils ont besoin de la protection de leurs parents. La plupart des oiseaux doivent garder leurs œufs au chaud. À cette fin, il se forme chez les parents de plusieurs espèces une vascularisation spéciale de certaines parties de la peau (la plaque de couvée) qui contribue à transférer efficacement la chaleur aux œufs. Les ratons qui naissent sans poils, ne peuvent pas maintenir leur température corporelle quand ils sont individuellement exposés au froid. La femelle garde ses petits bien protégés dans un nid chaud et sa réaction est associée à sa propre thermorégulation (encadré 12.1). Entre le moment où ils parviennent à ouvrir les yeux et celui où ils commencent à s'éloigner du nid, vers l'âge de 13 jours, les rats ont acquis des réflexes de thermorégulation physiologique et se sont couverts d'une fourrure. D'autres rongeurs, le cobaye par exemple, naissent dans un état de maturation plus avancé. Ils sont tout de suite capables de régulation endothermique et ils n'ont pas besoin de protection maternelle.

Les jeunes ratons, incapables de régulation endothermique, utilisent la régulation ectothermique en se serrant les uns contre les autres et en variant leur position selon les changements de température au sein de la portée (figure 12.12). On a mesuré la température rectale et la consommation d'oxygène de ratons d'âges différents placés dans une chambre froide (de 23 à 24°C), individuellement ou par groupes de quatre. La température des ratons de cinq jours, isolés, a atteint un niveau inférieur à 30°C en moins d'une heure, alors que la température de ceux qui étaient en groupe s'est maintenue au-dessus de 30°C pendant quatre heures (Alberts, 1978). L'entassement a également réduit la consommation d'oxygène de façon significative. La forme du groupe de ratons changeait avec la température ambiante : relâchée quand il faisait chaud, elle était très serrée s'il faisait froid. Les ratons changeaient fréquemment de position dans la masse ainsi formée, se tenant tantôt à l'intérieur, tantôt à la périphérie. Ils partageaint en effet les avantages et les inconvénients du groupe. Au début de son développement, la thermorégulation du rat dépend donc de l'interaction sociale, alors que plus tard l'animal devient capable d'assurer sa propre régulation endothermique.

ÉVOLUTION DE LA THERMORÉGULATION

Les endothermes paient cher le maintien d'une température corporelle élevée et son contrôle à l'intérieur de limites étroites. Il doivent se procurer et métaboliser beaucoup de nourriture; ils doivent avoir recours à des systèmes de régulation compliqués et les écarts de quelques degrés dans une ou l'autre direction nuisent à leur fonctionnement. Quels sont

La nidification de la mère rate avec ses petits est déterminée en grande partie par sa propre thermorégulation. C'est-à-dire que la mère reçoit une stimulation thermique de sa portée et cette stimulation est un des facteurs principaux qui dictent la durée de ses contacts avec ses petits, lors de ses visites successives (Leon, Croskerry et Smith, 1978). La mère qui allaite a une température corporelle un peu élevée à cause des concentrations sanguines accrues de prolactine et d'ACTH. Quand elle vient au nid, son contact avec eux contribue à abaisser sa température, jusqu'à ce qu'ils soient réchauffés et qu'ils ne lui prennent plus de chaleur : elle quitte alors le nid. Quand les ratons grossissent et dégagent plus de chaleur, la mère réduit progressivement la durée de ses séjours au nid.

Dans des expériences au cours desquelles on élevait artificiellement la température de la mère (Woodside, Pelchat et Leon, 1980), on a testé le rôle de la température maternelle dans la durée du contact mère-petits. Ainsi, une hausse de température corporelle d'environ 10°C réduisait de moitié la durée moyenne des séjours au nid. Pour les tests sur les effets de réchauffement du cerveau, des électrodes chauffantes étaient implantées chirurgicalement dans l'aire médiane préoptique, chez certaines rates, et dans la région putamen-noyau caudé chez les autres. Dans les essais où l'on procédait au réchauffement, celui-ci commençait 15 minutes après que la mère avait pris contact avec sa portée. Dans les essais sans stimulation cérébrale, le contact dura environ 70 minutes. Dans le cas du réchauffement de l'aire préoptique, la mère quitta le nid après 3 minutes environ, soit à peu près 50 minutes plus tôt qu'elle ne l'aurait fait sans stimulation cérébrale. Par contre, quand on réchauffa la région du putamen-noyau caudé, la mère interrompit le contact environ 25 minutes plus tard; cette réaction plus lente est due au fait que la dissémination de la chaleur à partir de la région caudée réchauffait éventuellement des neurones thermosensibles ailleurs dans le cerveau. Par conséquent, la régulation du contact dans le nid qui contribue à garder les ratons au chaud se produit effectivement non pas en raison de la température des ratons, mais bien en raison de celle de la mère.

donc les avantages à l'origine de l'évolution d'un système aussi complexe et coûteux, si on le compare à celui des ectothermes, qui ont des températures corporelles un peu plus basses et qui tolèrent mieux les changements de température ambiante ?

Il se peut que le principal avantage ait été l'augmentation de la capacité de maintenir un niveau plus élevé d'activité musculaire durant des périodes prolongées (Bennett et Ruben, 1979). Nous avons vu qu'un exercice très violent peut accroître le taux métabolique (ou production de chaleur) d'un individu de presque dix fois ce qu'il était à l'état de repos (tableau 12.1). Une hausse du taux métabolique de 5 à 10 fois celui du repos est la plus forte hausse que les vertébrés peuvent atteindre, qu'ils soient ectothermes ou endothermes. Il serait probablement avantageux qu'il y ait un rapport plus élevé entre le repos et l'activité maximale, mais le rapport 1 : 10 semble être le rapport toléré par les processus métaboliques des vertébrés. Un organisme vivant doit donc maintenir un métabolisme de base élevé pour s'adonner à un haut niveau d'activité, et ce durant une période de temps prolongée.

Les ectothermes peuvent montrer des périodes d'intense activité qui ne durent que quelques minutes; dans ce cas, c'est surtout le métabolisme anaérobie qui est mis à contribution et il ne peut être maintenu à un niveau élevé plus de quelques minutes; l'animal doit ensuite se reposer et rembourser sa dette d'oxygène. C'est pourquoi les reptiles et les amphibiens ne peuvent se comporter aussi bien que les mammifères et les oiseaux que durant de courtes périodes. Les ectothermes peuvent échapper aux endothermes et parfois même les poursuivre sur de courtes distances mais, dans une course de longue durée, c'est l'endotherme qui l'emportera. La possibilité de thermorégulation interne a vraisemblablement évolué avec la capacité accrue de maintenir un niveau d'activité musculaire élevé au moyen du métabolisme aérobie.

Le système de thermorégulation a été retenu par Satinoff (1983) pour illustrer le principe de coadaptation. En fait, il s'agit d'un mécanisme qui, ayant évolué pour remplir une fonction, représente maintenant une valeur d'adaptation pour un système différent et qui poursuit son évolution afin d'améliorer sa valeur pour le second système. Les ectothermes disposaient déjà d'un système de thermorégulation de base puisqu'ils percevaient les températures internes et externes et qu'ils se servaient de cette capacité sensorielle pour régler leur activité locomotrice, en se rapprochant ou en s'éloignant des différentes zones de température de leur environnement.

Ensuite, le contrôle de l'activité musculaire, y compris le frissonnement, fut intégré au système thermorégulateur pour y ajouter la production de chaleur interne. L'avènement d'un taux plus élevé de chaleur produite créa alors la possibilité de dissiper rapidement cette chaleur de façon avantageuse. Comme les animaux à ce stade respiraient déjà et devaient exercer un bon contrôle sur leur système vasculaire, les moniteurs thermiques étaient en mesure d'influencer les taux de respiration et de circulation du sang périphérique. Par conséquent, différents systèmes déjà actifs, aux niveaux spinal et mésencéphalique, pouvaient s'adapter aux nouvelles exigences. Il n'était absolument pas nécessaire que ces circuits soient transférés au cerveau antérieur (prosencéphale).

Mais, dans la mesure où ces fonctions n'étaient pas parfaitement effectuées aux niveaux inférieurs du système nerveux (par exemple, si la zone de réglage plus étroite de l'hypothalamus conférait un avantage à la sélection naturelle), l'évolution a alors fait apparaître une tendance à une organisation hiérarchique dans laquelle les centres supérieurs cherchent à contrôler les centres inférieurs, par thermorégulation. On observe un autre avantage de l'évolution du contrôle de la température dans le rôle que joue la fièvre dans le combat livré par un organisme à des agents infectieux (encadré 12.2).

L'évolution qu'a connue l'espèce humaine a permis d'assurer des adaptations particulières préparant la thermorégulation. Pensons à sa pilosité, qui est très limitée, alors que les autres primates sont presque complètement recouverts de fourrure. Il se pourrait que les êtres humains aient évolué pour devenir des *singes nus* afin de faciliter une dissipation rapide de la chaleur produite lors des poursuites prolongées de leurs proies, dans leur habitat d'origine tropicale. Nous ne connaîtrons peut-être jamais la réponse à cette question, mais plusieurs recherches sur les différences entre les groupes humains semblent indiquer qu'il existait déjà un rapport entre la forme corporelle et la thermorégulation.

Voici, à ce sujet, quelques exemples tirés d'une recension récente (So, 1980). La forme du corps humain tend à être plus allongée dans les tropiques et plus compacte dans les régions arctiques; ces formes favorisent une dissipation de la chaleur dans les tropiques et sa conservation dans l'Arctique. De façon générale, les narines sont plus étroites chez les habitants des régions froides, ce qui favorise la conservation de la chaleur. Une étude portant sur les populations de notre planète donne une corrélation de 0,72 entre la largeur du nez et un indice combinant température et humidité relative (Roberts, 1973). Les Esquimaux ont moins de glandes sudoripares sur les membres et le tronc que les Européens et les Américains, mais ils en ont plus sur le visage. Cette caractéristique des Esquimaux s'explique : ils isolent leur corps au moyen de vêtements spécialement conçus; la sudation au niveau des membres ou du tronc serait inconfortable et nuirait à leur protection contre le froid. Lorsqu'ils sont actifs, les Esquimaux ont besoin de dégager de la chaleur et le visage est la seule surface à découvert; c'est pourquoi il faut que le visage soit bien pourvu de glandes sudoripares. Ainsi, plusieurs différences dans l'apparence des divers groupes d'êtres humains semblent refléter des adaptations aux caractéristiques thermiques des zones climatiques qu'ils habitent.

Normalement, notre température corporelle est maintenue à l'intérieur de limites serrées, mais elle varie de façon étonnante quand surviennent des maladies graves et lors d'exposition à certains environnements. Nous connaissons tous la fièvre qui accompagne les maladies infectieuses d'origine bactérienne ou virale, et nous avons l'habitude de considérer la hausse de la température comme un signal. Pourquoi la fièvre est-elle engendrée ? A-t-elle une utilité biologique ?

La fièvre est engendrée par des substances pyrogènes produites par l'agent microbien ou par l'hôte. Dirigées vers le cerveau par la circulation sanguine, ces substances influencent des cellules qui appartiennent au système thermorégulateur.

La fièvre comporte-t-elle des avantages biologiques ou est-elle simplement une *piqûre* de microbes agresseurs ? Des expériences sur des ectothermes comme les reptiles ont mis en évidence la valeur adaptative de températures corporelles supérieures à la normale. Par exemple, Kluger (1979) décrit des expériences au cours desquelles on injectait des substances bactériennes pyrogènes à des iguanes du désert. Ils montraient des capacités de survie variables, selon la température du milieu ambiant où on les avait placés. Les animaux à température corporelle élevée (résultant de l'exposition à la chaleur) vivaient plus longtemps que ceux à température corporelle plus basse. Les températures variaient de 34° à 42°C, soit la température habituelle du corps des endothermes.

Cette capacité de survie aux températures corporelles plus élevées existe parce que ces températures nuisent à la survie des microorganismes. La fièvre contribue ainsi à la guérison des maladies de nature infectieuse, en créant un environnement létal pour les virus et les bactéries. L'injection de substances pyrogènes amène également ces animaux à chercher un environnement plus chaud. Les ectothermes sont précieux pour ce genre de recherche parce que, en les gardant dans un environnement frais, on peut empêcher chez eux une hausse de température corporelle. Mais les reptiles ne réagissent pas tous aux bactéries pyrogènes (Cooker, 1987). La recherche sur ces animaux montre bien la valeur adaptative de la fièvre. Kluger (1979) a également fait état de travaux analogues sur les mammifères. Par exemple, des rats ayant reçu une injection d'une substance pathogène qui engendre la fièvre montrent de meilleures capacités de survie lorsque la hausse de température observée se situe aux environs de 2,25°C. Au-dessus ou au-dessous de ce point, la mortalité augmente. Ces travaux ont des retombées évidentes sur les moyens thérapeutiques employés en médecine humaine, notamment en ce qui concerne l'utilisation de drogues pour combattre la fièvre. En réduisant la fièvre, les médicaments antipyrétiques comme l'aspirine peuvent prolonger la maladie. D'après cette recherche, une fièvre modérée constituerait un moyen naturel et peu coûteux de combattre la maladie.

ABSORPTION DE LIQUIDES ET MAINTIEN DE L'ÉQUILIBRE HYDRIQUE

Le corps humain est très aqueux. L'eau constitue plus de la moitié de la masse corporelle de la plupart des adultes. C'est l'élément principal de la plus grande partie de nos tissus : liquide responsable du transport des nutriments et de l'oxygène à tous les autres tissus, le sang est surtout composé d'eau si bien que beaucoup d'ions se lient à des molécules d'eau en traversant les membranes cellulaires. L'eau sert également à l'élimination des déchets du corps. Dans des conditions normales d'un climat tempéré, un être humain adulte élimine environ 2 500 ml d'eau par jour (tableau 12.3). Lorsqu'il n'y a pas de sudation apparente, c'est que l'évaporation de l'eau, assurée par la ventilation pulmonaire et la sudation, n'est pas perceptible; c'est pourquoi on appelle ce processus *déperdition d'eau inconsciente*. Dans des conditions de chaleur torride, les pertes d'eau par sudation peuvent égaler les autres

Tableau 12.3 Équilibre hydrique quotidien moyen d'un adulte.

Apports hydriques approximatifs (ml)		Pertes hydriques approximatives (ml)	
Eau liquide, y compris les boissons	1 200	Urine	1 400
Eau contenue dans la nourriture	1 000	Déperdition d'eau inconsciente	900
Eau provenant de l'oxydation de la nourriture	300	Matières fécales	200
	2 500		2 500

types de perte, doublant ainsi la déperdition quotidienne d'eau. Dans le cas où une telle perte n'est pas compensée par une absorption équivalente de liquides, la vie d'un individu est vite mise en péril.

La régulation de l'apport et de l'excrétion hydriques est devenue de plus en plus complexe au cours de l'évolution. Les organismes primitifs évoluaient dans l'océan et le contenu en ions de leurs liquides internes était très semblable à celui de l'eau de mer. Cependant, même ces créatures primitives devaient absorber de la nourriture et éliminer des déchets afin de contrôler leurs échanges avec l'environnement. Lorsque les animaux marins ont envahi les eaux douces, où la pression osmotique est plus faible, les problèmes de l'équilibre des liquides corporels se sont compliqués. Ces animaux avaient besoin de systèmes d'absorption et d'excrétion plus complexes; les concentrations des divers ions en solution dans leurs liquides corporels ont changé graduellement. Lorsque certains de ces animaux quittèrent le milieu aquatique pour s'acclimater au milieu terrestre, ils ont fait face à des problèmes encore plus cruciaux. Il fallait que le milieu liquide intracellulaire soit préservé d'un environnement externe non liquide. La régulation interne des différents compartiments de liquides s'est davantage complexifiée et il fallut recourir au comportement pour assurer le renouvellement de quantités suffisantes de liquides.

Les divers types d'animaux ont adopté, selon leur passé évolutif et leur niche écologique, des modèles de régulation des liquides très différents. Les mammifères eux-mêmes présentent des différences importantes. De petits mammifères du désert, comme le rat kangourou, n'ont aucun accès à l'eau et ne boivent jamais. Ils consomment des graisses et divers types de végétaux, y puisant l'eau que cette nourriture contient. Leur équilibre hydrique est caractérisé par le fait qu'ils urinent très peu, leur urine étant très concentrée. Durant les quatre ou cinq mois de l'année qu'ils passent sur le rivage, au moment de la saison des accouplements, les phoques éléphants n'absorbent ni liquide ni nourriture. Ils trouvent tout le liquide dont ils ont besoin en métabolisant leurs réserves de nourriture : ils excrètent donc très peu durant cette période. Ils ne boivent pas durant le reste de l'année non plus. Parce que ce sont des mammifères retournés à l'océan, les phoques ne sont pas plus capables de vivre d'eau salée que les êtres humains : ils doivent tirer leur eau des poissons qu'ils mangent.

Le besoin d'eau est si vital qu'il n'est pas étonnant que les animaux aient acquis, par évolution, des mécanismes efficaces leur permettant de régler tant l'apport que l'excrétion des liquides. Ces mécanismes mettent en cause de nombreux processus physiologiques internes et des comportements face à l'environnement. Il importe de se souvenir, toutefois, que le contrôle des réponses comportementales ne représente qu'un aspect de la régulation de l'équilibre hydrique du corps. La figure 12.12 donne une version simplifiée des systèmes fondamentaux responsables de la régulation de l'absorption de liquides (voir également la figure 12.15).

Voici quelques-unes des questions fondamentales que les chercheurs se sont posées. Comment les réserves hydriques du corps sont-elles contrôlées ? Quels sont les facteurs qui

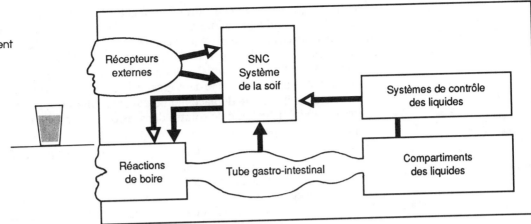

Figure 12.12 Version simplifiée des systèmes fondamentaux qui régissent l'apport hydrique.

incitent une personne ou un animal à commencer à boire ? Les mêmes questions se poseront au chapitre 13 sur les réserves de nourriture et l'ingestion d'aliments; nous verrons que les actions de manger et de boire sont interdépendantes.

CONTRÔLE DES RÉSERVES D'EAU DE L'ORGANISME

Environ 40 % de la masse corporelle représente l'eau que contiennent les milliards de cellules du corps; de plus, 20 % de l'eau corporelle se trouve à l'extérieur des cellules, dans le plasma sanguin ou dans les espaces intercellulaires. En somme, l'eau est répartie en **liquides intracellulaires** et **liquides extracellulaires**. Ces derniers comprennent à la fois les liquides situés dans les espaces intercellulaires (le liquide interstitiel) et les liquides du système vasculaire. Le corps contrôle séparément les liquides intracellulaires et extracellulaires. Habituellement, les réserves d'eau de part et d'autre des membranes cellulaires varient en parallèle et l'eau peut passer d'un compartiment à l'autre. Toutefois, certaines conditions pathologiques affectent les deux compartiments de façon indépendante et les chercheurs ont découvert des moyens de manipuler ces derniers et de les évaluer séparément. L'épuisement des liquides intracellulaires joue normalement un rôle plus important dans le déclenchement de l'action de boire que l'épuisement des liquides extracellulaires. Mais les mécanismes qui contrôlent les liquides intracellulaires et extracellulaires diffèrent.

Contrôle des liquides intracellulaires

Pour comprendre le mécanisme responsable du contrôle des liquides intracellulaires, il faut d'abord considérer la façon dont ces liquides pénètrent dans les cellules et en sortent. Les membranes cellulaires laissent les ions potassium (K^+) passer facilement (chapitre 4), alors qu'elles sont moins perméables aux ions sodium (Na^+); les protéines sont retenues à l'intérieur des cellules et ne traversent pas la membrane plasmique tandis que les molécules d'eau traversent librement la membrane cellulaire. Le liquide interstitiel et le plasma sanguin contiennent environ 0,9 % de NaCl. Une solution saline à concentration supérieure à 0,9 % est dite **hypertonique** et une solution à concentration inférieure, **hypotonique**. Si une personne absorbe une solution hypertonique ou si on injecte du sel dans une cavité corporelle, la concentration d'ions sodium dans le sang et dans le liquide interstitiel s'accroît aussitôt. Les ions sodium ne pénètrent pas dans les cellules, si bien qu'il se développe une concentration plus grande dans le liquide extracellulaire que dans le liquide intracellulaire.

Chaque fois que cette concentration est inégale, de part et d'autre d'une membrane semi-perméable, des liquides se déplacent vers le côté le plus concentré. On appelle ce processus **osmose** et la force en cause est la **pression osmotique**. Comme les ions Na^+ sont incapables d'y pénétrer, l'eau s'échappe des cellules pour équilibrer les concentrations. À mesure que le volume du liquide intracellulaire diminue, les cellules rapetissent. Si un individu absorbe du glucose ou si on lui en injecte dans le sang, le glucose pénètre facilement dans les cellules et n'entraîne donc pas un déplacement d'eau, mais il accroît l'**osmolalité** (nombre de particules par unité de volume de soluté) dans les deux compartiments.

Quels changements précis, dans les liquides corporels, créent le besoin de boire ? On fait trois hypothèses, chacune reconnaissant que l'administration d'une solution hypertonique de NaCl provoque un besoin de boire. D'après la première, la concentration d'ions sodium dans le liquide interstitiel agirait comme stimulus activateur (Andersson, 1978). La seconde retient la concentration des diverses substances en solution dans le liquide interstitiel, l'osmolalité, c'est-à-dire le stimulus. La troisième que des expériences récentes ont corroborée, et la plus généralement acceptée, suggère que le phénomène de déshydratation cellulaire constituerait le véritable stimulus activateur (Gilman, 1937).

Au cours des années 1950, on a montré que l'injection de petites quantités d'une solution hypertonique de NaCl dans des régions de l'hypothalamus d'animaux d'expérience les portait à boire. Cette observation a permis de supposer que certaines des cellules de l'hypothalamus étaient des **osmorécepteurs**, c'est-à-dire qu'elles réagissent aux changements de pression osmotique. Des expériences plus récentes ont contribué à accroître la probabilité de l'existence de telles cellules et à mieux les caractériser. Des chercheurs ont testé la réaction de ces cellules à des substances comme le glucose (qui traverse facilement la membrane cellulaire) et le saccharose (qui ne traverse pas cette membrane). On a constaté que le saccharose stimulait les cellules hypothalamiques réagissant au NaCl, alors que le glucose n'avait pas cet effet. Ces cellules ne réagissaient donc pas uniquement au NaCl ou à un accroissement quelconque de l'osmolalité; elles réagissaient plutôt à une modification de la pression osmotique provoquée par une perte d'eau intracellulaire. En somme, les cellules informaient l'organisme de leur propre état de déshydratation et de leur diminution de volume. On aurait pu convenir de nommer ces cellules *récepteurs de déshydratation*, mais c'est plutôt le terme *osmorécepteur* qui a été adopté. De même, la réaction à une réduction des liquides cellulaires est souvent dite *soif osmotique*.

Un enregistrement électrique à partir de cellules isolées a montré que les osmorécepteurs sont largement répartis dans l'aire préoptique, la partie antérieure de l'hypothalamus et le noyau supra-optique. Il faudra faire encore des recherches pour définir les connexions entre ces cellules et les autres et pour retracer les circuits nerveux qui servent à engendrer ce besoin de boire. On verra bientôt que la stimulation électrique de l'aire préoptique (APO) peut conduire à des augmentations impressionnantes d'absorption d'eau.

Contrôle des liquides extracellulaires

On donne souvent le nom de **soif hypovolémique** (de la racine grecque *hypo*, faible, et du mot latin *volumen*, volume) pour décrire la réaction de l'organisme à un volume réduit de liquides extracellulaires. Le cœur ne peut pas fonctionner normalement sans que le volume du liquide du système vasculaire ne soit maintenu à l'intérieur de limites assez étroites. La déperdition de sang, comme lors d'une hémorragie, réduit le volume des liquides qui parviennent au cœur; le débit réduit du sang pompé par le cœur se traduit par une baisse de la pression artérielle, réduisant encore plus l'apport de liquides au cœur. Pour éviter ce mauvais fonctionnement du système circulatoire, il faut que la chute du volume sanguin soit rapidement signalée et corrigée. Des réflexes nerveux assument ce rôle et il se peut qu'un mécanisme chimique soit également en cause. Situés dans le cœur et dans certaines artères, les récepteurs de pression réagissent à la chute de pression artérielle en déclenchant des signaux nerveux qui contribuent à provoquer des réactions compensatoires. L'une de ces réactions consiste en un accroissement de la tension musculaire des parois des vaisseaux sanguins. Une autre réaction se traduit par une libération d'hormone antidiurétique (ou vasopressine) provenant de la neurohypophyse. Cette hormone a pour effet d'inhiber l'élimination de l'eau par les reins, favorisant ainsi la réabsorption d'eau au niveau rénal.

Plusieurs chercheurs croient que l'hypovolémie induirait une autre réaction mettant en cause les reins et des substances chimiques particulières présentes dans le sang, ce qui toutefois en laisse d'autres sceptiques. Voyons d'abord en quoi elle consiste.

La diminution du volume de sang dans les reins déclenche la libération d'une substance nommée rénine, provenant de la paroi des artérioles rénales. La rénine entre en réaction avec une substance sanguine pour former l'angiotensine, qui est alors transformée en **angiotensine II**. (Le premier effet qu'on ait reconnu à l'angiotensine a été de hausser la pression artérielle, d'où son nom : du grec *angeion*, vaisseau et du latin *tendere*, tendre.) On a découvert que l'injection de doses très faibles d'angiotensine II dans l'APO était très efficace pour déclencher l'action de boire, même chez les animaux qui n'étaient pas privés d'eau (Epstein et coll., 1970). Administrée à des rats qui avaient été privés de nourriture, mais non d'eau, l'angiotensine II les amenait à cesser de manger et à boire abondamment : l'angiotensine II a donc un effet très spécifique.

Un grand nombre de recherches se poursuivent pour déterminer l'endroit précis du cerveau où l'angiotensine II exercerait ses effets. Bien que des travaux originaux sur ce sujet aient indiqué que l'APO était le site le plus sensible, il était difficile de comprendre comment elle pouvait atteindre les récepteurs de cette région puisqu'elle ne traverse pas la barrière hémato-encéphalique. On a alors porté attention aux **organes circonventriculaires**, situés dans la paroi des ventricules cérébraux (figure 12.13). Ces organes contiennent des sites récepteurs qui peuvent être affectés par des substances du liquide céphalo-rachidien; l'information assurant la stimulation de ces sites est transmise aux autres parties du système nerveux par les axones des cellules circonventriculaires.

Quelques chercheurs continuent de soutenir que des cellules de l'APO réagissent à l'angiotensine II dans des expériences où les substances injectées n'auraient pas pu s'infiltrer jusqu'aux ventricules. Ils soutiennent que l'angiotensine II pourrait être produite aussi bien dans le cerveau que dans la circulation sanguine. Ils veulent savoir s'il existe des récepteurs de l'angiotensine II dans l'APO, comme il en existe dans les organes circonventriculaires, et découvrir les circuits du cerveau qui contrôleraient les réponses constituant l'action de boire.

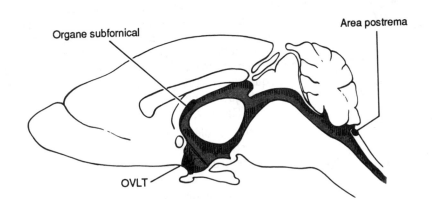

Figure 12.13 Coupe mi-sagittale du cerveau d'un rat montrant les organes circonventriculaires qui servent d'intermédiaires entre le cerveau et le liquide céphalo-rachidien. Les organes circonventriculaires apparaissent en noir et les ventricules et voies de circulation du liquide céphalo-rachidien en gris (OVLT, organe vasculaire de la lame terminale.)

Organe subfornical

Area postrema

OVLT

Une autre question se pose : la quantité d'angiotensine II produite est-elle suffisante pour engendrer la sensation de soif ? Des mesures récentes très précises indiquent que non (Abraham et coll., 1975; Stricker, 1977). C'est pourquoi plusieurs chercheurs soulignent le caractère relatif des résultats de plusieurs expériences qui portaient sur l'angiotensine II administrée comme médicament, c'est-à-dire sur les effets pharmacologiques plutôt que physiologiques. La réponse à cette question nécessite d'autres recherches. Entre-temps, on ne saurait douter que les réactions des barorécepteurs logés dans la paroi du cœur et des artères produisent les signaux nerveux qui informent l'organisme d'une situation d'hypovolémie.

INDUCTION DE L'ACTE DE BOIRE

La stimulation de l'aire préoptique, au moyen d'électrodes implantées, incite des rats, non anesthésiés et libres de leurs mouvements, à se diriger rapidement vers une source d'eau et à boire. Pendant que la stimulation de l'APO se poursuit, certains animaux pourront boire autant en une heure qu'ils le feraient normalement en 24 heures. Au cours d'une stimulation continue sur une période de 10 heures, des rats absorbèrent une quantité d'eau presque équivalente à leur masse corporelle. (La miction s'est accrue à la suite d'une telle ingestion d'eau, si bien que les rats n'ont pas souffert d'une rétention d'eau anormale.) Quand les chercheurs détruisaient l'APO au lieu de la stimuler, les animaux refusaient absolument de boire : c'est l'état nommé **adipsie** (du grec *a*, sans et *dipsos*, soif).

La privation entraîne normalement le déficit hydrique même dans les réserves de liquides extracellulaire et intracellulaire. Comment peut-on déterminer l'importance relative des insuffisances osmotique et hypovolémique dans l'amorce de l'action de boire ? Une méthode efficace a consisté à faire varier séparément la concentration en sel dans la circulation sanguine cérébrale et dans la circulation périphérique de chiens privés d'eau. On pratiquait une intervention chirurgicale de façon à amener près de la surface de la peau une boucle de la carotide, de chaque côté du cou; par la suite ces boucles facilitaient les injections (figure 12.14). Comme les artères carotides fournissent le plus grand apport sanguin au cerveau, on pourrait modifier la concentration saline de cet apport, sans modifier de façon significative le sang de la circulation périphérique. Les concentrations dans la circulation cérébrale étaient mesurées grâce à des prises de sang effectuées dans les veines jugulaires qui ramènent le sang cérébral au cœur; les concentrations dans la circulation sanguine périphérique étaient évaluées à partir d'échantillons tirés d'une veine des pattes. L'infusion bilatérale d'eau dans les artères carotides, à un taux qui réduisit la tonicité du plasma cérébral jusqu'au niveau de privation, fit diminuer l'absorption d'eau des trois quarts; l'injection d'une solution saline isotonique n'eut pas d'effet sur l'action de boire. Ces résultats viennent encore appuyer l'idée selon laquelle le corps contrôlerait l'hydratation cellulaire dans le cerveau et non dans le reste de l'organisme puisque, en réduisant la concentration de sel au cerveau et en la laissant élevée dans le corps, on a provoqué une diminution marquée de l'absorption d'eau. Les chiens ne buvaient qu'en petites quantités durant quelques minutes, puis s'arrêtaient alors que les cellules du corps étaient encore en déficit hydrique et que le volume des liquides extracellulaires était toujours au-dessous de la normale (Ramsay, Rolls et Wood, 1977).

On a vérifié le rôle de la déshydratation cellulaire en injectant dans la veine jugulaire de chiens une solution saline isotonique. En ramenant le volume du plasma à son niveau antérieur à celui de la privation, on n'a réduit que de 25 % l'absorption d'eau des chiens qui en étaient privés. Ainsi, en ce qui concerne le contrôle de l'activité de boire, le déficit hydrique extracellulaire aurait moins d'importance que le déficit hydrique cellulaire. Des

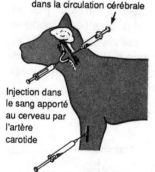

Prises de sang à partir de la veine jugulaire pour obtenir un échantillon des concentrations dans la circulation cérébrale

Injection dans le sang apporté au cerveau par l'artère carotide

Prises de sang à partir d'une veine de la patte pour obtenir un échantillon des concentrations dans la circulation périphérique

Figure 12.14 Méthode utilisée pour faire varier de façon indépendante les concentrations de sel dans la circulation cérébrale et la circulation périphérique.

tests pratiqués auprès d'un petit nombre de singes donnent les mêmes résultats (Rolls, Wood et Rolls, 1980).

La destruction de l'hypothalamus latéral amène les rats à refuser le boire et le manger. On a surtout étudié ce syndrome en fonction du comportement d'alimentation (voir le chapitre 13). Il faut noter toutefois que même lorsque les animaux chez lesquels on a pratiqué des lésions recouvrent leur capacité de manger et de régler leur consommation de nourriture, ils manifestent une répugnance bizarre à amorcer le comportement de boire. Ils réservent leur consommation d'eau à l'heure du repas, surtout lorsqu'on leur offre de la nourriture sèche. Il semble que ces rats se servent de l'eau plutôt comme lubrifiant, pour faciliter le passage de la nourriture, que pour sa valeur intrinsèque. La place qu'occupe l'hypothalamus latéral dans le système de contrôle de la consommation d'eau n'est pas encore évidente. Il n'intervient probablement pas au début dans le contrôle de l'approvisionnement en eau. Il joue peut-être un rôle important dans la facilitation des circuits moteurs qui effectuent l'opération d'absorption de liquides.

Les animaux privés d'eau ou ceux dont on stimule l'APO boiront volontiers, mais seulement s'ils ont accès à un liquide approprié. Ce fait montre que l'influx sensoriel doit s'allier à l'activité du diencéphale pour qu'il y ait amorce de l'action de boire. Il ne semble pas qu'on ait tenté de découvrir où et comment ces deux types d'informations entrent en rapport, mais des recherches fructueuses ont été effectuées sur la question analogue de l'amorce du comportement d'alimentation (chapitre 13).

CESSATION DE L'ACTE DE BOIRE

Le chien privé d'eau depuis 24 heures boira avidement, consommant pratiquement tout ce dont il a besoin en moins de 2 à 3 minutes. Le rat compense son déficit hydrique plus lentement, suppléant à environ la moitié du déficit en 5 minutes et continuant ensuite à boire de façon intermittente pendant une heure à peu près. Les être humains se situent entre ces deux extrêmes, comblant environ les deux tiers de leur déficit hydrique pendant les premières deux minutes et demie.

Quel est le mécanisme responsable de l'arrêt de l'activité de boire ? L'une des possibilités serait que l'individu ou l'animal contrôlerait les quantités durant l'ingestion et que l'activité se poursuivrait jusqu'à ce qu'une quantité jugée égale au déficit soit atteinte. Une autre possibilité serait que celui qui boit continuerait jusqu'à ce que les déficits qui ont déclenché le comportement soient totalement comblés. Mais en réalité, la carence de l'animal ne se trouve pas dans l'estomac mais dans les tissus, et il faut du temps pour que le liquide passe de l'estomac à l'intestin grêle, puis dans les cellules. Ce laps de temps entre l'ingestion et la réhydratation des tissus rend encore plus étonnante la rapidité avec laquelle l'action de boire s'arrête, chez des animaux comme le chien. De toute évidence, le contrôle de l'arrêt comporte deux phases. Premièrement, il existe des signaux indiquant qu'une quantité suffisante de liquide a été ingérée et, deuxièmement, le liquide atteint les compartiments corporels pour ainsi éliminer les signaux de carence qui ont contribué à amorcer l'action de boire.

On a étudié les facteurs qui agissent sur la cessation de ce processus compensatoire, en mesurant le taux de changement des déficits corporels, après l'action de boire, et en stimulant l'un ou l'autre stade du processus d'ingestion et de réhydratation. Des sujets humains ont également fait des évaluations variées de leur sensation de soif et d'autres sensations au cours de la réhydratation. Chez le chien, il est clair que l'activité de boire s'arrête pendant que l'eau est encore dans le tube digestif et bien avant que la réhydratation de l'un ou l'autre des compartiments n'ait eu lieu. Bien que l'activité de boire s'arrête après deux ou trois minutes, il faut environ 10 minutes avant que la déshydratation cellulaire ou extracellulaire commence à s'estomper. Ensuite, ces animaux recouvrent leur niveau hydrique antérieur à la privation, au cours d'une période de 40 à 60 minutes (Rolls, Wood et Rolls, 1980). Même si les êtres humains comblent les deux tiers de leur carence pendant les premières deux minutes et demie, le début de la dilution des concentrations du plasma ne devient apparent qu'environ cinq minutes plus tard et il faut encore 10 à 15 minutes avant que les modifications des compartiments cellulaires et extracellulaires puissent manifester une importance dans la limitation d'une activité de boire additionnelle.

Malgré de nombreuses recherches, la façon dont les chiens sont capables de combler si rapidement et avec autant de précision leur déficit hydrique tient toujours du mystère. Par exemple, des chercheurs avaient cru à la possibilité d'un contrôle de l'ingestion par la bouche ou la gorge. On a vérifié cette hypothèse en rattachant, par intervention chirurgicale, un tube à l'œsophage afin que l'eau avalée passe par le tube sans atteindre l'estomac. Dans ces conditions, le chien buvait beaucoup plus d'eau que nécessaire pour combler le déficit; ainsi, le seul contrôle de l'apport par la bouche ne provoque pas l'arrêt de l'action de boire. On a également étudié la capacité de l'estomac. L'introduction d'un ballon dans l'estomac et son gonflement de façon à dilater l'organe ne parvinrent à produire que très peu d'effets sur l'interruption de l'action de boire. L'eau ingérée atteint l'intestin grêle du chien en 2 ou 3 minutes et les récepteurs qui s'y trouvent jouent un rôle dans l'arrêt de cette activité. On n'a pas étudié cette théorie directement sur le chien, mais plutôt sur le singe.

Pour le singe, comme pour le chien ou le rat, la stimulation de la bouche ne suffit pas à arrêter la consommation d'eau. Toutefois, le contrôle par l'estomac semble avoir plus d'importance pour le premier, comme le montre l'expérience qui consistait à leur introduire un tube dans l'estomac. On leur a permis de boire jusqu'à ce qu'ils s'arrêtent d'eux-mêmes, puis le tube fut utilisé pour vider l'estomac; les singes se remirent à boire presque immédiatement. Chez d'autres singes, on utilisa des tubes introduits par intervention chirurgicale, pour placer de l'eau directement dans le duodénum. L'introduction d'une quantité d'eau, même faible, dans l'intestin grêle arrêtait la consommation d'eau, au moins pendant une courte période. L'eau placée directement dans le petit intestin gênait-elle le singe et avait-il refusé de boire, non pas parce que sa soif était assouvie, mais à cause du stress ? Les expérimentateurs procédèrent donc à deux autres tests, dont l'un afin de constater si l'introduction directe d'eau dans le duodénum arrêterait également la consommation de nourriture. Les singes continuèrent à manger, ce qui indique que le traitement ne causait pas d'inconfort à l'animal et que son effet était spécifique de la soif. Un test encore plus révélateur consista à placer une solution saline isotonique plutôt que de l'eau pure dans l'intestin. Cette solution saline n'arrêta pas l'activité de boire comme l'eau l'avait fait. Cette comparaison montra que les singes réagissent plutôt à la tonicité de l'eau qu'au volume administré (Rolls, Wood et Rolls, 1980). Le duodénum semble donc pourvu d'osmorécepteurs qui perçoivent si de l'eau a été absorbée ou pas.

LE GOÛT ET L'ACTE DE BOIRE

Le goût agréable d'un liquide contribue à déterminer combien on en consommera et l'état d'hydratation ou de déshydratation aide à savoir jusqu'à quel point un liquide paraît agréable au goût. L'influence du goût peut facilement être mesurée en vérifiant quelle quantité d'eau une personne ou un animal peut absorber lorsqu'il a le choix entre plusieurs liquides. S'il est question d'un liquide sucré, par addition de sucre ou de saccharine, les êtres humains, les rats et les singes augmentent leur consommation de liquides de façon appréciable, ce qui n'est pas le cas des chats. Les rats préfèrent également à l'eau pure une eau légèrement salée (0,7 %) et boivent beaucoup plus de cette solution. La variété des saveurs accroît également la consommation; les êtres humains et les rats boivent sensiblement plus si on leur présente successivement plusieurs saveurs agréables plutôt que la même saveur, de façon répétée.

La découverte que les gens modifient leur évaluation du caractère agréable de l'eau en fonction de leur degré de privation ou de satiété est certainement une observation plus surprenante (Cabanac, 1971). Les sujets goûtaient à une petite quantité d'eau et situaient son caractère plus ou moins agréable sur une échelle numérique. Après avoir été privés d'eau durant la nuit, les sujets évaluèrent le goût d'un échantillon comme très agréable. Le caractère agréable attribué au cours des évaluations subséquentes de petits échantillons, évaluations faites à intervalles de cinq minutes, diminua légèrement. Mais lorsque les sujets

Figure 12.15 Systèmes fondamentaux qui contrôlent l'absorption de liquides chez un mammifère.

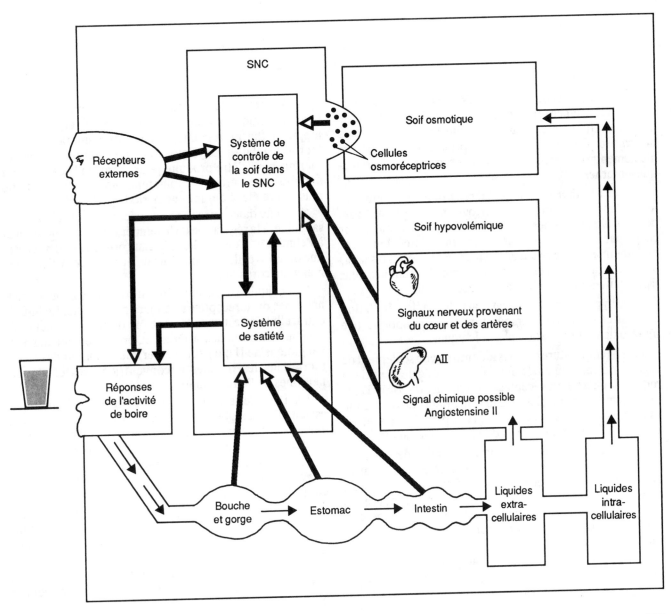

purent boire à satiété, les évaluations positives du caractère agréable de l'échantillon suivant tombèrent à 80 % environ de l'évaluation initiale; dans le cas des quelques échantillons suivants, il tomba à environ 60 %. Des neurones de l'hypothalamus du singe donnent des changements similaires. Ces neurones réagissent lorsque le singe boit de l'eau. Leur taux de réponse s'accroît avec la privation d'eau ou à la suite d'une introduction de solution saline hypertonique dans la carotide, mais diminue à mesure que l'animal consomme de l'eau (Arnauld et coll., 1975). Ainsi, le goût contribue à l'action de boire et il se peut qu'une réduction de la stimulation gustative joue un rôle dans la cessation de cette activité. La figure 12.15 donne un résumé des systèmes fondamentaux responsables du contrôle de la consommation d'eau. Ce diagramme peut aider à récapituler les connaissances acquises sur la soif et la régulation des liquides corporels.

Résumé

1. Des mécanismes homéostatiques assurent le maintien de la constance relative des conditions internes comme la température, le contenu hydrique et les réserves de nourriture. Ces mécanismes comprennent à la fois des ajustements du comportement et des processus physiologiques internes.

2. Les ectothermes (amphibiens et reptiles) contrôlent leur température corporelle surtout en se déplaçant vers des endroits favorables ou en modifiant l'exposition de leur corps par rapport aux sources externes de chaleur. Les endothermes (principalement les mammifères et les oiseaux) utilisent également ces méthodes comportementales mais ils y ajoutent une variété de réglages internes.

3. L'hypothalamus latéral participe à la régulation comportementale de la température; l'aire préoptique joue un rôle dans la régulation physiologique.

4. La température est sous le contrôle non seulement de régions du cerveau antérieur basal, mais également de la moelle épinière et de récepteurs à la surface du corps. Dans les systèmes nerveux, les niveaux supérieurs de régulation thermique ont des zones de réglage plus étroites et les niveaux inférieurs, des zones de réglage plus larges.

5. On croit généralement que la régulation de la température est réalisée par un système de rétroaction négative comportant un point de réglage fixe (ou zone de réglage), mais les faits pourraient s'expliquer par l'existence de systèmes antagonistes de gain et de déperdition de chaleur, systèmes qui exerceraient peut-être des influences inhibitrices réciproques.

6. Par entraînement, un individu peut acquérir un certain degré de contrôle tant sur sa température cutanée que sur sa température interne.

7. Au cours de l'évolution, l'ectothermie a précédé l'endothermie et certaines espèces (tel le rat) ont développé la thermorégulation comportementale avant la thermorégulation physiologique. L'évolution de l'endothermie peut s'être produite pour accroître la capacité du métabolisme aérobie à maintenir un niveau d'activité musculaire élevé durant une période prolongée.

8. L'eau dans notre corps est nécessaire à la circulation sanguine, à la régulation de la température, à la digestion et à l'élimination des déchets. L'eau (principalement contenue dans les cellules) constitue environ les deux tiers de la masse du corps humain.

9. Le liquide intracellulaire est contrôlé surtout par des neurones osmorécepteurs de l'aire préoptique. Le liquide extracellulaire est sous le contrôle de barorécepteurs du cœur et de certaines artères, et probablement aussi de l'angiotensine II qui peut exercer une action sur des récepteurs dans les organes circonventriculaires et sur des neurones de l'aire préoptique.

10. La perte de liquide intracellulaire (ou soif osmotique) est un stimulus plus puissant pour inciter à boire que la perte de liquide extracellulaire (soif hypovolémique), mais les deux effets agissent habituellement en parallèle.

11. La stimulation de récepteurs dans la bouche et dans la gorge n'arrête pas l'activité de boire. C'est plutôt le contrôle par l'estomac et le duodénum qui semble fournir les signaux principaux indiquant qu'un liquide a été ingéré. Quand l'eau passe aux compartiments des liquides intracellulaires et extracellulaires, elle élimine les signaux de déficit qui ont déclenché l'action de boire.

12. Le goût contribue à favoriser la consommation des liquides; par ailleurs, un déficit hydrique rend les liquides plus agréables au goût.

Lectures recommandées

Hales, J. R. S. (éd.). (1984). *Thermal Physiology*. New York : Raven.

Heller, H. C., Cranshaw, L. J. et Hammel, H.T. (1978). The Thermostat of Vertebrate Animals. *Scientific American*, 239 (2), 102-113.

Rolls, B.J., Woods, R.J. et Rolls, E.T. (1980). Thirst : The Initiation, Maintenance, and Termination of Drinking. In J.M. Sprague et A.N. Epstein (éds), *Progress in Psychobiology and Psychology* (Vol. 9). New York : Academic Press.

Satinoff, E. (1983). A Reevaluation of the Concept of the Homeostatic Organization of Temperature Regulation. In E. Satinoff et P. Teitelbaum (éds), *Motivation*. Vol. 6 du *Handbook of Behavioral Neurobiology*. New York : Plenum.

477

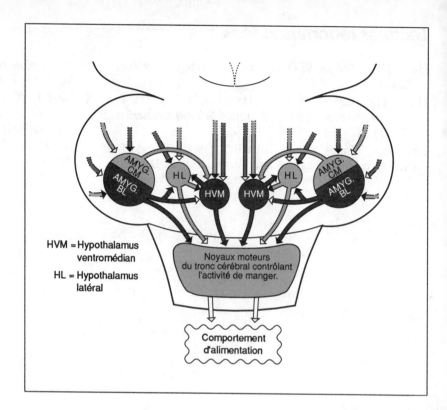

13 Absorption d'aliments et régulation de l'énergie

ORIENTATION

La structure de chaque espèce dépend étroitement de la façon dont la nourriture s'obtient et se consomme. Parmi les vertébrés par exemple, la classe des mammifères tient son nom de la façon particulière que ces êtres vivants utilisent pour nourrir leurs petits. Le besoin de manger détermine notre programme quotidien et façonne nos activités.

Nos journaux regorgent de thèmes se rapportant à la nourriture et aux activités qui y sont reliées : informations sur l'abondance ou la pénurie des récoltes, sur les famines et les sécheresses, sur la destruction des moissons par les orages, les inondations et les nuées de sauterelles, sur les lois et traités régissant l'importation et l'exportation des aliments, sur les grèves de la faim, sur les recettes et articles associés à la table, sur la réclame des restaurateurs et des épiciers, sur les appareils et ustensiles de cuisine, sur les effets d'un régime alimentaire et de l'obésité sur la santé, sur les cliniques de contrôle du poids. Une partie importante de l'économie a pour objet l'alimentation : culture, traitement et préparation, emballage, mise en marché, transport et distribution, réclame publicitaire et vente des aliments.

Une grande part de notre intérêt pour la nourriture comporte des aspects purement humains et culturels, mais la dépendance fondamentale envers les aliments comme source d'énergie est la même pour tous les animaux. Dans ce chapitre, nous traiterons des besoins fondamentaux et de la régulation physiologique de l'action de manger et de la dépense d'énergie, de même que de certains aspects des modes de régulation du comportement associés à l'alimentation qui sont propres à chaque espèce.

Le contrôle de l'absorption des aliments ainsi que le contrôle de l'énergie nécessaire au corps sont intimement associés à la régulation de la température corporelle et au bilan hydrique. Toutefois, le sujet dont il est ici question est beaucoup plus complexe parce que la nourriture sert notamment à assurer, non seulement l'approvisionnement d'énergie, mais également l'apport de **nutriments**. Au sens technique du terme, les nutriments sont des substances chimiques qui ne sont pas utilisées comme sources d'énergie, mais qui sont indispensables au fonctionnement efficace de l'organisme; les nutriments sont nécessaires, par exemple, à la croissance, au maintien et à la réparation des structures de l'organisme. La liste complète et détaillée des exigences nutritionnelles n'a pas encore été établie, même pour l'espèce humaine. Le corps humain est incapable de synthétiser directement 9 des 20 acides aminés que contiennent les protéines animales; on doit donc se procurer ces 9 acides aminés, dits *acides aminés essentiels,* dans les aliments qui composent le régime de base. Il faut également trouver dans les aliments quelques acides gras indispensables. Parmi les autres exigences nutritionnelles, on compte quinze vitamines et plusieurs minéraux. Le concept d'*appétits spécifiques* pour certains nutriments sera traité à la fin de ce chapitre.

UN MODÈLE SIMPLE DE SYSTÈME D'ALIMENTATION

Les caractéristiques essentielles des systèmes d'alimentation se retrouvent chez des invertébrés aussi simples que la mouche (Dethier, 1976) ou l'escargot de mer, *Aplysia* (Kandel, 1976). Privés de nourriture, les animaux de ce genre deviennent plus actifs et se mettent à se déplacer, plus ou moins au hasard, jusqu'à ce qu'ils rencontrent une odeur ou un goût, signal d'un aliment disponible. La reconnaissance de ces stimuli est inscrite dans le système nerveux de l'animal. La tendance que manifeste une mouche à se nourrir d'une solution sucrée s'accroît jusqu'à un certain niveau avec la concentration de la solution; toutefois, une solution plus concentrée exercera plutôt un effet de répulsion sur la mouche.

L'intensité de l'activité de nutrition varie également avec l'adaptation sensorielle et avec les signes internes de plénitude gastrique. Pendant que la mouche continue de goûter à la solution, ses récepteurs s'adaptent au stimulus; cette adaptation peut persister jusqu'au point où les récepteurs cessent d'émettre des influx, auquel cas la mouche arrête sa consommation de nourriture. Par contre, elle sera prête à absorber de la nourriture d'un goût différent, caractéristique qui favorise la consommation d'aliments variés. Lorsque le tube digestif est plein, les mécanorécepteurs de la paroi de l'intestin envoient des signaux au système nerveux central et les réflexes d'alimentation sont coupés. L'action de manger s'arrête, même si les récepteurs continuent d'émettre le signal que la nourriture qui a bon goût est encore disponible. Si le nerf reliant l'intestin aux centres nerveux est sectionné, la mouche peut continuer de manger jusqu'à ce qu'elle éclate littéralement.

Il faut noter que la tendance fondamentale de la mouche est celle de manger, et ce aussi longtemps que la nourriture est accessible, sauf si les récepteurs gustatifs s'adaptent ou que les récepteurs intestinaux donnent un nouveau signal de réplétion. La figure 13.1 présente sous forme de diagramme les constituants essentiels du système d'alimentation de la mouche. Un diagramme de système d'alimentation plus complexe, celui d'un mammifère, est présenté à la figure 13.12.

Figure 13.1 Diagramme illustrant le système à la base du contrôle du comportement d'alimentation chez la mouche.

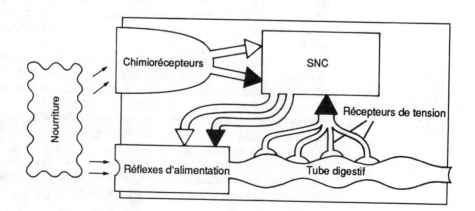

Chez la mouche, le rythme d'absorption de nourriture n'est pas tout à fait constant. Par exemple, la femelle de la mouche accroît son ingestion de protéines pendant un jour ou deux, tous les sept jours ou à peu près, immédiatement après avoir pondu ses œufs; de cette façon, elle prend les protéines dont elle a besoin pour la prochaine couvée d'œufs. L'augmentation temporaire de sa préférence pour les protéines est un exemple d'**appétit spécifique**.

Les caractéristiques fondamentales des systèmes d'alimentation des vertébrés se retrouvent dans ceux des mammifères. Chez ces derniers toutefois, les mêmes schèmes sont inscrits dans des systèmes nerveux complexes, à niveaux mutiples, et ceux-ci permettent au comportement d'alimentation de s'intégrer dans une grande variété de comportements. L'étude et l'observation de l'approvisionnement en aliments est complexe et rend la tâche de l'identification et de la description des systèmes d'alimentation difficile. Nous verrons certains des aspects des systèmes d'alimentation qui ont été bien étudiés et d'autres qui font encore l'objet de recherche et de controverses.

COMPORTEMENTS ALIMENTAIRES

Les espèces animales présentent de grandes différences quant à la façon de se procurer la nourriture, quant aux sortes d'aliments qu'elles choisissent et quant au choix du moment où elles se nourrissent. Avant d'aborder les mécanismes en cause, voyons d'abord certaines de ces différences distinctives des espèces animales.

Obtention de nourriture : adaptations structurales

La première étape de la lutte contre la faim consiste à puiser de la nourriture dans l'environnement. Pour certains animaux marins, la tâche est relativement facile : ils extraient la nourriture de l'eau dans laquelle ils baignent. Les animaux brouteurs mangent des plantes et dans certains cas émigrent, d'une saison à une autre, afin de trouver les plantes là où elles se trouvent. Les prédateurs chassent les autres animaux pour se nourrir. Chacun de ces styles de vie exige plusieurs adaptations structurales, dont certaines concernent spécifiquement l'ingestion d'aliments.

Les mécanismes utilisés par les animaux pour se procurer de la nourriture et s'alimenter couvrent un large éventail de variations structurales. On trouve des exemples particulièrement évidents chez les oiseaux, dont les dimensions et la forme du bec présentent des différences énormes (figure 13.2). Les oiseaux obtiennent leur nourriture grâce à des moyens comme la pêche, la cueillette des graines, la chasse des insectes volants, l'extraction des insectes des écorces des arbres, la succion de nectar et le déchirement de la chair.

Les oiseaux de proie géants qui, comme les aigles, déchirent leur proie sont pourvus de becs recourbés ou en crochet qui sont très puissants; ceux qui se nourrissent de nectar ont des becs longs et effilés efficaces pour vérifier le contenu des fleurs. Certains oiseaux cassent graines et noix pour choisir des morceaux particuliers; les pinsons et les perroquets ont aussi des becs gros et courts. D'autres oiseaux tels les canards et les spatules sont pourvus de becs spéciaux qui leur permettent de filtrer de petites particules de nourriture en suspension dans l'eau. Les dimensions et la forme du bec ne sont évidemment que deux des nombreux attributs relatifs à l'alimentation des oiseaux.

Les sources de nourriture des mammifères sont très diversifiées, comprenant notamment d'autres animaux, des graines, des plantes herbacées, des racines et l'écorce des arbres. Les formes diverses des dents des mammifères reflètent la variété de leur régime alimentaire (figure 13.3). Les rongeurs qui grugent leur nourriture ont de grosses incisives, alors que les carnivores ont des canines puissantes. Les mammifères herbivores sont pourvus de grosses dents à surfaces plates pour broyer la nourriture.

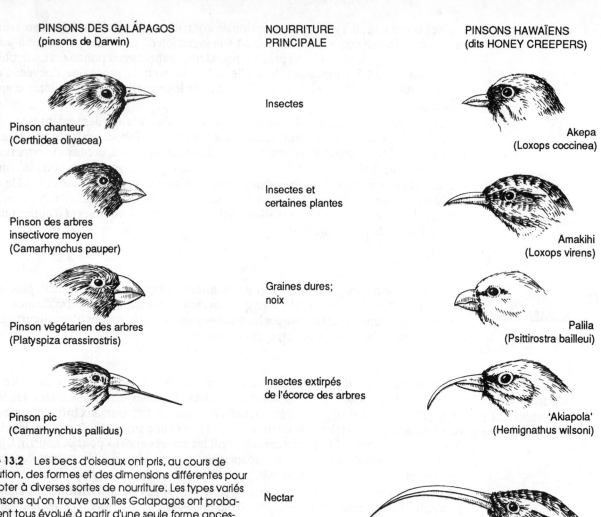

PINSONS DES GALÁPAGOS (pinsons de Darwin)	NOURRITURE PRINCIPALE	PINSONS HAWAÏENS (dits HONEY CREEPERS)
Pinson chanteur (Certhidea olivacea)	Insectes	Akepa (Loxops coccinea)
Pinson des arbres insectivore moyen (Camarhynchus pauper)	Insectes et certaines plantes	Amakihi (Loxops virens)
Pinson végétarien des arbres (Platyspiza crassirostris)	Graines dures; noix	Palila (Psittirostra bailleui)
Pinson pic (Camarhynchus pallidus)	Insectes extirpés de l'écorce des arbres	'Akiapola' (Hemignathus wilsoni)
	Nectar	'Akialoa' (Hemignathus procerus)

Figure 13.2 Les becs d'oiseaux ont pris, au cours de l'évolution, des formes et des dimensions différentes pour s'adapter à diverses sortes de nourriture. Les types variés de pinsons qu'on trouve aux îles Galapagos ont probablement tous évolué à partir d'une seule forme ancestrale. Ils ont été, pour Darwin, un indice important lorsqu'il formula sa théorie de l'évolution par sélection naturelle. Les pinsons hawaïens présentent une évolution encore plus divergente, qui s'est produite sur une période de temps plus longue. Remarquez que, pour une nourriture donnée, les oiseaux de deux différentes familles ont acquis, à la suite de l'évolution, des becs plutôt semblables.

Sélection de la nourriture chez les animaux

Bien que beaucoup d'environnements offrent une grande variété d'aliments disponibles, la plupart des animaux choisissent un régime alimentaire précis. En fait, certains animaux se sont adaptés à un si petit éventail d'aliments qu'ils se laissent mourir de faim quand leur nourriture préférée n'est plus disponible. Les zoologistes classifient en fait les animaux selon le type d'aliments que ces derniers consomment. Ceux qui mangent d'autres matériaux animaux sont des carnivores. Ceux qui broutent des plantes sont des herbivores. Les animaux qui mangent des insectes sont dits insectivores, tandis que ceux qui se nourrissent de nectar sont nommés nectivores (abeilles et colibris). Enfin, les animaux qui consomment une grande variété d'aliments, par exemple les êtres humains, les rats et les blattes, sont dits omnivores.

Figure 13.3 Les formes des dents des mammifères reflètent la diversité des régimes alimentaires des diverses espèces.

Chevreuil (herbivore)

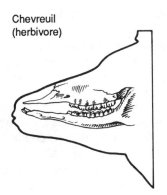

Être humain (omnivore)

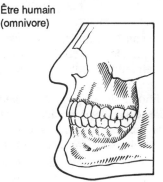

Loup (carnivore)

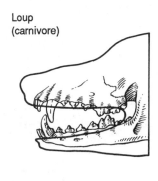

Schèmes temporels d'alimentation

Certaines espèces mangent presque continuellement et d'autres ne prennent que quelques repas, limités à des moments précis du jour ou de la nuit. Des facteurs écologiques, par exemple l'accessibilité des sources de nourriture, sont particulièrement importants pour déterminer la fréquence et le moment des repas. D'autres facteurs déterminants sont les caractéristiques nutritionnelles des aliments, la mesure du temps grâce à des horloges internes et l'apprentissage social, ce dernier facteur étant surtout évident chez l'Homme. Ces divers facteurs sont associés au déclenchement et à l'arrêt de l'action de manger.

Plusieurs espèces passent des semaines et même des mois sans manger : c'est notamment le cas des phoques durant la période de reproduction, des baleines au cours de la migration, des pingouins pendant l'incubation des œufs et des ours durant l'hibernation. Apparemment, ces jeûnes prolongés surviendraient lorsque l'activité de manger est incompatible avec toute autre activité plus importante.

TUBE DIGESTIF DES MAMMIFÈRES ET DIGESTION

Pour que les cellules de l'organisme reçoivent et utilisent des nutriments vitaux, il faut que l'aliment ingéré soit transformé en substances chimiques moins complexes. Ces substances plus simples sont le produit de la digestion, opération essentielle comportant une série de processus mécaniques et chimiques réalisés dans le tube digestif. Un résumé de quelques-uns des processus principaux de la digestion préparera l'étude du contrôle du comportement d'alimentation.

Le tube digestif commence dans la cavité buccale où la désintégration mécanique des aliments prépare le processus chimique de la digestion. La salive fournit un milieu pour la dissolution de la nourriture; de plus, elle contient également une enzyme qui déclenche la décomposition chimique des glucides. La dégustation et la mastication des aliments produisent des signaux qui stimulent la sécrétion des enzymes digestives dans l'estomac.

La nourriture est dirigée vers l'estomac grâce à la déglutition, réflexe complexe faisant intervenir un ensemble de muscles de la bouche et de la gorge. Des vagues de contractions musculaires poussent dans l'œsophage le bol alimentaire, le dirigeant vers l'estomac où se déroulent les processus mécaniques et chimiques les plus importants.

À l'intérieur de l'estomac, des mouvements en vagues entretiennent le mélange des aliments pendant que des enzymes décomposent certains composés organiques. L'une de ces enzymes, la pepsine, décompose des protéines en composés plus simples, les acides aminés. Une autre, la présure, agit spécifiquement sur les protéines du lait, alors qu'une autre encore intervient dans la digestion des matières grasses. Étant donné que l'estomac sert également de réservoir aux aliments en cours de digestion, on pourrait s'attendre à ce que la présence et la quantité de nourriture qui s'y trouve influencent le choix du moment où l'on va manger.

Le contenu de l'estomac est dirigé par jets successifs vers l'intestin grêle. Un muscle circulaire, le sphincter du pylore, isole l'estomac de l'intestin grêle où l'action enzymatique se poursuit. Des enzymes sécrétées par le pancréas agissent sur les protéines, les glucides et les graisses. Des sécrétions du foie et de l'intestin grêle apportent une contribution additionnelle au processus digestif. Enfin, l'absorption des produits de la digestion est réalisée dans la partie distale de l'intestin grêle. Par les capillaires de la paroi intestinale, ces substances se diffusent dans la circulation sanguine qui conduit au foie. Les substances non digestibles sont poussées dans le côlon et y forment alors les matières fécales.

En plus des enzymes, les cellules de l'estomac sécrètent des hormones qui contrôlent certains aspects du processus de la digestion. Certaines de ces hormones contrôlent la production des enzymes. D'autres peuvent également agir sur les cellules du cerveau pour influencer le comportement d'alimentation.

Bilan d'énergie

Dépensant continuellement de l'énergie, l'organisme doit en assurer un continuel réapprovisionnement. L'apport d'énergie est pourtant épisodique, plusieurs animaux prenant même leurs repas à intervalles parfois très longs (des heures, des jours voire des semaines d'intervalle). Le corps doit donc contenir des réserves d'énergie prêtes à être mobilisées pour répondre aux besoins vitaux, durant une période aussi longue que celle où le renouvellement d'énergie risque d'être interrompu. Les graisses constituent la réserve énergétique principale de la plupart des animaux.

Si l'on ne considère que l'équilibre énergétique et si l'on ignore les éléments nutritifs qui servent à des fins structurales, comment les calories absorbées sont-elles utilisées ? D'abord, une partie de l'énergie n'adopte pas une forme métaboliquement utilisable; elle est évacuée. Une étude récente du métabolisme du rat de laboratoire a démontré qu'environ 75 % seulement de l'énergie obtenue par la digestion des aliments sert à diverses fonctions organiques (Corbett et Keesey, 1982). Cette énergie disponible est consommée de l'une des trois façons suivantes :

1) une partie est utilisée pour traiter les aliments nouvellement ingérés. Le taux d'activités métaboliques et la production de chaleur s'accroissent de façon caractéristique après l'ingestion d'un repas, ce qui a été interprété comme le reflet de l'énergie employée au traitement des aliments; la quantité d'énergie utilisée de cette façon est d'environ 8 %;

2) la plus grande partie de l'énergie en réserve (à peu près 55 %) sert au métabolisme de base, c'est-à-dire au maintien de la chaleur du corps et à d'autres fonctions de repos, comme les potentiels nerveux;

3) environ 12 à 13 % seulement de l'énergie disponible est dépensée pour des activités comportementales.

Dans quelle mesure ces différents types de dépense d'énergie s'ajustent-ils lorsque le corps connaît une déficience des réserves d'énergie ou, au contraire, un excès de ces réserves ? On a longtemps cru que seul le troisième type en était affecté, le deuxième type demeurant constant. Kleiber (1947) a évalué à 70 fois la puissance 0,75 de la masse corporelle en kilogrammes le nombre de kcal nécessaires quotidiennement au maintien du métabolisme de base :

$$\text{kcal} / \text{jour} = 70 \times \text{masse}^{0,75}$$

Kleiber avait d'abord proposé cette règle en se basant sur un échantillon d'animaux comprenant des souris et du bétail et qui présentaient des masses corporelles variant sur une échelle de 3 000 à 1 (échelle de plus de 3 unités logarithmiques). Il a été depuis démontré que cette règle s'appliquait à une échelle encore plus large, des animaux unicellulaires jusqu'aux plus gros mammifères, soit une échelle de 18 unités logarithmiques (Hemmingsen, 1960).

Bien que cette relation soit valable pour les conditions de base, le métabolisme de base s'écarte de la valeur prévue par l'équation de Kleiber quand l'animal ou l'individu ne se trouve pas à sa masse corporelle *idéale*. Par exemple, une étude exhaustive des effets produits par la privation d'aliments chez l'Homme a démontré que la chute du métabolisme de base était proportionnellement beaucoup plus forte que la diminution de la masse (Keys et coll., 1950). De même, chez les personnes obèses, une diminution critique de la quantité de calories absorbées affecte le taux du métabolisme beaucoup plus que la masse corporelle (figure 13.4). Dans ce cas, une réduction d'absorption calorique d'une durée de plus de 24 jours a fait chuter la valeur du métabolisme de base de 17 %, alors que la masse corporelle n'avait été abaissée que de 3 % seulement (Bray, 1969). Les études sur les animaux révèlent des effets disproportionnés similaires (Keesey et Corbett, 1984). Le taux de perte d'énergie au repos n'est donc vraiment *de base* que pour les animaux et les personnes en un état d'équilibre énergétique. Au repos, la dépense d'énergie passe substantiellement sous la normale (c.-à-d. le niveau prévu par la formule de Kleiber) lorsque la masse corporelle est réduite par rapport au niveau normalement maintenu (Keesey et Powley, 1986).

La hausse de l'activité métabolique qui suit typiquement l'absorption d'aliments représente également un ajustement compensatoire, lors d'une perte de masse corporelle. Chez des rats soumis à un régime de sous-alimentation, la hausse de production de chaleur habituellement observée après un repas est réduite à un point tel qu'elle est à peine décelable (Boyle et coll., 1981). Il est donc évident que seule une petite fraction de l'accroissement habituel de production de chaleur consécutive à un repas est effectivement requise pour le traitement des aliments. Le reste de l'accroissement varie avec la condition ou le besoin énergétique de l'organisme.

Le taux du métabolisme s'ajuste également à l'excès d'énergie en réserve. Chez l'animal aussi bien que chez l'Homme, on sait depuis longtemps que la surconsommation ne produit pas une aussi forte augmentation de la masse corporelle que l'on serait en droit d'attendre, en se basant sur l'excès de calories. Les animaux, soumis à des régimes composés d'aliments agréables au goût et riches en calories, révèlent des taux métaboliques élevés, ces taux s'élevant de façon disproportionnée avec l'accroissement de la masse corporelle (Rothwell, et Stock, 1982). De plus, la hausse du métabolisme n'est pas attribuable à l'activation du comportement : malgré le fait que la dépense métabolique s'élève rapidement, pendant

Figure 13.4 Perte de poids et chute du métabolisme de base chez six sujets obèses durant une période de diminution des apports caloriques. Après sept jours d'un régime de 3 500 calories, l'absorption a été limitée à 450 calories et maintenue ainsi pendant 24 jours. Une partie du graphique indique l'absorption de calories qui diminue jusqu'à 13 % le septième jour. Le métabolisme de base a baissé de 15 %, alors que la masse corporelle n'a diminué que de 6 %. (D'après G. A. Bray. *Experientia 25* (1969) : 1100-1101. Reproduit avec permission.)

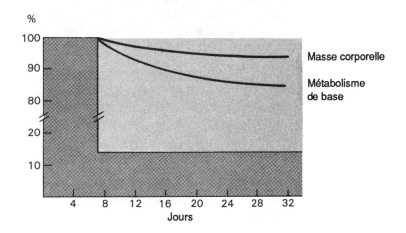

l'acquisition de masse attribuable à un régime alimentaire, l'activité corporelle, en fait, diminue.

Étant donné qu'ils ajustent leurs dépenses d'énergie en fonction d'une situation de sous-alimentation ou de suralimentation, les êtres humains et les animaux ont tendance à résister à une perte ou à un gain de masse corporelle. Cette réaction aide à comprendre la difficulté qu'éprouvent certains individus à maigrir ou à engraisser. La relation entre le taux du métabolisme et la masse corporelle peut également servir de méthode pour déterminer si la masse d'un individu est ou n'est pas physiologiquement normale (Keesey et Corbett, 1984). C'est à cette valeur seulement que le métabolisme de base de cet individu se situera au niveau prévu par l'équation de Kleiber. Un taux de métabolisme inférieur à celui prévu d'après l'équation indique que l'individu se situe au-dessus de sa masse physiologique normale. Certains faits indiquent que les gens qui maintiennent leur masse à un bas niveau, en suivant des régimes, peuvent rester hypométaboliques aussi longtemps que leur masse demeure au-dessous du niveau qu'ils avaient l'habitude de respecter (Leibel et Hirsch, 1984).

Contrôle sensoriel périphérique de l'action de manger

Le goût et la discrimination somatosensorielle des aliments jouent des rôles importants dans le contrôle de l'action de manger. Le rôle du goût a été reconnu très tôt, puis a été négligé pendant quelques décennies au profit des événements caractérisant les activités du système nerveux central. Toutefois, la sensibilité gustative fait maintenant l'objet d'un intérêt renouvelé. Les réactions de la sensation gustative sont inscrites dans le système nerveux. Les nouveau-nés ont des réactions caractéristiques quand on leur place des solutions de différentes saveurs sur la langue. Une solution sucrée donne lieu à une relaxation, souvent accompagnée d'un léger sourire fréquemment suivi d'avides coups de langue et de mouvements de succion. Une solution sure entraîne un pincement des lèvres, souvent accompagné ou suivi de plissements du nez et de clignements des yeux. Un liquide amer provoque l'ouverture arquée de la bouche, la lèvre supérieure élevée, les angles de la bouche abaissés et la langue poussée vers l'avant; fréquemment cette mimique est suivie de crachements ou même de vomissements. Effectué également sur deux bébés dépourvus à la naissance de cerveau fonctionnel, au-dessus du tronc cérébral, ce test a révélé les mêmes sortes de réactions (Steiner, 1973). Il y a donc des tendances innées à l'acceptation ou au rejet des saveurs, sans égard aux besoins de nourriture, et ces tendances dépendent des circuits du tronc cérébral. Chez les adultes également, le goût joue un rôle majeur dans l'activité de manger; les saveurs appétissantes peuvent favoriser une surconsommation de nourriture et de liquides et ce, bien au-delà des quantités qui seraient normalement requises pour satisfaire les besoins réels.

Les défectuosités des mécanismes sensoriels périphériques du visage et de la bouche sont à l'origine de perturbations de l'activité d'absorption de la nourriture. Les animaux dont les nerfs gustatifs ont été sectionnés ne réagissent pas devant la nourriture et lorsqu'ils mangent, ils le font avec maladresse. On observe d'abord une période d'**aphagie** au cours de laquelle l'animal ne mange pas du tout, suivie d'une période d'hypophagie ou réduction de la consommation d'aliments, à la suite de laquelle la masse corporelle est de nouveau contrôlée, mais à des niveaux réduits. Il ne faut peut-être pas se surprendre de ce phénomène en ce qui concerne les nerfs gustatifs; toutefois, pourquoi les nerfs trijumeaux auraient-ils cette importance puisqu'ils n'innervent pas les récepteurs du goût, ne desservant que les récepteurs tactiles et kinesthésiques ? Une observation convenable révèle que lorsque les animaux mangent, ils explorent les aliments en les touchant avec la langue et les lèvres et ils utilisent les influx somatosensoriels pour contrôler la préhension, la manipulation, le léchage et la mastication des aliments. Le système trijumeau est largement représenté dans le cerveau du rat, de façon beaucoup plus importante que le système gustatif. Les lésions unilatérales des voies centrales des nerfs trijumeaux sont responsables du fait que l'animal néglige les stimuli du côté opposé (controlatéraux). En considérant le rôle de l'hypothalamus dans le contrôle de l'ingestion, nous verrons que certains des effets, auparavant attribués à cette région, sont véritablement dus à l'interruption de voies sensorielles. On a donc maintenant découvert que les lésions caractéristiques de l'hypothalamus latéral touchent les voies de transmission des nerfs trijumeaux et gustatifs au thalamus et au cortex. C'est pourquoi les chercheurs étudient avec un intérêt renouvelé le rôle de la stimulation sensorielle dans le déclenchement de l'action de manger et dans le contrôle du comportement d'ingestion (Zeigler, 1983).

SYSTÈMES CÉRÉBRAUX DE CONTRÔLE DE L'ALIMENTATION

Les découvertes réalisées au début des années 1950 avaient donné naissance à une *théorie du double centre* pour expliquer le contrôle de l'action de manger (figure 13.5). Selon cette théorie, l'hypothalamus contiendrait les centres de contrôle primaire de la faim et de la satiété : un *centre de la faim* situé dans l'**hypothalamus latéral (HL)**, faciliterait l'action de manger, alors qu'un *centre de la satiété* situé dans l'**hypothalamus ventromédian (HVM)**, inhiberait cette même action. Toutes les autres régions et facteurs qui influencent ce comportement étaient présumés agir par l'intermédiaire de ces centres hypothalamiques de contrôle. Des recherches subséquentes destinées à compléter les détails de ce tableau théorique eurent bientôt pour résultat d'imposer une réévaluation du rôle de ces régions hypothalamiques, remettant en question leur exclusivité dans le contrôle de la faim et de la satiété. Le concept même d'un centre (ou de plusieurs centres) de contrôle était battu en brèche.

Plusieurs chercheurs continuent d'étudier les effets de lésions à l'hypothalamus et poursuivent les expériences de section des voies de transmission qui parviennent à ces régions. Toutefois, d'autres affirment que, loin d'apporter des explications neurologiques sur la régulation de l'action de manger et celle du bilan d'énergie, les syndromes découlant de lésions de l'hypothalamus médian ou latéral demeurent encore plutôt des énigmes et des défis à relever. Ces chercheurs croient donc que d'autres façons d'aborder le problème

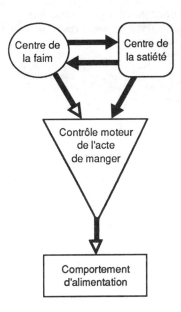

Figure 13.5 Diagramme de la théorie dite « du double centre », pour expliquer le contrôle de l'action de manger.

Le cas d'une tumeur bien localisée dans le cerveau d'une femme démontre les fonctions multiples de l'hypothalamus et illustre la façon dont l'expérimentation peut contribuer à la connaissance du comportement (Reeves et Plum, 1969).

Cette secrétaire de 20 ans se présenta une première fois à l'hôpital un an environ après avoir développé un appétit anormal; elle mangeait et buvait en grandes quantités et elle avait rapidement pris de l'embonpoint. Elle avait également des maux de tête fréquents et ses menstruations s'étaient arrêtées. Elle était alerte mentalement et émotionnellement.

Un an après, sa famille la ramena à l'hôpital à cause de changements dans son comportement. Elle se montrait souvent peu coopérative, attaquait parfois les gens, était confuse et, à certains moments, amnésique. Les tests indiquèrent une diminution de fonctionnement endocrinien affectant les gonades, la glande thyroïde et les corticosurrénales. Une intervention chirurgicale révéla la présence d'une tumeur à la base du cerveau, tumeur impossible à exciser. Les accès de comportement violent de la jeune femme se firent plus fréquents, surtout quand on la nourrissait moins. Vers la fin de sa période d'hospitalisation, il fallut la nourrir presque sans interruption pour la garder relativement calme, si bien qu'elle consommait environ 10 000 calories par jour.

Lorsqu'elle mourut, trois ans après le début de sa maladie, on put déterminer avec précision la position de la tumeur (figure de l'encadré 13.1) : cette tumeur avait détruit le noyau ventromédian de l'hypothalamus. Les études sur les animaux ont démontré que la destruction de ce noyau ventromédian entraînait souvent une tendance à la suralimentation et à l'obésité, et aux comportements de rage. L'atteinte des communications hypothalamo-hypophysaires chez cette femme explique aussi le ralentissement observé dans le fonctionnement de la thyroïde et des corticosurrénales, puisque ces glandes endocrines sont également soumises au contrôle de l'adénohypophyse. Les causes de la confusion et des perturbations de la mémoire ne sont pas évidentes, même s'il est connu que les structures hypothalamiques ont quelque chose à voir avec l'apprentissage et la mémoire.

Dans un cas semblable décrit récemment par Beal et ses collaborateurs (1981), le sujet manifestait aussi des pertes de mémoire. Il dormait la plupart du temps, mais à l'état d'éveil, il mangeait presque continuellement si on lui laissait accès à la nourriture. L'autopsie révéla l'existence d'une tumeur de 2 cm de diamètre logée dans le troisième ventricule. La tumeur avait détruit les deux noyaux hypothalamiques postérieurs, ce qui a probablement causé la somnolence, et avait également détruit les noyaux médians, cause probable de l'hyperphagie.

Ces cas démontrent comment une petite tumeur, à peu près de la taille d'un petit pois, peut affecter divers comportements (alimentation, agressivité et sexualité), à cause de sa situation dans une région stratégique du cerveau. Les neurologues qui ont rapporté le premier cas avaient conclu que *les résultats donnent une corrélation fonctionnelle étroite entre les structures homologues de l'hypothalamus ventromédian de l'être humain et des mammifères inférieurs.* (Reeves et Plum, 1969, p. 662).

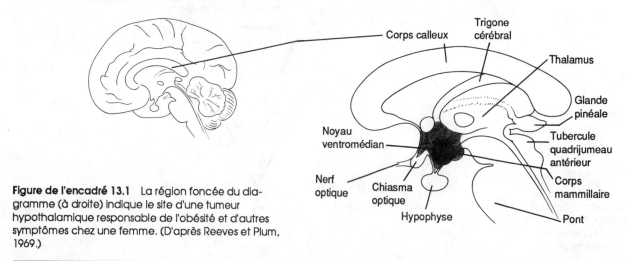

Figure de l'encadré 13.1 La région foncée du diagramme (à droite) indique le site d'une tumeur hypothalamique responsable de l'obésité et d'autres symptômes chez une femme. (D'après Reeves et Plum, 1969.)

seront plus propices à la découverte du mécanisme réellement en cause. Nous étudierons d'autres méthodes, mais il est important de noter que la recherche sur les circuits cérébraux intervenant dans la régulation de l'énergie et de l'action de manger constitue une partie essentielle de l'historique des efforts faits pour élucider cette question.

L'hypothalamus ventromédian et le centre de la satiété

Il arrive parfois qu'un individu développe un appétit pathologiquement vorace, ce qui engendre un problème d'obésité (encadré 13.1). Au siècle dernier, des médecins commencèrent à observer que des lésions ou des tumeurs apparaissaient à la base du cerveau de ces personnes. En 1940, Hetherington et Ranson rapportèrent que les lésions bilatérales de l'hypothalamus ventromédian (figure 13.6) engendraient de l'obésité chez les rats. Des travaux effectuées par d'autres chercheurs ont montré que les lésions de l'HVM produisent de l'obésité chez toutes les espèces étudiées (singes, chiens, chats, plusieurs espèces de rongeurs et quelques espèces d'oiseaux). Bien que la plupart des études aient été effectuées sur les rats, les données n'en sont pas moins pertinentes et applicables au comportement humain.

L'hypothalamus ventromédian a rapidement été qualifié de centre de satiété parce que, lorsqu'on le détruisait, les animaux ne semblaient jamais pouvoir se rassasier de nourriture; toutefois, cette interprétation s'est vite révélée inadéquate. Il arrivait plutôt que les habitudes alimentaires de ces rats, qui avaient subi des lésions de l'HVM, restaient toujours sous le contrôle du goût agréable de la nourriture et de celui de la masse corporelle, mais que ces contrôles n'étaient plus exercés de façon normale. En présence de nourriture agréable au goût et riche en énergie, les rats qui présentent des lésions de l'HVM connaissent, de façon caractéristique, deux phases de gain pondéral postopératoire. Tout d'abord, la consommation d'aliments s'accroît de façon étonnante, les animaux mangeant deux ou trois fois plus que normalement : cet état est nommé **hyperphagie** (du grec *hyper*, au-delà et *phagein*, manger). La masse corporelle augmente; c'est le stade dit de **phase dynamique de gain de poids** (figure 13.7). Mais, après quelques semaines, la masse se stabilise à un niveau d'obésité, et l'absorption de nourriture ne dépasse pas beaucoup la normale; ce stade est dit **phase statique de l'obésité**.

Des faits d'observation indiquent que le rat obèse souffrant d'une lésion de l'HVM règle sa masse corporelle sur une nouvelle valeur cible, considérablement supérieure à la norme pré-opératoire, mais que cette régulation ne se fait pas aussi complètement que la régulation normale. Si un rat obèse est gavé dans la phase statique, sa masse s'élève au-dessus du niveau de plateau; mais quand on le laisse encore manger à son gré, la masse corporelle revient au niveau de plateau. De même, après qu'un rat obèse a été privé de nourriture et que sa masse corporelle a diminué, il rejoint le niveau de plateau dès qu'il a libre accès à la nourriture. Cette régulation est incomplète, toutefois, parce que le niveau de plateau dépend de la disponibilité d'un approvisionnement de nourriture agréable au goût et riche en graisses. Quand les rats ayant subi des lésions de l'HVM sont maintenus à un régime d'aliments présentés sous forme de boulettes, leur masse ne s'élève pas beaucoup au-dessus de celle des animaux témoins. Si la nourriture est dénaturée avec de la quinine, pour lui donner un goût amer, la masse corporelle des rats souffrant de lésions de l'HVM peut s'abaisser au-dessous de celle des rats témoins (Sclafani, Springer et Kluge, 1976). Ces rats ont tendance à se montrer capricieux non seulement dans leurs réactions exagérées par rapport au goût de la nourriture, mais également dans la quantité d'efforts qu'ils feront pour obtenir cette nourriture. Heureux d'être nourris à ne rien faire, les rats qui ont subi de telles lésions ne travailleront pas autant que les normaux pour s'alimenter.

Les gènes peuvent avoir pour effet de fixer une masse cible élevée, ce que l'on a observé chez les rats de la souche Zucker (Zucker et Zucker, 1961). Les rats homozygotes récessifs

a) Cerveau d'un rat indiquant le plan de coupe de la section illustrée ci-dessous

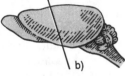

b) Section frontale à travers l'hypothalamus

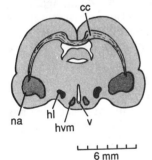

Figure 13.6 Régions du cerveau du rat intervenant dans le contrôle de l'activité de manger. La vue latérale du cerveau en a) indique le plan de coupe de la section frontale illustrée en b). (cc : corps calleux; hl : hypothalamus latéral; hvm : hypothalamus ventromédian; na : noyau amygdalien; v : troisième ventricule.)

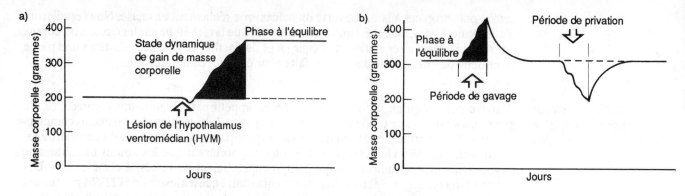

Figure 13.7 Phases de gain pondéral après lésion de l'hypothalamus ventromédian (HVM).

pour le *gène adipeux* ont plus de cellules adipeuses et celles-ci sont plus grosses que celles de leurs frères ou sœurs de génotype hétérozygote. Ces rats gras restent obèses, même s'ils sont soumis à des régimes très dénaturés à la quinine ou même s'ils sont forcés de travailler pour se procurer leur nourriture (Cruce et coll., 1974).

L'hypothalamus latéral et le centre de la faim

L'autre volet de l'hypothèse du double centre de contrôle concernait la sensation de faim. En 1951, Anand et Brobeck annonçaient que la destruction de la partie latérale de l'hypothalamus incite les rats ou les chats à refuser de manger. Cette aphagie était tellement prononcée dans certains cas que les animaux mouraient de faim, même en présence de leurs aliments coutumiers. Ces chercheurs proposèrent que l'hypothalamus latéral contînt un *centre de contrôle de l'alimentation* et que l'hypothalamus ventromédian freinât normalement l'absorption de nourriture en inhibant l'hypothalamus latéral. Deux caractéristiques importantes des effets des lésions à l'hypothalamus latéral ne tardèrent pas à apparaître (Teitelbaum et Stellar, 1954). D'abord, les rats refusaient non seulement de manger mais également de boire : ils présentaient de l'adipsie et de l'aphagie. Quand les expérimentateurs plaçaient un morceau de nourriture ou une goutte d'eau sur les lèvres ou dans la bouche du rat, ce dernier crachait la nourriture ou l'eau comme si son goût était désagréable. La seconde caractéristique était que l'aphagie et l'adipsie n'étaient pas nécessairement permanentes. Quelques rats commencèrent à manger et à boire spontanément après une semaine environ. Même ceux qui ne recommençaient pas à manger et à boire tout de suite en arrivaient éventuellement à manger spontanément, s'ils étaient maintenus en vie par introduction d'eau et de nourriture par intubation dans l'estomac. Ainsi, de même que la destruction de l'hypothalamus ventromédian n'abolit pas toute inhibition de l'action de manger, la destruction de l'hypothalamus latéral n'empêche pas de manger et de boire de façon permanente.

Un animal qui se remet d'une lésion de l'hypothalamus latéral traverse quatre stades principaux (Wolgin, Cytawa et Teitelbaum, 1976). Au cours des deux premiers stades, les apports sensoriels sont généralement négligés et il y a perte d'activation comportementale. Pendant le stade 1, l'animal est aphagique et adipsique; la nourriture et l'eau semblent être répugnantes et sont évitées; la masse corporelle baisse rapidement. Au stade 2, l'animal reste adipsique mais devient **anorexique** : il manifeste une absence d'appétit plutôt qu'un refus de nourriture. Si on applique une stimulation douloureuse à un chat ou à un rat au stade 2, l'animal réagit en mangeant, mais dès que la stimulation cesse, il devient à nouveau léthargique. À ce stade, l'amphétamine incite à manger, ce qui est étonnant puisque bien des gens prennent de l'amphétamine ou des drogues du même genre pour supprimer l'appétit. En fait, l'amphétamine exerce des effets qui stimulent et suppriment tout autant l'appétit; au stade 2, l'effet stimulant semble l'emporter. Au cours des stades 3 et 4, on peut observer des déficits spécifiques du comportement du boire et du manger attribuables à la lésion. Au stade 3, l'animal peut contrôler l'ingestion de nourriture, mais continue de refuser l'eau. Si l'eau est le seul liquide disponible, l'animal ne boit pas et, par conséquent, cesse bientôt de manger. Toutefois, on peut l'entraîner progressivement à accepter de l'eau sucrée. Certains rats dont les lésions sont plus étendues ne récupèrent jamais au-delà du stade 3, mais d'autres parviennent au stade 4, se maintenant en vie avec de la nourriture sèche et de l'eau. Même après recouvrement, les rats à lésions de l'hypothalamus latéral manifestent des réactions mitigées aux traitements qui abaissent le niveau de glucose sanguin, comme dans le cas d'injections d'insuline. Ils ont tendance également à ne boire de l'eau que pendant qu'ils mangent, buvant manifestement pour faciliter l'ingestion de nourriture plutôt que pour contrôler leur bilan hydrique.

Rétablis, ces rats à lésions de l'hypothalamus latéral contrôlent leur masse corporelle avec précision, se maintenant à un pourcentage à peu près constant de la masse des rats témoins. Plus la lésion de l'hypothalamus latéral est étendue, plus le niveau cible de la masse corporelle est bas. Si la quantité de nourriture est limitée, la masse de ces rats et celle des rats témoins se suivent en parallèle et le niveau avant privation est recouvré ensuite quand on rétablit l'alimentation à volonté (figure 13.8). De même, si la seule nourriture disponible est du lait de poule (boisson faite à base d'œufs et de lait), les rats des deux groupes accroissent parallèlement leur masse corporelle; quand le régime habituel est réintroduit, les deux groupes retombent alors à leurs niveaux antérieurs. Si la nourriture est dénaturée par l'addition de quinine, là encore les rats à lésions de l'hypothalamus latéral révèlent des changements, mais strictement en parallèle avec les témoins normaux (Keesey et Boyle, 1973), contrairement aux rats à lésions de l'hypothalamus ventromédian qui réagissaient de façon exagérée à la quinine. C'est pourquoi on dit que les rats à lésions de l'hypothalamus latéral maintiennent une masse cible (ou point fixe) abaissée (Keesey, 1980).

Les êtres humains qui souffrent de lésions ou de tumeurs de l'hypothalamus latéral peuvent présenter un visage émacié. Les dommages bilatéraux à l'hypothalamus latéral causés par un accident ou une maladie sont évidemment rares, mais un dommage, même unilatéral, à l'hypothalamus latéral produit parfois de l'aphagie et de l'adipsie chez les animaux. Chez l'être humain, la fréquence des cas d'anorexie attribuable à l'hypothalamus

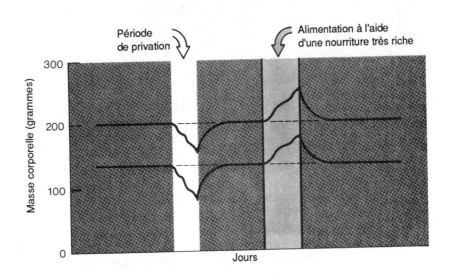

Figure 13.8 Régulation de la masse corporelle par des rats normaux (courbe du haut) et par des rats qui se sont rétablis de lésions de l'hypothalamus latéral (courbe du bas). Les rats à lésions contrôlent leur poids en fonction d'un poids cible abaissé mais en parallèle avec les rats normaux.

latéral correspond environ au quart de celle des cas d'obésité d'origine hypothalamique (White et Hain, 1959).

La figure 13.5 présente un résumé de certains des principaux aspects du modèle à double centre :

- Les deux régions en cause (HVM et HL) exercent des influences antagonistes tant sur le comportement externe que sur les ajustements internes. L'activité de l'hypothalamus latéral renforce l'action des stimuli alimentaires positifs, facilite les réponses liées à l'action de manger et active, dans l'organisme, la mobilisation et l'utilisation des réserves nutritives. L'activité de l'HVM renforce l'action des stimuli alimentaires qui provoquent l'aversion, facilite l'évitement de la nourriture et active les mécanismes d'entreposage et de conservation des réserves nutritives internes.

- Plusieurs types de données indiquent que l'hypothalamus ventromédian et l'hypothalamus latéral s'inhibent mutuellement (Hernandez et Hœbel, 1980). En pratiquant une lésion partielle dans l'autre région, on peut modérer les effets d'une lésion partielle de l'une de ces deux régions. C'est ainsi qu'un rat présentant de petites lésions bilatérales dans l'hypothalamus latéral sera plus susceptible d'accepter de la nourriture s'il subit également des dommages dans l'hypothalamus ventromédian. L'enregistrement de l'activité électrique de neurones isolés, dans ces deux régions de l'hypothalamus, révèle également une innervation réciproque. L'excitation de certaines des cellules de l'une des régions réduit le taux de décharge de certaines cellules de l'autre région. On a obtenu pareil résultat non seulement avec une stimulation électrique, mais également avec des injections de glucose ou d'insuline, injections appliquées systématiquement ou à des cellules individuelles.

Double centre de contrôle ou système multifactoriel ?

Des observations additionnelllles ne tardèrent pas à remettre en cause la validité de l'hypothèse d'un double centre. Des controverses s'amorcèrent d'abord lorsqu'il s'agit de déterminer si la présence des lésions découlait de la destruction des centres d'intégration, comme on l'avait cru à l'origine, ou de l'interruption des faisceaux de fibres qui traversent les régions touchées. Par ailleurs, on découvrit que beaucoup de régions extérieures à l'hypothalamus interviennent, par l'intermédiaire de connexions avec celui-ci, dans la régulation du comportement de nutrition. Parmi celles-ci on compte les noyaux amygdaliens, le cortex frontal et le locus niger.

Est-il question de centres ou de faisceaux nerveux ?

Quand Anand et Brobeck (1951) ont rapporté que les lésions de l'hypothalamus latéral causaient de l'aphagie, ils étaient conscients du fait que ces lésions envahissaient le faisceau du cerveau antérieur médian ainsi que certains autres faisceaux. Toutefois, leur analyse des résultats les avait convaincus qu'il n'y avait pas d'aphagie dans les cas où la lésion ratait la cible visée dans l'hypothalamus latéral et ne détruisait que le tissu adjacent, y compris les faisceaux voisins. D'autres chercheurs cependant ont récemment étudié cette question en détail, en sectionnant des faisceaux antérieurs, postérieurs ou latéraux par rapport à l'hypothalamus latéral. Ils ont observé des effets évidents sur le comportement d'alimentation, même lorsque l'hypothalamus latéral n'était pas touché. De telles sections de faisceaux passant près de l'hypothalamus ventromédian ont été pratiquées afin de déterminer si cette partie de l'hypothalamus jouait vraiment un rôle dans la régulation de l'alimentation. Au cours d'expériences complémentaires, des chercheurs ont employé des techniques pour détruire les cellules d'une région sans endommager les fibres qui la traversent.

Les dommages sélectifs au **faisceau nigrostrié** (FNS) produisent plusieurs des symptômes d'une destruction de l'hypothalamus latéral. Le FNS est une voie dopaminergique, dont l'origine est située dans le locus niger du mésencéphale, qui traverse l'hypothalamus latéral, puis le pallidum, et aboutit dans l'ensemble putamen-noyau caudé. Si ce faisceau est coupé ou s'il est privé de sa dopamine au moyen de la 6-hydroxydopamine (6-OHDA), il en résulte de l'aphagie et de l'adipsie (Marshall, Richardson et Teitelbaum, 1974), ainsi que d'autres effets du même ordre.

Par ailleurs, la section des nerfs trijumeaux ou de leurs faisceaux centraux nuit sérieusement à l'ingestion de la nourriture ou de l'eau. Au début, les rats qui ont subi une section bilatérale des nerfs trijumeaux refusent de manger la nourriture dure et sèche qui leur est destinée, et ils meurent de faim si on ne leur donne pas de la nourriture tendre, détrempée et agréable au goût. Ils s'adaptent petit à petit à divers régimes jusqu'à ce qu'ils finissent par accepter à nouveau la nourriture sous la forme habituelle de grosses pastilles déshydratées. Les rats dont le nerf trijumeau a été sectionné gardent, durant des périodes prolongées, une masse corporelle inférieure à celle de la période pré-opératoire et ils parviennent à accroître la quantité de nourriture ingérée quand celle-ci est plus pauvre en calories. Ces rats ressemblent donc à ceux qui ont subi des lésions de l'hypothalamus latéral.

La destruction de voies nerveuses comme celle du faisceau nigrostrié ou celle des faisceaux du trijumeau central reproduit-elle tous les effets exercés par une lésion de l'hypothalamus latéral ? Pour le savoir, il faut avoir recours à d'autres techniques.

On a utilisé des techniques mises au point plus récemment pour détruire les cellules de l'hypothalamus latéral sans toucher aux fibres qui le traversent. L'une de celles-ci utilise l'acide kaïnique, neurotoxine qui détruit des corps cellulaires près du site d'injection, sans affecter les fibres qui passent dans la région. Après l'injection d'une petite quantité d'acide kaïnique dans l'hypothalamus latéral, les rats manifestent de l'aphagie et de l'adipsie. L'examen histologique a révélé une réduction marquée de neurones de l'hypothalamus latéral, mais aucun signe de dommages causés aux neurones qui traversent ce faisceau. Les tests biochimiques n'ont pas montré de différence dans les niveaux de dopamine dans les cerveaux des animaux du groupe expérimental, confirmant ainsi que les fibres du FNS n'avaient pas été atteintes (Grossman et coll., 1978; Stricker et coll., 1978). L'élimination de corps cellulaires dans l'hypothalamus, tout en conservant les axones traversant cette région, a donc pour effet de bloquer l'activité de boire et de manger.

Ces expériences, au cours desquelles on atteint séparément les neurones de l'hypothalamus latéral ou les faisceaux de fibres, permettent de conclure que les neurones de cette région de l'hypothalamus jouent un rôle plus spécifique dans les déficits résultant du manger et du boire que les fibres qui traversent l'hypothalamus latéral, même si une atteinte des fibres peut également entraver l'activité de manger et de boire.

Noyaux amygdaliens et contrôle de l'alimentation

Selon les parties détruites dans les noyaux du complexe amygdalien, les lésions peuvent entraîner de l'aphagie ou de l'hyperphagie (figure 13.9). Les lésions bilatérales des sous-groupes basolatéraux des noyaux amygdaliens engendrent de l'hyperphagie, alors que les lésions bilatérales des sous-groupes corticomédians provoquent de l'aphagie. De tels effets sont particulièrement évidents chez le rat (C.I. Thompson, 1980). L'effet basolatéral est prédominant dans le cas de lésions plus étendues qui détruisent les noyaux amygdaliens et le tissu environnant et il en résulte de l'hyperphagie.

Les divisions basolatérales envoient des fibres dans l'hypothalamus latéral où elles exercent un effet inhibiteur; c'est-à-dire que la stimulation des noyaux amygdaliens basolatéraux entraîne une inhibition de neurones de l'hypothalamus latéral. La même stimulation excite également des cellules de l'hypothalamus ventromédian, probablement

Figure 13.9 Diagramme des connexions présumées reliant les noyaux hypothalamiques et amygdaliens aux noyaux moteurs du tronc cérébral pour contrôler l'activité de manger. Les noyaux amygdaliens exercent des effets sur les noyaux du tronc cérébral, à la fois directement et par l'intermédiaire des noyaux ventromédian et latéral de l'hypothalamus. Remarquez que les deux divisions principales de l'amygdale ont des effets antagonistes sur l'activité de manger (AMYG. BL : amygdale basolatérale; AMYG. CM : amygdale cortico-médiane). L'activité de l'amygdale basolatérale supprime l'action de manger et, par conséquent, l'ablation de cette région provoque une réaction d'hyperphagie.

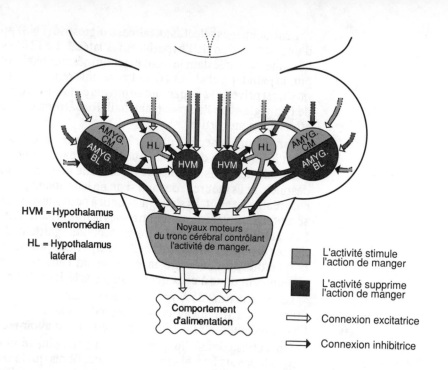

HVM = Hypothalamus ventromédian

HL = Hypothalamus latéral

Noyaux moteurs du tronc cérébral contrôlant l'activité de manger.

Comportement d'alimentation

L'activité stimule l'action de manger

L'activité supprime l'action de manger

⇨ Connexion excitatrice

⇨ Connexion inhibitrice

à travers un relais synaptique. Les noyaux amygdaliens corticomédians inhibent les cellules de l'hypothalamus ventromédian qui sont stimulées par les noyaux amygdaliens basolatéraux.

Toutefois, les effets exercés par les noyaux amygdaliens sur le comportement d'alimentation ne surviennent pas exclusivement par l'intermédiaire de l'hypothalamus latéral et de l'hypothalamus ventromédian. En effet, l'hyperphagie découlant de lésions amygdaliennes persiste quand même après destruction de l'hypothalamus ventromédian et de l'hypothalamus latéral (Morgane et Kosman, 1960). De même, la destruction bilatérale des noyaux amygdaliens engendre le symptôme d'une consommation sans discernement, ce qui n'est pas observé dans le cas de lésions hypothalamiques. Par exemple, on a trouvé que les singes soumis à une lobotomie temporale bilatérale se mettaient n'importe quoi dans la bouche, y compris des articles de quincaillerie, des souris vivantes et des serpents (dont les singes ont normalement peur); on a par la suite attribué ce symptôme à une destruction spécifique des noyaux amygdaliens. On a rapporté qu'un sujet humain montrant une destruction étendue du lobe temporal manifestait un appétit énorme et sans discernement, ingérant pratiquement tout ce qui se trouvait à sa portée, y compris l'emballage de plastique du pain, des produits d'entretien, de la nourriture pour chiens et des excréments (Marlowe, Mancall et Thomas, 1975). Les noyaux amygdaliens influencent donc l'activité de manger, par l'intermédiaire ou non de l'hypothalamus.

Cycles de modification de la masse corporelle cible

C'est un fait bien connu que chez plusieurs espèces animales, les individus connaissent des changements saisonniers de leur masse corporelle. Un cas mieux étudié est celui du spermophile à manteau doré de la Haute Sierra (animal granivore apparenté à l'écureuil). Ces animaux prennent du poids durant l'été et l'automne, puis maigrissent au cours de l'hiver, au moment de l'hibernation. Même lorsqu'ils sont nés et ont été élevés en laboratoire, à une température modérément chaude, ce qui les empêche alors d'entrer en état d'hibernation, leur masse corporelle continue de suivre des cycles annuels réguliers, atteignant un sommet en juillet-août, puis un minimum en avril-mai. Afin d'étudier les mécanismes de contrôle de ce cycle, des expérimentateurs ont enlevé chirurgicalement des paquets de graisse à ces animaux et les ont observés au cours des mois suivants (Dark, Forger et Zucker, 1984). Chez certains de ces animaux, la graisse fut prélevée pendant la phase annuelle de gain de masse corporelle tandis que chez les autres, ce fut durant la phase de diminution. En moins de deux mois, chaque animal avait compensé le prélèvement de graisse et avait recouvré à peu près la masse corporelle qui aurait été la sienne en l'absence de chirurgie. Ceux qui avaient été opérés pendant la phase de perte de masse n'acceptèrent pas cette réduction et récupérèrent la plus grande partie de la masse corporelle perdue pour ensuite connaître une perte régulière et contrôlée de tissu adipeux. La récupération de graisse ne se fait pas au moyen d'un accroissement compensatoire de la consommation de nourriture; il faut donc présumer qu'elle a été réalisée grâce à une réduction des dépenses d'énergie. Ce fait permet de supposer que normalement, la diminution des dépenses d'énergie contribue à l'avènement saisonnier de l'obésité chez cette espèce. L'exactitude de la compensation pondérale à la perte de dépôts de graisse dénote l'existence d'un mécanisme de régulation des réserves de tissu adipeux, mais elle n'en explique pas pour autant le mode de fonctionnement. Nous ignorons également comment les changements cycliques de masse corporelle cible se produisent et comment les circuits qui contrôlent la dépense d'énergie et la masse corporelle en sont informés.

DÉCLENCHEMENT DE L'ACTION DE MANGER

Comment le système nerveux agit-il pour déclencher et arrêter l'action de manger ? Chez l'être humain adulte, le moment de commencer à manger est en grande partie une question de coutumes et d'habitudes. La plupart d'entre nous mangeons selon un horaire assez régulier qui est plutôt affaire de convenance sociale. En Amérique du Nord par exemple, il est de coutume de consommer trois repas par jour, le dernier repas se prenant en fin d'après-midi ou en début de soirée. En d'autres lieux, la coutume a plutôt consacré cinq repas réguliers : le petit déjeuner, un second déjeuner ou pause café, le lunch, le thé et un souper tardif. Chez certaines tribus d'Afrique, les adultes ne mangent qu'un repas par jour. Cette diversité de programmes alimentaires de l'être humain montre que l'apprentissage et l'habitude jouent des rôles majeurs dans le déclenchement de l'action de manger.

Les intervalles entre les repas et la durée de ces repas varient beaucoup chez les diverses espèces de mammifères. Pour beaucoup d'animaux, la plupart des heures de veille sont consacrées à l'alimentation, ce qui s'applique à la plupart des petits mammifères qui, étant donné leur rapport surface / volume très élevé, perdent rapidement leur chaleur corporelle. Ce phénomène vaut également pour les herbivores dont la nourriture à faible contenu calorique exige une consommation en très grande quantité pour répondre aux besoins nutritifs. Toutefois, même les herbivores ne mangent pas continuellement; des chercheurs ont étudié chez ces animaux les facteurs qui président au déclenchement et à l'arrêt de l'alimentation.

C'est cependant le cas des gros carnivores qui est le plus curieux. Il est habituel de voir, au jardin zoologique, des carnivores comme le léopard africain ne recevoir qu'un seul repas quotidien. L'heure du repas coïncide avec celle des visites du public et la quantité de nourriture est déterminée en fonction de ce qui est nécessaire pour maintenir l'animal en bonne santé. Le léopard *engloutit* alors sa ration parce que, en fait, dans la nature, l'heure et le volume des repas du carnivore sont beaucoup moins réguliers. En effet, le léopard peut, une bonne journée, tuer plusieurs petites proies et les consommer rapidement au fur et à mesure. Une autre journée, ce prédateur n'abattra qu'une antilope de grande taille qu'il ne pourra manger d'un seul coup. Plutôt que d'abandonner le reste de la carcasse aux charognards, il choisira alors de la hisser dans un arbre et de la mettre à l'abri, sous le feuillage, dérobant ainsi les restes de son repas à la vue des vautours et les plaçant également hors d'atteinte des chacals ou des hyènes. Quels sont alors les facteurs qui détermineront le moment où le léopard terminera un repas et débutera le suivant ?

Tout autant que les besoins présents, les besoins futurs influencent l'alimentation de beaucoup d'espèces. Par exemple, les animaux qui hibernent accumulent des réserves de graisse qui leur permettent de survivre durant la période où ils ne mangeront pas. Le phoque macrorhine, dit *phoque à trompe* ou *éléphant de mer*, fait également des réserves de graisse en prévision de la saison de l'accouplement, période pendant laquelle il ne mange pas. Certaines espèces d'oiseaux accumulent des réserves de graisse avant d'amorcer leurs grandes migrations. Plusieurs espèces qui n'ont pas à affronter des périodes de jeûne aussi prolongées, font quand même des réserves de façon à ne pas être constamment à la merci d'une privation de nourriture. Les signaux qui déclenchent le comportement d'alimentation ne correspondent donc pas à la disparition des réserves corporelles mais plutôt à une indication qu'elles sont tombées en dessous d'un certain niveau cible.

Longtemps, le signal de déclenchement du comportement d'alimentation a semblé évident : une personne commence à manger quand elle sent la faim. Au siècle dernier et au début de ce siècle, les physiologistes attribuaient la sensation de faim à un état spécifique de l'estomac : d'aucuns prétendaient qu'il s'agissait d'une sécrétion accrue de sucs gastriques, alors que d'autres disaient que c'était une réduction de cette même sécrétion qui était en cause; certains soutenaient que la sensation de faim était engendrée par les activités de l'estomac alors que d'autres affirmaient que c'était l'inactivité de l'estomac qui en était responsable. Puis, lorsque les chercheurs purent expérimenter sur le cerveau par la stimulation de neurones, par l'enregistrement de l'activité électrique du cerveau et par la pratique de lésions cérébrales localisées, l'intérêt relatif au contrôle du comportement d'alimentation fut plutôt porté sur les processus nerveux en cause que sur la mécanique même du tube digestif.

L'étude des processus et des circuits cérébraux accapara l'attention des chercheurs à partir des années 1940. Au cours des années 1970 et 1980, on fit un effort certain pour revenir à l'étude des processus du système nerveux périphérique en même temps que ceux du système nerveux central. De nos jours, l'explication du contrôle du comportement d'alimentation met en cause le sens du goût et les changements dans le goût des aliments, l'activité de l'estomac et les sécrétions gastriques, la régulation des substances dissoutes dans le sang et l'interaction de l'excitation et de l'inhibition dans les régions cérébrales. Nous porterons d'abord attention aux études qui explorent les effets d'une stimulation du cerveau sur l'activité de manger; nous ferons ensuite une brève recension de quelques recherches portant sur les stimuli internes et externes relatifs à l'alimentation.

Effets de la stimulation de points précis du cerveau

Une stimulation appliquée à différents sites précis du cerveau d'un animal peut engendrer divers types de comportements motivés (manger, boire, copuler, agresser, éviter). Ce phénomène fut démontré par le physiologiste suisse Walter R. Hess, vers 1940, et sa recherche lui valut un prix Nobel en 1949. D'autres chercheurs ont pu facilement confirmer qu'il existait des **comportements engendrés par stimulation** (manger, boire, etc.). Il n'en reste pas moins que l'interprétation de ces phénomènes a donné lieu à beaucoup de controverses et a suscité beaucoup de recherches additionnelles. Ainsi, on continuait à se demander si une stimulation créait vraiment un état motivationnel ou si elle ne faisait que forcer l'animal à consommer machinalement. Une autre question était celle de savoir si la stimulation d'un site particulier engendrait vraiment une motivation précise; la stimulation du cerveau ne contribuait peut-être qu'à faciliter, peu importe sa nature, la motivation qui était la plus forte à ce moment précis ou qui était la plus appropriée aux circonstances extérieures (comme la disponibilité de nourriture, d'eau ou d'un partenaire approprié pour un accouplement).

Les tests ont démontré que la stimulation électrique de l'hypothalamus latéral ne provoquait pas que des mouvements stéréotypés d'alimentation. Les essais successifs déclenchaient des mouvements locomoteurs bien différents, selon la position éventuelle de l'animal par rapport à la source de nourriture au moment où la stimulation était appliquée. De même, les comportements d'alimentation étaient adaptés à la nature des aliments, selon qu'il s'agissait d'un liquide, d'une pâtée ou de boulettes sèches. Si l'animal a appris au préalable, sous l'effet d'une privation de nourriture, à appuyer sur un levier pour obtenir des boulettes sèches, il commencera vite à appuyer sur le levier lors d'une stimulation de l'hypothalamus latéral. Ces résultats suggèrent qu'une stimulation engendre un état motivationnel qui n'est pas sans similarité avec l'état créé par la privation de nourriture.

Signaux qui déclenchent l'action de manger

Si l'on admet que le comportement de manger est déclenché par l'activation d'un système neuronal qui comprend l'hypothalamus latéral, quels sont donc les signaux responsables de cette activation ? Il pourrait s'agir de signaux qui ont un effet excitateur sur le système d'alimentation (comprenant l'hypothalamus latéral) ou de signaux qui ont un effet d'inhibition sur le système de satiété (comprenant l'hypothalamus ventromédian). L'inhibition du système de satiété pourrait déclencher l'action de manger parce que ce système inhibe normalement le système de contrôle de l'alimentation.

Régulation interne

Plusieurs chercheurs ont supposé que l'organisme gardait un contrôle sur ses réserves de nourriture. L'indication que ces réserves sont en train de décroître jusqu'à un niveau inférieur à une valeur déterminée pourrait être le signal qui active le système d'alimentation. On a proposé plusieurs indices différents de l'état des réserves nutritives. L'un des indices les plus évidents est le taux d'utilisation du glucose et les réserves de graisses, celles-ci pouvant être détectées par la présence de produits dérivés comme les acides gras libres. Le signal ou les signaux pourraient bien être les sous-produits du métabolisme du glucose et des graisses, substances présentes dans la circulation sanguine. Les faits à l'appui de cette hypothèse proviennent d'expériences au cours desquelles les circulations périphériques du sang de deux animaux sont reliées l'une à l'autre chirurgicalement, ce qu'on nomme **préparation parabiotique**. Quand un des membres d'un couple de rats parabiotiques engraisse parce qu'on lui donne accès à de la nourriture de goût très agréable ou parce qu'on le gave, le partenaire parabiotique subit une réduction compensatoire de ses réserves de graisse (Pavamaswaren et coll., 1977; Harris et Martin, 1984). Apparemment, un signal dans la circulation sanguine indique l'existence d'un surapprovisionnement de matières grasses.

Avant d'aborder les recherches relatives à ces hypothèses, il convient de noter brièvement l'existence de certaines différences liées au temps écoulé depuis le dernier repas, dans les combustibles utilisés par le cerveau et le reste de l'organisme, de même que dans les remplacements de ces combustibles. Il faut savoir que le cerveau a surtout recours au glucose et que, à l'encontre des autres organes, il n'a pas besoin d'insuline à cette fin. Dans le cas d'un déficit de glucose, le cerveau peut également utiliser des corps cétoniques, mais ces derniers ne suffisent pas à remplacer complètement le glucose. Le reste du corps a des exigences plus souples et, lorsque le glucose est moins abondant, il fait appel à d'autres combustibles, par exemple les acides gras libres et les corps cétoniques, réservant ainsi le glucose pour une utilisation par le cerveau.

Le glucose étant le principal combustible du cerveau, il était logique de supposer que cet organe puisse exercer un contrôle direct sur l'approvisionnement en glucose. Les faits à l'appui de cette hypothèse se sont accumulés depuis les années 1950. Certaines des preuves

Figure 13.10 Représentation schématique de réponses de cellules de l'hypothalamus ventromédian (HVM) et de l'hypothalamus latéral (HL) au glucose, à l'insuline et aux acides gras libres. Les fréquences de réponses sont indiquées par des hausses (élévations) ou des diminu-tions (abaissements) par rapport à la fréquence de base. (D'après Y. Oomura; figure 2, dans D. Novin et coll. (Éds), *Hunger : Basic Mechanisms and Clinical Implication* (New York : Raven Press, 1976) p. 149.)

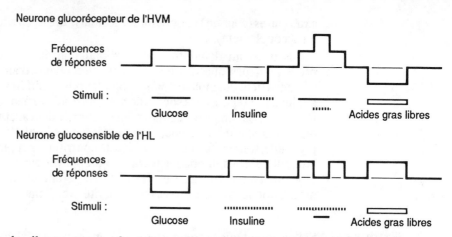

les plus éloquentes sont fournies par les enregistrements de l'activité de neurones isolés de l'hypothalamus ventromédian et de l'hypothalamus latéral (Oomura, 1976). On a trouvé qu'une application de glucose à des neurones isolés stimulait environ un tiers des neurones de l'hypothalamus ventromédian, alors qu'une même application de glucose avait un effet inhibiteur sur approximativement un tiers des neurones de l'hypothalamus latéral. Le diagramme de la figure 13.10 illustre les effets généralement antagonistes d'une telle application dans deux régions hypothalamiques. Seule l'insuline a tendance à surpolariser et à inhiber les neurones de l'hypothalamus ventromédian, mais elle renforce les réponses au glucose. Toutefois, l'insuline ne facilite pas la réaction au glucose de la plupart des cellules cérébrales. Dans ce cas, le fait que l'hypothalamus ventromédian agisse comme les cellules du corps permet de supposer que l'hypothalamus ventromédian serait capable d'exercer un contrôle sur l'utilisation du glucose par les tissus qui dépendent de l'insuline pour la captation du glucose sanguin. Il faut noter que le glucose, surtout en présence de l'insuline, stimule l'hypothalamus ventromédian (élément du système de contrôle de la satiété) et inhibe l'hypothalamus latéral (élément du système de contrôle de l'alimenta-tion). Par contre, les acides gras libres stimulent l'hypothalamus latéral et inhibent l'hypothalamus ventromédian; la présence des acides gras dans le sang peut signifier que les réserves de lipides sont mises à contribution. Le déclenchement d'une prédisposition à manger pourrait être une réponse à un signal comme la réduction du glucose dans le sang ou la présence d'acides gras libres dans le sang, ou les deux à la fois.

Mayer (1953) a soumis que ce n'était pas la concentration absolue de glucose dans le sang mais plutôt le taux d'utilisation du glucose, qui était sous le contrôle des cellules de l'hypothalamus. On peut faire l'estimation de l'utilisation du glucose en mesurant les différences de concentration de cette substance dans le sang artériel et dans le sang veineux (différence A-V). Une importante différence A-V signifie que le glucose est en train d'être capté par les cellules : chez les êtres humains, cette captation est en corrélation avec la satiété. Une petite différence A-V reflète une faible captation de glucose, condition associée à la faim. Les diabétiques se sentent affamés même quand les niveaux de glucose sont élevés parce que, lorsqu'il n'y a pas assez d'insuline dans l'organisme, la plupart des organes du corps sont incapables de capter beaucoup de glucose, si bien que les diabétiques ont une différence A-V qui est faible. Une différence A-V faible pourrait donc constituer l'un des signaux principaux qui conduiraient à cet état de prédisposition à manger.

Habituellement, les êtres humains disent qu'ils sentent la faim à l'heure des repas, même s'ils n'ont mangé que quelques heures auparavant et qu'ils ne sont pas dans un état de carence. S'agit-il purement d'une habitude ou d'un effet de leur imagination, ou se pourrait-il que la différence A-V soit vraiment réduite à l'heure habituelle des repas ? Chez des rats soumis à un régime d'un repas à heure fixe par jour, on a observé une libération conditionnée d'insuline et un abaissement conséquent du glucose sanguin pendant les quelques minutes précédant le repas attendu (Wiley et Leveille, 1970; Woods et coll., 1977). Il semble vraisemblablement qu'une telle forme de conditionnement se produit chez l'être humain, puisqu'on a enregistré des libérations d'insuline, à la seule vue de la nourriture, à l'heure des repas (Rodin, 1976) ou lorsqu'un sujet s'imagine qu'il mange, sous suggestion hypnotique (Goldfine et coll., 1970).

On prétend depuis longtemps que les contractions d'un estomac vide sont la cause de la fringale, cette sensation étant alors responsable du déclenchement de l'action de manger. On a pourtant découvert que les sensations de faim et le contrôle de l'absorption d'aliments persistaient chez les individus chez qui les contractions de l'estomac avaient été éliminées grâce à une section des connexions nerveuses du nerf vague qui innerve l'estomac. Les sujets qui ont subi l'ablation totale de l'estomac disent qu'ils continuent à sentir la faim de la même manière qu'avant l'intervention chirurgicale. Il est donc bien évident que c'est le contrôle exercé par le système nerveux central qui fournit les principaux signaux prédisposant les mammifères à manger.

Stimuli externes et déclenchement de l'action de manger

Il est bien évident que les êtres humains ou les animaux qui ont faim ne se mettent pas à manger à moins que des substances comestibles soient à leur portée. Toutefois, dans les discussions sur le comportement d'alimentation, on oublie souvent l'importance de l'information sensorielle relative à de telles substances comestibles ou à d'autres aspects de l'environnement. Une partie du déclenchement de l'acte de manger repose sur la perception d'aliments appropriés. Il y a interaction à double sens : la perception des aliments peut accroître la motivation à manger et la motivation accrue peut rehausser le caractère attirant et le goût agréable de la nourriture.

L'importance de la stimulation sensorielle dans l'activité de manger a été démontrée tant chez les animaux à lésions de l'hypothalamus latéral que chez des animaux intacts. Une partie de la difficulté rencontrée avec les animaux à lésions de l'hypothalamus latéral vient de ce qu'ils ont tendance à ignorer les stimuli sensoriels. Au stade 1 du recouvrement, l'indifférence sensorielle et l'apathie peuvent être combattues par une stimulation douloureuse ou par de l'amphétamine. Plus tard, les stimuli provenant de la nourriture elle-même peuvent jouer ce rôle. Au moment où les chats font la transition du stade 1 (aphagie) au stade 2 (anorexie), les stimuli visuels sont d'importance capitale (Wolgin, Cytawa et Teitelbaum, 1976). Si, à ce stade, on place des écrans opaques devant les yeux des chats, ceux-ci ne s'approchent pas de la nourriture et ne mangent pas, même si les aliments sont placés juste devant leur gueule. Inutile de dire que même avec les yeux bandés, un chat normal va trouver la nourriture n'importe où dans une pièce et qu'il acceptera les aliments qu'on lui présente. Le passage au stade 3, lorsque les animaux deviennent capables de maintenir leur masse corporelle avec de la nourriture agréable au goût, coïncide avec l'émergence du contrôle olfactif sur l'alimentation. À ce stade, les chats aux yeux bandés acceptent la nourriture et sont capables de la trouver dans leur cage. L'odeur semble également amener les animaux en voie de rétablissement à rechercher la nourriture et à la consommer.

Certaines cellules hypothalamiques réagissent de façon spécifique à une perception visuelle de nourriture, mais uniquement lorsque l'animal a faim ! Ce phénomène fut découvert au moment de l'enregistrement de l'activité de neurones isolés, au moyen d'électrodes implantées chez des singes éveillés (Mora, Rolls et Burton, 1976; Rolls, 1978). Au cours de l'examen de l'activité de l'hypothalamus latéral d'un échantillon de plusieurs centaines de neurones, 13 % des neurones ont réagi à la perception visuelle de nourriture.

Dans la plupart de ces neurones, la réaction s'est produite avant que la nourriture ne soit placée dans la gueule du singe, pendant que celui-ci regardait des aliments (une arachide, une banane ou une purée). Ces neurones ne réagissaient ni à la présentation d'objets autres que de la nourriture, ni aux mouvements musculaires, ni à l'activation affective. Quand les singes étaient repus, les mêmes neurones perdaient leur réactivité aux stimuli nutritifs. Quand on eut entraîné ces singes à associer un objet neutre à la nourriture, le stimulus conditionné provoqua des réactions de la part des neurones dits *de nourriture*.

La découverte de neurones hypothalamiques réagissant spécifiquement à la nourriture ne prouve évidemment pas que ce type de cellules n'appartient qu'aux régions hypothalamiques; il se trouve peut-être également des neurones du même genre dans d'autres régions. Ceci ne veut pas dire non plus que de telles cellules ont un rôle à jouer dans le déclenchement de l'action de manger; peut-être leur activation n'est-elle que le simple reflet de réactions aux objets de nourriture, réponses musculaires ou glandulaires (c.-à-d. salivation). C'est pourquoi on a conçu des expériences pour mettre à l'épreuve ces autres interprétations. La voie de l'information visuelle vers l'hypothalamus latéral passe probablement à travers le cortex associatif visuel inférotemporal et les noyaux amygdaliens latéraux. L'ablation de l'une ou l'autre de ces régions produit, chez les singes, un syndrome caractérisé par une incapacité de reconnaître les objets et une tendance à se mettre toutes sortes de choses dans la gueule. Les enregistrements de neurones isolés du cortex inférotemporal ou des noyaux amygdaliens n'ont pas révélé toutefois l'existence de cellules à réponses spécifiques aux objets associés à de la nourriture.

Pour vérifier si des neurones spécifiques de l'hypothalamus latéral ne participeraient pas au déclenchement de réponses d'alimentation, on a entraîné des singes à réagir à une situation particulière. Retenu sur une chaise pour fins d'enregistrements électro-physiologiques, le singe était placé face à une porte à guillotine qui pouvait s'ouvrir pour laisser apparaître un objet stimulus. Quand on présentait certains objets, le singe pouvait consommer une petite quantité de jus de fruit en léchant un tube placé devant ses lèvres. Mais, quand il s'agissait d'autres objets bien précis, un coup de langue sur le tube donnait une solution saline hypertonique au goût désagréable. Le singe apprit donc à faire attention et à établir une distinction entre les indices de nourriture et les stimuli négatifs. Dans ces conditions, la période de latence des réactions des neurones hypothalamiques aux stimuli de nourriture était de 150 à 200 millisecondes; la période de latence des réponses des muscles de la langue était d'environ 300 ms et celle du contact avec le tube était d'au moins 400 ms. Il est donc clair que les unités hypothalamiques réagissaient avant les unités motrices. Il se peut fort bien que ces neurones participent à l'amorce des réponses d'alimentation, mais d'autres recherches seront nécessaires pour le démontrer de façon définitive.

Les travaux de recherche entrepris jusqu'à maintenant permettent de conclure que des signaux internes indiquant une absence de réserves nutritives dans le corps ou un niveau des réserves inférieur à la valeur cible en vigueur à ce moment là sont à l'origine d'une prédisposition à manger ou, autrement dit, d'un état nerveux central de motivation de faim. Le comportement d'absorption de nourriture est déclenché lorsque la prédisposition à manger s'accompagne de la perception visuelle de nourriture appropriée ou de stimuli associés à de la nourriture. L'activité du système de contrôle de la satiété peut interrompre ou affaiblir ce comportement d'alimentation.

INTERRUPTION DE L'ACTIVITÉ DE MANGER

On a longtemps pensé que la réplétion de l'estomac servait de signal à l'arrêt d'absorption d'aliments. N'a-t-il pas été démontré que cet état constitue effectivement le principal signal pour interrompre le comportement d'alimentation chez la mouche ? Un mécanisme aussi simple pourrait-il toutefois intervenir chez les mammifères ? Des travaux de recherche ont indiqué en effet que l'estomac des mammifères signale également le moment où la satiété est atteinte, mais il est probable que des chimiorécepteurs interviennent tout autant que les mécanorécepteurs et il se peut alors que l'estomac ne soit pas la seule partie du tube digestif en cause dans la sensation de satiété.

Le fait de contrôler l'ingestion d'aliments par la bouche et la gorge ne produit pas plus la satiété que le contrôle de l'action de boire interrompt cette activité. On a pu observer ce fait en nourrissant des animaux chez qui on avait pratiqué des fistules de l'œsophage. Ces animaux laissent passer de grandes quantités de nourriture par la bouche, ce qui semble montrer que les sensations gustatives et kinesthésiques apportées par la nourriture maintiennent le comportement d'ingestion des aliments. Mais il se peut que la dégustation de la nourriture joue quand même, en combinaison avec d'autres signaux, un rôle dans la satiété.

Les facteurs principalement responsables de la satiété sont les signaux nerveux de l'estomac et surtout les signaux hormonaux en provenance de l'estomac et du duodénum. On a de bonnes raisons de croire non seulement que l'estomac perçoit le volume total de la nourriture ingérée mais qu'il estime également la valeur énergétique de cette nourriture.

L'entrée des aliments dans le duodénum entraîne la libération d'une hormone par la muqueuse duodénale; de nombreux indices permettent de supposer que cette hormone, la **cholécystokinine (CCK)**, intervient dans la satiété. (L'identification de cette hormone a permis de découvrir qu'elle produit des contractions de la vésicule biliaire, organe favorisant la digestion des graisses, d'où le nom qu'on lui a donné, des mots grecs *kholê*, bile; *kustis*, vessie; et *kinêin*, mouvoir.) L'évaluation des rôles joués par les facteurs gastrique et duodénal est importante, tant pour suivre la trace des processus spécifiques en action dans la satiété que pour l'élaboration de thérapies de dysfonctionnements du genre de l'obésité.

On peut résumer les faits qui témoignent de l'importance de la CCK dans la satiété (Gibbs et Smith, 1984). En moins de quelques minutes après le début de l'activité de manger, la concentration de CCK s'élève dans le sang; on peut également provoquer la libération de cette hormone en plaçant des émulsions de graisses, de faibles concentrations d'acide chlorhydrique ou d'autres substances dans le duodénum de chats ou de chiens anesthésiés. On peut supprimer l'action de manger chez des rats, des chats ou des chiens affamés en leur faisant des injections intrapéritonéales de CCK. Cette suppression semble être spécifique, car la CCK n'engendre pas une diminution de l'absorption d'eau chez les animaux assoiffés. Lorsqu'on fait une injection intrapéritonéale de CCK à un rat qui est en train de manger mais chez lequel on a pratiqué une fistule de l'œsophage qui détourne vers l'extérieur la nourriture absorbée, on note le déclenchement de la séquence normale des comportements manifestés par des rats qui ont mangé à satiété, soit une brève période de toilettage ou d'exploration suivie du repos ou du sommeil. La satiété ne semble pas attribuable au fait que l'animal devienne malade ou souffre de nausées. Gibbs et ses collaborateurs en sont arrivés à cette conclusion parce la combinaison de la CCK à de la saccharine n'amène pas l'animal à développer une aversion à la saccharine, alors que des aversions sont facilement créées en alliant des saveurs à des substances reconnues pour déclencher des maladies, le chlorure de lithium par exemple. Administrée à des humains, la CCK raccourcit la durée de l'activité de manger (Stacher et coll., 1982) et donne lieu à des manifestations de satisfaction (Stacher et coll., 1979).

Des travaux récents indiquent que la CCK est présente également dans des neurones du cortex cérébral. (C'est là un cas parmi plusieurs autres où des composés qui jouent le rôle d'hormones, dans le tube digestif, ont été identifiés récemment comme agissant probablement comme neurotransmetteurs dans le cerveau.) De plus, les souris génétiquement obèses possèdent des quantités sensiblement moindres de cette substance dans le cerveau que d'autres souris de la même portée qui ne souffrent pas d'obésité (Straus et Yalow, 1979). On a découvert qu'un petit peptide faisant partie de la molécule plus grosse de CCK se fixait de façon sélective à l'hypothalamus ventromédian pour supprimer l'activité de manger. La CCK joue donc peut-être le rôle d'hormone à plusieurs niveaux du système digestif (vésicule biliaire et duodénum) ou de transmetteur au niveau du cortex cérébral. Il est possible que les appétits débridés d'une souris obèse soient associés à une carence de CCK dans le cerveau.

Comment la CCK agit-elle pour produire la satiété et interrompre l'activité de manger ? La CCK en circulation n'exerce pas une action directe sur le cerveau parce qu'elle ne traverse pas la barrière hémato-encéphalique. Moran et McHugh (1982) ont supposé que la CCK pourrait avoir un effet indirect : elle inhiberait le passage de la nourriture, au niveau du sphincter pylorique, entraînant ainsi un gonflement de l'estomac. La CCK contribuerait ainsi à la sensation de réplétion de l'estomac, sensation qui a longtemps été considérée comme un signal de satiété. Cette explication est en partie corroborée par la constatation que la capacité qu'a la CCK d'engendrer la satiété se trouve abolie ou considérablement réduite quand on coupe les connexions entre le nerf vague et l'estomac (Smith et coll., 1981), le nerf vague transportant les influx sensoriels de l'estomac vers le système nerveux central. De plus, il faut noter que la CCK peut également produire la satiété quand on la combine avec un repas fictif, c'est-à-dire quand la nourriture passe par la bouche et la gorge sans pourtant atteindre l'estomac. Bien que les sensations engendrées par le passage des aliments dans la bouche et la gorge ne puissent pas elles-mêmes produire la satiété, de même que la CCK ne peut le faire à elle seule, la combinaison de ces deux sortes de sensations est efficace. De nombreux travaux en cours tentent actuellement de trouver les pièces manquantes de ce casse-tête. On étudie également l'action que pourraient avoir plusieurs autres peptides libérés dans le tractus gastro-intestinal sur le contrôle et l'arrêt du comportement alimentaire.

Les recherches récentes ont considérablement transformé la conception traditionnelle de la participation de l'intestin et des glandes endocrines dans le contrôle de l'ingestion de la nourriture. D'abord perçu comme un simple réservoir où la nourriture était absorbée, l'intestin est maintenant considéré comme un organe neuroendocrinien actif, soit une membrane sensorielle qui réagit à la stimulation chimique et mécanique exercée par la nourriture ingérée. On pensait que les hormones importantes étaient activées par ingestion de nourriture et qu'elles exerçaient leurs effets lentement et indirectement, en influençant les processus métaboliques et nutritionnels. Des chercheurs suggèrent maintenant qu'il y aurait différents mécanismes neuroendocriniens qui agissent le long de la muqueuse

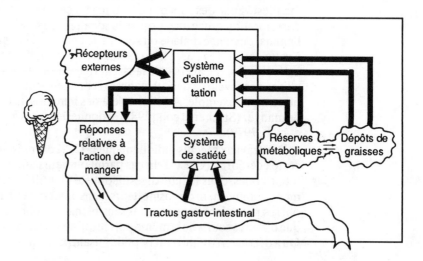

Figure 13.11 Systèmes fondamentaux qui contrôlent l'alimentation chez les mammifères. Les signaux du tractus gastro-intestinal vers le système de satiété comportent également des messages nerveux.

intestinale et que ceux-ci seraient activés, au contact de la nourriture; de plus, ces réactions neuroendocriniennes pourraient être rapides et directes tout autant qu'indirectes, afférentes et mutuellement renforçantes (Gibbs et Smith, 1984; Smith, 1983).

On étudie également, au moyen de plusieurs techniques convergentes, le rôle des systèmes de neurotransmetteurs cérébraux dans la satiété. Ces techniques comprennent la stimulation des faisceaux de fibres nerveuses reliés aux divers sites hypothalamiques ainsi que l'administration localisée de neurotransmetteurs dans les régions cérébrales. Ainsi, par exemple, l'administration de noradrénaline dans l'hypothalamus médian inhibe un mécanisme de satiété, prolongeant ainsi les périodes d'absorption de nourriture sans affecter le déclenchement ou la fréquence de consommation de repas. L'animal ainsi traité prend des repas qui durent plus longtemps. L'administration de sérotonine dans la même région excite le mécanisme de satiété, si bien que les repas sont plus courts. Des faits indiquent aussi que l'injection de dopamine dans l'hypothalamus latéral inhibe un centre de contrôle de l'alimentation. Des recherches se poursuivent afin de retracer les voies des neurotransmetteurs qui affectent les circuits cérébraux de contrôle de l'alimentation et afin d'intégrer ces influences à celles du système nerveux autonome et des hormones (Hoebel et Leibowitz, 1981).

La figure 13.11 présente un résumé des systèmes fondamentaux qui contrôlent le déclenchement et la cessation de l'activité de manger chez les mammifères.

APPÉTITS SPÉCIFIQUES ET APPRENTISSAGE

Les préférences alimentaires changent, en partie à cause des modifications des besoins du corps, en partie à cause de l'apprentissage. Les êtres humains et les animaux apprennent (au moins une partie du temps) à manger les aliments qui améliorent leur santé et à éviter ceux qui empoisonnent.

Certains besoins du corps semblent donner naissance à des appétits spécifiques. À cet égard, il faut se souvenir que les mouches femelles augmentent leur ingestion de protéines lorsqu'elles se préparent à pondre. Lorsqu'on fait subir une surrénalectomie à un rat et qu'on l'empêche ainsi de retenir beaucoup de chlorure de sodium, on note qu'il commence aussitôt à consommer du sel. Wilkins et Richter (1940) ont décrit le cas classique d'un besoin insatiable de sel. Un garçonnet de 3 ans et demi qui présentait des caractéristiques sexuelles secondaires particulièrement développées avait été conduit à l'hopital pour y subir un examen. Il refusa la plupart des aliments au menu de l'hôpital et mourut une semaine après son admission. L'examen *post mortem* révéla une anomalie des glandes surrénales : les cellules de ces glandes qui produisent des hormones sexuelles s'étaient surdéveloppées et avaient détruit les cellules qui produisent les hormones du contrôle hydrominéral. L'enquête a alors révélé que ce garçon s'était maintenu en vie en absorbant de grandes quantités de sel. Il avait refusé les aliments qui n'étaient pas fortement salés et le mot *sel* avait été l'un des premiers mots qu'il avait appris. Plusieurs personnes souffrant de la maladie d'Addison, caractérisée par la destruction des corticosurrénales, rapportent éprouver un besoin insatiable de sel; cet appétit spécifique peut aider à poser un diagnostic hâtif de la maladie.

Même si certaines substances importantes pour la santé ne sont pas reliées à des appétits spécifiques, les animaux peuvent apprendre à préférer les aliments qui en contiennent. La thiamine (vitamine B) en est un bon exemple. Les rats privés de thiamine ne reconnaissent pas immédiatement lequel des nombreux aliments disponibles contient de la thiamine, mais plusieurs d'entre eux arriveront, après quelques jours, à choisir cet aliment particulier. La saveur associée à la correction de la carence en thiamine finit par être préférée aux autres saveurs (Zahorik, Maier et Pies, 1974) : c'est l'effet dit de *préférence médicamenteuse*.

Le phénomène contraire a été nommé *peur de l'appât*, ou apprentissage d'aversion gustative. Si un animal goûte à une substance et éprouve ensuite un effet toxique, il sera enclin à éviter cette substance à l'avenir. On a pu démontrer l'existence de l'acquisition de telles aversions chez des animaux comme la limace (Gelperin, 1975) et également chez les mammifères, y compris l'être humain (Garb et Stunkard, 1976). Il n'est pas nécessaire que la substance absorbée produise vraiment l'effet toxique; on peut créer une aversion gustative en faisant suivre une saveur inoffensive d'une injection de chlorure de lithium ou d'une exposition à un niveau élevé de radiations X, deux situations qui engendrent de la nausée. Chez les oiseaux, les signes visuels (couleur ou apparence de l'aliment) sont plus importants que le goût. L'apprentissage de l'évitement des aliments à conséquences négatives semble se produire très rapidement et très fortement. Ce type d'apprentissage peut être réalisé en un seul essai et ce, même si un intervalle de quelques heures sépare l'expérience gustative et le malaise qui s'ensuit. Un tel apprentissage s'établirait même lorsque l'expérience toxique est réalisée au moment où l'animal est sous anesthésie, et ce contrairement aux autres sortes d'apprentissage qui exigent que l'animal soit éveillé (Bureš et Burešová, 1981). Chez le rat, une lésion des aires gustatives du néocortex, de l'hypothalamus latéral ou des noyaux amygdaliens basolatéraux entrave l'apprentissage d'aversion gustative.

OBÉSITÉ

Plusieurs individus mangent trop et deviennent obèses, tandis que d'autres s'abstiennent de manger et deviennent dangereusement maigres. Les cas de ce genre mettent à rude épreuve notre connaissance des processus de régulation de la masse corporelle et la capacité de faire un usage efficace de ceux-ci. Nous avons vu que des lésions dans l'hypothalamus ventromédian pouvaient conduire l'être humain à l'hyperphagie et que les lésions de l'hypothalamus latéral pouvaient entraîner l'anorexie. Les lésions provoquées chez des animaux peuvent nous aider à comprendre ces cas. Toutefois, nous savons maintenant que plusieurs autres lésions ou interventions chirurgicales réalisées chez des animaux de laboratoire peuvent également produire des perturbations du contrôle de la masse corporelle, et il est possible que ces conditions présentent des analogies avec une variété d'états pathologiques de l'être humain. De plus, plusieurs individus obèses ou anorexiques ne présentent pas de signe de dommage cérébral, même à l'autopsie. Il est possible que les problèmes soient plus subtils et que certains cas exigent une analyse neurochimique plutôt que neuroanatomique, comme l'indiquent les données sur les bas niveaux de CCK dans les cerveaux de souris obèses. Quand les mécanismes de contrôle sont répartis sur plusieurs niveaux du système nerveux et quand ils comportent des liens neurochimiques et hormonaux, les possibilités de dysfonctionnement sont nombreuses.

Ces diverses possibilités trouvent corroboration dans une recension récente de l'*International Journal of Obesity* (Sclafani, 1984); on y décrit cinquante modèles différents d'obésité affectant les animaux. En somme, il existe maintenant cinquante façons différentes de provoquer de l'obésité chez un animal. Plusieurs de ces techniques mettent en cause des lignées génétiques d'animaux obèses. D'autres font appel à des régimes spéciaux ou à un gavage. La restriction de l'activité peut également s'avérer efficace. De plus, il est possible de produire l'obésité au moyen de lésions chirurgicales dans certaines régions cérébrales ou par la section de voies nerveuses spécifiques. Certains traitements hormonaux ou pharmacologiques donnent les mêmes résultats. Sclafani souligne que les tentatives de classification des divers types d'obésité humaine ont eu moins de succès que les études portant sur les animaux, mais il considère que l'étude de l'obésité animale nous apporte des indices importants pour la compréhension des causes, des conséquences et des traitements de l'obésité humaine.

Une autre façon d'aborder la question est d'étudier l'obésité en fonction de l'évolution et de l'histoire de l'être humain. Tout au cours de l'évolution humaine, l'insuffisance des ressources alimentaires a été un problème récurrent et les individus ont dû fournir de longues heures de travail ardu pour s'alimenter de façon suffisante. Même aujourd'hui, la plupart des sociétés non industrialisées sont confrontées épisodiquement à des pénuries de vivres, et certaines plus souvent que d'autres encore. C'est ainsi que notre passé nous a prédisposé à faire des réserves d'énergie en prévision d'une famine, même si dans les régions développées de notre planète la famine ne sévit presque jamais. Nos antécédents nous ont également disposés à faire des efforts pour gagner notre pain quotidien, alors que l'exercice physique semble de moins en moins nécessaire dans nos sociétés modernes. Au cours des dernières décennies, le nombre de cas d'obésité s'est accru régulièrement aux États-Unis. D'aucuns parmi les chercheurs considèrent que la consommation d'aliments à haute teneur en calories en est la cause principale (Konner, 1982); d'autres s'en prennent plutôt au contrôle des dépenses d'énergie, indépendamment de l'ingestion des aliments (J.K. Thompson et coll., 1982). À l'appui de cette dernière thèse, on a fait observer que dans de nombreux pays (Argentine, Danemark et Irlande), les individus consomment plus d'aliments que ceux des États-Unis, et pourtant les habitants de ces pays sont moins obèses. On a démontré que la restriction de l'activité des animaux de laboratoire contribuait sans aucun doute à l'obésité, de même que les régimes alimentaires riches et agréables au goût; évidemment, la combinaison de l'inaction et de l'abus de nourriture doit être particulièrement efficace. La personne obèse a été décrite caricaturalement comme un être possédant à la fois l'arsenal de comportements d'un rusé tigre carnivore et l'accès facile et continu à la nourriture d'une vache placide et privilégiée. Et pourtant, même dans ces conditions de la civilisation moderne, plusieurs personnes arrivent à rester sveltes et en bonne santé. Pourquoi existe-t-il de telles différences individuelles ?

D'abord, l'apprentissage y joue sûrement un rôle. Les parents gras sont beaucoup plus susceptibles d'avoir des enfants gras que les parents qui sont maigres. Ce n'est pas uniquement une question d'hérédité, car l'influence des parents gras se fait sentir tout autant sur les enfants adoptés, ou même sur les animaux domestiques ! D'ailleurs, la recherche sur les êtres humains et les animaux démontre que les tendances à consommer un aliment et à cesser de le faire peuvent être conditionnées à des états particuliers des environnements interne et externe (Booth, 1981).

La compréhension des mécanismes de régulation de l'énergie et de la masse corporelle est une question particulièrement urgente à régler, les dangers de l'obésité devenant de plus en plus évidents. Les membres d'un groupe de travail des *National Institutes of Health* affirmaient récemment que l'obésité est une maladie, et ils prévenaient la population qu'un excès de poids, ne fût-il que de 2 à 5 kilos, pouvait s'avérer dangereux pour la santé, par le fait qu'il peut accroître la vulnérabilité de l'individu à plusieurs maladies et réduire son espérance de vie (Kolata, 1985).

Détermination de la masse corporelle cible	Un individu ou un animal peut régler ses dépenses d'énergie de telle manière que sa masse corporelle et ses réserves de graisses deviennent trop élevées ou trop faibles pour sa santé, réduisant ainsi son espérance de vie. De tels arguments ont été parfois invoqués pour combattre l'idée voulant que la masse corporelle ou la dépense d'énergie fasse l'objet d'une régulation. Mais, loin de démontrer une absence de contrôle, de tels cas se présentent probablement parce que la valeur cible est fixée à un niveau trop haut ou trop bas. Cette situation est analogue à celle d'une chambre qui paraîtrait trop chaude ou trop froide à ses occupants, non pas parce que le système de chauffage ou de climatisation fait défaut, mais parce que le thermostat a été fixé à un point trop haut ou trop bas. Comment ces cibles sont-elles déterminées et comment peut-on les ajuster ?

Il a déjà été souligné que plusieurs espèces pouvaient normalement passer des semaines ou des mois sans manger et réduire grandement ainsi leur masse corporelle. Les personnes obèses pourraient-elles avoir recours aux mêmes mécanismes ? Est-ce que ces animaux en jeûne forcé deviennent de plus en plus affamés et s'abstiennent de manger ou est-ce qu'ils manifestent un abaissement graduel du point cible fixé pour leur masse corporelle (Mrosovosky et Sherry, 1980) ? Le tamia (écureuil à manteau doré) suit, nous l'avons déjà vu, un cycle annuel régulier. Même les tamias qui restent éveillés et qui ont accès à la nourriture perdent du poids durant l'hiver, quoique plus lentement que ceux qui hibernent. Quand un tamia sort de son hibernation et commence à manger, il atteint le poids qui convient à la saison plutôt que celui plus élevé qu'il avait au début de l'hibernation. Un autre exemple est celui de la femelle du magépode qui perd du poids pendant qu'elle couve ses œufs. Pendant cette période, elle ne quitte pas son nid plus que 20 minutes par jour. Toutefois, même s'il y a de la nourriture accessible à côté du nid, la femelle magépode mange peu et perd du poids au taux habituel. Par ailleurs, si elle est totalement privée de nourriture pendant plusieurs jours, elle consomme alors plus quand la nourriture est de nouveau disponible et revient au niveau de masse peu élevé qu'elle maintenait avant.

On ne connaît pas encore les mécanismes nerveux qui servent à fixer et à modifier les masses corporelles cibles. Une étude intéressante indique que la régulation du poids chez l'octopus se fait par contrôle hormonal (Wodinsky, 1977). La femelle ne pond qu'une fois dans sa vie, consomme moins pendant qu'elle prend soin des œufs et meurt quelque temps après l'éclosion de ces derniers. L'ablation de petites glandes endocrines, dans les lobes optiques du cerveau, fait en sorte que l'octopus cesse de s'occuper de ses œufs et se remet à manger normalement; cette intervention chirurgicale a pour effet de prolonger considérablement son cycle vital. Mrosovosky et Sherry (1980) encouragent les chercheurs à travailler à l'identification des mécanismes physiologiques naturels responsables de la modification des cibles. Ils prétendent que de telles recherches pourraient éventuellement permettre aux personnes obèses de perdre du poids sans efforts, même avec une disponibilité d'aliments agréables au goût.

Les traitements chirurgicaux pour obésité chronique offrent un exemple d'ajustement de poids cible étonnant. Au cours des années 1960, on a eu recours à des interventions chirurgicales pour contourner une grande partie des voies digestives. Grâce à de telles interventions, les aliments ne traversaient ni l'estomac ni une grande partie de l'intestin, réduisant ainsi l'absorption de nourriture chez des personnes dont on ne pouvait contrôler la masse corporelle par d'autres moyens. Les interventions ont eu du succès, mais pas entièrement pour la raison suivante : la diminution de l'absorption des aliments n'explique que 25 % de la perte de poids obtenue, le reste de cette perte pondérale résultant d'une réduction de la consommation de nourriture, réduction qui semble se faire sans effort volontaire ou sans malaise de la part des gens (Stunkard, 1982). Plusieurs d'entre eux disaient éprouver une grande joie et un regain de confiance en eux-mêmes, ce qui fait contraste avec la dépression qu'ils vivaient généralement quand ils essayaient de suivre un régime. Les efforts pour comprendre le mécanisme en cause dans l'abaissement de la masse cible chez ces personnes sont à l'origine des recherches chez les animaux. Des expériences ont été récemment entreprises sur des rats génétiquement obèses, de même que sur des rats rendus obèses par des lésions à l'hypothalamus. Dans les deux cas, la chirurgie de contournement de l'intestin a entraîné des pertes de poids par réajustement du niveau autour duquel se fait le contrôle de la masse corporelle (Stunkard, 1982). Ces expériences laissent supposer que le facteur principal en cause serait une vacuité persistante de l'intestin grêle. S'il est vrai que les signaux provenant de cette partie de l'intestin ont de l'importance dans la détermination de la masse corporelle cible, il devrait être possible de les modifier par des moyens moins radicaux que des opérations de contournement de l'estomac ou de l'intestin.

Résumé

1. La mouche, animal relativement simple, est un modèle systémique de régulation de l'alimentation. Elle se montre disposée à manger chaque fois qu'elle fait l'expérience de goûts ou d'odeurs acceptables, à moins que les récepteurs pertinents ne soient l'objet d'une habituation ou que les récepteurs de l'intestin ne donnent un signal de réplétion.

2. L'hypothalamus ventromédian était considéré comme le *centre de satiété* parce que sa destruction pouvait conduire à la surconsommation et à l'obésité. Mais, la surconsommation se produit surtout durant la phase dynamique d'un gain pondéral, la masse corporelle se stabilisant ensuite à un niveau de plateau. De même, l'augmentation de poids n'est possible que lorsque des aliments agréables au goût sont disponibles.

3. L'hypothalamus latéral a été considéré comme le *centre de la faim* car sa destruction provoque l'aphagie et l'adipsie. Cependant, si on alimente l'animal directement durant cette période, il peut devenir capable de régler sa consommation, mais à une masse corporelle cible plus basse.

4. Certaines des voies nerveuses qui traversent l'hypothalamus ventromédian ou l'hypothalamus latéral rendent compte de certains des effets observés quand ces régions font l'objet de lésions. Mais les fonctions de ces voies sont généralement plutôt différentes des fonctions des noyaux.

5. D'autres régions cérébrales comme le néocortex antérieur et les noyaux amygdaliens, contribuent également au contrôle de l'alimentation.

6. On a un état d'alimentation-déclenchée-par-stimulation quand une stimulation de l'hypothalamus latéral incite un animal à manger sans hésiter la nourriture disponible même s'il se trouve en état de satiété. Ce comportement stimulé convient à la situation et n'est pas simplement une motricité forcée.

7. On a identifié des sites cérébraux spécifiques où la stimulation engendre des états motivationnels distincts (faim, soif, copulation).

8. La régulation de la masse corporelle ne se fait pas nécessairement autour d'un point déterminé. Certaines espèces présentent des cycles de variations annuelles de masse corporelle, associés à des comportements comme les migrations, l'accouplement et l'hibernation.

9. Le système d'alimentation est activé par des signaux indiquant que les réserves alimentaires du corps sont en train de baisser au-dessous d'une valeur déterminée. Un de ces signaux peut consister en un faible taux de consommation de glucose, reflété par une faible différence de concentration du glucose dans le sang artériel et le sang veineux.

10. Pour que l'activité de consommation débute, il faut à la fois une information sensorielle sur l'accessibilité des aliments et des signaux internes. Des signaux sensoriels peuvent également accroître la motivation. Certaines cellules de l'hypothalamus réagissent spécifiquement à la présence d'aliments dans l'environnement.

11. L'arrêt de la consommation est déclenché par des signaux nerveux provenant de l'estomac et probablement aussi par un signal hormonal, soit la libération de l'hormone cholécystokinine (CCK) au moment où la nourriture atteint le duodénum.

12. Les préférences alimentaires changent en partie à cause d'appétits spécifiques et en partie parce que l'on apprend tant à accepter les aliments bénéfiques qu'à éviter ceux qui entraînent des conséquences nocives.

13. Une hypothèse populaire pour expliquer l'obésité propose que les individus obèses seraient plus sensibles aux stimuli externes et réagiraient moins aux indices physiologiques internes que les personnes de masse corporelle moyenne. Cette hypothèse s'est avérée simpliste et certaines des observations qui semblaient l'appuyer n'ont pas pu être reproduites.

Lectures recommandées

Brownell, K.D. et Foreyt, J.P. (Éds). (1985). *Physiology, Psychology, and Treatment of Eating Disorders.* New York : Basic Books.

Hœbel, B.G. et Novin, D. (Éds). (1982). *Neural Basis of Feeding and Reward.* Brunswick, ME : Hær Institute.

Stunkard, A.J. et Stellar, E. (Éds). (1984). *Eating and its Disorders.* New York : Raven Press.

Thompson, C.I. (1980). *Controls of Eating.* Jamaica, N.Y. : Spectrum.

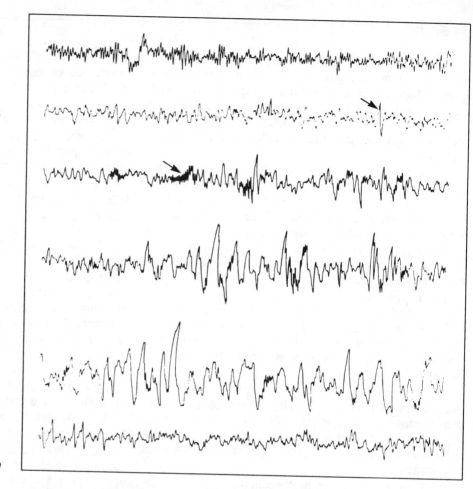

14 Rythmes biologiques — Le sommeil et l'éveil

Tu as fait la lune pour marquer les temps,
le soleil connait son coucher;
tu poses la ténèbre, c'est la nuit,
toutes les bêtes des forêts s'y remuent,
les lionceaux rugissent après la proie
et réclament à Dieu leur manger.

Le soleil se lève, ils se retirent
et vont à leurs repaires se coucher;
l'homme sort pour son ouvrage,
faire son travail jusqu'au soir.

Psaume 104 19-23

ORIENTATION

Tous les systèmes vivants, des organismes végétaux à l'être humain, sont sujets à des variations périodiques de leur activité. La fréquence de ces oscillations varie d'une très grande rapidité, comme dans le cas des potentiels cérébraux, jusqu'à une lenteur relative, comme celle des changements annuels, l'hibernation par exemple. Certains de ces changements périodiques font intervenir des systèmes physiologiques que les chercheurs parviennent peu à peu à décrire. En effet, la régularité de certaines de ces oscillations, par exemple les rythmes quotidiens, possède les caractéristiques d'une *horloge*. L'attention de la plupart des expérimentateurs intéressés à ce domaine s'est concentrée sur les rythmes quotidiens, ou processus circadiens. L'intérêt des chercheurs s'est également porté, plus récemment, sur les fréquences les plus basses et les plus élevées des événements rythmiques, celles qui se mesurent en minutes et en secondes et celles qui s'étendent sur des mois et des années. Un des rythmes quotidiens les plus familiers est le cycle sommeil-éveil, dont l'importance est loin d'être négligeable : en effet, avant d'avoir atteint l'âge de 60 ans, la plupart des êtres humains auront consacré 20 de ces années à dormir ! Le sommeil représentant une tranche si importante de notre vie et de celle de nombreux autres animaux, il est étonnant de constater que l'étude des aspects comportementaux et biologiques du sommeil a été si longtemps négligée. Au cours des vingt dernières années cependant, le sommeil est devenu un sujet de recherche important de la psychophysiologie. Ce thème d'étude a retenu l'attention pour plusieurs raisons, notamment peut-être à cause de la complexité d'un tel état organique. En effet, le sommeil n'est pas simplement le fait de ne pas rester éveillé mais il correspond plutôt à un enclenchement de processus cycliques complexes, alternance d'états différents. En outre, les aspects correspondants de ces divers états de sommeil vont de la suspension de la pensée jusqu'à une profusion d'images et de rêves. Nous étudierons donc d'abord les caractéristiques des rythmes biologiques, puis chez l'être humain et chez les autres animaux, les facteurs qui influencent le sommeil et les événements physiologiques qui y sont associés.

RYTHMES BIOLOGIQUES

RYTHMES CIRCADIENS

Au cours des vingt dernières années, les chercheurs ont découvert que plusieurs des fonctions propres à presque tout système vivant répondent à un rythme d'environ 24 heures. Ces rythmes à peu près quotidiens ont été nommés **rythmes circadiens** (du latin *circa* qui signifie autour et *dies*, jour). Ces rythmes circadiens sont maintenant étudiés sur une foule d'êtres vivants au niveau du comportement, de la physiologie et de la biochimie. Une méthode utilisée couramment en laboratoire pour l'observation des rythmes circadiens a mis à contribution cette propension qu'ont les rongeurs à courir dans une roue d'activité attenante à leur cage. Pour fins d'étude du comportement rythmique, on fixe un interrupteur électrique à la roue de façon à activer un compteur à chaque révolution complète de la roue. Le résultat s'inscrit sur un tracé d'enregistrement dénotant un mouvement brusque de la plume. La figure 14.1 fait voir le rythme d'activité d'un hamster placé dans une cage munie d'une roue d'activité. Ce comportement, comme plusieurs autres réponses d'ailleurs, est d'une précision extraordinaire, si bien que la variation du début de l'activité d'un jour à l'autre peut se mesurer en minutes. Lorsque l'animal est placé à l'obscurité totale et continue, l'activité commence chaque jour un peu plus tard à cause de l'absence d'un stimulus de synchronisation comme la lumière (figure 14.1). Cela signifie que la **période de course libre** du rythme dépasse un peu les 24 heures. Cette période de course libre représente donc le rythme naturel. Une période correspond au temps écoulé entre deux points semblables de cycles successifs comme, par exemple, d'un coucher de soleil à l'autre.

La période de course libre reflète le caractère rythmique du processus endogène engendrant le rythme circadien. À un certain niveau, ce processus endogène doit faire intervenir un circuit oscillatoire. Par ailleurs, si un animal qui est dans une condition de course libre est exposé à une période de lumière et d'obscurité, on peut alors généralement observer que le début de l'activité devient synchronisé au commencement de la période d'obscurité. Le déplacement de l'activité produit par un stimulus de synchronisation est considéré comme un changement de phase et le processus de déplacement du rythme est alors nommé **entraînement**. Très peu de stimuli dans l'environnement peuvent entraîner des rythmes circadiens. La lumière est un stimulus dominant à cet égard, bien que dans le cas des rythmes circadiens chez l'être humain, il est fort probable que les stimuli sociaux servent également de signaux d'entraînement. Le pouvoir d'entraînement exercé par les stimuli lumineux sur les rythmes circadiens signifie que le circuit oscillatoire endogène possède des entrées dans le système visuel.

Signification biologique des rythmes circadiens

Pourquoi les rythmes circadiens sont-ils importants pour l'organisme ? La principale signification de ces rythmes tient au fait que ceux-ci jouent un rôle de synchronisation entre le comportement et les états corporels d'une part et les changements de l'environnement d'autre part. Au cours d'une même journée, les inévitables fluctuations de lumière et d'obscurité sont d'une grande importance pour la survie. Ainsi, le petit rongeur nocturne, en se tenant caché, pourra éviter plusieurs prédateurs durant la journée, et se déplace rapidement dans les ténèbres de la nuit. Un mécanisme endogène semblable à une horloge permet aux animaux d'anticiper des événements périodiques, comme le lever du jour, et de s'adonner à des comportements appropriés avant même que les conditions ne changent. On considère habituellement les rythmes circadiens comme des mécanismes qui permettent une organisation temporelle du comportement de l'animal. Un autre aspect important des

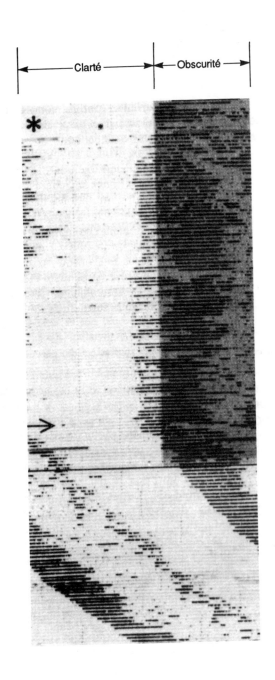

Figure 14.1 Rythmes d'activité d'un hamster dans une roue d'activité. Chaque révolution de la roue entraîne une brève déviation de la plume qui laisse une trace contribuant à former une ligne foncée horizontale. Chaque ligne représente une journée distincte. Normalement, les hamsters entrent en activité un peu avant le début de la phase d'obscurité du cycle quotidien et demeurent actifs au cours de la période d'obscurité. La portion noircie de la figure indique la période quotidienne d'obscurité. Après plusieurs semaines, on a sectionné la voie optique; la flèche indique le moment de cette intervention. (D'après Zucker, 1976, basé sur les données de Rusak, 1975.)

horloges biologiques consiste en une contribution au partage des ressources : en effet, les animaux **diurnes** utilisent les périodes de clarté pour se procurer leur nourriture tandis que les animaux nocturnes réussissent leur adaptation en répondant aux exigences d'une vie active durant les périodes d'obscurité.

Quelques propriétés significatives des horloges circadiennes

Plusieurs expériences ont été conçues dans le but d'étudier les propriétés des rythmes circadiens révélées par les réactions à plusieurs conditions internes et externes. Les horloges circadiennes seraient-elles contrôlées par des facteurs génétiques par exemple ? Une série intéressante d'expérimentations sur les drosophiles ont clairement démontré que ces horloges appartenaient bien au patrimoine héréditaire transmissible. Au cours d'études utilisant des mutations, des chercheurs ont réussi à éliminer complètement l'horloge circadienne. D'autres mutations ont engendré des cycles raccourcis ou prolongés (Konopka, cité par Kolata, 1985). Des expériences ont également prouvé que les horloges circadiennes étaient relativement indépendantes de la température. Cette dernière propriété est des plus importantes puisque la plupart des processus métaboliques sont assez sensibles à la température; si les mécanismes circadiens y réagissaient avec la même sensibilité, les animaux seraient tout simplement incapables d'évaluer le temps de façon correcte, quand la température externe change. Ces horloges circadiennes résistent également de façon étonnante à plusieurs substances chimiques qui agissent sur le système nerveux.

Les pacemakers neurologiques : des horloges biologiques du cerveau

Où se trouvent dans l'organisme ces horloges qui contrôlent les rythmes circadiens et comment fonctionnent-elles ? Une façon de déterminer le site des oscillateurs circadiens consiste à exciser ou à endommager des organes ou des sites différents afin de détecter, dans les systèmes de comportement ou les systèmes physiologiques, toute modification de l'organisation circadienne. Le premier à avoir eu recours à cette technique d'étude, Curt Richter a été l'un des pionniers dans le domaine : il a pu, en effet, démontrer que le cerveau était le site des oscillateurs en cause. Richter a étudié les conséquences de l'ablation de diverses glandes endocrines et a constaté que ces interventions ne modifiaient pas le rythme de course libre de rats aveugles (Richter, 1967). Bien qu'il ait effectivement démontré que les lésions de l'hypothalamus semblaient interférer sur les rythmes circadiens, il ne poursuivit pas ses recherches sur un plan anatomique. En 1972, deux groupes de chercheurs ont nettement établi qu'une petite région de l'hypothalamus, le **noyau suprachiasmatique** (**NSC**), était le site d'un oscillateur circadien. Ce noyau tient son nom de sa position anatomique au-dessus du chiasma optique. Stephan et Zucker (1972) ont démontré que des lésions pratiquées dans cette région perturbaient les rythmes circadiens du boire et du comportement locomoteur alors que Moore et Eichler (1972) ont montré que ces mêmes lésions troublaient les rythmes quotidiens de sécrétion des hormones corticosurrénaliennes. La figure 14.2 illustre l'impact de cette lésion sur les rythmes d'activité du hamster.

Les études métaboliques qui ont recours aux techniques autoradiographiques révèlent également le rôle du noyau suprachiasmatique. La figure 14.3 illustre la variation circadienne de l'activité métabolique du noyau suprachiasmatique. Le caractère rythmique de l'activité métabolique de cette région est, de toute évidence, endogène, comme on peut l'observer chez le rat, le chat et le singe. Cette technique de tracé métabolique a également permis de découvrir certaines des propriétés des horloges circadiennes du fœtus. Chez les rats et les singes, le noyau suprachiasmatique du fœtus présente un rythme circadien de l'activité métabolique qui est régulier, comme le révèle la technique au désoxyglucose. Dans ces études, on donne des injections de désoxyglucose à des femelles gravides et on mesure ensuite l'activité métabolique du noyau suprachiasmatique chez la mère et son fœtus. Cette

Figure 14.2 Les lésions du noyau suprachiasmatique éliminent les rythmes circadiens chez le hamster. La partie la plus foncée indique la période d'obscurité et la partie inférieure de l'enregistrement, la période d'éclairage continu. (D'après Zucker, 1976, basé sur les données de Rusak, 1975.)

Figure 14.3 Variation quotidienne de l'activité métabolique du noyau suprachiasmatique (NSC), mesurée au moyen du 2-désoxyglucose. a) Une coupe coronaire du cerveau du rat fait voir les taches foncées dues à l'accumulation de 2-désoxyglucose dans le NSC au cours de la phase de clarté. Durant la phase d'obscurité b), le NSC ne présente pas de taches foncées, ce qui témoigne d'une faible activité métabolique. (D'après Schwartz, Smith et Davidsen, 1979.)

a)
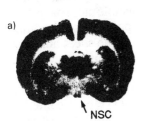
NSC

b)
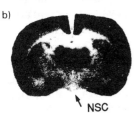
NSC

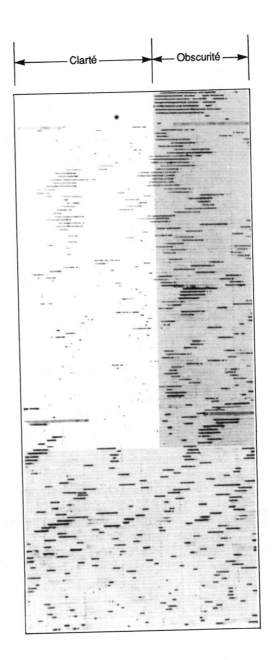

Clarté — Obscurité

région du cerveau révèle chez les fœtus de rats l'existence de rythmes circadiens peu de temps après la formation de ce noyau. La synchronisation de l'activité du noyau suprachiasmatique du fœtus semble être assurée par des signaux, encore inconnus, provenant de la mère (Reppert, 1985). Ce contrôle maternel persiste quelque temps après la naissance. Les chercheurs connaissent vraiment certaines des influences à exclure de la liste des facteurs qui contribuent au signal d'entraînement maternel. Le rythme fœtal résiste à l'ablation de la glande pinéale, des surrénales, de l'hypophyse, de la thyroïde et des ovaires.

Cependant, lorsqu'on détruit le noyau suprachiasmatique de la mère au début de la gestation, l'activité métabolique de la portée se trouve dispersée dans le temps. Les horloges fœtales continuent alors d'opérer mais elles ne sont plus synchronisées les unes avec les autres. Cette constatation vient appuyer le concept d'une horloge fœtale sous contrôle maternel.

Des résultats récents de l'étude de petites parcelles de tissu cérébral isolées du corps ont révélé certaines propriétés fascinantes du noyau suprachiasmatique. Dans ces expériences, on place des sections de tissu cérébral dans une soucoupe où elles baignent continuellement dans des liquides de composition analogue à celle du milieu extracellulaire du cerveau. Ces coupes cérébrales sont également exposées à un mélange gazeux d'oxygène et de dioxyde de carbone favorable à des activités métaboliques approximativement normales. L'étude de telles parcelles isolées du noyau suprachiasmatique permet aux chercheurs de découvrir si cette région donne naissance à une activité nerveuse complètement indépendante des autres régions cérébrales. Des enregistrements électriques faits à partir de ces coupes montrent que les cellules isolées du noyau suprachiasmatique donnent des taux de décharge qui sont synchrones avec le cycle lumière-obscurité auquel l'animal était habitué auparavant. Cela confirme le caractère endogène des oscillateurs circadiens du noyau suprachiasmatique. Un autre résultat de recherches appuyant cette conception provient de l'enregistrement de l'activité électrique du noyau suprachiasmatique effectué sur des animaux chez qui l'on a partiellement isolé cette région des autres aires cérébrales en pratiquant de larges entailles au couteau. Là encore, l'activité nerveuse présente des oscillations circadiennes frappantes (Inouye, cité par Turek, 1985).

Quelles sont les voies nerveuses qui permettent l'entraînement des rythmes circadiens par cycles lumière-obscurité ? Il existe des variations assez intéressantes dans le règne animal (recension de Rusak et Zucker, 1979). Certains invertébrés possèdent des photorécepteurs qui, sans appartenir à un œil, font partie du mécanisme d'entraînement lumineux. La glande pinéale de certains amphibiens, par exemple, est photosensible et intégrée au mécanisme d'entraînement à la lumière des rythmes circadiens. Chez des oiseaux dont on a enlevé les yeux, il est possible de produire un entraînement des rythmes circadiens au moyen d'un stimulus lumineux, ce qui prouve que d'autres récepteurs photosensibles participent à l'entraînement. Chez les mammifères toutefois, il est évident que ce sont les voies rétiniennes qui effectuent l'entraînement à la lumière, puisque la section du nerf optique met définitivement fin au rôle de la lumière dans les rythmes circadiens de toutes natures. Des études poussées des projections du nerf optique vers diverses régions cérébrales ont servi de base aux recherches systématiques qui ont permis une identification nette de la voie d'entraînement. Ce puzzle a été assemblé pièce par pièce; les lésions des voies visuelles primaires et accessoires ne sont pas parvenues à modifier l'entraînement vers un cycle lumière-obscurité chez des rongeurs, même si ces animaux étaient apparemment *aveugles* et ne donnaient aucune indication d'orientation d'ordre visuel ni de comportement de discrimination. Chez les mammifères, des techniques plus récentes utilisées dans le tracé des voies cérébrales ont démontré l'existence d'une voie rétino-hypothalamique directe (Moore, 1983); les lésions pratiquées sur cette voie interfèrent avec l'entraînement photonique. Des chercheurs ont aussi démontré qu'une voie reliant les corps genouillés latéraux au noyau suprachiasmatique pouvait également contribuer à l'entraînement photonique (Rusak et coll., 1981). Le système circadien et ses composantes sont décrits à la figure 14.4.

Les travaux cités jusqu'ici suggèrent l'existence d'au moins un oscillateur circadien principal dans le cerveau qui contrôlerait un certain nombre de systèmes circadiens. Est-ce là le seul oscillateur clé ? Il en existe d'autres car des chercheurs sont arrivés à montrer qu'il est possible de voir apparaître des rythmes de course libre et des rythmes d'entraînement,

Figure 14.4 Modèle
schématique des éléments
qui composent un système
circadien.

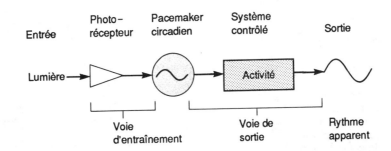

même après des lésions du noyau suprachiasmatique. L'un de ces chercheurs, Moore-Ede (1983), a fait l'hypothèse que le système de chronométrage circadien des mammifères serait constitué de deux pacemakers clés qui régiraient plusieurs autres oscillateurs passifs et secondaires. Il existerait, selon lui, deux groupes de rythmes circadiens dirigés par deux oscillateurs clés différents, dont l'un se trouverait dans le noyau suprachiasmatique. Cette suggestion repose sur l'observation d'une désynchronisation des divers rythmes circadiens propres aux êtres humains, quand ces derniers vivent temporairement dans des chambres d'isolement sans indices temporels comme les cycles lumière-obscurité (figure 14.5). Dans ces conditions, la température du corps maintient son rythme circadien, celui-ci raccourcissant quelque peu après le 35e jour. Après 35 jours d'isolement, le rythme activité-repos s'écarte considérablement du cycle de 24 heures et de celui de la température du corps. Des chercheurs ont vu dans ces résultats la désynchronisation spontanée de deux horloges internes. La figure 14.6 présente schématiquement comment Moore-Ede conçoit les mécanismes sous-jacents. La question de l'existence ou non d'oscillateurs et celle de l'identification des fonctions que chacun d'entre eux contrôlerait continuent d'occuper une place importante dans la recherche actuelle sur les rythmes circadiens; les résultats d'autres recherches devraient pouvoir fournir une réponse à ces questions.

Figure 14.5 Désynchronisation entre le cycle activité-repos et le cycle de modulation de la température corporelle chez un sujet humain soumis à un isolement temporel. Les épisodes de repos au lit (trame grise) et de baisse de la température du corps (en noir) ont été entraînés à un cycle jour-nuit de 24 heures du 1er au 5e jour, puis laissés libres jusqu'au 35e jour; le synchronisme se maintint jusqu'au 35e jour, puis disparut spontanément : la période du cycle de température corporelle raccourcit et celle du cycle activité-repos s'allongea. (D'après Czeisler et coll., 1980.)

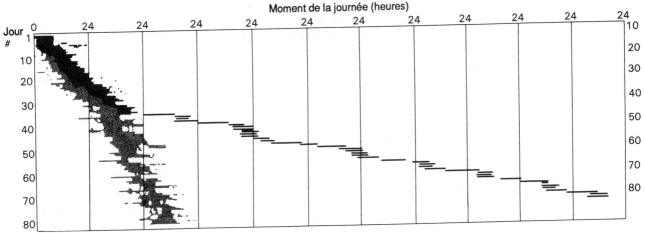

Figure 14.6 Ces deux groupes de rythmes semblent dirigés par des pacemakers différents. Le pacemaker X règle les rythmes du sommeil REM, de la température globale du corps, de la concentration de cortisol dans le plasma et du rejet de potassium dans l'urine. Le pacemaker Y règle les rythmes du sommeil à ondes lentes, de la température de la peau, de la concentration de somatotrophine dans le plasma et du rejet de calcium dans l'urine. La force de synchronisation exercée par X sur Y est approximativement quatre fois plus grande que celle de Y sur X. (D'après Moore-Ede, 1983.)

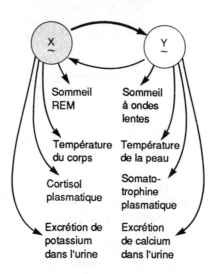

RYTHMES DE MOINS DE VINGT-QUATRE HEURES

Parmi le grand nombre et la variété des événements rythmiques d'ordre biologique, un groupe important a des périodes plus brèves que celles des rythmes circadiens. Ces périodes varient habituellement de plusieurs minutes à quelques heures. Les chercheurs décrivent ces phénomènes en termes de fréquence, cette fréquence étant plus élevée que celle des rythmes circadiens. On compte parmi ces rythmes de haute fréquence des épisodes comme des accès d'activité, des rythmes d'alimentation, les cycles du sommeil et les périodes de libération d'hormones. Chez l'être humain, on a également observé ce type de rythmes dans des champs de comportement plus complexes. Utilisant des sujets isolés et privés d'indices sur le moment de la journée, et d'autres sujets dans leur environnement normal, Kripke et Sonnenshein (1978) ont mis en évidence le fait que l'être humain possède un cycle de rêverie de 90 minutes, cycle caractérisé par une imagerie sensorielle très vive. Ces rythmes de haute fréquence observés dans l'exécution de plusieurs tâches, pourraient être le reflet de fluctuations de la vigilance, ce que suggère Broughton (1985) pour expliquer leur présence chez les sujets peu motivés, et leur absence chez ceux qui sont fortement motivés. Un argument additionnel à l'appui de cette thèse est le fait de l'existence de tels rythmes dans les électroencéphalogrammes frontaux.

Il semble y avoir corrélations entre les périodes de ces rythmes et les mesures corporelles (dimensions du corps et du cerveau, par exemple) ainsi que les cycles plus rapides caractéristiques des plus petits animaux (Gerkema et Daan, 1985). Plusieurs manipulations contribuent à rendre ces rythmes plus évidents (et plus réguliers, peut-être), notamment l'observation de ces rythmes au début de leur période de développement, avant l'apparition de rythmes circadiens, l'exposition à une illumination constante (ce qui atténue le rythme circadien) ou la destruction du noyau suprachiasmatique. L'avantage fonctionnel découlant du fait que les événements de ce type ne se trouvent pas regroupés de façon aléatoire au cours d'une même journée est facile à constater dans certains cas. Par exemple, les animaux qui se tiennent en groupes y gagnent à synchroniser leur activité de recherche de la nourriture de façon à ce que les individus ne s'écartent pas et risquent de devenir les victimes de prédateurs. Dans n'importe quelle ferme d'élevage, on peut facilement constater la synchronisation des herbivores en train de brouter et de ruminer ! Il existe beaucoup d'autres cas de comportement des animaux dits sociaux où cette rythmicité et le synchronisme de la production des rythmes chez les individus présentent des garanties de survie.

Plusieurs chercheurs ont constaté la présence de fluctuations rythmiques de la concentration des hormones au cours de la journée. Des faits indiquent, par exemple, que la libération de l'hormone lutéinisante se fait par pulsations se produisant toutes les 60 minutes (Knobil et Hotchkiss, 1985). Les mêmes chercheurs ont également démontré que l'activité électrique dans l'hypothalamus (région médiane de la base) des singes adoptait aussi la forme rythmique de salves survenant à chaque heure. Les travaux de Wilson et ses collaborateurs (1984), montrent l'existence d'une nette relation entre l'activité électrique de l'hypothalamus et les concentrations d'hormones lutéinisantes en circulation.

Quels sont les mécanismes sous-jacents responsables de ces rythmes de haute fréquence ? Gerkema et Daan (1985) ont proposé deux grandes catégories de mécanismes générateurs. L'une ferait intervenir un processus homéostatique ou processus de renouvellement, ce qui veut dire que le comportement ferait partie du mécanisme générateur qui contrôle la synchronisation de ce même comportement. Les activités rythmiques de recherche de nourriture et d'alimentation pourraient, par exemple, être le résultat de l'interaction régulière et continuelle entre la faim et l'activité de manger chez les espèces qui mangent fréquemment durant la journée. Le second type de générateur proposé pour expliquer ces rythmes serait un oscillateur sous-jacent qui contrôlerait les événements physiologiques et comportementaux. La destruction du noyau suprachiasmatique, qui abolit la synchronisation circadienne de l'activité chez le campagnol, n'a pas d'effet sur leurs rythmes d'alimentation qui sont plus fréquents. Par contre, les lésions des aires hypothalamiques font disparaître les rythmes de haute fréquence. Ces lésions intéressent certaines parties rostrales et basales de l'hypothalamus. Nous considérerons bientôt les travaux effectués sur les cycles du sommeil, cycles qui appartiennent à cette catégorie des rythmes de plus haute fréquence.

Ces rythmes font actuellement l'objet de nombreuses études dont l'importance est considérable pour une meilleure compréhension de la variabilité du comportement, au cours d'une même journée. Les phénomènes associés à cette rythmicité de haute fréquence sont encore relativement rares et les relations existant entre ces types variés d'événements restent à préciser. On peut se demander, par exemple, si tous les rythmes de fréquence plus élevée seraient le reflet de l'opération d'une horloge unique (horloge d'activité-repos) ou s'il est possible qu'il existe plusieurs oscillateurs pouvant contrôler séparément une variété d'événements semblables.

RYTHMES ANNUELS

Le comportement de plusieurs animaux suit des rythmes annuels, certains de ces rythmes étant contrôlés par des facteurs exogènes comme la disponibilité de la nourriture. La persistance des rythmes annuels, quand les conditions sont constantes, révèle toutefois la contribution d'oscillateurs endogènes annuels dans ce processus. C'est un champ de recherche qui exige évidemment beaucoup de patience, si bien que le nombre d'études dans ce domaine commence à peine à augmenter. L'intérêt que ces travaux présentent pour le comportement humain est de plus en plus évident, dans l'optique des perturbations saisonnières assez marquées que révèle le comportement humain (chapitre 15). Les types de problèmes soulevés par cette question sont assez semblables à ceux qui ont été étudiés dans l'analyse des phénomènes circadiens; à cet effet, quelques exemples serviront à illustrer la recherche effectuée dans ce domaine.

Des travaux de Zucker et coll. (1983) ont évalué la possibilité que les noyaux suprachiasmatiques exercent un contrôle sur les rythmes annuels des tamias maintenus dans des conditions constantes de photopériode et de température. Ces auteurs ont mesuré les rythmes d'activité, les cycles de reproduction et les cycles de masse corporelle. Ils ont démontré de façon claire et nette que les lésions suprachiasmatiques perturbent les cycles d'activité circadienne mais, dans cette étude, certains animaux avaient subi des lésions qui n'affectaient pas les changements saisonniers de masse corporelle et de cycles reproducteurs. Les cycles annuels ne résultent donc pas d'une transformation des cycles circadiens et font probablement appel à un mécanisme oscillatoire relativement indépendant.

Même si les rythmes saisonniers ne sont pas dus à une transformation de l'oscillateur circadien, il est important de noter qu'on peut démontrer l'existence de changements annuels dans les rythmes circadiens. Les travaux de Lee et de ses collaborateurs (1986) démontrent bien une telle possibilité, puisqu'ils ont permis de constater la présence de changements annuels dans le mode de course quotidien des tamias à mante dorée placés dans la roue d'activité. Il faut souligner que les tamias entrent normalement en hibernation et ont une période annuelle d'inactivité relative de six mois. Il n'en reste pas moins que des animaux ont pu maintenir leur cycle d'activité sans variation, même lorsqu'ils étaient gardés pendant plusieurs années à des conditions de température constante et soumis à un cycle de 14 heures d'illumination et de 10 heures d'obscurité. À chaque printemps, le début de l'activité commençait plus tôt dans la période de 24 heures que durant l'automne.

Il est évident que la sécrétion d'hormones sexuelles se fait selon des rythmes saisonniers prononcés chez plusieurs animaux. Serait-il possible que des changements dans le rythme de sécrétion de ces hormones, la testostérone par exemple, soient responsable des cycles annuels ? Les travaux de Zucker et Dark (1986) indiquent que les cycles annuels de masse corporelle des tamias mâles ne sont pas affectés par une gonadectomie. De même, les cycles annuels d'hibernation et de fonction des gonades de ces animaux sont maintenus malgré l'ablation de la glande pinéale.

La recherche dans ce domaine a nettement démontré l'existence de rythmes saisonniers stables dans plusieurs fonctions somatiques. Il se peut que de tels rythmes soient, chez diverses espèces, les médiateurs des caractéristiques distinctives de plusieurs comportements comme la reproduction et l'hibernation.

LE SOMMEIL ET L'ÉVEIL

DÉFINITION ET DESCRIPTION DU SOMMEIL CHEZ L'HOMME

Le sommeil semble caractérisé par une absence de comportement; en effet, il s'agit d'une période d'inactivité marquée par des seuils accrus de l'activation engendrée par les stimuli externes. Dans le cas de certains animaux, cette définition doit inclure également une position couchée particulière au sommeil, bien que cette particularité soit moins évidente chez les mammifères digitigrades.

L'étude du sommeil a pris de l'ampleur depuis le début des années 1960, alors que des expérimentateurs découvraient que l'enregistrement de potentiels cérébraux à partir d'électrodes placées sur le crâne (électroencéphalogrammes, EEG) permettait de définir et de décrire les niveaux d'activation et les états de sommeil. On ajoute habituellement à cette mesure de l'activité cérébrale des enregistrements de mouvements oculaires et de tension musculaire. Ces mesures ont permis de classifier les divers types de sommeil en deux catégories principales : le **sommeil à ondes lentes** et le **sommeil à mouvements oculaires rapides** (**REM**, pour *rapid eye movements*). Chez l'être humain, on divise le sommeil à ondes lentes en quatre stades distincts.

Quels sont les critères électrophysiologiques utilisés pour définir les différents états du sommeil ? Il faut d'abord noter que l'activité électrique observée chez un individu complètement éveillé prend la forme d'un mélange désynchronisé de plusieurs fréquences où dominent des ondes de fréquences relativement élevées (supérieures à 15-20 Hz) et de faible amplitude. Un individu en état de relaxation, les yeux fermés, présente un rythme

Figure 14.7 Tracés électro-encéphalographiques caractéristiques des différents stades du sommeil. EEG d'un individu depuis l'état d'éveil au repos, les stades 1, 2, 3 et 4 du sommeil à ondes lentes et le stade REM. La flèche du tracé du stade 1 désigne une onde pointue appelée point de vertex que l'on peut observer durant cette période. La flèche du tracé du stade 2 désigne une brève période de fuseaux de sommeil caractéristique de ce stade. (Basé sur les données de Rechtschaffen et Kales, 1968.)

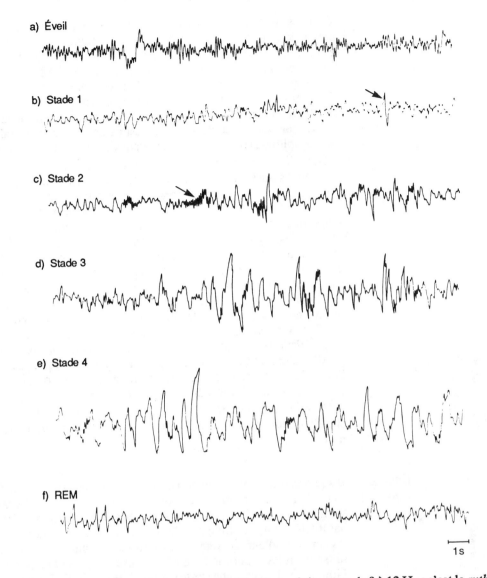

a) Éveil

b) Stade 1

c) Stade 2

d) Stade 3

e) Stade 4

f) REM

1 s

différent constitué d'une oscillation régulière à une fréquence de 9 à 12 Hz : c'est le *rythme alpha* (figure 14.7a). Ce rythme est particulièrement prononcé dans les régions postérieures du crâne. À mesure que l'assoupissement s'installe, l'amplitude du rythme alpha diminue pour disparaître à un moment donné et être remplacée par des événements de beaucoup plus faible amplitude et de fréquences irrégulières (figure 14.7b) : c'est le **stade 1 de sommeil à ondes lentes**, caractérisé par un ralentissement de la fréquence cardiaque et une réduction de la tension musculaire. S'ils étaient réveillés pendant ce stade, bien des sujets refuseraient d'admettre qu'ils ont dormi, même s'ils n'ont pas réagi durant cette période aux directives ou aux signaux leur demandant d'agir. Cette période dure habituellement plusieurs minutes et cède la place au **sommeil de stade 2** caractérisé par un EEG marqué d'événements électriques appelés fuseaux qui se manifestent sous forme de volées périodiques (figure 14.7c). Ce sont des volées d'ondes régulières de 14 à 18 Hz dont l'amplitude s'accroît puis décroît progressivement. Au cours de ce stade, il se produit environ cinq fuseaux à la minute. De plus, l'EEG présente en même temps des complexes K. Il s'agit de déviations positives-

519

négatives de forte amplitude qui précèdent l'apparition de certains des fuseaux. À ce stade, un individu ne réagit pratiquement plus à l'environnement externe et, sous les paupières fermées, les yeux se mettent à rouler dans leur orbite d'un mouvement lent et incoordonné. Dans la première partie de la nuit, ce stade débouche sur le **sommeil de stade 3** caractérisé par l'apparition de fuseaux mélangés avec des ondes lentes (environ une à la seconde) d'assez forte amplitude (figure 14.7d). Au cours de cette période, les muscles continuent de se détendre et la fréquence cardiaque ainsi que le rythme de la respiration sont encore plus bas. Le **sommeil de stade 4** qui suit est caractérisé par un train continu d'ondes lentes de forte amplitude (figure 14.7e). Les stades 1 à 4 font tous partie du **sommeil à ondes lentes**.

Dans la première partie d'une nuit de sommeil, un individu endormi traverse ces différents stades en une heure environ, puis il revient assez brièvement au stade 2 : il se produit alors une transition vers un stade totalement différent. Plutôt brusquement, les enregistrements à la surface du crâne adoptent une structure d'activité rapide de faible amplitude semblable, à bien des points de vue, à celui de l'individu en état d'éveil, si ce n'est que les muscles postérieurs du cou ne sont plus sous tension (figure 14.7b). À cause de cette apparente contradiction (les ondes cérébrales semblables à celles de l'état d'éveil mais avec une musculature totalement relâchée et sans réaction), on a donné à cet état le nom de **sommeil paradoxal**. Au cours de ce type de sommeil, la respiration et le pouls s'accélèrent et deviennent assez irréguliers. Les yeux décrivent alors, sous les paupières fermées, des mouvements rapides, d'où le nom de **sommeil REM** ou **sommeil de mouvements oculaires rapides**. À maints égards, ces mouvements oculaires ressemblent aux mouvements rapides caractéristiques de l'état d'éveil. Chez un individu couché et dormant profondément, il se produit alors une foule de changements physiologiques assez distinctifs (tableau 14.1). Selon l'image fournie par l'EEG, le sommeil est donc composé d'une série d'états successifs plutôt que d'une simple période d'*inactivité*.

Examinons maintenant la succession de ces états pendant une nuit de sommeil ordinaire chez l'être humain car, dans une certaine mesure, le sommeil se transforme au cours de la nuit.

Une nuit de sommeil

Jusqu'à maintenant, beaucoup d'êtres humains de diverses nationalités ont accepté de se soumettre à l'observation des chercheurs qui étudient en laboratoire les caractéristiques du sommeil. La chambre à coucher proposée aux sujets est très semblable à celle où ils dorment habituellement, bien qu'il y ait de nombreux fils électriques servant aux raccordements avec les appareils d'enregistrement. Ces fils électriques pénètrent dans une pièce adjacente où se trouvent les expérimentateurs qui observent les enregistrements des ondes cérébrales. Pionnier de la recherche sur le sommeil, Williams C. Dement décrit très bien ce milieu de recherche dans son ouvrage intitulé *Some Must Sleep While Some Must Watch** (1974).

Au laboratoire, le sujet s'endort avec des électrodes placées à la surface du crâne. Dans le cadre de certaines expériences, des caméras permettent également d'enregistrer les changements de la position du corps. L'observation des principales modifications de la position du corps, pendant le sommeil, révèle que la plupart des changements se produisent durant les phases de transition entre le sommeil à ondes lentes et le sommeil REM. Les enregistrements électriques et l'observation du comportement permettent de définir une période de sommeil caractéristique de l'être humain. Malgré le fait que plusieurs variables exercent une influence sur le début du sommeil, sur sa structure, sa durée et son interruption, on y observe tout de même une régularité qui rend possible de décrire l'image de l'état de sommeil caractéristique d'un être humain adulte.

---

* Certains doivent dormir pendant que d'autres doivent faire le guet.

Tableau 14.1 Propriétés du sommeil à ondes lentes et du sommeil REM.

	Ondes lentes	**REM**
Activités autonomes		
Fréquence cardiaque	Décélération lente	Variable avec fortes volées
Respiration	Décélération lente	Variable avec fortes volées
Thermorégulation	Maintenue	Perturbée
Température cérébrale	Abaissée	Élevée
Débit sanguin cérébral	Réduit	Fort
Système musculaire squelettique		
Tonus postural	Graduellement réduit	Aboli
Réflexe rotulien	Normal	Supprimé
Mouvements musculaires brusques	Réduits	Accrus
Mouvements oculaires	Rares, lents, incoordonnés	Rapides, bien coordonnés
État cognitif	Pensées vagues	Rêves aux images fortes, bien organisés
Sécrétion hormonale		
Sécrétion de l'hormone de croissance	Forte	Faible
Taux de décharge nerveuse		
Cortex cérébral	Réduit et de nature phasique dans plusieurs cellules	Accroissement du taux; activité tonique
Potentiels associés aux événements		
Évocation sensorielle	Importante	Réduite
Effets des drogues		
Antidépresseurs	Accrus	Diminués

L'examen des nombreux enregistrements obtenus au cours d'une même nuit d'observations fournit plusieurs mesures différentes du sommeil. Incidemment, les techniques d'analyse par ordinateur ont permis de concevoir une notation et une évaluation automatiques des enregistrements d'EEG. Parmi les mesures caractéristiques d'une nuit de sommeil, il y a la durée totale de sommeil, la durée et la fréquence des différents états de sommeil et les formes d'organisation séquentielle des états de sommeil.

La durée totale du sommeil des jeunes adultes est généralement de 7 à 8 heures par jour et l'analyse de la répartition des états de sommeil démontre que 45 à 50 % de cette période est consacrée au sommeil de stade 2. Le sommeil REM occupe 25 % de la durée totale de sommeil. Dans l'ensemble, le graphique du sommeil nocturne d'un adulte humain (figure 14.8) montre que des cycles répétés de 90 à 110 minutes environ se produisent quatre ou cinq fois au cours d'une nuit caractéristique. Les éléments de ces cycles de sommeil changent de façon régulière durant la nuit. Au début, les cycles sont plus courts et sont généralement plus fortement représentés par le sommeil à ondes lentes des stades 3 et 4. La seconde moitié d'une nuit de sommeil est habituellement dépourvue de sommeil de stades 3 et 4. Par contre, le sommeil REM est typiquement plus fréquent dans les derniers cycles du sommeil. La première période REM d'une nuit est la plus courte et ne dure parfois que 5 à 10 minutes, alors que la dernière période REM, précédant de peu le réveil, peut se poursuivre jusqu'à 40 minutes chez les adultes normaux.

Les cycles de sommeil de l'être humain sont également constitués de séquences régulières. Le sommeil REM est invariablement précédé de sommeil à ondes lentes de stade 2. Les seules exceptions à cette règle se rencontrent chez les nouveau-nés et chez certains individus souffrant de perturbations des fonctions nerveuses. On voit occasionnellement apparaître

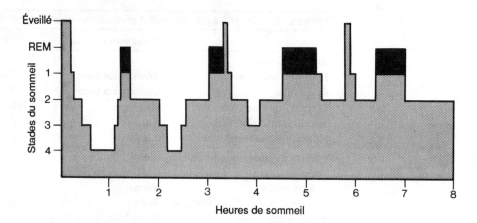

Figure 14.8 Sommeil nocturne caractéristique d'un jeune adulte (D'après Kales et Kales, 1970.)

de brèves périodes d'activation immédiatement après une période REM. Il se produit également de brèves périodes de sommeil, dites de *microsommeil* durant l'éveil; ce sont des percées de sommeil de stade 1 ou 2 qui ne durent pas plus de 10 secondes et s'accompagnent de chutes d'attention et de réactivité.

Certains chercheurs ont vu dans le cycle de sommeil de 90 à 110 minutes une manifestation d'un **cycle activité-repos** fondamental (Kleitman, 1969) et certains ont tenté de trouver des cycles de durée semblable pendant les périodes d'éveil. En état d'éveil, par exemple, les cycles de rêverie couvrent des intervalles de 100 minutes environ (Lavie et Kripke, 1981). Beaucoup d'autres propriétés psychologiques et physiologiques révèlent un cycle de 90 à 110 minutes, notamment les activités de boire et de manger, le jeu des enfants, la fréquence cardiaque et la dominance relative des hémisphères cérébraux (D.B. Cohen, 1979).

Variations du modèle de sommeil chez l'Homme

Le sommeil est un processus qui montre plusieurs variations chez l'être humain. Certaines de ces différences sont nettement attribuables à l'état de maturation, à des états fonctionnels tel le stress, à l'influence de drogues ou de médicaments, et à beaucoup d'autres conditions internes ou externes. À cet égard, certains changements marquent le cours de la vie d'un individu. Il faut souligner qu'il peut y avoir des écarts assez prononcés à cette condition *normale* du sommeil humain. Les journaux et les revues scientifiques ont accordé beaucoup d'attention aux rares individus qui ne dorment pratiquement jamais. Ces cas vraiment exceptionnels n'ont pourtant pas qu'une valeur folklorique. Dement (1974) a rapporté le cas d'un professeur de l'Université Stanford qui n'a dormi que 3 à 4 heures par nuit, pendant plus de 50 ans, et qui est décédé à l'âge de 80 ans. Toutefois, parmi les témoignages sur les individus qui ne dorment pratiquement jamais, très rares sont ceux qui résisteraient avec succès à une vérification scientifique. Après avoir recherché en vain ce type particulier d'individus et au moment où il était sur le point de renoncer, Meddis, spécialiste britannique du sommeil, a découvert une infirmière allègre de 70 ans qui, parvenue à la retraite, n'avait pas dormi depuis son enfance. C'était une personne affairée qui n'éprouvait aucune difficulté à meubler ses quelques 23 heures d'éveil quotidien. Au cours de la nuit, elle restait assise dans son lit à lire ou à écrire et vers 2 heures du matin, elle tombait endormie pendant une heure environ, après quoi elle s'éveillait spontanément. Elle accepta de venir au laboratoire de Meddis pour qu'on y vérifie ses prétentions inusitées. Au cours des deux premiers jours passés dans le laboratoire, elle ne dormit pas du tout, très intéressée par le fait qu'il y avait des gens à qui parler ! La troisième nuit, elle prit au total 99 minutes d'un sommeil qui comportait des périodes de sommeil à ondes lentes et de sommeil REM. À l'occasion d'une autre visite de sa part, on enregistra son sommeil pendant

5 jours et 5 nuits successifs. Au cours de la première nuit, elle ne s'endormit pas du tout, mais elle dormit en moyenne 67 minutes au cours des nuits suivantes. Ne se plaignant jamais de son état, elle n'avait jamais sommeil ni le jour, ni la nuit. Dans son ouvrage intitulé *The Sleep Instinct** (1977), Meddis décrit les cas de plusieurs autres personnes qui ne dormaient pas du tout ou seulement une heure par nuit. Certains de ces individus disaient avoir eu des parents qui, comme eux, se passaient de sommeil. Certains documents de recherche décrivent également des individus qui ne dorment plus à la suite de maladie ou de traumatisme cérébral. Les modes de sommeil sont malléables; ils subissent l'influence de plusieurs variables culturelles comme, par exemple, les horaires caractéristiques d'un groupe social donné.

Certaines différences des caractéristiques du sommeil peuvent être attribuées à des variations de personnalité. Hartmann (1978) a présenté des travaux controversés qui établissent des comparaisons et des contrastes entre des groupes de grands et de petits dormeurs. Dans les deux cas, il s'agissait de sujets normaux volontaires qui considéraient qu'ils dormaient moins ou plus que la plupart des gens. Chacun des sujets dormit pendant plusieurs jours dans un laboratoire, se soumettant à des interviews détaillées et à des études de caractérisation de leur personnalité. Les données d'enregistrement vinrent confirmer leur témoignage relatif à la durée de leur sommeil; de plus, ces données révélèrent des différences intéressantes entre ces sujets. La principale distinction entre les petits et les grands dormeurs concerne le temps consacré au sommeil REM. Les grands dormeurs consacrent en moyenne 121 minutes par nuit au sommeil REM tandis que les petits dormeurs n'y accordent que 65 minutes. Les différences de sommeil à ondes lentes sont moins marquées, ce qui permet de supposer que le sommeil à ondes lentes serait un besoin assez constant. Les différences dans le profil psychologique révèlent que les petits dormeurs ont tendance à être plus sociables et moins nerveux, et on peut les décrire comme des individus efficaces, énergiques, adroits et optimistes. Les grands dormeurs sont généralement des individus qui manifestent plus de stress personnel et qui semblent légèrement déprimés. Ils paraissent généralement plus indécis que les petits dormeurs et semblent être de tempérament plus soucieux. Hartmann (1978) fait l'hypothèse que certains styles de vie, notamment ceux qui sont anxiogènes, pourraient exiger plus de sommeil si bien que les longues périodes REM des individus de ce groupe pourraient refléter l'importance de cet état dans les processus de récupération psychologique.

PERSPECTIVES ÉVOLUTIVES ET COMPARATIVES DU SOMMEIL CHEZ DIVERS ANIMAUX

La description des états de sommeil découlant de l'étude du comportement et de l'EEG nous permet d'établir une comparaison précise des différents stades de sommeil chez divers animaux. Jusqu'à présent, cette technique a permis de décrire le phénomène du sommeil chez une variété de mammifères et chez un nombre restreint de reptiles, d'oiseaux et d'amphibiens (Campbell et Tobler, 1984). Étant donné que les diverses mesures du sommeil (temps de sommeil total dans une journée ou longueur moyenne du sommeil REM) révèlent de grandes différences entre les animaux, on souhaite que de telles comparaisons puissent aider les chercheurs à identifier les facteurs qui contrôlent les propriétés se rapportant à la synchronisation et aux périodes du sommeil. Quelle influence la niche adaptative d'un animal exerce-t-elle sur les particularités de son sommeil ? Le sommeil des prédateurs est-il différent de celui des animaux qui sont continuellement pourchassés ? L'étude des animaux contemporains peut-elle permettre d'élaborer l'historique de l'évolution du phénomène du sommeil ? Quel rapport existe-t-il entre l'évolution du comportement du sommeil et les modifications évolutives des structures du système nerveux ?

---

* *L'instinct du sommeil*

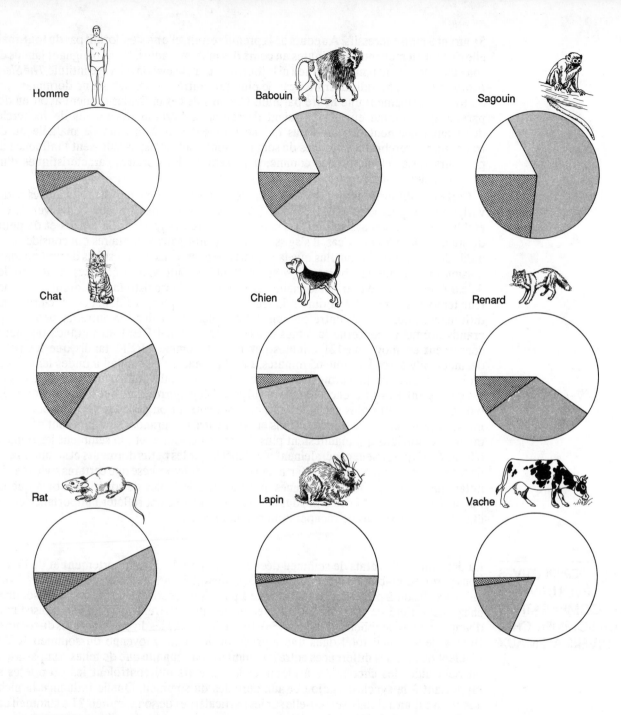

Figure 14.9 Comparaison des états de sommeil chez divers animaux.

Légende:
- Éveillé
- Sommeil à ondes lentes
- Sommeil REM

Le diagramme de la figure 14.9 montre la proportion d'une journée normalement consacrée au sommeil et celle qui correspond à la période de sommeil paradoxal du sommeil, chez divers animaux. Ces observations et plusieurs autres indices expérimentaux rapportés dans des documents scientifiques permettent de dégager plusieurs généralisations comparatives. À l'exception de l'échidné (insectivore d'Australie et de Nouvelle-Guinée qui se nourrit de fourmis) et du dauphin, tous les mammifères étudiés jusqu'à maintenant révèlent les deux catégories de sommeil : le sommeil REM et le sommeil à ondes lentes. L'échidné est un mammifère ovipare dont le sommeil prolongé en est un à ondes lentes, sans période REM. Cette créature serait la plus ancienne parmi les mammifères actuels. Chez les mammifères contemporains, l'échidné serait suivi de près, quant à l'ancienneté évolutive, par l'opossum que certains spécialistes du sommeil décrivent comme un *fossile vivant*. Appartenant au groupe des marsupiaux (animaux dont le développement très rudimentaire, à la naissance, les oblige à compléter leur croissance dans la poche ventrale de leur mère), l'opossum manifeste un sommeil caractérisé par une période à ondes lentes et une période REM, avec des caractéristiques d'EEG qui ne sont pas fondamentalement différentes de celles des placentaires. Les comparaisons entre ces deux mammifères anciens ont porté certains chercheurs à croire que le premier type de sommeil à se développer avait été celui à ondes lentes (l'échidné est apparu il y a environ 130 millions d'années). L'étude comparative de l'anatomie du cerveau de ces mammifères ou de celui de l'échidné par rapport à celui de tous les autres pourrait donner des informations utiles sur le développement des structures qui auraient permis, au cours de l'évolution, l'apparition du sommeil REM.

Bien que certains chercheurs considèrent le sommeil REM comme un produit plus récent de l'évolution, Meddis (1979) a invoqué un argument intéressant à l'appui du contraire. Il fait observer que les cycles des deux stades principaux du sommeil (REM et ondes lentes ou, selon sa description, le sommeil actif et le sommeil tranquille) ne s'observent que chez les animaux qui contrôlent leur température par des moyens physiologiques, c'est-à-dire les endothermes. Plusieurs faits démontrent que la température est mal contrôlée durant le sommeil REM et ces données amènent Meddis à suggérer que le sommeil REM pourrait être apparu chez les ectothermes, animaux capables de survivre malgré une régulation moins précise de leur température. Les endothermes ne pourraient facilement survivre s'ils étaient soumis à une situation qui ne leur permette pas un contrôle très précis de leur température. Selon Meddis, la solution qui permet de contrer le danger représenté par le sommeil REM consiste en l'addition du sommeil tranquille ou sommeil à ondes lentes, période au cours de laquelle la régulation de la température s'effectue comme il se doit. Au cours de l'évolution, le sommeil à ondes lentes, ou sommeil tranquille, serait apparu pour protéger les endothermes des changements marqués de température corporelle. Selon Meddis, les petits animaux auraient de courtes périodes de REM et des cycles de sommeil plus brefs précisément parce que, étant donné leur masse corporelle réduite, ils seraient plus vulnérables aux changements de température résultant des variations du milieu.

Les études sur le sommeil ont donné de nombreuses autres généralisations. Ainsi, les animaux digitigrades (âne, vache, cheval) dorment généralement beaucoup moins que les autres mammifères, quoique avant d'atteindre la maturité, ils peuvent manifester un sommeil constitué de portions appréciables de sommeil à ondes lentes et de sommeil REM. Les petits animaux présentent des intervalles de sommeil beaucoup plus courts, chaque intervalle consistant en un épisode de sommeil à ondes lentes suivi d'un épisode de sommeil REM. Un intervalle de sommeil chez le rat de laboratoire dure, par exemple, 10 à 11 minutes en moyenne alors que chez l'être humain un intervalle de sommeil dure 90 à 110 minutes. Cette observation a permis de conclure que la durée de l'intervalle de sommeil est inversement proportionnelle à la valeur du métabolisme de base (les petits animaux possèdent généralement un métabolisme de base élevé). Cependant, les intervalles brefs peuvent également être l'effet d'autres besoins. Par exemple, les dauphins sont forcés de monter à la surface pour respirer, d'où la brièveté de leurs périodes de sommeil. Les oiseaux comme le martinet ou la sterne fuligineuse dorment brièvement pendant qu'ils planent. Le martinet passe presque tout son temps à voler, sauf durant la saison de nidification; quant à la sterne fuligineuse, elle passe des mois à voler et à planer au-dessus des eaux, ne se déposant jamais et se contentant d'attraper les poissons en surface.

Chez les mammifères marins comme le dauphin, la baleine et le phoque, le sommeil est un phénomène des plus curieux car ces animaux doivent émerger à la surface de l'eau pour respirer. Un chercheur qui a étudié le sommeil des dauphins a pu montrer qu'ils avaient un sommeil caractérisé par des ondes lentes, manifestées sur un seul hémisphère cérébral, et par une absence totale de périodes REM (Mukhametov, 1984). Un hémisphère complet serait donc endormi pendant que l'autre demeure éveillé ! La figure 14.10 présente un échantillon de données EEG illustrant ce phénomène inhabituel. Au cours de ces périodes de sommeil unilatéral, l'animal continue de monter à la surface pour respirer; le sommeil de ces animaux n'est donc pas caractérisé par une immobilisation motrice relative. Mukhametov fait également observer que la privation de sommeil dans un des hémisphères ne contribue pas à accroître la quantité de sommeil de l'autre hémisphère. Les mammifères aquatiques ne se ressemblent pas tous par contre, certains phoques montrent un sommeil bilatéral et synchronisé constitué d'une période REM et d'une période à ondes lentes. Par ailleurs, ce type de sommeil se produit généralement lorsque le phoque est sorti de l'eau.

Chez les primates, les études comparatives du sommeil font ressortir de grandes variations de séquences temporelles, bien que les ondes EEG se ressemblent beaucoup et que l'on puisse les classer parmi les mêmes stades de sommeil à ondes lentes et de sommeil REM. Dans le cas de l'un de ces primates, le babouin, qui dort à l'extrémité des plus petites branches des arbres, ce sont les stades 1 et 2 du sommeil à ondes lentes qui prédominent. Bert (1971) note que le choix d'un tel endroit pour dormir qui protège l'animal des prédateurs rend par contre la détente musculaire globale du sommeil REM plus dangereuse, car il peut facilement tomber de l'arbre. Le chimpanzé, qui construit ses nids temporaires sur les grosses branches, donne des périodes de sommeil REM plus importantes.

Figure 14.10 a) Tracés électroencéphalographiques dans les hémisphères droit (D) et gauche (G) d'un marsouin. A : désynchronisation bilatérale; B : synchronisation bilatérale intermédiaire; C, D : ondes delta unilatérales. Enregistrement unipolaire à partir de régions approximativement symétriques du cortex pariétal. Calibrage : temps, 1 seconde; amplitude, 200 microvolts. b) Diagrammes EEG des stades 1 (désynchronisation), 2 (synchronisation intermédiaire) et 3 (synchronisation delta) dans les hémisphères droit (D) et gauche (G) du cerveau d'un dauphin au cours d'une séance de 24 heures. Enregistrement bipolaire à partir de régions approximativement symétriques du cortex pariétal. Échelle de temps : heures. (De Mukhametov, 1984.)

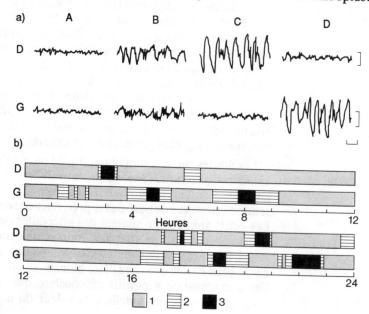

La plupart des études du sommeil ont porté sur des animaux confinés dans l'environnement inhabituel d'un laboratoire et des critiques ont fait remarquer que les contraintes d'un tel milieu pourraient contribuer à minimiser les caractéristiques distinctives du sommeil d'espèces particulières. Même si ces objections peuvent sembler intuitivement valables, elles ne sont pas nettement confirmées, toutefois, par les tentatives d'évaluation de cette limite possible des études de laboratoire. Les nombreux chercheurs qui ont comparé les modèles de sommeil des primates évalués en laboratoire et dans leur milieu naturel n'ont pas réussi à relever des différences significatives.

Meddis (1975) a proposé une façon de présenter les données provenant des études comparatives actuelles. Il recommande de comparer les groupes d'animaux en fonction des principales caractéristiques du sommeil, soit :

1. Une répartition circadienne de repos et d'activité.
2. Au moins une longue période d'inactivité par jour.
3. Élévation des seuils d'activation face aux stimulations externes durant la(les) période(s) d'inactivité.
4. Ondes lentes et inactivité qui y est associée.
5. Périodes de sommeil REM.
6. Niches de sommeil propres à l'espèce et position typique du corps pendant le sommeil.

Tous les vertébrés présentent une répartition circadienne comprenant une longue phase d'inactivité, des hausses de seuil face aux stimulations externes et une position caractéristique durant l'inaction. La comparaison des diverses classes de vertébrés démontre la présence de sommeil REM chez les mammifères, les oiseaux et les reptiles, mais pas chez les monotrèmes, les amphibiens et les poissons. Les ondes lentes et le type de sommeil qui les accompagne ne s'observent que chez les mammifères, les oiseaux et les monotrèmes.

CROISSANCE DE L'INDIVIDU ET MODIFICATIONS AFFECTANT SON MODÈLE DE SOMMEIL

Chez tout mammifère, les caractéristiques du cycle sommeil-éveil sont appelées à changer au cours de la vie. Ces changements sont plus apparents au début du développement, même si chez plusieurs espèces, l'EEG des nouveau-nés ne correspond pas exactement au même type de classification que l'EEG de l'animal adulte. En fait, l'image caractéristique de l'EEG des différents stades du sommeil à ondes lentes de l'être humain n'apparaît pas avant l'âge de 5 à 6 ans. À cet âge, il devient possible de classifier les données de l'EEG en stades comparables à ceux de l'adulte. Le comportement des nouveau-nés associé aux données de l'EEG permet aux chercheurs d'établir une distinction entre le sommeil tranquille (semblable au sommeil à ondes lentes) et le sommeil actif (analogue au sommeil REM). Cette distinction est basée sur des différences dans les réactions, comme les secousses musculaires, les mouvements oculaires, la respiration et la fréquence cardiaque. Le sommeil tranquille du nouveau-né est caractérisé par un EEG plus lent, de forts mouvements de succion et une respiration irrégulière. Le sommeil actif se définit par une intensification phasique de la respiration qui accompagne des accès de mouvements oculaires, un EEG de faible amplitude, des grimaces et des sourires occasionnels. Quels changements dans le sommeil caractérisent les différentes étapes de la vie humaine ?

Le sommeil : de la tendre enfance jusqu'à l'âge adulte

Les nouveau-nés de pratiquement toutes les espèces de mammifères dorment beaucoup plus chaque jour que les adultes des mêmes espèces. De plus, ces nouveau-nés ont proportionnellement beaucoup plus de périodes REM (sommeil paradoxal). Par exemple, la figure 14.11 montre que, au cours des deux premières semaines de la vie d'un être humain, la moitié du sommeil est composée de périodes REM. Le pourcentage de sommeil REM est encore plus grand chez les prématurés : ceux qui naissent après 30 semaines de gestation

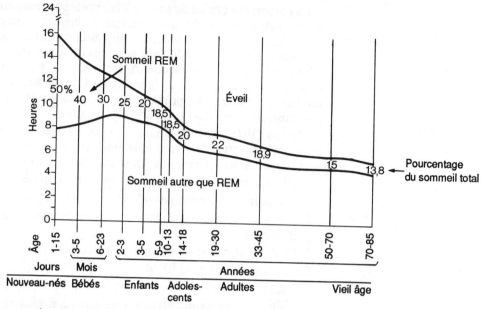

Figure 14.11 Modifications du sommeil observables chez l'être humain selon l'âge. (De Roffwarg, Muzio et Dement, 1966.)

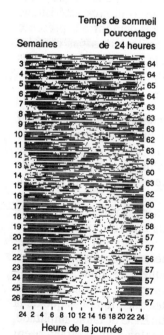

Figure 14.12 Développement d'un rythme circadien dans les tracés d'activité de sommeil au cours de la petite enfance. Les parties foncées indiquent le temps de sommeil et les parties claires, le temps d'éveil. (De Kleitman et Engelmann, 1953.)

donnent à peu près 80 % de périodes REM. Contrairement aux adultes normaux, les nouveau-nés de l'être humain sont capables de passer directement de l'état éveillé au sommeil REM. À l'âge de quatre mois, une période de sommeil à ondes lentes précède la période de sommeil REM, celle-ci étant assez active et s'accompagnant de saccades musculaires, de sourires, de grimaces et de vocalisations. Au cours du sommeil REM, ces comportements, notamment les sourires, ne se rapportent pas à un aspect particulier de l'état d'éveil, mais seraient plutôt d'origine endogène (Challamel et coll., 1985). Cette caractéristique apparaît également chez les nouveau-nés du chat et du rat.

Ce n'est qu'après plusieurs semaines qu'un cycle éveil-sommeil bien défini s'installe chez le nouveau-né humain. La figure 14.12 montre la formation d'un rythme de 24 heures distinct chez un nouveau-né. En général, c'est à l'âge de 16 semaines que ce rythme devient évident. Une autre caractéristique qui distingue le sommeil du nouveau-né de celui de l'adulte est le nombre et la durée moyenne des changements d'état. Le sommeil du nouveau-né comprend de fréquents changements d'état, de durée moyenne plus courte que ceux qu'on observe chez l'adulte.

Ces caractéristiques du sommeil des nouveau-nés sont attribuables à l'immaturité relative du cerveau, ce qu'on peut démontrer de nombreuses façons. Tout d'abord, les bébés nés prématurément dorment beaucoup plus que les enfants nés à terme. De plus, certains animaux (dits précoces) qui naissent dans un état de développement avancé, par exemple le cobaye, présentent en vieillissant des changements de modèle de sommeil beaucoup moins marqués.

Les modèles de sommeil des enfants souffrant de déficience mentale sont différents de ceux des enfants normaux (Petre-Quadens, 1972). Par exemple, chez ces enfants déficients, on observe notamment moins de mouvements oculaires pendant le sommeil et moins de périodes REM. L'enregistrement de l'EEG du sommeil pourrait s'avérer utile à la naissance pour identifier les enfants soupçonnés d'une déficience mentale, et pour amorcer les premières interventions thérapeutiques, surtout lorsque la déficience mentale ne s'accompagne pas de signes biochimiques ou anatomiques.

Une étude longitudinale auprès de nouveau-nés normaux a permis de déceler un événement REM inhabituel qui entretient un rapport avec une mesure du développement cognitif du nouveau-né (Becker et Thoman, 1981). Dans cette étude, les chercheurs ont noté chez certains enfants la présence d'une forme particulièrement intense de sommeil REM. Ces enfants présentaient des mouvements oculaires et faciaux particulièrement vigoureux, ayant presque l'allure d'une attaque. Ce type d'événement a été qualifié de *tempête*. On l'observait surtout au cours des cinq premières semaines après la naissance, puis habituellement, il devenait de moins en moins fréquent. À l'âge d'un an, on a évalué deux groupes séparés de ces bébés au moyen de l'échelle de développement mental de Bayley. On nota une corrélation négative frappante entre les tempêtes REM à l'âge de six mois et les scores de l'échelle Bayley à l'âge d'un an, alors que les autres mesures (nombre de périodes REM ou de périodes de sommeil à ondes lentes) n'entretenaient pas de rapport avec cette mesure de développement cognitif.

Le sommeil des personnes âgées

Les paramètres du sommeil changent avec la vieillesse, mais plus lentement qu'au début de la vie. La figure 14-13 donne le déroulement d'une nuit de sommeil typique d'une personne âgée. On y note une diminution de la quantité totale de sommeil, de même qu'une augmentation du nombre de réveils au cours de la nuit. Les gens très vieux se plaignent fréquemment d'insomnie; toutefois, si l'on tient compte du nombre de petites siestes que ces vieilles personnes s'accordent chaque jour, on peut exprimer certains doutes sur l'authenticité de ce qu'ils appellent insomnie (Miles et Dement, 1980). La chute progressive la plus dramatique concerne les stades du sommeil 3 et 4, ceux-ci ne représentant, à l'âge de 60 ans, que 55 % de la durée qu'ils avaient à l'âge de 20 ans. Durant ces stades 3 et 4, l'amplitude des ondes lentes décroît considérablement elle aussi avec le vieillissement. Ce déclin du sommeil total des stades 3 et 4 chez les vieillards est en partie associé à la diminution des aptitudes cognitives observées à cet âge. Cette caractéristique est encore plus évidente dans le cas de la réduction prononcée des stades de sommeil 3 et 4 notée chez les personnes âgées souffrant de démence sénile. Des données plus récentes ont porté les chercheurs à se demander si les changements déjà observés dans les modèles de sommeil des personnes âgées sont directement reliés au processus de vieillissement. Une étude de Reynolds et ses collaborateurs (1985) portant sur des vieillards en bonne santé donne des caractéristiques de périodes REM comparables à celles de jeunes adultes. Webb (1983) a insisté sur le large éventail de variations des paramètres du sommeil chez les gens âgés, tout en notant également qu'une différence essentielle entre les jeunes et les vieux consiste en l'incapacité qu'éprouvent les personnes plus âgées de rester endormies; cette caractéristique contribue à leur *insatisfaction* par rapport au sommeil.

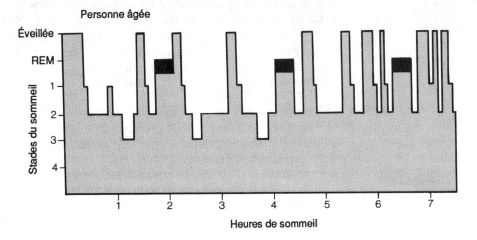

Figure 14.13 Sommeil habituel d'une personne âgée. Les caractéristiques de cet enregistrement comprennent de fréquents réveils, l'absence de sommeil de stade 4 et une réduction du sommeil de stade 3. (D'après Kales et Kales, 1974.)

**Conséquences
fonctionnelles sur
le sommeil des
changements qui se
produisent au
cours d'une vie**

Quelles sont les conséquences fonctionnelles sur le sommeil, des changements qui interviennent au cours de la vie ? La prépondérance du sommeil REM au début de la vie a amené des chercheurs à supposer que cet état produirait une stimulation essentielle à la maturation du système nerveux. Cette hypothèse n'a pas été suffisamment étayée et elle pourrait bien rencontrer des difficultés. Néanmoins, des observations des conséquences de la privation de REM chez des rats, à partir de 11 à 12 jours après la naissance, pourraient lui apporter un certain appui. L'élimination de ce stade de sommeil chez ces animaux entraîne une réduction de la dimension du cortex cérébral, réduction apparentée à celle observée chez les animaux soumis à des privations sensorielles (Mirmiran, 1986). Le fait de priver des ratons de sommeil REM en bas âge interfère en effet avec les conséquences positives d'un enrichissement environnemental sur les structures cérébrales d'un rat. L'activité REM semblerait plutôt aléatoire et on pourrait, sur un plan intuitif, supposer que la stimulation sous forme organisée est importante pour le développement. Une autre hypothèse suggère que le sommeil REM aurait un rôle à jouer dans la consolidation des souvenirs à long terme. Comme la tendre enfance est une période durant laquelle l'apprentissage est prépondérant, cette hypothèse pourrait servir à expliquer la grande quantité de sommeil REM au début de la vie. D'autres propositions théoriques voient, dans les modifications progressives des états de sommeil, le reflet de changements comparables dans le taux du développement des capacités de traitement de l'information. Cette affirmation ne se soucie pas toutefois de préciser la nature des relations causales étroites entre ces développements parallèles. L'historique du développement et du sommeil demeure mystérieux et incomplet.

Plusieurs études ont porté sur l'impact des différents stimuli de l'environnement, des influences sociales et des états biologiques sur les propriétés temporelles et structurales du sommeil. D'un certain point de vue, le sommeil est un état d'une stabilité étonnante. Des modifications majeures des caractéristiques du comportement à l'état d'éveil n'ont que des effets mineurs sur le sommeil subséquent. Le fait de s'adonner à des exercices avant de se mettre au lit, par exemple, semble amener une réduction de la période de latence précédant l'apparition du premier épisode de sommeil, mais n'a d'influence sur aucun des autres paramètres du sommeil. Les conditions sociales qui prévalent durant le sommeil semblent également n'avoir que peu d'impact. Au cours d'observations dont ils n'ont pas publié les résultats, Leiman et Aldrich ont comparé deux conditions de sommeil chez des chats : quand ils dormaient seuls et quand ils dormaient en compagnie d'un autre animal, celui-ci étant plus dominateur ou plus soumis. Durant l'état d'éveil, la dominance se manifestait fortement par des sifflements et des coups de griffe. Toutefois, des enregistrements continus des états d'éveil et de sommeil ne témoignaient d'aucune influence significative sur la synchronisation ou la forme du sommeil chez l'un ou l'autre des animaux.

Il existe cependant des conditions que les expérimentateurs peuvent manipuler pour produire des changements majeurs dans les mesures du sommeil. Ces conditions sont particulièrement intéressantes car elles font apparaître des propriétés du sommeil qui ouvrent des perspectives sur les mécanismes sous-jacents.

À un moment ou à un autre, chacun d'entre nous a dû se prêter, volontairement ou non, à des expériences informelles de privation de sommeil. Nous connaissons donc certains des effets de la privation totale ou partielle de sommeil, celle-ci nous rendant somnolents ! Pourquoi les chercheurs étudient-ils donc les conséquences de la privation de courte ou de longue durée ? C'est que la privation de sommeil peut constituer un moyen d'explorer certains des mécanismes possibles de la régulation de l'éveil et du sommeil. La majorité des recherches en ce domaine ont été centrées sur l'étude du phénomène de la récupération du sommeil. Un animal privé de sommeil prend-il note de la quantité et du type de sommeil perdu ? De même, lorsqu'il y a compensation possible, la récupération est-elle totale ou partielle ? Est-on en mesure d'acquitter les dettes de sommeil ? Combien de jours de récupération de sommeil une compensation quelconque exigerait-t-elle ?

Perturbations engendrées par une privation de sommeil

L'intérêt des chercheurs en psychiatrie a porté sur un autre aspect de la privation de sommeil : les premières données mettaient l'accent sur une similitude entre des cas de comportements « bizarres » provoqués par la privation de sommeil et des traits psychotiques, plus particulièrement la schizophrénie. En examinant la privation de sommeil partielle ou totale, ces chercheurs espéraient pouvoir mieux comprendre certains aspects de la genèse du comportement psychotique. On insistait fréquemment dans ces travaux sur le rôle fonctionnel du rêve comme *gardien de la santé de l'esprit*, notion qui s'inspirait partiellement des premiers rapports voulant que la privation de REM soit susceptible d'engendrer des conséquences d'ordre affectif pouvant être permanentes. Les vérifications de cette hypothèse auprès de sujets schizophrènes ne semblent pas appuyer cette façon de voir. On peut, par exemple, trouver chez ce type de sujets des cycles sommeil-éveil semblables à ceux de sujets normaux et la privation de sommeil n'aggrave pas leurs symptômes.

Les effets d'une privation totale et prolongée de sommeil sur le comportement varient de façon appréciable et peuvent dépendre de l'âge et de quelques facteurs généraux de personnalité. Dans plusieurs études utilisant des privations totales assez prolongées (205 heures, ou 8 à 9 jours) certains sujets ont connu des épisodes occasionnels d'hallucination. Par ailleurs, il est rare que la privation du sommeil d'une durée de plus de 100 heures provoque un état psychotique. Les modifications de comportement les plus habituellement observées au cours de ces expériences sont des augmentations de l'irritabilité, la difficulté de concentration et des épisodes de désorientation. Ces effets sont plus apparents le matin; vers la fin de l'après-midi et au début de la soirée, les sujets semblent beaucoup moins touchés par la perte cumulative de sommeil. Une citation extraite d'une recension de L.C. Johnson (1969, p. 216), fournit la meilleure description de la capacité que le sujet garde dans l'exécution d'une tâche : « Son rendement est semblable à celui d'un moteur qui, après un usage prolongé, a des ratés, marche normalement pendant quelque temps, puis manque à nouveau ». Les tâches de brève durée qui donnent lieu à de fortes motivations peuvent n'être presque pas perturbées, même à la suite d'une privation de sommeil prolongée.

Au cours d'une privation de sommeil, les effets sur l'EEG sont particulièrement manifestes dans les mesures du rythme alpha, la proéminence de ces rythmes alpha diminuant graduellement. L'EEG de ces sujets prend l'apparence du sommeil de stade 1, même quand les sujets se déplacent dans la pièce. Des faits abondants démontrent que la privation de sommeil peut donner un EEG et des signes comportementaux semblables à ceux d'individus en proie à des crises d'épilepsie.

Compensation du sommeil perdu

Beaucoup d'études ont porté sur la compensation possible du sommeil perdu à la suite d'une privation totale ou partielle. Les données relatives à une privation de sommeil de 264 heures (11 jours) à laquelle on avait soumis un jeune homme permettent d'illustrer le processus de récupération chez l'être humain (figure 14.14). On n'observa aucun indice d'un état psychotique; seule la curiosité avait entraîné ce jeune homme à faire cette expérience d'une longueur inaccoutumée. Cette étude fut publiée dans des revues scientifiques en 1966; le jeune homme qui s'était soumis à cette expérience fut, à ce moment-là, l'objet d'une grande publicité. Mais, comme les chercheurs se sont intéressés à cette expérience seulement après que le jeune homme eut commencé son programme de privation, on ne dispose pas de données relatives à son état, avant la privation. Les effets observés sont, néanmoins, comparables à beaucoup d'autres données (même si ce sujet semble détenir le record de durée en ce qui concerne une privation de sommeil intentionnelle).

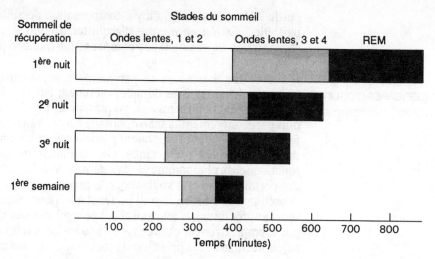

Figure 14.14 Récupération de sommeil après 11 jours de privation totale de sommeil. (D'après Gulevich, Dement et Johnson, 1966.)

Au cours de la première nuit de récupération, c'est le sommeil de stade 4 qui présente la différence relative la plus grande par rapport à une situation normale. Cette augmentation de sommeil de stade 4 se fait habituellement aux dépens du sommeil de stade 2. Toutefois, l'accroissement de la durée du sommeil de stade 4, au cours de la récupération, ne compense pas complètement le déficit accumulé durant la période de privation. En réalité, cette hausse ne dépasse pas celle qu'on rapporte pour des périodes de privation deux fois moins longues. Dans le cas d'une privation prolongée de sommeil REM, la plus grande récupération n'est manifeste que durant la seconde nuit consécutive à la privation. Le déficit quant à la période REM est bien près d'être comblé, bien que cela nécessite probablement plus de nuits consécutives de récupération.

On a effectué sur l'être humain et sur les autres animaux beaucoup de travaux sur le processus de compensation des déficits de sommeil. Les expériences de ce type réalisées au début des années 1970 faisaient intervenir des effets engendrés par une privation dont la durée était en moyenne plutôt courte. Ces études portaient sur une privation totale de sommeil ou, plus souvent, sur la privation de sommeil REM, cette dernière condition étant obtenue en forçant le sujet à se réveiller chaque fois que les signes EEG d'une période REM se manifestaient. Ces premières expériences de privation de sommeil REM de courte durée montraient généralement qu'au cours des séances de récupération consécutives à la privation, la compensation de la perte de sommeil REM se manifestait sous la forme d'épisodes REM d'une durée plus longue. Dans le cas d'une privation de sommeil REM plus prolongée, le déficit doit être compensé de façon un peu différente, la récupération en termes du nombre d'heures de sommeil REM n'est pas complète mais d'autres formes de récupération de périodes REM apparaissent. Par exemple, la diminution de la tension des muscles posturaux (tels les muscles du cou), l'une des caractéristiques du sommeil REM, peut se produire durant le sommeil à ondes lentes qui suit une privation prolongée de sommeil. Par conséquent, il peut arriver que les caractéristiques habituelles du sommeil REM se retrouvent dans d'autres stades du sommeil. On a pu observer ce phénomène chez l'être humain et chez le chat.

Les séances de récupération peuvent également mettre en cause une autre forme de compensation. Plusieurs études ont permis de constater que le sommeil REM de la nuit de récupération est plus *intense* que les épisodes de sommeil REM avant privation. Dans ces expériences, l'intensité se manifeste par le nombre de mouvements oculaires rapides par unité de temps. L'utilisation des seuils d'activation, face à un stimulus sensoriel (un son ou un vrombissement) ou face à la stimulation directe de régions cérébrales donne des résultats plus variables. Plusieurs chercheurs ont observé que les seuils étaient plus élevés durant les nuits de récupération de sommeil REM que pendant les périodes REM d'avant privation. Cela montre que le sommeil REM de récupération est en quelque sorte différent du sommeil REM ordinaire.

Certains faits indiquent que le phénomène de compensation REM est particulièrement sensible à une privation des événements phasiques qui caractérisent généralement ce stade (les mouvements oculaires rapides, par exemple). Ces données proviennent d'expériences sur les chats. On a totalement privé un groupe de chats de sommeil REM durant deux jours, alors que durant la même période on réveillait les chats d'un autre groupe à chaque apparition d'événements phasiques durant le sommeil à ondes lentes comme durant le sommeil REM. La durée de ces événements phasiques durant le sommeil à ondes lentes des chats est plutôt insignifiante, soit 1 à 2 minutes par période de sommeil. On constata néanmoins que le rebondissement de sommeil REM était plus considérable chez les chats privés d'événements phasiques.

Plusieurs aspects de la compensation subséquente à la privation de sommeil méritent encore d'être explorés. La confusion engendrée par les effets du stress induit par une privation de sommeil a contribué à faire diminuer, au cours des dernières années, l'intérêt pour ce type de recherche, malgré le fait que plusieurs questions importantes demandent encore à être élucidées.

Sommeil et exercice

Plusieurs personnes, les parents notamment, croient que le sommeil permet de récupérer l'énergie consommée par les activités de la journée, si bien qu'une journée particulièrement riche en activités diverses devrait accroître le besoin de sommeil et la nécessité de récupération. Une façon de vérifier la valeur de ce concept consiste à examiner l'impact des exercices quotidiens sur la nuit de sommeil qui suit. Si cette vérification semble facile à réaliser à première vue, plusieurs difficultés d'ordre méthodologique surgissent, comme l'a déjà relevé Horne (1981) dans une recension de cette question. En effet, des données montrent que les conséquences de l'exercice diffèrent selon qu'il s'agit d'athlètes entraînés ou d'individus plus sédentaires. Certains des effets de l'exercice sur le sommeil sont également associés aux changements que le stress provoque, par l'intermédiaire des hormones des corticosurrénales. Malgré les insuffisances méthodologiques de la recherche en ce domaine, certaines données font généralement consensus. Les coureurs de marathon forment un groupe d'individus qui se trouvent, de toute évidence, confrontés à des défis métaboliques. Une étude de Shapiro et de ses collaborateurs (1981) a montré les effets que produit sur le sommeil une course de 92 kilomètres. Cette recherche a porté sur un groupe de jeunes adultes en bonne forme physique et habitués à la course de marathon. L'intensité du défi métabolique se reflétait par une hausse prononcée de la température corporelle et une perte de masse corporelle durant la course (malgré la consommation d'une grande quantité d'eau). À la suite de cet exercice rigoureux, le temps de sommeil total augmentait et le résultat le plus frappant était une forte augmentation du pourcentage du sommeil à ondes lentes des stades 3 et 4. Cette influence persistait pendant plusieurs nuits de sommeil. Cet effet est caractéristique des sujets qui sont en bonne forme physique et soumis à un entraînement régulier. Chez d'autres individus, l'impact de l'exercice sur le sommeil est plus varié. On constate généralement que l'exercice réduit chez ces individus la période de latence de l'apparition du sommeil. On a là un domaine intéressant dont les données ouvrent une perspective importante sur les rôles biologiques présumés du sommeil.

Effets des drogues sur les processus du sommeil

L'histoire de l'humanité nous révèle que l'être humain a été, depuis toujours, à la recherche de substances qui pourraient faciliter le sommeil. Des élixirs, des potions et, plus récemment, des drogues ont contribué à faciliter et à maintenir le sommeil. Les civilisations anciennes ont trouvé dans les organismes végétaux des substances qui provoquaient le sommeil (Hartmann, 1978). Les Grecs de l'Antiquité utilisaient le jus du pavot pour se procurer de l'opium. La pharmacopée grecque de cette époque comprenait des produits de la mandragore, maintenant connus comme étant la scopolamine et l'atropine. Des élixirs qui consistaient en des mélanges de produits de plantes variées ont procuré le sommeil à beaucoup d'individus avant l'avènement de la pharmacologie du sommeil, dont les origines remontent à la synthèse de la morphine à partir de l'opium, au début du XIXe siècle. Au milieu de ce siècle, la préparation de l'acide barbiturique par Adolph von Bayer — découvreur de l'aspirine — fut à l'origine de la synthèse des barbituriques, substances variées encore utilisées dans le traitement des perturbations du sommeil.

Beaucoup d'agents chimiques, autres que les cachets de somnifères couramment utilisés, peuvent exercer des effets sur le sommeil. Il est fait mention en effet, dans les publications cliniques et expérimentales sur le sujet, que des médicaments utilisés pour contrôler ou soulager certaines maladies peuvent avoir sur le sommeil des effets secondaires qui viennent compromettre leur efficacité. L'intense activation cardio-vasculaire caractéristique du sommeil REM peut, par exemple, représenter un danger pour ceux qui souffrent de maladies du cœur. La vulnérabilité de l'individu pourrait augmenter de façon plutôt paradoxale quand les drogues employées pour traiter de telles maladies font accroître la probabilité de l'apparition du sommeil REM.

Plusieurs études démontrent nettement que les effets de certaines substances généralement considérées comme des somnifères dépendent à la fois du dosage et du fait que l'évaluation porte sur une seule nuit ou sur une période de temps prolongée. La façon dont on interrompt l'administration de la drogue exerce également une influence sur les effets de rebondissement ou les séquelles. Il se pourrait qu'une partie de la variabilité des résultats devienne plus facile à comprendre quand certains des événements neurochimiques sous-jacents seront mieux connus. Il faut souligner, enfin, que beaucoup d'évaluations des effets des drogues sur le sommeil portent sur de jeunes sujets normaux qui ne se plaignent pas de perturbations du sommeil ou qui n'en manifestent pas de façon évidente. Il se peut que l'utilisation de tels sujets limite le champ de phénomènes observables. En effet, par analogie, il est fort improbable qu'un chercheur intéressé à vérifier les propriétés antituberculeuses de certains médicaments en fasse l'évaluation sur des sujets qui ne présenteraient aucun signe de tuberculose; il ne serait tout simplement pas possible de voir un changement dans la condition du sujet si, au départ, il n'existait pas d'état tuberculeux.

L'une des plus anciennes et des plus simples drogues utilisées par l'être humain est l'alcool. Son influence sur le sommeil semble caractéristique d'une catégorie plus vaste de substances *déprimantes*. Une dose relativement modérée (par exemple, deux rasades de whisky en moins d'une heure) déprime ou réduit le temps de sommeil REM. Si une telle consommation est maintenue pendant plusieurs jours successifs, le sommeil REM se rétablit et aucune influence n'est décelable après trois à cinq jours. Cette constatation a porté certains chercheurs à croire que l'alcool et les drogues semblables (par exemple, les barbituriques analogues à ceux qui sont utilisés généralement dans les cachets de somnifères) déclenchent un mécanisme de compensation de sommeil REM. L'observation d'alcooliques en phase de sevrage a fourni des données pertinentes. Après l'arrêt de la consommation d'alcool, le sommeil REM se trouve fortement supprimé dès le troisième jour (période correspondant à celle de la production la plus probable de tremblements délirants chez les alcooliques). Puis, le sommeil REM connaît un niveau élevé pendant plusieurs jours pour revenir à nouveau à une phase de suppression et de récupération.

L'administration d'antidépresseurs (ou remontants) produit une suppression importante de sommeil REM. Les amphétaminomanes peuvent parfois connaître une absence pratiquement totale de sommeil REM pendant la période d'utilisation de cette substance. Après l'arrêt de l'usage de la drogue, le rebondissement de sommeil REM peut, dans certains cas, représenter jusqu'à 75 % de la nuit de sommeil et se traduire par un sommeil qui s'installe rapidement contrairement à la latence normale de 40 à 90 minutes. La prépondérance de la période REM dans le sommeil des amphétaminomanes peut être associée aux cauchemars qu'ils font pendant le sevrage. D'autres antidépresseurs inhibent le sommeil, sans qu'on puisse observer toutefois de rebondissement subséquent.

Il existe un lien évident entre la sujétion aux drogues et le sommeil REM. Les substances qui produisent de la suppression et du rebondissement de REM sont des drogues qui entraînent également une dépendance. Par contre, les drogues qui donnent une suppression sans rebondissement ne causent pas de dépendance. Certains chercheurs, notamment Hartmann (1973), supposent que les activités physiologiques engendrées par cette seconde catégorie de substances pourraient remplacer le besoin de sommeil REM. Ces drogues incluent celles utilisées comme antidépresseurs, comme les inhibiteurs de la monoamine oxydase par exemple.

Dans son rapport publié en 1979, une commission présidentielle américaine a examiné la dépendance et l'abus des somnifères aux États-Unis. Cette étude révèle qu'au moins 75 % de toutes les ordonnances médicales visent à éliminer des problèmes de sommeil; par conséquent, peu nombreux sont ceux qui n'ont jamais utilisé de médicaments pour favoriser ou maintenir le sommeil. Considérés uniquement comme moyen de résoudre les problèmes du sommeil, les médicaments actuels ne représentent vraiment pas un remède valable, et ceci pour plusieurs raisons. D'abord, l'usage continu de somnifères finit par annuler la propriété qu'ont ces substances de provoquer le sommeil. Cette perte de capacité d'engendrer le sommeil amène le sujet à augmenter lui-même la dose, ce qui en soi est une menace à sa santé. Un second inconvénient majeur lié à l'utilisation des somnifères vient de ce qu'ils introduisent des changements marqués dans le déroulement du sommeil pendant la période d'utilisation des médicaments et pendant plusieurs jours après la fin de leur utilisation. Le plus souvent il se produit, au début de la consommation de la drogue, une réduction du sommeil REM, particulièrement durant la première moitié de la nuit de sommeil. Une adaptation graduelle au médicament se manifeste dans le retour du sommeil REM à la suite de l'utilisation continue des somnifères. Dans plusieurs cas, le retrait soudain du somnifère donne lieu à une période de rebondissement REM, avec une intensité que plusieurs trouvent désagréable et qui peut conduire à un retour à la dépendance à l'égard des somnifères. Un dernier problème important découlant de l'usage fréquent des somnifères est l'influence que ces drogues exercent sur le comportement d'éveil. Un état persistant d'*ivresse de sommeil* associé à de la somnolence, malgré des efforts intenses pour rester éveillé, vient entraver l'efficacité des activités pendant les heures d'éveil.

Ces problèmes engendrés par l'utilisation des somnifères ont entraîné l'adoption d'autres approches biochimiques pour remédier aux perturbations du sommeil. Ainsi, on a notamment tenté de favoriser une augmentation de la concentration et de la libération des neurotransmetteurs susceptibles de participer d'une certaine façon au déclenchement du sommeil. Hartmann (1978) a insisté sur le rôle important que joue la sérotonine en tant que transmetteur dans ce processus. Les concentrations de sérotonine dans le cerveau peuvent être fortement influencées par l'administration de tryptophane, précurseur dans la synthèse de la sérotonine. Les études de Hartmann (1978) sur l'être humain montrent que de faibles doses de cet agent précurseur, administrées dans des conditions de double insu, réduisent la latence d'apparition du sommeil sans modifier son modèle fondamental. Cette observation faite auprès de sujets normaux a été corroborée chez une population d'individus souffrant d'insomnie légère. L'absence d'effets de tolérance à long terme et l'absence d'influences quotidiennes sur la vigilance rendent cette substance encore plus prometteuse. Hartmann incite les chercheurs à faire des tests chimiques plus exhaustifs. Par ailleurs, l'habitude qu'ont conservée certaines personnes de boire un peu de lait chaud avant d'aller dormir se réconcilie assez bien avec les données neurobiologiques actuelles, puisqu'on sait que le lait a une forte teneur en tryptophane.

Rythmes circadiens et sommeil

La plupart des êtres humains sont habitués à dormir une seule fois par jour, de la fin de la soirée jusqu'au petit matin. Le début et la fin de la période de sommeil semblent synchronisés avec plusieurs événements externes, y compris les périodes de clarté et d'obscurité résultant du mouvement de rotation de la terre. Qu'arrive-t-il au sommeil si tous les stimuli habituels de synchronisation ou d'entraînement disparaissent, y compris les changements de lumière et de température ? L'élimination de tels stimuli peut se présenter lors d'un séjour prolongé (quelques semaines) dans des cavernes profondes. On a réalisé plusieurs expériences sur le déroulement du sommeil en plaçant les sujets dans des cavernes où tous les indices temporels du milieu externe se trouvaient éliminés. Un rythme d'éveil-sommeil persiste dans de telles conditions, même si l'horloge biologique s'éloigne lentement de la période de 24-25 heures. Certains individus adoptent des jours beaucoup plus longs pouvant durer jusqu'à 35 heures. Dans l'une de ces expériences à laquelle participaient 147 sujets, un seul adopta une période de moins de 24 heures (Wever, 1979). Pourquoi cette dérivation au-delà de 24 heures ? Un chercheur suggère que cette période résulterait d'une horloge circadienne endogène formée par les forces de l'évolution pour se rapprocher de notre rythme habituel de 24 heures, mais ralentie par le raccordement aux mécanismes responsables de l'apparition du sommeil. Des chercheurs ont prétendu que le chronomètre en cause serait le noyau suprachiasmatique.

Weitzman et ses collaborateurs (1981) ont récemment réalisé une étude systématique des rythmes de sommeil de sujets humains placés dans des conditions d'isolement. Chacun de leurs sujets — dix hommes adultes — a passé 25 à 105 jours isolé dans un petit appartement totalement dépourvu d'indices temporels. Le sujet pouvait se mettre au lit et se lever au moment de son choix; toutefois, cet intervalle devait être sa période régulière de sommeil puisque les siestes n'étaient pas permises. On enregistra à cette occasion plusieurs mesures physiologiques, y compris la température corporelle et le niveau des hormones en circulation dans le sang. On procéda également à l'enregistrement des EEG au cours de ces périodes de sommeil. Contrairement à ceux participant aux expériences dans des cavernes, ces sujets étaient en contact direct avec les employés du laboratoire.

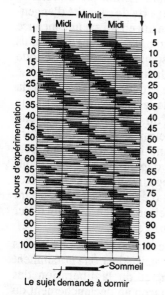

Figure 14.15 Modèle de sommeil-éveil d'un sujet au cours de périodes d'isolement par rapport aux indices relatifs au moment de la journée. Durant ces périodes (indiquées par la trame gris foncé) le sujet s'écarte graduellement d'un cycle quotidien de 24 heures. (De Weitzman et coll., 1981.)

Dans de telles conditions, tous les sujets présentent un rythme éveil-sommeil de plus de 24 heures (figure 14.15). Trois sujets ont adopté une *période quotidienne* variant entre 24,4 et 26,2 heures. Par ailleurs, trois sujets adoptèrent des périodes qui dépassaient 37 heures. On a constaté chez ces derniers que certains rythmes circadiens pouvaient se dissocier les uns des autres, puisque ces sujets maintenaient un rythme de variation de température de 24 heures. Dans ce dernier groupe, les périodes de sommeil étaient courtes (moins de 10 heures) tandis que, pour d'autres, ces périodes duraient jusqu'à 20 heures. En fait, le rythme de variation de température de 24 heures déterminait la longueur de ces épisodes de sommeil. Les épisodes courts commençaient lorsque la température corporelle était à son point le plus bas, alors que les épisodes plus longs débutaient quand la température atteignait son plus haut niveau. Dans cette expérience, on a également observé des changements dans la répartition des états de sommeil. Le sommeil REM apparaissait, par exemple, plus tôt durant la période de sommeil, même si, en proportion, il représentait le même pourcentage de la durée totale de sommeil. Le sommeil REM était également en relation temporelle spécifique avec la température du corps, ce qui veut dire le rythme fondamental du sommeil REM n'est pas associé au sommeil à ondes lentes dans ces conditions. Ces résultats démontrent que les rythmes éveil-sommeil sont reliés à des oscillations d'origine cérébrale qui exercent un effet de régulation sur les autres rythmes biologiques.

La recherche sur les rythmes circadiens a commencé à influencer considérablement les travaux sur les mécanismes du sommeil, surtout ceux qui portent sur le déclenchement du sommeil et l'interaction entre le sommeil REM et le sommeil à ondes lentes (Winfree, 1982, 1983; Daan et coll., 1984; Kronauer et coll., 1984). Plusieurs de ces modèles hypothétiques supposent que le caractère temporel du sommeil résulte de l'interaction de deux oscillateurs différents faiblement raccordés l'un à l'autre, l'un déterminant les rythmes de température et l'autre le début du sommeil et le réveil. En conditions d'isolement, les êtres humains connaissent une désynchronisation de ces deux rythmes. D'autres chercheurs ont tenté d'expliquer les propriétés du sommeil et sa relation avec les autres rythmes biologiques en insistant sur le contrôle d'un pacemaker suprachiasmatique.

ASPECTS PSYCHOLOGIQUES DES ÉTATS DE SOMMEIL

Le sommeil ne peut donc pas être comparé à la situation qui résulterait du débranchement d'un moteur en marche. Il est plutôt constitué de stades différents et beaucoup de cellules cérébrales restent actives, bien que dans des modes différents. Puisque l'activité cérébrale se maintient, il est logique de chercher à connaître les propriétés de l'activité mentale durant le sommeil. Ces travaux sur l'activité mentale ont porté surtout sur le rêve, l'apprentissage et les seuils d'activation par rapport à une stimulation externe.

Expériences mentales pendant le sommeil : le monde du rêve

L'un des aspects les plus fascinants des travaux contemporains en psychobiologie du sommeil consiste en l'observation active des propriétés de la pensée et de l'imagination pendant les divers stades du sommeil. Dans une expérience typique, on enregistre l'EEG d'un sujet endormi, puis on le réveille pendant des stades particuliers (c.-à-d. stades 1, 2, 3, 4 et REM) et on lui demande à quoi il pensait et quelles étaient ses perceptions immédiatement avant le réveil.

Jusqu'à tout récemment, les données recueillies indiquaient que les rêves étaient en grande partie réservés au sommeil REM. Les études du début des années 1960 indiquaient généralement que les sujets rapportaient des rêves lorsqu'ils étaient réveillés pendant le sommeil REM (70 à 90 % des fois), c'est-à-dire manifestement plus souvent que lorsqu'on les réveillait pendant les autres stades du sommeil (10 à 15 % des fois). En effet, on croyait même, au début, que les mouvements rapides des yeux, caractéristiques de cette période, étaient dus au fait que le sujet *regardait* les images de son rêve! Autrement dit, si vous rêviez que vous assistiez à un match de ping-pong, vos yeux réaliseraient ce mouvement rapide d'alternance de gauche à droite, mouvement qui se produit dans les mêmes circonstances de la vie réelle. Cette théorie du balayage des mouvements oculaires pendant les rêves REM apparaît maintenant improbable, notamment à cause de l'existence de plusieurs différences entre les caractéristiques des mouvements oculaires qui accompagnent la vision de scènes réelles et ceux du sommeil REM.

Beaucoup d'études ont porté sur les récits de rêves de sujets qu'on réveillait au cours des différents états de sommeil. Ces études rapportent toutes un fort pourcentage de rappels de rêves à partir du stade REM. Toutefois, certains chercheurs se demandent de plus en plus si le sommeil REM est bien la seule étape du sommeil qui se rapporte aux rêves. C'est pourquoi des études récentes essaient de distinguer les caractéristiques qualitatives des rêves REM de celles des rêves du sommeil à ondes lentes. Les résultats indiquent que les récits de rêves relatifs au sommeil REM sont caractérisés par une imagerie visuelle alors que ceux provenant de rêves faits durant le sommeil à ondes lentes sont plutôt de type abstrait. Les rêves REM comprennent souvent un scénario portant sur des expériences perceptives étranges et le sentiment d'*être là* et d'être soumis à des visions, des sons, des odeurs et des actes posés. Dans ce type de rêves, les événements paraissent réels. Par contre, les rêves du sommeil à ondes lentes font plutôt référence à des pensées qu'à des visions. Les sujets réveillés pendant ce stade rapportent qu'ils pensaient à des problèmes au lieu de se voir eux-mêmes sur une scène. Cartwright (1978) a démontré que les rêves faits pendant ces deux états sont si différents qu'il est possible d'indiquer, avec une précision de 90 %, l'état de sommeil à l'origine du rêve. Enfin, les réveils effectués au cours du sommeil REM donnent lieu plus fréquemment à des témoignages de rêves que les réveils pendant le sommeil à ondes lentes.

Les études du contenu des rêves, ceux du sommeil REM surtout, portent à croire que les rêves de la première moitié de la nuit de sommeil sont orientés vers la réalité. Les détails de ces rêves révèlent qu'il y a incorporation des expériences de la journée, l'enchaînement des événements y étant normale. Par contre, les rêves qui se produisent pendant la seconde moitié de la nuit deviennent de plus en plus étranges et moins facilement associables aux événements de la journée précédente. L'enchaînement des événements et le contenu des rêves deviennent plus bizarres et plus intenses sur le plan affectif. La qualité affective des rêves REM peut également révéler l'existence de variables d'ordre clinique, comme l'indiquent les études sur la dépression. Les rêves des sujets qui sont dans des états profonds de dépression sont émotivement neutres et pauvres quant à l'humeur et à l'activité. Des études citées dans l'ouvrage de Hartmann intitulé *The Nightmare** (1984) procèdent à un examen minutieux des rêves terrifiants. Le cauchemar est un rêve pénible qui semble souvent ne devoir jamais se terminer et qui tire le dormeur d'un sommeil REM. Cette condition est parfois confondue avec un état désigné maintenant sous l'appellation de *terreur nocturne*, ce qui correspond à un réveil brusque, au cours d'un sommeil à ondes lentes de stade 3 ou 4. Ce réveil s'accompagne d'une peur intense et d'une activation du système nerveux autonome. Les dormeurs qui ont des terreurs nocturnes ne se rappellent pas clairement d'un rêve mais disent plutôt avoir eu le sentiment d'avoir la poitrine écrasée par une masse, comme s'ils allaient suffoquer. Les enfants sont souvent victimes de terreurs nocturnes dans la première partie de leur nuit de sommeil.

Selon Hartmann, les cauchemars sont assez fréquents et certains individus en sont très souvent la proie. Au moins 25 % des collégiens rapportent qu'ils ont un cauchemar une fois par mois. Certaines maladies ont tendance à produire des cauchemars. Quelques victimes de crises épileptiques ont des cauchemars immédiatement avant les crises qui surviennent la nuit. Les médicaments qui accroissent l'activité des systèmes dopamines, comme le L-DOPA, ont également pour effet de multiplier le nombre des cauchemars. Les études de Hartmann permettent aussi de croire que les individus qui sont souvent l'objet de cauchemars pourraient représenter un groupe plus créateur à contours personnels plus *flous*. Il suppose que ces personnes pourraient présenter une prédisposition à une activation plus grande ou plus rapide des systèmes dopamines.

Les opinions sur le rôle fonctionnel des rêves participent à une énigme très ancienne et persistante qui ne sera vraisemblablement pas élucidée par les méthodes expérimentales actuellement disponibles. L'histoire de l'humanité révèle que les rêves ont été interprétés de diverses façons. Van de Castle (1971) apporte des illustrations intéressantes provenant de différentes sociétés primitives. Les Indiens Cuna de la côte de Panama voyaient, par exemple, dans les rêves des signes précurseurs de catastrophes imminentes et leurs *analystes* des rêves disposaient d'objets variés pour écarter autant les rêves que leurs conséquences présumées. Ainsi, on se servait d'une arme semblable à un tomahawk pour maîtriser les rêves portant sur le tonnerre et les éclairs. (Ces rêves étaient probablement des hallucina-

---

* *Le cauchemar*

tions hypnagogiques ou expériences sensorielles très vives que des êtres humains normaux peuvent vivre, au moment où ils s'endorment.) Les peuples primitifs attachaient beaucoup d'importance à la véracité des rêves. C'est probablement cette façon de voir qui persiste dans les propos de chercheurs contemporains qui attribuent aux rêves un rôle important dans la résolution de problèmes.

Crick et Mitchison (1983) qui ont recours à des notions de la théorie de l'information et de l'informatique dans leur étude du sommeil REM, font l'hypothèse que *nous rêvons peut-être pour oublier*. Leur argument repose essentiellement sur l'idée que le sommeil REM serait une période de *contre-apprentissage*, état dans lequel les souvenirs faux ou non pertinents qui s'accumulent de façon routinière, au cours de la journée, sont effacés, étant ainsi l'objet d'une sorte de nettoyage mental. Selon eux, le cortex cérébral consisterait en une riche matrice de cellules reliées les unes aux autres, matrice servant de base à des capacités cognitives complexes. À leur avis, un tel appareil pourrait devenir surchargé d'associations bizarres ou inhabituelles. Ils empruntent aux sciences de l'information l'expression *modes parasites* pour désigner ces associations probablement mal adaptées. Les événements du sommeil REM affaiblissent les connexions des modes parasites en les frappant à la base. Dans son ouvrage récent intitulé *Landscapes of the night** (1984), Christopher Evans, psychologue intéressé à la création sur ordinateur d'analogies de la cognition humaine, fait une proposition qui s'apparente à cette notion. Selon lui, les événements du rêve ressembleraient aux déplacements qu'effectuerait un commis préposé aux filières en tentant de mettre à jour les dossiers nommés *programmes de l'esprit.*

Les neurobiologistes ont également spéculé sur la nature et l'origine des rêves. Pendant toute l'histoire de l'humanité, cette question a été constamment débattue et on a assez souvent attribué l'origine des rêves à la stimulation externe ou à des états corporels, notamment ceux de l'estomac (Hobson, 1988). Au cours du XIXe siècle, on attribua même les rêves à des événements endogènes du cerveau, événements que le dormeur ne peut contrôler. On trouve actuellement une telle interprétation dans les spéculations de Hobson (1988) qui donne à sa conception le nom d'hypothèse de l'*activation-synthèse*. Selon cette hypothèse, il y aurait à l'intérieur de la partie pontique (protubérantielle) du tronc cérébral un ensemble de cellules qui activerait l'état onirique. Ce générateur d'origine pontique se met en marche et s'arrête au cours du sommeil; les mouvements oculaires rapides sont l'un des signes de son activité. Des systèmes sensoriels corticocérébraux se trouvent mobilisés par le générateur d'état onirique. Ces systèmes corticocérébraux sont bombardés de façon aléatoire par ces volées d'impulsions d'origine pontique et des réseaux corticaux essaient d'interpréter ce barrage d'impulsions. L'absence d'information en provenance du monde extérieur, au cours de cette période, rend le test de réalité impossible, d'où le caractère *bizarre* des rêves. Le stimulus qui prend ses origines dans le tronc cérébral est donc élaboré par les structures perceptives, cognitives et affectives du cerveau antérieur, processus synthétique qui s'efforce de construire un scénario à partir des données minimales qu'apportent les volées d'activation aléatoire. Selon cette optique, les rêves ne sont pas déguisés mais constituent plutôt une tentative de faire le mieux possible à partir d'un ensemble restreint de données. Pourquoi éprouvons-nous de la difficulté à nous souvenir de nos rêves? Hobson fait l'hypothèse que les rêves seraient oubliés à cause d'un changement dans la proportion des neurotransmetteurs qui agissent sur les neurones du cerveau antérieur. Ces affirmations restent à vérifier.

Certains considèrent les rêves comme un effet secondaire anodin de processus fondamentaux de restauration corporelle; les rêves n'ont alors aucune signification en soi. Dans cette perspective, le rôle biologique du rêve ne saurait d'aucune façon s'accomplir sans

---

* *Paysages de la nuit*

l'évocation *accidentelle* de rêves, puisque certaines régions du tronc cérébral produisent une activité phasique des neurones qui stimulent le cortex visuel. Il peut arriver que cette activité amène les neurones du cortex visuel à produire les éléments perceptuels d'un rêve. L'activité cognitive du rêveur rend ces volées d'impulsions aléatoires plus cohérentes. Néanmoins, malgré le fait qu'ils soient le reflet d'attributs personnels, les rêves en eux-mêmes n'auraient que peu d'importance fonctionnelle. À l'autre extrémité de l'éventail des possibilités, une autre interprétation met l'accent sur des dimensions comme l'*accomplissement des désirs* et le rôle que joueraient ces aventures nocturnes dans la résolution des problèmes. Plusieurs individus considèrent comme insatisfaisant le sommeil à partir duquel on est incapable de se rappeler ces interludes. Toutefois, les chercheurs contemporains et futurs auront à se demander si une telle réaction est le reflet d'un goût contracté pour le rêve ou si elle est un indice du rôle fonctionnel des rêves.

Apprentissage et sommeil

Les journaux publient régulièrement des articles et des réclames publicitaires qui vantent les mérites d'une technique ou d'un truc nouveau permettant d'apprendre quelque chose pendant le sommeil et de s'en souvenir ensuite. De telles possibilités exercent un attrait irrésistible chez ceux qui acceptent le sommeil à contre-cœur, y voyant une entrave nécessaire à la poursuite des connaissances, et ceux qui se complaisent à espérer la possibilité de transmettre de l'information en serrant très fort un livre dans leurs bras. Plus sérieusement, le sommeil étant évidemment un moment de la vie pendant lequel plusieurs neurones sont actifs, est-ce qu'il serait possible d'apprendre dans cet état? De même, peut-on dire que les expériences d'apprentissage de la journée influencent le déroulement d'une nuit de sommeil? Des chercheurs ont supposé qu'il existait une relation entre le sommeil REM et la formation d'un souvenir permanent. D'autres ont prétendu que le sommeil REM pouvait servir en quelque sorte à filtrer les expériences de la journée. Certains des événements qui se produisent au cours d'une journée typique sont assez importants pour qu'on parvienne à s'adapter, alors que d'autres ne sont que des événements banals et répétitifs. Les processus métaboliques participant à la formation des souvenirs sont *coûteux* (voir le chapitre 16) et il se pourrait bien que le sommeil serve à la consolidation de certains des événements de la journée. Des expériences dans ce domaine ont eu pour objet de déterminer si le sommeil influençait l'efficacité de l'apprentissage subséquent. D'autres études ont analysé les effets de la privation, sélective ou totale, de sommeil sur l'apprentissage. D'autres questions sur les liens sommeil-apprentissage portent sur l'efficacité de la rétention quand le sommeil fait suite à un apprentissage. (Beaucoup d'étudiants familiers avec ces séances intensives d'études préparatoires aux examens de fin d'année pourraient sûrement fournir des réponses très personnelles à cette question.)

Apprendre durant le sommeil

Ce domaine controversé a été caractérisé par de nombreuses prétentions contradictoires. À peu près la seule conclusion générale qu'on puisse tirer, avec certitude, d'une série d'études très variées, c'est que s'il faut se fier à l'acquisition et à la rétention d'informations complexes durant le sommeil, il est alors préférable de se préparer une position de repli. Même si plusieurs expériences sur les animaux indiquent qu'il est possible d'acquérir une réponse conditionnée simple pendant divers stades de sommeil, les faits dont on dispose sur l'apprentissage d'un matériel verbal chez l'être humain sont en général ambigus.

Une technique qui pourrait révéler les possibilités d'apprentissage durant le sommeil consisterait à déterminer s'il est possible de renforcer l'apprentissage fait avant le sommeil au moyen d'essais de répétition présentés durant le sommeil. Tilley (1979) a procédé à une expérimentation de ce genre; il a présenté à des sujets qui allaient se mettre au lit une série d'images de scènes ou d'objets communs. Puis, pendant la phase initiale du sommeil, il a présenté à ces sujets endormis une série de mots enregistrés sur bande magnétique et diffusés par l'intermédiaire d'écouteurs. Ces stimuli avaient pour fonction d'habituer les sujets à la présentation de sons durant le sommeil. Plus tard au cours de la nuit, il présentait de la même façon aux sujets dix mots différents correspondant aux titres des images qu'ils avaient examinées avant de s'endormir. Dans l'un des groupes de sujets, ces mots étaient prononcés durant le sommeil REM alors que l'autre groupe recevait les mots pendant un sommeil à ondes lentes de stade 2. Tous les sujets furent éveillés à 7 heures du matin, après une nuit de sommeil et durent répondre à deux demandes : a) de faire un rappel, dans l'ordre qu'ils voulaient, des noms des images de la série qu'ils avaient examinées avant de s'endormir, et b) de choisir des noms pour ces images parmi une liste de 60 mots, soit une tâche de reconnaissance. La répétition des noms des images n'eut pas d'influence sur la tâche de rappel libre, mais les résultats de la tâche de reconnaissance montrèrent que les noms des images étaient mieux identifiés quand ils avaient été répétés pendant un sommeil à ondes lentes de stade 2. La répétition effectuée pendant le sommeil REM n'avait eu aucun effet significatif. Cet expérimentateur conclut que l'information présentée durant le sommeil est capable de renforcer ou de réactiver les processus de stockage des souvenirs et d'améliorer ainsi la rétention. Peut-être n'est-il pas impossible que certains types d'apprentissage se produisent durant le sommeil.

Des chercheurs soviétiques ont créé un programme d'enseignement qui dure plusieurs semaines et au cours duquel la présentation de la matière pendant le sommeil léger (vers le début et la fin des périodes de sommeil) est agencée avec des directives données avant et après la période de sommeil (Rubin, 1970). Un comité du Conseil National de Recherche des États-Unis prétend que les chercheurs occidentaux devraient s'interroger à nouveau sur la question des applications possibles de l'apprentissage durant le sommeil (Druckman et Swets, 1988).

Certaines formes d'apprentissage, moins complexes que celle de l'exemple précédent, sont en effet possibles chez l'être humain et chez les autres animaux, comme le démontrent les expériences sur l'habituation au cours desquelles on répète un stimulus qui ne porte pas à conséquence pendant une certaine période de temps. Par exemple, si un bruit fort et soudain se produit pendant le sommeil à ondes lentes, le sujet (être humain ou chat) donne des signes d'activation EEG. Toutefois, lorsqu'il est répété, ce stimulus devient de moins en moins susceptible de produire de l'activation. Dans un certain sens, cette réaction n'est pas de l'apprentissage durant le sommeil puisqu'il y a activation. Ce phénomène n'en indique pas moins qu'il est possible de déceler l'aspect nouveauté d'un stimulus pendant l'état de sommeil.

Un autre aspect de l'apprentissage durant le sommeil met l'accent sur l'information qui vient de l'intérieur. L'expérience courante indique que le sommeil comprend des épisodes d'événements cognitifs et perceptifs qui couvrent toute la gamme, de l'ordinaire à l'extra-ordinaire. Les études faites en laboratoire sur les rêves montrent que la vie mentale du sommeil est assez active. Ces expériences indiquent également que le souvenir de tels événements est plutôt fragmentaire. On ne saurait, à force de thérapie, de drogues, de cajoleries ou de n'importe quelle astuce, ressusciter une partie valable de l'information produite par les processus internes durant le sommeil.

Les études formelles de ce phénomène ont exigé que les sujets soient réveillés à divers intervalles après la fin d'un épisode REM. Plusieurs de ceux qu'on réveille au cours des quelques minutes suivant un épisode REM rapportent des expériences oniriques. Toutefois, les sujets réveillés 5 minutes après la fin d'une période REM n'ont aucun souvenir des événements de la période REM (Dement, 1974). Il semble donc ne se former aucune trace mnémonique permanente des événements cognitifs et perceptifs des épisodes REM. Il y a exception, cependant, lorsque le dormeur s'éveille brièvement immédiatement après le sommeil. (Il n'est pas toujours vrai, comme l'ont supposé les psychanalystes, que les rêves nous protègent contre l'éveil.) En effet, lorsque le réveil survient tôt après le rêve, on peut se souvenir de celui-ci le jour suivant.

Il est probablement avantageux que la plupart des rêves ne puissent s'accumuler dans la mémoire à long terme, puisque le fait d'enregistrer des traces permanentes d'événements qui ne sont peut-être pas des descriptions exactes de l'expérience d'une personne créerait des difficultés. Peut-être l'une des fonctions du sommeil à ondes lentes qui suit les épisodes REM serait-elle de créer les conditions neurologiques empêchant l'enregistrement permanent des événements des périodes REM.

Effets du sommeil sur la mémoire à long terme

En 1924, Jenkins et Dallenbach décrivaient une expérience qui suscite encore des recherches. Ils avaient entraîné des sujets à une tâche d'apprentissage verbal avant le coucher et avaient demandé un rappel, huit heures plus tard, à leur réveil; ils avaient également entraîné des sujets au début de la journée et avaient fait un rappel huit heures plus tard. Les résultats indiquaient une meilleure rétention quand il y avait une période de sommeil intercalée entre la période d'apprentissage et le test de rappel.

À quoi attribuer ce phénomène? On a proposé plusieurs explications psychologiques différentes. L'une d'elle voudrait que, au cours de la période d'éveil séparant l'apprentissage et le rappel, des expériences diverses viendraient faire interférence avec le rappel exact. Le fait de dormir pendant cet intervalle réduirait de façon appréciable la stimulation interférente. Une seconde explication part du fait que la mémoire a tendance à dépérir; ce processus qui ne connaît pas de rémission se déroulerait tout simplement plus lentement durant le sommeil. Il s'agirait d'un processus passif. Rejoignant plus directement l'accent que certains mettent sur une contribution fonctionnelle positive du sommeil à l'apprentissage, une troisième explication suppose que le sommeil comporte des processus qui viennent consolider l'apprentissage des périodes d'éveil. Le sommeil est donc perçu comme créant les conditions essentielles à une impression ferme de traces mnémoniques durables.

Des expériences de Ekstrand et de ses collaborateurs (1977) ont ajouté une certaine note de complexité aux observations originales de Jenkins et Dallenbach. Dans l'une de ces expériences, ils comparent le degré de perte de mémoire chez trois groupes qui avaient tous appris des listes de mots accouplés. Les sujets du premier groupe avaient appris une liste au cours de la soirée et avaient subi un test de rétention après un intervalle de huit heures de sommeil; ceux du deuxième groupe avaient dormi une moitié de la nuit, avaient ensuite été réveillés pour apprendre la liste, puis avaient pu dormir quatre heures avant de subir le test de rétention; les sujets du troisième groupe apprirent la liste de mots accouplés, dormirent pendant quatre heures, furent réveillés et subirent immédiatement le test de rétention. Ce sont les sujets du deuxième groupe qui montrèrent le meilleur taux de rappel. Les auteurs en conclurent que le sommeil à ondes lentes favorise la rétention, mais d'autres interprétations sont possibles.

Récemment, Idzikowski (1984) a mis en évidence l'importance du sommeil pour la consolidation en démontrant que 8 heures de sommeil, 16 heures après l'apprentissage, permettent une meilleure rétention verbale que lorsqu'il n'y a pas de sommeil. Une expérience contrôle a permis de vérifier que cet effet n'est pas attribuable au stress de la privation de sommeil. Plusieurs recensions récentes (Horne, 1985) insistent sur le rôle particulier que joue le sommeil REM dans les processus de consolidation de l'apprentissage humain.

Dans plusieurs études portant sur les animaux, on a voulu examiner l'idée selon laquelle le sommeil, notamment le sommeil REM, serait important pour l'apprentissage et la rétention. Dans une recension récente de ce domaine, Smith (1985) explore plusieurs

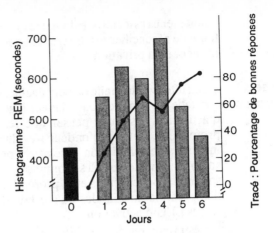

Figure 14.16 Importance quantitative du sommeil REM et de l'apprentissage chez des rats. L'enregistrement du sommeil a été fait après les séances d'apprentissage. (De Bloch, 1976.)

aspects de la recherche pertinente. Une façon d'aborder cette question fut d'analyser, au moyen d'enregistrements électriques de l'activité cérébrale, les caractères qualitatif et quantitatif du sommeil à la suite de séances d'apprentissage. Le résultat le plus constant obtenu dans ce genre d'études consiste en une apparition de hausses importantes de REM dans le sommeil consécutif à un apprentissage. Dans plusieurs de ces expériences, on constatait l'accroissement de REM dès que le sommeil qui suivait l'entraînement commençait. Cette augmentation de REM s'est produite dans des situations d'apprentissage d'évitement, de conditionnement opérant, de pressions sur un levier et d'exposition à un environnement enrichi. Dans certaines de ces études, ces hausses de REM étaient dues au fait que les épisodes de REM étaient plus longs, alors que dans d'autres cas, c'était le nombre des épisodes REM qui augmentait. Quelques-unes des expériences d'exposition à un environnement enrichi donnent, en plus de l'accroissement de REM, une augmentation de la quantité de sommeil à ondes lentes. Des études qui comportaient également des privations de REM ont voulu analyser la signification fonctionnelle de ces hausses de REM subséquentes à l'apprentissage. Dans ces expériences, on faisait en sorte que la privation de REM coïncide avec la période qui suit l'apprentissage, période au cours de laquelle on observe habituellement des augmentations de REM. Certaines études ont démontré que l'insertion d'une *fenêtre de privation* de REM ralentit l'apprentissage. Cette fenêtre de privation peut durer aussi peu que trois heures. Les travaux de Bloch (1976) permettent de constater que, lorsque l'apprentissage s'étend sur plusieurs jours, la hausse de sommeil REM est plus grande pendant la portion la plus raide de la courbe d'apprentissage (figure 14.16). Toutes ces études mènent à la constatation que les activités de la journée exercent une influence certaine sur le sommeil de la nuit suivante.

D'autres études faites sur les animaux et portant sur le rôle du sommeil REM dans l'apprentissage et la rétention ont abordé cette question d'une autre manière, soit en examinant les effets de la privation de REM sur l'acquisition et la rétention (C. Smith, 1985). La privation de REM se faisait après ou avant l'apprentissage. La privation de REM subséquente à l'acquisition a donné des résultats équivoques. Des critiques de ces travaux ont fait remarquer que certaines des tâches utilisées dans ces études étaient peut-être tellement simples qu'elles n'avaient pas besoin du mécanisme REM. La privation de sommeil REM avant apprentissage a exercé une influence plus forte, certaines de ces études manifestant des défectuosités d'acquisition. De toute évidence, les résultats de la recherche sur la privation n'apportent pas une confirmation claire et nette de l'existence d'une relation entre le REM et l'apprentissage. Il faut admettre que cette sorte d'expérimentation est difficile d'emploi puisque la privation de REM entraîne plusieurs changements physiologiques susceptibles d'étouffer les effets plus subtils propres à l'apprentissage et à des phénomènes associés. Ce domaine de recherche continue de retenir l'attention alors qu'on tente de réconcilier les différences des résultats provenant des expériences sur l'enregistrement et la privation.

Sommeil et seuils d'activation

La facilité avec laquelle on peut éveiller un individu dépend de plusieurs facteurs et surtout du stade du sommeil dans lequel il se trouve. Les variations constatées dans les seuils d'activation laissent à penser que les états de sommeil n'auraient pas tous la même profondeur. Cette profondeur s'évalue généralement grâce à l'examen des différentes intensités de stimulation nécessaires pour éveiller un individu à partir de divers états de sommeil. Par exemple, les stimuli sont présentés à différents points du sommeil REM ou du sommeil à ondes lentes et la profondeur de ces états de sommeil se mesure par la durée d'application du stimulus ou par l'intensité de ce stimulus nécessaire à la production de signes EEG d'activation.

Les premières études faites sur les animaux avaient semblé indiquer que l'activation devenait plus difficile lors du passage du sommeil à ondes lentes au sommeil REM. Ces résultats suggéraient que les périodes REM seraient celles où le sommeil est le plus profond. Des raffinements subséquents apportés à ces études (Wright et Leiman, 1971) ont montré que les seuils d'activation ne sont pas homogènes durant le sommeil REM : les seuils d'activation sont plus élevés pendant les périodes REM marquées de mouvements oculaires fréquents (Price et Kreinen, 1980). Dans une étude récente, des sujets ont été entraînés à réagir à un son de 1000 Hz pendant leur sommeil (Bonnet, 1986). Les seuils de cette réponse se sont accrus de 38 décibels au début du sommeil de stade 1 et plus encore (63 db) vers la fin du stade 2. La progression du sommeil à travers les stades 1 et 2 s'accompagne d'une hausse continue du seuil.

Le réveil du sujet qui dort dépend également du caractère *pertinent* du stimulus. Dans une expérience classique, Oswald (1962) a démontré que le seuil de réveil était plus bas lorsque le nom du sujet, plutôt que d'autres noms, était prononcé à voix haute. Cette préférence de stimulus disparaît si ces noms sont présentés à l'envers sur une bande magnétique, ce qui prouve que c'est la signification du nom et pas seulement la stimulation acoustique qui importe.

ASPECTS NEUROBIOLOGIQUES DES ÉTATS DE SOMMEIL

Plusieurs fonctions nerveuses et hormonales sont modifiées de façon significative au cours du sommeil. Certains de ces changements sont d'une grande importance pour les hypothèses sur le rôle présumé réparateur du sommeil. Quelles sont les plus importantes des modifications physiologiques qui se produisent durant le sommeil ?

Modifications du système nerveux autonome et du système moteur périphérique pendant le sommeil

Le fonctionnement de plusieurs systèmes se trouve modifié durant le sommeil. Des fonctions du système nerveux autonome, par exemple le rythme cardiaque, la pression artérielle et la respiration, connaissent des déclins progressifs durant le sommeil à ondes lentes, mais des hausses marquées pendant le sommeil REM (tableau 14.1). Le débit sanguin s'accroît dans certaines régions du cerveau pendant le sommeil REM, autre exemple de la sollicitation métabolique accrue résultant du sommeil REM.

Chez pratiquement tous les animaux, le sommeil se traduit par une absence d'activité de la musculature squelettique. Comment expliquer la cessation des activités du système moteur ? Ce phénomène est d'autant plus étonnant qu'une grande partie du cerveau se trouve, à ce moment-là, plutôt active. Ce contraste signifie que les voies motrices deviennent temporairement déconnectées du reste du cerveau. De plus, l'activité épisodique inaccoutumée des muscles posturaux (mouvements oculaires rapides et contractions sou-

a) Sommeil autre que REM

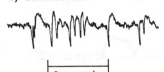

b) Sommeil REM

|← 2 secondes →|

Figure 14.17 Pointes de potentiel PGO enregistrées à partir du corps genouillé externe d'un chat endormi durant un épisode REM. (A. L. Leiman.)

daines des doigts, des mains et d'autres groupes musculaires) au cours du sommeil REM représente une autre énigme posée par le système nerveux moteur.

Durant le sommeil à ondes lentes, il se produit une diminution de l'activité réflexe spinale monosynaptique et polysynaptique. Ces réflexes sont pratiquement abolis durant le sommeil REM, ce qui produit une perte considérable de tonus musculaire. Une partie de cette réduction de l'activité du système moteur dépend des influences provenant du cerveau et dirigées vers la moelle épinière, puisqu'une section de la moelle épinière n'entraîne pas de diminution de l'activité réflexe durant le sommeil. Chez les chats, des enregistrements donnent alors des signes d'une production de potentiels postsynaptiques qui ont un effet inhibiteur sur les motoneurones de la moelle. Par des lésions de la protubérance, on peut abolir la perte habituelle du tonus musculaire, ce qui permet de supposer que la protubérance joue un rôle dans le processus de déconnexion de la motricité pendant le sommeil, notamment durant le sommeil REM. Effectivement, les animaux chez lesquels on pratique de telles lésions se déplacent maladroitement, certains d'entre eux ayant l'air de s'orienter d'après un point de référence de l'environnement (Morrison, 1983) : il s'agit d'un sommeil REM sans déconnexion de la motricité.

Dans les enregistrements de sommeil REM effectués au niveau de la protubérance, du corps genouillé externe et du cortex occipital, il est possible d'observer un potentiel cérébral associé à l'activité motrice de type phasique; ces potentiels sont nommés pointes PGO (protubérance, genouillé, occipital). La figure 14.17 montre leur apparition durant des périodes de sommeil à ondes lentes et de sommeil REM. Chez les chats, ces potentiels surviennent 1 à 2 minutes avant le début du sommeil REM et continuent sous la forme de volées au cours de toute la période. Les études de Morrison (1983) sur les origines de ces pointes PGO montrent que celles-ci sont sous le contrôle de régions distinctes du tronc cérébral. Morrison croit qu'elles sont masquées durant le sommeil à ondes lentes, mais qu'elles peuvent être provoquées à l'état d'éveil et pendant le sommeil REM; il pense également qu'elles représentent la réaction du cerveau à une stimulation qui a un aspect de nouveauté ou qui engendre l'attention. Le rôle des pointes PGO durant le sommeil REM n'est pas encore connu, mais Morrison laisse entendre que le cerveau fonctionne comme s'il se trouvait en présence de salves intensives de stimuli qui ont un caractère de nouveauté.

Certains mettent l'accent sur le rôle du sommeil dans la restauration des forces, suite aux dépenses d'énergie résultant d'une période d'éveil prolongé. Selon cette optique, on devrait s'attendre à ce que les taux de décharge des cellules nerveuses des aires sensorielles et motrices accusent une diminution durant le sommeil. Les études effectuées sur les neurones du cortex cérébral montrent cependant qu'il n'en est pas ainsi. En effet, certaines cellules nerveuses ont des taux de décharge accrus pendant le sommeil, ce qui montre bien que le cerveau n'arrête pas alors de travailler.

Hormones et sommeil

On a observé les relations entre le sommeil et les hormones selon deux perspectives différentes. Premièrement, on a tenté de découvrir s'il y avait une sécrétion d'hormones spécifiques particulièrement abondante durant le sommeil et si cette sécrétion était associée à des états de sommeil particuliers. Ces travaux ont porté surtout sur l'hormone de croissance de l'hypophyse. Deuxièmement, dans un certain nombre d'autres expériences, on a cherché à identifier les effets des hormones sur les états de sommeil.

La sécrétion des hormones, notamment celles de l'hypophyse comme l'hormone de croissance ou somatotrophine, la thyrotrophine et la gonadotrophine A, s'effectue selon un rythme quotidien. On a relié les processus du sommeil de façon spécifique avec la somatotrophine qui, non seulement participe à la croissance, mais intervient également dans les mécanismes régissant le métabolisme des protéines et des glucides. De nombreuses études, au cours desquelles on prélevait plusieurs échantillons de sang humain durant toute

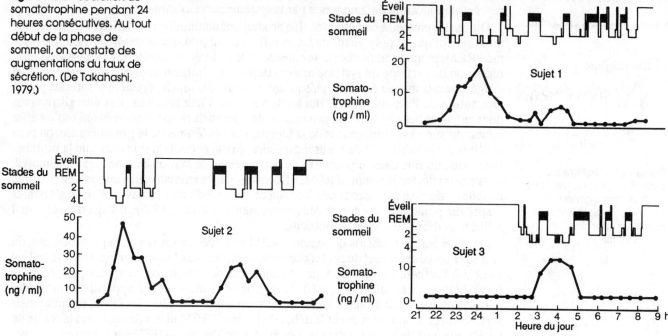

Figure 14.18 Sécrétion de somatotrophine pendant 24 heures consécutives. Au tout début de la phase de sommeil, on constate des augmentations du taux de sécrétion. (De Takahashi, 1979.)

une journée, ont montré que c'est au cours de la nuit qu'apparaissent les plus fortes concentrations de somatotrophine dans le sang, sa concentration s'élevant après le début du sommeil. Cette propriété du sommeil de pouvoir déclencher la libération de somatotrophine apparaît dans le fait que si le sommeil arrive plus tôt ou plus tard qu'à l'accoutumée, la hausse de concentration de somatotrophine dans le plasma sanguin coïncide avec le début du sommeil, même lorsqu'il s'agit d'une inversion complète du programme quotidien (figure 14.18). Des examens plus précis de la relation des stades du sommeil ont démontré que cette libération d'hormone est associée au sommeil lent et plus spécifiquement aux stades 3 et 4. La nature exacte du contrôle du sommeil reste à déterminer. Le sommeil à ondes lentes serait-il, par exemple, la seule condition causale de la libération de la somatotrophine? Il faudrait également établir de quelle façon se produit la synchronisation de ces événements. Des études récentes permettent de supposer que la somatotrophine pourrait avoir des effets directs sur le cerveau et influencer ainsi le sommeil. Un groupe de chercheurs (Martin, Wyatt et Mendelsohn, 1985) ont démontré que l'injection de somatotrophine était capable de réduire le sommeil à ondes lentes et d'accroître le sommeil REM.

Les hormones intervenant dans les relations surrénalo-hypophysaires semblent également être associées de manière analogue au sommeil, surtout au sommeil REM en l'occurrence. Il faut se souvenir que l'adénohypophyse est sous le contrôle de l'hypothalamus et libère une hormone, la corticotrophine (ACTH), qui stimule le cortex surrénalien à sécréter des glucocorticoïdes, substances dites « hormones du stress » en partie à cause des conditions qui régissent leur libération et à cause de leur effet anti-inflammatoire. Chez les êtres humains, la concentration dans le sang de certaines de ces substances, les 17-hydroxycorticostéroïdes, est maximale durant une phase tardive du sommeil, entre 4 et 6 heures du matin. Une étude a d'ailleurs révélé que ce sommet prenait la forme de volées avec des hausses qui survenaient après le début du REM. Beaucoup d'autres observations montrent que cette réaction dépend du sommeil plutôt que d'un effet circadien; en effet, il a été constaté qu'il existe une relation continue avec le sommeil REM lorsqu'on allonge ou raccourcit les jours.

La concentration de certaines hormones sexuelles dépend également du sommeil. À partir de la puberté environ, la concentration de testostérone atteint un sommet durant le sommeil (Akerstedt, 1985). On trouve d'autres indices de cette relation dans le fait qu'une privation de sommeil réduit la concentration de testostérone dans le sang. Une relation hormone-sommeil importante met en cause la mélatonine, hormone produite par la glande pinéale et dont le rôle est associé au contrôle des rythmes circadiens chez les oiseaux. Des chercheurs ont commencé à attribuer un rôle à la mélatonine dans la stimulation du sommeil chez les mammifères. Selon une généralisation proposée pour expliquer la variété des modes d'activité hormonale durant le sommeil, le sommeil accroîtrait la sécrétion et l'activité des hormones de l'anabolisme (élaboration des substances complexes) et inhiberait la libération et l'activité des hormones du catabolisme (décomposition des substances complexes).

MÉCANISMES NERVEUX DU SOMMEIL

Toute théorie sur les mécanismes du système nerveux responsables du contrôle du sommeil se doit, pour être complète, de répondre aux questions fondamentales suivantes :

1. Pourquoi et comment le sommeil survient-il?
2. Comment expliquer les propriétés périodiques de ce phénomène, y compris le cycle sommeil-éveil quotidien et la synchronisation des épisodes successifs de sommeil REM et de sommeil à ondes lentes?
3. Quel est le facteur responsable de l'arrêt d'une période prolongée de sommeil?

Les chercheurs intéressés à ce domaine ont proposé maintes hypothèses, mais aucune théorie n'est actuellement suffisamment complète pour répondre à ces questions de façon satisfaisante. Néanmoins, certaines hypothèses paraissent de plus en plus vraisemblables; d'autres, bien qu'attrayantes, devront être confirmées. Prises une à une, ces hypothèses n'abordent que des aspects limités du phénomène du sommeil. Certaines sont exclusivement anatomiques, ne portant que sur les circuits nerveux du sommeil, alors que d'autres sont neurochimiques.

Selon une alternative proposée, deux conditions pourraient régir le déclenchement du sommeil :

1. Le sommeil est déclenché parce que les mécanismes qui entretiennent l'éveil s'épuisent tout simplement, après une période d'activité.
2. Le sommeil survient parce que les mécanismes favorisant l'éveil sont activement inhibés; ainsi, le sommeil serait déclenché par suite d'une accumulation d'activité dans le(s) centre(s) inhibiteur(s) dont les ramifications s'étendent aux centres de l'éveil.

Cette distinction entre processus actif et passif a exercé une profonde influence sur la façon de penser dans ce domaine, l'hypothèse de la passivité l'emportant jusqu'à tout récemment. Une brève revue de la progression des recherches et des théories, depuis les années 1930, mettra en perspective les conceptions actuelles des mécanismes actifs.

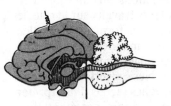

a) Cerveau isolé

b) Encéphale isolé

Figure 14.19 Les niveaux de section du cerveau dans les préparations d'encéphale isolé et de cerveau isolé.

Le sommeil : un phénomène passif

À la fin des années 1930, le neurophysiologiste belge Frédéric Bremer a procédé à certaines expériences qui ont par la suite servi de fondements aux conceptions passives du déclenchement et du maintien du sommeil. Chez un certain nombre de chats, Bremer a examiné l'activité électrique provenant du cortex après que celui-ci eut été isolé de la moelle épinière par une section pratiquée au-dessous du bulbe. Il donna à cette préparation physiologique le nom d'**encéphale isolé** (figure 14.19). Ces animaux donnaient les signes de l'éveil et du sommeil. Pendant les périodes d'éveil définies par l'EEG, les pupilles étaient dilatées et les yeux suivaient les objets en mouvement. Pendant les périodes de sommeil définies par l'EEG, les pupilles étaient petites, ce qui est caractéristique du sommeil normal. (Il faut noter que Bremer ne faisait pas la différence entre sommeil à ondes lentes et sommeil REM; cette distinction n'a été reconnue qu'au cours des années 1950. Bremer faisait donc référence au sommeil à ondes lentes.)

Chez un autre groupe d'animaux, Bremer a enregistré l'activité électrique du cortex à la suite d'une section au niveau supérieur du tronc cérébral (entre les tubercules quadrijumeaux antérieurs et postérieurs). Cette préparation a été nommée **cerveau isolé**. Ainsi traités, les chats manifestèrent des structures de sommeil EEG persistant sans aucun épisode d'éveil, que ce soit en termes d'EEG ou en termes de dimensions des pupilles et de mouvements oculaires. À cette époque, ces données suggérèrent que le déclenchement et le maintien du sommeil étaient dus à la perte des impulsions sensorielles, état dit de **désafférentation**. Selon cette interprétation, les animaux à cerveau isolé ne donnaient aucun signe d'éveil parce que le fait de sectionner le tronc cérébral supérieur réduisait le débit normal d'impulsions afférentes, ce débit devant probablement être un prérequis à la condition d'éveil.

Le sommeil : inhibition de l'état d'éveil

À la fin des années 1940, on réinterpréta les travaux de Bremer en se basant sur des expériences portant sur la stimulation électrique de la **formation réticulée**, région étendue du tronc cérébral (figure 14.20). La formation réticulée consiste en un groupe diffus de cellules dont les axones et les dendrites partent dans plusieurs directions, du bulbe jusqu'au thalamus. Moruzzi et Magoun, deux scientifiques célèbres par leurs travaux sur le rôle de la formation réticulée, ont constaté qu'une stimulation électrique de la formation réticulée permettait de réveiller des animaux qui dormaient, ces derniers manifestant alors une activation rapide. Les lésions pratiquées dans ces régions produisaient un sommeil persistant, phénomène absent lorsque les lésions n'interrompaient que les voies sensorielles du tronc cérébral. Cette dernière constatation donna naissance à de nouvelles façons d'interpréter les phénomènes observés dans les expériences de Bremer, ces phénomènes étant alors perçus comme résultant d'une interférence dans un système d'éveil ou d'activation situé dans le tronc cérébral. Ce mécanisme restait intact dans l'animal à encéphale isolé, mais son débit ne pouvait atteindre le cortex dans le cas de l'animal à cerveau isolé. Les tenants de cette école de la formation réticulée soutenaient que l'état d'éveil était le résultat de l'activité du système de la formation réticulée du tronc cérébral et que le sommeil était dû au déclin passif de l'activité dans ce système.

Cette conclusion est à l'origine d'une longue série d'expériences, encore actuellement tentées, sur les facteurs qui contrôlent l'irritabilité des mécanismes d'éveil de la formation réticulée. On met présentement l'accent sur l'importance des parties mésencéphalique et pontique de la formation réticulée dans le maintien de l'activation, même s'il peut exister d'autres processus mettant en cause des régions plus vastes qui contribueraient également au maintien de l'activation.

Un effet d'amortissement sur les mécanismes d'activation du tronc cérébral semble être exercé par plusieurs facteurs, notamment la pression artérielle, les impulsions afférentes provenant des organes récepteurs, les influences de désactivation qui partent du cortex cérébral et des influences issues des régions caudales du tronc cérébral. On a démontré l'existence d'un mécanisme issu de la partie caudale du tronc cérébral et capable d'inhiber les mécanismes rostraux d'activation dans des expériences au cours desquelles on avait pratiqué des sections entre ces deux systèmes. Les animaux soumis à de telles lésions donnaient des signes persistants d'éveil, ce qui suggère la présence d'un effet d'amortissement exercé par les régions caudales sur les niveaux supérieurs de la formation réticulée. La

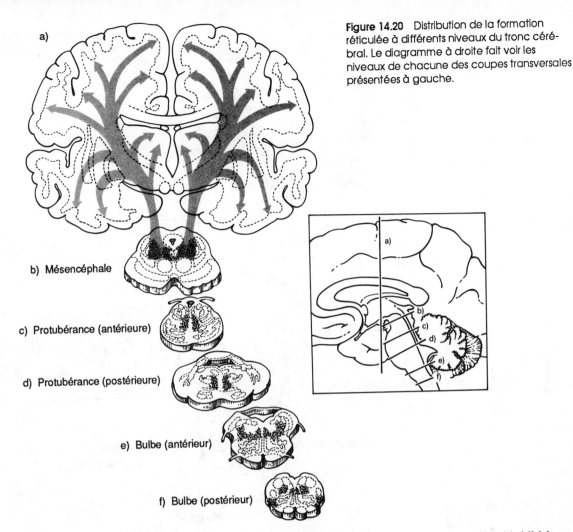

a)

b) Mésencéphale

c) Protubérance (antérieure)

d) Protubérance (postérieure)

e) Bulbe (antérieur)

f) Bulbe (postérieur)

Figure 14.20 Distribution de la formation réticulée à différents niveaux du tronc cérébral. Le diagramme à droite fait voir les niveaux de chacune des coupes transversales présentées à gauche.

stimulation de cette région caudale du tronc cérébral a également un effet d'inhibition sur les systèmes moteurs.

La définition des circuits responsables de l'inhibition des mécanismes d'activation devient plus compliquée parce que des expériences montrent que plusieurs régions sont capables d'exercer des contrôles assez semblables sur les systèmes d'activation. Depuis longtemps l'un des principaux chercheurs dans le domaine du sommeil, M. Jouvet (1967) a attiré l'attention sur le noyau du raphé, ensemble de neurones s'étendant sur la ligne médiane du tronc cérébral (figure 14.21). Ces neurones contiennent de la sérotonine, substance considérée comme un transmetteur synaptique. Parmi d'autres régions mises en cause dans le déclenchement et le maintien du sommeil, surtout du sommeil à ondes lentes, se trouvent des parties du thalamus médian dont la stimulation peut donner lieu à un comportement de sommeil chez le chat. On a obtenu des résultats similaires par la stimulation d'un groupe de régions du cerveau antérieur, y compris l'hypothalamus antérieur. Il n'a pas encore été possible d'intégrer ces diverses régions pour former un circuit mieux défini qui représenterait les formes d'interaction entre ces divers systèmes. Les indices dont on dispose actuellement suggèrent que plusieurs régions du tronc cérébral sont capables de contrôler ou de moduler le déclenchement du sommeil. Il se pourrait qu'elles

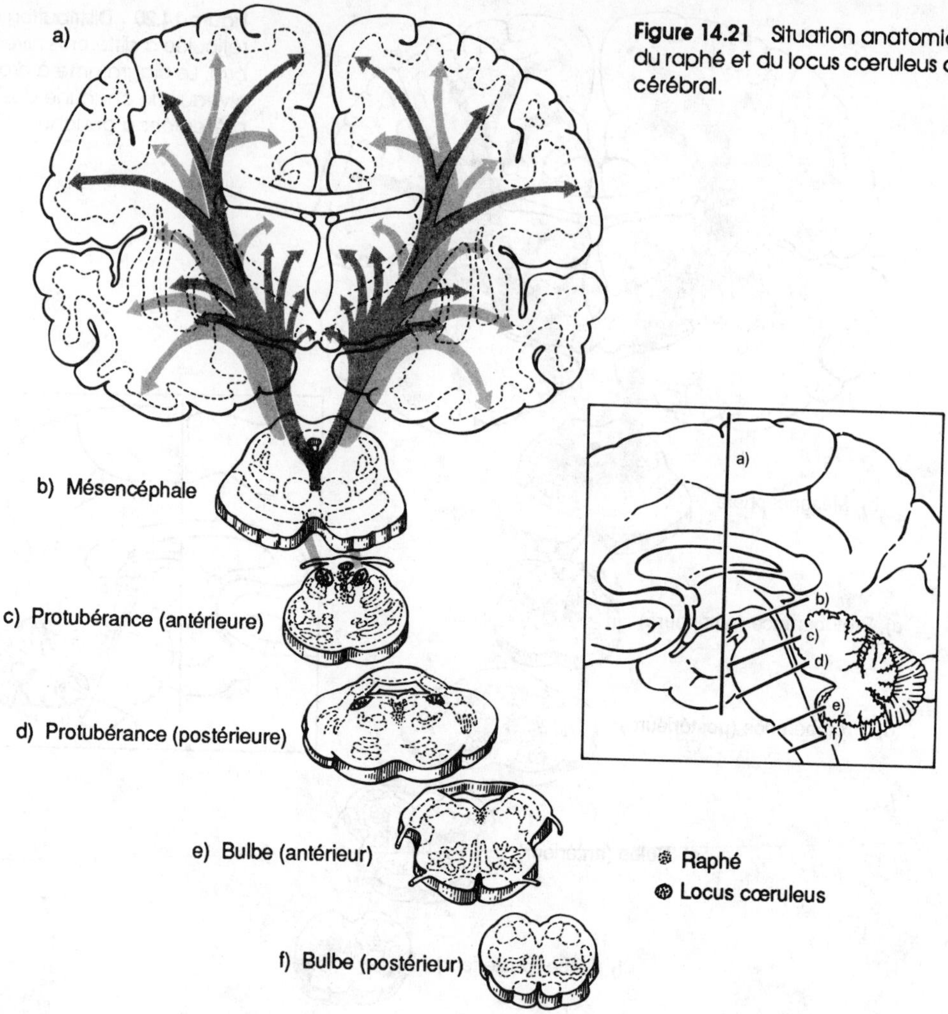

Figure 14.21 Situation anatomique du noyau du raphé et du locus cœruleus dans le tronc cérébral.

a)

b) Mésencéphale

c) Protubérance (antérieure)

d) Protubérance (postérieure)

e) Bulbe (antérieur)

f) Bulbe (postérieur)

✷ Raphé
◉ Locus cœruleus

agissent toutes au moyen de mécanismes de désactivation de l'état d'éveil, bien que ceci n'ait pas encore été prouvé.

Contrôles chimiques du sommeil et de l'éveil : substances favorisant le sommeil

Certains aspects de la complexité apparente des circuits intervenant dans le contrôle du cycle éveil-sommeil ont incité les chercheurs, ces dernières années, à adopter une approche neurochimique. Cette méthodologie a été notamment inspirée par des expériences classiques et d'autres contemporaines qui leur sont apparentées. Il y a plusieurs années, on pensait que le sommeil pouvait être causé par l'accumulation dans le corps et le cerveau d'une substance somnifère, un *hypnogène*. Ce sont les expériences de Piéron, en 1910, qui ont suggéré la possibilité de l'existence d'une telle substance. En effet, Piéron a montré que l'injection de liquide céphalo-rachidien prélevé chez des chiens fatigués induisait le sommeil chez des chiens reposés. Ce type d'expérience fondamentale a été répété avec plusieurs variantes depuis lors et des expériences récentes ont ressuscité l'intérêt vis-à-vis des facteurs endogènes du sommeil.

Les facteurs endogènes du sommeil sont des substances qui, produites par l'activité métabolique de l'organisme, sont capables de déclencher et de favoriser le sommeil. Ces substances sont recherchées dans le sang, l'urine, le liquide céphalo-rachidien ou des extraits de cerveau. Certains de ces facteurs hypothétiquement capables d'induire le sommeil sont obtenus à la suite d'une privation de sommeil, ce qui, on le présume, accroît leur concentration. Cette façon de procéder est également en accord avec l'hypothèse d'un facteur de sommeil se développant progressivement au cours du comportement d'éveil. D'autres facteurs ont été tirés d'animaux qui dormaient. Dans les deux cas, l'efficacité de ces facteurs est vérifiée par leur injection chez d'autres animaux témoins afin de déterminer s'ils modifient le niveau de base de leur comportement de sommeil.

On a donné le nom de facteur S à une substance à effets somnifères que Pappenheimer et ses collaborateurs (1975) ont extraite du liquide céphalo-rachidien de chèvres privées de sommeil. Injecté dans les ventricules cérébraux de rats, le facteur S a eu pour effet d'accroître le sommeil à ondes lentes. Chez le chat, des injections dans les ventricules cérébraux ont également résulté en une augmentation du sommeil à ondes lentes, sans affecter le sommeil REM. Des injections dans le cerveau ont permis d'identifier certains sites, à la base du cerveau antérieur, qui sont particulièrement sensibles aux substances somnifères (Garcia-Arraras et Pappenheimer, 1983). L'urine des êtres humains contient un facteur dont les propriétés se rapprochent beaucoup de celles du facteur S provenant du liquide céphalo-rachidien d'animaux privés de sommeil. Dans leur critique de ces travaux, des chercheurs ont prétendu que la composition chimique de ce facteur de sommeil était semblable à un produit de membranes bactériennes et ils ont soulevé la possibilité qu'il provienne d'une contamination de l'urine. Plusieurs données viennent contredire pareille hypothèse. On a également noté une augmentation de sommeil à ondes lentes après injection à des rats d'un facteur de nature peptidique extrait de sujets humains.

Il est également possible d'obtenir des substances qui favorisent le sommeil chez des animaux privés de sommeil, ce qu'on a démontré au moyen d'un filtrat de sang puisé auprès d'animaux dont le sommeil avait été provoqué par stimulation électrique du thalamus. Chez le lapin, la stimulation par ondes électriques de basse fréquence des noyaux intralaminaires de la région du thalamus produit du sommeil à ondes lentes. La structure chimique de cette substance somnifère a été identifiée et il est possible d'en faire la synthèse. Cette substance est nommée peptide déclencheur de sommeil delta. Des études préliminaires ont montré qu'elle est capable de provoquer un accroissement du sommeil chez des êtres humains souffrant d'insomnie chronique (Schneider-Helmert, 1985). On a également proposé beaucoup d'autres facteurs de sommeil qui seraient présumés endogènes. Ce type de recherche permet d'envisager la possibilité que le déclenchement du sommeil soit contrôlé par l'accumulation d'un *facteur sommeil* qui agirait comme un neuromodulateur.

Bien que les données présentées ci-dessus semblent prometteuses en ce qui concerne l'existence probable de substances endogènes somnifères, des observations effectuées chez des jumeaux siamois ne semblent pas appuyer cette hypothèse. La plupart des jumeaux siamois ne possèdent pas toutefois un système vasculaire commun très étendu, si bien qu'il existe peu de possibilités d'échange de liquides. Néanmoins, dans un article intéressant mais rarement cité, Webb (1978) décrit un couple de jumeaux qui, rattachés au niveau du thorax et de l'abdomen, partageaient ainsi le même cœur. Il observa le comportement de ces enfants deux semaines après leur naissance afin d'évaluer l'organisation temporelle de leur cycle éveil-sommeil. On procéda à une évaluation très minutieuse de l'évolution des catégories suivantes : périodes de sommeil tranquille, de sommeil actif, de pleurs, d'état éveillé tranquille et d'état éveillé actif. L'analyse des données a montré que les deux jumeaux étaient relativement indépendants quant à ces états de sommeil. Il arrivait parfois que l'un des jumeaux était éveillé pendant que l'autre dormait et, même quand les deux étaient endormis, on notait de longues périodes pendant lesquelles l'un se trouvait en sommeil tranquille alors que l'autre était dans un état de sommeil actif. Ces constatations semblent s'opposer à une théorie humorale du déclenchement et du maintien du sommeil.

Le fait que ces observations aient été effectuées à un âge très précoce pourrait toutefois avoir contribué à réduire les possibilités d'une évaluation exacte des facteurs de sommeil.

Contrôles chimiques du sommeil et de l'éveil : transmetteurs synaptiques

Plusieurs études ont permis de constater que le niveau de concentration de beaucoup de transmetteurs synaptiques varie d'après un rythme circadien, ce qui soulève la possibilité que le déclenchement et le maintien du sommeil soient sous le contrôle de modifications dans les rapports relatifs entre les différents systèmes de transmetteurs. Des techniques plus récentes permettent maintenant de tenter d'établir sur une large échelle la carte des changements qui, survenant dans les transmetteurs, pourraient être associés à des processus de sommeil. Quelques exemples empruntés aux recherches actuelles portant sur plusieurs transmetteurs serviront à illustrer ces changements.

La sérotonine

Les résultats des travaux effectués depuis le milieu des années 60 démontrent clairement que plusieurs aspects du sommeil dépendent de l'activité sérotoninergique (Kœlla, 1985). À cet égard, divers types de preuves ont été présentés, notamment les conséquences qu'ont pour le sommeil les lésions des neurones contenant de la sérotonine, les effets pour le comportement de la facilitation ou de l'inhibition chimique de l'activité de ces neurones et les enregistrements électriques associant le comportement de sommeil à l'activité nerveuse des cellules sérotoninergiques du tronc cérébral.

La destruction des noyaux du raphé (figure 14.21) entraîne une chute prononcée des concentrations de sérotonine dans le cerveau antérieur. Cette intervention produit également une diminution brusque du temps total consacré par les animaux au sommeil REM et au sommeil à ondes lentes. De même, l'injection dans les ventricules cérébraux d'une neurotoxine, la 5,6-dihydroxytryptamine, engendre une défectuosité sélective des neurones à contenu de sérotonine et un affaissement prononcé des niveaux de sommeil REM et de sommeil à ondes lentes. On peut obtenir cette influence sur le sommeil jusqu'à dix jours après une seule injection. Le blocage de la synthèse de la sérotonine par une substance pharmacologique, le PCPA, entraîne une diminution des concentrations du transmetteur et une réduction du sommeil; toutefois, l'administration répétée de cette substance la rend progressivement inefficace quant à la réduction des niveaux de sommeil. La facilitation pharmacologique de l'activité de la sérotonine conduit fréquemment à un allongement de la période de sommeil; cet effet peut être obtenu par injection directe du transmetteur dans les ventricules cérébraux ou par utilisation de drogues pour accroître les concentrations de sérotonine, soit en administrant par exemple le précurseur de la synthèse du transmetteur.

On peut maintenant mesurer les concentrations de sérotonine auprès d'animaux actifs et éveillés, grâce à une technique dite de *voltmétrie différentielle du pouls*, méthode électrique servant à déterminer les niveaux d'activité biologique. Les résultats obtenus par cette technique ajoutent cependant à la complexité de la mesure. Dans les laboratoires de M. Jouvet, on a obtenu des résultats inaccoutumés révélant l'existence d'un lien entre les niveaux de sérotonine et le comportement (Cespuglio et coll., 1984). Les mesures étant effectuées dans divers sites cérébraux contenant des terminaisons nerveuses sérotoninergiques, ces chercheurs ont démontré que les concentrations de sérotonine sont élevées à l'état d'éveil et diminuent pendant le sommeil REM et le sommeil à ondes lentes. Ce fait concorde avec les observations neurophysiologiques des cellules du noyau du raphé qui montrent un arrêt des décharges au moment où le sommeil à ondes lentes s'installe. Comment peut-on alors réconcilier ces données avec celles d'autres observations comme les effets de l'insomnie PCPA? Jouvet et ses collaborateurs proposent comme explication que la sérotonine jouerait un rôle dans la synthèse d'un facteur hypnogène qui serait l'agent directement responsable du sommeil. La déplétion de sérotonine empêcherait la formation de ce facteur. À l'appui de cette interprétation, on a invoqué le fait que le renversement des effets de l'insomnie due à la PCPA exige environ une heure, soit le temps qui semble nécessaire à la synthèse de ce facteur hypnogène. De toute évidence, la sérotonine a un rôle à jouer dans certains aspects de la régulation du sommeil. Toutefois il n'en reste pas moins que le rôle très important de contrôle qui était habituellement attribué à la sérotonine, dans les grands modèles neurochimiques du sommeil, doit maintenant être réévalué à la baisse si on veut tenir compte du fait que beaucoup d'autres transmetteurs semblent participer également à l'aventure du sommeil.

Noradrénaline   Au chapitre 6, nous avons noté la complexité de l'organisation des voies nerveuses et des groupes de cellules noradrénergiques dans le tronc cérébral. Considérant la complexité structurale de ces groupes cellulaires, il n'y a rien d'étonnant à ce que le rôle joué par la noradrénaline dans le sommeil soit aussi assez complexe. Les résultats des recherches de la dernière décennie mettent en évidence la participation de la noradrénaline dans le contrôle de l'éveil aussi bien que dans celui du sommeil. De plus, les chercheurs croient qu'une augmentation de ce transmetteur est à l'origine du comportement d'éveil, ou l'accompagne. Le sommeil REM ne se manifeste que lorsque l'activité noadrénergique diminue, ce qui permet de supposer que ce transmetteur l'inhibe normalement (Gaillard, 1985).

Les chercheurs intéressés à l'étude du sommeil ont particulièrement concentré leur attention sur les cellules noradrénergiques d'un groupe de cellules nommé locus cœruleus (figure 14.21). Des lésions pratiquées sélectivement dans cette région provoquent chez le chat des modifications marquées dans les particularités du sommeil REM, notamment une diminution persistante des pointes de potentiel PGO et la disparition de l'affaissement du tonus musculaire particulièrement caractéristique du sommeil REM. Ces données indiqueraient que les neurones noradrénergiques du locus cœruleus ne sont pas nécessaires au déclenchement et au maintien du sommeil REM, mais qu'ils contrôlent plutôt certains des phénomènes toniques et phasiques accompagnant cet état. Une inhibition pharmacologique de la synthèse de la noradrénaline cérébrale (au moyen de l'alpha-méthyl-paratyrosine) entraîne une diminution de l'activité EEG d'éveil chez certains animaux alors que les substances qui facilitent l'activité noradrénergique font accroître les signes EEG de cette activité d'éveil. Les neurotoxines qui, comme la 6-hydroxydopamine, endommagent les terminaisons noradrénergiques entraînent une certaine réduction de l'éveil et du sommeil REM, effet transitoire cependant. Les observations découlant de l'usage de substances qui modifient les récepteurs adrénergiques amènent à conclure que l'état d'éveil augmente avec la stimulation des alpha-adrénorécepteurs et le blocage des alpha-2-adrénorécepteurs, qui fait également décroître le sommeil REM. La complexité des résultats que donnent les traitements appliqués au système noradrénergique a incité les chercheurs à considérer que ce système transmetteur ne fait pas partie du système d'exécution qui contrôle le sommeil, mais qu'il joue un rôle neuromodulateur important (Monti, 1985).

Dopamine   Les nombreux travaux sur les effets des agonistes et antagonistes de la dopamine indiquent que ce transmetteur joue un rôle dans la régulation du sommeil (Wauquier, 1985). Les substances qui accroissent l'activité des systèmes dopaminergiques, telle la L-DOPA, provoquent une activation du comportement de longue durée et des diminutions du sommeil REM et du sommeil à ondes lentes. Les agonistes et les antagonistes de la dopamine exercent sur le sommeil des influences diphasiques complexes qui dépendent du dosage. À faibles doses, par exemple, les agonistes de la dopamine réduisent la latence du sommeil, alors qu'à fortes doses ils contribuent à l'augmenter. Ces effets pourraient être attribuables au fait que la réduction de l'activité motrice est prérequise à l'apparition du sommeil, mais les données pharmacologiques en cause ici sont plus complexes que ce que suggère une telle interprétation.

Acétylcholine

Une variété de données pharmacologiques attribuent aux synapses cholinergiques un rôle spécial dans la médiation de certains des phénomènes du sommeil REM. Chez l'être humain, des antagonistes cholinergiques comme l'atropine et la scopolamine (antagonistes muscariniques) exercent des effets de suppression du sommeil REM, par exemple l'accroissement de la latence du sommeil REM (intervalle entre l'apparition du sommeil et celle du premier épisode du sommeil REM). Les substances facilitant ou accroissant l'activité synaptique cholinergique, comme la physostigmine (inhibiteur de l'acétylcholinestérase), déclenchent le sommeil REM chez les sujets humains volontaires (Gillin et coll., 1985). Cet effet est obtenu lorsque cette substance est administrée pendant le sommeil à ondes lentes; toutefois, à plus fortes doses, cette même substance peut provoquer un état d'éveil. De telles constatations donnent à croire que les mécanismes cholinergiques facilitent l'éveil et le sommeil REM. Le sommeil REM résultant de ce traitement est décrit comme tout à fait normal, tant dans ses aspects physiologiques que comportementaux (évalués par les témoignages de rêves). La constatation d'une diminution de la latence du sommeil REM accompagnant la facilitation cholinergique est particulièrement pertinente aux observations d'une participation cholinergique possible à la dépression. Les données toxicologiques viennent également appuyer certains de ces résultats. Par exemple, les travailleurs de la ferme qui se trouvent exposés de façon accidentelle à des insecticides contenant de l'anticholinestérase manifestent un sommeil plus riche en périodes REM et le sommeil REM est déclenché plus précocement (Gillin et coll., 1985).

Neurotransmetteurs et sommeil : un processus d'intégration

L'augmentation du nombre de transmetteurs trouvés dans le cerveau s'accompagne d'un accroissement proportionnel du nombre de communications scientifiques traitant de ces transmetteurs et du sommeil. En dépit de leur élégance et de leur simplicité, les premiers efforts consentis pour élaborer un modèle neurochimique du sommeil (cf. Jouvet, 1974) s'avèrent maintenant vains, lorsqu'on constate que le cerveau est beaucoup plus complexe qu'on l'aurait cru, il n'y a pas si longtemps. Existe-t-il un moyen d'intégrer les nombreuses données disponibles pour en élaborer une théorie convenable? Récemment, Koella (1985) a tenté de tracer les grandes lignes d'un modèle systématique du caractère neurochimique du sommeil. Selon lui, plusieurs transmetteurs serviraient à accroître la vigilance dans les différents compartiments d'un système de contrôle de l'état d'éveil. Ce rôle serait particulièrement caractéristique de l'activité des systèmes adrénergiques, cholinergiques et dopaminergiques. Dans ce modèle d'envergure, les mécanismes de suppression de vigilance mettent en cause la sérotonine de même que plusieurs autres neurotransmetteurs. Les facteurs de sommeil sont conçus comme des éléments de rétroaction transportant des renseignements sur l'état courant du corps et du cerveau et influençant la coordination centrale de ce système de contrôle de la vigilance. Le modèle n'est décrit que dans ses grandes lignes; des perfectionnements à ce modèle fourniraient peut-être une intégration plus détaillée des données neurochimiques aussi bien que psychobiologiques.

FONCTIONS BIOLOGIQUES DU SOMMEIL

Pourquoi la plupart des gens consacrent-ils le tiers de leur vie au sommeil? Si réconfortante que soit cette statistique pour certains d'entre nous, elle donne encore plus de sens aux questions sur le rôle biologique du sommeil. L'existence de deux états de sommeil dissemblables, à attributs physiologiques distincts, ne fait qu'ajouter au mystère. Certaines des fonctions possibles du sommeil ont déjà été mentionnées et méritent d'être discutées plus en détail.

Les recherches sur les fonctions du sommeil sont tellement nombreuses qu'il ne sera possible, dans ce chapitre, que de mettre en évidence les notions principales sur la question. Il convient de noter que ces fonctions ou rôles hypothétiques du sommeil ne s'excluent pas mutuellement : le sommeil peut jouer plusieurs rôles et la liste de ces rôles peut comprendre pratiquement toutes les suggestions qui seront faites ici.

Malgré tout le sérieux de ces hypothèses et spéculations sur les fonctions du sommeil, il faut reconnaître qu'aucune d'entre elles n'a encore été vérifiée. De plus, nulle théorie n'a pu expliquer le phénomène que constituent les individus capables de s'en tirer avec peu de sommeil, ou encore le phénomène exceptionnel de l'individu qui passe des mois sans dormir tout en manifestant une intelligence et une personnalité apparemment normales.

Le sommeil conserve l'énergie

La réduction de la dépense énergétique est une propriété qui s'applique à une portion appréciable des périodes de sommeil. Par exemple, le sommeil s'accompagne d'une réduction de la tension musculaire, d'une décélération du rythme cardiaque, d'une diminution de la pression artérielle et d'un ralentissement de la respiration. L'abaissement de la température du corps, caractéristique du sommeil, est également associé à une réduction des processus métaboliques. Tous ces signes d'une diminution de l'activité métabolique pendant le sommeil portent à croire que l'un des rôles du sommeil pourrait être d'économiser l'énergie. Considéré sous cet angle, le sommeil empêche la poursuite de l'activité en cours et assure également le repos; en somme, le sommeil correspond à un état particulier où les exigences métaboliques sont réduites.

On peut constater l'importance de cette fonction en considérant le monde selon l'optique des petits animaux. Ceux-ci ont un taux métabolique en moyenne très élevé et pour eux toute activité est métaboliquement coûteuse. Il peut arriver très facilement que la demande dépasse l'offre chez ces animaux. Les périodes d'activité réduite peuvent revêtir une signification toute particulière si elles surviennent aux moments où l'animal est moins susceptible de découvrir et de se procurer de la nourriture. Les données comparatives sur le sommeil, révélant l'existence d'une forte corrélation entre le temps total de sommeil quotidien et le taux du métabolisme à l'état d'éveil, viennent appuyer ce point de vue. Toutefois, certains problèmes surgissent lorsqu'on tient compte du fait qu'une partie au moins du sommeil est marquée d'une dépense métabolique intense, comme les événements phasiques du sommeil REM.

Le sommeil permet d'éviter les prédateurs

Dans la nature, les interactions d'un grand nombre d'acteurs sont souvent malencontreuses. Certaines espèces mangent, par exemple, les représentants d'autres espèces. Les pressions intenses exercées par l'évolution ont donné naissance à une variété de tactiques servant à éviter les prédateurs. Certains chercheurs ont prétendu que le sommeil intervient directement dans les stratagèmes d'adaptation biologique. Meddis (1975) soutient que l'immobilité du sommeil favorise la survie. Dans le cas de certains animaux, cette immobilité réduit la probabilité de rencontre de prédateurs éventuels. Le sommeil peut ainsi représenter un moyen de partager efficacement une niche écologique; en somme, c'est la survie assurée évitant ainsi de devenir le repas d'un autre.

Certaines spéculations sur une contribution distincte du sommeil REM soulignent la possibilité que le sommeil joue un tel rôle fonctionnel. Snyder (1969) a proposé l'hypothèse *sentinelle* pour décrire une fonction REM comme une quasi-activation périodique qui rendrait l'animal capable d'évaluer un danger possible. La récurrence du sommeil REM serait alors un moyen de protection contre les dangers de prédation pouvant exister pendant le sommeil. Dans cette optique, le sommeil REM serait un complément à la protection que procure un terrier ou un arbre comme habitat du sommeil. Les preuves permettant de confirmer cette hypothèse sont rares, même s'il est exact que les petits animaux qui sont souvent la cible de prédateurs ont des cycles de sommeil plus courts.

Le sommeil permet au corps de se reposer

Si nous dormons, c'est que, de toute évidence, nous sommes fatigués; du moins, c'est ainsi que les gens expliquent généralement pourquoi ils dorment. Les activités quotidiennes entraînent une forte dépense d'énergie ou une usure du corps et certains chercheurs considèrent le sommeil comme l'occasìon pour le corps de refaire ses réserves d'énergie. Le sommeil aurait donc tout simplement pour fonction de reconstituer ou de restaurer les matériaux (tels les protéines) utilisés pendant l'état d'éveil. Hartmann (1973) a postulé qu'il y avait deux types de besoin de restauration auxquels le sommeil satisfait de façon différente : la fatigue physique et la fatigue reliée à l'activation émotionnelle.

Malheureusement, la *dimension restauratrice* du sommeil trouve peu d'appui dans la recherche. En réalité, cette interprétation qui, à prime abord, semble aller de soi se révèle plutôt paradoxale lorsqu'elle est soumise à l'examen. Une manière facile de vérifier une telle hypothèse serait, par exemple, d'examiner comment une modification de l'activité qui précède le sommeil influence la durée ou le cycle du sommeil. Une forte dépense métabolique au cours de la journée peut-elle exercer un effet sur la durée du sommeil? Les réponses à cette question ajoutent au mystère. Chez l'être humain, l'exercice physique qui précède le sommeil a pour effet de diminuer la latence de l'apparition du sommeil. Certaines études montrent un allongement des premiers épisodes de sommeil à ondes lentes, mais beaucoup d'autres n'appuient pas clairement l'idée de la capacité de restauration du sommeil. Par ailleurs, la libération de somatotrophine durant le sommeil semble appuyer l'hypothèse de restauration.

Des chercheurs ont insisté sur les besoins particuliers de restauration du cerveau par rapport à ceux du reste du corps. Ils font ressortir la complexité de la mécanique neurochimique du corps et font remarquer que les activités de l'état d'éveil ont des effets profonds sur des processus comme ceux qui maintiennent les concentrations des neurotransmetteurs. Morruzzi (1972) soutient notamment que l'utilisation des petits neurones du cerveau affectent ces derniers qui peuvent alors se restaurer pendant le sommeil. À cet égard, les plus grosses cellules nerveuses devraient disposer d'une réserve métabolique plus importante.

Le sommeil facilite le traitement de l'information

Il se produit beaucoup d'événements variés au cours d'une seule journée, allant du regard accidentellement porté sur un visage nouveau, à l'émotion engendrée par la réception d'une marque d'appréciation par rapport à une réalisation particulière. Ces événements se présentent en succession, certains étant gardés en mémoire pendant des années alors que d'autres seront vite et facilement oubliés. Il a déjà été souligné qu'il existe de nombreux liens entre le phénomène de l'apprentissage et les caractéristiques du sommeil. Plusieurs des études dont il a été question soutiennent que le sommeil agit comme une sorte d'arbitre de l'information recueillie au cours de la journée. Le sommeil est donc ainsi conçu comme un état dont les opérations servent au tri et à la consolidation des souvenirs de la journée. La persistance des souvenirs semble ainsi tributaire d'une opération contrôlée par les processus du sommeil.

PERTURBATIONS DU SOMMEIL

La paix et le confort que procure, chaque jour, un sommeil régulier et ininterrompu peuvent être parfois troublés par l'incapacité de s'endormir, un prolongement du temps consacré au sommeil, ou des réveils inaccoutumés. Ce qui est inhabituel pour certains peut toutefois être le lot coutumier et insatisfaisant d'autres individus. Les travaux intensifs effectués au cours des dernières années pour élucider les mécanismes du sommeil des animaux offrent maintenant la possibilité de mieux comprendre et de traiter les perturbations du sommeil de l'être humain. Les spécialistes des cliniques de traitement des perturbations du sommeil, cliniques maintenant présentes dans la plupart des principaux centres médicaux, ont concentré une grande partie de leurs efforts à l'évaluation du sommeil. Aux États-Unis, *The Association of Sleep Disorder Clinics** constitue un lieu privilégié d'analyse des besoins et des progrès de la recherche. L'étude des troubles du sommeil contribue à améliorer le niveau des connaissances générales des processus du sommeil. Nous illustrerons ici les perturbations du sommeil au moyen d'exemples allant des expériences routinières communes à plusieurs individus aux états plutôt inaccoutumés qui sont le lot de rares personnes.

Cette association a élaboré un système de classification pour diagnostiquer les troubles du sommeil et de l'activation (Weitzman, 1981). Le tableau 14.2 présente une liste de ces principales catégories et des exemples qui s'y rapportent.

---

* *Association de cliniques traitant les troubles du sommeil*

Tableau 14.2   Classification des troubles du sommeil.

---

1. **Difficultés de déclenchement et de maintien du sommeil (insomnie)**
   Insomnie simple, ordinaire
      Passagère
      Persistante
   Associées aux drogues
      Usage de stimulants
      Sevrage de dépresseurs
      Alcoolisme chronique
   Associées à des désordres psychiatriques
   Associées à des défectuosités respiratoires provoquées par le sommeil

2. **Troubles de somnolence excessive**
   Narcolepsie
   Associés à des problèmes psychiatriques
   Associés à des troubles psychiatriques
   Associés aux drogues
   Associés à des défectuosités respiratoires provoquées par le sommeil

3. **Troubles du cycle sommeil-éveil**
   A. Transitoires
      Décalage horaire dû à un déplacement en avion
      Dûs aux quarts de travail, surtout le travail de nuit
   B. Persistants
      Rythme irrégulier

4. **Perturbations reliées au sommeil, aux stades du sommeil, ou à des activations partielles**
   Somnambulisme
   Énurésie nocturne
   Terreurs nocturnes
   Cauchemars
   Crises épileptiques associées au sommeil
   Grincement des dents
   Activation de symptômes cardiaques et gastro-intestinaux associés au sommeil

---

Source : D'après Weitzman (1981).

Chacun de nous éprouve parfois de la difficulté à s'endormir, peut-être à cause de l'excitation de la journée. Cependant, pour certains individus, cette incapacité de trouver le sommeil et de rester endormi représente un supplice quotidien. Les résultats d'enquêtes publiés par Parkes (1985) évaluent que la proportion des insomniaques varie de 15 % de la population adulte de l'Écosse à 33 % des individus interrogés à Los Angeles. Ce sont les gens plus âgés, les femmes et les usagers de substances toxiques comme le tabac, le café et l'alcool qui se plaignent le plus souvent d'insomnie. En fait, l'insomnie semble être l'aboutissement ordinaire d'un certain nombre d'états d'ordres neurologique, psychiatrique et médical. L'insomnie n'est pas un trouble anodin; les adultes qui dorment peu de façon habituelle ont une espérance de vie plus faible que celle des adultes dormant régulièrement de 7 à 8 heures par nuit (Wingard et Berkman, 1983).

Certains chercheurs ont constaté une contradiction entre le témoignage du sujet sur son incapacité de dormir et les signes EEG de sommeil. En effet, des insomniaques prétendent ne pas avoir dormi alors que les enregistrements EEG disent le contraire et malgré le fait qu'ils n'aient pas réagi à la stimulation pendant cet état de sommeil EEG. Toutefois, dans beaucoup d'études, les insomniaques révèlent moins de sommeil REM et plus de sommeil de stade 2 que celui dont le sommeil est normal. Les états de sommeil 3 et 4 ne présentent aucune différence évidente.

Parmi les facteurs de situation qui contribuent à l'insomnie, il y a l'horaire de travail, les changements de fuseaux horaires et des conditions de l'environnement comme l'aspect *nouveauté* (ce lit de motel au matelas trop dur!). Habituellement, ces conditions sont responsables d'une insomnie de déclenchement transitoire (difficulté à s'endormir). L'insomnie de maintien, qui consiste en une difficulté à rester endormi, semble devoir être attribuée plutôt aux drogues et à des facteurs neurologiques et psychiatriques. Ce type de sommeil est parsemé de nombreuses périodes d'éveil au cours de la nuit. Cette forme d'insomnie est particulièrement évidente dans les cas de troubles mettant en cause le système respiratoire.

Chez certains individus, la respiration durant le sommeil devient incertaine : elle peut s'interrompre ou ralentir jusqu'à atteindre des niveaux dangereux; la concentration d'oxygène dans le sang diminue de façon marquée. Ce syndrome dit de l'**apnée du sommeil** est attribuable au relâchement progressif des muscles du thorax, du diaphragme et de la cavité du pharynx ou à des changements dans les neurones du tronc cérébral qui contrôlent le rythme respiratoire (pacemakers). Dans le premier cas, le relâchement des muscles de la gorge obstrue le conduit aérien, résultant ainsi en une sorte d'autosuffocation. Cette réaction est caractéristique des individus très obèses qui dorment couchés sur le dos. Ces dormeurs sont sujets à des réveils fréquents si bien qu'ils se sentent somnolents durant la journée. L'insertion dans la gorge d'un tuyau amovible peut contribuer au rétablissement d'un sommeil normal et éliminer cette torpeur excessive au cours de la journée.

Des spécialistes des troubles du sommeil ont fait l'hypothèse que la mort au berceau (syndrome du décès soudain du nourrisson) résulterait de l'apnée du sommeil qui se produit à la suite d'une réduction de l'activité nerveuse du tronc cérébral responsable du contrôle du rythme de la respiration. La surveillance continue du sommeil des nouveau-nés susceptibles d'être les victimes du syndrome de mort au berceau a aidé à sauver la vie d'un certain nombre d'enfants.

Il peut sembler étonnant de considérer l'excès de sommeil comme un malheur; pourtant, beaucoup d'individus éprouvent continuellement le besoin de sommeil ou sont en proie à de brusques accès de sommeil. Dans pareils cas, le sommeil n'est pas perçu comme un repos souhaité mais plutôt comme un embarras mettant en péril et compromettant la qualité de la vie. Quelques-uns des syndromes les plus dramatiques de cette catégorie méritent d'être brièvement décrits.

La narcolepsie

Les victimes de narcolepsie forment l'un des plus importants groupes de clients des cliniques des troubles du sommeil. La **narcolepsie** est un trouble rare marqué d'accès fréquents et intenses de sommeil; ces accès de sommeil durent 5 à 30 minutes et peuvent survenir à tout moment, pendant les heures habituelles d'éveil. Les narcoleptiques manifestent souvent des problèmes associés, comme une chute soudaine de tonus musculaire qui peut être provoquée par des stimuli brusques ou intenses, y compris certains stimuli généralement considérés comme n'ayant pas de caractère traumatique, tel un éclat de rire. Les individus souffrant de ce trouble du sommeil se distinguent des autres par le fait que leur sommeil REM apparaît dès le début. En effet, la durée d'une attaque narcoleptique ressemble beaucoup à un épisode de sommeil REM. Le sommeil nocturne des narcoleptiques est très semblable au sommeil normal. Des chercheurs considèrent que ce trouble comporte un dysfonctionnement du tronc cérébral, dysfonctionnement impliquant qu'un mécanisme de réveil n'a pas réussi à supprimer l'action des centres du tronc cérébral qui contrôlent le sommeil REM.

Plusieurs narcoleptiques donnent également des signes de catalepsie, épisode soudain de faiblesse musculaire entraînant l'effondrement du corps mais sans perte de conscience. Comme les accès narcoleptiques, ces épisodes sont déclenchés par des stimuli émotionnels intenses et soudains. Chez les individus qui en sont affligés, ce trouble persiste toute la vie et il arrive qu'il soit transmis génétiquement. Ce désordre n'a pas pu être associé à des changements structuraux dans le cerveau.

L'étude de la narcolepsie a fait des progrès récemment, à la suite de la découverte d'un trouble comparable chez le chien. En effet, dans les laboratoires de William Dement, on a pu démontrer que plusieurs lignées de chiens manifestent de nombreuses caractéristiques de la narcolepsie. Ces animaux présentent une inhibition motrice subite (catalepsie) et de très courtes latences de déclenchement de sommeil. Au début du sommeil, on observe plusieurs cas d'épisodes REM semblables à ceux observés chez les êtres humains narcoleptiques. On a trouvé des indices d'un fort contrôle génétique de cette perturbation dans toutes les lignées de chiens qui manifestaient ce phénomène.

Sommeil et dépression

Il est connu depuis longtemps que les états de dépression sont accompagnés de perturbations du sommeil; toutefois, la nature même des modifications apportées au sommeil et le fait que ces changements puissent exercer une influence sur la dépression constituent de nouvelles pièces du puzzle. Les cas de dépressions graves sont généralement caractérisés par une difficulté à s'endormir et une incapacité de rester endormi, ce qui se manifeste par un réveil matinal hâtif. Plus récemment, des études de l'EEG du sommeil de sujets déprimés ont révélé certaines anomalies qui excèdent la simple difficulté à s'endormir. En effet, le sommeil des grands déprimés est marqué par une réduction frappante des stades 3 et 4 de sommeil à ondes lentes et par un accroissement correspondant des stades 1 et 2 de ce même type de sommeil. Les changements observés dans le sommeil REM comprennent une réduction de l'intervalle entre le début du sommeil et le premier épisode REM. La distribution temporelle du sommeil REM se trouve en outre modifiée, comme le démontre le temps plus long consacré au sommeil REM, durant la première moitié de la période de sommeil, comme si le sommeil REM avait été déplacé vers la première partie de la nuit (Gillin et Borbely, 1985). Le sommeil REM de l'individu est également plus vigoureux comme en témoigne la fréquence élevée des mouvements oculaires.

Ces modifications du sommeil sont-elles le propre de la dépression? La question demeure toujours fort controversée. Certains de ces changements sont observés dans d'autres états psychiatriques et il est plus vraisemblable que certains d'entre eux soient plutôt non spécifiques (Reynolds et Shipley, 1985). Il n'en reste pas moins que les altérations du sommeil REM semblent être spécifiquement liées à la dépression; des études ont montré qu'il existe une corrélation significative entre la réduction de la latence du sommeil REM et le degré d'intensité de la dépression. Certaines observations sur l'efficacité clinique des types variés de thérapies du sommeil mettent également en évidence le rôle que joue le sommeil REM dans la dépression. Les travaux de Vogel et ses collaborateurs (1980) ont été centrés sur le fait que le sommeil REM des gens déprimés semble être déplacé et plus étendu; selon ces chercheurs, les déprimés commenceraient à dormir presque au moment où les normaux se réveillent. Cette analyse a donné lieu à des études sur l'impact du sommeil REM sélectif sur les symptômes de la dépression. Plusieurs études de personnes souffrant de troubles affectifs majeurs ont permis de constater que la privation de sommeil REM avait un effet antidépresseur marqué. Dans ces expériences, on réveillait les sujets au moment où débutait le sommeil REM, ce qui réduisait le temps total consacré à ce sommeil; ce traitement était utilisé pendant 2 à 3 semaines. Des sujets déprimés d'un groupe contrôle étaient réveillés durant les périodes de sommeil à ondes lentes, habituellement à la fin d'épisodes REM. Dans ces études, la dépression était évaluée au moyen d'une échelle clinique usuelle. Au bout de trois semaines, le groupe privé de sommeil REM enregistrait un score de dépression beaucoup plus faible que le groupe qui n'en avait pas été privé. À ce moment-là, les rôles des deux groupes furent inversés et après une autre période de trois semaines, l'effet du traitement fut également inversé. Il est intéressant de noter que de nombreux antidépresseurs, par exemple les inhibiteurs de la MAO, suppriment le sommeil REM pendant de longues périodes. Vogel soutient que la privation de sommeil REM améliore les états dépressifs graves dans la mesure où elle modifie les anomalies du sommeil REM.

L'analyse circadienne du sommeil de personnes déprimées a suggéré une autre façon d'aborder une thérapie du sommeil. Des études de Wehr et ses collaborateurs (1983) ont révélé que les personnes déprimées manifestent des relations de phase anormales dans certains des rythmes du corps en plus de la modification des cycles de sommeil REM. La figure 14.22 illustre le déplacement des rapports de phase entre température corporelle et sommeil, déplacement qui semble se produire dans la dépression. Cette analyse est à l'origine d'un type de traitement circadien de la dépression. Wehr et Goodwin (1982) ont conseillé à ces personnes de se coucher six heures avant leur horaire habituel et ils ont constaté que plusieurs voyaient leur dépression s'améliorer rapidement.

Plusieurs hypothèses fascinantes quant à la nature biologique de la dépression découlent des études du sommeil caractéristique de cet état. Gillin et Borbely (1985) évaluent trois de ces hypothèses. L'hypothèse *cholinergique-aminergique*, l'une des plus importantes, suggère qu'un changement de l'équilibre entre les transmetteurs synaptiques cholinergiques et aminergiques pourrait expliquer aussi bien la dépression que les modifications du sommeil REM qui l'accompagnent. Cet état hypothétique reposerait fondamentalement sur une recrudescence de la sensibilité des récepteurs cholinergiques. Un test pharmacologique qui mesure le temps nécessaire au déclenchement du sommeil, à la suite de l'administration d'un agoniste cholinergique, révèle l'existence d'un lien intéressant entre la dépression et le sommeil. Il semble bien que les individus déprimés réagiraient plus rapidement que les individus normaux à l'agoniste en question et cette réponse rapide des sujets déprimés serait même observable après la rémission des symptômes; ce fait permet de supposer que la sensibilité cholinergique est une caractéristique distinctive des sujets déprimés. L'hypothèse dite d'*anticipation de phase* relie également le sommeil à la dépression. Essentiellement,

Figure 14.22 EEG des stades de sommeil, activité motrice du poignet et température rectale chez une femme souffrant de dépression endogène a) avant et b) après guérison. La température est minimale au début du sommeil quand la malade est déprimée et à la fin du sommeil après guérison. (D'après Wehr, 1983.)

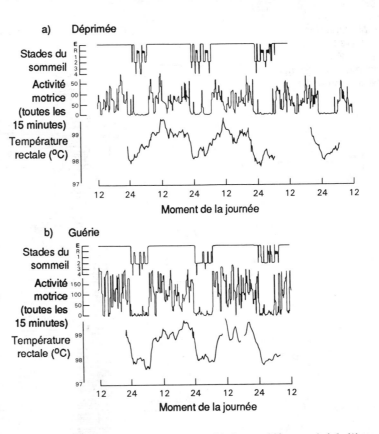

cette hypothèse suggère que la dépression serait associée à une défectuosité de l'interaction réciproque des oscillateurs qui contrôlent le sommeil REM, la température et les autres rythmes physiologiques. Cette défectuosité semble avoir pour effet de produire une anticipation de phase du sommeil REM et un aplatissement des rythmes circadiens des déprimés. Enfin, la troisième hypothèse principale établissant un lien entre sommeil et dépression, l'hypothèse dite de *déficience S*, propose que la propension au sommeil dépendrait d'une accumulation durant l'éveil d'un facteur de sommeil (processus S). Les gens déprimés souffriraient alors d'une carence du processus du sommeil, ce qui se traduirait par diverses modifications du sommeil REM. Les perturbations du sommeil caractérisant les principaux troubles affectifs représentent peut-être actuellement un moyen d'analyser certains des processus biologiques à la base de la dépression. On ne saurait encore dire si ces déficits sont le reflet ou les constituants des conditions causant ou, du moins, entretenant les états de dépression. Des recherches soutenues tentent actuellement de définir les liens et d'utiliser des mesures du sommeil en guise d'instruments de pronostic pour le traitement de la dépression.

Perturbations de l'alternance sommeil-éveil

Le changement rapide de fuseaux horaires, lors de voyages en avion, peut causer des modifications graves aux cycles sommeil-éveil, ce qui ressemble beaucoup aux modifications ressenties par les individus qui travaillent la nuit. Le sommeil des uns et des autres est caractérisé par des déroulements irréguliers, et des périodes de sommeil se trouvent également raccourcies.

On observe, cependant, des perburbations plus graves du déroulement du sommeil chez les personnes présentant le syndrome de *retardement de phase de sommeil* (Weitzman, 1981).

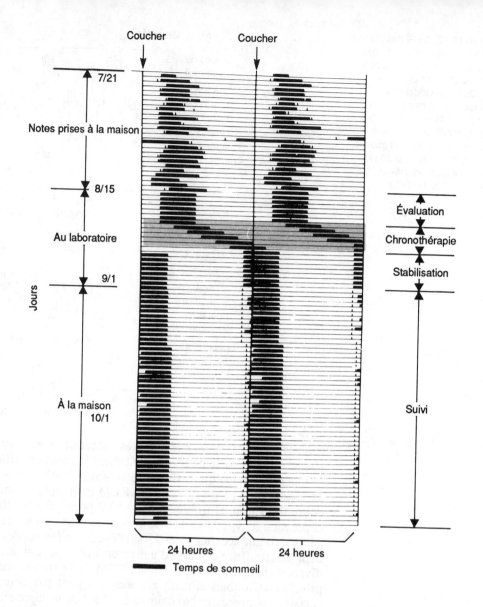

Figure 14.23 Effet de la chronothérapie sur une forme d'hystérie. Un délai de déclenchement du sommeil en rétablit le rythme. (De Czeisler et coll., 1981.)

Coucher   Coucher

7/21

Notes prises à la maison

8/15

Au laboratoire

9/1

Jours

À la maison
10/1

Évaluation

Chronothérapie

Stabilisation

Suivi

24 heures   24 heures

■■■ Temps de sommeil

La latence du déclenchement du sommeil est exceptionnellement longue chez ces individus et semble tout simplement désynchronisée par rapport aux horaires normaux de sommeil. Czeisler et ses collaborateurs (1981) disent avoir réussi à rétablir le rythme du sommeil en retardant le moment de se mettre au lit de 3 heures par jour, et ce jusqu'à ce que l'individu se retrouve *en phase* (figure 14.23). Cette thérapie circadienne permet l'adoption d'un nouveau rythme de déclenchement du sommeil et ce, parfois, après plusieurs années de sommeil perturbé.

Événements inhabituels associés au sommeil

Pendant leur sommeil, certains individus vivent des événements inaccoutumés, de la situation embarrassante jusqu'à celle qui représente une menace à la vie : ce sont l'énurésie nocturne (mouiller son lit), le somnambulisme, des mouvements saccadés des jambes et la paralysie.

L'un de ces types de comportements inhabituels, le somnambulisme, s'observe plus souvent chez les enfants. Il consiste à sortir du lit, pendant le sommeil, et à se promener dans la chambre tout en ayant l'air éveillé. Ces épisodes ne durent habituellement que quelques secondes et la plupart des enfants ne se souviennent pas de cette expérience, une fois réveillés. Les enregistrements révèlent que ces épisodes surviennent durant le sommeil à ondes lentes, particulièrement au cours des stades 3 et 4. Chez la plupart des enfants, le somnambulisme disparaît avec l'âge. On a soulevé la possibilité que le somnambulisme soit le passage à l'acte d'un rêve, mais aucun fait ne permet de retenir cette hypothèse (Parkes, 1985). Le problème principal que pose le somnambulisme viendrait de l'incapacité pour ses victimes de reprendre plein contact avec leur entourage au moment du réveil.

Le sommeil à ondes lentes est également associé à deux autres types communs de perturbations chez les enfants : les terreurs nocturnes et les énurésies. Les terreurs nocturnes surviennent après une heure de sommeil environ et se manifestent par un cri intense et soudain. Équivalant au cauchemar chez l'adulte, cette perturbation entraîne le réveil. Pour l'enfant comme pour l'adulte, ces expériences se produisent pendant le stade 4 du sommeil et le sujet n'en aura aucun souvenir si elles ne l'ont pas réveillé. Les épisodes d'énurésie sont plus fréquents au cours du premier tiers de la nuit de sommeil et semblent également déclenchés durant les stades 3 et 4. Le traitement pharmacologique de ces perturbations épisodiques du sommeil fait surtout appel à des médicaments qui réduisent le temps consacré au sommeil de stades 3 et 4 (en réduisant également le temps consacré au sommeil REM), tout en augmentant le temps consacré au sommeil de stade 2.

Plusieurs personnes, notamment les parents, insistent beaucoup sur les propriétés curatives et bénéfiques que représente le sommeil pour la santé. Malheureusement, ce n'est pas entièrement vrai. Le sommeil REM peut contribuer à l'aggravation de certains problèmes de santé, surtout des *maladies du stress*. L'activation intense des organes viscéraux à innervation autonome peut entraîner une aggravation des dommages aux tissus de ces systèmes. Les ulcères gastriques constituent un bel exemple de pathologie de tissus affecté par le sommeil REM. Certains ulcéreux se plaignent de douleurs épigastriques aiguës qui les réveillent. Même si les sujets normaux ne connaissent aucune hausse de la concentration d'acide gastrique pendant les épisodes de sommeil REM, les victimes d'ulcères gastriques sécrètent 3 à 20 fois plus d'acide, pendant la nuit, que ne le font les individus témoins. La concentration d'acide gastrique atteint des sommets durant les épisodes de sommeil REM.

Des crises semblables surviennent pendant le sommeil REM des personnes souffrant de troubles cardio-vasculaires. Dans les hôpitaux, des rapports indiquent que les sujets cardiaques sont plus susceptibles de succomber entre 4 et 6 heures du matin, période correspondant à celle des épisodes de sommeil REM les plus intenses et les plus prolongés. Les études dans lesquelles on a tenté de déterminer le moment d'apparition des épisodes d'angine fournissent des faits additionnels. Ce syndrome de douleurs thoraciques est associé à la cardiopathie ischémique. Kales (1971) a montré que chez des personnes hospitalisées, 32 crises sur 39 se produisaient pendant des épisodes de sommeil REM.

Ces exemples indiquent que les états de sommeil REM peuvent comporter des stress physiologiques importants pour les malades, si bien que le traitement médical recommandable pour certains pourrait bien comprendre des tentatives pour réduire les dangers que représente le sommeil REM.

Résumé

1. Plusieurs organismes vivants présentent des rythmes circadiens qui peuvent être déclenchés par des stimuli de l'environnement, notamment la lumière. Ces rythmes servent à synchroniser le comportement et les états corporels avec les changements de l'environnement.

2. Des pacemakers neuronaux situés dans le noyau suprachiasmatique de l'hypothalamus sont à l'origine de plusieurs rythmes circadiens. Dans bien des cas, le déclenchement par la lumière se fait par l'intermédiaire d'une voie reliant la rétine au noyau suprachiasmatique.

3. On observe des rythmes de durées inférieures à 24 heures aussi bien dans le comportement que dans les processus biologiques. Le mécanisme sous-jacent à ces cycles de courte durée ne fait pas appel à des horloges situées dans le noyau suprachiasmatique.

4. Pendant le sommeil, presque tous les mammifères alternent entre deux états principaux, le sommeil à ondes lentes et le sommeil à mouvements oculaires rapides (REM).

5. Le sommeil à ondes lentes de l'être humain comporte plusieurs stades définis par des critères EEG qui comprennent des volées d'ondes en forme de fuseaux et des courants stables de grandes ondes lentes (de 1 à 4 Hz). Le sommeil à ondes lentes s'accompagne d'un déclin progressif de la tension musculaire, du rythme cardiaque, du rythme respiratoire et de la température corporelle.

6. Le sommeil REM est caractérisé par un EEG rapide de faible amplitude, presque semblable à l'EEG du comportement en état d'éveil actif, si ce n'est que les muscles posturaux sont profondément détendus.

7. Chez l'être humain, le sommeil à ondes lentes et le sommeil REM alternent toutes les 90 à 110 minutes. Les animaux les plus petits ont des cycles de sommeil plus courts et passent plus de temps à dormir au cours d'une période de 24 heures.

8. Les caractéristiques du cycle sommeil-éveil changent au cours d'une vie. Les animaux qui ont atteint la maturité dorment moins que leurs petits et le sommeil REM représente une fraction plus petite de leur temps de sommeil.

9. La prépondérance du sommeil REM chez les nourrissons permet de supposer que ce type de sommeil contribuerait au développement du cerveau ainsi qu'à l'apprentissage.

10. L'activité mentale ne s'interrompt pas durant le sommeil. Les sujets qu'on réveille pendant le sommeil REM rapportent fréquemment qu'on les a soustraits à des expériences perceptives très vivantes (rêves actifs); par contre, ceux qui sont réveillés pendant un sommeil à ondes lentes parlent plutôt d'idées ou de *pensées*.

11. La formation de souvenirs se trouve entravée lorsque les séances d'apprentissage sont suivies de privation de sommeil, notamment de privation de sommeil REM, ce qui permet de supposer que le sommeil aiderait à la consolidation des souvenirs.

12. La privation de sommeil, pendant quelques nuits consécutives, entrave l'exécution de tâches exigeant une vigilance soutenue. Pendant les nuits consécutives à la privation de sommeil, une récupération partielle du sommeil à ondes lentes et du sommeil REM qui avaient été perdus est possible, mais elle nécessite plusieurs nuits consécutives.

13. Plusieurs des somnifères d'usage courant inhibent le sommeil REM durant les premières nuits. Quand on cesse d'utiliser le somnifère, on constate un rebondissement du sommeil REM au cours des nuits suivantes.

14. Plusieurs structures cérébrales participent au déclenchement et au maintien du sommeil. On a accordé une importance particulière aux structures du tronc cérébral, y compris la formation réticulée, le noyau du raphé et le locus cœruleus. Les transmetteurs synaptiques que sont la sérotonine et la noradrénaline jouent un rôle important dans ces structures et participent au contrôle du sommeil, en plus d'exercer un effet modulateur sur d'autres transmetteurs. On a identifié des substances favorisant le sommeil dans le sang et dans l'urine des mammifères.

15. Les chercheurs ont attribué plusieurs fonctions biologiques au sommeil, notamment celle de la conservation de l'énergie, de l'évitement des prédateurs, de la restauration des ressources épuisées et de la consolidation des souvenirs.

16. Les perturbations du sommeil se répartissent en trois catégories : 1) les troubles associés au déclenchement et au maintien de cet état (l'insomnie); 2) les troubles résultant d'une somnolence excessive (la narcolepsie) et 3) les troubles liés au somnambulisme.

Lectures recommandées

Borbely, A. et Valatx, J.L. (éds). (1984). *Sleep Mechanisms*. Berlin : Springer-Verlag.

Hobson, J.A. (1988). *The Dreaming Brain*. New York : Basic Books.

Moore-Ede, M.C., Sulzman, F.M. et Fuller, C.A. (1982). *The Clocks that Time Us*. Cambridge, Mass : Harvard University Press.

Orem, J. et Barnes, C.D. (éds). (1980). *Physiology in Sleep*. New York : Academic Press.

Parkes, J.D. (1985). *Sleep and its Disorders*. Philadelphia : W.B. Saunders.

Schulz, H. et Lavie, P. (éds). (1985). *Ultradian Rhythms in Physiology and Behavior*. Berlin : Springer-Verlag.

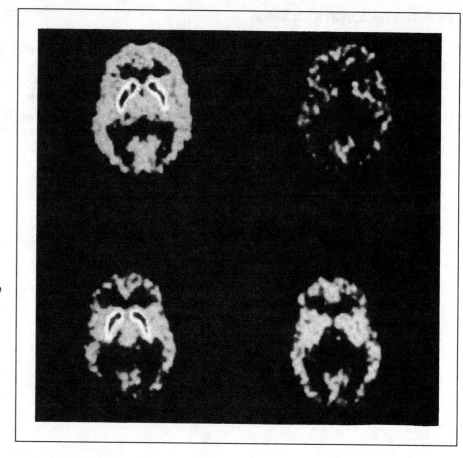

15 Émotions et troubles mentaux

ORIENTATION

Pour certains d'entre nous, le bruit de pas étranges dans le silence de la nuit engendre de la peur. Par contre, le son d'une mélodie agréable ou la voix d'une personne chère peut donner lieu à une sensation de chaleur. Chez certaines personnes, les sentiments et les émotions peuvent prendre des proportions très exagérées; ainsi, de simples peurs se transformeront en crises d'anxiété et en paniques paralysantes. Au cours d'une même année, 20 % des gens souffrent de graves troubles affectifs. Ce chiffre étonnant découle d'une enquête récente sur l'état de santé mentale aux États-Unis (tableau 1.2). Aucune description du comportement humain ne saurait être complète si elle ne tient pas compte des nombreux événements qui, dans une journée, engendrent des sentiments variés.

L'étude psychobiologique des émotions a pris plusieurs directions. La recherche traditionnelle porte sur les réactions corporelles durant les états affectifs, surtout sur l'expression faciale et les réponses viscérales comme les modifications du rythme cardiaque. Ce champ de recherche couvre le domaine de l'activation d'inadaptation associée au stress et observable dans certaines perturbations de la santé. L'étude des mécanismes cérébraux des états affectifs a porté particulièrement sur l'agressivité, tant à cause de son importance que parce que son manque de subtilité la rend relativement facile à étudier. Le thème de l'émotion est étroitement apparenté à plusieurs aspects de la pathologie mentale, puisque les changements affectifs importants constituent une des caractéristiques les plus frappantes de plusieurs de ces états.

LES ÉMOTIONS

NATURE DES ÉMOTIONS

Le monde des émotions est assez complexe : il comprend une large panoplie de comportements observables, de sentiments exprimés et de modifications des états corporels. D'ailleurs, les significations diverses données au mot *émotion* en compliquent singulièrement l'étude. Les émotions ne représentent-elles pas pour plusieurs d'entre nous des états très personnels, difficiles à définir, à décrire, à identifier, sauf dans les cas les plus évidents ? Les états émotifs même les plus simples semblent beaucoup plus complexes que les états particuliers à d'autres conditions comme la faim et la soif. Les choses se compliquent davantage lorsqu'il s'agit de décrire les émotions chez les autres animaux. Un chat qui siffle a-t-il peur ? Est-il en colère ou s'amuse-t-il à tourmenter un autre chat, ou même son maître plein de sollicitude mais craintif ?

Trois aspects différents des émotions

Les publications de recherches en psychobiologie font état d'au moins trois aspects de l'émotion :

1. L'émotion conçue comme un sentiment subjectif intime. Les êtres humains peuvent témoigner d'une grande variété d'états qu'ils disent *ressentir* ou vivre. À certains moments, de tels témoignages s'accompagnent de signes assez évidents de plaisir ou de détresse. Bien souvent cependant, ces rapports d'expériences subjectives ne comportent pas d'indices manifestes.

2. L'émotion en tant qu'expression ou manifestation de réactions somatiques et autonomes comme, par exemple, un état d'activation physiologique. En mettant l'accent sur cet aspect, on laisse croire à la possibilité de définir les états affectifs par un éventail particulier de réactions corporelles. Plus spécifiquement, ces réactions font intervenir des organes viscéraux à innervation autonome comme le cœur et le tube digestif. Ces réactions seraient probablement provoquées par des stimuli émotionnels également distincts, même si on ne définit pas avec précision les attributs qui rendraient un stimulus *émotionnel*. Dans cette perspective, il devient possible d'étudier l'émotion chez d'autres animaux que chez l'être humain.

3. L'émotion conçue comme un état donnant lieu à des actes jugés *émotionnels,* comme la défense ou l'attaque en réaction à une menace. Cet aspect de l'émotion correspond notamment à la position darwinienne sur les rôles fonctionnels de l'émotion. En effet, Darwin a soutenu que les émotions jouent un rôle important dans la survie, parce qu'elles facilitent l'adoption de réactions appropriées face à des situations d'*urgence*, comme l'apparition soudaine d'un prédateur. Dans certaines circonstances, les émotions ne déclenchent pas un acte complet (c.-à-d. attaque ou défense), mais elles indiquent par un signal la possibilité d'actions subséquentes; ce type de réaction est particulièrement évident dans une manifestation ou un geste de nature émotive.

Catégories psychologiques de l'émotion

On discute actuellement de l'existence possible, chez l'humain, d'un ensemble fondamental d'émotions qui seraient sous-jacentes aux nuances plus variées et plus délicates de son univers affectif. Ce sujet d'étude est d'autant plus intéressant qu'il est possible que des systèmes cérébraux séparés et indépendants soient associés à cet ensemble fondamental. Le débat fait couler beaucoup d'encre. Au XIXe siècle, l'éminent psychologue Wilhelm Wundt a proposé trois catégories fondamentales d'émotions : plaisir-déplaisir, tension-détente et excitation-relâchement. Leur nombre a augmenté avec le temps. Récemment (1985), Plutchik en définissait quatre : joie-tristesse, acceptation-dégoût, colère-peur et surprise-anticipation d'où dériveraient toutes les autres émotions. Ces catégories par couple conviendraient à toutes les sociétés humaines. La diversité des émotions proviendrait de la combinaison des émotions fondamentales et de la variation de leur intensité. La poursuite de l'étude de cette structure psychologique des émotions est essentielle à la poursuite de l'analyse biologique.

RÉACTIONS CORPORELLES PENDANT UNE ÉMOTION ET THÉORIES SUR L'ÉMOTION

Il est possible de sentir, au cours de plusieurs états émotifs, que les battements du cœur s'accélèrent, que les mains et le visage se réchauffent, que les paumes des mains transpirent et qu'une envie de vomir surgit soudainement. Il semble, en effet, y avoir un lien particulièrement étroit entre les phénomènes psychologiques subjectifs désignés comme une émotion et l'activité des organes viscéraux contrôlés par le système nerveux autonome. Plusieurs théories ont tenté d'expliquer ces liens entre émotion et activité viscérale afin de déterminer s'il est possible d'éprouver des émotions en l'absence d'activités viscérales.

Parmi les nombreuses théories sur le phénomène de l'émotion, certaines s'intéressent surtout aux événements se produisant à la périphérie du corps, d'autres aux processus du cerveau, et d'autres enfin qui essaient d'intégrer ces deux sortes d'événements. À cet égard, trois des théories les plus connues et qui accordent une importance particulière aux événements périphériques serviront d'exemples : ce sont la théorie de James-Lange, celle de Cannon-Bard et la théorie cognitive de Schachter.

Théorie de James-Lange

Il est pratiquement impossible de séparer émotions fortes et activation des muscles squelettiques ou du système nerveux autonome. Plusieurs langages ont en commun des expressions qui reconnaissent l'existence de tels liens : *trembler de rage, de tout mon cœur, les cheveux dressés sur la tête, un serrement de cœur,* etc. Figure de proue de la psychologie américaine au tournant du XXe siècle, William James a émis l'hypothèse que les émotions étaient une perception de changements corporels engendrés par des stimuli particuliers. Ainsi, on constaterait qu'on a peur parce que des stimuli spécifiques produiraient des modifications de l'activité corporelle, ce qui serait alors perçu comme une émotion. La sensation de ces changements corporels serait l'émotion.

À peu près au même moment, Carl Lange (médecin danois) proposait une explication semblable qu'il a audacieusement énoncée de la façon suivante :

« Nous devons tout le côté émotionnel de notre vie, nos joies et nos peines, nos moments heureux et malheureux, à notre système vasomoteur. Si les impressions qui affectent nos sens n'avaient pas le pouvoir de les stimuler, nous errerions dans la vie, sans éprouver de sympathie ni de passion, et toutes les impressions du monde extérieur ne feraient qu'enrichir notre expérience, accroître nos connaissances, sans entraîner de crainte ni de sollicitude. » (Lange, 1887).

La théorie de James-Lange est la plus connue de celles qui mettent l'accent sur le rôle des événements physiologiques périphériques dans l'émotion. Cette théorie est à l'origine de nombreuses études qui ont tenté d'associer les émotions aux réactions corporelles, orientation qui continue d'influencer ce domaine. Des questions comme « Comment le cœur réagit-il face à l'amour, la colère, la peur ? » continuent de représenter une partie considérable de l'étude biologique des émotions. Cependant, même si la théorie de James-Lange a lancé ce type de recherches, elle n'aura pas survécu à l'analyse critique.

Théorie de Cannon-Bard

Si les états corporels sont les émotions, les changements provoqués dans le corps au moyen de divers procédés expérimentaux (comme la chirurgie ou l'usage de drogues) devraient alors modifier les réactions émotionnelles. Il faudrait s'attendre, en outre, à ce que les diverses réactions corporelles représentent des émotions différentes. Présentée ainsi, la théorie de James-Lange était d'une simplicité qui ne pouvait que faciliter la vérification expérimentale.

Le physiologiste Walter Cannon a entrepris d'étudier les relations entre le système nerveux autonome et l'émotion. Ses travaux l'ont amené à critiquer sérieusement la théorie de James-Lange. Les êtres humains dont la moelle épinière a été endommagée sont des sujets appropriés pour l'étude du rôle des changements viscéraux dans l'émotion. Malheureusement, les quelques vérifications de ce genre qui ont été effectuées ne donnent pas des résultats consistants. Un chercheur rapporte que le niveau émotionnel des paraplégiques ne s'abaisse pas à la suite de blessures à la moelle (McKilligott, 1959, cité dans Toller, 1979). Toutefois, un autre chercheur qui a observé les mêmes sujets conclut que même si les émotions ne disparaissent pas chez les victimes de blessures graves de la moelle épinière, ceux-ci témoignent d'une réduction de l'intensité de leurs sentiments (Hohmann, 1966).

Cannon a également soutenu qu'il était possible que les changements viscéraux qui accompagnent différentes émotions soient semblables mais que certains changements viscéraux provoquent des émotions différentes. En effet, il y a une grande différence entre le larmoiement provoqué par des situations qui engendrent de la tristesse et celui résultant d'un stimulus irritant comme le gaz lacrymogène.

La théorie proposée par Cannon faisait ressortir l'importance de l'intégration cérébrale des deux types de phénomènes : l'expérience émotive et la réaction émotionnelle. Prenant note du fait que les états émotifs entraînent une dépense d'énergie considérable, Cannon (1929) a insisté sur le fait que certaines émotions représentent la réaction d'urgence d'un organisme à des situations menaçantes se présentant brusquement. Cette réaction donnerait lieu à l'activation maximale de la composante sympathique du système nerveux autonome. Ainsi, les émotions produiraient des changements corporels, comme l'accélération du rythme cardiaque, la mobilisation de glucose et d'autres effets dus à l'activation de la division sympathique du système nerveux autonome. Selon cette théorie, la mobilisation des viscères par le système sympathique se ferait parce que les stimuli émotionnels excitent le cortex cérébral qui, à son tour, abolit l'inhibition des mécanismes de contrôle du thalamus. L'activation du thalamus contribue alors à l'excitation du cortex, ce qui conduit à une expérience affective et à la mise en branle du système nerveux autonome. Axée sur la relation entre le cerveau et l'émotion, la théorie de Cannon est à l'origine de nombreuses études sur les effets sur les émotions des lésions cérébrales et d'une stimulation électrique.

Théorie cognitive des émotions

La critique de la théorie de James-Lange a insisté sur le fait que la seule activation d'un système physiologique ne suffirait pas à provoquer une émotion. Par exemple, les larmes provoquées par un gaz délétère n'engendrent ordinairement pas de tristesse. Stanley Schachter (1975) est d'avis que les individus interprètent l'activation viscérale en fonction des stimuli qui en sont la cause, des situations environnantes et de leur état cognitif. Ainsi, l'émotion n'est pas engendrée sans relâche par une activation physiologique, notamment par une activation sous contrôle du système nerveux sympathique. Les états corporels sont plutôt interprétés dans le contexte de l'état cognitif de l'individu et sont façonnés par l'expérience. Selon Schachter, les étiquettes émotionnelles (c.-à.-d. colère, peur, joie) dépendent des interprétations de la situation, interprétations qui sont contrôlées par les systèmes cognitifs internes. Un état émotionnel résulte donc d'une interaction entre l'activation physiologique et les activités cognitives s'y rapportant. Dans cette optique, l'émotion ne dépend pas uniquement de l'interaction de l'activation et de l'évaluation cognitive, mais également de la perception de l'existence d'une relation causale entre activation physiologique et connaissance affective (Reisenzein, 1983).

La théorie de Schachter a été abondamment critiquée (recension de Reisenzein, 1983; Leventhal et Tomarken, 1986). Par exemple, l'activation physiologique serait *non spécifique* et n'affecterait que l'intensité de l'émotion perçue et non sa qualité. Pourtant, des faits récents indiquent qu'il y aurait un mécanisme spécifique d'activation autonome pour les émotions différentes. Dans une étude où l'on demandait aux sujets de prendre les expressions faciales caractéristiques d'émotions particulières, les schèmes de réaction du système nerveux autonome des sujets permettaient de faire la différence entre plusieurs émotions, par exemple la peur et la tristesse (Ekman, Levenson et Friesen, 1983). D'autres résultats ont montré en outre qu'il était possible qu'une réduction ou un blocage de l'activation physiologique n'ait pas d'effet sur l'émotion. Dans la dernière version de ces études, on a eu recours à des agents qui bloquent les récepteurs adrénergiques bêta et réduisent ainsi l'activation physiologique, comme la valeur de la pression artérielle ou le rythme cardiaque. Chez les individus en bonne santé, ces agents ne semblent pas atténuer l'émotion (Reisenzein, 1983). Des critiques font également remarquer que plusieurs autres prédictions basées sur cette théorie n'ont pas réussi à lui fournir un appui clair et net (Leventhal et Tomarken, 1986). Il est possible que les quelques données positives, comme celles rapportées au début de ce paragraphe, se limitent à des contextes de nouveauté qui provoquent une activation faible ou modérée. De façon générale, la rétroaction périphérique semble avoir peu d'impact sur l'émotion.

Les théories dont nous venons de parler mettent l'accent sur les relations entre événements corporels et émotion. D'autres thèses prennent leur source dans l'observation de changements de réactivité émotive résultant de lésions ou de maladies cérébrales.

RÉACTIONS CORPORELLES PENDANT UNE ÉMOTION ET EXPRESSIONS FACIALES

Le corps humain révèle les émotions de diverses façons, par exemple par la posture, le geste et l'expression faciale, toutes des dimensions bien exploitées par les comédiens et les comédiennes. Le visage humain, difficile à cacher, est une source immédiate d'information. Sa contribution à la communication est accrue par sa musculature abondante et subtilement maîtrisée, qui permet une gamme considérable d'expressions faciales.

Types d'expressions faciales

L'importance de l'expression faciale et de l'émotion a été soulignée assez tôt dans une œuvre de Charles Darwin, *L'expression faciale et les émotions chez l'homme et les animaux* (1872). Dans cet ouvrage, Darwin dresse la liste des expressions faciales de l'être humain et des autres animaux et insiste sur la nature universelle de ces expressions. Il soutient surtout que les expressions faciales sont associées à des états émotionnels distincts chez l'être humain et les autres primates. Darwin considérait que les expressions faciales représentaient en partie de l'information transmise à d'autres animaux.

Plus récemment, les travaux de Paul Ekman (1983) ont jeté un nouvel éclairage sur les propriétés des expressions faciales. Avec ses collaborateurs, il a élaboré une vaste gamme d'instruments d'analyse pour permettre la description et la mesure objectives des expressions faciales des êtres humains de cultures différentes (Ekman, 1981). L'analyse de

Figure 15.1 Diverses expressions faciales de l'émotion. (Photos de Paul Ekman par Mark Kaufman.)

l'information véhiculée par le visage révèle que les traits statiques du visage (la structure de l'ossature faciale) ainsi que les traits qui changent rapidement grâce à la musculature faciale transmettent des renseignements. La figure 15.1 illustre une variété d'expressions faciales propres à l'être humain. Combien d'émotions différentes peut-on déceler dans l'expression faciale ? Selon Ekman (1973), on peut observer des expressions faciales distinctes dans la colère, le bonheur, la tristesse, le dégoût, la peur et la surprise. Plusieurs sociétés reconnaissent les expressions faciales de l'émotion de la même façon; dans aucune d'elles, un apprentissage explicite n'est nécessaire pour interpréter l'expression faciale. Elles produisent les mêmes expressions faciales spécifiques à des émotions particulières. Par exemple, lorsqu'on a demandé à des aborigènes illettrés de la Nouvelle-Guinée d'imiter des émotions spécifiques, ils les ont exprimées comme l'auraient fait des individus d'une société industrielle. Les expressions faciales communes à tous les êtres humains sont celles de la colère, du dégoût, du bonheur, de la tristesse, de la peur et de la surprise. Cette universalité ne s'applique cependant pas à toute la gamme des expressions faciales (Ekman et Oster, 1979). Des différences culturelles peuvent apparaître dans les conventions spécifiques à certaines cultures, lesquelles prescrivent certains contextes sociaux pour l'expression faciale. C'est ainsi que certains anthropologues ont prétendu que l'imposition de règles culturelles à l'expression faciale et le contrôle exercé par le conditionnement culturel pourraient masquer les propriétés universelles de l'expression faciale. Il est également possible que les stimuli de l'expression soient différents d'une culture à l'autre.

Des mimiques ressemblant à des expressions propres aux adultes se manifestent dès la tendre enfance. Par exemple, chez l'être humain, le nouveau-né sourit pendant les périodes de sommeil REM. Dès l'âge de 3-4 mois, les nourrissons donnent des réponses différenciées à diverses expressions faciales des adultes. De nombreuses recherches indiquent que, parvenus à l'âge de 4 ou 5 ans, les enfants ont acquis une pleine connaissance de l'apparition et de la signification de plusieurs expressions faciales courantes.

L'expression faciale des autres primates a attiré l'attention des chercheurs qui s'intéressent aux manifestations de l'émotion entre les espèces. Redican (1982) a décrit chez les primates des expressions distinctes qualifiées de 1) grimaces peut-être analogues à l'expression humaine de la peur ou de la surprise, 2) manifestations de bouches tendues, apparentées à l'expression de la colère humaine et 3) visages enjoués dont la forme rappelle celle du sourire de l'être humain. Le champ des expressions faciales des animaux inférieurs est plus limité car leurs muscles faciaux sont bien différents de ceux des primates. Les muscles faciaux de ces animaux ressemblent plus à une bande continue de muscles moins bien différenciés et limitant la variabilité des expressions faciales.

La plupart du temps, les manifestations du visage sont considérées comme des expressions ou signes d'émotion. Toutefois, Fridlund et ses collaborateurs (1983) se sont demandé si plusieurs des expressions faciales étaient bien le reflet des émotions ressenties. Ils soulignent qu'un des rôles principaux de l'expression faciale est *paralinguistique*, ce qui veut dire que le visage est probablement utilisé, dans la communication verbale, pour accentuer et orienter la conversation. Ces auteurs font état également du rôle de manifestation de l'expression faciale, par exemple son aspect social. À cet égard, ils tiennent compte des travaux de Gilbert et de ses collaborateurs (1986) qui montrent que les sujets donnent peu de réactions faciales aux odeurs quand ils sont seuls. À l'appui du rôle de manifestation sociale de l'expression faciale, ils invoquent une étude de Kraut et Johnston (1979) qui fait remarquer que les joueurs de quilles sourient rarement au moment où ils réussissent un abat, mais montrent leur satisfaction lorsqu'ils se retournent pour faire face à ceux qui les ont regardé jouer. De toute évidence, le visage représente une voie finale commune à plusieurs fonctions différentes.

Neurologie de l'expression faciale

Quel est le mécanisme neuromusculaire qui est à l'origine des expressions faciales ? Le visage est formé d'un réseau compliqué de muscles à innervations fines qui, en plus de servir à la parole, à l'absorption de la nourriture, à la respiration et à d'autres fonctions, permettent l'expression faciale. La plupart des muscles faciaux sont rattachés à la peau du visage ou à un robuste tissu sous-jacent, nommé aponévrose ou fascia. En outre, des muscles sont rattachés aux structures osseuses de la tête; ces muscles servent à des mouvements comme la mastication. L'innervation nerveuse des muscles faciaux vient de deux nerfs crâniens : 1) le nerf facial qui innerve les muscles de l'expression faciale et 2) le nerf trijumeau innervant les muscles qui font bouger la mâchoire (figure de référence 2.12). Les études sur le nerf facial démontrent que les côtés droit et gauche sont complètement indépendants. La figure 15.2 fait voir les principales ramifications périphériques du nerf facial et montre que le tronc principal se divise en deux branches supérieure et inférieure, immédiatement après sa pénétration jusqu'au visage. Ces fibres nerveuses prennent leur origine dans le tronc cérébral, dans une région nommée noyau du nerf facial. Au sein de ce noyau, divers sous-groupes de neurones constituent les branches spécifiques du nerf facial, celles-ci entrant alors en relation avec des segments distincts du visage. Le noyau du nerf facial révèle une séparation nette entre les cellules qui contrôlent les muscles de la partie inférieure du visage et celles qui contrôlent la musculature de la partie supérieure.

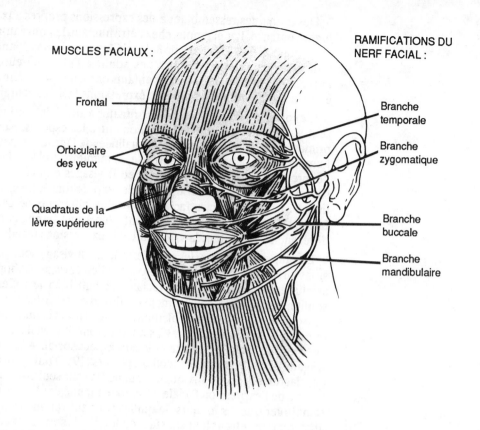

Figure 15.2 Innervation des muscles qui contribuent à l'expression faciale. On peut voir les ramifications principales du nerf facial.

MUSCLES FACIAUX :

RAMIFICATIONS DU NERF FACIAL :

Frontal

Orbiculaire des yeux

Quadratus de la lèvre supérieure

Branche temporale

Branche zygomatique

Branche buccale

Branche mandibulaire

Les voies cérébrales qui contrôlent l'expression faciale sont plutôt complexes. Des impulsions nerveuses directes et indirectes en provenance du cortex cérébral viennent activer les cellules du noyau facial. Le cortex moteur comporte une vaste représentation du visage (figure 10.16). L'innervation du noyau facial du cortex est à la fois bilatérale et unilatérale, la moitié inférieure du visage recevant des impulsions controlatérales du cortex cérébral et la moitié supérieure recevant une innervation bilatérale. L'aspect corrélatif de ce mode d'innervation se reflète dans le fait qu'il n'est pas difficile de faire bouger les lèvres d'un seul côté alors que les mouvements unilatéraux des sourcils exigent un talent plus rare réservé à un petit nombre d'individus. On a fait l'hypothèse de l'existence d'une différence majeure dans le contrôle cérébral des mouvements faciaux, selon que ceux-ci dépendent de l'activité faciale volontaire ou d'une activité découlant d'une réaction émotive (Rinn, 1984). L'activation volontaire du noyau du nerf facial se fait par l'intermédiaire du système corticospinal, alors que l'activation d'origine émotionnelle ferait probablement intervenir des systèmes sous-corticaux. Cette hypothèse s'appuie sur l'étude de sujets qui ont subi des dommages unilatéraux du cortex moteur. Ces sujets sont incapables de rétraction du coin de la bouche en position controlatérale à l'hémisphère endommagé, alors que les deux coins se rétractent pendant les périodes d'amusement ou de rires spontanés. Le syndrome contraire s'observe à la suite de lésions de régions sous-corticales, comme celle formée par les noyaux lenticulaire, caudé et amygdalien, type de lésions observées dans la maladie de Parkinson. Dans ces cas, les sujets sont incapables de faire bouger volontairement les muscles du visage, et ils perdent l'expression émotionnelle spontanée du visage.

RÉACTIONS CORPO-
RELLES PENDANT
UNE ÉMOTION ET
RÉACTIONS DU
SYSTÈME NERVEUX
AUTONOME

Alors qu'on peut difficilement cacher les changements d'expression du visage, la détection des changements viscéraux exige l'utilisation d'appareils électroniques. En reliant un sujet à des instruments qui mesurent le rythme cardiaque, la pression artérielle, les mouvements de l'estomac, la dilatation et la constriction des vaisseaux sanguins, la résistance électrodermale ou la transpiration de la paume des mains ou de la plante des pieds, il est possible d'observer un grand nombre de changements sensibles aux états affectifs. Les appareils qui permettent de mesurer simultanément plusieurs de ces modifications corporelles sont des polygraphes. Certains de ces instruments sont communément nommés *détecteurs de mensonges*. L'utilisation de polygraphes pour déterminer si des accusés disent ou non la vérité est assez controversée. La plupart des psychophysiologistes ont dénoncé leur usage à de telles fins (Lykken, 1981).

La conformation des réactions corporelles est-elle un indice du type d'émotion ressentie ? Cette question découlant de l'importance accordée à la théorie de James-Lange laisse toujours les chercheurs perplexes. Les études expérimentales effectuées dans ce domaine visent à découvrir si les gens ont des modes de réactions propres à des événements ou à des stimuli particuliers. S'il en était ainsi, il faudrait par exemple s'attendre à obtenir des profils distincts pour chaque état émotionnel lors de l'enregistrement de l'activité cardiaque, de la mobilité gastrique, de la température dermale, de la respiration et de la pression artérielle, pendant des états de colère et de peur. Ax (1953) a produit les résultats d'une expérience, très souvent citée, qui témoignent d'une telle spécificité en réaction à des stimulations susceptibles d'engendrer de la peur et de la colère. Les sujets de cette étude étaient reliés à un polygraphe pour un enregistrement de plusieurs mesures physiologiques. Les états de peur et de colère étaient provoqués par un complice de l'expérimentateur; il provoquait de la colère en adoptant un comportement insultant et de la peur en se montrant inquiet et impuissant face à des étincelles produites au cours de cette expérience pour engendrer la crainte d'être électrocuté. Quelles que soient les réserves qu'on puisse entretenir quant à la légitimité de ce type de manipulation des sujets, il faut reconnaître qu'elle donnait lieu à des états émotifs intenses. L'auteur a observé plusieurs différences dans les réactions physiologiques, notamment de plus fortes augmentations du pouls et de la pression artérielle pendant une situation de peur que durant une situation de colère.

Schèmes individuels de réaction du système nerveux autonome

Les réponses données par les divers systèmes corporels révèlent la présence de mécanismes distincts caractéristiques d'un individu. Après avoir étudié cet aspect des réactions viscérales, Lacey et Lacey (1970) lui ont donné le nom de *stéréotypie de réactions individuelles*. Ils ont notamment procédé à des études longitudinales d'individus, ces études portant sur plusieurs années, de la tendre enfance à l'âge adulte. Pour engendrer des réactions autonomes, ils ont eu notamment recours à des conditions de stress comme l'immersion d'une main dans l'eau glacée, l'exécution de problèmes de calcul arithmétique présentés en succession rapide et l'application de stimuli intenses sur la peau. D'une condition à l'autre, ils ont noté l'émergence d'un profil individuel de réponses, profil observé même chez le nouveau-né humain. Par exemple, certains nouveau-nés réagissent vigoureusement sur le plan du rythme cardiaque, d'autres sur celui des mouvements de l'estomac et d'autres encore sur celui de la pression artérielle. Ces schèmes de réponse sont remarquablement les mêmes pendant toute la vie. Cette constatation peut aider à comprendre pourquoi le même stress intensif donnerait lieu à des effets pathologiques mettant en cause des organes différents selon les individus. Ainsi, certains facteurs relatifs à la constitution physique expliqueraient que, dans des situations anxiogènes, certains développent plus facilement des ulcères tandis que d'autres répondent par de l'hypertension artérielle. La notion de stéréotypie de réactions individuelles prend donc toute sa signification dans le cadre de la médecine psychosomatique.

**Contrôle des
réactions du système
nerveux autonome et
rétroaction biologique**

À l'instar d'autres réactions du système nerveux autonome, le rythme cardiaque, la tension artérielle et la respiration sont influencés par plusieurs conditions internes et externes. Les yogis ont, par exemple, démontré de façon éloquente, qu'il est possible de contrôler certaines conditions internes. Les témoignages d'exploits relatifs à la réduction des taux de rythmes cardiaque et respiratoire à des niveaux qui représentent des défis à la mort font partie du folklore entourant ces mystiques. Des observations en laboratoire ont démontré l'authenticité du contrôle nerveux autonome exceptionnel exercé par certains de ces individus. De telles réalisations démontrent hors de tout doute la possibilité d'exercer un effet de modulation sur des systèmes physiologiques auparavant considérés sous contrôle strict de mécanismes automatiques échappant à l'influence de l'expérience.

En faisant appel à des exercices de rétroaction biologique, on peut élever tout aussi bien qu'abaisser le niveau d'activité des systèmes sous contrôle autonome, comme l'ont démontré des travaux sur la pression artérielle d'individus qui avaient été victimes d'une section de la moelle épinière (Miller, 1980). Nombreux sont ceux qui ont déjà connu cette sensation passagère de vertige ou de léger étourdissement accompagnant un redressement rapide du corps après une nuit de sommeil. Cette réaction éphémère résulte de la chute momentanée de la tension artérielle, sous l'impact de la force de gravité. Chez un individu normal, un ajustement se fait rapidement grâce aux réflexes vasculaires. Toutefois, les paraplégiques, surtout ceux souffrant de lésions de la partie supérieure de la moelle, peuvent être sujets à une chute de pression artérielle prononcée et soutenue lorsqu'ils sont placés en position verticale. L'absence de tension musculaire dans une grande partie du corps modifie les mécanismes régulateurs du système vasculaire, en partie à cause du changement de l'impact mécanique sur les vaisseaux sanguins. Cette faiblesse de la tension artérielle force certaines victimes de lésions affectant la moelle épinière à rester continuellement en position horizontale.

Miller (1980) a fait état de méthodes de rétroaction biologique qui parviennent à maintenir une hausse de tension artérielle chez ce type de personnes, lorsqu'elles se trouvent en position verticale. On demande aux sujets d'essayer de faire *augmenter* leur pression artérielle (figure 15.3). Même si, au début, les modifications obtenues sont faibles, il est possible d'atteindre l'objectif visé dans plusieurs cas, grâce à un exercice qui s'appuie sur une connaissance directe des résultats. Le sujet est continuellement informé de son niveau de tension artérielle et les hausses de pression systolique déclenchent un signal sonore. Le sujet doit essayer de produire le son aussi souvent que possible. Lorsqu'un niveau donné de tension est atteint, le critère est modifié de façon à ce que le son ne se produise dorénavant qu'à la suite de réactions de pression artérielle encore plus élevée. Grâce à un tel programme, les paraplégiques qui ont ce problème apprennent à hausser leur tension artérielle lorsqu'ils sont placés en position verticale. Cette technique a permis d'amener certains à utiliser des appareils orthopédiques et des béquilles qui leur assurent un déplacement plus autonome. Cet apprentissage de l'aptitude à hausser sa pression artérielle devient très spécifique du fait que cette modification de la tension peut se produire sans nécessiter de changement du rythme cardiaque. Au chapitre 12, on a décrit des exercices de rétroaction biologique comme instruments de contrôle de la température dermale dans des programmes de traitement des migraines et de la maladie de Raynaud.

**RÉACTIONS CORPO-
RELLES PENDANT UNE
ÉMOTION ET CHANGE-
MENTS ENDOCRINIENS**

Depuis très longtemps, on a proposé des théories humorales de l'émotion qui mettent en cause plusieurs organes du corps, y compris le foie, la rate et les glandes endocrines. De ces théories sont issues des expressions bien connues pour décrire l'émotion, comme un tempérament *bilieux* pour qualifier un individu irritable, grincheux et désagréable (probablement à cause de la sécrétion de bile) et *flegmatique* pour un individu apathique et lent (vraisemblablement à cause de la présence de flegme ou d'humeurs). La recherche contemporaine explore les relations entre hormones et émotions selon deux démarches :

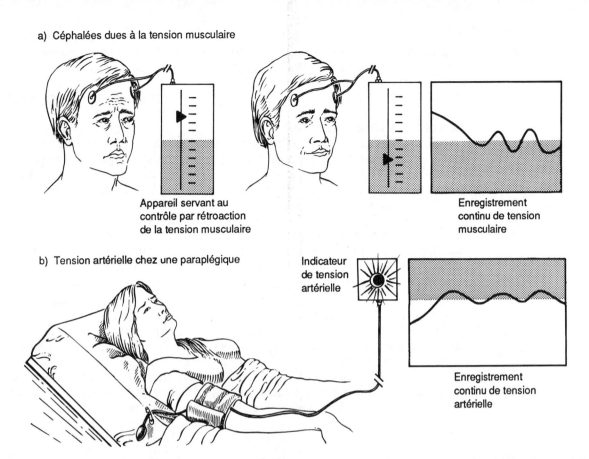

a) Céphalées dues à la tension musculaire

Appareil servant au
contrôle par rétroaction
de la tension musculaire

Enregistrement
continu de tension
musculaire

b) Tension artérielle chez une paraplégique

Indicateur
de tension
artérielle

Enregistrement
continu de tension
artérielle

Figure 15.3 Deux exemples d'exercices de rétroaction biologique en vue de la modification de réponses physiologiques. a) Exercice de rétroaction pour réduire la tension du muscle frontal responsable de maux de tête. Les signaux qui reflètent au sujet sa tension musculaire (enregistrée par électromyogramme) donnent le niveau actuel et le niveau optimal (tension réduite). L'enregistrement de droite fait à partir du muscle frontal montre une réduction progressive suite à l'entraînement. b) Modification rétroactive de la tension artérielle chez une paraplégique. L'indicateur émet un signal (une lampe s'allume) quand le niveau optimal est atteint; la tâche du sujet consiste à garder la lampe allumée pendant des périodes de plus en plus longues à mesure qu'il adopte une position de plus en plus verticale.

1) En observant les variations des concentrations d'hormones dans le sang pendant des états émotifs spontanés ou déclenchés en laboratoire. Les techniques de mesure biologique des hormones sont devenues assez précises pour permettre la détection de variations minimes.

2) En observant les changements des états émotionnels, à la suite d'administration d'hormones, ou après l'enregistrement de carences hormonales résultant de maladies endocriniennes. Dans le premier cas, on s'est souvent intéressé, chez la femme, aux changements d'humeur consécutifs à des traitements hormonaux qui résultent généralement de l'utilisation des contraceptifs oraux.

Les mesures du système endocrinien accompagnant les expériences émotives ont habituellement porté 1) sur une évaluation de l'adrénaline sécrétée par les médullosurrénales, reflet de l'activation sympathique de cette glande, et 2) sur les mesures de la concentration des 17-hydroxycorticostéroïdes dans le sang ou dans l'urine, élément révélateur de l'activité combinée de l'hypophyse et des corticosurrénales. Beaucoup d'études démontrent clairement que les stimuli ou les situations émotionnelles s'accompagnent de sécrétions d'hormones. On a observé des concentrations élevées d'adrénaline ou de noradrénaline dans le sang et dans l'urine à la fois avant et pendant les activités stressantes exigeant beaucoup d'énergie, comme les tournois sportifs professionnels, les manœuvres militaires et plusieurs autres situations anxiogènes. Les études d'Elmadjian et de ses collaborateurs (1957, 1958) indiquent que les concentrations de noradrénaline pourraient être en relation avec l'intensité de l'expérience affective. Leurs données révèlent des concentrations de noradrénaline élevées chez les individus qui, en situation d'interview, réagissent en donnant des réponses émotives intenses allant jusqu'à l'agressivité, par opposition à ceux dont les réactions à une même situation sont plus passives. Il est possible, toutefois, que les concentrations de noradrénaline ne fassent pas ressortir les différences entre les types de manifestations émotionnelles, puisque Levi (1965) a noté des hausses de concentrations d'adrénaline équivalentes chez des femmes qui regardaient des films provoquant des réactions agréables et désagréables. Les réponses des corticosurrénales ne semblent pas non plus permettre de différencier les types d'émotions. Brown et Heninger (1975) ont présenté à leurs sujets des films à thème érotique ou des films à suspense et ont constaté que ces deux types de stimuli donnaient lieu à une élévation des concentrations d'hydrocortisone dans le sang.

Bon nombre d'expériences ont porté sur diverses mesures de la peur et du comportement d'évitement chez les primates et d'autres animaux. La figure 15.4 reproduit une série de mesures effectuées par Mason (1972) chez des singes. Dans cette expérience, les animaux s'adonnaient, sur une période étendue, à des comportements d'évitement consistant à appuyer sur un levier pour éviter des chocs électriques. Le seul indice permettant de contrôler ce comportement était d'ordre temporel; pour que l'animal évite le choc, les réponses devaient être exécutées à un rythme spécifique fixé par l'expérimentateur (par exemple, une fois à la minute). Dans une telle situation, les mesures des concentrations hormonales qui révèlent une hausse pendant les périodes d'évitement sont l'adrénaline, le

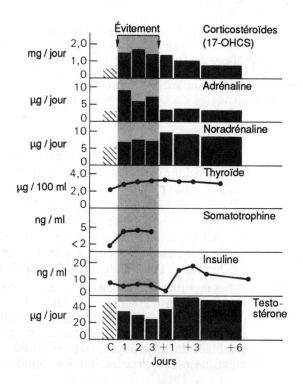

Figure 15.4 Modèles de réaction hormonale au stress chez un singe. Ces graphiques présentent les concentrations hormonales de contrôle et celles que l'on observe durant une période d'apprentissage d'évitement de trois jours et une période de six jours subséquente à l'apprentissage. Remarquez que certains effets de production de stress propres à ces hormones durent assez longtemps. (De Mason, 1972.)

17-hydroxycorticostéroïde, les hormones thyroïdiennes et la somatotrophine; on note, par contre, des diminutions de concentrations d'insuline et de testostérone.

La réduction de la sécrétion d'hormones résultant de divers états maladifs exerce également une influence sur les réactions émotives. On associe souvent à la dépression les faibles sécrétions d'hormones thyroïdiennes. On note également l'existence d'un état dépressif dans la maladie d'Addison, trouble du fonctionnement des surrénales qui s'accompagne d'une diminution des sécrétions de glucocorticoïdes.

RÉACTIONS CORPORELLES AU STRESS

Dans les travaux sur le stress, on a étudié les réactions corporelles tant en laboratoire que dans des situations de la vie réelle. Nous donnerons des exemples de recherche dans ces deux milieux : s'il est vrai, en effet, que les expérimentations en laboratoire apportent la précision d'une stimulation contrôlée, il se peut qu'elles ne reflètent pas toujours parfaitement la réalité de la vie.

Le stress et l'estomac

L'intérêt manifesté pour le stress, les émotions et les maladies de l'être humain est à l'origine de beaucoup d'expériences sur la réactivité du système nerveux autonome pendant le stress. Au cours des années 1940, Harold Wolff a réalisé un ensemble critique d'observations portant sur le cas d'un sujet dénommé Tom. Ce dernier avait avalé une solution caustique qui lui avait cautérisé l'œsophage, ce qui l'empêchait de manger normalement. Pour permettre à Tom d'absorber de la nourriture, des chirurgiens avaient pratiqué une ouverture donnant accès à l'intérieur de l'estomac; un tube dans l'estomac servait à introduire des aliments sous forme liquide. Ce même tube permit également à Wolff et à ses associés d'observer directement la surface de la paroi interne de l'estomac, au cours d'entrevues devant provoquer des réactions émotionnelles. Pendant les phases émotivement très chargées, on nota chez Tom des modifications marquées de la muqueuse gastrique de même qu'une accumulation très importante d'acide gastrique (figure 15.6). Les études subséquentes de sujets humains souffrant d'ulcères ont révélé une élévation considérable de la concentration d'acide chlorhydrique dans l'estomac.

Les études en laboratoire de la formation d'ulcères chez les animaux (Ader, 1972) ont eu recours à des stimuli stressants comme un choc électrique; de telles conditions sont susceptibles de provoquer la formation d'ulcères chez certains animaux (figure 15.5). Parce que l'on croit que l'ulcération de la muqueuse gastrique produite chez les rats soumis à de telles conditions ressemble en partie aux ulcères gastriques observés chez l'être humain, il est très important de comprendre les facteurs psychologiques responsables de la formation des ulcères chez le rat.

Chez le rat, diverses conditions expérimentales permettent de produire des ulcères. L'une des méthodes les plus anciennes consiste à empêcher ces animaux de bouger en utilisant des contraintes corporelles. Les conséquences d'un tel traitement sont particulièrement évidentes dans le cas des animaux plus jeunes, surtout ceux qu'on aurait séparés de leur mère très tôt après la naissance. La section des branches du nerf vague qui vont à l'estomac (ce qui diminue la sécrétion d'acide gastrique) réduit le nombre de lésions de la paroi de l'estomac. Un autre facteur qui influence la formation d'ulcères dans ce contexte expérimental est la quantité de pepsinogène sécrétée par la muqueuse gastrique. Les concentrations élevées de cette substance dans l'estomac augmentent la probabilité de lésions gastriques.

Une autre technique expérimentale employée en laboratoire pour produire des lésions gastriques chez des rats consiste à provoquer des réactions émotionnelles fortes au moyen de chocs électriques. L'une des variables qui s'est avérée particulièrement importante dans ce genre d'expérience est la prévisibilité du choc. Weiss (1977) a prétendu que les chocs

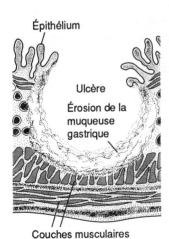

Épithélium

Ulcère

Érosion de la muqueuse gastrique

Couches musculaires

Figure 15.5 Dessin d'un ulcère gastrique montrant l'érosion de la couche externe de cellules.

électriques imprévisibles étaient plus susceptibles de contribuer à la formation d'ulcères gastriques que les chocs que l'animal peut anticiper. Plus récemment, Weiss (1984) a émis l'hypothèse que la pathologie gastro-intestinale du rat serait reliée aux niveaux élevés d'activité motrice observée en réaction aux stimuli qui entraînent le stress. Ou bien cette forte activité est à l'origine des ulcères, ou alors elle est associée à un mécanisme lié à la vulnérabilité face à la maladie.

On en est venu à appeler *expérience du singe P.-D.-G.* une expérience classique de Brady (1958) sur la formation d'ulcères chez le singe. On avait attaché des singes, par groupes isolés de deux, dans des chaises spéciales placées l'une à côté de l'autre. Un de ces animaux, le singe P.-D.-G., appuyait sur un levier et échappait ainsi au choc, à condition de répéter la pression sur le levier à intervalles de 20 secondes. S'il lui arrivait de ne pas appuyer sur le levier au cours de cet intervalle, il recevait le choc. L'autre singe recevait le choc en même temps, à chaque intervalle de 20 secondes, mais rien ne pouvait lui permettre d'y échapper. Les *singes P.-D.-G.* de cette expérience ont développé des ulcères gastriques, leurs voisins n'en révélant aucun. Au cours des années suivantes, cette expérience a suscité plusieurs recherches qui, pour la plupart, n'ont pas réussi à reproduire les résultats de Brady. En effet, dans certaines expériences portant sur des rats, l'animal qui réagissait avait moins de chances de développer des ulcères, notamment lorsque le choc était précédé d'un signal d'avertissement. Les expériences de ce genre mettent en relief certains des facteurs psychologiques qui contribuent à la formation de lésions gastriques. Les efforts se poursuivent pour mettre en évidence la relation entre ces conditions et la pathologie de l'estomac.

Le stress hors du laboratoire

Les études sur l'être humain effectuées en laboratoire ont utilisé des stimuli douloureux du genre choc électrique ou immersion de la main dans un bain d'eau glacée. Les chercheurs intéressés au phénomène du stress ont souvent déploré le caractère artificiel de ces études en laboratoire. L'immersion de la main dans un seau rempli de glaçons est évidemment une épreuve bénigne par rapport aux situations périlleuses qui équivalent à des menaces de mort ou qui sont à l'origine de traumatismes psychologiques. Des chercheurs ont essayé de se servir de situations de la vie réelle pour explorer les aspects biologiques du stress; cependant, la plupart des situations de stress que rencontre l'être humain sont imprévisibles, si bien qu'il n'y a pas dans ces études de point de référence quant à la situation antérieure au stress. Quelques chercheurs ont contourné cette difficulté par des observations contrôlées du contexte et des observations continues de l'évolution d'une situation potentiellement dangereuse. La situation de vie réelle la plus souvent utilisée est celle du programme de formation des aviateurs et des parachutistes pour qui le stress consiste en la crainte de blessures corporelles et la peur d'échouer.

Une monographie de Ursin, Baade et Levine (1978) constitue l'exemple le plus récent de l'étude de la psychobiologie du stress dans une situation d'entraînement de parachutistes. Les travaux classiques de Grinker et ses collaborateurs (1955) avaient fourni une étude exhaustive du stress découlant d'une telle situation, y compris l'entraînement sur les tours et les sauts à partir d'avions. Malheureusement, ce travail de pionnier s'est fait bien avant l'élaboration des techniques modernes d'évaluation chimique de substances en circulation, telles les hormones. Les études plus récentes d'Ursin et de ses collaborateurs ont été effectuées à l'aide d'instruments d'analyse modernes qui permettent d'observer les variations les plus fines des concentrations d'hormones dans le sang. Ils ont étudié un groupe de jeunes recrues de l'armée norvégienne avec diverses mesures psychologiques et physiologiques, avant et pendant la première phase de l'entraînement au saut en parachute. Cette période de formation comprenait une descente en glissade en se tenant suspendu à un long fil de fer qui formait une pente entre le sol et une tour de 12 mètres de haut. Les recrues portaient une combinaison munie d'un crochet rattaché au fil de fer et elles glissaient le long de ce dernier. Cette situation d'usage commun dans la formation des parachutistes constitue une expérience qui, dans une certaine mesure, ressemble à une chute libre. L'appréhension du début est très forte et la conscience du danger est aiguë dès le départ, même si les jeunes savent qu'ils sont peu exposés à perdre la vie durant cette partie de leur entraînement. Des mesures physiologiques ont été prises pendant une période de base précédant cet apprentissage et au cours des sauts successifs. Les jours où des sauts étaient effectués, on prélevait deux échantillons de sang afin d'établir un tracé de l'évolution temporelle des données neuroendocriniennes.

La figure 15.6 fait voir l'activation autonome caractéristique d'une telle situation. Plusieurs expériences sur les animaux ont mis en relief l'activation hypophysaire du cortex surrénalien au cours du stress. La figure 15.7a fait état d'une élévation de la concentration

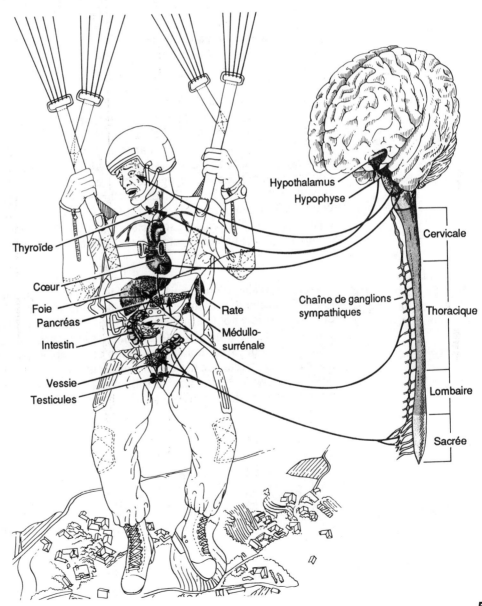

Figure 15.6 Activation autonome lors d'une situation de stress — entraînement pour des sauts en parachute.

d'hydrocortisone dans le sang, dès le premier saut d'entraînement. La réussite de cette tâche entraîne une chute rapide de la réaction surrénalo-hypophysaire. Lors du premier saut (figure 15.7b), les concentrations de testostérone dans le plasma tombent au-dessous des niveaux de contrôle, résultat observé également chez les rats et les primates soumis à des stimuli nocifs. L'effet observé dans la formation des parachutistes est attribuable à la peur et il disparaît après les premières expériences de la situation. Cet effet se produisant en même temps que les changements de la concentration d'hydrocortisone, les expérimentateurs ont supposé qu'il était dû à l'activité de l'hypophyse.

Les concentrations d'adrénaline dans l'urine révèlent un fonctionnement différent (figure 15.7c). Lors du premier saut, on constate une hausse marquée de la concentration d'adrénaline dans l'urine, suivie d'un retour lent vers la ligne de base au cours des sauts suivants. Le mode de sécrétion de la noradrénaline est assez différent (figure 15.7d), résultat également observé dans d'autres études qui soulignent la relation possible entre la concentration d'adrénaline et les réactions d'affrontement direct de la situation, tandis que la noradrénaline serait associée à des réactions moins directes.

On a également observé des réactions endocriniennes bien définies sous forme de variations de la concentration de la somatotrophine dans le sang (figure 15.7e). En effet, dans cette expérience, on constate une hausse évidente de la concentration de somatotrophine pendant la journée où le premier saut est effectué.

Les recherches de Frankenhaeuser et de ses collaborateurs (1979) ont montré que des situations de la vie réelle étaient également capables de provoquer des réactions endocriniennes bien évidentes. Par exemple, le simple fait de voyager dans un train de banlieue provoque une décharge de noradrénaline; plus le parcours est long et plus les voitures sont bondées de voyageurs, plus la réaction hormonale est forte (figure 15.8a). Le travail en usine entraîne également une libération d'adrénaline; plus le cycle des tâches est court (c.-à-d. plus l'individu doit répéter les mêmes opérations fréquemment), plus les concentrations d'adrénaline sont élevées. Le stress associé à un examen oral de doctorat donne lieu à une hausse spectaculaire d'adrénaline et de noradrénaline (figures 15.8b, c).

STRESS, ÉMOTIONS ET MALADIES DE L'ÊTRE HUMAIN

Au cours des cinquante dernières années, nombre de psychiatres et de psychologues ont accordé énormément d'importance au rôle des facteurs psychologiques dans la maladie. Ce domaine a pris le nom de médecine psychosomatique après qu'un éminent psychanalyste, Thomas French, eut suggéré que les maladies seraient attribuables à des ensembles distincts de caractéristiques psychologiques. Selon cette perspective, les ulcères gastriques seraient associés à une frustation des besoins *oraux* et au développement d'une *dépendance orale*, tandis que l'hypertension serait attribuable à des activités compétitives hostiles, les migraines représentant des impulsions ou des besoins hostiles refoulés. À chaque état ou maladie

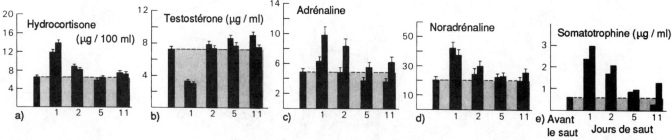

Figure 15.7 Variations hormonales chez des recrues militaires durant l'entraînement au saut en parachute. (De Ursin, Baade et Levine, 1978.)

582

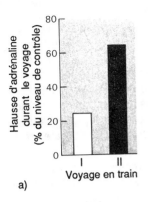

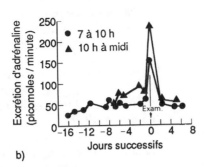

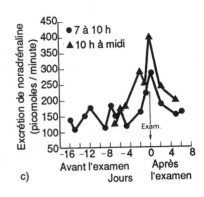

a)

b)

c)

Jours successifs

Avant l'examen   Après
Jours   l'examen

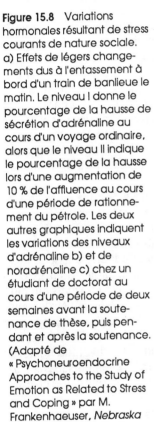

Figure 15.8 Variations hormonales résultant de stress courants de nature sociale. a) Effets de légers changements dus à l'entassement à bord d'un train de banlieue le matin. Le niveau I donne le pourcentage de la hausse de sécrétion d'adrénaline au cours d'un voyage ordinaire, alors que le niveau II indique le pourcentage de la hausse lors d'une augmentation de 10 % de l'affluence au cours d'une période de rationnement du pétrole. Les deux autres graphiques indiquent les variations des niveaux d'adrénaline b) et de noradrénaline c) chez un étudiant de doctorat au cours d'une période de deux semaines avant la soutenance de thèse, puis pendant et après la soutenance. (Adapté de « Psychoneuroendocrine Approaches to the Study of Emotion as Related to Stress and Coping » par M. Frankenhaeuser, *Nebraska Symposium on Motivation*, 1979, avec la permission de l'University of Nebraska Press.)

correspondrait donc un ensemble de traits psychologiques, soit ceux qui seraient à l'origine de conflits non résolus.

Malgré la popularité qu'ont connue ces concepts pendant la première phase du développement de la médecine somatique, on invoque moins ce genre d'associations très spécifiques de nos jours. On insiste plutôt pour dire que la réactivité émotive n'est qu'un des nombreux facteurs déterminant l'apparition, la persistance et le traitement des troubles somatiques. Les stimuli émotionnels déclenchent une variété de modifications nerveuses et hormonales qui agissent sur les processus pathologiques des organes corporels. Les études en médecine psychomatique ont élargi leur horizon et couvrent maintenant tout le domaine de l'évaluation globale des émotions, du stress et de la maladie, jusqu'au décodage des relations précises entre émotions et réactions ou états corporels. Dans le sillon de cet intérêt grandissant semble devoir émerger un nouveau champ d'étude nommé médecine psychologique ou médecine comportementale (Stone, 1980). La figure 15.9 illustre l'interaction de nombreux facteurs à l'origine de maladies chez l'être humain.

On établit des liens entre le stress et la maladie humaine de différentes façons. Chaque nouvel élément de preuve est fort attrayant, mais s'avère en général bien loin d'être

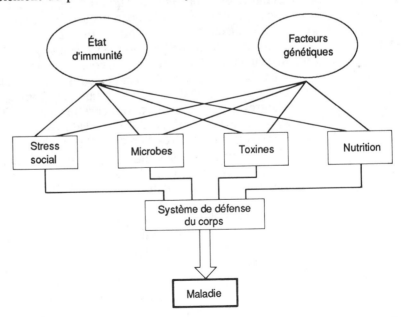

Figure 15.9 Interaction des facteurs en cause dans l'induction et la progression de la maladie.

concluant. L'ambiguïté tient peut-être beaucoup moins au manque d'astuce des expérimentateurs qu'aux variations considérables dans les réactions aux diverses maladies. Certains êtres humains sont, par leur constitution physique, plus disposés que d'autres à des défaillances de certains de leurs organes. En outre, la recherche sur le stress et la maladie humaine se trouve compliquée par le fait que le stress est un état qui ne fait que contribuer à la plupart des états maladifs. Les habitudes sanitaires, y compris les facteurs de nutrition et les façons de réagir face au stress, ont probablement autant d'importance que le stress lui-même. Malgré l'intérêt primordial qu'il représente pour la vie humaine, ce domaine reste difficile d'accès (Rodin et Salovey, 1989).

Une approche globale pour relier le stress à la maladie humaine consiste à étudier la covariance entre des événements stressants bien définis dans la vie des individus et l'apparition chez eux de maladies spécifiques au cours d'une longue période de temps. Le cancer et les maladies cardiaques sont des causes majeures de mort et de souffrances pour l'être humain. Le grand nombre de victimes de ces maladies dans plusieurs pays est à l'origine d'études d'envergure des habitudes sanitaires, de la qualité de vie et de l'adaptation personnelle de vastes échantillons d'individus et même de populations entières (Hurst et coll., 1976). La plupart de ces enquêtes sont rétrospectives, c'est-à-dire qu'on a demandé aux sujets de rapporter et d'évaluer les expériences et les réactions émotionnelles qui auraient précédé le déclenchement d'une maladie. Dans certains cas, ce sont les parents des personnes décédées qui fournissent ces renseignements. On a élaboré des échelles de comportement afin d'évaluer quantitativement la fréquence et le nombre des événements stressants qui précèdent une maladie. Malgré les nombreux problèmes méthodologiques que pose une telle approche, on a découvert des relations constantes entre événements stressants et maladie.

La plupart des recherches dans ce domaine tentent de révéler l'existence de relations temporelles entre l'apparition de la maladie et des changements récents dans la fréquence d'événements sources de stress. Une étude de Rahe et ses collaborateurs (1972), effectuée auprès d'équipages de la marine, constitue un exemple approprié. Ils ont demandé aux membres des équipages de rapporter les événements principaux de leur vie associés au stress (la mort de proches parents, les divorces) et de décrire les maladies dont ils ont souffert au cours d'une période de dix ans. Les résultats ont montré que les sujets qui ont dit avoir connu peu d'événements stressants, pendant une certaine période, ont également eu peu d'épisodes de maladie au cours des années subséquentes. Par contre, ceux qui ont été l'objet de plusieurs événements stressants ont dit avoir contracté un nombre beaucoup plus élevé de maladies durant les années qui ont suivi ces événements. Un grand nombre d'autres études semblent confirmer cette relation entre fréquence d'événements *sources de stress* dans la vie et probabilité de maladies futures. Il faut toutefois noter que cause et effet se trouvent enchevêtrés dans ce type de recherche (Rabkin et Struening, 1976).

Il se pourrait que la simple fréquence d'événements stressants soit moins associée aux maladies graves qu'on ne l'aurait cru. Dans une recherche sur les événements sources de stress et les crises cardiaques, Byrne et White (1980) ont comparé un groupe de victimes de troubles coronariens avec un groupe contrôle de sujets admis à la salle d'urgence sur présomption de problèmes cardiaques, présomptions qui ont été rapidement écartées. Des questionnaires ont permis d'établir la fréquence et l'intensité des événements stressants qui avaient marqué la vie des victimes de troubles coronariens durant l'année précédant leur admission à l'hôpital. L'analyse de ces données a montré que les victimes de crises cardiaques n'avaient pas subi, au cours de l'année précédant l'attaque, plus d'événements stressants que les sujets témoins. L'intensité de ce type d'événements ne permettait pas non plus d'établir des différences entre les deux groupes. Toutefois, les victimes de crises cardiaques étaient beaucoup plus bouleversées par les événements stressants dont ils avaient été l'objet et avaient tendance en général à se montrer plus anxieux. Il semble donc que l'impact émotionnel du stress a de plus grandes conséquences sur les maladies futures que le simple avènement de situations stressantes.

Émotions, stress et système immunitaire

Les chercheurs ont considéré pendant longtemps le système immunitaire comme un mécanisme automatique : dès l'apparition dans l'organisme d'un élément pathogène, un virus par exemple, les mécanismes de défense du système immunitaire seraient déclenchés et auraient raison de l'antigène grâce à un arsenal d'anticorps. Peu de chercheurs songeaient à prêter au système nerveux un rôle significatif dans ce processus, même si la possibilité que l'esprit exerce une influence sur le bien-être de l'individu a été un thème persistant au cours de l'histoire. Les temps ont bien changé ! En quelques années seulement, un nouvelle spécialité nommée *psychoneuro-immunologie* est apparue, dénotant une nouvelle conscience du fait que le système immunitaire, avec son ensemble de cellules capables de déceler un envahisseur, entre en interaction avec d'autres organes, notamment les systèmes hormonaux et le système nerveux. Les études sur les sujets humains et les animaux font maintenant clairement ressortir la présence d'influences psychologiques et neurologiques dans les opérations du système immunitaire. Qui plus est, ces interactions se font dans les deux directions; le cerveau influence les réactions du système immunitaire et les anticorps eux-mêmes affectent les activités cérébrales.

Pour comprendre ce phénomène fascinant, il faut prendre en considération certaines des propriétés caractéristiques du système immunitaire. Il existe essentiellement deux types de réactions immunitaires assurées par deux catégories différentes de cellules nommées **lymphocytes**. Effectuée par des cellules nommées lymphocytes B, l'une de ces réactions assure l'**immunité humorale** qui se produit lorsque ces cellules produisent des anticorps (immunoglobulines) responsables de la destruction des antigènes (les virus ou les bactéries, par exemple) directement ou en favorisant leur destruction par d'autres cellules. Un second type de réaction immunitaire consiste en une **immunité à médiation cellulaire** et fait intervenir une autre catégorie de cellules, les lymphocytes T. Ces derniers attaquent directement les divers antigènes, agissant comme des *cellules meurtrières* et constituant une importante partie de l'assaut donné par le corps aux substances qui peuvent causer des tumeurs. Ce sont ces mêmes cellules qui participent au rejet des greffes d'organes. Les cellules T interagissent également avec les réactions humorales effectuées par les cellules B. Certaines de ces interactions consistent en une accentuation des réactions des anticorps et ce type de réponse fait intervenir une sorte de lymphocytes T dits cellules T adjuvantes. D'autres lymphocytes T, les lymphocytes T inhibiteurs, suppriment les réactions humorales. Ces éléments fondamentaux du système immunitaire entrent également en interaction avec d'autres cellules et substances corporelles pour effectuer une défense contre la maladie et les substances nocives. Les cellules du système immunitaire sont formées dans certains organes du corps, notamment dans le thymus, la moelle des os, la rate et les ganglions lymphatiques. La figure 15.10 décrit les principaux éléments du système immunitaire et leur interaction.

Beaucoup d'études anatomiques et physiologiques révèlent la possibilité d'interactions entre le cerveau et le système immunitaire. Les données anatomiques ont permis de mettre en évidence la présence de fibres nerveuses provenant du système nerveux autonome dans des organes comme la rate et le thymus. Dans ces organes, des groupes de lymphocytes contiennent des terminaisons nerveuses. Les conséquences possibles de l'activité de ces fibres nerveuses ne sont pas encore connues. Certains ont supposé que l'activité nerveuse de ces organes pourrait avoir un effet direct sur la réactivité des cellules du système immunitaire en accentuant ou en atténuant diverses fonctions des cellules de ce système.

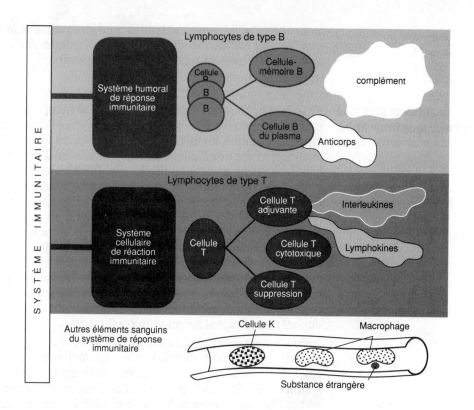

Figure 15.10 Principaux éléments du système immunitaire de l'être humain.

Contenu de la figure :

SYSTÈME IMMUNITAIRE

Lymphocytes de type B

Système humoral de réponse immunitaire

Cellule B — Cellule-mémoire B — complément — Cellule B du plasma — Anticorps

Lymphocytes de type T

Système cellulaire de réaction immunitaire

Cellule T — Cellule T adjuvante — Interleukines — Cellule T cytotoxique — Lymphokines — Cellule T suppression

Autres éléments sanguins du système de réponse immunitaire

Cellule K — Macrophage — Substance étrangère

D'autres études qui révèlent l'influence des anticorps sur les taux de décharge des neurones cérébraux (Besedovsky et coll., 1985) font ressortir le caractère réciproque des relations entre le système immunitaire et le cerveau. D'autres régulateurs ou produits du système immunitaire, par exemple l'interféron et les interleukines, affectent également l'activité cérébrale. Il semble donc que le cerveau soit informé assez directement de l'activité du système immunitaire. Un chercheur a laissé entendre que le système immunitaire agirait comme un organe sensoriel vis-à-vis des stimuli qu'ignore le système sensoriel classique (Blalock, 1984).

Pour démontrer le rôle exercé sur la réactivité du système immunitaire par le cerveau, on a aussi examiné les effets de lésions cérébrales sur les réactions immunitaires. Plusieurs études indiquent que les lésions de l'hypothalamus pratiquées sur des animaux de laboratoire peuvent influencer les processus d'immunité, comme la production d'anticorps (Stein et coll., 1981). Certains de ces effets sont bien spécifiques, mettant en cause des réactions à certains antigènes, à l'exclusion des autres. De plus, le site hypothalamique précis de la lésion détermine également le caractère des effets immunitaires. Certaines des façons dont l'hypothalamus agit sur les processus du système immunitaire font intervenir des mécanismes neuroendocriniens agissant par l'entremise de l'hypophyse. Dans des conditions de stress, l'hypothalamus produit un facteur de libération de corticotrophine entraînant l'émission de l'hormone adrénocorticotrope (ACTH) par l'hypophyse. L'ACTH provoque la libération d'hormones corticostéroïdes par les corticosurrénales et l'un des effets de ces hormones consiste en une suppression des réactions immunitaires.

Ces données anatomiques et physiologiques permettent d'envisager la formulation d'hypothèses sur les structures à la base du rôle des facteurs psychologiques dans les réactions du système immunitaire. Comment savoir si des facteurs psychologiques comme les émotions et le stress exercent une influence sur la vulnérabilité ou sur le type de réactions face aux maladies infectieuses ? Pour étudier cette question, on s'est appuyé sur plusieurs stratégies de recherches. L'une d'elles consiste à examiner des réactions immunitaires inhabituelles ou l'évolution d'une maladie auprès de populations émotivement perturbées. Les individus souffrant de troubles d'anxiété seraient-ils, par exemple, plus fréquemment affectés par des infections virales ? D'autres ont concentré leurs efforts sur la recherche de facteurs émotionnels dans les maladies comportant une défaillance ou une modification du système immunitaire. L'émotivité des individus souffrant d'arthrite (maladie qui résulte d'une défaillance du système immunitaire) est-elle, par exemple, différente de l'émotivité de ceux qui souffrent d'autres maladies ? Mais, le plus souvent, les chercheurs examinent les effets du stress sur le système immunitaire de populations humaines et animales. Ces diverses stratégies révèlent l'importance des émotions et du stress dans la vulnérabilité de l'organisme face aux troubles qui font intervenir le système immunitaire, ainsi que dans l'évolution de ces troubles. En voici quelques exemples.

On a découvert l'existence de relations entre certains facteurs psychologiques et la vulnérabilité à l'égard de plusieurs maladies infectieuses, de même que l'évolution de ces maladies. Dans une recension exhaustive de ces recherches, Jemmott et Locke (1984) font état de la relation observée, chez des étudiants à la veille des examens, entre la montée du stress et la baisse de sécrétion d'anticorps.

Les études sur les animaux permettent des interventions plus spécifiques et apportent des données fascinantes. Ader (1985) a montré, par exemple, qu'il était possible de conditionner la suppression immunitaire chez le rat, lorsque la présentation d'une solution de saccharine est associée à l'administration d'une substance chimique immunoinhibitrice. La présentation continue de cette combinaison s'est traduite par le fait que la saccharine s'est révélée capable d'atténuer à elle seule la réaction aux substances pathogènes. Dans d'autres expériences du même genre, Spector et ses collaborateurs (1985) ont démontré qu'il était possible d'avoir recours aux techniques de conditionnement classique pour accroître l'activité des cellules meurtrières naturelles. Leur devis expérimental consistait à mettre des souris en présence d'une odeur de camphre pendant plusieurs heures. En tant que tel, ce traitement n'avait aucun effet sur le système immunitaire. Ils injectaient ensuite à certaines de ces souris une substance chimique qui augmentait l'activité des cellules meurtrières naturelles. Après la dixième séance d'association de l'odeur à la substance chimique, la seule présentation de l'odeur de camphre provoquait une activité accrue des cellules meurtrières naturelles chez ces souris.

Cette sorte de conditionnement pavlovien de la réactivité du système immunitaire pourrait s'avérer importante dans le traitement de certains troubles chez l'être humain et remplacer l'injection des médicaments utilisés pour accentuer les réactions du système immunitaire, réduisant ainsi les expositions à des traitements toxiques. De toute évidence, nous sommes à l'aube d'une nouvelle ère d'observations de la modulation nerveuse et du contrôle des réactions du système immunitaire, ce qui peut ouvrir des perspectives sur les facteurs responsables du bien-être.

Des chercheurs qui s'intéressaient à la spécialisation des fonctions des hémisphères cérébraux ont découvert une association inattendue entre la dominance manuelle et des défectuosités du système immunitaire chez l'être humain. En effet, selon les observations de Geschwind et Galaburda (1985), les gauchers seraient plus susceptibles de souffrir de défectuosités du système immunitaire que les droitiers. Nous examinerons, au chapitre 18, certaines de ces données dans le contexte de l'acquisition de la dominance manuelle et de la latéralisation cérébrale. Apparemment, certains des facteurs responsables de la latéralisation cérébrale influenceraient aussi le développement du système immunitaire. Ce système a également été mis en cause dans le cancer.

De temps à autre, un article de journal ou de revue sonne l'alarme sur les liens entre les émotions et le cancer. À maints égards, le cancer reste entouré de mystère et ses victimes se sentent *visées* par des pouvoirs maléfiques; il n'est donc pas surprenant que l'on se soit attaqué à des facteurs subtils comme les émotions dans la recherche des causes du cancer. Ce domaine est farci de prétentions contradictoires. Les efforts actuellement consentis dans les études sur les relations entre cancer et émotions prennent deux directions principales. Une partie des travaux est concentrée sur le rôle possible des facteurs psychologiques dans l'étiologie du cancer. Un second groupe de chercheurs étudie l'impact des influences psychologiques sur l'évolution et l'issue de cette maladie. Dans une recension de ces problèmes, Greer (1983) donne une évaluation pondérée de l'état actuel de la question.

Les états affectifs contribueraient-ils à engendrer un cancer ? La plupart des travaux n'arrivent pas à établir une relation directe entre les expériences stressantes et l'apparition du cancer. Toutefois, des études de personnalité révèlent l'existence de rapports entre des attributs de personnalité spécifiques et la probabilité de devenir cancéreux. L'une des études souvent citées dans ce domaine a porté sur un grand ensemble d'étudiants inscrits à l'école de médecine de l'Université John Hopkins, entre 1948 et 1964 (Thomas et coll., 1979). Cette population a été soumise à des tests psychologiques et des questionnaires annuels sur leur état de santé et on a étudié les liens entre ces données et les difficultés que ces individus ont pu rencontrer au cours de plusieurs années subséquentes. Les 48 étudiants qui ont par la suite développé un cancer révélaient des traits de personnalité curieusement semblables à ceux qui se sont suicidés. On les a décrit comme des individus à *allure lente*, qui manifestaient peu leurs émotions et dont les relations avec leurs parents étaient caractérisées par la froideur et l'éloignement. D'autres études ont établi un lien entre le cancer et une dépression antérieure et des sentiments d'impuissance, même après que des contrôles statistiques eurent éliminé la contribution du facteur tabagisme. Enfin, certains ont associé le cancer du sein à un refoulement continuel de la colère (Greer, 1983).

L'influence des facteurs psychologiques sur l'évolution du cancer a été étudiée dans les travaux de recherche sur la réactivation du cancer après de longues périodes d'inactivité. Des auteurs croient que, dans de pareils cas, la réapparition du cancer pourrait résulter d'une période de stress émotionnel grave. Un autre aspect psychologique de l'issue de cette maladie, aspect qu'ont fait ressortir les études sur la durée de survie après que le diagnostic du cancer a été posé, fait également l'objet de débats. Plusieurs travaux ont révélé que ceux qui survivaient longtemps entretenaient des liens d'intimité personnelle et maîtrisaient mieux les problèmes associés à la maladie; ceux qui ne résistaient pas longtemps étaient caractérisés par de la passivité, une résignation stoïque et la mobilisation d'efforts pour oublier (Weisman et Worden, 1977). Selon Greer et ses collaborateurs (1979), la réaction d'une femme, trois mois après avoir été soumise à une mammectomie pour cancer du sein, est également reliée à ce qui peut survenir cinq ans après l'opération. Ils croient que la survie sans récurrence serait associée à l'*esprit de lutte ou le refus*. Il est difficile de démontrer des relations causales dans ces efforts pour établir un lien entre les facteurs psychologiques et les nombreux aspects du cancer. Même s'il reste des problèmes de méthodologie à résoudre, les données actuelles font nettement ressortir l'existence possible d'interactions psychobiologiques importantes.

Les travaux de recherche animale qui portent sur le stress et le système immunitaire offrent des indices sur les mécanismes qui pourraient expliquer les relations entre les facteurs psychologiques et le cancer. Ces recherches ont montré que divers types de stress produisent des quantités accrues d'hormones corticosurrénaliennes en circulation, surtout la corticostérone. Il a été démontré que la corticostérone exerce des effets puissants sur le système immunitaire, contribuant entre autres à la réduction du nombre de lymphocytes en circulation, au rétrécissement du thymus et à une certaine perte de masse tissulaire des ganglions lymphatiques. L'efficacité du système immunitaire se trouve donc réduite dans les états de stress et Riley (1981) a laissé entendre que le stress accroîtrait la vulnérabilité face aux agents cancérogènes comme les virus. Certaines des expériences réalisées par ce chercheur viennent appuyer cette hypothèse. La figure 15.13 présente les résultats d'une étude typique dans laquelle on soumettait des souris à un stress au moyen d'une brève période de rotation forcée du corps. On a constaté, à la suite de ce traitement, une accélération nette de la croissance d'une tumeur. On obtient un effet similaire en administrant directement de la corticostérone sans utilisation d'un facteur de stress, résultat qui milite en faveur de la notion selon laquelle la libération des hormones corticosurrénaliennes, sous l'influence du stress, pourrait accroître la vulnérabilité face au cancer ou à la progression de cette maladie.

Émotions, stress et maladies cardiaques

Chaque jour, 3 400 citoyens américains sont victimes d'une crise cardiaque et un plus grand nombre encore souffrent d'autres maladies vasculaires. La moitié environ de toutes les mortalités d'origine cardiaque survient soudainement, moins de quelques minutes après l'apparition des symptômes. Dans plusieurs de ces cas, la mort semble attribuable à l'influence exercée par le système nerveux sur les mécanismes de contrôle du rythme cardiaque. Certaines des études sur les origines et l'évolution des maladies cardiaques se sont intéressées surtout aux émotions et au stress psychologique. On attribue généralement une grande importance au rôle des émotions comme élément déclencheur des crises cardiaques. Bien des individus en état de surexcitation reçoivent cette mise en garde d'un parent plus détendu : « Calme-toi, tu vas exploser ! » À cet égard, certaines données psychologiques et physiologiques permettent d'illustrer les liens qui existent entre émotions, stress et maladies cardiaques.

Les études sur les schèmes de comportement associés aux maladies cardiaques se sont intéressées à plusieurs variables d'ordres psychologique et sociologique. Un thème majeur qu'on doit à l'initiative de Friedman et Rosenman (1959) a attiré l'attention sur l'influence différente de deux modes de comportements (comportement de type A ou de type B) dans l'apparition et la persistance des maladies cardiaques. Le comportement de type A est caractérisé par une énergie et un esprit de compétition excessifs, des sentiments d'impatience et d'hostilité et l'accélération du parler et des mouvements; bref le rythme de vie de ces individus est frénétique, trépidant et exigeant. Au contraire, le comportement de type B se caractérise par un style plus détendu avec peu de signes de compulsion agressive ou d'insistance pour que les choses se passent rapidement. Il s'agit là évidemment d'une dichotomie grossière, beaucoup d'individus empruntant quelque chose à chacun de ces deux schèmes. Jusqu'à maintenant, un ensemble important de recherches, souvent controversées (résumées par Krantz et Glass, 1984), indique que les individus de type A sont plus fréquemment et plus généralement victimes de maladies cardiaques coronariennes que ceux de type B. Dans une étude devenue presque classique et connue sous le nom de Western Collaborative Group Study, on a assuré un suivi de sujets pendant 8,5 années pour constater que ceux qui avaient un comportement de type A au début de cette étude étaient deux fois plus susceptibles de contracter des maladies cardiaques que les individus de type B (Rosenman et coll., 1975). Cette différence est restée évidente même après élimination, par calculs statistiques, de l'influence de l'usage de cigarettes et d'alcool et des habitudes nutritionnelles. Dans plusieurs cas, la maladie cardiaque se trouve de toute évidence précédée par un comportement de type A. Des études physiologiques d'individus de type A révèlent que la réaction de leur système nerveux sympathique est plus intense que celle des individus de type B. On a également constaté un niveau plus élevé d'adrénaline et de noradrénaline dans le sang pendant le stress chez les individus de type A (Glass et coll., 1980). Malgré l'apparence d'un lien étroit entre cette structure de comportement et les maladies coronariennes, il ne faut pas oublier que la plupart des individus de type A ne présentent pas de maladies cardiaques, même si la fréquence de cette maladie est plus grande en général chez les sujets de type A que chez ceux de type B. Des rapports préliminaires indiquent que l'entraînement à un comportement de type A modéré peut réduire le nombre de cas de crises cardiaques (Siegal, 1984).

Le phénomène de la mortalité consécutive à une attaque cardiaque, notamment chez les plus jeunes, met en évidence un autre aspect du lien entre émotions et maladies cardiaques. Des données actuarielles constituent un fond de scène angoissant relatif à ce débat. Par exemple, le décès de son épouse confère à un veuf une probabilité de mortalité subite de 40 % plus élevée que celle des hommes mariés de son âge (cité par Syme, 1984). Les expériences sur les animaux aussi bien que sur l'être humain révèlent le rôle du cerveau dans la médiation des effets du stress sur le cœur. Par exemple, on a souvent constaté que des troubles cardiaques accompagnent diverses perturbations cérébrales, particulièrement celles qui comprennent la destruction de l'hypothalamus. L'étude des individus souffrant d'arythmies, trouble constituant une menace de mort, révèle également qu'une période de grande détresse émotionnelle avait précédé la crise cardiaque vécue par plus de 60 % de ces sujets. En outre, le stress psychologique donne lieu à des battements cardiaques inaccoutumés chez ces individus. Enfin, on observe un taux accru de crises cardiaques fatales consécutives à des désastres environnementaux de grande envergure comme ceux provoqués par des séismes.

Des études en laboratoire sur des cobayes montrent que le stress peut abaisser considérablement le seuil de déclenchement d'arythmies cardiaques provoquées par la digitaline (Natelson, 1985). (On a souvent recours à ce médicament pour régulariser le rythme cardiaque, même si sa toxicité peut, à concentrations très élevées, s'avérer fatale.) En comparant deux espèces différentes de primates, Mason (1984) a découvert l'existence d'une relation possible entre des schèmes de réaction caractéristiques de l'espèce et la maladie. Il observe que les sagouins sont excitables, nerveux et se déplacent souvent. Par contre, les singes titis sont plus modérés. Au repos, le rythme cardiaque du sagouin est beaucoup plus élevé et il en va de même pour la concentration d'hydrocortisone dans le sang. Les études longitudinales de ces animaux révèlent que les sagouins ont tendance à développer des maladies cardiaques alors que, au contraire, les singes titis sont plus susceptibles de souffrir de troubles du système immunitaire.

| MÉCANISMES CÉRÉBRAUX ET ÉMOTION | Existe-t-il des circuits nerveux réservés à l'émotion qui seraient situés dans des régions précises du cerveau ? Cette question a fait l'objet d'études dans lesquelles on a utilisé des lésions dans des sites cérébraux bien définis ou une stimulation électrique du cerveau. Des expériences en neuropharmacologie ont, par ailleurs, tenté de préciser le rôle de transmetteurs spécifiques dans certaines émotions. Des études de lésions cérébrales mettant en cause l'observation clinique de sujets humains ou celles de lésions expérimentales pratiquées sur des animaux se sont attaquées surtout à l'observation de certains syndromes spectaculaires des changements émotionnels comme le comportement de soumission des singes, à la suite de lésions du lobe temporal. Les travaux sur la stimulation du cerveau ont permis la production d'une cartographie cérébrale des diverses réactions émotionnelles, notamment celles se rapportant à l'agressivité. |

Lésions cérébrales et émotion

Plusieurs chercheurs ont exploré les mécanismes cérébraux de l'émotion en observant les conséquences de la destruction de régions cérébrales sur le comportement. Ces études comprennent des observations cliniques et des expériences chirurgicales sur des animaux.

La rage de
l'animal décortiqué

La plus ancienne démonstration expérimentale des rapports entre les mécanismes céré-braux et l'émotion a porté sur l'ablation du néocortex. Au tout début du XXe siècle, il a été démontré que les chiens décortiqués réagissent à des manipulations de routine par des accès soudains de rage intense, phénomène parfois nommé *fausse rage*, à cause du manque d'orientation précise du mouvement d'attaque. Le simple attouchement normal provoquait chez ces chiens des grondements, des aboiements et des rugissements féroces, de même que des réactions viscérales. De toute évidence, ce type de comportement émotif est élaboré à un niveau sous-cortical et les données recueillies portent à croire que le cortex cérébral exercerait un contrôle inhibiteur sur la réactivité émotionnelle.

Le syndrome
de Klüver-Bucy

Les travaux de Klüver et Bucy (1938) ont contribué à l'avancement des connaissances des mécanismes cérébraux et de l'émotion; en effet, ces auteurs ont décrit un syndrome des plus rare observé chez les primates à la suite d'interventions chirurgicales dans le lobe temporal. Au cours d'études sur les mécanismes corticaux participant à la perception, ils ont fait l'ablation de vastes portions du lobe temporal chez des singes. Après une telle intervention chirurgicale, les animaux présentaient des changements de comportement spectaculaires. Ce syndrome était surtout marqué par une attitude de soumission exagérée. Des animaux qui, avant l'intervention, étaient sauvages et craignaient les êtres humains, devenaient doux et dociles et ne manifestaient ni peur ni agressivité. En outre, ils semblaient avoir oublié la signification de plusieurs objets, avalant des objets non comestibles. On a également observé que ces animaux cherchaient à s'accoupler très souvent, ce qu'on a interprété comme la manifestation d'une sexualité excessive. Les lésions se limitant au néocortex cérébral ne donnaient pas ces résultats qui mettaient en cause des régions plus profondes du lobe temporal, y compris des sites à l'intérieur du *système limbique*. Ces observations ont servi de pierre angulaire aux efforts subséquents pour comprendre le rôle des structures corticales dans l'émotion.

Modèles
cérébraux
de l'émotion

L'étude des lésions cérébrales et de l'émotion a donné naissance à plusieurs modèles de circuits cérébraux intervenant dans les comportements émotionnels. À cet égard, deux exemples de modèles tenteront de faire la synthèse de plusieurs données empiriques.

Le circuit Papez
de l'émotion

Nos connaissances de l'anatomie cérébrale et de l'émotion ont des sources expérimentales et cliniques. En 1937, le neuropathologiste James W. Papez a proposé un circuit nerveux des émotions. Il a formulé son hypothèse en s'appuyant sur des observations résultant de l'autopsie de cerveaux d'êtres humains ayant souffert de troubles affectifs, y compris de malades psychiatriques. Il a également examiné les cerveaux de sujets animaux, par exemple des chiens souffrant de la rage. Il localisa les sites de destruction cérébrale dans ces cerveaux et arriva à la conclusion que la destruction nécessaire et suffisante associée à la perturbation des mécanismes émotionnels mettait en cause un ensemble de voies nerveuses à connexions réciproques dans le système limbique. Selon le modèle proposé dans son circuit, l'expression des émotions ferait intervenir un contrôle des organes viscéraux par l'hypothalamus et l'expérience affective prendrait naissance dans des voies reliées à un circuit qui comprend l'hypothalamus, les corps mamillaires, le thalamus antérieur et le cortex du corps calleux. La figure 15.11 illustre le cheminement de l'activité dans ce circuit, selon l'hypothèse de Papez.

Ce circuit proposé par Papez a donné lieu à beaucoup de recherches expérimentales au cours des 40 dernières années. On a soumis chacune des régions de ce circuit à des lésions ou à des stimulations électriques pour découvrir sa relation avec le traitement de l'expé-rience émotionnelle. C'est notamment sur l'agressivité que se sont concentrées plusieurs

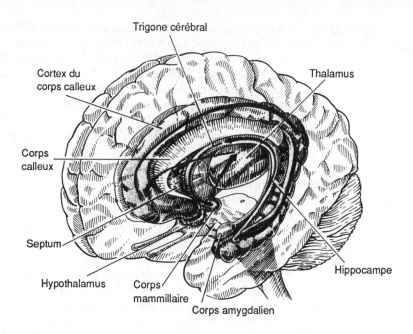

Figure 15.11 Circuit de l'émotion proposé par Papez.

Trigone cérébral

Cortex du corps calleux

Thalamus

Corps calleux

Septum

Hippocampe

Hypothalamus

Corps mammillaire

Corps amygdalien

des études du circuit de Papez, à cause de l'importance de cette émotion dans les relations humaines et sa facilité d'observation chez l'animal. Ces études ont contribué à accroître la complexité du circuit, notamment en attribuant des rôles additionnels à d'autres structures du système limbique, y compris le corps amygdalien et l'aire septale.

Les trois cerveaux

Paul MacLean (1970) a présenté un modèle élaboré et hautement spéculatif de l'organisation nerveuse de l'émotion. Son modèle tire ses origines d'un ensemble d'observations variées, y compris l'étude des crises épileptiques provenant du système limbique de l'être humain, les cartes de comportement résultant de la stimulation du cerveau des singes et une interprétation des documents de recherche sur l'évolution du cerveau des vertébrés.

Selon MacLean, on peut concevoir le cerveau comme un système à trois couches, chacune marquant un résultat significatif du processus évolutif. La couche la plus ancienne et la plus profonde représenterait le cerveau reptilien qui fait partie de notre héritage et est observable dans les structures actuelles du tronc cérébral. Cette couche cérébrale sert à l'exécution d'actes fortement stéréotypés appartenant à un répertoire restreint et comprenant des activités que les organismes ont dû accomplir pour survivre, comme le fait de respirer et de manger. On pourrait décrire ces fonctions comme des fonctions d'entretien routinier. Avec le temps, une autre couche de tissu cérébral est venue envelopper ce *noyau* reptilien et constituer un système à deux couches, caractéristique du cerveau des mammifères moins évolués. MacLean prétend que cette couche additionnelle concerne la conservation de l'espèce et de l'individu; elle comprend l'appareil nerveux responsable des émotions, de l'alimentation, des réactions d'échappement et d'évitement de la douleur, des réactions de lutte et de recherche du plaisir. C'est le système limbique qui forme l'ensemble des structures appartenant à cette couche. Avec les progrès ultérieurs de l'évolution, une troisième couche est enfin apparue; elle consiste en une élaboration spectaculaire du cortex cérébral et, d'après ce modèle spéculatif, elle servirait de base à la pensée rationnelle.

MacLean voyait dans son modèle un moyen de comprendre les aspects des réactions émotives que partagent plusieurs animaux et les changements qui apparaissent à mesure que le passage s'est effectué des animaux les plus simples aux animaux supérieurs. Quant aux avantages qui découleraient de la formation du système limbique, il considérait que l'élaboration de ces structures offre au cerveau reptilien la possibilité de se libérer des comportements stéréotypés et d'acquérir une souplesse découlant de l'émotivité. Même si le modèle n'a pas encore été évalué dans son ensemble, on peut dire que plusieurs éléments de cet ouvrage spéculatif permettent d'entrevoir la formulation d'hypothèses intéressantes sur les aspects neurologiques de l'émotivité.

Stimulation électrique du cerveau et émotion

Une autre façon efficace d'aborder les aspects neuroanatomiques de l'émotion consiste en une stimulation électrique de points précis dans le cerveau d'animaux éveillés et libres de se déplacer et en l'observation des conséquences de cette intervention sur le comportement. Une telle stimulation peut avoir des effets agréables ou désagréables, ou encore peut engendrer des séquences de comportement émotif.

Stimulation du cerveau et renforcement positif

En 1954, les psychologues James Olds et Peter Milner rapportaient un fait expérimental remarquable. Ils avaient découvert, en effet, que des rats étaient capables d'apprendre à appuyer sur un levier lorsqu'une telle pression donnait lieu, comme récompense ou renforcement, à une brève secousse de stimulation électrique de l'aire septale du système limbique. Ce phénomène a été nommé *autostimulation*. Heath (1972) rapporte que les sujets soumis à une stimulation électrique de cette région ressentent du plaisir ou de la chaleur et que, dans certains cas, la stimulation de cette même région produit une excitation sexuelle.

L'article publié par Olds et Milner en 1954 est un rare exemple de découvertes scientifiques qui déclenchent un tout nouveau champ de recherche. Au cours des 25 dernières années, plusieurs chercheurs se sont servi des techniques d'autostimulation cérébrale. Certains de ces travaux ont porté sur la cartographie de la distribution des sites cérébraux capables de réponses d'autostimulation. Ces études peuvent fournir une représentation des circuits de renforcement positif (figure 15.12). D'autres recherches ont analysé les ressemblances et les différences entre les réponses positives engendrées par la stimulation du cerveau et celles provoquées par d'autres modes de récompense, comme la présentation de nourriture ou d'eau à un animal affamé ou assoiffé. Il est possible qu'une stimulation électrique emprunte les circuits qui véhiculent ces récompenses plus habituelles. La

Figure 15.12 Répartition des sites de récompense dans le cerveau du rat.

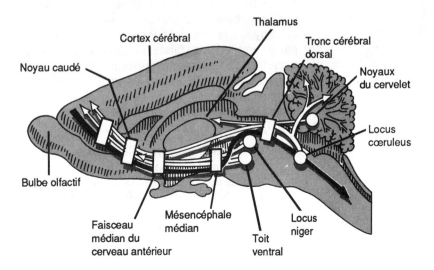

recherche dans ce domaine prenait récemment une tendance neurochimique, beaucoup d'efforts étant réalisés pour identifier les transmetteurs en cause dans les voies cérébrales qui participent au comportement d'autostimulation. Les travaux dans ce domaine peuvent prendre une importance particulière pour la compréhension de l'impact de plusieurs drogues sur les réactions émotives de l'être humain.

L'autostimulation n'est pas une propriété exclusive du cerveau du rat. On peut démontrer qu'elle existe chez divers mammifères, notamment le chat, le chien, le singe et l'être humain, bien qu'elle ait été étudiée plus à fond chez le rat. Ces animaux peuvent s'adonner, pendant des heures, à une autostimulation par pression sur levier; la fréquence des réponses varie tant en fonction des propriétés du courant électrique que de l'endroit stimulé dans le cerveau. Les premières études pour comparer l'autostimulation avec les récompenses naturelles (comme la nourriture et l'eau) ont semblé révéler des différences significatives quant aux propriétés de renforcement. Par exemple, le comportement renforcé par stimulation directe de régions du cerveau susceptibles d'autostimulation manifestait une extinction instantanée; toute pression sur le levier cessait dès que la stimulation électrique s'interrompait. Toutefois, des études plus récentes visant à comparer les réponses en fonction de l'eau, de la nourriture et de la stimulation électrique du cerveau, donnent les mêmes caractéristiques, peu importe le mode de renforcement utilisé (recension de M.E. Olds et Fobes, 1981).

L'autostimulation est obtenue avec une stimulation électrique de plusieurs sites sous-corticaux différents de même qu'avec celle de quelques régions frontales. Toutefois, une stimulation du cortex cérébral n'a généralement pas de propriétés de renforcement positif. Les sites cérébraux positifs se trouvent surtout dans l'hypothalamus, même si ces sites se prolongent également dans le tronc cérébral. Un faisceau important montant du mésencéphale vers l'hypothalamus (faisceau médian du cerveau antérieur) contient plusieurs sites qui donnent des comportements d'autostimulation énergique. Ce faisceau d'axones se distingue par ses origines étendues et par la répartition des points terminaux de ses axones, dans un vaste ensemble de régions cérébrales. La distribution anatomique des sites d'autostimulation semble analogue chez les différents animaux, quoique les sites positifs soient plus largement disséminés dans le cerveau du rat que dans celui du chat.

Tout récemment, les cartes des sites d'autostimulation ont été appariées à celles des divers neurotransmetteurs. L'idée très controversée qui est ressortie de l'observation de ces cartes est que la dopamine serait le transmetteur des circuits de récompense (Wise, 1982). Par contre, en utilisant une technique de cartographie métabolique avec le 2-désoxyglucose, Gallistel et ses collaborateurs (1985) n'ont pas réussi à trouver des faits qui appuieraient cette hypothèse. Ils ont constaté qu'une carte des circuits d'autostimulation mis en branle par la stimulation du faisceau médian du cerveau antérieur ne concordait pas avec une carte plus étendue des systèmes dopaminergiques activés par stimulation du *locus niger*. Il se peut, cependant, que cela ne soit dû qu'au fait que certaines fibres dopaminergiques seraient employées à des fonctions autres que la récompense. Dans un recension exhaustive des nombreuses recherches sur les mécanismes cérébraux de récompense, Wise et Rompre (1989) en arrivent aux deux conclusions suivantes :

1. La dopamine joue un rôle important dans les effets de récompense associés à la stimulation de plusieurs régions cérébrales, mais cette substance n'est pas en cause dans les effets de récompense découlant de la stimulation du cortex frontal, ou du *noyau accumbens*; ces derniers effets dépendent d'un ou de plusieurs autres transmetteurs.

2. Les systèmes dopaminergiques jouent probablement un rôle plutôt général dans la motivation et le mouvement, rôle essentiel à la récompense comme aux autres aspects de la motivation.

Figure 15.13 Distribution dans l'hypothalamus des sites où la stimulation électrique a suscité des réactions défensives, fuite et attaque ou abattage de la proie (+, défense; ●, fuite; ▲, abattage de la proie). On peut voir trois coupes différentes de l'hypothalamus. A : coupe la plus antérieure. (FIL, noyau filiforme; Fx, fornix; HA, hypothalamus antérieur; HL, hypothalamus latéral; FMCA, faisceau médian du cerveau antérieur; SO, noyau supraoptique; VO, voie optique; VM, noyau ventromédian.) (D'après Kaada, 1967.)

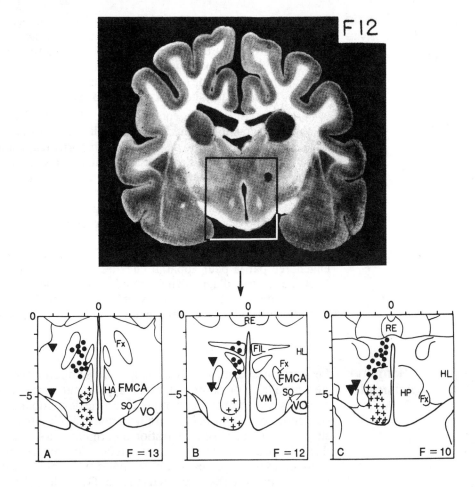

Cartes des réactions émotives provoquées expérimentalement

La stimulation électrique au moyen d'électrodes implantées dans le cerveau de chats et de singes alertes et éveillés a donné des cartes de la distribution des réponses émotives. Ces travaux ont porté notamment sur les sites du système limbique et surtout sur l'agressivité. Un exemple tiré des travaux de Kaada (1967) illustre, à la figure 15.13, l'intégration dans le comportement des réactions autonomes provoquées par une stimulation de l'hypothalamus. Ces cartes révèlent que des éléments très distincts des réactions autonomes et comportementales se trouvent représentés à des points précis du système limbique et des régions de l'hypothalamus. Par contre, la stimulation du cortex cérébral n'a engendré aucune réponse émotive.

PSYCHOBIOLOGIE DE L'AGRESSIVITÉ

La violence, les assauts contre la personne et les homicides font un grand nombre de victimes dans plusieurs sociétés humaines; par exemple, aux États-Unis, c'est l'homicide qui est la cause de mortalité la plus fréquente chez les jeunes adultes. Plusieurs façons différentes d'aborder ce problème de l'agressivité ont fait intervenir les dimensions psychologique, anthropologique et biologique de ce phénomène comportemental. Ces efforts concertés ont contribué à clarifier plusieurs aspects de l'agressivité, de même qu'à dégager les assises biologiques de ces mécanismes hormonaux et neurophysiologiques.

Nature de l'agressivité

L'agressivité est une manifestation comportementale bien connue. Une réflexion approfondie montre que ce terme recouvre plusieurs significations. On la définit couramment par un sentiment de haine et un désir d'infliger du mal, mettant en relief les sentiments intérieurs puissants qui l'accompagnent. Toutefois, lorsque nous considérons l'agression comme un comportement manifeste (réaction extérieure visant la destruction réelle ou intentionnelle d'un autre être vivant), nous en découvrons plusieurs formes.

Certains considèrent le comportement d'attaque d'un animal à l'égard d'une proie comme une agression de prédation naturelle. Glickman (1977) a cependant prétendu que dans ce cas, il est plus juste de parler de comportement d'alimentation. Chez presque tous les vertébrés, on observe de l'agressivité entre mâles de la même espèce. On peut peut-être établir un parallèle chez l'être humain, en observant qu'aux États-Unis, 5 fois plus d'hommes que de femmes sont accusés de meurtre et que le groupe des 14 à 24 ans domine. De plus, le comportement agressif entre garçons apparaît plus tôt que celui des filles et prend la forme d'activités ludiques vigoureuses et destructrices. Chez certains animaux, notamment les rongeurs, on note que les mères peuvent manifester de l'agressivité qui, poussée à l'extrême, va jusqu'au cannibalisme, la mère mangeant ses petits. L'agressivité engendrée par la peur apparaît chez les animaux coincés et incapables de s'échapper. Certaines formes d'agressivité sont considérées comme faisant partie du comportement sexuel. Enfin, une forme d'agressivité, dite agressivité d'irritabilité, peut découler de la frustation ou de la douleur et prend souvent l'apparence d'une rage incontrôlable.

Hormones et agression

Les hormones sexuelles mâles jouent un rôle important dans certaines formes d'agression, surtout celle qu'on observe dans les rapports entre mâles. Cette relation est apparue dans plusieurs types d'expérimentation. Une série de ces données fait ressortir les liens entre les concentrations d'androgènes en circulation et différentes mesures de comportement agressif. La variation de la concentration d'hormones au sein d'un groupe d'animaux peut être due à des processus de développement ou à des changements circadiens saisonniers. Chez plusieurs espèces, l'agressivité entre mâles augmente considérablement lorsqu'ils parviennent à la maturité sexuelle. McKinney et Desjardins (1972) ont fait état de changements d'agressivité qui, chez la souris, commencent à la puberté. On observe une augmentation des comportements agressifs chez des souris immatures traitées aux androgènes. On note des changements saisonniers de la concentration de testostérone chez plusieurs espèces et le grossissement des testicules semble associé à l'accroissement de l'agressivité chez des animaux aussi différents que les oiseaux et les primates.

L'observation des effets de la castration sur le comportement apporte un certain nombre de preuves additionnelles de l'existence d'une relation entre hormones et agression. Les chutes de la concentration sanguine des androgènes produites par ce moyen sont généralement associées à une réduction marquée du comportement agressif entre mâles. Chez les animaux castrés, le remplacement de la testostérone par des injections appropriées accroît les comportements agressifs des souris dans des proportions qui dépendent du dosage de l'hormone injectée (figure 15.14).

Le comportement agressif de la femelle des mammifères peut également dépendre des hormones de reproduction. Malgré l'opinion qui prévaut parmi les chercheurs à l'effet que dans la plupart des espèces de la classe des mammifères, le mâle serait typiquement le plus agressif, il se touve maintenant des exemples d'espèces où un tel dimorphisme sexuel n'apparaît pas (Floody, 1983). Par exemple, les femelles des hyènes tachetées sont typiquement de plus grande taille et règnent sur un clan qui peut compter jusqu'à 80 hyènes (Kruuk, 1972). Les observations d'agressions au cours de rencontres intersexuelles permet-

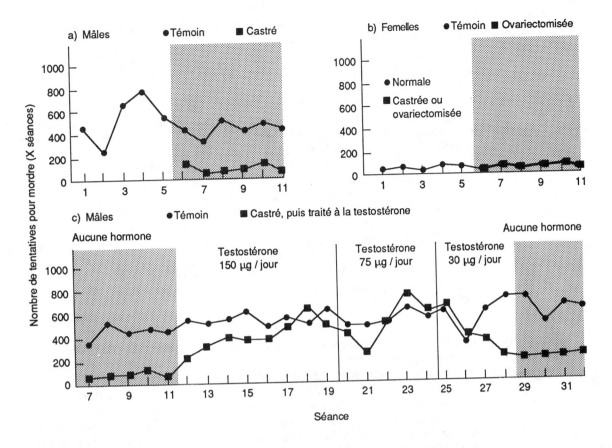

Figure 15.14 Effets des androgènes sur le comportement agressif d'une souris. Durant chaque séance, on compte le nombre d'attaques visant à mordre un objet inanimé. a) Comportement du mâle avant ou après castration. b) Comportement de la femelle avant et après l'ablation des ovaires. c) Effets du remplacement d'hormones sur le comportement d'attaque des mâles castrés. La testostérone rétablit le comportement agressif des mâles castrés. (De Wagner, Beauving et Hutchinson, 1980.)

tent de supposer que les femelles s'adonneraient à des types d'agression différents de ceux des mâles. Ainsi, le comportement agressif de la femelle se manifeste surtout dans la défense du territoire et le choix d'un partenaire, tandis que les manifestations d'agression chez le mâle s'observent plus fréquemment dans des situations où les mâles luttent pour le pouvoir. L'observation du comportement agressif de la femelle des rongeurs, au cours des diverses phases du cycle œstrien, révèle l'existence de covariation chez certaines espèces mais pas chez les autres. Ainsi, la femelle hamster en chaleur est à l'égard des autres hamsters, peu importe le sexe, moins agressive que celle qui n'est pas en chaleur (Floody, 1983). Les travaux sur les modifications du niveau d'agressivité pendant le cycle menstruel chez les divers primates sont source de controverses (Brain, 1984). On ne dispose pas actuellement de données claires et nettes qui relieraient les modifications de l'humeur de la femme au cycle menstruel, même dans le cas de la tension prémenstruelle.

Une autre source de controverses est celle de la possibilité d'une relation entre les hormones (surtout les androgènes) et les manifestations d'agressivité chez l'être humain. Par exemple, des hommes emprisonnés pour actes violents ont demandé à être châtrés pour pouvoir être libérés sur parole. Les arguments invoqués dans les plaidoyers soumis à cet effet font souvent état des résultats de recherche sur les animaux. Des études sur l'être humain ont révélé des corrélations positives entre les concentrations de testostérone et l'intensité de l'hostilité mesurée par des échelles d'évaluation du comportement. Une étude faite sur des prisonniers (Kreuz et Rose, 1972) ne révèle cependant aucune relation entre les concentrations de testostérone et plusieurs mesures de l'agressivité; par contre, une autre recherche (Ehrenkrantz, Bliss et Sheard, 1974) donne des relations positives. Il est donc impossible d'affirmer que les concentrations d'androgènes chez des hommes non castrés sont associées à l'agressivité.

Dans plusieurs tentatives pour modifier le comportement agressif de criminels mâles, on a eu recours à la modification de la concentration sanguine des hormones sexuelles. L'étude de la castration montre généralement qu'une intervention chirurgicale réduit le comportement violent des délinquants sexuels, surtout dans les cas où un *excès de libido* serait à l'origine des assauts (Brain, 1984). La castration peut être réversible grâce à l'administration de médicaments antiandrogènes comme l'acétate de cyprotérone qui exerce son effet d'antiandrogène, en rivalisant avec la testostérone pour l'occupation de sites récepteurs. Plusieurs recherches auprès de criminels qui s'étaient livrés à des assauts sexuels indiquent que l'administration de telles substances réduit les pulsions et l'appétit sexuels (Brain, 1984). Des chercheurs ont prétendu toutefois que l'impact des antiandrogènes sur le comportement agressif est moins prévisible que leurs effets sur le comportement sexuel (Itil, 1981). Plusieurs questions d'éthique se posent à l'égard de ce mode de réhabilitation des délinquants sexuels et les problèmes complexes reliés à ces interventions sont encore loin d'avoir trouvé une solution. Un élément important du débat sur l'utilisation des interventions hormonales chez des criminels consiste en la nécessité d'arriver à une appréciation plus juste des liens entre agression et comportement sexuel et du rôle des hormones dans cette relation.

Mécanismes nerveux de l'agression

Pendant nombre d'années, des chercheurs ont appliqué des stimulations électriques dans diverses régions du cerveau d'animaux éveillés et alertes afin de tenter de tracer des cartes anatomiques de l'activité agressive. Les expériences de pionnier de Hess, au cours des années 1920, sont à l'origine de ces travaux. La nature spectaculaire de divers éléments du comportement agressif des félins a fait du chat l'animal favori pour ce genre d'expérience. Un exemple de cartographie cérébrale des diverses manifestations agressives du chat est présenté à la figure 15.15. La plupart des sites d'où on peut déclencher des comportements agressifs se trouvent à l'intérieur du système limbique et des régions du tronc cérébral qui lui sont reliées. Les schèmes de comportement déclenchés et l'importance des éléments

Figure 15.15 Répartition, chez le chat, des sites cérébraux qui donnent des réactions émotionnelles durant une stimulation électrique. La stimulation de la zone interne de l'hypothalamus et de l'aire grise centrale donne lieu à des sifflements. La stimulation de la zone externe (gris) entraîne la fuite. (De de Molina et Hunsperger, 1959.)

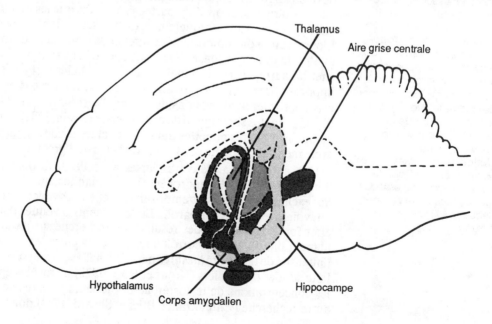

particuliers varient selon les régions. Par exemple, la stimulation de l'aire centrale grise du tronc cérébral donne lieu à la piloérection, le sifflement, la rétraction des griffes et surtout à l'émission de sons caractéristiques et forts.

Controverses sur les aspects neurologiques de la violence humaine

Certaines formes de violence humaine sont marquées d'assauts physiques soudains et intenses. Dans un livre controversé intitulé *Violence and the Brain**, Mark et Ervin (1970) ont laissé entendre que certaines formes de violence humaine intense sont dues à des perturbations épileptiques du lobe temporal. À titre de preuves, ils ont présenté des exemples horribles puisés dans des reportages de journaux. En 1966 par exemple, Charles Whitman a grimpé au sommet d'une tour de l'Université du Texas et a tué, tout à fait gratuitement, un grand nombre de passants. Plus tôt dans la journée, il avait assassiné des membres de sa famille et les lettres qu'il a laissées donnaient l'image d'un jeune homme désorienté et en proie à un immense besoin de s'adonner à la violence. À l'autopsie, l'analyse de son cerveau révéla la présence d'une tumeur au fond du lobe temporal. Parmi d'autres données, plus rigoureuses, présentées par Mark et Ervin, il faut noter les activités agressives habituelles des sujets qui ont des crises épileptiques du lobe temporal et l'hypothèse, depuis longtemps controversée, selon laquelle un fort pourcentage des criminels habituellement agressifs manifestent des EEG anormaux, indice d'une maladie probable des lobes temporaux. Ils soutiennent que les perturbations du lobe temporal sont probablement à l'origine de plusieurs formes de violence humaine et produiraient un désordre dit *syndrome de l'absence de contrôle*.

Mark et Ervin ont présenté plusieurs rapports cliniques détaillés de sujets souffrant probablement de perturbations épileptiques du lobe temporal. On avait pratiqué chez ces sujets l'implantation d'électrodes en profondeur à l'intérieur du lobe temporal. La stimulation électrique de plusieurs sites sur le trajet de l'électrode déclenchait des crises épileptiques qui caractérisaient le sujet (figure 15.16). On observa de violents comportements d'attaque directement associés au déclenchement des crises du lobe temporal. L'intervention chirurgicale (ablation de certaines régions du lobe temporal, surtout celle de la région du corps amygdalien) entraîna chez certains sujets une réduction marquée tant de l'activité épileptique que des témoignages de comportement agressif.

Une bonne partie de la controverse engendrée par cette monographie tient à la prétention qu'une grande proportion de la violence humaine serait d'origine neuropathologique (Valenstein, 1973). L'idée que la neurochirurgie serait en mesure d'atténuer des formes de comportement violent qui, selon d'autres, seraient plus faciles à expliquer comme conséquences de problèmes sociaux et de défectuosités du développement, a également suscité des débats animés.

Beaucoup d'autres études ont associé violence et épilepsie. Une proportion élevée des jeunes et des adultes arrêtés pour des crimes de violence donnent un tracé d'EEG anormal (Williams, 1969; Lewis et coll., 1979). Un groupe de sujets examinés par Derinsky et Bear (1984) et qui étaient sujets à des crises d'épilepsie mettant en cause des structures du système limbique impliquées dans le contrôle des émotions, ont manifesté des comportements agressifs après le développement d'un foyer d'épilepsie à l'intérieur de ce système. Ces chercheurs n'ont pas trouvé, dans le passé de l'un ou l'autre de ces sujets, de facteurs sociologiques normalement associés à l'agressivité, par exemple le fait d'avoir été maltraité par les parents, la pauvreté ou l'usage de drogues. Chez ces malades, l'agressivité se présente comme un événement qui se produit entre les attaques; on observe rarement de l'agression directe au cours même d'une attaque mettant en cause le système limbique (Delgado-

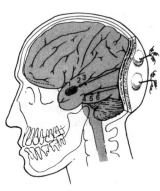

1. Agréable; plein d'espoir; détendu; confiant; l'opposé direct de la crise épileptique; créateur; rempli de joie; dans les nuages; plein de chaleur; paisible; calme

2. Désagréable; « ondes de TSF » dans la poitrine

3. Sentiment de « regarder » une scène

4. Perte de pouvoir; faiblesse; sentiment d'étrangeté

5. Curieux; chaleur; flottement; vision embrouillée

6. Souffle coupé; difficulté à communiquer ses pensées

Figure 15.16 Agressivité humaine et stimulation du lobe temporal. Réponses d'un sujet à la stimulation aux divers endroits du lobe temporal indiqués sur ce dessin. Le corps amygdalien est la structure ovale pénétrée par le bout de l'électrode supérieure. (D'après Mark et Ervin, 1970.)

_____

* La violence et le cerveau

Escueta et coll., 1981). Même si la relation entre violence/agression et épilepsie reste controversée, un nombre grandissant d'observations viennent appuyer la possibilité d'une telle association chez certains individus.

Le débat sur les aspects biologiques de la violence humaine a accordé une importance considérable à certaines anomalies des chromosomes sexuels de l'être humain. Cet intérêt s'est trouvé partiellement alimenté par le fait qu'un assassin qui avait tué un groupe d'infirmières dans leur résidence présentait le rare arrangement chromosomique XYY. Dans les études des hormones et de l'agression chez les animaux, des chercheurs qui avaient noté l'existence d'un lien avec les hormones mâles ont fait l'hypothèse d'une relation possible entre la violence et la présence d'un chromosome Y additionnel. Cette anomalie chromosomique est très rare, ce qui contribue à la difficulté de vérifier une telle hypothèse. Sachant que le Danemark garde des registres très précis de la naissance et des caractéristiques vitales de ses citoyens, des chercheurs ont procédé à une analyse approfondie de la relation entre l'agression humaine et le complément chromosomique XYY (Mednick et Christiansen, 1977). Constatation étonnante pour certains, ils ont découvert qu'en dépit du fait que les mâles XYY risquaient davantage, le crime dont ils étaient accusés n'était pas forcément de nature violente. En effet, le motif de détention était habituellement des vols de peu d'importance et des délits semblables; le faible niveau d'intelligence sociale de plusieurs de ces individus semblait leur enlever toute capacité de cacher leurs crimes. Plus récemment, Meyer-Bahlburg (1981) a émis l'opinion qu'il n'existe pas de vraies preuves à l'effet que les mâles XYY soient caractérisés par des anomalies importantes de production d'androgènes ou de gonadotropine, même si certains faits démontrent qu'ils sont plus agressifs que les êtres humains normaux.

BIOLOGIE DES TROUBLES MENTAUX

Le très vaste domaine des troubles mentaux s'est vite imposé comme l'un des défis les plus fascinants de l'étude biologique du comportement humain. L'ampleur du problème apparaît nettement dans une très importante enquête sur les troubles mentaux, menée aux États-Unis par les Instituts Nationaux de la Santé (*National Institutes of Health*) (Robins et coll., 1984; Myers et coll., 1984; Burnham et coll., 1987) et effectuée à domicile auprès de 18 000 adultes résidant dans quatre grandes villes et dans une région rurale. Le rapport fait surtout ressortir que, sur une période de six mois, presque 20 % des adultes américains sont affectés par au moins un problème de nature psychiatrique. Au moins 8 % de la population souffre de troubles d'anxiété et 6 à 7 % est aux prises avec des problèmes de drogue ou de dépendance et, surtout, de consommation d'alcool. La dépression et les troubles connexes affectent 6 % de la population adulte et au moins un individu sur cent est schizophrène. Dans l'ensemble, les taux de troubles mentaux sont comparables chez l'homme et chez la femme, même si les types de maladies caractéristiques de chaque sexe sont légèrement différents. On constate des différences particulièrement marquées dans la dépression, trouble beaucoup plus fréquent chez la femme, et dans la dépendance envers les drogues et l'alcool, problèmes plus évidents dans la population masculine. Certaines maladies psychiatriques, l'abus des drogues et la schizophrénie par exemple, ont tendance à apparaître relativement tôt dans la vie. Les cas de dépression et de personnalité antisociale marquent un sommet entre 25 et 44 ans, alors que les défaillances d'ordre cognitif se présentent surtout chez ceux qui ont plus de 65 ans. Les troubles mentaux imposent un tribut énorme aux êtres humains et les efforts déployés pour comprendre ces problèmes représentent une bonne partie de la recherche réalisée dans des domaines variés, de la biologie cellulaire à la sociologie. Bien que plusieurs perturbations psychiatriques aient été abordées d'un point de vue exclusivement psychologique dans le passé, les efforts actuels ont pris une orientation biologique distincte. On en arrive à un raffinement progressif des catégories de troubles mentaux comme la schizophrénie et l'anxiété. Ce progrès contribue non seulement à l'avancement des connaissances mais également à l'amélioration de l'intervention thérapeutique.

Certains germes d'une approche biologique en psychiatrie furent semés vers le tournant du siècle. À ce moment-là, une psychose largement répandue était responsable, à elle seule, de 20 à 25 % des malades gardés dans les hôpitaux psychiatriques. La description de ces sujets portait sur les symptômes suivants : de profonds délires, des sentiments de grandeur et d'euphorie, un jugement défectueux, un comportement impulsif et capricieux et d'importants changements des structures de la pensée.

Connue depuis des siècles, cette perturbation apparaissait dans pratiquement toutes les sociétés du monde. Beaucoup la considéraient comme une psychose fonctionnelle résultant du stress et des contraintes engendrés par l'interaction sociale et personnelle. Puis, en 1911, le microbiologiste Hideyo Noguchi découvrit la cause de cette grave psychose. En examinant le cerveau de cadavres à l'autopsie, il constata que des changements importants dans le cerveau étaient l'œuvre du *Treponema pallidum*, bactérie de la famille des spirochètes. Cette psychose était attribuable à la syphilis, maladie vénérienne qui avait accablé l'homme à travers les âges. Cette découverte de Noguchi a marqué le début d'une ère de biologie psychiatrique qui, aux dires de certains, atteindrait présentement son âge d'or.

SCHIZOPHRÉNIE

Aux États-Unis, à une certaine époque, la moitié de tous les lits d'hôpitaux se trouvaient occupés par des malades schizophréniques. Plusieurs de ces individus passaient leur vie entière dans un état d'incapacité dû à l'hallucination, le délire et des anomalies généralisées de l'affectivité et de la pensée. Les progrès de la psychobiologie et des neurosciences ont donné un accent biologique distinct aux travaux sur la schizophrénie et plusieurs découvertes récentes ont commencé à alimenter l'espoir d'en arriver à des progrès considérables au cours du prochain quart de siècle. Les chercheurs continuent à se demander si cette maladie représente une seule entité ou une famille de troubles apparentés; la recherche biologique aide à clarifier cette question.

La schizophrénie n'est le propre d'aucune société moderne en particulier; il s'agit plutôt d'un mal généralisé sur toute la planète. Cette conclusion découle de plusieurs sources. Les études épidémiologiques de longue durée de l'Organisation Mondiale de la Santé comportent certaines recherches pertinentes (Sartorius et coll., 1986). Par exemple, on a comparé récemment le taux de schizophrénie dans des villes spécifiques de dix pays différents. Cet échantillonnage regroupait autant des personnes issues des populations industrielles avancées (Rochester, New York; Moscou, U.R.S.S.; Aarhus, Danemark) que des villes pauvres de pays en voie de développement (Agra, Indes; Cali, Colombie; Ibadan, Nigéria). De même, le profil des symptômes est passablement analogue dans ces divers milieux culturels. Toutefois, on constate des différences majeures dans le mode d'apparition de la maladie; dans les pays en voie de développement, la maladie se manifeste de façon aiguë chez à peu près 50 % des sujets alors que 26 % seulement des citoyens des pays industrialisés connaissent ce mode de déclenchement. Les études de suivi étalées sur une période de deux ans révèlent également que le pronostic est plus favorable dans les pays moins industrialisés, phénomène surprenant qui serait peut-être attribuable à certains des réseaux d'aide sociale accessibles dans les pays en voie de développement.

Génétique de la schizophrénie

Même si l'hypothèse du rôle de l'hérédité dans la schizophrénie prévaut depuis assez longtemps, les études génétiques de cette maladie ont prêté à controverse pendant plusieurs années. Les données et les spéculations propres à ce domaine de recherche ont donné lieu à plusieurs échanges violents, notamment parce que les premiers chercheurs en génétique psychiatrique semblaient associer la présentation de leurs résultats à des plaidoyers en faveur de l'adoption de mesures eugéniques qui répugnaient à certains. De plus, les premiers travaux n'ont pas tenu compte du fait que l'environnement est un des principaux agents de modification de l'action des gènes. À un génotype donné correspond souvent un vaste répertoire de conséquences variées qui sont déterminées aussi bien par des facteurs de milieu que par des facteurs de développement. Une façon plus contemporaine de concevoir la génétique des maladies psychiatriques a contribué à l'adoption de nouvelles perspectives importantes sur la genèse de la schizophrénie.

L'objectif fondamental des travaux dans ce domaine vise la compréhension du rôle des facteurs génétiques dans l'étiologie et la persistance des états schizophréniques. Puisque les divers types d'études des populations démontrent que l'hérédité joue un rôle significatif dans cette maladie, il devient important de chercher à décrire les mécanismes responsables de telles conséquences, y compris les processus neurochimiques, neurophysiologiques et neuroanatomiques déviants. Les études génétiques sont également importantes à cause de leur contribution à l'élaboration de programmes de prévention. S'il était démontré, par exemple, qu'une participation génétique constitue un ingrédient significatif dans l'étiologie de la schizophrénie, il deviendrait important de créer des programmes d'intervention appropriés pour aider la population vulnérable. Nous avons déjà décrit, au chapitre 4, une stratégie semblable qui s'applique à un type d'arriération mentale.

On estime à environ 10 millions la population mondiale des schizophrènes. Ce nombre considérable a permis aux chercheurs d'effectuer une variété d'études génétiques (Baron, 1986a, b), notamment sur les histoires familiales, les jumeaux et l'adoption.

Études des histoires familiales

Si la schizophrénie est vraiment un mal héréditaire, les parents de schizophrènes devraient présenter un taux de schizophrénie plus élevé que celui qu'on observe dans la population en général. En outre, le risque de devenir schizophrène que courent les membres d'une telle famille devrait s'accroître avec le degré de parenté puisque les parents proches ont un plus grand nombre de gènes en commun. Il se trouve, en effet, que les enfants ainsi que les frères et sœurs des schizophrènes risquent généralement plus d'être ou de devenir schizophrènes que les individus d'une population moyenne. Plus la parenté biologique est grande, plus le risque est grand.

Les études des histoires familiales prêtent facilement à la critique. D'abord, les facteurs héréditaires et les facteurs liés à l'expression des individus sont totalement confondus, puisque les membres d'une même famille les partagent. De plus, les données dépendent habituellement des souvenirs de parents susceptibles d'utiliser leur mémoire pour situer les origines du mal en attribuant le *blâme* à quelqu'un en particulier. On montrera facilement du doigt les oncles et les tantes *bizarres* maintenant décédés, les désignant comme les agents responsables de la maladie mentale. Dans ce domaine, les meilleures études s'en tiennent aux cas qui ont fait l'objet de diagnostics professionnels.

Études sur les jumeaux

Les jumeaux fournissent aux chercheurs ce qui semble constituer, à prime abord, les conditions parfaites d'une expérience génétique. Les jumeaux humains peuvent provenir d'un même ovule (jumeaux identiques ou monozygotes) ou de deux ovules distincts (jumeaux fraternels). En outre, plusieurs jumeaux ont d'autres frères et sœurs. Dans le cas

Tableau 15.1 Taux de concordance de la schizophrénie chez des jumeaux monozygotes et hétérozygotes.

de la schizophrénie, les études sur les jumeaux visent à déterminer la fréquence d'apparition de cette maladie et, plus spécifiquement, la différence dans le taux d'apparition chez les jumeaux identiques par rapport à celui noté chez les jumeaux fraternels. Lorsque deux jumeaux sont schizophrènes, on dit qu'ils sont concordants par rapport à cette caractéristique. Si un seul des deux jumeaux est schizophrène, la paire est considérée comme discordante. Ces taux sont comparés au tableau 15.1. Ces recherches révèlent de façon très nette des taux de concordance beaucoup plus élevés chez les jumeaux identiques.

Les recherches contemporaines continuent de confirmer ces résultats. Dans une étude récente utilisant la méthode des jumeaux, Kendler et Robinette (1983) ont trouvé sur 50 000 jumeaux, une concordance de 30,9 % chez les jumeaux monozygotes et de 6,5 % chez les jumeaux hétérozygotes. Cette étude apporte une confirmation additionnelle du rôle des facteurs génétiques dans l'étiologie de la schizophrénie.

Est-il possible d'affirmer que ces données reflètent le caractère héréditaire de la schizophrénie ? Les études sur les jumeaux schizophrènes ont été critiquées à plusieurs points de vue. Des données indiquent que les jumeaux se distinguent quant au développement physique, leur masse corporelle à la naissance étant habituellement inférieure à la moyenne et leur développement ne s'effectuant pas au même rythme que celui des enfants non jumeaux. De plus, les parents traitent les jumeaux identiques de façon très différente des jumeaux fraternels, ce qui engendre une variable introduisant une certaine confusion.

Malgré ces faiblesses, les études sur les jumeaux n'en démontrent pas moins l'importance des mécanismes génétiques dans la formation de troubles psychotiques, notamment ceux de la schizophrénie. Ces études donnent toujours des plus hauts taux de concordance de schizophrénie chez les jumeaux identiques que chez les jumeaux fraternels ou les frères et sœurs ordinaires.

L'étude des jumeaux identiques discordants quant à la schizophrénie peut apporter des renseignements utiles sur les facteurs susceptibles de conduire à la schizophrénie et sur ceux qui pourraient protéger contre l'apparition de cette anomalie. Plusieurs travaux insistent sur le fait que le jumeau qui est devenu schizophrène a de fortes chances d'être celui qui avait été le plus anormal durant toute sa vie. Souvent, le jumeau symptomatique avait, à la naissance, une masse corporelle plus petite et avait connu plus de problèmes physiologiques pendant les premières phases de son développement (Wahl, 1976). Cette évolution dans l'enfance est également associée au fait que les parents considéraient le jumeau symptomatique comme plus vulnérable. Au cours de son développement, ce jumeau se montrait plus soumis, plus craintif et plus sensible que son frère ou sa sœur identique. Ce genre de recherche n'en est qu'à ses débuts et peut encore fournir des indications sur la façon de contrecarrer la schizophrénie. Nous soulignons cet aspect des études génétiques pour bien montrer que ces études de la schizophrénie ne sont pas *fatalistes* mais qu'au contraire, elles permettent d'envisager positivement des moyens de prévention. Le cas le plus frappant de schizophrénie touchant les naissances multiples est décrit à l'encadré 15.1.

Études sur l'adoption

La critique des techniques utilisant les jumeaux a mené aux études sur l'adoption, qui ont permis d'établir l'importance relative des facteurs génétiques dans beaucoup de maladies psychiatriques. La plupart des données pertinentes proviennent des pays scandinaves où l'on dispose de rapports assez complets sur l'observation suivie des enfants adoptés. Dans des recherches rapportées par Kety et ses collaborateurs (1975), on a identifié les parents biologiques et les parents adoptifs de tous les enfants d'âge tendre proposés pour adoption, pendant une certaine période de temps, et on a repéré ceux qui avaient été hospitalisés pour des troubles de nature psychiatrique. Un plus grand nombre de maladies mentales s'est manifesté chez les rejetons de parents schizophrènes que dans un groupe contrôle d'enfants

L'utilisation par excellence de la *méthode des jumeaux* a été réalisée dans une étude sur un cas rare de naissances multiples, étude publiée pour la première fois dans un ouvrage intitulé *Les quadruplés Genain* (Rosenthal, 1963). Ce volume rapportait la triste histoire de quadruplés identiques tous devenus schizophrènes. En se rapportant aux données épidémiologiques actuelles, c'est là un événement extrêmement rare (fréquence de 1 naissance sur 500 millions). Il ne faut donc pas se surprendre du fait que ces quadruplés aient été étudiés de façon intensive et de ce que, 20 ans après la première recension du *National Institute of Mental Health* (Institut National de la Santé Mentale), ils aient été examinés à nouveau. On a publié récemment plusieurs articles présentant une perspective longitudinale de la schizophrénie dans ce que l'on pourrait décrire comme quatre copies des mêmes gènes (Buchsbaum et coll., 1984; DeLisi et coll., 1984; Mirski et coll., 1984).

L'histoire débute dans un petit village de la Nouvelle-Angleterre où sont nés les quadruplés. Bien qu'ils fussent génétiquement identiques, ces enfants présentèrent des différences de comportement dès leur plus tendre enfance. Le quadruplé dont le développement comportemental et les réalisations sur le plan de l'éducation semblaient retarder le plus était celui qui devait éventuellement devenir le plus gravement malade. Enfants, on les trouvait gentils et bien élevés, bien que ceux qui leur enseignaient avaient remarqué qu'ils n'avaient pas la curiosité typique des jeunes enfants. Ils se séparaient rarement et ne semblaient pas posséder une personnalité individuelle distincte. On observa que l'atmosphère de leur milieu familial était dépourvue de plaisir et d'humour. Chacun d'eux tomba malade vers sa vingtième année; la description clinique note un repli sur eux-mêmes, des expériences hallucinatoires, des caractéristiques de délire et d'autres éléments spécifiques à chacun des quadruplés. Ainsi, malgré la concordance du diagnostic de schizophrénie dans les quatre cas, il convient de noter que ces quadruplés n'étaient pas identiques quant aux manifestations cliniques de cette maladie. L'image clinique changea au cours des 25 années qui suivirent le diagnostic initial. Tous les quatre ont connu des périodes psychotiques qui se sont écoulées entre les évaluations faites pour fins de recherche, bien que la gravité des épisodes récurrents ait varié. L'un des plus sérieusement atteints a passé 10 ans dans un hôpital psychiatrique. La réaction des quadruplés à la médication antipsychotique varie; le retrait des médicaments entraîne chez deux d'entre eux une exacerbation évidente des symptômes, alors que l'un des quatre ne manifeste que très peu de changement.

Les progrès techniques accomplis au cours des 25 dernières années ont permis d'en arriver à une évaluation neurologique plus spécifique que lors de l'examen initial. L'analyse des scintigrammes PET révèle, par exemple, une utilisation relativement faible de glucose dans les aires frontales, par rapport à celle de sujets normaux. Par contre, les quadruplés utilisaient plus de glucose dans les régions postérieures du cerveau que ne le faisaient les sujets témoins. L'EEG montrait une réduction de l'amplitude du rythme alpha, phénomène semblable à celui qu'on observe chez les autres sujets schizophrènes. Toutefois, l'examen des scintigrammes CAT, qui présentent des élargissements ventriculaires chez beaucoup d'autres sujets schizophrènes, n'a laissé voir aucune anomalie chez les quadruplés. On a constaté également que le système nerveux autonome réagissait lentement aux stimuli devant provoquer l'éveil. Les études biologiques présentaient également des caractéristiques rares. Le niveau de la dopamine bêta hydroxylase, enzyme qui transforme la dopamine en noradrénaline, était plus bas chez ces quadruplés que chez les témoins. Le même phénomène a été constaté dans au moins une des études sur les schizophrènes chroniques. L'urine des quatre sujets montrait une concentration élevée de phényléthylamine (PEA). Cette substance est considérée comme un hallucinogène endogène potentiel. Plusieurs autres mesures biochimiques évaluant des aspects du métabolisme de la dopamine et de la noradrénaline ne présentaient pas de différences avec celles des témoins. Les longues années d'examen intensif de ce groupe rare n'ont pas permis de repérer, de façon évidente et remarquable, quelque carence biologique que ce soit. Toutefois, les différences observées chez ces quadruplés servent à souligner le fait que l'information génétique n'est pas la seule base de la schizophrénie. Au contraire, plusieurs facteurs de l'environnement font sans aucun doute partie du tableau de l'étiologie et du maintien de cet état. Malheureusement, les progrès accomplis dans la recherche d'une compréhension biologique de la schizophrénie sont lents à se manifester. Les découvertes de demain offriront peut-être une perspective sur les quadruplés Genain qui échappe aux efforts d'aujourd'hui.

abandonnés pour fin d'adoption par des parents non schizophrènes. De plus, si l'on change de point de référence pour considérer les comparaisons entre parents biologiques et parents adoptifs d'enfants schizophrènes, des faits remarquables apparaissent. Les parents biologiques des enfants schizophrènes adoptés sont beaucoup plus susceptibles d'avoir été schizophrènes que les parents adoptifs. Il faut souligner que l'éducation de ces enfants a été assurée presque totalement par les parents adoptifs, ce qui élimine presque complètement l'influence sociale exercée par un parent schizophrène. Bien que les parents qui abandonnent leurs enfants dès le jeune âge pour fins d'adoption soient généralement plus susceptibles d'être impliqués dans des problèmes psychiatriques que la population en général, les différences dans les comparaisons entre malades et sujets contrôles n'en sont pas moins frappantes. Les données prouvent de façon concluante l'existence de facteurs génétiques prédisposant à la schizophrénie. Une réévaluation de ces résultats en fonction des critères diagnostiques actuels continue de montrer qu'il existe une forte proportion de schizophrènes et de personnes souffrant de troubles apparentés chez les parents biologiques des enfants adoptés qui sont devenus schizophrènes (Kety, 1983).

Bien que les faits militant en faveur d'une transmission génétique de la prédisposition à la schizophrénie soient clairs, le débat est toujours ouvert quant aux modèles génétiques possibles. En effet, ni les modèles à gène unique ni les modèles multifactoriels ne permettent d'expliquer l'ensemble des données (Faraone et Tsuang, 1985), ce qui complique la situation lorsqu'il s'agit de donner un conseil d'ordre génétique. Il faudra faire encore des recherches avant de clarifier la nature des mécanismes de transmission héréditaire du ou des facteurs responsables de la schizophrénie. Il se pourrait qu'un mouvement récent visant à établir des liens entre la schizophrénie et des marqueurs génétiques connus s'avère utile pour dénouer cette énigme de la causalité (Baron, 1986b).

Changements structuraux du cerveau et schizophrénie

Étant donné que les symptômes de la schizophrénie sont tellement évidents et persistants chez plusieurs malades, ne devrait-on pas découvrir un changement structural mesurable dans le cerveau de ces individus ? Les études *postmortem* faites sur le cerveau de schizophrènes, au cours des 100 dernières années, ont parfois donné des résultats intéressants, mais qui ont vite été remis en question par des études mieux contrôlées. Les recherches dans ce domaine ont généralement porté sur des malades âgés ou sur des malades qui avaient été hospitalisés pendant de longues périodes. L'avènement de la tomographie par ordinateur (scintigrammes CAT) permet maintenant d'étudier l'anatomie du cerveau, et ce à tous les stades de la maladie. Les données provenant de tels cas commencent à révéler la présence de changements constants de la dimension des ventricules latéraux des sujets schizophrènes. Le cerveau des schizophrènes change !

Weinberger et ses collaborateurs (1979) ont effectué des scintigrammes CAT de malades psychiatriques et les ont comparés à ceux d'individus en bonne santé formant un grand groupe contrôle. Ils ont mesuré la grandeur des ventricules et observé une différence significative : les ventricules des schizophrènes sont plus grands que ceux des individus normaux. Cet élargissement ventriculaire n'est associé ni à la durée de la maladie ni au temps d'hospitalisation. Dans une étude en suivi, Weinberger (1980) a indiqué que le degré d'agrandissement ventriculaire permettait de prévoir la réaction du malade aux médicaments antipsychotiques. Les sujets dont l'agrandissement ventriculaire est le plus important réagissent moins bien à ces médicaments, en ce sens que leurs symptômes psychotiques sont moins atténués. L'élargissement des ventricules observé chez les schizophrènes résulte d'une atrophie des tissus nerveux adjacents. En fournissant des indices sur les endroits où se produisent les changements dans le tissu nerveux, ces études pourraient permettre de comprendre les symptômes de la schizophrénie.

Ces premières études aux scintigrammes CAT ont révélé beaucoup de changements structuraux chez les schizophrènes. Plusieurs recherches sont venues corroborer cette découverte qui engendrent d'autres controverses. Des chercheurs ont noté que les personnes dotées de ventricules élargis forment un groupe qui se distingue par l'importance de leurs difficultés d'ordre cognitif et de leur inadaptation sociale (Kemali et coll., 1985). D'autres ont supposé que ces personnes avaient plus de parents du 1er degré schizophrènes que ceux dont les ventricules avaient des dimensions normales. Les scintigrammes CAT ont mis en relief plusieurs déficiences anatomiques dont la nature est controversée. Plusieurs études ont révélé une contraction marquée de la région du vermis du cervelet des malades chroniques, contraction qui n'est pas attribuable à l'usage prolongé de médicaments (Heath et coll., 1979; Snider, 1982). Dans les préparations anatomiques et sur les scintigrammes CAT de schizophrènes chroniques malades depuis leur jeunesse, on a également remarqué l'épaississement de certaines régions du corps calleux (Bigelow et coll., 1983).

Les succès obtenus avec les scintigrammes CAT ont donné un élan nouveau aux études *postmortem* des cerveaux de schizophrènes. Une étude en neuropathologie effectuée par Brown et ses collaborateurs (1986) a utilisé un ensemble considérable de contrôles de l'âge et du sexe et a écarté les malades dont les cerveaux révélaient des changements dus à la sénilité. Ils ont comparé leurs sujets avec des malades qui avaient un diagnostic de troubles d'ordre affectif. Les mesures effectuées sur les cerveaux de leurs sujets schizophrènes révélaient un élargissement des ventricules latéraux et un amincissement des régions corticales parahippocampiques. Il se pourrait donc que les ventricules élargis observés aux scintigrammes CAT soient dus à des changements dégénératifs dans le lobe temporal. Des travaux de Kovelman et Scheibel (1984) font état de modifications structurales dans l'hippocampe de schizophrènes chroniques. Ces chercheurs ont en effet comparé les cerveaux étudiés avec ceux de malades de même âge qui ne présentaient aucune pathologie du cerveau. Un échantillon des différences cellulaires typiques observées dans la région examinée est présenté à la figure 15.17. Les auteurs ont constaté que les cellules pyramidales des schizophrènes chroniques manquaient d'orientation, ce qui est une sorte de désordre cellulaire. L'absence de polarité cellulaire normale serait probablement attribuable à des enchaînements synaptiques anormaux mettant en cause les influx qui arrivent et ceux qui partent de ces cellules. Ces chercheurs supposent que de tels changements structuraux se produisent tôt dans la vie et croient qu'ils pourraient refléter des problèmes génétiques ou des problèmes de développement.

Plusieurs théories des liens associant la plasticité de l'anatomie du cerveau à la schizophrénie s'intéressent principalement au développement anatomique. Selon un chercheur, une faille dans une diminution programmée des synapses, au cours de l'adolescence, provoquerait une réorganisation principale des structures cérébrales, ce qui engendrerait la schizophrénie (Feinberg, 1982). Par ailleurs, Haracz (1984) a laissé entendre que des facteurs génétiques pourraient prédisposer le cerveau d'un schizophrène à subir des modifications plastiques inhabituelles en réaction aux stress routiniers de la vie. Cette hypothèse découle de nombreuses observations démontrant que l'expérience peut entraîner des changements dans les structures du cerveau (voir chapitre 17).

Des observations préliminaires au moyen de scintigrammes PET ont permis de noter une caractéristique métabolique rare du cerveau des schizophrènes. Des travaux de Buchsbaum et de ses collaborateurs (1984) indiquent que les personnes schizophrènes présentent relativement moins d'activité métabolique que les sujets normaux dans les lobes frontaux que dans les lobes postérieurs. Cette observation, parfois nommée *hypothèse de l'hypofrontalité*, a engendré une certaine controverse. Ces changements de fonction et de structure des lobes frontaux se trouvent appuyés par les études sur les EEG et par les observations RMN récentes de personnes schizophrènes (Morihisa et McAnulty, 1985; Andreasen et coll., 1986).

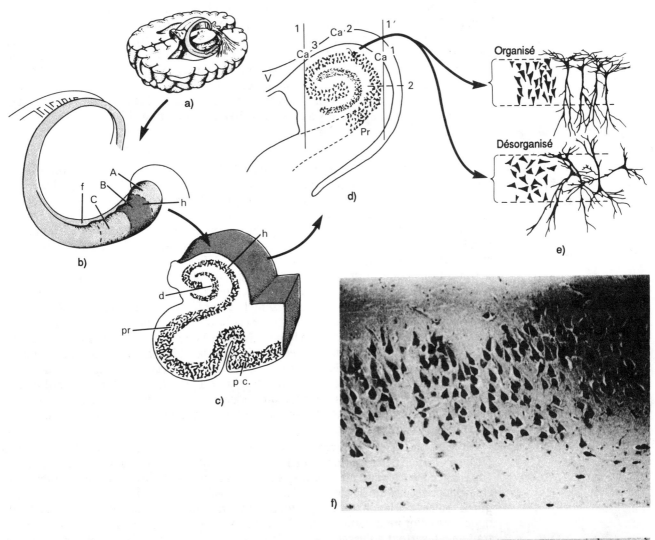

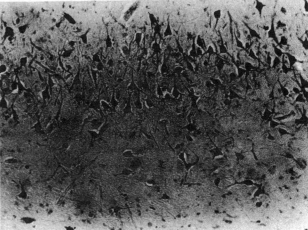

Figure 15.17 a) Coupe horizontale des hémisphères cérébraux révélant le site de l'hippocampe. b) Grossissement de l'hippocampe h, et du fornix (trigone cérébral) f, montrant les sites des segments antérieur A, moyen B, et postérieur C, de l'hippocampe. c) Grossissement d'un segment isolé de l'hippocampe faisant apparaître des coupes de l'hippocampe h, de la circonvolution dentée d, du prosubiculum pr et de la circonvolution parahippocampique pe. d) Subdivisions des régions Ca1, Ca2 et Ca3 de l'hippocampe. Les chiffres 1, 1' et 2 sont des lignes de référence. Le chiffre romain V est le ventricule latéral. e) Comparaison de l'orientation des cellules pyramidales dans une coupe de l'hippocampe d'un sujet normal (en haut) et d'un schizophrène (en bas). f) Coupe histologique d'un sujet témoin normal. g) Coupe histologique d'un sujet malade. (De Kovelman et Scheibel, 1984, Elsevier Science Publisher.)

Les études de la pathologie cérébrale de la schizophrénie connaissent un regain de vigueur. Plusieurs des changements pathologiques décrits se trouvent dans des régions du système limbique mises en cause dans les mécanismes nerveux de l'émotion. Certaines de ces constatations semblent permettre un système de classification de la schizophrénie plus subtil puisqu'il devient clair qu'une pathologie structurale évidente n'est pas le lot de tous les sujets schizophrènes. Malgré l'occurrence de problèmes méthodologiques reliés à ces travaux et le manque de fiabilité de certaines observations, il est évident que ces études permettent tous les espoirs. Il y a de la lumière au bout du tunnel !

Perspectives neurochimiques de la schizophrénie

Pour expliquer la maladie mentale, on attachait depuis toujours beaucoup d'importance à ses origines biologiques. On a ainsi associé à la schizophrénie les lésions, les infections, le régime alimentaire et les maladies cérébrales. Les hypothèses sur les causes de la schizophrénie se sont précisées avec la progression de la connaissance de la neurochimie du cerveau. Aujourd'hui, plusieurs théories privilégient les causes biologiques, en s'appuyant sur de nombreuses données expérimentales et observations cliniques. L'une d'elles veut que la schizophrénie résulte de processus métaboliques déficients qu'entraîneraient des excès ou des insuffisances de substances neurochimiques normalement présentes dans le cerveau. Dans la plupart des cas, ces substances sont des neurotransmetteurs ou neuromodulateurs. À cet égard, la conception qui exerce actuellement le plus d'influence sur les travaux se rapportant à la schizophrénie est centrée sur le rôle de la dopamine. Ce type de changement aurait pour effet de conduire à une hypoactivité ou à une hyperactivité de certains circuits cérébraux. Selon une seconde perspective générale, la schizophrénie serait la conséquence de processus métaboliques déficients dans le cerveau qui seraient à l'origine de substances anormales engendrant des comportements psychotiques. Ces substances hypothétiques nommées **psychotogènes** ou **schizotoxines** pourraient avoir des propriétés semblables à celles d'agents hallucinogènes. Cette orientation théorique est bien illustrée dans l'hypothèse de la *transméthylation*.

En dépit du fait que ces recherches débouchent sur des idées et des faits intéressants, plusieurs problèmes continuent d'en entraver le progrès. D'abord, il est très difficile de départager les événements biologiques qui sont les causes primaires des troubles psychiatriques et ceux qui ne sont que des effets secondaires. Ces effets secondaires sont ceux qui découlent des inadaptations profondes du comportement social et ils peuvent aller des déficiences d'ordre diététique jusqu'à un stress prolongé. Des variables se rapportant au traitement, surtout à l'usage continu de substances antipsychotiques, peuvent également venir masquer ou déformer la recherche des causes primordiales, puisqu'elles entraînent souvent des changements marqués dans la physiologie et la biochimie du cerveau et du corps. La définition même du mot *schizophrénie* représente un problème majeur. S'agit-il d'une maladie unique ou de plusieurs maladies aux origines et aux conséquences différentes ? Les psychiatres sont aux prises avec ce problème depuis longtemps déjà et plusieurs soutiennent que le terme *schizophrénie* n'est pas une étiquette univoque, puisqu'on peut distinguer deux types majeurs de schizophrénie. L'un porte le nom de *schizophrénie de processus* et réfère à des personnes qui manifestent de la réclusion sociale en bas âge et deviennent psychotiques plus tard, au cours de l'adolescence; très souvent ils témoignent tout le long de leur vie d'une évolution chronique d'épisodes psychotiques intermittents ou continus. Aucun facteur de situation ne semble responsable de cet effondrement psychotique. Par contre, l'autre type, la *schizophrénie de réaction*, laisse apparaître un lien plus évident avec des facteurs de stress d'ordre situationnel. Ces malades connaissent une période psychotique plus aiguë et ont de meilleures chances de trouver une adaptation satisfaisante. Plus récemment, on a établi une distinction entre les malades qui présentent des symptômes *positifs* (hallucinations et délires) et ceux qui présentent des symptômes *négatifs* (absence de réactions émotives et retard dans les mouvements) (Andreasen, 1985). Ces deux groupes de malades ont des attributs différents, tant sur le plan psychologique que sur le plan biologique.

Hypothèse de la dopamine

Selon plusieurs résultats de recherches cliniques et fondamentales, ce seraient les niveaux anormaux de dopamine qui seraient à la base de la schizophrénie. La dopamine est un transmetteur synaptique que l'on trouve dans le cerveau (chapitre 6). Les premières données expérimentales qui ont permis de formuler une telle hypothèse sont venues de plusieurs sources d'observation, incluant les psychoses dues à l'amphétamine, les effets des agents tranquillisants et la maladie de Parkinson.

Une partie de l'aventure de la dopamine commence avec la recherche de modèles expérimentaux de la schizophrénie. La réalisation de progrès scientifiques essentiels dans la compréhension des maladies humaines dépend souvent de l'élaboration d'un modèle contrôlable d'un trouble donné, habituellement la reproduction chez un animal de ce trouble, permettant alors aux expérimentateurs de le faire apparaître ou disparaître à volonté. Des chercheurs qui s'intéressaient au domaine psychiatrique ont proposé les effets de certains agents hallucinogènes en guise de modèles de la schizophrénie. Il ne fait aucun doute que de nombreuses drogues comme le LSD et la mescaline, entraînent des changements perceptifs, cognitifs et affectifs profonds. Ces agents reproduisent plusieurs aspects des psychoses. Toutefois, bon nombre de caractéristiques des effets de ces drogues sur le comportement sont assez différentes de celles de la schizophrénie. La plupart des psychoses engendrées par les drogues sont marquées au sceau de la confusion, de la désorientation et du franc délire; ce ne sont pas là des symptômes typiques de la schizophrénie. Les hallucinations produites par ces drogues sont habituellement visuelles, contrairement aux hallucinations à prédominance auditive de la schizophrénie. Les schizophrènes auxquels on administre du LSD rapportent que l'expérience qui en résulte est très différente des expériences découlant de leur maladie et les psychiatres arrivent facilement à faire une distinction, à partir de bandes magnétiques, entre les conversations de schizophrènes et celles de sujets sous l'influence d'agents hallucinogènes. Toutefois, un état créé par la drogue a presque réussi à reproduire l'état schizophrénique : il s'agit de la psychose à l'amphétamine.

L'abus de l'amphétamine entraîne une psychose inhabituelle. Certains individus utilisent quotidiennement l'amphétamine comme stimulant. Mais, pour maintenir le même niveau d'euphorie, il leur est nécessaire d'augmenter progressivement la dose, si bien que celle-ci peut atteindre jusqu'à 3 000 mg par jour, ce qui est loin des 5 mg habituellement utilisés pour contrôler l'appétit ou prolonger l'état d'éveil. Plusieurs de ces individus manifestent des symptômes paranoïdes, incluant souvent des délires de persécution avec hallucinations auditives. Un caractère soupçonneux et l'adoption de postures bizarres font également partie du tableau de cette condition. On conclut à une ressemblance entre la psychose à l'amphétamine et la schizophrénie du fait que l'amphétamine exacerbe les symptômes de la schizophrénie. Sur le plan neurochimique, l'amphétamine a pour effet de favoriser la libération des catécholamines, surtout la dopamine, et de prolonger l'action du transmetteur ainsi libéré en bloquant sa réabsorption. On peut soulager rapidement la psychose à l'amphétamine par injection de chlorpromazine.

Même si un usage excessif d'amphétamine peut conduire à un état qui imite la schizophrénie paranoïde, on croit généralement que ce phénomène dépend probablement plus de l'influence exercée par les amphétamines sur la noradrénaline que sur la dopamine (Carlton et Manowitz, 1984). Beaucoup d'autres substances augmentant l'activité de la dopamine peuvent ne pas produire de symptômes qui imitent la schizophrénie.

Au début des années 1950, il existait aux États-Unis environ 500 000 hopitaux psychiatriques, mais ce nombre a diminué de façon spectaculaire au cours des années qui ont suivi. Plusieurs facteurs ont contribué à cette réduction, le plus important étant l'introduction d'un médicament remarquable pour le traitement de la schizophrénie. Alors qu'il était à la recherche d'un agent de détente musculaire pour fins de chirurgie, Henri Laborit, médecin français, a découvert un composé qui réduisait également l'inquiétude et la tension préopératoires. Chercheur à l'esprit perspicace, Laborit collabora ensuite avec des psychiatres pour étudier les effets de cette substance sur des malades psychiatriques; ils ont constaté qu'elle avait des effets antipsychotiques remarquables. Ce médicament, la **chlorpromazine**, fut alors introduit sur une vaste échelle dans les hôpitaux psychiatriques du monde entier et exerça un impact profond sur la pratique de la psychiatrie. Aujourd'hui, un nombre imposant d'études bien contrôlées démontrent que cette substance et plusieurs autres qui lui sont apparentées (les phénothiazines) sont des agents antipsychotiques spécifiques. Des études neurochimiques indiquent que cette substance exerce son action sur le cerveau en bloquant les sites récepteurs postsynaptiques de la dopamine, notamment le type D_2 de récepteurs de la dopamine (figure 15.18). Il faut se souvenir qu'il existe plusieurs voies nerveuses principales qui contiennent de la dopamine (chapitre 6). L'un des effets principaux des drogues antipsychotiques (également nommées *neuroleptiques*) s'exercerait sur les terminaisons à dopamine du système limbique. Ces cellules prennent leur origine dans le tronc cérébral, près du *locus niger*. L'efficacité clinique des agents antipsychotiques (auxquels on donne également le nom de tranquillisants) est directement proportionnelle à l'amplitude du blocage des récepteurs postsynaptiques des sites de dopamine. Ce fait permet de supposer que la schizophrénie pourrait être le résultat de niveaux excessifs de dopamine libérée et accessible ou d'une sensibilité postsynaptique exagérée à la dopamine libérée qui pourrait mettre en cause une population trop élevée de sites de réception postsynaptiques de la dopamine.

Une autre piste qui conduit à l'hypothèse de la dopamine dans la recherche des causes de la schizophrénie nous vient de la maladie de Parkinson (chapitre 10). Cette perturbation est due à la dégénérescence de cellules nerveuses situées dans le tronc cérébral (*locus niger*). Ces cellules contiennent de la dopamine et on obtient un soulagement de la maladie de Parkinson par l'administration d'une substance nommée L-DOPA, précurseur de la dopamine. La L-DOPA accroît la quantité de dopamine libérée. L'étude des victimes de la maladie de Parkinson fait ressortir l'existence de deux liens entre la schizophrénie et l'hypothèse de la dopamine. Tout d'abord, certains sujets auxquels on donne du L-DOPA pour soulager les symptômes de la maladie de Parkinson deviennent psychotiques. En second lieu, des schizophrènes traités à la chlorpromazine présentent des symptômes de la maladie de Parkinson. En effet, des perturbations des mouvements résultant de l'administration de tranquillisants peuvent devenir permanents (voir l'encadré 15.2 traitant de la diskinésie tardive). Certains travaux ont révélé l'existence d'un lien entre l'atrophie cérébrale associée à la schizophrénie et la perturbation du métabolisme de la dopamine. Van Kammen et ses collaborateurs (1983) ont rapporté que des sujets schizophrènes à ventricules cérébraux dilatés présentaient une réduction marquée, dans leur liquide céphalorachidien, de la concentration de la dopamine bêta hydroxylase, enzyme participant à la transformation de la dopamine en noradrénaline.

On a récemment mis en doute la validité d'un modèle de la schizophrénie basé sur l'action de la dopamine (Alpert et Friedhoff, 1980). Ces évaluations insistent sur l'absence de preuves directes ou sur le caractère équivoque des preuves relatives au niveau du fonctionnement des récepteurs de la dopamine. Même si les cerveaux des schizophrènes témoignent d'un nombre accru de récepteurs de dopamine (Lee et Seeman, 1980), ce changement pourrait être dû à une réduction de la vitesse de renouvellement de la dopamine. Les

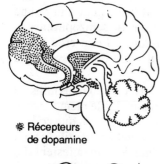

❋ Récepteurs de dopamine

● Les médicaments antipsychotiques bloquent les sites récepteurs de la dopamine

Figure 15.18 Répartition des récepteurs de dopamine dans le cerveau.

Dyskinésie tardive et psychose d'hypersensibilité : dilemmes pour le traitement pharmaceutique de la schizophrénie

Rares sont ceux qui nieraient que les médicaments comme la chlorpromazine ont exercé un impact révolutionnaire sur le traitement de la schizophrénie. De nombreux individus, qui auraient dû autrement passer le reste de leur vie dans des hôpitaux pour malades mentaux, sont aujourd'hui capables de prendre soin d'eux-mêmes en dehors des hôpitaux. On peut à juste titre considérer cette catégorie de médicaments comme des agents antipsychotiques.

Toutefois, ces drogues ont souvent d'autres effets qui soulèvent des questions d'ordre psychiatrique et posent de nouveaux problèmes à la recherche dans le domaine des neurosciences. Peu de temps après l'introduction de ces médicaments, les usagers manifestaient des symptômes variés d'inadaptation motrice (**dyskinésie**). Plusieurs de ces symptômes sont passagers et disparaissent avec une diminution de la dose administrée. Par contre, certains changements d'ordre moteur engendrés par ces médicaments n'apparaissent qu'à la suite de traitements prolongés (après des mois et, dans certains cas, des années), d'où l'appellation de **dyskinésie tardive**. Parmi ces séquelles motrices, on observe un ensemble de mouvements involontaires affectant surtout le visage, la bouche, les lèvres et la langue. Des mouvements compliqués et incontrôlables de la langue sont particulièrement manifestes, de même que des mouvements de rotation et de succion incessants ou des mouvements de claquement des lèvres. Chez certains sujets, on observe occasionnellement des mouvements de torsion et de saccades brusques des bras ou des jambes. Ces effets de substances antipsychotiques se présentent chez une forte proportion de malades (jusqu'à 30 %). Les femmes sont ordinairement atteintes plus gravement que les hommes (Smith et coll., 1979). Ce qui est inquiétant dans cette perturbation motrice, c'est qu'elle persiste souvent sous la forme d'un handicap permanent même après l'interruption du traitement pharmacologique.

On continue de s'interroger sur le mécanisme sous-jacent de la dyskinésie tardive. Certains en attribuent la faute au blocage chronique des récepteurs de la dopamine, ce qui les rendrait hypersensibles, d'autres à la destruction par les médicaments des neurones GABA du corps strié.

On observe un autre effet inhabituel du traitement pharmacologique à long terme dans un domaine qui n'est pas d'ordre moteur. Le blocage prolongé des récepteurs de dopamine effectué par ces drogues semble contribuer à l'accroissement du nombre de récepteurs de dopamine et aboutit à une hypersensibilité de ceux-ci. Chez certains sujets, l'interruption de l'usage des médicaments ou la réduction du dosage entraîne une augmentation soudaine et marquée des symptômes *positifs* de la schizophrénie, comme le délire ou les hallucinations. On peut souvent renverser ces effets en élevant la dose des agents de blocage des récepteurs de dopamine. Certaines données portent à croire, par contre, que la *psychose de l'hypersensibilité* pourrait être permanente.

---

critiques font observer qu'une augmentation du nombre de récepteurs de dopamine ne devient significative qu'en présence de niveaux de dopamine normaux. Un autre problème posé par cette hypothèse est l'absence de correspondance entre le temps (assez court) que prennent les drogues pour effectuer le blocage de la dopamine et le temps (qui se traduit habituellement en termes de semaines) nécessaire à l'apparition des modifications du comportement témoignant de l'efficacité clinique de ces drogues. Il se pourrait donc que la relation entre la dopamine et la schizophrénie soit plus complexe que celle envisagée dans le modèle simple de synapses à dopamine hyperactives. Il est possible qu'un type de déficience de la dopamine ne rende compte que de certains aspects du syndrome de la schizophrénie (Carlton et Manowitz, 1984).

Théories sur la schizotoxine
    Les spécialistes de la chimie organique ont constaté une ressemblance entre la structure chimique des hallucinogènes synthétiques et certaines substances normalement présentes dans le cerveau. Cette similitude structurale entre les substances naturelles et artificielles

a fait surgir la possibilité que le cerveau produise accidentellement un agent psychotogène, substance chimique engendrant un comportement psychotique. Des déficiences métaboliques dans des voies nerveuses spécifiques pourraient laisser des réactions particulières se produire dans le cerveau et transformer une molécule inoffensive en une substance inadaptable sur le plan du comportement, substance capable d'entraîner des symptômes de schizophrénie. Une hypothèse importante découlant de cette conception propose un mécanisme chimique spécifique. Selon cette hypothèse, l'ajout d'un groupement méthyle (CH_3) à des composés naturellement produits dans le cerveau pourrait transformer certaines substances en agents hallucinogènes connus. Cette hypothèse dite **hypothèse de la transméthylation** est née des travaux réalisés par Osmond et Smythies, au cours des années 1950, travaux révélant qu'une substance nommée adrénochrome possédait des propriétés hallucinogènes. Cette substance était considérée comme le produit métabolique possible de la noradrénaline, maintenant reconnue comme un neurotransmetteur agissant dans le cerveau aussi bien que dans le système nerveux autonome.

Plus récemment, plusieurs expériences ont vérifié l'hypothèse selon laquelle la transméthylation produit une schizotoxine, composé capable d'engendrer la schizophrénie. Une façon de vérifier cette idée consiste à administrer des substances (donneurs de groupements méthyle) qui constituent une bonne source d'approvisionnement de groupements méthyle. Certaines de ces substances produisent une exacerbation des symptômes, quoique cet effet ne soit pas le fait de toutes les substances de ce genre. Cette inconsistance, ajoutée à la difficulté de comprendre comment ce mécanisme pourrait rendre compte des effets des tranquillisants, pose une limite à la crédibilité actuelle de cette hypothèse. Dans une modification récente de l'hypothèse de la transméthylation, Smythies (1984) a proposé que la défectuosité propre à la schizophrénie consisterait en un déraillement du mécanisme de transméthylation lui-même, plutôt que dans la production d'une substance rare capable de produire la schizophrénie. À l'appui de cette hypothèse, Smythies présente des faits qui démontrent que, chez certains sujets, le taux de transméthylation est plus lent que chez les sujets normaux.

En métabolisant de la noradrénaline, le corps humain serait-il capable de produire des substances semblables à l'amphétamine ? Il faut se souvenir que la molécule d'amphétamine ressemble aux molécules des transmetteurs catécholamine (chapitre 6). En effet, la psychose à l'amphétamine ressemble à la schizophrénie paranoïde et, dans les circonstances, la production d'une substance semblable à l'amphétamine deviendrait un fait extrêmement intéressant. Plusieurs chercheurs ont prétendu récemment que le métabolisme de la noradrénaline donnait de la phényléthylamine en petites quantités. Or, cette substance a des propriétés semblables à celles de l'amphétamine. Des travaux en cours tentent d'évaluer les concentrations de ces métabolites dans l'organisme des schizophrènes. (Rappelez-vous que cette concentration était accrue dans le cas des quadruplés Genain, comme nous l'avons mentionné à l'encadré 15.1)

Substances neurochimiques et schizophrénie

Le développement d'instruments neurochimiques, depuis le milieu des années 1970, a fourni plusieurs occasions de décrire les activités métaboliques du cerveau. Certains de ces travaux sont limités par le fait que les indices se rapportant aux événements du cerveau proviennent surtout de l'analyse des produits métaboliques trouvés dans le sang, l'urine et le liquide céphalo-rachidien. Ces liquides sont éloignés des endroits où des changements significatifs pourraient se produire. Les récents progrès réalisés par les scintigrammes PET basés sur l'utilisation de substances radiomarquées pourraient fournir une image plus directe des événements neurochimiques du cerveau du schizophrène. La figure 15.19 donne un exemple de l'application de cette technique à la représentation des récepteurs de

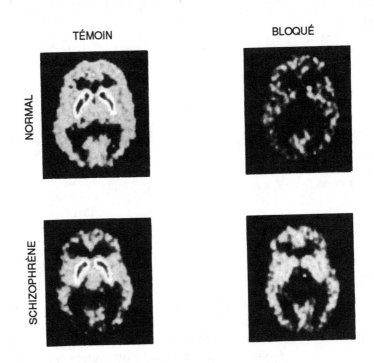

Figure 15.19 Scintigrammes PET au niveau du noyau caudé montrant la répartition des récepteurs de dopamine D₂ chez un sujet normal (les deux scintigrammes du haut) et chez un schizophrène (les deux scintigrammes du bas). Les deux coupes du côté droit de la photographie ont été obtenues après administration d'halopéridol, un agent qui bloque les récepteurs D₂. Les parties claires sont des régions de forte concentration de dopamine. (Gracieusement fournis par D. F. Wong du Johns Hopkins Medical Center.)

dopamine du cerveau humain. Un autre problème que pose l'étude de la neurochimie de la schizophrénie vient de ce que nos conceptions de la mécanique chimique du cerveau changent rapidement, ce qui fait qu'une position simpliste de transmetteur unique comme celle de l'hypothèse de la dopamine est difficilement réconciliable avec le bilan détaillé des influences interactives que nous propose la recherche moderne.

Modèle psychobiologique intégrateur de la schizophrénie

Les stratégies et les techniques modernes de recherche ont apporté une abondance de données et d'hypothèses nouvelles sur les divers aspects de la schizophrénie. À certains moments, c'est comme si l'on était en face de nombreuses pièces d'un vaste puzzle dont l'apparence globale ne serait pas encore évidente. Des efforts récents d'intégration des nombreuses découvertes psychologiques et biologiques dans ce domaine ont ouvert de nouvelles perspectives sur l'étiologie du schizophrène. Un modèle de ce genre, proposé par Mirsky et Duncan (1986), considère la schizophrénie comme un résultat de l'interaction de facteurs génétiques, de facteurs de maturation et de stress. D'après ce modèle, chaque étape de la vie serait caractérisée par des traits spécifiques qui contribueraient à accroître la vulnérabilité face à la schizophrénie. Les influences génétiques se manifesteraient dans des *anomalies cérébrales* qui servent de substrat neurologique fondamental à la schizophrénie. Des complications intra-utérines et des difficultés à la naissance, souvent évidentes dans les histoires de cas des schizophrènes, peuvent également contribuer à la formation d'anomalies cérébrales génératrices de schizophrénie. Mirsky et Duncan vont jusqu'à suggérer que, tout au long de l'enfance et de l'adolescence, il se produit divers déficits neurologiques qui se traduisent dans des comportements comme une réduction des aptitudes cognitives, des fautes d'attention, de l'irritabilité et un retard du développement général de la motricité. Une étude récente a révélé la présence de carences neurologiques du même ordre chez les parents non schizophrènes de victimes de la schizophrénie, ce qui constitue un appui

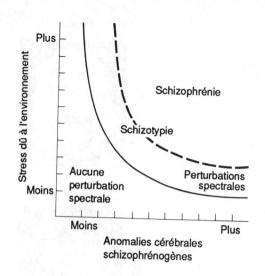

Figure 15.20 Modèle montrant comment le stress dû à l'environnement et certaines anomalies cérébrales peuvent tout autant produire une perturbation schizophrénique. Les perturbations allant des plus bénignes aux plus graves sont appelées respectivement perturbations spectrales, schizotypie et schizophrénie. (D'après Mirsky et Duncan, 1986.)

additionnel à l'hypothèse de l'existence d'un facteur génétique dans l'étiologie de la schizophrénie (Kinney, Woods et Yurgelum-Todd, 1986).

Selon le modèle de Mirsky et Duncan, l'émergence de la schizophrénie et des troubles qui y sont apparentés dépend de l'interaction d'un substrat biologique vulnérable et de stresseurs de l'environnement. La nature de cette interaction hypothétique est illustrée à la figure 15.20. On y note que l'importance des anomalies cérébrales des individus vulnérables détermine la quantité de stress nécessaire à la production d'un trouble schizophrénique; les personnes présentant beaucoup d'anomalies cérébrales de type schizophrénique sont susceptibles de manifester des symptômes de la maladie dans des situations de stress environnemental relativement mineur. Selon ce modèle, la schizophrénie apparaîtrait lorsque la combinaison stress et anomalies cérébrales dépasse un certain seuil. Certains types d'interactions familiales, les conséquences d'aptitudes cognitives ou de capacités d'attention défectueuses et le stress de *se sentir différent* au cours du développement, surtout durant l'adolescence, sont quelques-unes des sources de stress qui affectent l'individu vulnérable. Les modèles de ce genre permettent d'apprécier les différences entre sujets. Ils font entrevoir également la possibilité d'élaborer des stratégies pour réduire le risque de schizophrénie chez les enfants vulnérables. Les nouveaux outils biologiques, par exemple les scintigrammes PET et les instruments génétiques, pourraient s'avérer utiles pour en arriver à une identification et une compréhension plus poussées de l'enfant vulnérable, tôt dans la vie de ce dernier, à un moment où les interventions d'ordres biologique et environnemental seraient susceptibles de réduire la possibilité de l'apparition de la schizophrénie plus tard dans sa vie.

TROUBLES AFFECTIFS

Peu de gens échappent à ces périodes de tristesse généralement qualifiées de **dépression**. Toutefois, chez certains individus, l'état de dépression constitue plus qu'un malaise passager et se reproduit encore et encore avec une régularité cyclique. Ces gens ont habituellement plus de 40 ans et la probabilité de souffrir de dépression est 2 à 3 fois supérieure chez les femmes. Cet état est marqué par une humeur chagrine, une perte d'intérêt, d'énergie et d'appétit, une difficulté de concentration et une agitation nerveuse. Chacun des actes de l'individu semble teinté de pessimisme. Ces périodes de **dépression unipolaire** (c.-à-d. de dépressions alternant avec des états émotifs normaux) peuvent surgir sans qu'il n'y ait de stress directement apparent. Non traité, ce type de dépression dure plusieurs mois.

D'autres individus connaissent des périodes de dépression alternant avec des périodes d'humeur extrêmement exubérantes et comportant une hyperactivité soutenue, une loquacité singulière, une recrudescence d'énergie et un étrange sentiment de grandeur. Cette condition prend le nom de **maladie à forme bipolaire** ou encore de **psychose maniaco-dépressive**. Cette forme de dépression affecte autant les hommes que les femmes; elle apparaît généralement beaucoup plus tôt que la dépression unipolaire.

Les études génétiques des troubles unipolaires et bipolaires révèlent de très fortes contributions de l'hérédité. La concordance est beaucoup plus élevée chez les jumeaux monozygotes que chez les hétérozygotes. Chez les monozygotes, les taux de concordance sont les mêmes, que les jumeaux aient été élevés séparément ou non. Les études sur l'adoption donnent des taux de maladies de l'affectivité plus élevés chez les parents biologiques que chez les parents adoptifs.

Théories biologiques de la dépression

Au cours des 20 dernières années, les travaux sur la psychobiologie des maladies de l'affectivité ont été fortement influencés par une théorie proposée par Joseph Schildkraut et Seymour Kety (1967) et nommée **hypothèse monoamine de la dépression**. Selon cette hypothèse, les maladies dépressives seraient associées à une diminution de l'activité synaptique faisant usage de noradrénaline et de sérotonine. Cette diminution est particulièrement le fait des circuits de l'hypothalamus et de ceux du système limbique qui y sont associés. Les faits proposés à l'appui de cette hypothèse se basent sur l'efficacité clinique de deux formes de traitement. Certains agents antidépresseurs inhibent la monoamine oxydase, augmentant ainsi la concentration de la noradrénaline disponible. Le traitement électroconvulsif s'avère particulièrement profitable à beaucoup de malades déprimés et ces convulsions ont un impact considérable sur les amines biogènes. Par ailleurs, la réserpine, substance réduisant la concentration de noradrénaline et de sérotonine dans le cerveau (par libération de la monoamine oxydase intraneuronale qui catalyse la dégradation de ces neurotransmetteurs), fait plonger les sujets dans une dépression profonde. On continue pourtant d'invoquer cette hypothèse en guise d'explication biologique des maladies affectives, même s'il n'est pas facile d'établir un lien entre l'efficacité clinique de beaucoup de médicaments et le système des monoamines. Une alternative à cette hypothèse voudrait que les effets des antidépresseurs soient dus au blocage exercé par l'histamine sur les récepteurs neuronaux (Kanof et Greengard, 1978).

Au cours des dernières années, l'utilisation du lithium, ion métallique simple, a grandement amélioré le traitement de plusieurs épisodes maniaques. Dans le système nerveux, le lithium a un effet similaire à celui du sodium : il peut remplacer le sodium dans la détermination des potentiels d'action et de repos des nerfs. Cet ion exerce des effets variés sur les divers transmetteurs, y compris une diminution des réactions à la noradrénaline. Il est plus particulièrement efficace dans la prévention des périodes d'excitation maniaque et des études sur les animaux montrent qu'il atténue le comportement agressif des rats et des chats.

L'ampleur des changements qui accompagnent la dépression ne saurait s'expliquer par de simples augmentations ou diminutions de la libération des transmetteurs. L'humeur, le sommeil, l'alimentation et l'activité ne représentent qu'une partie de ces changements. On ne peut plus s'en tenir à une simple hypothèse monoamine; en fait, certains chercheurs soutiennent au contraire que l'augmentation de l'activité catécholaminergique est un facteur qui intervient dans la dépression.

Siever et Davis (1985) présentent une perspective intéressante et plus vaste des changements qui se produisent dans des transmetteurs comme la noradrénaline; ils qualifient leur conception de ces changements d'hypothèse de dérégulation de la dépression. Essentiellement, ils considèrent que la dépression n'est pas tout simplement le fait d'une

Le comportement et la physiologie de beaucoup d'animaux, y compris l'homme, sont marqués par le rythme des saisons. L'hiver semble malheureusement produire inévitablement chez certains individus une période d'abattement pouvant se transformer en profonde dépression. Chez plusieurs d'entre eux, la dépression hivernale alterne avec un état maniaque qui survient pendant l'été. En hiver, les personnes ainsi affectées se sentent déprimées, leur rythme vital étant ralenti; de plus, elles dorment généralement beaucoup et mangent de façon excessive. L'été venu, elles se sentent transportées, énergiques, actives et elles maigrissent. Ce syndrome apparaît surtout chez les femmes et commence généralement à se manifester au début de l'âge adulte. Chez les animaux, il est évident que plusieurs de ces rythmes sont contrôlés par la longueur du jour. Des rythmes saisonniers, comme ceux de la migration et de l'hibernation, peuvent être déclenchés par des changements dans la durée de la lumière du jour. Des chercheurs ont laissé entendre que les troubles affectifs saisonniers de l'être humain pourraient être attribuables à une dépendance similaire. Pour vérifier une telle hypothèse, plusieurs chercheurs se sont demandé si l'exposition à la lumière pouvait jouer le rôle d'un antidépresseur.

Plusieurs études ont porté sur les effets cliniques qu'on obtient en plaçant des sujets, de façon prolongée, en présence d'une lumière artificielle imitant la lumière solaire. Dans l'une de ces recherches (Rosenthal et coll., 1985), on recruta un groupe de sujets au moyen d'un entrefilet placé dans un journal, où on décrivait les caractéristiques d'un trouble affectif saisonnier. Les sujets retenus avaient connu au moins deux épisodes hivernaux de dépression. L'évaluation quantitative du niveau de dépression se fit au moyen de l'échelle d'évaluation Hamilton (*Hamilton Rating Scale*), questionnaire comprenant une série d'items décrivant différents aspects de la dépression. Les conditions expérimentales consistèrent en deux expositions d'une durée d'une semaine à de la lumière additionnelle, ces deux semaines étant séparées par un intervalle d'une semaine sans éclairage additionnel. Ces sujets étaient soumis à un éclairage fort pendant deux périodes quotidiennes, de 5 h 00 à 8 h 00 et de 17 h 30 à 20 h 30. La durée normale de la période éclairée de la journée était ainsi allongée de manière à simuler la longue période de clarté caractéristique de l'été. L'échelle d'évaluation de Hamilton montre que cette exposition à la lumière exerce un effet antidépresseur significatif, effet qui est inversé lorsqu'on retire les lumières. Par contre, une exposition à une lumière faible n'a pas produit d'effet significatif. On constate une amélioration de l'humeur après quelques jours, amélioration qui persiste généralement pendant toute la semaine de traitement. Le retrait de la lumière entraîne une rechute immédiate. Le moment choisi pour l'exposition à la lumière, au cours d'une journée typique, serait-il un facteur important ? Wehr et ses collaborateurs (1986) ont comparé les différences entre deux horaires d'exposition à la lumière chez des individus souffrant de perturbations affectives saisonnières; un groupe recevait la lumière selon un programme qui imitait l'été et l'autre recevait la même quantité de lumière mais répartie de la même façon que pendant l'hiver. Les résultats indiquent que les deux horaires sont également efficaces comme agent antidépresseur.

Un effet biologique important de la lumière consiste en une suppression de la mélatonine, hormone présente dans la glande pinéale qui exerce un effet sur les gonadotropines et peut avoir de l'importance pour le contrôle du sommeil. Un séjour à l'obscurité stimule la synthèse de la mélatonine, tandis que la lumière la supprime. Les personnes souffrant de perturbations affectives saisonnières ont un seuil de suppression de mélatonine élevé. Des observations récentes de Wehr et ses collaborateurs (1986) portant sur l'exposition de malades souffrant de perturbations affectives saisonnières à des horaires différents de lumière n'ont cependant pas réussi à démontrer que la photothérapie agit par suppression de sécrétion de mélatonine. Ils ont constaté que l'administration de mélatonine par voie orale n'avait pas d'influence sur le traitement. Il se pourrait que d'autres médiateurs neurochimiques contribuent à cet effet antidépresseur de la lumière. La sérotonine a peut-être un rôle à jouer puisqu'elle suit un rythme saisonnier bien marqué chez l'être humain, ses concentrations, pendant l'hiver et le printemps, étant inférieures à celles mesurées pendant l'été et l'automne (Ergise et coll., 1986). Il est particulièrement intéressant de signaler que l'attention portée à ce syndrome est due surtout à la recherche animale sur le comportement photopériodique et sur les systèmes de contrôle circadien. On a là encore un autre exemple de l'importance que prend cette recherche fondamentale en vue du soulagement de la détresse et de la maladie humaines.

carence de transmetteur, mais qu'elle reflète plutôt un échec du mécanisme régulateur régissant l'action des transmetteurs. Cette dérégulation donne lieu à une activité erratique des transmetteurs si bien qu'ils ne sont plus contrôlés par les stimuli externes, l'heure du jour ou leurs propres actions. Il existe plusieurs niveaux différents dans le trajet de l'activité du système noradrénergique où un tel défaut de régulation peut se produire. Par exemple, certains faits indiquent que l'activité noradrénergique est régie par l'activité inhibitrice de rétroaction qui stabilise les réactions noradrénergiques. La stabilisation à long terme des synapses adrénergiques se produit également en présence d'un stress persistant capable de favoriser l'action fondamentale des synapses noradrénergiques. La dérégulation peut découler de ces conditions, ou d'autres encore. De toutes façons, selon Siever et Davis, la défection des mécanismes de régulation donne un système transmetteur incapable de réagir de façon convenable aux besoins externes ou internes. Il devient mal adapté aux exigences de l'environnement. Ce genre d'explication peut pousser les chercheurs à tenter d'identifier un ensemble de changements assez différents de ceux qu'on recherche habituellement dans les évaluations chimiques effectuées sur les malades. Les effets cliniques de quelques nouveaux agents antidépresseurs semblent conformes à cette explication, en ce sens que leurs mécanismes d'action paraissent mettre en cause plus que la simple affectation d'un seul paramètre des fonctions des transmetteurs ou d'un transmetteur unique (Tyrer et Marsden, 1985).

Approches biologiques des troubles affectifs

Les études effectuées dans différents pays ont démontré qu'il y a une prédominance de femmes parmi les victimes de dépression grave. Aux États-Unis, l'enquête épidémiologique la plus récente des Instituts Nationaux de la Santé (*National Institutes of Health, NIH*) vient confirmer ce fait dans cinq régions : New Haven, Baltimore, St-Louis, Los Angeles et Piedmont en Caroline du Nord. À chacun de ces endroits, on a constaté une différence de l'ordre du double entre les deux sexes. Par exemple, à New Haven, on a relevé un taux de 2,2 / 100 hommes pour 4,8 / 100 femmes. Récemment, on obtenait des résultats semblables en Suède. À quoi attribuer ces différences entre les sexes ? La question pourrait revêtir une importance particulière pour la compréhension des causes de la dépression. Plusieurs hypothèses ont été avancées. D'aucuns prétendent que la différence serait due au fait que les femmes et les hommes n'ont pas la même attitude en ce qui concerne le recours à l'aide, les femmes faisant notamment un plus grand usage des services de santé. Pourtant, l'enquête des NIH a été effectuée à domicile : il ne s'agissait donc pas d'une évaluation de la consultation auprès des centres de santé.

On a proposé plusieurs explications psychosociales à ce phénomène. On accorde une grande importance à l'opinion selon laquelle la dépression chez la femme serait attribuable à la discrimination sociale qui l'empêcherait de s'épanouir vraiment par affirmation de soi. Selon ce point de vue, l'absence d'équité engendre la dépendance, une faible estime de soi et la dépression. Une autre position psychosociale incline plutôt pour le modèle de l'apprentissage de l'impuissance. D'après ce modèle, les images stéréotypées de l'homme et de la femme produisent chez cette dernière un préjugé d'ordre cognitif qui se trouve renforcé par les attentes de la société relatives aux valeurs classiques de féminité, dont l'impuissance est l'une des dimensions. Cependant, les études effectuées auprès des hommes et des femmes déprimées ne semblent pas corroborer ce point de vue.

On a également présenté une interprétation génétique de cette différence entre les sexes vis-à-vis de la dépression. Dans cette optique, la dépression serait un trouble de l'hérédité liée au chromosome X. Toutefois, les taux de dépression des parents des déprimés ne sont pas différents, qu'il s'agisse d'hommes ou de femmes déprimés (ce à quoi il faudrait s'attendre s'il était question d'une hérédité liée au chromosome X). Par conséquent, malgré la présence d'un facteur génétique important associé à la dépression, il ne semble pas y avoir de base génétique qui expliquerait les différences sexuelles relatives à la dépression.

Finalement, des chercheurs ont mis en évidence les différences sexuelles dans la physiologie des glandes endocrines. À ce point de vue, l'intérêt vient de ce que l'on a observé que des dépressions cliniques surviennent souvent en même temps que des événements associés aux cycles de reproduction de la femme (avant les menstruations, à la suite de l'utilisation de contraceptifs oraux, après un accouchement et pendant la ménopause). Mais, bien que des liens aient été établis entre plusieurs hormones et la dépression, il n'y a que peu de relation entre les concentrations des hormones associées à la physiologie de reproduction des femmes et les mesures de dépression.

Des études épidémiologiques récentes des conditions de santé mentale prévalant au sein des communautés Amish (Egeland et Hostetter, 1983) apportent un éclairage nouveau sur ce mystère des différences sexuelles dans la dépression. Une enquête exhaustive auprès de cette secte religieuse, installée en Pennsylvanie depuis plusieurs années, vivant à l'écart de la population, défendant à ses membres l'usage de l'alcool et faisant fi des avantages de la vie moderne, a révélé que la dépression grave était la même chez les deux sexes. Cette constatation a fait penser à certains que les différences sexuelles généralement observées viendraient du fait que la dépression serait masquée chez les hommes par un usage abusif de l'alcool. L'analyse des données épidémiologiques portant sur l'alcoolisme fait ressortir une autre différence sexuelle importante, mais cette fois ce sont les mâles qui sont surtout touchés.

Marqueurs biologiques de la dépression

Depuis plusieurs années, des chercheurs tentent de découvrir des indices biochimiques, physiologiques ou anatomiques des divers troubles mentaux, faciles à mesurer. Ces indices, appelés marqueurs biologiques, pourraient refléter des causes ou l'état d'une perturbation. L'élaboration de tels tests de laboratoire prendrait d'autant plus d'importance que certaines évaluations ne peuvent nous éclairer ni sur les mécanismes génétiques ni sur les réactions différentes à divers médicaments. Il pourrait arriver, par exemple, que deux sujets offrent une image assez semblable de dépression, tout en réagissant de façon assez différente aux agents antidépresseurs. La recherche sur la dépression a été particulièrement efficace dans la production de marqueurs biologiques éventuels, surtout dans le cas de plusieurs marqueurs associés à des réactions hormonales au stress qui font intervenir le système hypothalamo-hypophysaire.

Les premiers travaux dans ce domaine se sont concentrés sur le système de l'hypothalamo-hypophyse et des surrénales, à la suite d'observations révélant la présence de concentrations élevées d'hydrocortisone chez des personnes hospitalisées pour dépression. Cette constatation avait porté à croire à la libération de quantités excessives d'ACTH de la part de l'adénohypophyse. Pour analyser les fonctions hypophysaires et surrénaliennes dans le syndrome de Cushing (anomalie des glandes endocrines marquée par des concentrations élevées de corticostéroïdes dans le sang), on a mis au point une méthode qui fait appel à l'administration d'une substance nommée dexaméthasone. Corticoïde synthétique puissant qui supprime habituellement l'élévation d'ACTH typique du début de la journée, la dexaméthasone est généralement administrée tard dans la soirée. En fait, c'est comme si la dexaméthasone *trompait* l'hypothalamus, lui laissant croire que la concentration sanguine d'hydrocortisone est élevée. Chez un individu normal, la suppression due à la dexaméthasone est nette, mais dans le cas de plusieurs individus déprimés, la dexaméthasone n'arrive pas à supprimer les concentrations élevées d'hydrocortisone dans le sang. Chez les sujets déprimés, ce phénomène d'absence de suppression se normalise avec le soulagement de la dépression. Une des explications possibles de ce mécanisme de médiation voudrait que les cellules de l'hypothalamus des personnes déprimées soient soumises à des pulsions excitatrices anormales provenant des régions du système limbique et provoquant une libération soutenue d'ACTH. On a soulevé plusieurs questions sur la possibilité de généraliser cette épreuve de dépression, sur sa spécificité et sa sensibilité à l'égard des diverses stratégies cliniques qui l'influencent. Elle pourrait s'avérer particulièrement précieuse pour certaines sous-catégories de dépression, mais ne présenter aucun intérêt pour d'autres (Schatzberg et coll., 1983).

Parmi les autres systèmes hormonaux explorés par la recherche sur les marqueurs de la dépression, il faut mentionner les hormones de croissance et les hormones thyroïdiennes. Certaines études ont révélé que les sujets déprimés sécrétaient deux fois plus d'hormones de croissance (somatotrophine) que des sujets témoins, au cours d'une période de 24 heures (Kallin et Dawson, 1986). Une partie de cette différence serait peut-être attribuable à la perturbation du sommeil caractéristique des sujets déprimés (chapitre 14). On a associé aux changements affectifs autant l'insuffisance que l'excès de sécrétions de la thyroïde. L'administration de suppléments d'hormones thyroïdiennes peut améliorer la réaction des malades aux agents antidépresseurs. Toutefois, il faudra d'autres études pour déterminer si l'une ou l'autre des substances intervenant dans l'axe hypothalamo-hypophyse/thyroïde est un des marqueurs sensibles de la dépression.

| BIOLOGIE DE L'ANXIÉTÉ | À un moment ou à un autre, chaque être humain connaît des périodes de crainte et d'appréhension. Chez certains, cet état prend des proportions considérables et est caractérisé par des peurs irrationnelles, un sentiment de terreur, des sensations corporelles inhabituelles comme des étourdissements, de la difficulté à respirer, des tremblements, des secousses violentes et une impression de perte de contrôle. Pour d'autres, l'anxiété prend la forme d'accès soudains de panique qui sont imprévisibles et durent des minutes ou des heures. L'anxiété peut être létale ! Un contrôle ultérieur de sujets qui avaient de tels accès de panique a montré que la mortalité est plus grande chez les hommes qui ont ce problème. Chez ces individus, la mort est attribuable aux maladies cardio-vasculaires et au suicide (Coryell et coll., 1986). L'*American Psychiatric Association* établit une distinction entre deux groupes principaux de troubles d'anxiété. Les **troubles phobiques** sont des peurs intenses et irrationnelles qui se trouvent fixées sur un objet, une activité ou une situation spécifiques que l'individu se sent obligé d'éviter. Les **états d'anxiété** comprennent des états de panique récurrents, des troubles d'anxiété généralisés à caractère permanent et des états de stress post-traumatiques. Les études contemporaines de l'anxiété couvrent plusieurs domaines principaux que nous allons maintenant étudier. |

BIOLOGIE DE L'ANXIÉTÉ (marge gauche)

Déclenchement de la panique

Les études de l'anxiété et des troubles qui y sont apparentés ont réexaminé un fait bizarre, constaté il y a quelques années, pour l'appliquer aux recherches biologiques récentes sur cet état. Des psychiatres avaient observé que certains sujets subissaient des attaques d'anxiété aiguë pendant ou après s'être adonnés à des exercices physiques vigoureux. On avait cru que ces réactions pouvaient être dues à une accumulation d'acide lactique dans le sang. Cette possibilité a incité deux chercheurs (Pitts et McClure, 1968) à administrer du lactate de sodium à des sujets anxieux. Ces infusions déclenchaient chez eux des accès de panique immédiate, semblables aux épisodes qui se produisaient naturellement. Ce traitement chimique ne provoque pas de panique chez les sujets normaux et un groupe de sujets anxieux ne réagit pas toujours à ce type de provocation. Margraf et ses collaborateurs contestèrent récemment (1986) cette hypothèse en arguant que cette recherche ne parvenait pas à éliminer certains facteurs psychologiques qui produisaient de la confusion. Ils s'appuyaient principalement sur le fait que certains sujets présentent également certains accès de panique après l'ingestion d'un placebo. L'hypothèse selon laquelle un sel de l'acide lactique contribue au déclenchement d'un état de panique est renforcée par des observations sur des scintigrammes PET.

On a fait bien des suggestions pour expliquer ce phénomène. Liebowitz et ses collaborateurs (1986) ont proposé plusieurs mécanismes possibles, notamment les systèmes adrénergiques. Ils font observer que cet effet ne résulte ni des concentrations de calcium, ni des modifications du pH sanguin, ni de l'élévation de la concentration d'adrénaline dans le plasma. L'idée que la panique déclenchée par le lactate soit due à une action sur les synapses bêta-adrénergiques est infirmée par l'observation que le blocage de ces synapses, au moyen de propanolol, n'empêche pas la panique. Ils pensent plutôt que cette panique pourrait faire intervenir les mécanismes noradrénergiques centraux du *locus cœruleus* et les influx qui en partent. Cette suggestion est en partie corroborée par le fait qu'un autre stimulant du *locus cœruleus* (inspiration de 5 % de CO_2) engendre la panique chez les individus cliniquement vulnérables.

Anatomie de l'anxiété

Les scintigrammes PET de sujets enclins à des accès de panique ont donné lieu à des observations des plus fascinantes qui tracent un portrait anatomique de l'anxiété. Ces études de Reiman et ses collaborateurs (1986) révèlent chez ces malades des conditions anormales même à l'état de repos, en absence de toute panique. Ces chercheurs ont comparé des sujets dont l'état de panique pouvait être provoqué par l'injection de lactate de sodium, d'autres sujets qui ne réagissaient pas au lactate par la panique et un groupe de sujets normaux. Ceux qui étaient vulnérables au lactate présentaient, dans la région de l'hippocampe, une circulation sanguine très anormale. Il s'agissait d'une différence de circulation entre les côtés droit et gauche qui semblait témoigner d'une augmentation anormale du débit sanguin dans la région de l'hippocampe droit. Cette région comprend les principales voies afférentes et efférentes de l'hippocampe. En plus de cet effet localisé, les sujets vulnérables au lactate présentaient un métabolisme cérébral anormalement élevé pour l'oxygène. Le groupe de Reiman établit un lien entre cette constatation et une théorie de Gray (1982) selon laquelle les connexions septo-hippocampiques sont importantes dans la neurobiologie de l'anxiété. Ils citent également des observations de Gloor et de ses collègues (1982) qui montrent que la stimulation électrique de cette même région, chez des êtres humains en état d'éveil, provoque généralement des sensations de peur et d'appréhension intenses. Les travaux de Reiman soulèvent, entre autres possibilités, celle qui voudrait qu'un indicateur biologique (scintigramme PET) permette de distinguer les principaux groupes d'anxieux : ceux chez qui le lactate provoque la panique et ceux qui, tout en étant enclins à des accès de panique, ne sont pas vulnérables au déclencheur qu'est le lactate. Cette différence pourrait refléter une distinction essentielle à établir entre les mécanismes sous-jacents.

Médicaments anxiolytiques et indices sur les mécanismes générateurs de l'anxiété

L'histoire nous apprend que, de tout temps, l'être humain a absorbé toutes sortes de substances dans l'espoir de contrôler son anxiété. À divers moments, cette liste a comporté notamment l'alcool, les bromures, la scopolamine, les opiacés et les barbituriques. Mais il a fallu attendre jusqu'en 1960 l'avènement d'une drogue qui devait transformer à jamais le traitement de l'anxiété. Ce médicament est dérivé d'une substance d'abord conçue comme une préparation antibactérienne. Des changements moléculaires dans cette substance ont donné le méprobamate qui, sous les étiquettes commerciales de Miltown ou Equanil, s'est acquis une assez grande réputation en tant qu'agent tranquillisant. La compétition entre compagnies pharmaceutiques a entraîné la production d'un groupe de composés nommés

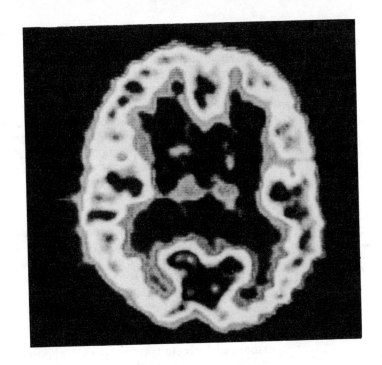

Figure 15.21 Scintigramme PET montrant la répartition des récepteurs de benzodiazépine (parties claires) dans le cerveau de l'être humain. Les récepteurs sont largement répandus, surtout dans les aires corticales du cerveau. (Docteur Goran Sedvall et coll., 1986, Institut Karolinska, Stockholm. Reproduit avec la permission des *Archives of General Psychiatry*, Vol. 43, N° 10, octobre 1986, p. 999.)

benzodiazépines qui sont devenus les agents les plus communément utilisés dans le traitement de l'anxiété. En effet, un type de benzodiazépine, le Valium, a été l'un des médicaments le plus souvent prescrits par les médecins. Ces drogues sont généralement décrites comme des anxiolytiques, même si elles possèdent, à plus forte dose, des propriétés anticonvulsives et soporifiques.

Dès le début, des données d'ordres comportemental et électrophysiologique ont révélé que les benzodiazépines étaient d'une certaine façon associées à l'action des synapses GABA. Il faut se souvenir que le GABA est le transmetteur à action inhibitrice le plus répandu dans le cerveau (chapitre 6). Vers la fin des années 1970, plusieurs chercheurs ont montré que les benzodiazépines exerçaient leur effet thérapeutique grâce à une action réciproque avec des récepteurs particuliers dans le cerveau. On a rapidement constaté que le récepteur des benzodiazépines entrait en interaction avec les récepteurs du GABA pour accroître l'activité aux synapses inhibitrices du cerveau qui utilisent le GABA. Ainsi, l'inhibition postsynaptique due au GABA se trouve facilitée par les benzodiazépines. La figure 15.21 fait voir la distribution de ces récepteurs dans le cerveau. Les récepteurs de benzodiazépine sont répartis partout dans le cerveau et sont particulièrement concentrés dans le cortex cérébral et dans certaines régions sous-corticales, comme l'hippocampe et le corps amygdalien. La fonction ultime du complexe récepteur benzodiazépine-GABA est de contrôler la perméabilité des membranes nerveuses à l'égard des ions chlorure. Lorsque, à la suite d'une libération au niveau d'une terminaison présynaptique, le GABA active son récepteur, les ions chlorure peuvent passer de l'extérieur de la membrane à l'intérieur de la cellule nerveuse. La benzodiazépine à elle seule contribue peu à la conductance des chlorures, mais en présence du GABA, elle facilite grandement l'augmentation de la perméabilité aux chlorures provoquée par le GABA. Les recherches récentes ont également révélé l'existence de peptides d'anxiété spécifiques se formant naturellement dans le cerveau et agissant en association avec le récepteur de benzodiazépine (Marx, 1985). Les premiers travaux ont indiqué qu'un extrait de cerveau est capable d'atténuer la fixation du diazépam (la benzodiazépine connue sous le nom de Valium) à son récepteur; cette constatation porte à croire que l'extrait de cerveau agit ainsi parce qu'il contient une substance qui entre également en fixation avec ce récepteur. La bêta-carboline, composé synthétisé grâce à certains de ces travaux, agit comme substance anxiogène naturelle et peut déclencher de l'anxiété chez des animaux de laboratoire. Administré à des sujets humains qui s'étaient portés volontaires, un composé de carboline a provoqué de la tension musculaire, de l'hyperactivité du système nerveux autonome et des effets somatiques décrits comme de l'anxiété profonde (Dorrow et coll., 1983). Nombreuses sont maintenant les informations indiquant que le complexe récepteur GABA-benzodiazépine est un élément clé dans le mécanisme de l'anxiété.

INTERVENTIONS CHIRURGICALES EN PSYCHIATRIE

Au cours de l'histoire, les méthodes de traitement appliquées aux malades mentaux n'ont connu comme seules limites, que celles de l'imagination humaine. Certaines de ces méthodes étaient horribles, car elles se basaient sur la croyance que les malades mentaux étaient sous l'emprise de forces démoniaques. Même si la psychiatrie du XXe siècle s'est débarrassée de ces conceptions moralisantes, le traitement se faisait jusqu'à tout récemment sur une base d'essai-et-erreur et l'inspiration derrière les efforts nouveaux provenait de sources diverses. Au cours des années 1930, des expériences de lésions du lobe frontal chez le chimpanzé ont incité Egas Moniz à tenter des interventions semblables sur des personnes. Moniz était intrigué par les rapports selon lesquels ce type d'intervention aurait une influence apaisante chez les singes et, à l'époque où il pratiqua la première fois une chirurgie du lobe frontal sur l'être humain, on ne connaissait pratiquement pas d'autres moyens d'intervention. Ses observations sont à l'origine de la **psychochirurgie**, méthode consistant en la production chirurgicale de lésions cérébrales dans le but de modifier les troubles psychiatriques profonds. Dès ses débuts, l'application de telles méthodes a engendré des débats acerbes qui persistent encore actuellement (Valenstein, 1980; 1986).

Pendant les années 1940, beaucoup de chirurgiens et de psychiatres défendaient avec vigueur la chirurgie des lobes frontaux. Une commission créée récemment par le président des États-Unis pour étudier cette pratique de la psychochirurgie estime que, au cours de cette période, 10 000 à 50 000 personnes ont été soumis à ce type de traitement. Dans cette atmosphère d'enthousiasme débordant, on opéra des personnes de toutes catégories diagnostiques et on eut recours à une variété de méthodes chirurgicales.

Cet intérêt pour la psychochirurgie procédait de la prise de conscience de la triste existence de tous ces individus qui, dans les hôpitaux psychiatriques, menaient une vie troublée et dépourvue de sens, sans espoir de changement. Aucun médicament connu ne pouvait, à ce moment-là, aider au traitement de la schizophrénie chronique et la population de malades hospitalisés en permanence continuait de s'accroître. Devant l'encombrement de plus en plus grave des hôpitaux psychiatriques, plusieurs solutions inhabituelles furent mises à l'essai. Aujourd'hui, la chirurgie frontale est réservée au contrôle de l'expérience affective qui accompagne la douleur intense. Son usage en psychiatrie a pratiquement cessé, malgré le fait que la commission sur la neurochirurgie ait insisté pour que l'on continue d'étudier le rôle possible de la chirurgie dans le traitement psychiatrique. (On a déjà considéré une utilisation semblable de la chirurgie du lobe temporal pour le soulagement des comportements violents attribués à l'activité engendrée par les crises épileptiques.)

L'évaluation des mérites de la chirurgie des lobes frontaux dans le traitement psychiatrique est plongée dans la controverse. Des chercheurs ont fait état d'améliorations cliniques et encore en 1973, William Sweet soutenait que des lésions cérébrales mieux délimitées pourraient aider significativement à traiter des perturbations psychiatriques spécifiques. Ce point de vue a reçu récemment un appui considérable de la part de Ballantine et de ses collaborateurs (1987) qui ont fait état du traitement de la dépression par la cingulotomie, technique de production de lésions permettant d'interrompre les circuits du cortex du *cingulum*. Des évaluations cliniques ont montré que cette intervention donne des résultats remarquables chez des déprimés chroniques chez lesquels les autres formes de traitement s'étaient avérées impuissantes. Il n'en reste pas moins que le recours aux médicaments a relégué la psychochirurgie dans l'ombre, et ce, surtout parce que les conséquences chirurgicales semblent moins réversibles que les effets procurés par les drogues.

L'élaboration de techniques d'implantation précise d'électrodes en profondeur dans le cerveau humain a amené des neurochirurgiens à pratiquer des lésions sous-corticales chez des malades mentaux. Les cibles chirurgicales les plus récentes comprennent le corps amygdalien, la circonvolution du corps calleux et l'hypothalamus. Certaines de ces nouvelles cibles chirurgicales ont été choisies sur la base des résultats obtenus sur des animaux. En Allemagne par exemple, plusieurs chirurgiens ont utilisé des lésions de l'hypothalamus pour *corriger* des déviations sexuelles (Roeder, Orthner et Muller, 1972). Toutefois, les implications déontologiques de telles interventions sont complexes (Valenstein, 1980). Ce genre d'intervention s'inspire en partie de lésions expérimentales pratiquées sur des rats, mais Beach (1979) nous a déjà mis en garde contre le fait qu'il puisse s'agir là d'un usage inapproprié des modèles animaux.

Résumé

Émotions

1. Le terme *émotion* comprend à la fois des sentiments subjectifs intimes et des expressions ou manifestations de réactions somatiques et autonomes particulières.

2. La théorie de James-Lange considérait les émotions comme la perception de changements corporels déclenchés par la stimulation, alors que la théorie de Cannon-Bard mettait l'accent sur l'intégration cérébrale des réactions et expériences affectives. Une théorie cognitive de l'émotion prétend que l'activité dans un système physiologique ne suffit pas à engendrer une émotion; la caractéristique principale de l'émotion serait plutôt l'interprétation des activités viscérales.

3. Les expressions faciales des diverses émotions se font de façon similaire et sont reconnues dans plusieurs sociétés humaines assez différentes les unes des autres.

4. Des expériences de rétroaction biologique mettant en cause l'activité viscérale ont montré qu'il était possible d'apprendre à modifier sa propre fréquence cardiaque et sa pression artérielle de façon très spécifique.

5. L'impact des émotions sur la santé humaine se reflète dans l'évaluation des maladies consécutives au stress. Le taux des maladies a tendance à être plus élevé chez les groupes qui ont enduré un stress prolongé même si les facteurs constitutionnels ont également leur importance.

6. On peut constater les conséquences pathologiques du stress au moyen d'expériences sur la formation d'ulcères chez le rat, notamment lorsque l'animal exécute une réponse adaptative quelconque face au stimulus stressant.

7. L'évaluation des effets physiologiques du stress dans des situations naturelles de la vie, par contraste avec les situations artificielles en laboratoire, montre que le stress entraîne des hausses de concentration de plusieurs hormones, telles l'hydrocortisone, la somatotrophine et la noradrénaline. La réussite d'une tâche stressante a pour effet de réduire l'intensité de la réaction hormonale quand le sujet se retrouve à nouveau dans la même situation.

8. Parmi les régions intervenant dans l'émotion, on compte un ensemble impressionnant de sites reliés les uns aux autres à l'intérieur du système limbique.

9. La stimulation électrique de plusieurs des sites du système limbique exerce un effet gratifiant, comme celui qu'on observe dans les expériences sur l'autostimulation. Par contre, la stimulation électrique du cortex cérébral ne donne pas lieu à un renforcement positif.

10. L'agression entretient plusieurs relations d'ordre hormonal, la plus manifeste étant son association avec la concentration des androgènes dans le sang. Toutefois, chez l'être humain, la relation entre la concentration sanguine de testostérone et le comportement criminel prête à contro-

verse. On discute beaucoup également le rôle de l'épilepsie du lobe temporal dans le *syndrome de l'absence de contrôle*.

Troubles mentaux

11. Les études biologiques ont permis d'en arriver à des distinctions plus précises parmi les grandes catégories de troubles mentaux, la schizophrénie et l'anxiété par exemple.

12. Des faits convaincants militent en faveur d'un facteur génétique dans l'étiologie de la schizophrénie. L'étude de la fréquence d'apparition de cette maladie au sein des familles, chez les jumeaux et chez les enfants élevés dans des familles d'adoption, fournissent des preuves constantes de l'existence d'un tel facteur.

13. Les théories biologiques de la schizophrénie recouvrent deux catégories principales d'opinions : a) celles qui considèrent que la schizophrénie résulte d'une déficience se situant à un niveau quelconque de l'action des neurotransmetteurs dans les synapses et b) celles qui considèrent que la schizophrénie est due à une carence métabolique contribuant à la production d'une substance toxique, psychotogène à propriétés semblables à celles d'agents hallucinogènes reconnus.

14. L'hypothèse de la dopamine associe la schizophrénie à une décharge excessive de dopamine ou à une sensibilité exagérée vis-à-vis de cette substance. Les faits qui appuient cette hypothèse proviennent d'études sur les effets des médicaments antipsychotiques, sur la psychose à l'amphétamine et sur la maladie de Parkinson.

15. Les études biologiques de troubles affectifs comme la dépression unipolaire révèlent la présence d'un facteur génétique et font également ressortir l'importance des concentrations de neurotransmetteurs.

Lectures recommandées

Coles, M. G. H., Donchin, E. et Porges, S. W. (éds). (1986). *Psychophysiology : Systems, Processes and Applications.* New York : Guilford.

Gentry, W. D. (éd.). (1984). *Handbook of Behavioral Medicine.* New York : Guilford.

Moberg, G. P. (éd.). (1985). *Animal Stress.* Washington, D.C. : American Physiological Society.

Pincus, J. H. et Tucker, G. J. (1985). *Behavioral Neurology* (3e éd.). New York : Oxford University Press.

Plutchik, R. et Kellerman, H. (éds.). (1980). *Emotion : Theory, Research, and Experience. Vol. 1 : Theories of Emotion.* New York : Academic Press.

Snyder, S. H. (1980). *Biological Aspects of Mental Disorder.* New York : Oxford University Press.

Valenstein, E. S. (1980). *The Psychosurgery Debate : Scientific, Legal, and Ethical Perspectives.* San Francisco : W. H. Freeman.

Apprentissage, mémoire et cognition

Il n'existe pratiquement pas de créature vivante qui ne soit pas capable de modifier son comportement en fonction des nouvelles expériences. La capacité d'apprendre et de se souvenir permet de traiter avec un univers complexe et en perpétuel changement, ce qui contribue à accroître les chances d'adaptation. Le langage que nous utilisons, la capacité d'écrire, de conduire une voiture, de pratiquer le ski et de nous habiller sont autant de comportements humains qui dépendent de l'apprentissage et de la mémoire. L'accumulation et la rétention des leçons tirées de l'expérience mettent en évidence le fait qu'il est possible de changer les propriétés du système nerveux de manière durable. La façon d'y parvenir constitue un des grands mystères des sciences biologiques. Jusqu'à présent, les chercheurs ont formulé plusieurs hypothèses et inventé beaucoup de stratégies expérimentales dans le but de découvrir comment le système nerveux réalise des exploits comme l'apprentissage et la mémoire. Dans cette cinquième partie, nous allons considérer plusieurs aspects de la recherche en biologie de l'apprentissage. Il sera également question de certaines des réalisations les plus complexes du fonctionnement du cerveau : le langage et les états cognitifs qui caractérisent les êtres humains.

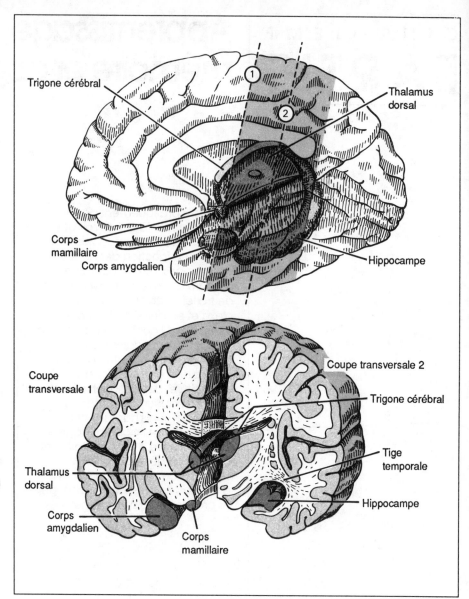

16 Apprentissage et mémoire : perspectives biologiques

ORIENTATION

L'étude de la biologie de l'apprentissage et de la mémoire jette une grande lumière sur presque tous les sujets abordés jusqu'ici. En effet, pratiquement tous les aspects du comportement se trouvent affectés par l'apprentissage : par exemple, le mode de perception des choses, les actes moteurs difficiles à exécuter avec adresse, les objectifs de nos motivations et la façon de les atteindre. On a dit que tous les aspects caractéristiques du comportement humain résultent d'un apprentissage : le langage, la façon de se vêtir, la nourriture consommée et la manière de la manger. En tant qu'êtres humains, il est incontestable que nous apprenons beaucoup de choses et que nous sommes façonnés par ce que nous apprenons, mais il ne faudrait pas croire que les autres animaux ne dépendent pas, eux aussi, de l'apprentissage. Effectivement, les chercheurs sont de plus en plus impressionnés par la quantité et la complexité de l'apprentissage que les invertébrés, même les plus simples, sont en mesure de réaliser.

Pour mieux comprendre l'apprentissage et la mémoire, ainsi que les recherches consacrées à ces sujets, nous aurons recours aux quatre sortes d'analyses définies au chapitre 1 et utilisées dans les chapitres suivants. Nous allons d'abord décrire l'apprentissage et la mémoire et présenter les types et les classifications qui se sont avérés utiles. Puis, nous adopterons une méthode comparative et évolutionniste pour nous interroger sur la répartition des capacités d'apprentissage entre les espèces animales et sur leurs modes possibles d'évolution. Nous considérerons ensuite le développement des aptitudes d'apprentissage et de mémorisation au cours de la vie d'un individu. Enfin, nous discuterons de la pathologie de la mémoire et nous aborderons, au chapitre 17, la question de l'analyse des mécanismes responsables de l'apprentissage et de la mémoire.

FORMES D'APPRENTISSAGE ET DE MÉMOIRE

Presque tous les animaux sont capables d'apprendre et de se souvenir si bien que l'apprentissage adopte plusieurs formes. Nous apprenons *comment faire* les choses (nager, peindre, utiliser une fourchette pour manger). Nous apprenons *ce que sont* les choses (un chien, une chaise, la tour Eiffel); de plus, nous apprenons à identifier les différents individus, de façon à pouvoir reconnaître un parent, un ami ou un voisin à leur apparence visuelle ou au son de leur voix. Nous apprenons les relations entre les diverses propriétés des objets, par exemple le goût d'un petit objet verdâtre et de forme ovale (une olive), l'odeur qui se dégage d'une rose, la sensation du sable sous les pieds. Nous retenons certains épisodes particuliers de notre vie : ce qui s'est passé la dernière veille du Jour de l'An, ou encore la date à laquelle nous avons vu tel ami la dernière fois. Nous apprenons également à ne pas réagir à des événements relativement constants même s'il nous est encore possible de les percevoir; c'est-à-dire que nous nous habituons à plusieurs stimuli visuels, auditifs et olfactifs de notre environnement.

L'étude comportementale de l'apprentissage de la mémoire a fait des progrès importants au cours des dernières années. Ces développements se trouvent reflétés dans les propos de Mackintosh (1984) et de Rescorla (1988) qui interprètent le conditionnement comme un apprentissage des relations entre les événements et la prévisibilité de ceux-ci, plutôt que comme la formation de liens entre stimuli et réponses. Mais le travail est loin d'être terminé. En effet, des chercheurs qui s'intéressent à ce domaine de la biologie de l'apprentissage et de la mémoire s'inquiètent de la possibilité que, considérant le taux accéléré des réalisations en neurosciences, les progrès enregistrés dans la compréhension de la neurobiologie de ces processus se trouvent limités surtout par le rythme du développement d'analyses comportementales correspondantes.

Apprentissage associatif

Dans leur démarche vers la compréhension de ces comportements et de leurs mécanismes biologiques, les psychologues ont dû d'abord procéder à une classification des principales formes d'apprentissage et de mémoire. L'une de ces formes est dite **apprentissage associatif** parce que celui qui apprend établit un lien entre deux ou plusieurs entités ou événements : un stimulus et une réponse, une réponse et ses conséquences ou entre deux ou plusieurs stimuli. Par exemple, dans le **conditionnement classique** (également nommé **conditionnement pavlovien**), une association se forme entre un stimulus, neutre au début, et une réponse. À la fin du siècle dernier, Pavlov a constaté qu'un chien en arrive à saliver en présence d'un stimulus auditif ou visuel si ce stimulus permet de prédire un événement qui provoquait déjà la salivation. Ainsi, quand l'expérimentateur fait entendre le son d'une cloche tout juste avant de placer un morceau de viande dans la gueule du chien, la répétition de cette association à quelques reprises fera en sorte que le son de cloche lui-même suscitera la salivation.

En **conditionnement instrumental** (ou **conditionnement opérant**), le comportement est associé à sa (ses) conséquence(s). C'est Thorndike qui nous décrit le premier exemple d'apprentissage instrumental (figure 16.1), quand il a montré dans un article publié en 1898 que des chats apprenaient à s'échapper d'une boîte puzzle. Placé dans une petite boîte à loquet intérieur, un chat se livrait d'abord à une variété de comportements et il fallait un certain temps avant qu'il ne parvienne à se libérer. Mais après plusieurs séries d'essais et erreurs, l'animal apprenait à exécuter, avec adresse et parcimonie, la réponse spécifique (réponse conditionnée) qui lui permettait de s'échapper (renforcement). L'appareil de conditionnement opérant, souvent nommé boîte de Skinner, est un exemple moderne d'une situation de conditionnement instrumental.

Apprentissage non associatif

Contrairement à l'apprentissage associatif, l'**apprentissage non associatif** porte sur la familiarisation avec un stimulus unique isolé ou avec deux stimuli qui n'entretiennent pas de relation temporelle nécessaire. On distingue trois sortes d'apprentissage non associatif : l'**habituation**, la **sensibilisation** et la **formation d'empreinte**.

Figure 16.1 Boîte puzzle
inventée par Edward L.
Thorndike en 1898 pour
étudier l'apprentissage
chez l'animal.

Habituation
Par habituation, on entend une atténuation de la réaction à un stimulus à mesure que celui-ci est répété (quand cette atténuation ne saurait être attribuée ni à une adaptation sensorielle ni à un épuisement de la motricité). Dans un tel cas par exemple, un animal réagira de moins en moins intensément à de petites tapes uniformes appliquées sur la surface du corps, même si l'enregistrement obtenu à partir des nerfs sensoriels indique que cette stimulation continue de déclencher des influx afférents et même si les muscles ne sont pas dans un état de fatigue. La figure 16.2 présente un exemple d'habituation chez un sujet humain. Les études du comportement d'habituation indiquent que ce phénomène est soumis à plusieurs règles, y compris les suivantes :

1. Plus le stimulus est faible, plus le déclin de l'amplitude de la réaction est rapide.

2. Si on ne présente plus le stimulus durant une certaine période de temps, la réaction connaît un recouvrement spontané.

3. L'habituation à un stimulus donné peut entraîner une habituation, au moins partielle, à un stimulus similaire.

L'habituation peut également s'effectuer par association. Le sujet peut apprendre, par exemple, que de petites tapes n'ont pas de conséquences **dans une situation particulière**. C'est-à-dire que le stimulus qui a été l'objet d'habituation peut également devenir associé à un contexte environnemental de stimulation spécifique. L'apprentissage associatif peut également subir l'influence de l'habituation. Quand un stimulus a déjà été utilisé dans un processus d'habituation, il est plus difficile de former une nouvelle association avec ce stimulus, dans un même contexte. Ce ne sont là que quelques-unes des façons dont les apprentissages associatif et non associatif peuvent être combinés dans des situations d'apprentissage, dans la nature ou en laboratoire.

Déshabituation
et sensibilisation
Quand une réponse a entraîné un processus d'habituation, il arrive souvent qu'un stimulus intense (de même nature ou d'une autre modalité sensorielle) entraîne une nette augmentation d'amplitude de la réaction à des présentations consécutives du stimulus *habitué* ; la réaction peut même devenir plus forte que la réaction originale avant habituation (figure 16.3). Cet accroissement de l'amplitude de la réponse par rapport au niveau de base s'appelle **déshabituation**, terme qui laisse supposer que l'habituation aurait été effacée. Des chercheurs prétendent que le mot **sensibilisation** décrirait ce phénomène de façon plus exacte et ce, pour plusieurs raisons. D'abord, il se trouve que même une réponse qui n'a pas été l'objet d'habituation peut gagner en amplitude, après la présentation d'un stimulus

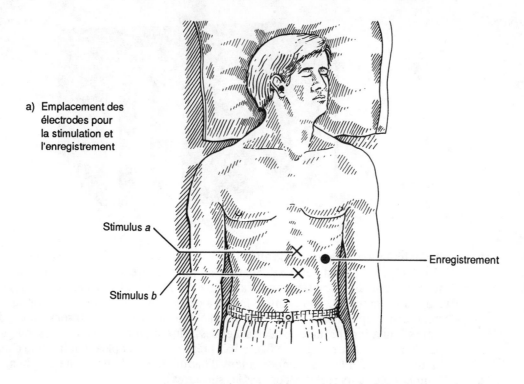

a) Emplacement des
   électrodes pour
   la stimulation et
   l'enregistrement

Stimulus *a*

Stimulus *b*

Enregistrement

b) Réponses électriques de muscles abdominaux

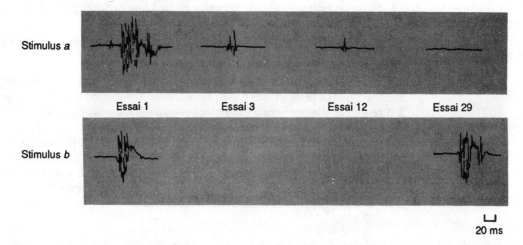

Stimulus *a*

Essai 1   Essai 3   Essai 12   Essai 29

Stimulus *b*

20 ms

Figure 16.2 Habituation du réflexe abdominal de l'être humain. Pendant que le sujet est couché, les yeux fermés et les oreilles bouchées, une stimulation électrique de la peau déclenche des réactions réflexes des muscles abdominaux. Quand on a appliqué au point *a* des stimuli toutes les 5 à 10 secondes, l'amplitude de la réponse musculaire a diminué progressivement, preuve d'habituation. Un stimulus initial isolé appliqué au point *b* a déclenché une réponse forte. Puis, on a cessé de stimuler le point *b* pendant que le point *a* recevait 29 stimuli successifs et devenait l'objet d'habituation. Ensuite, la nouvelle application d'un stimulus isolé au point *b* a déclenché une réponse intense, ce qui démontre que l'habituation au point *a* ne s'est pas généralisée au point *b*. (D'après les travaux de Hagbarth et Kugelberg, 1958.)

Figure 16.3 Sensibilisation du réflexe abdominal de l'être humain. b) La réponse réflexe des muscles abdominaux a d'abord été « habituée » à de faibles chocs mécaniques appliqués à la peau. Une série de coups forts a ensuite sensibilisé le réflexe. Après une série de 3 stimuli de sensibilisation, des réponses furent déclenchées par les trois chocs faibles qui ont suivi; après 10 stimuli de sensibilisation, les chocs faibles ont déclenché des réponses pendant plus de 100 essais. c) Sensibilisation au moyen de stimuli intenses. Après la réponse d'habituation en 1, un choc électrique isolé appliqué à la peau a sensibilisé la réponse au choc mécanique qui a suivi, comme on peut le voir en 2. d) Sensibilisation au moyen de stimuli verbaux. Un stimulus électrique faible appliqué à la peau n'a pas donné de réponse musculaire. Le même stimulus faible est devenu efficace après qu'on eut dit au sujet que le choc suivant serait douloureux. (D'après les travaux de Hagbarth et Kugelberg, 1958.)

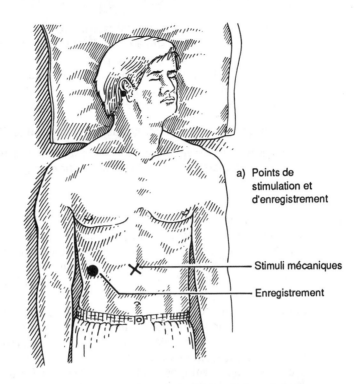

a) Points de stimulation et d'enregistrement

Stimuli mécaniques

Enregistrement

b) Réponses "habituées" à la suite d'une stimulation

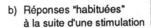

Stimuli sensibilisants

Réponses consécutives à des stimuli de sensibilisation

Trois   Dix

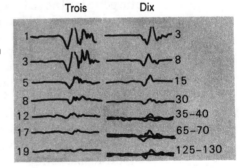

⊔ 20 ms

c) Sensibilisation au moyen de stimuli intenses

⊔__ 20 ms

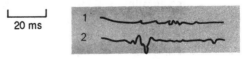

d) Sensibilisation au moyen de stimuli verbaux

⊔ 20 ms

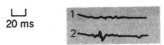

631

intense. Il peut arriver, par ailleurs, qu'une réponse qui a fait l'objet d'habituation ne retrouve pas simplement son amplitude pré-habituation après la présentation du stimulus intense, mais qu'elle atteigne une plus grande amplitude qu'au début. Des expériences récentes sur l'aplysie en voie de développement ont montré que la déshabituation apparaît nettement avant qu'il y ait sensibilisation, indiquant qu'il s'agit bien là de deux phénomènes distincts (Carew, 1988). Voici deux caractéristiques spéciales de la sensibilisation :

1. Plus le stimulus est intense, plus il est susceptible d'engendrer une sensibilisation.

2. La présentation répétitive d'un même stimulus sensibilisant a tendance à lui faire perdre son effet; c'est-à-dire qu'il y a habituation de la sensibilisation.

Formation d'empreintes

Un mode étonnant d'apprentissage se produit au tout début de la vie des individus de plusieurs espèces précoces : un jeune animal en arrive à suivre le premier objet mobile relativement gros qu'il aperçoit et semble heureux quand il se trouve près de cet objet, et craintif ou anxieux quand il en est séparé. Ainsi, un poussin suit normalement une poule et se tient à proximité d'elle, de même qu'un agneau s'attache à une brebis. Ce type d'apprentissage se nomme **empreinte filiale**. Il s'agit d'une forme d'apprentissage par laquelle les animaux précoces apprennent pendant leurs premiers jours à s'approcher du premier objet mobile relativement gros qu'ils aperçoivent et à le suivre. Il faut se rappeler que les animaux dits précoces naissent à un stade relativement avancé de leur développement, alors que les animaux qui nécessitent des soins prolongés à la naissance voient le jour à un stade de développement peu avancé. La formation d'empreinte est, selon toute évidence, une forme d'apprentissage, puisque le jeune animal acquiert l'empreinte de n'importe quel gros objet mobile, que ce soit une poule, un camion jouet ou une personne, et que l'expérience de cet objet est nécessaire à la formation de l'empreinte. De plus, il y a une période critique de quelques jours seulement pendant laquelle l'empreinte filiale peut se produire; si on ne permet pas au jeune animal d'apercevoir un gros objet mobile pendant cette période, il ne se forme pas d'empreinte par la suite. Dès qu'un jeune animal a formé une empreinte vis-à-vis d'un objet, il a tendance à éviter les autres gros objets mobiles. Même si l'empreinte aide normalement le petit à se mettre sous la protection de sa mère et à éviter des animaux qui pourraient représenter un danger, cette empreinte se fait même si l'objet ne réagit d'aucune façon au petit qui le suit. L'apprentissage est donc de type non associatif. L'empreinte filiale se forme assez rapidement et est durable. En partie à cause de ces caractéristiques, des chercheurs ont trouvé dans la formation d'empreinte une situation qui se prêtait bien à l'étude des mécanismes de l'apprentissage. Au chapitre 17, nous verrons que l'empreinte filiale est à l'origine de modifications quantifiables de la neurochimie et de l'anatomie du cerveau (Horn, 1985).

Il existe une autre forme d'empreinte qui revêt également une importance biologique. C'est l'**empreinte sexuelle** par laquelle les premières expériences influencent le choix d'un partenaire, plus tard au cours de la vie de l'individu (Bateson, 1983a). L'empreinte sexuelle se produit plus tardivement que l'empreinte filiale et s'acquiert sur un plus long intervalle de temps (Vidal, 1980). Elle découle des expériences du jeune animal avec sa mère ainsi qu'avec d'autres animaux, particulièrement avec ceux de la même couvée, portée ou fratrie. Chez certaines espèces, le processus de formation d'empreinte sexuelle se déroule de façon un peu différente chez le mâle et chez la femelle. L'empreinte sexuelle se produit autant chez les animaux qui nécessitent des soins prolongés à la naissance que chez les animaux précoces; habituellement, le test s'effectue quand l'animal a atteint la maturité sexuelle. Si un oiseau ou un rongeur est élevé avec des membres d'une autre souche ou d'une autre espèce, les effets de l'empreinte sexuelle peuvent être suffisamment marqués pour l'induire à tenter un accouplement avec un animal d'une autre espèce (Bateson, 1983b; d'Udine et Alleva, 1983).

L'empreinte sexuelle n'est pas la seule forme d'apprentissage qui influence le choix d'un partenaire. Il arrive que des animaux choisissent des partenaires légèrement différents de ceux avec lesquels ils ont été élevés. Bateson (1983b) a émis l'hypothèse que la différence optimale recherchée par un animal chez un partenaire serait déterminée conjointement par l'habituation, qui rend les animaux très familiers un peu moins attrayants, et l'empreinte sexuelle, qui limite le choix aux membres de la même espèce.

Apprentissage représentationnel : souvenirs et habitudes

Plusieurs chercheurs du domaine de l'apprentissage et de la mémoire, et qui se sont intéressés tant au comportement qu'aux mécanismes nerveux ont insisté récemment sur le besoin d'établir une distinction entre les souvenirs qui comportent des représentations mentales et ceux qui n'en comportent pas. Le fait de se remémorer le visage ou la voix d'un ami ou encore ce qui s'est passé la dernière veille du Jour de l'An, sont des exemples de mémoire représentationnelle. Les animaux sont également capables de tels souvenirs, comme en font foi les résultats de tests minutieux. Des images séparées retenues dans la mémoire peuvent, plus tard, s'intégrer les unes aux autres et servir de base à des actions originales. Par contre, l'apprentissage de la natation ou même de la solution de certains puzzles fait intervenir des habitudes *inscrites dans les muscles*, c'est-à-dire presque automatiques, comme le décrivent certains sujets. Les individus en cause ne peuvent pas dire comment ils arrivent à exécuter ces comportements acquis qui exigent de la dextérité; ils peuvent même s'étonner de leurs propres prouesses. Au cours du siècle dernier, des psychologues, notamment William James, ont établi une distinction entre **habitudes** et **souvenirs**, distinction que certains psychologues font revivre aujourd'hui. Selon cette distinction, les habitudes consistent en des liens stimulus-réponse; elles sont acquises de façon automatique, et souvent graduellement, grâce à l'avènement répétitif de contingences stimulus-réponse-renforcement. Au contraire, les souvenirs sont des représentations cognitives qui sont souvent acquises rapidement, leur acquisition n'exigeant pas la satisfaction de motivations. On dit que les habitudes portent sur le *savoir-faire*, alors que les souvenirs portent sur le *savoir*. D'autres ensembles de distinctions d'origine récente recouvrent cette distinction souvenir-habitude. L'une d'elle porte sur la **connaissance déclaratoire**, par opposition à une **connaissance exécutoire**. Une personne témoigne d'une connaissance déclaratoire quand elle est capable d'énoncer ce qu'elle sait; par ailleurs, elle fait preuve d'une connaissance exécutoire en se montrant capable d'exécuter une tâche (qui peut inclure des tâches verbales). Une autre distinction proposée est celle entre la **mémoire épisodique** et la **mémoire sémantique**. Un individu fait preuve de mémoire épisodique en se rappelant un certain incident ou en rapportant le souvenir d'un moment et d'un endroit particuliers (par exemple, se souvenir de la date et du lieu de la dernière rencontre avec tel ami). La mémoire sémantique correspond à une mémoire généralisée, par exemple le fait de connaître la signification d'un mot sans savoir où et quand on l'a appris. Le tableau 16.1 résume les distinctions entre souvenirs et habitudes et les diverses terminologies qui y sont associées.

Une technique d'entraînement donnée peut mener à la formation d'une habitude, d'un souvenir ou des deux à la fois. Beaucoup de chercheurs ont prétendu, par exemple, qu'un conditionnement classique débouche sur la création de liens stimulus-réponse inconscients et de type réflexe. Par contre, d'autres croient que, chez l'être humain adulte, le conditionnement n'arrive rarement, et peut-être jamais, de façon automatique et sans prise de conscience. Cependant, les données expérimentales indiquent que ces deux sortes d'apprentissage peuvent se produire durant un conditionnement. Wickens (1938, 1939, 1943 a et b) a fait une série d'expériences de conditionnement sur des sujets humains; au

Tableau 16.1 Expressions dichotomiques utilisées pour distinguer deux sortes de mémoire.

I	II	Auteurs
Habitude	Souvenir	James (1890); Mishkin et Petri (1984)
Mémoire sémantique	Mémoire épisodique	
Savoir comment	Savoir que	Bergson (1911); Tulving (1972)
Souvenir inscrit	Souvenir non inscrit	Ryle (1949)
Connaissance exécutoire	Connaissance déclaratoire	Bruner (1969)
Stimulus-réponse	Représentationnel	Squire (1984); Winograd (1975)
Association horizontale	Association verticale	Ruggerio et Flagg (1976)*
Mémoire des habiletés	Mémoire des faits	Wickelgren (1979)
Mémoire associative	Mémoire représentationnelle	Squire (1980)
Mémoire sémantique	Médiation cognitive	Oakley (1981)*
Habiletés	Rappel conscient	Warrington et Weiskrantz (1982)
Mémoire implicite	Mémoire explicite	Moscovitch (1982)
Connaissance non déclaratoire (épargnée dans l'amnésie)	Connaissance déclaratoire (atteinte dans l'amnésie)	Graf et Schacter (1985) Shimamura (1988)

* Partie d'un système à trois éléments

cours de ces expériences, un son précédait un choc au doigt. En langage de conditionnement, le son émis était le stimulus conditionnel (SC) et le choc le stimulus inconditionnel (SI). Dans l'un des groupes d'expérience, la main du sujet était placée à plat sur une surface, le majeur appuyé sur une électrode. En quelques essais, le sujet apprenait à allonger le doigt pour éviter le choc quand le SC se faisait entendre. La main était ensuite tournée, paume vers le haut, si bien que le dos du majeur était appuyé sur l'électrode. On observa chez la plupart des sujets, dès le début de la série de nouveaux essais, que le doigt se recourbait à la présentation du SC, plutôt que de continuer à faire un mouvement d'extension comme pendant la série d'entraînement. Cette réaction fut considérée comme une preuve du fait que les sujets avaient acquis une représentation de la situation et se dégageaient du choc, plutôt que d'avoir été conditionnés à donner une réponse musculaire d'extension. Mais, dans chacune des quatre expériences, au cours des séries de test, un sujet au moins donnait au début une réponse conditionnée, utilisant le même groupe musculaire que durant la période d'entraînement et pressant donc, au son du SC, le dos du doigt fermement contre l'électrode. Après l'expérience, l'un des sujets a fait de lui-même le commentaire suivant : « ... une drôle de chose s'est produite les premières fois (au cours des essais tests) que le signal s'est fait entendre. Mon doigt s'est d'abord abaissé aussi loin que possible... puis il s'est projeté en l'air... mon doigt a simplement agi comme ça, de lui-même » (Wickens, 1939, p. 335). Dans cette situation, la forme prédominante d'apprentissage semblait donc être la mémoire représentationnelle; toutefois, il s'est également produit en partie une formation automatique et inconsciente d'habitude.

Des faits démontrent que les capacités de formation d'habitudes et de souvenirs représentationnels se développent selon un rythme différent; de plus, elles utilisent pour y parvenir des circuits cérébraux quelque peu différents. Nous reviendrons bientôt sur ces éléments de preuve et nous verrons que, dans certaines perturbations du système nerveux, les souvenirs représentationnels et les habitudes sont affectés de façon différente.

Phases temporelles de la mémoire

Les termes apprentissage et mémoire sont si souvent associés qu'il semble parfois que l'un met l'autre en cause. On ne peut être assuré de la production d'un apprentissage que s'il est possible d'en évoquer le souvenir par la suite. Nous utilisons ici le mot *mémoire* dans son sens usuel (c.-à.-d. n'importe quel signe dénotant qu'un apprentissage a été effectué) et non dans le sens plus spécifique de *souvenir représentationnel*. Même s'il est possible toutefois de montrer qu'un apprentissage a été réalisé, cette observation ne garantit pas que le souvenir de ce qui a été appris puisse être rappelé plus tard. Même s'il y a eu mémorisation à court terme, il se peut qu'il ne se soit pas formé de souvenir à long terme, ou encore ce souvenir peut disparaître avec le temps ou être entravé par des lésions au cerveau; enfin, il se peut que le sujet se trouve temporairement dans un état particulier qui ne lui permette pas de récupérer tel souvenir.

Les souvenirs les plus fugitifs sont dits **iconiques** (du mot grec pour *image*) : c'est le cas, par exemple, de l'impression qu'on peut retenir d'une scène qui n'aurait été illuminée qu'un bref moment. On peut en effet saisir une partie du tableau, mais le reste s'évanouit en quelques secondes (on dit d'un bref souvenir auditif qu'il est échotique, comme si on pouvait encore l'entendre tinter dans l'oreille). Les traces mnémoniques aussi éphémères seraient le reflet de l'activité de tampons sensoriels, c'est-à-dire de la persistance de l'activité nerveuse sensorielle (figure 16.4).

La **mémoire à court terme** donne des souvenirs qui durent un peu plus longtemps que les mémorisations iconiques. Supposons, par exemple, que vous vouliez téléphoner à quelqu'un et que vous deviez faire un numéro que vous n'avez jamais utilisé auparavant. Vous cherchez le numéro dans le bottin et si rien ne vient vous distraire ou vous interrompre, vous composez le numéro correctement. Vous avez alors eu recours à une mémorisation à court terme du numéro de téléphone. Si la ligne téléphonique est occupée cependant, et si vous devez recomposer le numéro, une minute plus tard, il se peut que vous deviez chercher à nouveau le numéro, à moins que vous l'ayez répété à quelques reprises, dans l'intervalle. Si vous vous le répétez ou si vous utilisez à nouveau le numéro, il pourra alors rester dans la mémoire à court terme jusqu'à ce que vous changiez d'activité. Malheureusement, les chercheurs qui travaillent dans des domaines différents ne donnent pas exactement le même sens à l'expression *mémoire à court terme*. Les psychophysiologistes et les autres biologistes l'utilisent souvent pour parler de souvenirs qui ne sont pas permanents mais qui prennent des minutes ou des heures à s'effacer; certains chercheurs ont même eu recours à l'expression mémoire à court terme pour désigner des souvenirs qui persistent pendant quelques jours. Par contre, ceux qui étudient le comportement verbal de l'être humain réservent habituellement cette expression à des souvenirs qui durent quelques secondes à une minute environ, dans les cas où la répétition est exclue.

L'exemple suivant peut servir à décrire ces souvenirs qui dépassent un peu le court terme : supposons que vous vous rendez à l'université ou au travail et que vous garez votre voiture

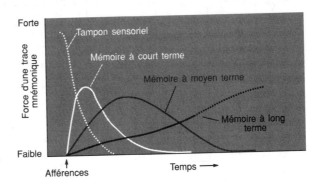

Figure 16.4 Diagramme d'une hypothèse à traces multiples du stockage mnémonique. (D'après McGaugh, 1968.)

635

à un endroit différent, d'une journée à l'autre. Si tout va bien, en fin d'après-midi, vous vous souvenez de l'endroit où vous avez garé votre voiture le matin. Toutefois, il se peut fort bien que vous ne puissiez vous souvenir de l'endroit où vous l'aviez garé la semaine précédente : voilà un cas de **mémoire à terme intermédiaire**, soit la rétention d'un souvenir qui dépasse les limites de la mémoire à court terme, mais qui est loin d'être permanent.

En plus de ces souvenirs qui peuvent durer des heures, il y a ceux qui persistent pendant des semaines, des mois et des années; il est alors question de **mémoire à long terme**. Certains des souvenirs qui durent des jours ou des semaines deviennent néanmoins plus faibles et peuvent même s'effacer totalement avec le temps; c'est pourquoi des chercheurs ont également recours à l'expression **mémoire permanente** pour désigner des souvenirs qui semblent persister sans déclin, pendant toute la vie d'un individu, ou au moins aussi longtemps que l'individu demeure en bonne santé.

Le fait que certains souvenirs ne durent que quelques secondes, tandis que d'autres persistent pendant des mois ne prouve pas que les souvenirs à court terme et les souvenirs à long terme relèvent de mécanismes biologiques différents. Il appartient au chercheur de découvrir si ces souvenirs s'appuient sur les mêmes processus ou sur des processus différents. De bonnes raisons cliniques et expérimentales permettent toutefois de croire que le stockage des souvenirs à court et à long terme repose sur des processus biologiques différents.

Processus mnémoniques

Les psychologues qui étudient les processus de l'apprentissage et de la mémoire disent que plusieurs processus semblent nécessaires pour assurer le rappel d'un événement passé; ce sont le **codage**, la **consolidation** et le **repêchage** (figure 16.5). L'information originale doit pénétrer par les voies sensorielles pour être ensuite codée rapidement sous une forme qui passe dans la mémoire à court terme. Une partie de cette information est alors consolidée dans le stockage à long terme. Des spécialistes de la psychologie cognitive soutiennent qu'il n'y a pas de différence essentielle entre les stockages à court et à long terme; ils prétendent que l'information qui a été traitée le plus complètement reste en stock plus longtemps. Selon d'autres psychologues, le stockage serait exécuté par des processus nerveux différents, selon qu'il s'agisse d'un stock à court ou à long terme. Enfin, d'autres processus servent au repêchage. Les chercheurs ont essayé, à partir de ces conceptions des stades mnémoniques, de découvrir si des exemples particuliers d'incapacité de rappel, chez des sujets normaux,

Figure 16.5 Schéma des processus mnémoniques qui comprennent le codage, la consolidation et le repêchage.

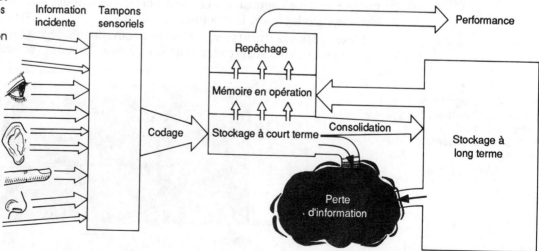

résultaient d'un défaut de codage, de consolidation ou de repêchage et si les déficiences pathologiques de la mémoire mettaient en cause d'une façon sélective l'un ou l'autre de ces processus principaux.

ÉTUDES COMPARATIVES ET ÉVOLUTIONNISTES DE L'APPRENTISSAGE

L'évolution des capacités d'apprendre et de se souvenir a fait l'objet de nombreuses spéculations; malheureusement, aucune recherche ne peut porter directement sur cette question puisqu'il est impossible d'étudier le comportement des animaux dont l'espèce est maintenant disparue. On peut évidemment comparer les capacités d'apprentissage et de mémoire des espèces actuelles, dont certaines sont plus primitives que d'autres en ce qu'elles présentent des ressemblances plus étroites avec leurs ancêtres disparus, mais ce n'est pas là une voie d'accès directe sur le passé. Lorsque nous considérerons les tentatives de comparaison des aptitudes à apprendre parmi les espèces actuelles, nous verrons que le problème n'est pas simple. De même qu'il est difficile, et peut-être impossible, d'imaginer un test d'intelligence pour les êtres humains qui échappe à quelque influence culturelle, il est également difficile de préparer pour des animaux des tests qui ne privilégieraient pas certaines capacités sensorielles ou motrices pouvant favoriser certaines espèces au détriment d'autres espèces. Le problème est devenu encore plus complexe depuis que des recherches récentes ont montré que des animaux relativement simples sont capables d'une plus grande variété d'apprentissages qu'on ne l'avait soupçonné il y a quelques années à peine (Carew and Sahley, 1986). Ces constatations découlent en partie des efforts d'utilisation de systèmes simples dans l'étude des processus nerveux fondamentaux qui interviennent dans l'apprentissage et la formation de souvenirs. On a ainsi découvert que l'aplysie était un mollusque capable d'apprentissage associatif et la limace de jardin capable de conditionnement complexe. Par ailleurs, chez beaucoup d'espèces animales, l'apprentissage semble se limiter à certaines combinaisons d'événements, à l'exclusion d'autres relations. Le caractère généralisé des capacités d'apprentissage dans le règne animal a porté à croire que l'évolution des capacités d'apprendre et de se souvenir serait en cause, comme le suggèrent les limites de ces capacités. Nous discuterons bientôt de ces questions.

Répartition des capacités d'apprentissage parmi les classes d'animaux

L'apprentissage non associatif semble se distribuer sur une large échelle dans tout le règne animal. Des animaux relativement simples et dotés de systèmes nerveux rudimentaires font preuve d'habituation facile aux stimulations légères ainsi que de sensibilisation à des stimuli plus intenses. De plus, les caractéristiques temporelles et d'autres aspects de l'habituation et de la sensibilisation sont semblables, qu'il s'agisse du ver de terre, des mollusques ou des mammifères. Des chercheurs ont noté l'existence d'un apprentissage non associatif même chez la paramécie, animal unicellulaire et bien sûr dépourvu de système nerveux. Il semble bien qu'il n'existe pas d'animaux qui ne manifestent un type quelconque d'apprentissage et de mémoire.

Jusqu'à tout récemment, on avait cru que l'apprentissage associatif était probablement moins répandu que l'apprentissage non associatif dans le règne animal. Par exemple, pendant des années, l'aplysie a été utilisée pour étudier les mécanismes nerveux de l'habituation; les expérimentateurs avaient tenté en vain de trouver chez cet organisme des preuves de l'existence d'apprentissage non associatif, ce qu'ils réussirent enfin en 1980. Dans le but d'établir une relation entre l'apprentissage et les facteurs génétiques, bien connus chez la drosophile (mouche des fruits), on a longtemps tenté de démontrer que ce diptère était capable d'apprendre. Ce n'est qu'en 1974 toutefois que des chercheurs ont pu enfin annoncer qu'ils avaient réussi à produire un entraînement chez cet animal. On présentait également pour la première fois en 1975 des données démontrant qu'on pouvait produire un conditionnement chez la limace.

Une partie de la difficulté que pose, chez une espèce, l'évaluation de sa capacité d'apprendre et de se souvenir vient du fait que ces capacités peuvent être très spécifiques. Au cours des dernières années, il est devenu évident que certaines espèces sont capables de bien apprendre certaines associations, même si elles sont très peu douées pour d'autres tâches qui ne nous paraissent pourtant pas plus difficiles. Depuis les années 1960, les preuves de l'existence d'une telle spécificité se sont accumulées et ont donné naissance à deux conceptions successives mais bien différentes. Est apparue d'abord la notion de **contraintes génétiques exercées sur l'apprentissage**, notion qui a été très populaire jusqu'au début des années 1980. Selon cette interprétation, des facteurs innés imposeraient une limite aux types d'apprentissage que les individus d'une espèce peuvent acquérir, ou du moins acquérir facilement. Voici deux exemples de faits qui permettraient de conclure à l'existence de telles contraintes. Les abeilles apprennent spontanément à se rendre, chaque jour, à un endroit donné pour s'alimenter, mais elles sont incapables d'apprendre à s'y rendre toutes les 8 ou 12 heures. De même, certaines espèces d'oiseaux n'apprennent pas le motif des marques caractérisant leurs œufs, ni même la couleur de ces œufs, même s'ils les retournent fréquemment; par contre, ils sont capables de reconnaître chacun de leurs petits, moins de trois jours après leur naissance. C'est précisément à ce moment que les poussins commencent à errer alentour, devenant de ce fait confondables avec les poussins de diverses couvées. L'interprétation donnée aux observations de ce genre a changé au cours des années 1980. Plutôt que d'accepter l'hypothèse voulant que les gènes de certaines espèces imposent des contraintes à leur capacité générale d'apprendre et les rendent ainsi relativement stupides, certains chercheurs pensent qu'il est plus probable que l'évolution crée des **capacités spécifiques d'apprentissage et de mémorisation**, là où le besoin s'en fait sentir (Jenkins, 1984; Gould, 1986).

Le fait que l'apprentissage et la mémoire soient aussi largement répandus parmi les espèces animales constitue un appui aux tentatives faites pour étudier les mécanismes fondamentaux de ces deux processus chez des animaux au système nerveux relativement simple. Au chapitre 17, nous discuterons de ces travaux sur les systèmes simples et des résultats obtenus.

Comparaisons des capacités d'apprentissage des diverses espèces

Une recension récente de la distribution des capacités d'apprentissage et d'intelligence chez diverses espèces a permis de tirer les conclusions suivantes (Rosenzweig et Glickman, 1985) :

1. L'apprentissage non associatif et certaines sortes d'apprentissage associatif (conditionnement classique et instrumental) se présentent chez tous les vertébrés et se rencontrent également beaucoup chez les arthropodes et les mollusques et peut-être même chez d'autres phylums.

2. L'apprentissage cognitif (formation de *souvenirs* au sens de William James) se produit chez les primates et certains autres mammifères, mais pas chez tous ces derniers. Certaines espèces d'autres phylums à cerveau volumineux, les céphalopodes par exemple, en sont également capables.

3. Outre les différences qualitatives dans la capacité d'apprendre et de se souvenir, les différences quantitatives peuvent également s'avérer importantes pour le comportement individuel, et partant, pour l'évolution.

4. Des recherches additionnelles semblent s'imposer si l'on tient compte de certaines hypothèses à l'effet que les capacités cognitives particulièrement complexes ne s'observeraient que chez quelques espèces privilégiées.

Ces conclusions s'appuient sur les travaux de plusieurs psychologues qui ont tenté, depuis le début du siècle, de comparer les capacités d'apprentissage. Ces comparaisons contribueraient non seulement à nos connaissances de la distribution, à travers le règne animal, des capacités d'apprentissage et de mémorisation, mais également à notre compréhension de l'évolution de ces capacités et à la découverte de la relation entre l'intelligence et les mesures du cerveau (comme la masse).

Formation d'attitudes d'apprentissage

L'étude de la formation d'**attitudes d'apprentissage** (Harlow, 1949) a conduit à une tentative de création d'un test d'intelligence pour animaux qui réponde à des objectifs généraux. Essentiellement, des attitudes d'apprentissage se forment lorsqu'on présente à un animal (un singe, par exemple) un nombre de problèmes successifs (parfois plus de 300) qui s'appuient tous sur le même principe. On peut, par exemple, entraîner l'animal à choisir un objet parmi un groupe de deux (cercle et triangle, par exemple) que l'expérimentateur a arbitrairement décidé comme étant le bon (figure 16.6). Ce type de problème se nomme problème de discrimination d'objet. Chaque fois que le singe opte pour le bon objet, il reçoit un peu de nourriture. Après un certain nombre d'essais, il arrive à maîtriser le problème; on lui présente alors deux objets nouveaux et il doit encore apprendre lequel des deux représente le bon choix. Après des centaines de problèmes successifs du genre, chacun portant sur deux objets différents, le singe acquiert la capacité de résoudre un nouveau problème très rapidement. Quand le choix se trouve renforcé au premier essai, il continue d'opter pour le même objet et ne commet plus aucune erreur ; s'il ne reçoit pas de renforcement, il modifie alors son choix et ne se trompe plus par la suite. Quiconque commencerait à observer des singes après qu'ils ont déjà résolu 300 de ces problèmes pourrait voir dans cette brillante performance la marque d'une étonnante intuition, ce qui serait évidemment une erreur.

Fournissant non seulement un test d'intelligence pour animaux qui réponde à des objectifs généraux, la formation d'attitudes d'apprentissage semblait constituer également un test valide pour l'être humain : l'amélioration de la performance des enfants sur un ensemble de problèmes similaires était en corrélation avec leur niveau intellectuel établi grâce à un test de Q.I. (Harter, 1965). À partir de nombreuses sources variées, on compile les résultats obtenus sur la formation d'attitudes d'apprentissage de plusieurs espèces de mammifères. Les données indiquent qu'il existe de grandes différences entre les espèces et la position hiérarchique des espèces étudiées est généralement conforme au statut phylogénétique qu'on leur attribue. Même si on a pu reproduire ces résultats à plusieurs reprises, les critiques ont fait remarquer que les diverses études originales n'étaient pas rigoureusement comparables. Les expérimentateurs avaient eu recours à une variété de méthodes pour entraîner et tester leurs sujets; par exemple, le nombre d'essais accordés pour résoudre chaque problème était différent, d'un expérimentateur à l'autre, ce qui peut influencer la rapidité d'amélioration de la performance quant à la formation d'attitudes d'apprentissage. On peut donc douter qu'il soit possible de comparer les attitudes d'espèces différentes.

Tentant de tirer le meilleur parti possible des données sur les attitudes d'apprentissage, Passingham (1981) a voulu identifier, pour diverses espèces, le plus grand ensemble de résultats disponibles obtenus à partir des mêmes méthodes d'entraînement. Ainsi pour le singe rhésus, le sagouin, le ouistiti, le chat, la gerbille, le rat et l'écureuil, il a trouvé des compte rendus d'expériences où on avait accordé six essais à chaque problème. De toutes ces espèces, c'est le singe rhésus qui manifeste la plus grande vitesse d'amélioration. Chacune des trois espèces de primates apprend plus facilement que le chat, et ce dernier surpasse les trois rongeurs. Ces résultats semblent donc confirmer l'existence de différences dans l'apprentissage à apprendre et l'intelligence tout court, chez les mammifères.

On peut toujours cependant s'inquiéter du fait que toutes ces expériences utilisaient la discrimination visuelle et qu'elles ont pu tirer avantage de la grande acuité visuelle et de la

Figure 16.6 Singe procédant à une discrimination d'objet au cours d'une expérience sur la formation d'attitudes d'apprentissage. (Contribution bienveillante de H. F. Harlow.)

capacité des primates de distinguer les couleurs. À cet égard, on peut se demander s'il existe des différences significatives dans la formation d'attitudes d'apprentissage, chez les espèces de primates, et de plus si ces différences existent dans une variété d'espèces, lorsque la discrimination visuelle se situe bien à l'intérieur des capacités sensorielles de chacune d'entre elles. En ce qui a trait à la première question, Shell et Riopelle (1958) ont étudié la formation d'attitudes d'apprentissage chez trois espèces de singes platyrrhiniens, en utilisant la même méthode expérimentale pour les trois espèces. Ils obtinrent des différences significatives entre les espèces : les singes araignées s'amélioraient plus rapidement que les singes cebus et ces derniers plus rapidement que les sagouins. Ayant recours à des indices spatiaux et des indices de brillance qui faisaient partie des capacités sensorielles de tous ses sujets, Riddell (1979) a mesuré la souplesse de l'apprentissage réversible. La performance s'améliorait de l'une à l'autre des espèces suivantes : le rat, la musaraigne, le sagouin, le singe cebus et l'Homme. S'appuyant sur ces résultats et d'autres encore, la plupart des chercheurs partagent la conviction que la capacité d'apprentissage varie de façon significative, d'une espèce à une autre.

Évolution de l'apprentissage et de l'intelligence

Sur la base de ce tour d'horizon des aspects comparatifs de l'apprentissge et de l'intelligence, on peut tirer des conclusions quant au mode d'évolution de ces capacités. Nous avons vu, aux chapitres précédents, que les animaux inférieurs ou plus simples ont des aptitudes sensorielles et motrices spécifiques adaptées aux niches particulières qu'ils occupent dans l'environnement. Parfois, ces capacités sont plutôt fines et précises : c'est le cas, chez les abeilles par exemple, de leurs aptitudes de discrimination des ensembles de fleurs (même si leur perception visuelle de la forme n'est pas aussi fine que la nôtre) et de celle des couleurs (y compris certaines couleurs de la partie ultraviolette du spectre que nous ne pouvons pas voir). Les capacités d'apprentissage de ces animaux peuvent également être bonnes dans certains cas, mais limitées dans d'autres, par comparaison avec les capacités d'apprentissage plus générales des animaux plus complexes. On a une bonne illustration de cette spécificité dans la capacité qu'ont les abeilles de se rendre à un endroit précis pour y trouver de la nourriture toutes les 24 heures, et non pas toutes les 8 ou 12 heures. Ces intervalles de temps plus courts n'existent pas dans l'univers de l'abeille.

On a prétendu que l'évolution de l'apprentissage et de l'intelligence était due à la valeur de survie découlant de la capacité de prédire les événements du monde environnant. L'animal capable de prévoir où il a des chances de trouver de la nourriture dans son habitat possède un avantage certain sur celui qui doit errer au hasard, à la recherche d'aliments; celui qui peut prévoir que telle réaction à un stimulus entraîne de la douleur risque moins de se blesser. Pour ces raisons, un théoricien a formulé l'hypothèse que l'aptitude à former des associations « a évolué très tôt et s'est avérée si efficace comme mécanisme de prédiction, que les progrès subséquents dans la solution des problèmes sont, en grande partie, le fait des améliorations indubitables de la qualité du traitement de l'information sensorielle, de la variabilité et de l'adresse des réponses motrices disponibles » (Macphail, 1985, p. 285). Cette interprétation s'appuie sur la prémisse que tous les circuits nerveux et les événements synaptiques précis qui sont à la base de l'apprentissage et de la mise en mémoire d'informations seraient les mêmes chez tous les animaux dotés d'un système nerveux; il n'est pas évident toutefois que l'un ou l'autre de ces postulats soit nécessairement justifié, ce que nous allons examiner d'un peu plus près.

Pour qu'un lien associatif s'établisse, l'information sur les termes différents à associer doit être disponible dans les mêmes neurones, ou au moins dans des neurones voisins, ce qui n'est habituellement pas le cas. On a plutôt laissé entendre que chez les animaux les plus simples, l'évolution aurait abouti à la formation de circuits spécifiques où des types particuliers d'association peuvent s'établir et que, au cours d'une évolution ultérieure, ces circuits spécifiques ont été utilisés de façon plus générale et plus plastique par les animaux supérieurs (Rozin, 1976a). Ce point de vue est conforme à l'hypothèse déjà énoncée à la suite des études comparatives du comportement animal, à savoir que les capacités spécifiques d'apprentissage et de mémorisation auraient été soumises à une évolution, chaque fois que ces capacités représentaient une valeur de survie.

L'évolution de l'apprentissage et de l'intelligence a probablement d'abord consisté en bonne partie dans la formation de systèmes précis et détaillés pour faire face à des situations spécifiques, puis dans le dégagement de ces systèmes hors de leur contexte restreint. En d'autres mots, les circuits spécifiques qui, par évolution, se sont formés pour la maîtrise de problèmes particuliers (c.-à-d. constance de la dimension dans la perception et la mémorisation de l'emplacement des sources de nourriture) n'étaient au début accessibles qu'aux systèmes afférents et efférents pour lesquels ils avaient été élaborés. Au cours d'une évolution subséquente, certains de ces systèmes établirent des liens avec d'autres systèmes; ils devinrent alors des éléments au sein d'une hiérarchie et connurent ainsi un usage plus vaste. De même, les circuits qui s'avérèrent utiles dans un contexte donné ont probablement servi de modèles à des circuits utilisés dans des systèmes apparentés. Il en serait ainsi de la structure modulaire du cortex cérébral, où des circuits fondamentaux similaires se trouvent reproduits plusieurs fois pour s'intégrer dans des réseaux différents. Cette prolifération d'unités fondamentales dans les cerveaux complexes est l'une des causes de l'augmentation du volume du cerveau, au cours de l'évolution (chapitre 3).

ÉTUDES DÉVELOPPEMENTALES DE L'APPRENTISSAGE ET DE LA MÉMOIRE

Les changements apportés, au cours de la vie, aux capacités d'apprendre et de se souvenir sont importants tant pour la compréhension du comportement à des âges différents que pour les indices qu'ils apportent sur les mécanismes nerveux de l'apprentissage et de la mémoire. Les nouveau-nés et les personnes âgées présentent des problèmes de mémoire qui sont caractéristiques et des études récentes ont tenté de dégager les relations possibles entre les problèmes communs à ces deux groupes d'âge. Les études génétiques de l'apprentissage et de la mémoire portent sur diverses espèces, des mollusques jusqu'à l'Homme.

Émergence successive de l'habituation, de la déshabituation et de la sensibilisation chez l'aplysie

Depuis les années 1960, le mollusque aplysie s'est révélé approprié pour l'étude des mécanismes neurologiques de l'habituation et de la sensibilisation. Le psychologue Thomas Carew (1988) vient de démontrer que l'aplysie se prête également bien à la recherche de l'émergence de diverses formes d'apprentissage et de leurs mécanismes nerveux au cours du développement.

Les plus jeunes aplysies pouvant être utilisées dans les expériences sur le comportement sont celles dont la naissance remonte à environ 45 jours (stade 9 de leur développement); toutefois, leur taille est réduite (environ 1 mm de longueur). À ce stade, elles manifestent déjà de l'habituation, mais seulement si les stimuli se répètent à de courts intervalles d'une seconde ou moins. On peut espacer de plus en plus les stimuli à mesure que l'aplysie se développe et quand même engendrer de l'habituation. Aucune déshabituation ou sensibilisation n'est possible au stade 9. Quelques jours plus tard, au stade 10 de son développement, on peut habituer l'aplysie à des stimuli présentés à des intervalles de 5 secondes. Par contre, un stimulus intense entraîne de la déshabituation, mais il ne se produit pas encore de sensibilisation; un stimulus intense n'augmente donc pas l'amplitude des réactions subséquentes, à moins que l'animal n'ait déjà été *habitué*. Ce n'est qu'au stade 12, soit environ 100 jours après la naissance, que la sensibilisation apparaît pour la première fois. À cet âge, des stimuli présentés à 30 secondes d'intervalle peuvent engendrer de l'habituation. On n'a pas encore déterminé si de l'apprentissage associatif se manifestait également au stade 12 ou s'il nécessitait une maturation additionnelle. L'identification précise du moment d'émergence de diverses sortes d'apprentissage est une opération importante : elle permet aux chercheurs d'établir une distinction entre les types d'apprentissage et de rechercher aussi les modifications du système nerveux qui se produisent à chacune de ces étapes.

Amnésie infantile

On ne peut guère remonter plus loin dans le domaine des souvenirs les plus anciens qu'à l'âge de deux ou trois ans; d'ailleurs, nous ne gardons généralement que peu de souvenirs antérieurs à notre cinquième année. Cette amnésie est étonnante puisque les enfants apprennent évidemment beaucoup de choses et font des expériences intéressantes au cours des premières années de leur vie. Pourquoi de telles expériences ne seraient-elles pas recouvrables à un âge plus avancé ? Freud a nommé ce phénomène *amnésie infantile*. Il a prétendu que les souvenirs de ces années étaient l'objet de refoulement; il faut noter toutefois que cette forme d'amnésie ne concerne pas que les expériences désagréables. D'aucuns ont laissé entendre que les premiers souvenirs ne seraient pas codés efficacement en termes linguistiques, si bien qu'on ne saurait pas les repêcher; à ces âges pourtant, la plupart des enfants parlent déjà et décrivent correctement des événements dont ils ne peuvent pas se souvenir à l'âge adulte. De plus, les adultes sont eux aussi capables de se souvenir de formes et de sons qu'ils ne peuvent pas coder de façon efficace en termes de langage. La recherche sur les animaux a offert deux autres explications de l'*amnésie de la tendre enfance*.

La première de ces explications biologiques vient d'une recherche sur les rats et les souris qui a permis de montrer que la capacité de ces rongeurs de former des souvenirs à long terme arrivait à maturité plus tardivement que leur capacité d'apprendre (Campbell et Coulter, 1976). Comme les bébés humains, les nourrissons des rats et des souris naissent à un stade relativement primitif de leur développement. Par contre, le cobaye est précoce et les expériences ont montré que les cobayes nouveau-nés sont capables de se souvenir aussi bien que les cobayes adultes. Sur la base de ces résultats, Campbell et Coulter supposent que le nouveau-né humain peut se souvenir des mots ou des visages qui ont fait l'objet d'un apprentissage répétitif mais qu'il est incapable de retenir le souvenir d'événements particuliers (souvenirs dits épisodiques).

Des recherches plus récentes démontrent que même chez les animaux qui naissent à un stade primitif de développement, certaines informations peuvent être apprises et retenues avec succès par des nouveau-nés alors que d'autres types d'informations exigent une plus grande maturation du système nerveux (Bachevalier et Mishkin, 1984). Les auteurs de cette étude ont eu recours au même devis expérimental pour étudier le rôle des diverses structures du cerveau dans l'apprentissage et la mémoire. Leurs résultats en ce qui concerne l'âge et les circuits nerveux ont été associés à la distinction faite entre habitudes et souvenirs; un examen minutieux des méthodes employées s'impose donc dans ce cas.

L'un des problèmes mettait en cause un apprentissage concomitant avec deux objets. Une fois par jour, dans une situation semblable à celle illustrée à la figure 16.6, on présentait un ensemble de 20 couples différents d'objets tridimensionnels, faciles à distinguer l'un de l'autre. On avait arbitrairement déterminé que l'un des objets de chacun des couples serait le *bon* objet, c'est-à-dire que, s'il le déplaçait, le singe trouverait un morceau de nourriture. Chaque couple d'objets n'était présenté qu'une seule fois durant la séance quotidienne. Le jour suivant, on présentait au singe le même ensemble de 20 couples d'objets dans le même ordre, mais la position gauche / droite, dans un couple d'objets, variait de manière à ce que le singe soit forcé d'apprendre l'identité de l'objet et non uniquement sa position dans l'espace. La figure 16.7a illustre ce type de problème : les objets représentés dans cette figure sont toutefois moins compliqués que ceux qui ont servi dans l'expérience. Pour

Figure 16.7 Devis expérimentaux pour des tests a) d'apprentissage concomitant et b) du délai d'appariement à l'échantillon. Les objets qui servent aux tests sont tridimensionnels et plus complexes que ceux qui sont illustrés ici. Remarquez que dans a), les mêmes paires d'objets sont présentées dans le même ordre chaque jour. Au contraire, le test de délai d'appariement à l'échantillon b) utilise de nouvelles paires d'objets d'un jour à l'autre. Dans chacun des cas, le bon choix est désigné par un astérisque.

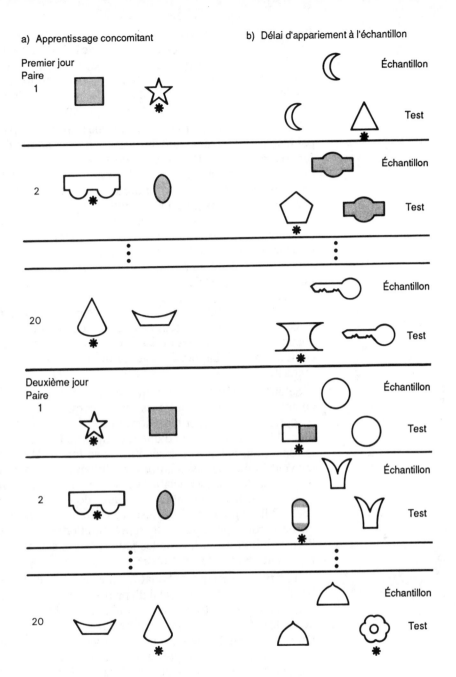

améliorer son rendement, l'animal devait, d'une journée à l'autre, retenir les expériences dans sa mémoire.

L'autre problème s'intitulait *délai d'appariement à l'échantillon*. Dans cette expérience, chaque essai faisait appel à un couple d'objets que le singe n'avait jamais vu auparavant et chaque couple n'était utilisé qu'une seule fois. Un des objets du couple était présenté en premier, à titre d'échantillon, en position centrale sur le plateau; le singe le déplaçait et obtenait un morceau de nourriture. Ensuite, après un délai de 10 secondes, les deux objets étaient présentés en position latérale sur le plateau et l'animal ne trouvait la récompense que s'il déplaçait l'objet nouveau. La partie b de la figure 16.7 présente ce type de problème. Comme dans l'autre type de problème, le singe faisait 20 essais par jour. Dans cette expérience, il devait se rappeler de l'objet-échantillon pendant 10 secondes seulement, la difficulté pouvant être augmentée par la suite en prolongeant la période de délai entre la présentation de l'échantillon et celle du couple d'objets.

Lequel de ces deux problèmes est facile à apprendre par un singe de 3 mois et lequel n'est pas résolu parfaitement tant que le singe n'a pas atteint l'âge de deux ans ? Les deux tâches furent présentées à des groupes de singes de 3, 6, 12 et 24 mois. Les singes de 3 mois maîtrisèrent facilement la tâche de discrimination de l'objet concomitant. Il leur fallut en moyenne 10 séances pour atteindre 90 % d'exactitude dans le choix du bon objet de chaque couple; les animaux plus âgés n'apprirent pas plus rapidement. Par contre, alors que les singes adultes apprirent à exécuter le délai d'appariement à l'échantillon avec 90 % d'exactitude en moins de 100 essais (cinq jours d'expérience), les singes de 3 mois furent incapables de découvrir le principe de cette tâche. Un singe devait atteindre l'âge de 4 ou 5 mois avant d'être en mesure de maîtriser cette tâche. De plus, les singes adultes purent l'exécuter avec plus de 90 % d'exactitude même si les délais entre l'échantillon et le test étaient prolongés jusqu'à 2 minutes; ils purent également réussir si on leur donnait jusqu'à 10 objets-échantillons avant de commencer l'un ou l'autre des tests de cette journée. Les singes de 6 ou 12 mois furent incapables de réussir ces versions plus exigeantes de la tâche comme le font les singes de 24 mois. Le délai d'appariement à l'échantillon exige donc, contrairement à l'apprentissage de discrimination d'objets, une beaucoup plus grande maturité.

Selon les expérimentateurs, quelles sont les caractéristiques de ces deux tests qui rendent compte des différences entre les exigences qu'ils posent en terme de maturation ? La tâche d'apprentissage de discrimination fait appel à la formation d'associations entre l'apparence d'un objet et l'avènement d'une récompense. La force de telles associations s'accroît avec la répétition, même si ces répétitions se font à 24 heures d'intervalle. De même qu'ils peuvent former des associations conditionnées tôt dans leur vie, les singes sont capables d'acquérir de telles associations entre apparence et renforcement. Dans le cas du délai d'appariement à l'échantilon, l'animal doit se former un souvenir (représentation de l'échantillon) pour ensuite utiliser ce souvenir au moment du test et décider de l'objet-test qui ne lui correspond pas. Cette représentation se forme rapidement chez le singe adulte qui l'utilise à bon escient, mais les jeunes singes semblent incapables de maîtriser l'aspect représentationnel de cette tâche.

Il est particulièrement révélateur que l'incapacité des jeunes animaux dans la réalisation fructueuse de la tâche de délai d'appariement à l'échantillon s'accompagne néanmoins de succès dans l'apprentissage de discrimination d'objets. Si seule la tâche de délai d'appariement avait été présentée, on aurait pu attribuer l'échec à l'un ou l'autre d'une variété de facteurs. On aurait pu se demander si les jeunes animaux étaient en mesure de percevoir les objets correctement ou de leur porter une attention suffisante, ou encore si leur motivation pour l'exécution de cette tâche était suffisant. Mais comme la tâche de discrimination d'objet faisait appel à des objets semblables à ceux utilisés dans l'autre tâche et comme l'intervalle entre les essais, la longueur des séances quotidiennes et les récompenses de nourriture étaient les mêmes dans les deux cas, nous pouvons écarter de telles alternatives d'explication et attribuer les différences de réussite à des différences dans ce que les animaux avaient à apprendre et à retenir. On donne le nom de dissociation à la stratégie consistant à comparer les résultats de deux ou plusieurs tâches soigneusement choisies. Nous verrons bientôt un exemple de double dissociation mettant en cause des lésions affectant deux sites du cerveau et leurs effets différents sur deux tâches comportementales.

La découverte de ce que de jeunes animaux peuvent et ne peuvent pas retenir nous aide à mieux comprendre l'amnésie infantile. De toute évidence, les gens retiennent les habiletés acquises et la signification des mots apprise durant leurs trois premières années. Ce n'est donc pas tous souvenirs de la tendre enfance qui sont perdus mais un type spécifique de souvenirs seulement.

Différences sexuelles dans le développement de la formation des habitudes

Les spécialistes de la psychologie génétique ont constaté que les jeunes garçons mettent souvent plus de temps que les jeunes filles à acquérir certaines habitudes. On a découvert que le même phénomène s'observe chez les jeunes primates et qu'il serait attribuable aux niveaux de testostérone néonatals (Hagger, Bachevalier et Bercu, 1986). Dans les études de discrimination concomitante des objets par exemple, les singes femelles de trois mois apprennent presque aussi rapidement que les adultes (moyennes de 13 et de 10 séances respectivement avant atteinte du critère), alors que les mâles de trois mois sont significativement plus lents (moyenne de 22 séances). Les lésions du cortex inférotemporal nuisent à cet apprentissage chez les adultes des deux sexes et chez les jeunes femelles, mais pas chez les jeunes mâles; apparemment, cette région a atteint une plus grande maturité chez les femelles de trois mois que chez les mâles du même âge.

Pour étudier le rôle possible des hormones sexuelles dans ce type d'apprentissage, on a mesuré les niveaux d'estradiol chez les jeunes femelles immédiatement après la réussite de la tâche de discrimination : aucune corrélation ne fut observée chez les femelles. On a également mesuré le niveau de testostérone chez les jeunes mâles après qu'ils eurent réussi la tâche de discrimination. On constata alors l'existence d'une corrélation significative chez ces mâles (0,79, $p < 0,05$); plus le niveau de testostérone est élevé, plus la tâche est longue à maîtriser. On priva alors trois autres bébés mâles d'hormones androgènes à la naissance et on leur enseigna la tâche à l'âge de trois mois. Ils l'apprirent aussi rapidement que les jeunes femelles. Il semble donc que les concentrations élevées de testostéone constatées chez les singes mâles au moment de la naissance retardent le développement d'une ou de plusieurs structures nerveuses nécessaires à l'apprentissage de cette tâche. Il reste à identifier ces structures nerveuses et à déterminer combien générale est leur influence sur l'apprentissage.

Influence du vieillissement sur l'apprentissage et la mémoire

La capacité d'apprendre et de se souvenir chez les personnes âgées soulève de plus en plus d'intérêt depuis quelques années. Cela est dû en partie à la proportion croissante du nombre de personnes âgées, dans les populations des pays industrialisés, et en partie aussi à l'identification de formes de perturbations cognitives auxquelles elles sont plus vulnérables, la **démence sénile de type Alzheimer** (DSTA) par exemple. La plupart des chercheurs s'entendent pour dire que les personnes en bonne santé qui sont parvenues à un âge avancé manifestent certaines diminutions de leur capacité d'apprendre et de se souvenir (Craik, 1986). Une recension des études effectuées auprès d'êtres humains et d'animaux démontre l'existence d'un tel déclin avec l'âge chez les uns et les autres (Kubanis et Zornetzer, 1981). Certains chercheurs ne sont pas d'accord toutefois. Ainsi, une autre recension récente de la recherche n'a apporté que peu d'indices de l'existence de défaillances significatives de l'apprentissage et de la mémoire chez les personnes âgées en bonne santé par comparaison avec des sujets plus jeunes (Honzik, 1984). Les efforts pour établir des comparaisons fixes entre individus d'âges différents se butent à de nombreuses difficultés qui portent tant sur la sélection des sujets que sur celle des tâches : des différences apparentes dans la capacité d'apprentissage peuvent relever de facteurs comme les différences de niveau d'éducation, l'entraînement plus ou moins récent à l'apprentissage formel ou la motivation vis-à-vis des tâches proposées. Toutefois, même dans les cas où ces facteurs sont contrôlés, on trouve habituellement des différences pour certaines tâches et non pour d'autres. Quelles sont les types de tâches qui font généralement apparaître des diminutions de rendement chez les gens âgés ? La mémoire des personnes âgées normales a tendance à présenter certaines défaillances dans les tâches de rappel qui exigent de l'effort (Hasher et Zacks, 1979) et qui dépendent surtout de la production interne du souvenir plutôt que d'indices externes (Craik, 1985). Dans les cas semblables, on peut souvent, en donnant aux sujets âgés des structures de tâches faciles à exécuter, ou des indices, ou les deux à la fois, faire monter leur rendement au niveau de celui des jeunes. Le type de tâches contribue donc à déterminer s'il y aura ou non des défaillances et le rendement des personnes âgées est, dans plusieurs tâches, aussi bon ou presque aussi bon que celui de personnes plus jeunes.

Dans le cas des formes pathologiques de la mémoire, comme celle de la maladie d'Alzheimer, le système mnémonique représentationnel subit une détérioration, si bien que ce qui subsisterait serait équivalent aux processus mnémoniques propres aux nouveau-nés (Moscovitch, 1985). En vérifiant les conséquences d'une telle hypothèse, Moscovitch a effectivement découvert chez des sujets amnésiques un trouble cognitif semblable à l'un de ceux que Piaget avait décrit chez des enfants âgés de 8 à 10 mois. Il s'agit du cas suivant : après que des enfants ont réussi à trouver plusieurs fois un objet qu'ils ont vu caché par un expérimentateur à un endroit A, ils continuent de le chercher en A, même après avoir vu l'expérimentateur le cacher à un nouvel endroit B. La plupart des sujets amnésiques faisaient la même erreur, passant même à côté de l'objet bien visible pour aller le chercher en A; ils semblent garder le souvenir de la stratégie de recherche et non celui de l'objet recherché.

Les études de l'influence du vieillissement sur la mémoire sont difficiles et coûteuses à pratiquer sur des sujets humains, en partie à cause de la variabilité individuelle due à la fois à des facteurs génétiques et à des facteurs d'environnement. C'est pourquoi des chercheurs étudient cette question avec des sujets animaux. Ici encore, il faut trouver des devis expérimentaux qui permettent de contrôler l'influence de facteurs susceptibles de créer de la confusion, comme les différences de force de motivation qu'entraînent le vieillissement ou les différences d'acuité sensorielle (Ingram, 1985). Certains de ces chercheurs ont rapporté des faits indicateurs d'un ralentissement de l'apprentissage à l'âge avancé (Bartus et coll., 1985; Ingram, 1985; Sternberg et coll., 1985). De plus, il existe certaines indications à l'effet que des suppléments au régime alimentaire (Bartus et coll., 1985) ou des thérapies pharmacologiques (Sternberg et coll., 1985) peuvent réduire ou prévenir l'apparition de telles défaillances. Ceci montre que la recherche sur les animaux pourrait également tracer la voie à des mesures thérapeutiques efficaces.

PATHOLOGIE DE LA MÉMOIRE CHEZ L'ÊTRE HUMAIN

Un des traits les plus caractéristiques de l'être humain consiste en son énorme capacité d'apprendre et de se souvenir. Nous connaissons tous les significations de milliers de mots et plusieurs individus vivant dans des régions limitrophes du monde ou ayant d'autres raisons de connaître plusieurs langues acquièrent facilement des vocabulaires plus vastes encore. La plupart d'entre nous reconnaissent des centaines ou des milliers de visages, des scènes visuelles et des objets innombrables, des centaines de voix et plusieurs autres sons familiers, de même que des centaines d'odeurs. De plus, selon nos intérêts et nos expériences, il se peut que nous soyons en mesure de reconnaître et de chanter ou jouer un grand nombre de mélodies, et d'identifier une multitude d'athlètes, de musiciens, d'acteurs ou de personnages historiques et de donner également des informations à leur sujet. Des défaillances de l'apprentissage et de la mémoire surgissent à la suite de maladies ou d'accidents et, depuis longtemps, on analyse les sortes de perturbations qui se produisent afin de trouver à la fois des indications sur les mécanismes de la mémoire et des moyens de traiter son fonctionnement anormal. La plupart des victimes (sinon toutes) d'**amnésie** (défaillance grave de la mémoire) présentent notamment les caractéristiques suivantes : 1) incapacité de se former de nouveaux souvenirs, après le début de la maladie (**amnésie antérograde**, du latin *aller de l'avant*), 2) difficulté de repêcher les souvenirs formés avant le début de la maladie (**amnésie rétrograde**, du latin *aller vers l'arrière*) et 3) fonctions intellectuelles, autres que la mémoire, conservées relativement intactes, d'après les résultats de tests standardisés. Évidemment il arrive dans certains cas que l'amnésie s'accompagne d'autres perturbations cognitives ou intellectuelles.

Les défaillances de l'apprentissage et de la mémoire soulèvent certaines questions : 1) Existe-t-il des types différents de défectuosités ou s'agit-il d'un seul type fondamental ? 2) Quels aspects de l'apprentissage et de la mémoire se trouvent épargnés lorsque survient la défaillance ? 3) Quelles sont les régions cérébrales en cause dans la défaillance ? On a réalisé beaucoup de progrès dans la recherche d'une réponse à ces questions, grâce à l'étude des *expériences de la nature*, soit les cas de lésions cérébrales résultant de la maladie ou d'accidents.

Les techniques plus récentes d'étude du comportement et d'examen du cerveau, tant durant la vie qu'après la mort, nous ont conduit à des données et des découvertes nouvelles et précieuses. Les neurologues et les spécialistes du cerveau ont également étudié l'apprentissage et la mémoire dans des parties isolées du système nerveux, comme dans un hémisphère du cerveau après section du corps calleux pour fins thérapeutiques. Plusieurs des indices recueillis grâce à l'étude de cas cliniques ont été par la suite examinés plus à fond et mis en valeur par des recherches sur des animaux qui permettent une intervention plus précise et un contrôle plus parfait. Nous allons d'abord décrire quelques syndromes d'amnésie pour ensuite considérer certaines des recherches faites en vue de vérifier des hypothèses découlant des études cliniques.

Syndromes d'amnésie et neuropathologie

Un neurologue russe a publié, au cours des années 1880, un article sur un syndrome dont l'aspect principal porte sur des défaillances de la mémoire. Cet article est passé à l'histoire et la maladie décrite a été désignée du nom de l'auteur (**syndrome de Korsakoff**). La victime de ce syndrome est incapable de se rappeler plusieurs éléments ou événements du passé; si on lui présente un élément à nouveau ou s'il lui arrive de s'en souvenir, le sujet ne manifeste aucun signe de reconnaissance. Les victimes du syndrome de Korsakoff refusent souvent d'admettre que quelque chose ne va pas bien. Il leur arrive fréquemment de se trouver désorientées dans le temps et dans l'espace et ils peuvent avoir recours à la *confabulation*, c'est-à-dire qu'ils comblent une faille de leur mémoire par une falsification des faits qu'ils acceptent comme vrais.

Le syndrome de Korsakoff est dû principalement à une carence en thiamine (une vitamine); cette carence survient chez les alcooliques qui tirent la plus grande partie de leurs calories de l'alcool et négligent ainsi leur régime alimentaire. En traitant ces individus à la thiamine, on peut empêcher une détérioration additionnelle; quand le traitement débute avant que le syndrome ne se soit bien installé, l'état de la victime peut s'améliorer. Au cours des années, les neurologues ont procédé à l'examen des cerveaux de plusieurs victimes du syndrome de Korsakoff, afin d'essayer de localiser les régions endommagées. Malheureusement, très peu de sujets ont fait l'objet d'un relevé minutieux de leurs capacités et d'un examen *postmortem* détaillé du cerveau, si bien qu'on ne peut avoir pleine confiance dans les résultats rapportés jusqu'à maintenant. Il se peut que certains des cas étudiés n'aient pas vraiment manifesté les déficiences de mémoire spécifiques du syndrome de Korsakoff, puisque la description parlait de *confusion mentale* et d'*obscurcissement de la conscience* plutôt que de porter sur le rendement dans des tests de mémoire appropriés. De même, certains des rapports d'autopsie étaient incomplets et se limitaient aux régions cérébrales

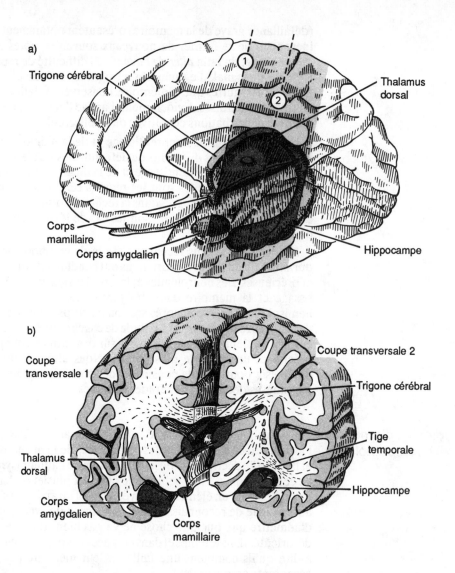

Figure 16.8 Régions du cerveau humain qui sont intervenues dans la formation de souvenirs à long terme. a) Vue latérale du cerveau qui permet de voir les coupes transversales qui apparaissent en b).

a)

Trigone cérébral

Thalamus dorsal

Corps mamillaire

Corps amygdalien

Hippocampe

b)

Coupe transversale 1

Coupe transversale 2

Trigone cérébral

Tige temporale

Thalamus dorsal

Hippocampe

Corps amygdalien

Corps mamillaire

considérées. Ces études ont révélé que les corps mamillaires et le noyau dorsomédian du thalamus sont souvent, mais pas toujours, gravement endommagés (figure 16.8).

Au cours d'une étude très minutieuse, Mair et ses collaborateurs (1979) ont examiné deux sujets sur une période de plusieurs années au moyen d'une batterie de tests de comportement; plus tard, les cerveaux de ces deux sujets furent étudiés dans le détail. Les deux cerveaux présentaient des corps mamillaires malades et ratatinés et le thalamus dorsomédian était endommagé. Les structures du lobe temporal, y compris l'hippocampe et la tige temporale, étaient normales. Ces cas viennent donc confirmer les résultats des études précédentes, moins complètes. Mair et ses collaborateurs décrivent les corps mamillaires comme « un entonnoir étroit à travers lequel des connexions du mésencéphale, de même que du néocortex du lobe temporal et du système limbique, trouvent accès aux lobes frontaux » (p. 778).

Chez d'autres sujets, on a observé que les atteintes à l'hippocampe semblent entraîner un déficit frappant de la formation de souvenirs; ce compte rendu est à l'origine de beaucoup de recherches et de controverses, depuis le moment de sa publication (Scoville et Milner, 1957). L'un d'eux (identifié par ses initiales H.M.) est devenu célèbre grâce à une série d'études effectuées sur son cas, parce qu'il avait manifesté des symptômes inhabituels après une intervention cérébrale effectuée en 1953. Cet homme souffrait d'épilepsie depuis son enfance. Son état s'était graduellement détérioré au point de ne plus être contrôlable par médication. Il dut cesser de travailler à l'âge de 27 ans. Les symptômes indiquaient que l'origine neurologique des attaques se situait dans les régions médianes de la base des deux lobes temporaux, ce qui amena le neurologue à procéder à l'excision bilatérale de ces tissus, y compris une grande partie de l'hippocampe (figure 16.9). De telles interventions chirurgicales avaient été pratiquées auparavant sans entraîner de conséquences nocives, mais l'ablation de tissu avait été moins importante que dans le cas de H.M. Après s'être remis de l'opération, H.M. était incapable de retenir de nouvelles informations, sauf pendant de brèves périodes. La plus grande partie de ses anciens souvenirs était intacte, bien qu'il y eût amnésie portant sur la plupart des événements des trois années antérieures à son intervention chirurgicale. Son incapacité d'apprendre de nouvelles données peut être illustrée par l'exemple suivant. Six mois après la chirurgie cérébrale, la famille de H.M. déménagea dans une autre maison sur la même rue. Quand H.M. faisait une sortie, il était incapable de se

Figure 16.9 Tissu cérébral prélevé au cours de l'opération du sujet H. M. L'intervention chirurgicale a été pratiquée bilatéralement, mais le diagramme ne laisse apparaître que l'excision unilatérale du côté gauche afin de permettre d'apercevoir à droite les formes des structures. a) Base du cerveau montrant l'étendue de l'intervention et les niveaux des sections transversales (b-e). (D'après Scoville et Milner, 1957.)

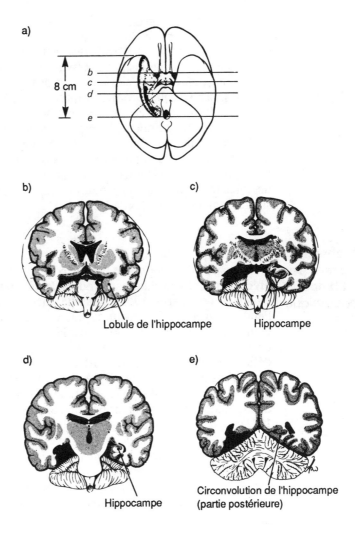

rappeler sa nouvelle adresse et retournait constamment à son ancien domicile. De même, il ne pouvait plus retenir le nom des gens qu'il rencontrait, alors qu'il reconnaissait les personnes qu'il avait connues avant l'opération. Il ne peut toujours retenir un fait nouveau que brièvement; dès que survient une distraction, l'information nouvellement acquise s'évanouit. Toutefois, H.M. avait la conversation facile et son Q.I. continuait de se situer au-dessus de la moyenne (118) lorsqu'il a passé des tests en 1962 et 1977, bien qu'ayant diminué à 108 en 1983 (Corkin, 1983). Sa mémoire à court terme est normale, mais il ne forme que très peu de souvenirs à long terme.

H.M. sait que quelque chose ne fonctionne pas bien chez lui parce qu'il n'a pas de souvenirs des quelques années passées ou même de ce qu'il a fait plus tôt dans la même journée. Sa description de cet état étrange d'isolement de son propre passé est touchante (Milner, 1970, p. 37) :

> « Chaque journée est unique en elle-même, peu importe le plaisir que j'ai ressenti et peu importe la peine que j'ai éprouvée... Au moment où je vous parle, je me demande si j'ai fait ou dit quelque chose qui n'est pas correct. Vous voyez, dans le moment, tout me paraît clair, mais qu'est-ce qui est arrivé avant ? Ça m'inquiète. C'est comme de se réveiller au cours d'un rêve. Je ne me souviens pas, tout simplement. »

Après la publication du cas de H.M., on rapporta des cas semblables qui résultaient non pas d'une intervention chirurgicale, mais de maladies. À l'occasion, le virus de l'herpès s'attaque au cerveau et détruit des tissus du lobe temporal médian, cette destruction pouvant entraîner une incapacité grave de former de nouveaux souvenirs à long terme, alors que l'acquisition de souvenirs à court terme reste normale (cf., par exemple, Starr et Phillips, 1970; Damasio et coll., 1985a). La rupture des artères cérébrales antérieures peut également produire des dommages dans les régions de la base du cerveau antérieur, y compris l'hippocampe, et entraîner l'amnésie (Damasio et coll., 1985b). Un épisode d'ischémie cérébrale (diminution de l'approvisionnement en sang du cerveau) peut également donner lieu à des lésions de l'hippocampe et à des déficiences dans la formation des souvenirs. Contrairement aux victimes du syndrome de Korsakoff, les personnes souffrant de lésions des lobes temporaux ne sont pas désorientées et n'ont pas recours à la confabulation, même si elles sont aussi coupées de leur passé.

Recherches inspirées par l'*amnésie hippocampique*

La déficience mnémonique de H.M. était attribuée à une destruction bilatérale d'une grande partie de l'hippocampe, cette conclusion s'imposant parce que les cas chirurgicaux précédents qui n'avaient pas produit de défectuosités de la mémoire avaient comporté moins de dommages à l'hippocampe, même s'ils avaient entraîné, comme chez H.M., l'endommagement de structures plus antérieures, y compris le noyau amygdalien. Immédiatement après la description du cas H.M., les chercheurs ont commencé à faire l'ablation de l'hippocampe chez des animaux de laboratoire pour essayer de reproduire cette déficience mnémonique et de s'attaquer ensuite à l'étude des mécanismes de formation de souvenirs à long terme. Mais, après des années de recherche, les spécialistes du cerveau ont dû s'avouer vaincus : il a paru impossible de démontrer, chez le rat ou chez le singe, l'absence de consolidation mnémonique par suite de destruction bilatérale de l'hippocampe (Isaacson, 1972). Divers chercheurs ont tenté d'expliquer cette divergence énigmatique de façons variées et l'élargissement des perspectives de recherche sur cette question a donné lieu à des améliorations considérables de nos connaissances, notamment sur le syndrome amnésique, sur les fonctions de l'hippocampe et sur les mécanismes cérébraux de la mémoire.

Les hypothèses principales mises en l'avant pour rendre compte de la divergence entre les résultats portant sur ces cas humains et sur des animaux de laboratoire ont porté surtout sur le type de test de mémoire utilisé ou sur la structure cérébrale particulière mise en cause. Une autre possibilité, que la plupart des chercheurs répugnent à accepter, réside dans le fait que chez l'être humain, la formation du souvenir ferait appel à des structures cérébrales différentes de celles des autres mammifères. Examinons maintenant certains des principaux résultats de la recherche entreprise pour résoudre les énigmes de l'*amnésie hippocampique*.

Importance du type de test de la mémoire : qu'est-ce qui est perdu et qu'est-ce qui est épargné ?

Une des premières hypothèses spécifiques était à l'effet que les déficiences humaines portent surtout sur un matériel verbal et que l'on ne pouvait évidemment pas appliquer à des animaux des tests de tels déficits. Dans le cas de H.M., une observation intéressante portait à croire que ses déficiences de mémoire pourraient se limiter surtout au matériel verbal et ne s'adresseraient peut-être pas à l'apprentissage moteur. Milner (1965) a fait subir à H.M. un *test de tracé au miroir*. Dans ce test (figure 16.10), le sujet peut voir dans un miroir une étoile imprimée sur papier et sa propre main qui doit tracer avec un crayon, à l'intérieur d'une ligne double, le contour de cette étoile. H.M. améliora considérablement sa performance au cours de plusieurs essais. Le jour suivant, on lui présenta le test à nouveau. Quand on lui demanda s'il s'en souvenait, il répondit non, mais ses résultats furent meilleurs qu'au

Figure 16.10 Test de tracé au miroir et évolution de l'apprentissage de H. M. a) Le sujet tente de tracer le profil d'une forme en gardant son stylo à l'intérieur de l'espace entre deux lignes parallèles, pendant qu'il regarde à la fois la forme à dessiner et sa main dans le miroir. Un écran l'empêche de voir directement sa main et la forme à dessiner. b) Performance de H. M. pendant trois jours successifs. Les courbes témoignent de l'amélioration au cours d'une même journée (mémoire à court terme) et de la rétention d'un jour à l'autre (mémoire à long terme). (Données de Milner, 1965.)

a) Tâche de tracé au miroir

b) Performance de H. M. à la tâche de tracé au miroir

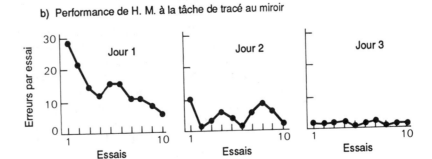

À quoi ressemble la vie d'un individu qui subit brusquement de graves entraves à sa capacité de former des souvenirs ? Certaines personnes ont été victimes d'un désastre de cette envergure à la suite de maladies, d'opérations cérébrales ou de blessures au cerveau. Quelques rares cas ont été étudiés avec minutie et ils ont procuré de précieux renseignements sur la mémoire et ses mécanismes. On a observé la vie quotidienne de l'un de ces individus (Kaushall, Zetin et Squire, 1981) et la description qu'on en a faite est instructive.

N.A. avait bien réussi à l'école, tant sur le plan académique qu'athlétique, et il avait été promu en 1958. Après une année de cours secondaire, il entra dans l'Armée de l'Air. Un jour en 1960, alors qu'il travaillait à l'assemblage d'un modèle d'avion, un compagnon de chambre décrocha du mur une épée d'escrime miniature, lui tapa sur l'épaule par derrière et chargea d'un coup de pointe au moment où il se retournait. La lame entra dans la narine gauche et alla pénétrer l'hémisphère gauche du cerveau de N. A. Celui-ci dit se souvenir de l'accident et de la minute ou deux qui suivirent, avant de perdre conscience. Au cours de son hospitalisation, on nota la présence de plusieurs symptômes neurologiques non inhabituels qui disparurent par la suite. Mais, il y avait un symptôme non accoutumé qui persista : N. A. était pratiquement incapable de former de nouveaux souvenirs à long terme, surtout dans le cas d'un matériel verbal.

Plusieurs mois plus tard, on le remettait à la garde de ses parents. Au cours des années qui suivirent l'accident, le psychologue H. Teuber et ses collaborateurs continuèrent à étudier le cas (Teuber, Milner et Vaughan, 1968). Depuis 1975, une équipe psychomédicale a fréquemment soumis N. A. à des tests et lui a souvent rendu visite chez lui (Kaushall et coll., 1981).

À la première rencontre, ceux qui rendent visite à N.A. sont impressionnés par son comportement normal. Il est détendu et aimable, poli et hospitalier. Il vous invite à examiner sa collection d'armes à feu et d'avions et les centaines de souvenirs qu'il a rapportés de ses voyages avec ses parents. Il décrit les objets de façon lucide et intelligente, quoiqu'il soit parfois incertain de l'endroit où il s'est procuré un objet particulier. Il ne donne pas de signes de confusion et n'exhibe pas le même objet deux fois au cours de la même visite.

Mais si vous retournez le voir plusieurs fois, N. A. s'excusera à chaque fois de ne pas se souvenir de votre nom et il vous demandera immanquablement s'il vous a déjà montré ses collections. Dès la troisième ou la quatrième visite, ces répétitions et d'autres aspects du comportement de N. A. « ... en viennent à révéler une vie dévastée et un univers mental isolé ». (Kaushall et coll., 1981, p. 384.)

Bien que son Q.I. soit de 124, N.A. ne peut ni garder un emploi, ni établir des relations personnelles d'intimité. Il a fréquenté le centre de traitement pour malades externes durant des années et jouit d'une grande popularité auprès du personnel et des malades, mais il est incapable de se souvenir de leur nom et de leur histoire personnelle. Il est alerte et aime faire de l'hu-

---

début de la première journée (figure 16.10b). Pendant trois jours successifs, H.M. prétendit toujours qu'il ne reconnaissait pas le problème, mais ses tracés portaient des signes de mémorisation. Si un sujet animal donnait une preuve similaire de mémoire, nous n'aurions aucun doute, mais nous ne demandons pas aux sujets animaux s'ils reconnaissent le test. On a également fait subir ce test du tracé au miroir à des sujets de type Korsakoff et eux aussi retiennent des améliorations de rendement, tout en ne manifestant aucun souvenir de la tâche.

Deux sortes de résultats indiquent cependant que les problèmes de mémoire de H.M. et d'autres personnes ne sont pas attribuables uniquement à des difficultés représentées par le matériel verbal en tant que tel. D'abord, ces personnes éprouvent également de la difficulté à reproduire ou reconnaître des images ou des dessins spatiaux dont ils ne se souviennent pas en termes verbaux. Ensuite, même si le contenu spécifique du matériel verbal leur présente des difficultés, ils sont capables d'apprendre des directives sur la façon de procéder ou de retenir de l'information basée sur des règles qui se rapportent à du matériel verbal (N. J. Cohen et Squire, 1980). Un bref aperçu de cette recherche aidera à comprendre cette distinction.

mour, mais sa vie sociale est limitée par son incapacité de poursuivre un sujet de conversation, surtout quand il y a des interruptions. D'ailleurs, le fait qu'il ne puisse pas acquérir d'information sur les événements courants l'empêche de faire des contributions valables à la conversation. Alors qu'il était actif sur le plan sexuel avant son accident, il n'a pratiquement pas eu de contact sexuel depuis. Une fois, il prit rendez-vous avec une jeune femme qu'il avait rencontrée à un dîner champêtre, mais il oublia totalement d'y donner suite et ne s'en rappela que deux semaines plus tard, après quoi il laissa tomber. Ses relations avec sa mère sont le trait dominant de sa vie affective. Il dit qu'il aurait eu une femme et une famille à lui s'il n'avait pas été blessé mais il croit maintenant que c'est devenu impossible.

Les seules routines que N. A. est en mesure d'exécuter efficacement sont celles qu'il a apprises grâce à des années de pratique. La cuisine ou les autres activités qui exigent des séquences exactes d'étapes lui sont très difficiles. Même l'écoute de la télévision lui pose un problème, car une interruption publicitaire peut l'amener à oublier le thème de l'émission. Il passe une partie de son temps à mettre de l'ordre autour de la maison, exécutant de petits travaux de menuiserie et assemblant des modèles. Il range constamment les objets et se préoccupe de façon obsessionnelle de ce que chaque chose soit à sa place; il s'irrite s'il découvre qu'on a déplacé un objet.

Malgré son handicap, N.A. conserve une vision généralement optimiste sur sa vie. Cette attitude peut refléter le fait qu'il se souvient surtout des événements antérieurs à 1960 alors qu'il avait du succès sur les plans social, athlétique et académique. Bien qu'il ait été l'objet de plusieurs expériences frustrantes depuis son accident, il ne se souvient pas de ces incidents dans le détail et ceux-ci n'entraînent apparemment pas de dépression. L'incapacité qu'il éprouve à former des souvenirs est aussi grave que celle des victimes du syndrome de Korsakoff, mais il ne manifeste pas l'apathie, la passivité et la perte d'initiative qui les caractérisent.

N. A. a acquis certains souvenirs d'ordre verbal depuis son accident, mais ils sont clairsemés. Il sait par exemple que Watergate signifie un scandale politique quelconque qui s'est passé à « Washington ou en Floride », mais il est incapable de donner aucun détail ou de dire qui était en cause. Il ne lui arrive que très rarement d'écrire des notes ou des directives à son intention en guise d'aide-mémoire et il a tendance à égarer ce genre de notes. À une séance récente, alors qu'on lui faisait subir des tests de mémoire, il essaya à plusieurs reprises de se souvenir d'une question qu'il avait voulu poser à l'examinateur. Finalement, il fouilla dans les poches de son costume et trouva une note qu'il avait écrite lui-même : « Demander au docteur Squire si ma mémoire s'améliore ».

On demande à des sujets de lire des séries successives de trois mots modérément longs, imprimées en renversement de miroir comme ceci :

dégrader   capricieux   grandiose

La tâche est difficile, mais l'entraînement permet aux sujets de s'améliorer beaucoup. Aucune dextérité motrice n'est requise; c'est plutôt la capacité d'utiliser des règles abstraites ou des façons de procéder qui est mise à contribution. Si certains mots sont utilisés de façon répétitive, les sujets normaux finissent par les reconnaître et les lire facilement. Le sujet de notre encadré 16.1, qui souffrait de lésions cérébrales, de même que des sujets de type Korsakoff et d'autres qui avaient reçu récemment des chocs électroconvulsifs, apprirent à lire au miroir mais ne purent pas lire les mots spécifiques utilisés dans cette tâche; de plus, aux autres occasions, ils ne reconnurent pas non plus la tâche. La distinction importante n'est donc probablement pas entre performance motrice et performance verbale, mais entre information basée sur des règles ou portant sur la façon de procéder, d'une part, et contenu spécifique ou information basée sur des données, d'autre part. Les sujets ont appris *comment*, mais ils n'ont pas appris *quoi*. Par conséquent, ce n'est probablement pas l'incapacité de parler des animaux qui peut expliquer leur immunité aux effets des lésions que l'hippocampe exerce sur la mise en mémoire d'information.

Même en utilisant du matériel verbal, certains chercheurs ont pu démontrer que des personnes amnésiques sont capables d'un assez bon rappel si on utilise des méthodes spéciales pour les tester (Warrington et Weiskrantz, 1968). Bien qu'ils aient confirmé le fait que ces personnes semblent incapables d'apprendre des listes de mots (même très simples) après plusieurs répétitions, les expérimentateurs ont observé un phénomène étrange : à mesure qu'ils présentaient, l'une après l'autre, les listes à leurs sujets, ces expérimentateurs ont commencé à trouver familières plusieurs des réponses erronées. L'analyse montra que plusieurs des mauvaises réponses étaient effectivement des mots contenus dans les listes présentées plus tôt dans l'expérience. C'est donc que les mots étaient retenus mais qu'ils refaisaient surface au mauvais moment. Des expériences subséquentes ont indiqué que, en fournissant des indices au moment du rappel, on peut améliorer considérablement le rendement des amnésiques (Weiskrantz et Warrington, 1975). On interpréta ce résultat comme un indice que la défectuosité se situerait plus dans le repêchage que dans le stockage des souvenirs. Cette découverte pourrait servir à aider les personnes victimes de destruction des structures temporales médianes dont les déficits sont moins graves que ceux de H.M. Il est possible d'aider les personnes amnésiques et les autres qui souffrent de problèmes de mémoire en utilisant une combinaison de stratégies de codages et d'indices pour le repêchage (Signoret et Lhermitte, 1976; Poon, 1980).

L'étude de l'**amorçage**, qui consiste à favoriser un rappel en présentant un fragment d'un stimulus présenté antérieurement, représente un progrès additionnel dans ce type de recherche. Une personne qui a examiné un mot ou un dessin a plus de facilité à se rappeler ce stimulus plus tard si on lui en présente un fragment. Par exemple, si on lui présente le mot *moteur* et que plus tard on lui demande de compléter l'espace vide *mo_____* par le premier mot qui lui vient à l'esprit, la réponse *moteur* est plus probable que *moderne* ou *mobile*, ou toute autre possibilité de mot. Dans les tâches à compléter de ce genre, les sujets amnésiques obéissent, autant que les sujets normaux, à l'influence de la présentation antérieure d'un mot. Mais, même s'ils réagissent normalement à l'effet d'amorçage, les sujets amnésiques donnent des résultats très pauvres à un test de reconnaissance (Oui ou Non) des mêmes mots stimulus. C'est-à-dire qu'ils manifestent peu ou pas de reconnaissance consciente ou de mémoire représentationnelle des mots. De plus, on peut améliorer le rendement des sujets normaux en leur recommandant d'utiliser les fragments de mots comme indices pour se rappeler les mots qu'ils ont aperçus antérieurement, mais ce type de directives ne change pas le rendement des personnes amnésiques (Graf, Squire et Mandler, 1984). Ces faits et d'autres du genre ont amené certains chercheurs à conclure que l'effet d'amorçage est qualitativement différent des autres sortes de mémoires et que l'amorçage n'était pas affecté par l'amnésie (Schacter, 1985). L'existence d'un fort effet d'amorçage chez les personnes amnésiques n'indique pas, comme le voudraient certains, que ces personnes sont en général douées de bonnes mémoires, mais qu'elles éprouvent seulement des difficultés dans le repêchage des souvenirs. D'autres faits démontrent nettement qu'elles sont incapables de former à long terme des souvenirs représentationnels.

Défaillances de la mémoire chez des animaux souffrant de lésions de l'hippocampe

Des chercheurs ont tenté de réduire l'écart entre les résultats donnés par les êtres humains et ceux obtenus chez les animaux en montrant que le stockage des souvenirs était également défectueux chez les animaux qui souffrent de lésions de l'hippocampe. Des expériences sur des animaux soumis à une ablation de l'hippocame ont révélé qu'ils éprouvent plus de difficulté que les normaux à abandonner des apprentissages ou des stratégies antérieurs; ils sont sujets à une plus grande interférence exercée par les apprentissages antérieurs sur les tâches subséquentes (Douglas, 1967; Kimble, 1968). La persistance des réponses des sujets animaux corrobore les observations de Warrington et Weiskrantz (1968) sur la persistance de réponses provenant de listes précédentes de mots. Les animaux avaient aussi des difficultés à se rappeler les problèmes spatiaux, mais la plupart des résultats sont probablement le reflet de la difficulté qu'éprouvent les animaux opérés à effectuer des discriminations spatiales, plutôt que la conséquence d'une défaillance de la mémoire comme telle.

Des faits récents démontrent que les animaux qui ont subi des lésions des structures limbiques présentent effectivement des défaillances spécifiques dans la formation de souvenirs pour certains genres de tâches, mais pas pour d'autres tâches. La tâche de délai d'appariement à l'échantillon (voir la section consacrée aux études sur le développement) en est un exemple. Comme nos singes de 3 mois, les singes souffrant de lésions du noyau amygdalien et de l'hippocampe sont incapables de résoudre ce genre de problème. Malgré leur incapacité d'apprendre cette tâche, les singes à lésions limbiques ont donné des performances normales dans la tâche d'apprentissage concomitant des couples d'objets, comme l'ont démontré les jeunes singes (Malamut, Saunders et Mishkin, 1980). Ainsi, les lésions limbiques semblent donc faire entrave à la capacité de former des souvenirs représentationnels. Ce type de recherches ne se limite pas non plus aux primates. Chez le rat, une tâche de labyrinthe en T dans laquelle le couloir où le rat trouvera sa récompense au second parcours dépend de la direction que le rat a prise au premier parcours; cette tâche exige donc un souvenir représentationnel du premier parcours. Les lésions du lobe limbique rendent impossible la solution de ce problème (Thomas, 1984).

On constate donc que les résultats obtenus par des sujets amnésiques et des animaux à des tests plus discriminatifs vont dans le même sens (Zola-Morgan et Squire, 1985). Tant chez les amnésiques que chez les animaux souffrant de lésions limbiques, la formation de certains types de souvenirs se trouve gravement entravée, alors que la formation d'autres types de souvenirs reste essentiellement normale. Chez ces sujets, le type de souvenirs dont la formation est entravée est dite représentationnelle ou déclaratoire. Le type de formation de souvenirs qui est épargné se nomme habitude ou mémoire déclarative. L'étude des sites de lésions cérébrales qui font entrave à la mémoire nous apporte des données additionnelles se rapportant à l'amnésie chez l'être humain et aux modèles animaux de l'amnésie qui ont été proposés. Nous allons donc aborder ce sujet.

Sites cérébraux en cause dans l'amnésie

En même temps que des chercheurs tentaient de résoudre les divergences apparentes entre les résultats de recherche sur les êtres humains et sur les animaux en identifiant les capacités qui étaient perdues et celles qui étaient épargnées dans un cas d'amnésie, d'autres faisaient des études expérimentales critiques pour découvrir si le site de lésion responsable des déficits mnémoniques était vraiment l'hippocampe ou une autre structure du système limbique. Certains se demandaient si tous les cas d'amnésie mettaient en cause le ou les mêmes sites cérébraux; est-ce que, par exemple, ce sont les mêmes sites cérébraux qui sont endommagés lorsqu'il est question d'une amnésie de type syndrome de Korsakoff ou d'une amnésie comme celle des personnes souffrant de lésions du lobe temporal ?

L'examen des dossiers de plusieurs malades a convaincu Horel (1978) que le site cérébral endommagé responsable de l'amnésie est probablement la tige temporale (figure 16.8b), c'est-à-dire les fibres qui constituent les connexions afférentes et efférentes du cortex temporal et du noyau amygdalien et non de l'hippocampe. La position de la tige temporale la rend vulnérable à la technique chirurgicale utilisée dans les chirurgies du lobe temporal médian chez l'être humain, comme dans le cas de H.M. De plus, Horel a trouvé que lorsqu'il pratiquait une section de la tige temporale chez le singe, sans causer de dommage à l'hippocampe, il en résultait de graves déficits dans l'apprentissage de la discrimination visuelle et dans la rétention (Horel et Misantone, 1974, 1976). Parmi les connexions du lobe temporal dont l'endommagement pourrait être responsable des défaillances mnémoniques,

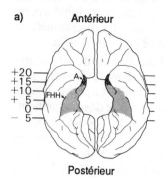

a)

Antérieur

+20
+15
+10
+ 5
0
− 5

A

FHH

Postérieur

b)

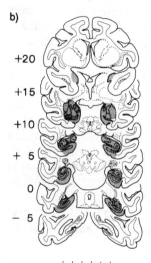

+20

+15

+10

+ 5

0

− 5

0 10 20 mm

Figure 16.11 Sites de lésions expérimentales de l'amygdale et de l'hippocampe dans le cerveau du singe rhésus. a) Les lésions sont projetées sur une vue ventrale du cerveau. La lésion de l'amygdale (A) est présentée en gris foncé et celle de l'hippocampe FHH en gris pâle. Les niveaux indiqués à la gauche du diagramme a) montrent où les séries de sections transversales en b) se situent. (Avec la permission du docteur Mortimer Mishkin, Laboratoire de Neuropsychologie, Institut National de la Santé mentale.)

visuelle et dans la rétention (Horel et Misantone, 1974, 1976). Parmi les connexions du lobe temporal dont l'endommagement pourrait être responsable des défaillances mnémoniques, Horel a insisté sur celles qui vont à la partie magnocellulaire médiane du noyau dorsal médian du thalamus. Une pathologie de ce noyau a été fortement mise en cause dans les déficits mnémoniques rencontrés dans le syndrome de Korsakoff (Victor, Adams et Collins, 1971) et qui apparaissaient chez le sujet N.A.

Le cas de ce sujet N.A. (Teuber, Milner et Vaughan, 1968; Squire et Moore, 1979) apporte une indication indépendante à l'effet que des dommages du thalamus dorsomédian peuvent faire entrave à la formation des souvenirs. N.A. est devenu amnésique à la suite d'un accident au cours duquel une épée d'escrime miniature lui pénétra le cerveau en passant par les narines. N.A. est profondément amnésique, surtout à l'égard du matériel verbal, et il n'arrive à donner que peu de renseignements sur les événements qui ont eu lieu depuis son accident en 1960. Toutefois, il se rappelle à peu près normalement des événements des années 1940 et 1950. On a pris des scintigrammes tomographiques à calculateur intégré sur N.A. en 1978, à une époque où les techniques disponibles n'avaient pas un grand pouvoir de résolution. Les seuls dommages indiqués par l'examen se situaient dans le thalamus dorsal gauche. Il se peut que des dommages aient également été produits ailleurs, mais l'endommagement du thalamus dorsomédian pourrait suffire en lui-même à entraver sérieusement la formation de souvenirs à long terme (L'encadré 16.1 décrit les conséquences de cette déficience sur la vie quotidienne de N.A.).

À l'instar de Horel, Mishkin (1978) s'est demandé si l'endommagement du lobe temporal néfaste à la mémoire pourrait mettre en cause une structure autre que l'hippocampe, mais il en est arrivé à une conclusion différente de celle de Horel. Il a vérifié les effets de la destruction de l'hippocampe, du noyau amygdalien et des deux à la fois (figure 16.11). Ses sujets étaient des singes et la tâche était celle du délai d'appariement à l'échantillon (cf. figure 16.7b); à chaque essai du test, on présente un objet déjà aperçu en même temps qu'un objet nouveau. Les résultats indiquent que ni l'hippocampe ni le noyau amygdalien ne sont essentiels à l'apprentissage de cette tâche, même si la destruction de l'une ou l'autre de ces structures donne lieu à des performances un peu moins bonnes que celles des animaux normaux (voir le tableau 16.2). Toutefois, après intervention chirurgicale, les singes privés des deux structures devaient, pour apprendre à nouveau cette tâche, faire plus d'essais qu'ils n'en avaient eu besoin pour l'apprendre avant l'intervention. En plus de cette défaillance de la mémoire de reconnaissance, les animaux soumis à une ablation chirurgicale combinée étaient incapables de se rappeler, sur la base d'un seul essai, si l'objet avait ou non donné lieu à une récompense. Le noyau amygdalien et l'hippocampe ayant en commun plusieurs connexions afférentes et efférentes, il n'y a rien de surprenant à ce que ces structures puissent servir de voies alternatives entre les aires d'association corticale et les cibles sous-corticales. Il ne faudrait pas entendre par là que le noyau amygdalien et l'hippocampe ont

Tableau 16.2 Effets de l'ablation de l'amygdale et de l'hippocampe sur la mémoire des singes.

Sujets	Avant la chirurgie		Après la chirurgie	
	Essais	**Erreurs**	**Essais**	**Erreurs**
Contrôles normaux	73	24	0	0
Amygdale enlevée	100	33	140	39
Hippocampe enlevé	93	25	73	19
Ablation combinée de l'amygdale et de l'hippocampe	130	32	987	270

Note : Les données sont les nombres d'essais et d'erreurs pour atteindre le critère de 90 % de bonnes réponses.
Source : Mishkin (1978).

des fonctions identiques, mais seulement que les fonctions de ces deux structures peuvent se chevaucher de façon importante en ce qui concerne la formation de souvenirs.

Dans une étude subséquente cherchant à vérifier les hypothèses de Horel et de Mishkin, des chercheurs ont eu recours à deux sortes d'intervention : chez un groupe de singes, on a pratiqué une section bilatérale de la tige temporale alors qu'on a procédé à l'ablation bilatérale des deux structures, noyau amygdalien et hippocampe, chez un autre groupe. On a soumis ensuite les deux groupes d'animaux aux deux tests, soit les tâches de discrimination visuelle et de délai d'appariement à l'échantillon. Les résultats ont indiqué l'existence d'une **double dissociation** de la section de la tige temporale qui faisait entrave à la discrimination visuelle mais n'affectait pas le rendement à la tâche mnémonique. Par contre, l'ablation combinée du noyau amygdalien et de l'hippocampe laissait la discrimination visuelle intacte mais nuisait gravement à la formation de souvenirs. Les résultats de cette étude favorisent l'hypothèse selon laquelle la destruction isolée du noyau amygdalien ou de l'hippocampe n'aurait qu'une influence modérée sur la capacité de former des souvenirs, mais que les lésions simultanées de ces deux structures auraient des effets dévastateurs sur la mémoire (Zola-Morgan, Squire et Mishkin, 1982).

Horel et Mishkin nous rappellent que le lobe temporal comprend plusieurs structures importantes et que les chercheurs ont vu les choses avec des œillères pendant 20 ans d'efforts pour expliquer le syndrome amnésique du lobe temporal. Il faudrait maintenant se montrer prudents avant de conclure que le noyau amygdalien et/ou l'hippocampe participent à toutes les sortes d'apprentissage. En effet, une étude de Pigareva (1982) a rapporté que dans l'apprentissage permettant de changer la signification des stimuli conditionnés, les rats intacts réussissent moins bien que les rats dont on a détruit la plus grande partie du noyau amygdalien et de l'hippocampe.

Jusqu'à maintenant, trois laboratoires ont étudié les effets de l'ablation de l'hippocampe sur le test du délai de l'appariement à l'échantillon. Leurs résultats combinés montrent qu'il y a entrave significative par comparaison avec les animaux de contrôle, particulièrement quand le délai est porté à plus d'une minute (Squire et Zola-Morgan, 1985). Il est donc possible de démontrer que l'ablation de l'hippocampe seul entraîne un déficit chez le singe, même si en y ajoutant l'ablation du noyau amygdalien, on augmente beaucoup la gravité du déficit.

L'examen *postmortem* des cerveaux de certains amnésiques indique que des lésions se limitant à l'hippocampe peuvent entraîner de graves déficits de l'aptitude à former des souvenirs à long terme. On a récemment rapporté un cas probant de ce genre (Zola-Morgan, Squire et Amaral, 1986). C'était un homme qui avait été victime d'une ischémie cérébrale à la suite d'une intervention chirurgicale pour un pontage cardiaque. Il a survécu cinq ans à l'opération et des tests psychologiques approfondis ont révélé l'existence d'un grave déficit de la formation des souvenirs, mais aucun signe de démence, ni de défaillances cognitives significatives autres que celles de la mémoire. Il était très faible à des tests comme ceux d'apprentissage, d'association de couples et de rappel de récits, mais ses aptitudes d'amorçage étaient intactes. À sa mort, à l'âge de 57 ans, on procéda à un examen minutieux de son cerveau, utilisant des centaines de coupes. Cet examen révéla la présence d'une lésion bilatérale se limitant au sous-champ CA1 de l'hippocampe; elle s'étendait sur toute la longueur antéropostérieure de l'hippocampe. Même s'il y avait évidence de dommages ailleurs, la plupart des autres régions cérébrales paraissaient normales, y compris celles qui avaient été associées aux fonctions mnémoniques dans d'autres cas, soit les corps mamillaires, le noyau dorsomédian du thalamus et le noyau amygdalien. Les chercheurs concluent qu'une lésion circonscrite limitée à un sous-champ de l'hippocampe peut produire une défaillance clinique significative de la mémoire. Chez les rats, les études expérimentales démontrent que les neurones de la zone CA1 de l'hippocampe sont particulièrement vulnérables à une ischémie du cerveau antérieur et que les animaux qui subissent de tels dommages ont des défaillances graves de la formation de souvenirs (Volpe, Pulsinelli et Davis, 1985).

Nous avons mentionné, lors de notre première description du syndrome de Korsakoff, que le thalamus dorsomédian et les corps mamillaires ont été associés au déficit mnémonique. Certains chercheurs ont laissé entendre que les dommages causés à ces sites du diencéphale entraînent l'amnésie de Korsakoff, alors que les dommages affectant des sites différents entraînent une amnésie du lobe temporal. Les recherches sur les animaux révèlent des déficits évidents de la mémoire à la suite de lésions qui se limitent au noyau dorsomédian du thalamus (Aggleton et Mishkin, 1983; Zola-Morgan et Squire, 1985a). Quant à une mise en cause possible des corps mamillaires, la situation est, pour le moment, beaucoup moins claire (Zola-Morgan et Squire, 1985b).

D'autres auteurs prétendent cependant que la formation des souvenirs n'exige qu'un seul système cérébral; de plus, aucun indice, ni anatomique ni comportemental, ne permet de prouver l'existence de différentes sortes d'amnésie. Weiskrantz (1985) défend cette prise de position unitaire. À cet égard, il cite une étude récente de Von Cramon et de ses collaborateurs (1985) sur le site de dommages thalamiques résultant d'attaques, site associé à des états amnésiques bien connus. La figure 16.12 montre le site de ces dommages, tel que révélé par des tomogrammes à calculateur intégré. La région d'endommagement commune aux sept sujets (région colorée de la figure 16.12) se situe presque exclusivement à l'extérieur du noyau dorsomédian du thalamus mais comprend l'entrée du faisceau mamillo-thalamique et un autre faisceau de fibres (ILA) qui transmet au thalamus dorsomédian des projections provenant du lobe temporal et du noyau amygdalien. Ainsi, ces sujets ont subi des dommages aux connexions de la ligne moyenne (le système trigone-fimbria, relié à l'hippocampe et au faisceau mamillo-thalamique) et aux structures du lobe temporal (parmi lesquelles les connexions amygdaliennes font des relais vers le cortex frontal en passant par les noyaux thalamiques). Il se pourrait donc qu'un seul et vaste système soit requis pour la formation de souvenirs représentationnels à long terme, système qui serait susceptible de subir des dommages à des points divers. Cette question qui suscite actuellement beaucoup de recherches et soulève maintes controverses met continuellement à contribution l'étude des sujets amnésiques aussi bien que des animaux.

Existe-t-il divers types d'amnésie ?

De même qu'on ne s'entend pas sur la question de savoir s'il n'est besoin que d'un seul système cérébral pour la formation des souvenirs, on continue également de discuter de l'existence d'un type fondamental d'amnésie, comme le soutiennent Weiskrantz (1985) et d'autres, ou de plus d'un type, comme Zola-Morgan et Squire (1985) et d'autres le prétendent. Les tentatives pour résoudre ce problème se trouvent compliquées par le fait que les cas d'amnésie chez l'être humain s'accompagnent habituellement d'autres symptômes et que le type peut changer avec la gravité des déficits.

Personne ne conteste le fait qu'on peut distinguer une victime du syndrome de Korsakoff et un individu qui a un déficit mnémonique attribuable au lobe temporal, mais il se peut que les différences permettant cette distinction ne mettent pas en cause la formation des souvenirs comme telle. Les korsakoviens sont, par exemple, incapables de résoudre certains problèmes que les sujets au lobe temporal lésé résolvent facilement (Lhermitte et Signoret, 1976). Il se peut toutefois que cette différence soit attribuable au fait que le cortex du lobe temporal des korsakoviens ait également subi des dommages. C'est dire que des troubles divers peuvent souvent se présenter ensemble, ce qui ne prouve pas que ces symptômes ont une cause commune ou qu'il existe nécessairement un lien entre eux. C'est pourquoi des chercheurs se sont efforcés de découvrir si on peut identifier des types de troubles

Figure 16.12 Régions du thalamus en cause dans les défaillances de mémoire chez les sujets humains; les illustrations du haut a) montrent des coupes horizontales à travers le thalamus inférieur et celles du bas b) des coupes à travers la région médiane des thalami. Les parties en gris pâles sont les régions qui étaient endommagées chez chacun des sept sujets amnésiques inclus dans cette étude; les dommages ont été délimités au moyen de scintigrammes CAT. La partie en gris foncé est la région desservie par les artères thalamiques polaire et paramédiane; des obstructions dans ces artères ont causé des dommages chez ces sujets. On a indiqué les structures suivantes pour fins d'orientation : CA : position de la commissure antérieure, indiquée aussi par les lettres Ca; CP : position de la commissure postérieure, indiquée aussi par les lettres Cp; TC : trigone cérébral; P, pallidum; Put : putamen. La distance entre CA et CP est de 25 mm. Les sites dans le thalamus sont : nc : noyaux de la commissure; ndm : noyaux dorsomédians; LMI : lame médullaire interne. Les sites cruciaux pour l'amnésie semblent être les faisceaux de fibres de la LMI et le faisceau mamillothalamique qui est placé tout à côté de la LMI dans la région en gris pâle de la partie antérieure de a). Deux sujets qui avaient des lésions importantes dans les ndm, mais chez qui ces faisceaux étaient intacts ne donnaient pas de signes de défaillances mnémoniques. (D'après von Cramon, Hebel et Schuri, 1985.)

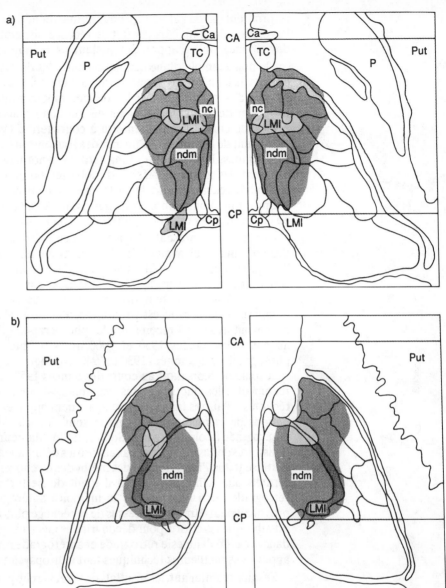

mnémoniques qui soient différents, lorsque la mémoire est nettement séparée des autres fonctions.

Un problème qui se pose dans l'étude des capacités et des insuffisances d'une classe de malades vient de ce que ces aptitudes et inaptitudes peuvent varier selon la gravité de leur état. Chez les victimes de la maladie d'Alzheimer par exemple, la capacité de former des souvenirs peut changer à mesure que la maladie évolue. Un des tests fréquemment utilisés a recours à l'apprentissage et au rappel subséquent d'une liste de 20 couples de mots. Les sujets normaux ont plus de facilité à apprendre les couples du début (*effet de primauté*) et de la fin de la liste (*effet de récence*); l'apprentissage et le rappel du milieu de la liste est plus difficile à cause des effets d'interférence. Au début de la maladie d'Alzheimer, les malades ne profitent pas de l'effet de primauté, mais bénéficient toujours de l'effet de récence. Avec l'évolution de la maladie, l'effet de récence disparaît lui aussi et avec le temps le malade devient incapable d'apprendre quelque partie que ce soit de la liste.

Un bon exemple d'une distinction entre les divers troubles de la mémoire concerne les déficits de la mémoire à court terme par opposition à ceux de la mémoire à long terme. La plupart des recherches sur les déficits mnémoniques ont porté sur des problèmes de formation de souvenirs à long terme, mais on a rencontré quelques sujets dont la difficulté principale concernait la mémoire à court terme (Warrington, 1982). C'est-à-dire qu'ils éprouvent de la difficulté à former des souvenirs à court terme mais, dès que ces souvenirs sont formés, la rétention à long terme est normale. Ce type de malades est donc bien différent des malades à lésion du lobe temporal, comme H.M. qui n'éprouvait aucune difficulté avec sa mémoire à court terme, mais qui ne parvenait pas à se former des souvenirs à long terme. Pour le moment, on ne connaît que peu de choses du contexte neurologique en cause chez ces malades qui ont des défaillances de la mémoire à court terme.

Ces personnes présentent également des différences en ce que leurs difficultés portent sur des souvenirs qui avaient été formés avant les dommages cérébraux responsables de l'amnésie. Les victimes du syndrome de Korsakoff donnent les signes d'une amnésie rétrograde et antérograde très généralisée. Par contre, l'amnésie rétrograde du type de H.M. où c'est le lobe temporal qui est en cause, est habituellement modérée, alors que l'amnésie antérograde est prononcée. Par exemple, devenu amnésique en 1953, H.M. réussissait très mal à reconnaître les photographies de visages publiées dans les journaux, au cours des années 1950 et 1960, mais il obtenait des résultats normaux avec des photographies des années 1930 et 1940. Au contraire, les personnes qui ont été atteintes du syndrome de Korsakoff au cours des années 1950 éprouvent énormément de difficulté à reconnaître les photographies des années 1930 et 1940, comme celles des années plus récentes. D'autres faits viennent également appuyer la conclusion à l'effet que les perturbations de la mémoire rétrograde sont dissociables des perturbations de la mémoire antérograde (Zola-Morgan et Squire, 1985). Malheureusement, jusqu'à présent, beaucoup d'histoires de cas n'évaluent pas encore les défaillances rétrogrades de façon adéquate; elles n'utilisent que l'interview ou des méthodes de choix multiples, alors qu'il faudrait des tests formels plus sensibles. Quand il s'agit de perturbations envahissantes de la mémoire rétrograde aussi bien que de la mémoire antérograde, on a suggéré que la difficulté provenait peut-être des processus de repêchage plutôt que du stockage des souvenirs. Il est possible que les efforts pour découvrir des mécanismes neurologiques sous-jacents séparés dans le cas de l'amnésie rétrograde et antérograde portent encore des fruits, quand on fera appel à des meilleures techniques tant neuropsychologiques que neuroanatomiques.

Jusqu'à maintenant, les résultats de la recherche permettent de présumer qu'il existe plus d'une sorte d'amnésie des souvenirs représentationnels. Une distinction additionnelle pourrait porter sur les défaillances de la formation et celles du rappel des souvenirs de la façon de procéder, ou *habitudes*. Au chapitre 17, nous allons voir que la formation de réponses conditionnées mettant en cause la musculature striée des mammifères semble faire intervenir un circuit qui comprend les noyaux profonds du cervelet. Il est donc probable qu'il existe différentes sortes d'amnésie et que différents sites cérébraux y contribuent; dans les années à venir, des recherches additionnelles devraient aider beaucoup à éclaircir ces questions.

Résumé

1. Les capacités d'apprendre et de se souvenir influencent tous les comportements caractéristiques des êtres humains et il semble que toute espèce animale est capable de certains apprentissages et de formation de souvenirs. Tandis que l'évolution par sélection naturelle assure l'adaptation au cours des générations successives, l'apprentissage permet l'adaptation au cours de la vie d'un individu.

2. L'apprentissage prend des formes non associatives (habituation, sensibilisation et formation d'empreintes) et des formes associatives comme le conditionnement classique (pavlovien) et l'apprentissage instrumental.

3. Certains apprentissages débouchent sur la formation d'habitudes (acquisition d'un savoir-faire, ou apprendre *comment*), alors que d'autres apprentissages conduisent à la formation de souvenirs représentationnels (acquisition de connaissances déclaratoires, ou apprendre *que*). La maturation des capacités de formation d'habitudes et de souvenirs semble se faire à des vitesses différentes et dépendre de circuits cérébraux différents.

4. Les souvenirs sont souvent classés selon leur durée de rétention. Les classifications les plus courantes comprennent les souvenirs iconiques, les souvenirs à court terme, à terme intermédiaire et à long terme. Certains troubles mnémoniques ont trait spécifiquement à l'une ou l'autre de ces classes temporelles.

5. On sait maintenant que la capacité d'apprentissage associatif est largement présente chez les différentes espèces animales. Il se peut que l'évolution d'importants méca-

nismes cérébraux d'apprentissage et de mémorisation soit le résultat du développement antérieur de systèmes précis et complexes pour contrôler les ajustements sensori-moteurs spécifiques, puis de l'extension de ces systèmes à des fins d'utilisation plus générale.

6. L'aptitude à former des souvenirs représentationnels à long terme se développe plus lentement que l'aptitude à former des habitudes à long terme. L'*amnésie infantile* est un phénomène qui n'est pas propre à l'être humain, étant également le lot d'autres espèces animales qui naissent dans un état d'immaturité relative.

7. Les personnes qui souffrent de la maladie de Korsakoff présentent des trous de mémoire qu'elles peuvent tenter de combler par la confabulation; ce syndrome comporte une amnésie rétrograde et antérograde sérieuse et des défaillances dans le codage des nouvelles informations.

8. Certains sujets dont le lobe frontal médian est endommagé présentent des signes particuliers d'entrave à la consolidation des souvenirs représentationnels à long terme. Les recherches récentes ont porté autant sur la sorte de test de mémoire à utiliser que sur les sites du dommage cérébral. Chez l'être humain et chez l'animal, les lésions affectant l'hippocampe nuisent à la formation des souvenirs représentationnels mais épargnent la formation des habitudes (rétention du savoir-faire). L'endommagement du noyau amygdalien a pour effet de rendre encore plus graves les défaillances causées par les dommages à l'hippocampe.

Lectures recommandées

Lynch, G., Mc Gaugh, J. L. et Weinberger, N. M. (éds.). (1984). *Neurobiology of Learning and Memory*. New York : Guilford Press.

McGaugh, J. L., Weinberger, N. M. et Lynch, G. (éds.). (1988). *Brain Organization and Memory : Cells, Systems, and Circuits*. New York : Oxford University Press.

Olton, D. S., Gamzu, E. et Corkin, S. (éds.). (1985). Memory Dysfunctions : an Integration of Animal and Human

Research from Preclinical and Clinical Perspectives. *Annals of the New York Academy of Sciences : Vol. 444*. New York : New York Academy of Sciences.

Squire, L. R. et Butters, N. (éds.). (1984). *Neuropsychology of Memory*. New York : Guilford Press.

Weinberger, N. W., McGaugh, J. L. Lynch, G. (éds.). (1985). *Memory Systems of the Brain*. New York : Guilford Press.

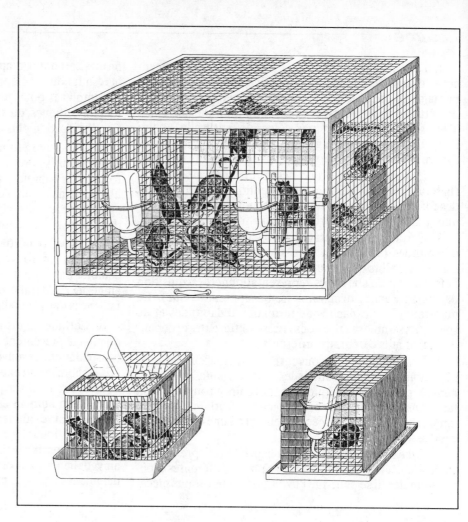

17 Mécanismes nerveux de l'apprentissage et de la mémoire

« Il m'arrive parfois de penser, quand je récapitule les données sur la localisation de la trace mnémonique, que l'unique conclusion possible, c'est que l'apprentissage est tout simplement impossible. »

Karl S. Lashley (1950, p.477).

« Au cours des dernières décennies, la compréhension des fondements biologiques de l'apprentissage et de la mémoire a subi une véritable révolution. Il apparaît maintenant possible d'identifier les circuits et réseaux qui participent à l'apprentissage et à la mémoire, qui déterminent les sites d'accumulation des souvenirs et analysent les mécanismes cellulaires et moléculaires de la mémoire. Cette nouvelle compréhension tire ses origines des progrès enregistrés dans plusieurs disciplines différentes : la psychologie, les neurosciences du comportement, l'analyse des réseaux dans les sciences cognitives et la neurobiologie. »

Richard F. Thompson (1986, p.941).

ORIENTATION

Le contraste entre ces deux affirmations de la part de deux chercheurs éminents, à une génération d'intervalle, témoigne d'un revirement spectaculaire d'ouverture d'esprit; nous discuterons en détail dans ce chapitre de quelques-uns des principaux développements qui ont marqué cette nouvelle époque. Il sera surtout question de la façon dont l'apprentissage et la formation des souvenirs se produisent (i.e les mécanismes nerveux précis) alors que, au chapitre 16, l'accent était mis sur le *site* du système nerveux où se produisent l'apprentissage et la mémoire. Nous développerons donc trois thèmes principaux :

1. Quels sont les mécanismes à la base de l'accumulation de souvenirs à long terme dans le système nerveux ? Dans quelle mesure les différentes espèces ont-elles recours aux mêmes mécanismes ?

2. Quels sont les mécanismes d'accumulation, de durées différentes (à court et à moyen terme, par opposition à long terme) ? Quelles sont les étapes de la formation du souvenir à long terme ?

3. Quels mécanismes modulent (facilitent ou inhibent) l'apprentissage et la formation des souvenirs ? (On a trouvé que certains systèmes de transmission nerveuse et humorale, ainsi que certains systèmes de transmetteurs, qui ne jouent pas de rôle direct dans l'apprentissage et l'accumulation de souvenirs, interviennent dans la modulation de ces mêmes processus.)

PREMIÈRES DÉCOUVERTES DE MODIFICATIONS DU CERVEAU RÉSULTANT DE L'ENTRAÎNEMENT ET DE L'EXPÉRIENCE

Une série d'études qui ont débuté vers la fin des années 1950 ont montré qu'une expérience informelle acquise dans des milieux variés, aussi bien qu'un entraînement formel, donnaient lieu, chez les rongeurs, à des modifications neurochimiques et neuroanatomiques mesurables du cerveau (Rosenzweig, 1984; Renner et Rosenzweig, 1987). À l'origine, ces travaux avaient pour but de déterminer s'il existe, chez les rats, une corrélation entre les différences d'aptitude à résoudre des problèmes et le niveau d'activité de l'acétylcholinestérase (AChE) dans le cortex cérébral. On a, en effet, découvert des corrélations entre ces mesures, mais on a surtout découvert que la simple expérience de soumission à un entraînement et à un test provoquait des modifications du niveau d'activité de l'AChE dans le cortex cérébral. En outre, plus le test comportemental utilisé avec un groupe particulier était difficile, plus les niveaux d'AChE avaient tendance à être élevés (Rosenzweig, Krech et Bennet, 1961). Ces résultats ont étonné les chercheurs qui avaient supposé que le niveau d'enzyme était déterminé chez chaque animal; il s'est avéré, au contraire, que le test comportemental modifiait la caractéristique cérébrale sous évaluation ! Comme la possibilité de mesurer une modification cérébrale attribuable à l'expérience était plus intéressante que la corrélation cherchée, les travaux furent rapidement réorientés vers l'étude des réactions cérébrales à différentes expériences.

Au lieu de soumettre les rats à différentes expériences de résolution de problèmes — procédé long et coûteux — les chercheurs placèrent les animaux dans différents environnements offrant diverses occasions d'apprentissage informel (figure 17.1). Ils répartirent au hasard des rats d'une même portée, de même sexe, dans trois principaux types d'environnement :

1. La situation ordinaire (SO) : trois animaux placés dans une cage normale de laboratoire, avec de l'eau et de la nourriture. C'est l'environnement habituel des rongeurs élevés dans les laboratoires de biologie et de psychologie.

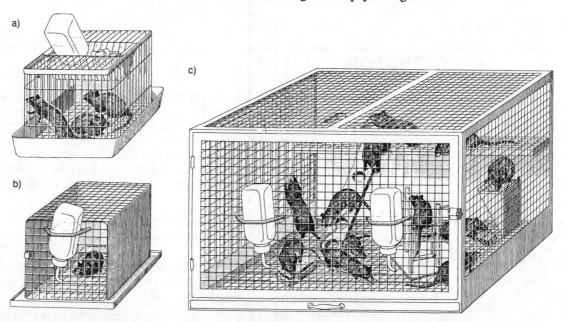

Figure 17.1 Environnements de laboratoire qui offrent des occasions plus ou moins bonnes d'apprentissage informel. a) Environnement ordinaire de colonie de rats à trois par cage. b) Environnement appauvri où un rat se trouve isolé. c) Environnement enrichi : 10 à 12 rats par cage et une variété d'objets-stimuli. (Tiré de M. R. Rosenzweig, E. L. Bennett et M. C. Diamond, « Brain Changes in Response to Experience ». Copyright © 1972 par Scientific American, Inc. Tous droits réservés.)

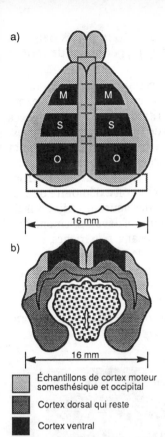

Figure 17.2 Dissection du cerveau du rat en échantillons habituellement utilisés pour mesurer les effets de l'expérience. a) Vue dorsale du cerveau avec une équerre en T qu'on utilise pour délimiter les régions du cortex. b) Coupe transversale du cerveau.

Légende des zones:
- Échantillons de cortex moteur somesthésique et occipital
- Cortex dorsal qui reste
- Cortex ventral
- Reste du cerveau (sous-cortical)

16 mm (a)

16 mm (b)

2. Les **conditions enrichies** (CE) : une grande cage contenant 10 à 12 animaux et une variété d'objets-stimuli qu'on changeait chaque jour. Cet environnement apportait de meilleures occasions d'apprentissage informel que le précédent.

3. La condition d'isolement ou **condition appauvrie** (CA) : des cages de dimensions SO ne logeant qu'un animal.

Dans les premières expériences, on répartissait les rats dans les cages dès leur sevrage, soit environ 25 jours après leur naissance, et on les y maintenait 80 jours. Plus tard, on utilisa des rats de différents âges et on fit varier la durée de l'expérience.

À la fin de la période expérimentale, on prélevait des échantillons de cerveau, standardisés, et on procédait à une analyse chimique (figure 17.2). Au cours des premières expériences, les animaux soumis à une condition enrichie (CE) ont produit plus d'AChE corticale que leurs semblables de la même portée soumis à une condition appauvrie (CA). De plus, des expériences de contrôle ont démontré que ce résultat ne pouvait être attribué à une manipulation accrue des premiers ou à une plus grande activité locomotrice en situation CE (Rosenzweig, Krech et Bennett, 1961). L'activité enzymatique fut mesurée en divisant l'activité totale par la masse de l'échantillon de tissu (AChE / masse). Un examen détaillé des données a révélé que les groupes expérimentaux étaient différents, non seulement sur le plan de l'activité enzymatique totale, mais également sur celui de la masse des échantillons corticaux : la masse du cortex cérébral des animaux s'est révélée plus élevée que celle de leurs compagnons de portée placés dans la condition CA (Rosenzweig et coll., 1962). Ce résultat a été une véritable surprise car, depuis le début du siècle, on considérait comme allant de soi la stabilité de la masse cérébrale. Les expériences subséquentes ont révélé que les mesures des différences de masse cérébrale sont extrêmement fiables, même si ces différences, exprimées en pourcentage, sont numériquement faibles. En outre, les différences ne sont pas distribuées de façon uniforme à travers le cortex. Elles sont presque toujours plus grandes dans le cortex occipital et plus petites dans le cortex somesthésique adjacent. Les parties du cerveau qui n'appartiennent pas au cortex montrent très peu d'effets de ce genre.

On a ensuite établi des relations entre ces différences de masse et les différences d'épaisseur du cortex; en d'autres termes, les animaux placés dans un environnement CE ont développé un cortex cérébral légèrement plus épais que leurs compagnons placés dans les autres conditions (Diamond, Krech et Rosenzweig, 1964; Diamond, 1976). On procéda alors à des prises de mesures neuroanatomiques encore plus raffinées, notamment le comptage des crêtes dendritiques, des mesures de ramification dendritique et une évaluation de la dimension des contacts synaptiques. Ces trois mesures furent toutes effectuées sur des cellules pyramidales du cortex occipital. On constata que chacune de ces mesures subissait l'influence des conditions variables de l'expérience.

EFFETS EXERCÉS PAR L'EXPÉRIENCE SUR LES SYNAPSES

L'hypothèse selon laquelle la mémoire et l'apprentissage pourraient résulter de la formation de nouveaux contacts synaptiques a connu des hauts et des bas. Proposée au cours des années 1890, elle reçut l'appui de chercheurs aussi éminents que Ramón y Cajal (1894) et Sherrington (1897). Toutefois, n'ayant pas été supportée par des faits concrets, cette hypothèse fut reléguée aux oubliettes. En 1965, Eccles (neurophysiologiste qui partagea un prix Nobel en 1963) se disait toujours convaincu que l'apprentissage et l'accumulation des souvenirs ne mettent en cause que « la croissance des synapses plus volumineuses et meilleures déjà en place, et non la croissance de nouvelles connexions ». Ce n'est qu'au

Tableau 17.1 Influence de l'expérience sur le nombre de crêtes dendritiques : différences de pourcentage entre les groupes CE et CA.

Dendrites apicales	0,2
Dendrites terminales	3,1*
Dendrites obliques	3,6*
Dendrites de la base	9,7**

Source : A. Globus, M. R. Rosenzweig, E. L. Bennett et M. C. Diamond, « Effects of differential experience on dendritic spine counts in rat cerebral cortex ». *Journal of Comparative and Physiological Psychology*, 1973, 82 (2) : 175-181. Copyright 1973 par l'American Psychological Association. Reproduit avec la permission de l'éditeur et des auteurs.

* $p < 0,05$ ** $p < 0,01$

cours des années 1970 que les expériences sur des rats de laboratoire placés dans des environnements enrichis et appauvris ont apporté des données qui permirent de vérifier cette hypothèse.

Aux chapitres 2 et 3, nous avons démontré que les crêtes dendritiques représentent un aspect récent de la différenciation des neurones et qu'elles subissent l'influence de l'expérience. Lorsqu'on a procédé au dénombrement des crêtes dendritiques dans les expériences CE-CA, on a pu constater que le nombre de crêtes par unité de longueur de dendrite est significativement plus abondant chez les animaux CE que chez les animaux Ca (Globus et coll., 1973). Toutefois, cet effet ne se produit pas de façon uniforme sur l'arbre dendritique, il est plus prononcé dans le cas des dendrites de la base (tableau 17.1). Les diverses parties de l'arbre dendritique reçoivent des influx de sources différentes et on a démontré que les influx qui arrivent aux dendrites de la base proviennent surtout des neurones adjacents de la même région. Il semble donc que l'expérience enrichie provoque le développement d'un nombre accru de contacts synaptiques et de réseaux intracorticaux plus riches et plus complexes.

S'inspirant de ces expériences, William Greenough plaça également des rats de laboratoire dans des environnements SO, CE et CA et rechercha des effets d'ordre anatomique. Il quantifia la ramification dendritique au moyen des méthodes illustrées à la figure 17.3. Il montra que les animaux CE acquièrent une **ramification dendritique** beaucoup plus im-

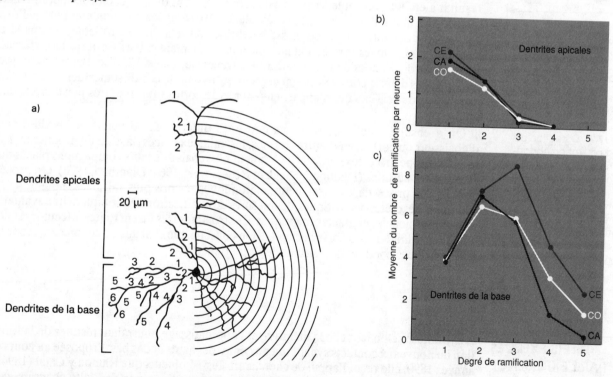

Figure 17.3 Mesure du degré de ramification dendritique. À l'aide d'une photographie agrandie d'un neurone, on peut quantifier la ramification en comptant le nombre de ramifications de différents ordres, comme on le voit à gauche en a), ou en comptant le nombre d'intersections avec les cercles concentriques, comme on le voit à droite en a). Les résultats en b) et en c) ont été obtenus grâce à la première de ces deux méthodes. Ils donnent des différences de ramification significatives entre des rats maintenus pendant 30 jours dans des environnements enrichi, ordinaire ou appauvri. (Extrait de Greenough, 1976.)

portante que les animaux CA (Greenough et Volkmar, 1973; Volkmar et Greenough, 1972). Les données SO se situent entre les données CA et les données CE et tendent à se rapprocher des données CA. Chaque cellule soumise à une expérience enrichie n'étend pas ses dendrites, mais remplit son espace plus densément avec ses ramifications. Ces résultats, ajoutés à ceux de la prolifération des crêtes dendritiques, indiquent que les animaux à expérience enrichie en arrivent à se munir de circuits de traitement d'information plus élaborés.

À la suite de ces travaux, on a eu recours à des techniques encore plus raffinées pour mesurer plus directement le nombre de synapses et de neurones (Turner et Greenough, 1985). Les résultats indiquent que, dans les couches I à IV du cortex occipital, les rats CE ont environ 9400 synapses par neurone alors que les rats CA n'en ont à peu près que 7600, une différence de plus de 20 % ($p < 0,02$). Les rats SO se situent entre les deux, mais plus près des rats CA. Ces résultats apportent un appui considérable à l'hypothèse selon laquelle l'apprentissage et la mémoire à long terme reposent sur la formation de nouveaux contacts synaptiques.

Il a été démontré, de plus, que la dimension des contacts synaptiques change également sous l'influence des conditions variables de l'expérience. L'épaississement postsynaptique moyen (figure 17.4) est significativement plus fort chez les rats CE que chez leurs compagnons de portée CA (Greenough et West, 1972; Diamond et coll., 1975). L'augmentation du volume et du nombre de contacts synaptiques accroît vraisemblablement la probabilité que la transmission dans ces circuits se trouve affectée.

Nous commençons à comprendre l'augmentation de la masse et de l'épaisseur du cortex cérébral. La prolifération des ramifications dendritiques en est probablement le principal facteur, puisque les dendrites représentent environ 95 % de la masse de la cellule dans les cellules principales du cortex. Le corps cellulaire et le noyau de ces neurones sont plus volumineux chez les animaux CE (Diamond et coll., 1975) : un corps cellulaire et un noyau plus gros sont probablement nécessaires au maintien d'un arbre dendritique plus étendu, au métabolisme plus actif. Les animaux CE semblent présenter également un nombre accru de cellules gliales, peut-être afin de fournir un appui métabolique aux neurones plus actifs (Diamond et coll., 1966; Szeligo et Leblond, 1977).

Il est donc raisonnable de croire que les modifications cérébrales découlant de l'expérience vécue dans des environnements différents reflètent l'importance quantitative variable de l'apprentissage qui se produit dans ces environnements. D'autres expérimentations visant à comparer l'entraînement formel et des procédés de contrôle ont vite démontré que l'entraînement formel produit sur la masse du cortex, sur la chimie du cerveau (Bennet, 1976; Bennet et coll., 1979) et sur la ramification dendritique (Greenough, 1976; Chang et Greenough, 1982) des effets semblables à ceux de l'expérience informelle enrichie.

Constatant que l'utilisation d'une expérience vécue permettait de provoquer des changements mesurables dans le cerveau, de nombreux chercheurs voulurent découvrir comment le système nerveux réagit à l'expérience d'apprentissage et de quelle façon il accumule de nouvelles informations. L'augmentation de nos connaissances sur le développement du système nerveux au niveau cellulaire et l'hypothèse longtemps entretenue selon laquelle les changements qui accompagnent l'apprentissage pourraient être semblables à ceux qui surviennent au cours du développement sont deux facteurs qui ont aussi influencé les expériences subséquentes. L'amélioration des techniques électrophysiologiques, neuroanatomiques et neurochimiques servant à l'examen des cellules nerveuses a également contribué au progrès dans ce domaine. Enfin, l'intérêt croissant envers le comportement et les systèmes nerveux des vertébrés a favorisé ce développement important. Certains de ces invertébrés ont servi de modèles synaptiques particulièrement intéressants en vue de l'étude des mécanismes nerveux de l'apprentissage et de la mémoire.

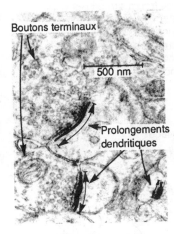

Boutons terminaux

500 nm

Prolongements dendritiques

Figure 17.4 Mesure de la dimension des contacts synaptiques. Sur des micrographies électroniques, on peut mesurer les contacts en fonction de la longueur de la région épaissie de la membrane postsynaptique. Remarquez que les boutons terminaux contiennent plusieurs petites vésicules synaptiques et parfois de grosses mitochondries.

MÉCANISMES HYPOTHÉTIQUEMENT RESPONSABLES DE L'ACCUMULATION DES SOUVENIRS

Quelles sont les modifications que subissent les circuits nerveux au cours de l'apprentissage ? Quelles sortes de changements persistent et servent de base aux souvenirs ? Depuis la découverte des relais synaptiques, à la fin du siècle dernier, de nombreux chercheurs ont laissé entendre que des changements synaptiques pourraient constituer les mécanismes de stockage des souvenirs. Avec l'augmentation de notre connaissance de l'anatomie et de la chimie de la synapse, de telles hypothèses se sont faites plus nombreuses et plus précises. On a, entre autres, invoqué des changements opérés dans les synapses existantes et ses accroissements du nombre de synapses (voir la figure 17.5). Nous allons considérer chacune de ces hypothèses.

Changements physiologiques dans les synapses

Plusieurs changements physiologiques qui accompagnent l'apprentissage seraient capables de modifier, au niveau des synapses existantes, la réaction postsynaptique à un influx présynaptique. Le changement pourrait être présynaptique, postsynaptique ou peut-être les deux à la fois. Il est également possible que le nombre de molécules transmettrices libérées par chaque influx nerveux augmente, modifiant ainsi la réaction de la cellule postsynaptique (figure 17.5a). Le changement de la libération du transmetteur pourrait être dû à des modifications chimiques dans le bouton terminal, ou encore attribuable à

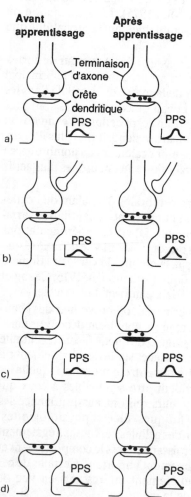

Figure 17.5 Représentation sous forme schématique des changements synaptiques qui pourraient servir de base au stockage des souvenirs. a) Suite à l'entraînement, chaque influx nerveux dans un circuit donné déclenche une libération accrue de molécules de transmetteurs (représentées par les points). Par conséquent, la magnitude du potentiel postsynaptique (PPS), représenté dans le petit graphique, s'accroît. b) Un neurone intercalaire exerce un effet de modulation sur la polarisation de la terminaison de l'axone et entraîne la libération d'un plus grand nombre de molécules de transmetteurs par influx nerveux. c) La modification de la membrane réceptrice postsynaptique engendre une réaction plus forte à la même quantité de substances transmettrices libérées. d) La dimension de l'aire de contact synaptique s'accroît avec l'entraînement. e) Le fait qu'un circuit nerveux soit utilisé plus fréquemment accroît le nombre des contacts synaptiques. f) La voie nerveuse la plus fréquemment utilisée s'approprie les sites synaptiques occupés auparavant par une voie rivale moins active.

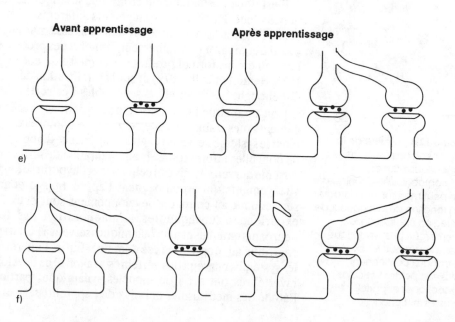

l'influence des terminaisons sur les boutons terminaux (figure 17.5b); ces terminaisons pourraient modifier la polarisation des boutons. Il est également possible que la réactivité ou la sensibilité des terminaisons postsynaptiques soit modifiée par un accroissement du nombre de molécules réceptrices par exemple, si bien que la même quantité de substance transmettrice libérée déclencherait une réaction plus forte (figure 17.5c).

Changements structuraux

Des modifications de structure au niveau des synapses pourraient également constituer des mécanismes mnémoniques. L'exercice entraîne des changements structuraux bien évidents dans plusieurs parties du corps, dans les muscles et les os notamment. Il est donc possible que l'aire de contact synaptique s'élargisse et se rétrécisse à peu près de la même façon en fonction de l'entraînement (figure 17.5d).

Toutefois, la formulation d'hypothèses sur les changements attribuables à l'expérience ne concerne pas que les synapses déjà existantes. L'entraînement peut être à l'origine d'un accroissement du nombre de terminaisons de la voie utilisée (figure 17.5e) ou peut permettre qu'une voie plus fréquemment utilisée s'approprie des terminaisons d'abord utilisées par une voie rivale moins active (figure 17.5f).

Limites et conditions s'appliquant aux modèles synaptiques de la mémoire

Ce que nous avons dit jusqu'à maintenant des modèles synaptiques devrait être interprété en tenant compte des trois considérations suivantes.

Premièrement, chaque synapse est une très petite composante des systèmes nerveux. La plupart des comportements des vertébrés dépendent de l'action coordonnée de milliers ou de milliards de neurones, chacun d'entre eux comportant des dizaines de milliers de points d'entrée synaptique.

Il faut souligner en second lieu que, dans le cas de certaines fonctions du moins, il est possible qu'un simple examen des réactions des unités cellulaires ne révèle pas de corrélations avec le comportement, ces corrélations pouvant être réservées à des ensembles de neurones (John, 1978). L'analogie, présentée au chapitre 5, du déploiement de cartes par des ensembles de spectateurs assistant à une joute de football a montré que le fait de regarder une ou quelques-unes de ces cartes ne permet pas de déterminer l'image créée par des centaines de cartes. Cette analogie peut s'appliquer à plusieurs champs sensoriels et mérite d'être considérée lors de l'étude des nombreuses tentatives d'associer apprentissage et mémoire ainsi qu'apprentissage et mécanismes synaptiques. Le comportement des ensembles dépend évidemment de l'activité des unités, mais il ne peut cependant pas être complètement réduit à cette activité.

Notons enfin que nous n'avons fait état que des augmentations des effets synaptiques qui sont attribuables à l'entraînement. En réalité, des modifications inverses pourraient servir à l'apprentissage et à la mémoire, puisque la modification des circuits se fait aussi bien par l'interruption que par la création des contacts. On ne peut élaborer un circuit en éliminant des contacts, mais il est possible de modifier ainsi un circuit existant. En dressant la liste des différents moyens de modifier l'activité synaptique, il faudrait donc procéder à l'énumération de toutes les possibilités, autant celles de « diminutions » que celles d'« accroissement ».

La formation de souvenirs dans des neurones individuels est-elle possible ?

On reconnaît généralement que la mémoire prend sa source dans des changements qui se produisent aux synapses, entre les neurones. Cependant, quelques chercheurs ont émis l'opinion — peu orthodoxe — que des modifications à l'*intérieur* des neurones pourraient expliquer, en partie du moins, la capacité mnémonique du système nerveux. C'est notamment le cas de E.N. Sokolov et de ses collaborateurs de l'Université de Moscou (Sinz, Grechenko et Sokolov, 1983) qui ont effectué des travaux sur des cellules nerveuses isolées d'escargots. On peut stimuler ces cellules à divers endroits sur le corps cellulaire avec des substances chimiques ou au moyen d'impulsions électriques. Il semble que le stimulus chimique conditionné (SC) engendre un potentiel d'action si une application d'une quantité subliminaire d'acétycholine (ACh) est suivie d'une stimulation régulière d'impulsions électriques supraliminaires (stimulus non conditionné, SI). Cette modification, qui a les mêmes caractéristiques qu'un conditionnement normal, se produit si l'impulsion électrique suit de moins de 120 millisecondes le stimulus chimique; elle ne se produit pas si le processus est inversé ou si on applique les stimuli de façon non contiguë ou séparément. L'habituation et la sensibilisation ne peuvent donc pas expliquer les résultats : il semble qu'il y ait apprentissage associatif. Le conditionnement cesse après quelques minutes; on peut l'accélérer avec des essais non renforcés par le SI. Après l'arrêt, on peut obtenir une réponse plus rapide qu'au cours de la première série d'essais.

Ces chercheurs supposent que le conditionnement accroît le nombre de points d'activité sur la membrane, mais il se pourrait que le changement se produise dans la sensibilité des points déjà existants. Selon eux, la découverte d'un conditionnement au sein même de chaque neurone démontrerait que le modèle synaptique de la trace mnémonique n'est pas le seul possible. Il en est peut-être ainsi, mais il faudra attendre des rapports plus complets du laboratoire de Moscou et la corroboration d'autres laboratoires avant de pouvoir évaluer cette hypothèse nouvelle selon laquelle les capacités de traitement d'information des neurones s'appliquent à la formation des souvenirs.

Alkon (1985, 1988) a également rapporté des faits indiquant que des changements cruciaux résultant de l'apprentissage se produisent dans la membrane nerveuse (voir une recension des travaux de ce chercheur aux pages 679-680).

MÉCANISMES D'HABITUATION ET DE SENSIBILISATION DANS LES SYSTÈMES SIMPLES

L'habituation et la sensibilisation ont été les premières formes d'apprentissage à être étudiées à un niveau cellulaire. Ce sont probablement là les formes les plus simples et les plus répandues d'apprentissage (chapitre 16). Malgré leur relative simplicité, elles sont quand même importantes dans les activités quotidiennes. En analysant ces deux formes d'apprentissage au niveau cellulaire, les chercheurs ont voulu répondre à trois questions :

1. Les changements cruciaux sont-ils répartis de façon diffuse à travers le circuit responsable du comportement ou se limitent-ils à des sites spécifiques dans ce circuit ?

2. Est-il possible d'en décrire les mécanismes en termes moléculaires et anatomiques ?

3. Quelle est la relation entre sites et mécanismes d'habituation à court terme (durant des minutes ou des heures) et ceux de l'habituation à long terme (se prolongeant pendant des jours ou des semaines) ?

Récemment, les chercheurs se sont également demandé si les mécanismes de l'apprentissage associatif peuvent découler des mécanismes de l'apprentissage non associatif.

Il faut se souvenir que l'habituation consiste en une insensibilité à des stimuli ne comportant aucune signification particulière ou n'ayant pas d'effet sur le comportement habituel. L'habituation est un phénomène observable chez tous les animaux, du plus simple au plus complexe (chapitre 16) et dont les mécanismes ont été étudiés chez des mammifères intacts ou en préparations spinales et chez des invertébrés plus rudimentaires. Les préparations d'invertébrés sont maintenant utilisées plus couramment en raison des divers avantages qu'elles présentent :

1. Le nombre de cellules nerveuses que contient un ganglion d'invertébré est relativement petit (environ 1000) par comparaison avec celui d'un mammifère.

Figure 17.6 Cellules nerveuses identifiées dans un ganglion d'invertébré, l'aplysie (lièvre de mer). Vue dorsale du ganglion abdominal avec numérotation de plusieurs neurones identifiés. Voir à la figure 17.7 les neurones qui font partie du circuit de l'habituation (G7, GD$_{G2}$, GD$_{G1}$ et DD$_G$). (De Frazier et coll., 1967 et de Koester et Kandel, inédit.)

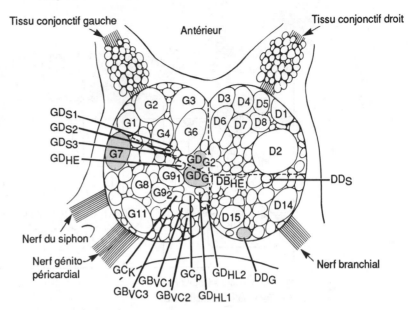

2. Dans le ganglion d'un invertébré, les corps cellulaires forment la surface extérieure et les prolongements dendritiques sont à l'intérieur. Cette disposition anatomique est l'inverse de celle des ganglions des mammifères, ce qui simplifie la tâche d'identification et d'enregistrement de l'activité des cellules des invertébrés.

3. On peut reconnaître plusieurs des cellules individuelles des ganglions des invertébrés aussi bien par leur forme et leur dimension que par le fait que la structure cellulaire du ganglion s'avère uniforme d'un individu à l'autre, dans les différentes espèces (figure 17.6). Il est donc possible d'identifier certaines cellules et de retracer leurs connexions sensorielles et motrices. Dès qu'on isole un ganglion dans un invertébré particulier, on connaît les connexions fondamentales de plusieurs des corps cellulaires les plus gros. De plus, des travaux récents ont démontré que les grosses cellules identifiables sont également différentes les unes des autres, tant par les neurotransmetteurs qu'elles contiennent que par leurs connexions.

Mécanismes d'habituation chez l'aplysie

Une fois tracé le circuit complet d'une réaction, il devient possible d'étudier le (ou les) site(s) où se produit l'habituation. La figure 17.7 présente un diagramme d'un circuit nerveux de l'aplysie (gros escargot de mer) qui a servi à étudier le processus de l'habituation. Ce circuit comprend des neurones du ganglion abdominal (figure 17.6).

Eric Kandel et ses collaborateurs ont réalisé un programme d'expérimentation de grande envergure pour étudier les processus synaptiques de l'habituation et de la sensibilité chez l'aplysie (Kandel 1976, 1979, Kandel et coll., 1986). La figure 17.8 montre certains des comportements typiques de l'aplysie, lorsqu'elle se dilate sur le fond de régions peu profondes de la mer. Les branchies de l'animal sont habituellement distribuées sur son dos, protégées uniquement par la mince couche du manteau, et son siphon est employé pour aspirer l'eau et la répandre sur les branchies. Si quelque chose vient toucher le manteau ou le siphon, l'animal rétracte ses branchies pour les rendre beaucoup plus petites et moins vulnérables. Ce réflexe de rétraction des branchies est contrôlé par le ganglion abdominal

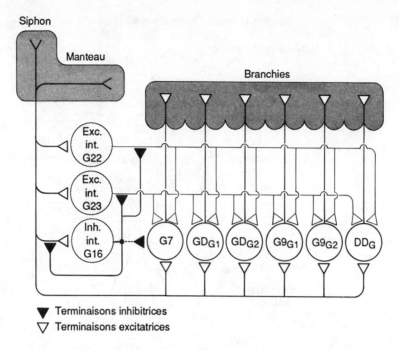

Figure 17.7 Diagramme des circuits nerveux fondamentaux qui contribuent au réflexe de rétraction des branchies et à son habituation chez l'aplysie. On voit un circuit monosynaptique; il commence dans les neurones sensoriels qui ont des terminaisons dans le siphon et le manteau, des synapses sur le neurone G7 et aboutit aux terminaisons motrices dans les branchies. D'autres circuits monosynaptiques passent par les cellules GD$_{G1}$, GD$_{G2}$ et ainsi de suite. Il se produit des liaisons polysynaptiques dans les neurones intercalaires excitateurs G22 et G23 et le neurone intercalaire inhibiteur G16. (D'après Kupfermann, Carew et Kandel, 1974.)

(figure 17.6). À fins d'expérimentation, on utilise souvent une préparation constituée par le siphon, le manteau, les branchies et les nerfs sensoriels et moteurs reliant ces structures au ganglion abdominal. Ces structures étant fixées en place, les expérimentateurs sont en mesure de stimuler le siphon ou le manteau avec des jets d'eau bien mesurés et à des moments déterminés avec précision, afin d'enregistrer ensuite avec exactitude l'amplitude du réflexe de rétraction des branchies.

Ce réflexe se prête facilement à l'habituation, quand la stimulation se répète; de plus, cette habituation a toutes les caractéristiques observées dans celle qui prévaut chez les êtres humains et les autres animaux. L'aplysie est l'objet aussi bien de sensibilisation que d'habituation : quand on applique un stimulus douloureux à la tête de l'animal, le réflexe de rétraction des branchies s'amplifie considérablement. La correspondance étroite entre les caractéristiques de l'habituation et de la sensibilisation chez l'aplysie et ces mêmes comportements chez les mammifères justifie une étude plus approfondie des mécanismes nerveux de ces comportements chez l'aplysie.

Site et mécanisme d'habituation à court terme

On a pu préciser l'emplacement du site de l'habituation du réflexe de rétraction des branchies chez l'aplysie et on devrait bientôt être en mesure de définir les mécanismes neurochimiques de l'habituation. Pour atteindre cet objectif, Kandel et ses collaborateurs ont étudié plusieurs sites possibles de modification d'activité. Comme on l'a observé chez les mammifères, l'habituation n'est attribuable ni à l'adaptation des récepteurs, ni à la fatigue musculaire, ni à la dépression des relais entre les neurones moteurs et les muscles.

S'intéressant ensuite au ganglion, les expérimentateurs ont constaté que les enregistrements intracellulaires en provenance des neurones moteurs témoignent effectivement de ralentissements des taux de décharge au cours de l'habituation. La décélération de la décharge du neurone moteur pourrait refléter une hausse de la résistance d'entrée (diminution de sensibilité) de ce neurone ou une modification de l'apport synaptique. On a trouvé que le seuil nécessaire au déclenchement d'une pointe de potentiel dans le neurone moteur restait constant durant l'habituation; par conséquent, il est impossible d'attribuer la modification de l'habituation au changement de la résistance de la membrane postsynaptique.

On a constaté que les potentiels postsynaptiques excitateurs (PPSE) diminuaient progressivement avec la répétition de la stimulation; cette chute pourrait expliquer la décélération de la décharge du motoneurone au cours de l'habituation. Après une période de repos sans stimulation, l'amplitude des PPSE se rétablit. La dépression résultant de la stimulation répétitive d'une partie du champ récepteur (le siphon, par exemple) n'entraîne pas un déclin des PPSE résultant de la stimulation d'une autre partie du champ sensoriel (le manteau, par exemple); la dépression est donc strictement localisée. La contribution des neurones intercalaires aux PPSE des cellules motrices est faible par rapport à la voie mnémosynaptique, ce qui signifie que cet effet de dépression doit se limiter surtout aux points de jonction sensorimoteurs mnémosynaptiques. On a découvert que la dépression des PPSE était causée par une diminution du nombre de quanta de transmetteurs synaptiques libérés par chacun des influx sensoriels : la dimension des quanta individuels reste constante. Cette caractéristique a été établie grâce à l'étude de la variabilité des PPSE, qui sont mesurés en unités de quanta, c'est-à-dire en unités d'une dimension fixe. Il faut se souvenir que l'un des mécanismes hypothétiques de la mémoire (figure 17.5a) consiste justement en une modification de la quantité de transmetteurs libérés à l'arrivée d'un influx nerveux.

Par conséquent, au sein de ce circuit nerveux, le changement attribuable à l'habituation se produit principalement aux terminaisons présynaptiques du nerf moteur. Ainsi,

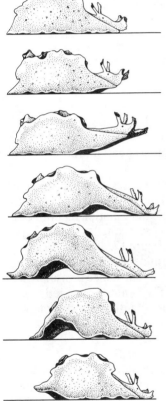

a)

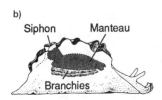

b)

Siphon   Manteau

Branchies

c)

d)

Figure 17.8 Certains des comportements de l'aplysie. a) Locomotion. b) Posture habituelle : siphon déployé et branchies étendues sur le dos. Ordinairement, seul le bout du siphon serait visible sur une vue latérale; ici, on fait voir le reste du siphon et les branchies comme si l'animal était transparent. c) Rétraction du siphon et des branchies en réaction à un léger attouchement. d) Rétraction de la tête et décharge d'encre en réaction à un stimulus intense. (Tiré de *Cellular Basis of Behavior : An Introduction to Behavorial Neurobiology* par Eric R. Kandel. W. H. Freeman et Cie. Copyright © 1976.)

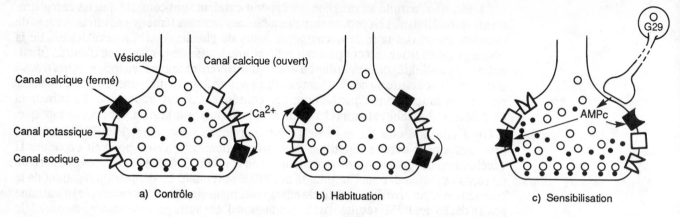

Figure 17.9 Mécanismes synaptiques hypothétiques d'habituation et de sensibilisation. Les terminaisons d'axones sont représentées sous les conditions de contrôle, d'habituation et de sensibilisation. Leurs membranes sont munies de voies spécialisées. Sous la condition de contrôle, la plupart des voies K+ sont ouvertes et cela tend à inhiber les voies Ca2+. (Les voies qui sont fermées sont désignées par des carrés pleins.) La présence de Ca2+ est indispensable pour que les vésicules entrent en liaison avec les sites de libération afin de relâcher la substance transmettrice dans la fente synaptique. Dans l'habituation, la répétition des influx réduit le nombre de voies Ca2+ ouvertes, ce qui fait qu'il y a peu de liaisons de vésicules et de relâchement de transmetteur. Dans la sensibilisation, l'activité d'un neurone modulateur entraîne la libération du second messager AMPc à l'intérieur de la terminaison de l'axone; cela ferme les voies K+ et permet l'ouverture des voies Ca2+. (D'après Klein et Kandel, 1980.)

l'amplification des synapses sensorimotrices peut changer, même si l'anatomie du circuit est fixe et délimitée.

La réduction de la libération des transmetteurs au niveau des synapses entraîne, en partie du moins, une diminution du nombre des ions calcium (Ca^{2+}) qui passent dans les terminaisons des neurones sensoriels avec chaque potentiel d'action. La stimulation répétitive du neurone sensoriel produit une inactivation prolongée des voies par lesquelles les ions Ca^{2+} pénètrent dans le neurone : ce phénomène est représenté à la figure 17.9b par la présence d'une autre voie Ca^{2+} fermée. L'afflux d'ions Ca^{2+} aide à déterminer combien de vésicules se lient pour libérer des sites et par conséquent, quelle quantité de substance transmettrice chaque potentiel d'action libère. Une diminution de l'afflux de Ca^{2+} entraîne une réduction de substance transmettrice libérée et partant, une dépression des potentiels postsynaptiques excitateurs (Klein, Shapiro et Kandel, 1989).

Habituation à long terme

Chez l'aplysie, l'habituation à long terme met en cause un changement de l'anatomie ainsi que de la neurochimie des synapses des neurones sensoriels. Ces terminaisons présynaptiques ont des zones actives, c'est-à-dire des régions de la membrane à partir desquelles le transmetteur synaptique peut être libéré. Ces zones actives sont quantifiables de trois façons différentes : a) chez l'aplysie non habituée, seulement 50 % environ des terminaisons de cette partie du ganglion se trouvent dotées de zones actives et les zones actives observées sont différentes b) quant à leur surface et également c) quant au nombre de vésicules synaptiques qui y sont regroupées. Plus chacune de ces mesures est élevée, plus l'animal est capable de transmettre des signaux nerveux dans cette partie de son système nerveux. Bailey et Chen (1983) ont examiné les terminaisons des neurones sensoriels d'aplysies témoins et d'aplysies habituées et découvert que les animaux habitués se classaient significativement plus bas que les animaux témoins à chacune de ces trois mesures

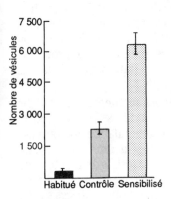

Figure 17.10 Changements dans les synapses de l'aplysie à la suite de l'habituation et de la sensibilisation (Bailey et Chen, 1983).

(figure 7.10). Dans cette étude, on a également stimulé certaines des aplysies en vue de produire une sensibilisation à long terme; à chacune des trois mesures, les zones actives des synapses des animaux sensibilisés étaient significativement plus importantes que celles des animaux témoins. Une étude subséquente de Bailey et Chen (1984) a montré que les animaux qui avaient subi une habituation à long terme comptent moins de terminaisons sensorielles présynaptiques dans leurs ganglions que les animaux témoins. Cette variation du nombre et de la dimension des points de jonction synaptique, à la suite d'un entraînement chez l'aplysie, ressemble à ce qui a déjà été constaté chez les mammifères (West et Greenough, 1972; Diamond et coll., 1975). Les travaux effectués avec l'aplysie indiquent, en outre, que les modifications anatomiques se produisent surtout dans les neurones appartenant au circuit qui participe à l'apprentissage, ce que les travaux chez les mammifères n'avaient pas pu produire.

La similitude des résultats obtenus chez l'aplysie et chez les rats démontre que, dans un très grand nombre d'espèces, l'information peut être emmagasinée dans le système nerveux grâce à des changements dans la dimension et dans le nombre des contacts synaptiques, ce qui confirme les hypothèses illustrées aux figures 17.5d et 17.5f. Ainsi, même chez un animal relativement simple comme l'aplysie, la réorganisation structurale du système nerveux (voir le chapitre 4) se poursuit probablement, dans un certaine mesure, durant toute la vie d'un individu et peut être provoquée par l'expérience.

Sites et mécanismes de la sensibilisation

Les réactions qui se prêtent à l'habituation peuvent également faire l'objet de sensibilisation. Par exemple, le réflexe de rétraction des branchies devient plus prononcé si on a appliqué, au préalable, un stimulus douloureux ailleurs sur la surface du corps. Le schéma de la figure 17.11 montre le circuit qui participe à la sensibilisation du réflexe de rétraction des branchies chez l'aplysie. On a trouvé qu'un stimulus douloureux appliqué à la tête active des neurones sensoriels qui, interreliés, excitent des neurones intercalaires de facilitation. Ces neurones intercalaires aboutissent sur les terminaisons synaptiques des neurones sensoriels du siphon ou du manteau. Ainsi, la sensibilisation est une forme un peu plus complexe de l'apprentis-

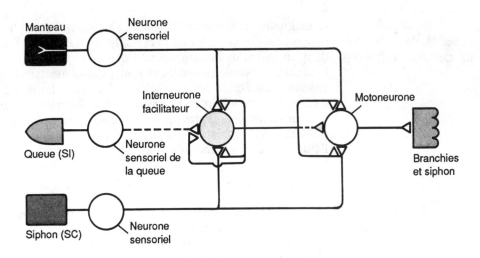

Figure 17.11 Les circuits nerveux qui participent à la sensibilisation de la rétraction des branchies chez l'aplysie. (D'après Hawkins et Kandel, 1983.)

sage non associatif que ne l'est l'habituation, puisqu'elle fait intervenir deux sortes de stimuli : le stimulus sensibilisateur agit pour modifier la réaction du stimulus d'habituation. Le mécanisme cellulaire neurochimique de la sensibilisation est également un peu plus complexe que celui de l'habituation. La sensibilisation utilise le même site que l'habituation (les synapses créées par les neurones sensoriels sur les neurones moteurs) et le processus d'apprentissage met encore en cause une modification de la libération de substances transmettrices par les neurones sensoriels.

Toutefois, dans la sensibilisation, la libération des transmetteurs augmente alors qu'elle diminue dans l'habituation. Le circuit nerveux de la sensibilisation de l'aplysie comporte des éléments additionnels. En particulier, l'information portant sur la stimulation douloureuse de la tête ou de la queue est transmise par des neurones intercalaires facilitateurs formant des extrémités présynaptiques sur les terminaisons des neurones sensoriels du manteau ou du siphon (figure 17.11). Les neurones intercalaires facilitateurs sont, en somme, capables de moduler l'activité des neurones sensoriels qui forment des connexions motrices sur les branchies.

Kandel et ses collaborateurs ont proposé un modèle neurochimique des processus à la base de la sensibilisation à court terme, dans la préparation d'aplysie. Nous verrons plus loin l'application d'une interprétation du même genre aux processus responsables de l'apprentissage associatif. Le modèle de la sensibilisation à court terme comporte au moins six étapes, chacune d'elles concordant avec des tests expérimentaux (figure 17.12). En bref, une stimulation douloureuse de la tête ou de la queue de l'aplysie active les neurones intercalaires facilitateurs dont les contacts présynaptiques sur les terminaisons sensorielles utiliseraient la sérotonine comme transmetteur.

L'activation des récepteurs de sérotonine des neurones sensoriels déclenche la synthèse de l'AMP cyclique au sein de ces neurones et provoque l'activation d'une enzyme catalysant une réaction responsable de la fermeture des canaux à potassium dans la membrane. La diminution du débit d'ions K^+, au cours des potentiels d'action, prolonge la durée de ces potentiels, ceux-ci entraînant l'ouverture des canaux membranaires du calcium et favorisant ainsi la libération de transmetteurs par les neurones sensoriels.

Habituation et sensibilisation dans les cellules en culture

L'habituation et la sensibilisation sont actuellement étudiées dans des cultures de cellules bien identifiées et prélevées chez l'aplysie (Rayport et Schacher, 1986). Placés ensemble dans un milieu de culture, les neurones sensoriels tactiles et les neurones moteurs des branchies forment, en quelques jours, des contacts synaptiques fonctionnels. On peut ensuite y implanter des microélectrodes pour stimuler ces neurones et en enregistrer l'activité. L'activation des connexions sensorimotrices entraîne l'habituation. L'addition de cellules sérotoninergiques provenant d'un autre ganglion rend possible la production de modifications semblables à celles de la sensibilisation. Cette préparation ouvre la porte à l'étude du développement de la plasticité synaptique et à celle de types d'apprentissage plus complexes.

Sensibilisation à long terme

Nous avons déjà souligné que la sensibilisation à long terme met en cause une intensification de l'activité dans les zones actives des terminaisons sensorielles (figure 17.10). Par conséquent, même si la rétention à court terme peut se faire au moyen de processus purement physiques, la rétention à long terme donne lieu à des changements structuraux dans les synapses. Nous préciserons bientôt comment l'activité nerveuse peut déboucher sur des changements structuraux.

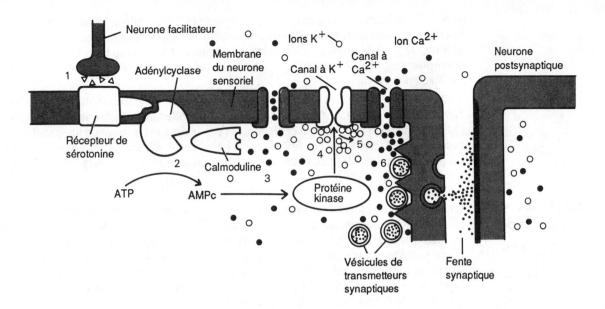

Figure 17.12 Séquence hypothétique des processus neurochimiques qui sont à la base de la sensibilisation à court terme chez l'aplysie. Ce diagramme représente une partie de la terminaison d'un neurone sensoriel du réflexe des branchies ou du siphon; en haut à gauche, on a un dessin à échelle réduite de la terminaison présynaptique d'un neurone intercalaire facilitateur. Suivez le déroulement de l'action de gauche à droite : 1) Une forte stimulation de la tête ou de la queue active un groupe de neurones facilitateurs, qui font synapse sur les terminaisons des neurones sensoriels des réflexes de rétraction des branchies et du siphon, et qui agissent à cet endroit en vue d'accroître la libération de substances transmettrices. Ce processus s'appelle facilitation présynaptique. On croit qu'au moins certaines de ces cellules facilitatrices utilisent la sérotonine à leurs terminaisons. 2) La stimulation des récepteurs de sérotonine dans la membrane des terminaisons du neurone sensoriel mène à une recrudescence de l'activité de l'enzyme adénylcyclase; cela catalyse la production d'AMP cyclique au sein de ces terminaisons. 3) L'élévation du niveau de l'AMPc à l'intérieur des terminaisons active une enzyme, la protéine kinase, qui est dépendante de l'AMPc. 4) La kynase catalyse une réaction qui ferme certaines des voies K^+ de la membrane du neurone. 5) La réduction du nombre total de voies K^+ qui sont ouvertes durant le potentiel d'action contribue à réduire le débit du K^+ vers l'extérieur durant les potentiels d'action subséquents, ce qui accroît la durée des potentiels d'action. 6) Le prolongement des potentiels d'action conduit à son tour à une augmentation de l'influx de Ca^{2+} dans les terminaisons et à un accroissement de la libération de substances transmettrices. Les voies Ca^{2+} de la figure sont donc présentées en position ouverte, ce qui est le contraire de la condition d'habituation de la figure 17.11. (D'après Kandel et coll., 1986.)

APPRENTISSAGE PAR ASSOCIATION DANS LES SYSTÈMES SIMPLES

Profitant d'une abondance de données sur les mécanismes d'apprentissage non associatif résultant de l'analyse du réflexe de rétraction des branchies chez l'aplysie, les chercheurs ont multiplié les efforts pour conditionner ce réflexe et découvrir d'autres exemples d'apprentissage par association dans des préparations d'invertébrés relativement simples. Après des années de vaines tentatives de conditionnement du réflexe de rétraction des branchies, Carew, Walters et Kandel, en 1981, annonçaient qu'ils avaient mis au point une méthode efficace. Un léger attouchement du manteau engendre rapidement l'habituation; mais lorsqu'il est rapidement suivi d'un choc intense à la queue, l'attouchement seul suffit, après quelques essais, à déclencher une forte réaction de retrait. L'attouchement (SC) et les

677

chocs (SI) doivent être présentés simultanément et l'intervalle entre les deux doit être bref pour que le conditionnement ait lieu ; les tests démontrent qu'il s'agit bien de conditionnement et non de sensibilisation. Cela devrait permettre de comparer les mécanismes du conditionnement et ceux de l'apprentissage non associatif dans une même préparation relativement simple.

D'autres préparations d'invertébrés, notamment celle du mollusque nudibranche *Hermissenda* (Alkon, 1985, 1988) et celle du mollusque gastéropode *Pleurobranchea* (Mpitsos et coll., 1980) servent également à l'étude des mécanismes de l'apprentissage et de la mémoire. Après avoir considéré les recherches sur le conditionnement dans certaines préparations d'invertébrés, nous étudierons le conditionnement chez les vertébrés.

Conditionnement chez l'aplysie

Dans certains des travaux actuels, on recourt au conditionnement différentiel classique du réflexe de rétraction du siphon (Carew et coll., 1983) : on applique deux stimuli conditionnés au même animal, l'un (SC+) qui est présenté en même temps que le SI, l'autre (SC−) qui est présenté seul et n'a pas de conséquence pour l'animal. De la sorte, chaque animal devient son propre témoin : l'on compare ses réactions au SC+ et au SC−. Des stimuli tactiles peu intenses font office de stimuli discriminatifs (SC+ appliqué au siphon et SC− au manteau ou l'inverse) et un choc à la queue, de SI.

Le conditionnement différentiel se produit rapidement chez l'aplysie et sa force s'accroît avec le nombre des essais. Hawkins et ses collaborateurs (1983) ont trouvé que le conditionnement ne se produisait qu'à l'intérieur d'un étroit éventail d'intervalles temporels SC-SI ; si le SC précède le SI de 2 secondes ou plus, le conditionnement n'a pas lieu, pas plus que si on tente d'établir un conditionnement rétroactif (présentation de SI *avant* le SC). On constate également, dans plusieurs situations de conditionnement chez les mammifères, l'existence de limites d'intervalles de temps aussi étroites ainsi que l'échec du conditionnement rétroactif.

Dans leur recherche sur les mécanismes neurochimiques du conditionnement classique de l'aplysie, Kandel et ses collaborateurs ont été amenés à supposer que ces mécanismes étaient semblables à ceux de la sensibilisation. Le conditionnement différentiel produisait un prolongement significativement plus grand de la durée des potentiels d'action dans le cas des stimulations associées (SC+), que dans celui des stimulations simples (SC−). En outre, la facilitation dépendante de l'activité observée dans le conditionnement fait intervenir la modulation du même type de voies ioniques que dans le cas de la sensibilisation (Hawkins et Abrams, 1984).

Les événements hypothétiques qui se déroulent dans les terminaisons sensorielles, dans des conditions SC− et SC+, sont décrits à la figure 17.13. On devrait comparer ces diagrammes à ceux de la figure 17.12 illustrant les mécanismes de sensibilisation.

Ce qu'il faut pour que la stimulation non rétroactive (SC-SI) résulte en un conditionnement dépend peut-être de neurones qui exigent un ordre spécifique de stimulation convergente pour qu'il y ait facilitation ; Walters et Byrne (1983) ont découvert que de tels neurones existent. Selon Hawkins et Kandel (1984), il est également possible que le Ca^{2+} pénétrant dans le neurone pendant les potentiels d'action déclenche une production d'enzymes si bien qu'il se produirait plus d'AMPc au moment où la queue est stimulée.

Dans leur recension des travaux dans ce domaine, Farley et Alkon (1985) attiraient l'attention sur plusieurs problèmes relatifs à la recherche effectuée jusqu'alors sur les mécanismes de l'apprentissage associatif et non associatif chez l'aplysie. Il n'est pas certain, par exemple, que tous les changements en cause dans l'apprentissage soient présynaptiques ; de plus, les modifications biophysiques hypothétiquement sous-jacentes à la mémoire sont

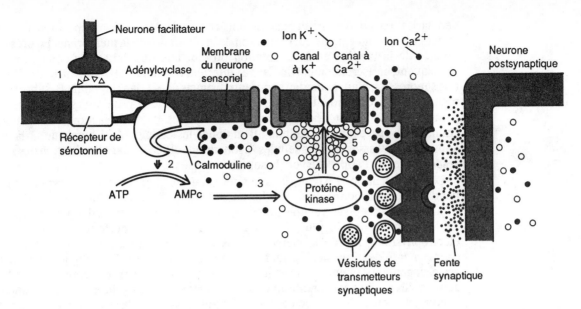

Figure 17.13 Schéma hypothétique d'une séquence de processus qui pourraient être à la base du conditionnement. L'activation en 1 de la synapse par le stimulus conditionnant un peu avant l'activation du neurone sensoriel par le stimulus inconditionné entraîne un plus grand afflux d'ions Ca^{2+}. Ce mouvement active la calmoduline, accroissant l'activité de l'adénylcyclase (2), donnant lieu à une production accrue d'AMPc. Cette réaction active, à son tour, la protéine kinase (3), entraînant la phosphorylation de molécules dans les parois des conduits K^+ (4), fermant ainsi les conduits et ouvrant par conséquent plus amplement les conduits Ca^{2+} (5). Les ions Ca^{2+} contribuent à la préparation d'un plus grand nombre de vésicules en vue de la libération de transmetteurs (6). De cette façon, l'excitation du neurone sensoriel mène maintenant à une stimulation du neurone postsynaptique qui est plus forte que celle qui se produisait avant que le conditionnement ait eu lieu. (D'après Kandel et coll., 1986.)

de durée relativement courte. Plusieurs chercheurs se consacrent à l'étude de ces mécanismes.

Il sera à nouveau fait mention du diagramme de la figure 17.13 lors de la recension des travaux de recherche sur les mutants de la drosophile chez qui l'apprentissage et la mémoire sont défectueux. Il s'avère que ces mutants présentent des carences dans certaines étapes neurochimiques du schéma produit par Kandel et ses collègues et cela constitue en quelque sorte un appui indépendant de leur hypothèse.

Conditionnement chez l'hermissenda

À marée basse, dans les flaques d'eau de mer, il est parfois possible d'observer de minces mollusques de quelques centimètres de longueur, aux couleurs attrayantes, sans coquilles, et dont les branchies émergent sur le dos. L'hermissenda est un de ces mollusques qui a fait l'objet de recherches intenses sur les mécanismes du conditionnement (Alkon, 1985, 1988; Farley et Alkon, 1985). Cette sorte de mollusque se cache habituellement dans les eaux profondes, durant la nuit, et remonte à la surface pour se nourrir, pendant le jour; les forts mouvements des vagues peuvent l'amener toutefois à redescendre pour se mettre à l'abri. Ce mollusque est donc normalement attiré par la lumière, mais il évite les secousses ou les déplacements violents. En laboratoire, l'association de la lumière et d'une rotation sur une table tournante entraîne chez lui une suppression conditionnée de la tendance à se rapprocher de la source lumineuse. Les yeux de l'hermissenda ne comprennent que cinq cellules photoréceptrices, deux de type A et trois de type B. Farley et Alkon (1985, p.441) ont décrit brièvement les étapes biophysiques qui interviennent dans le conditionnement de l'hermissenda. La stimulation des photorécepteurs de type B donne lieu à une dépolarisation qui se poursuit pendant plusieurs secondes après la disparition de la lumière et qui s'accompagne d'une augmentation de la résistance de la membrane. La présentation répétée de la lumière et de la rotation produit une dépolarisation cumulative et, par conséquent, un accroissement de Ca^{2+} à l'intérieur des cellules B. On croit que cela entraîne une suppression d'au moins deux courants distincts de K^+ dans la cellule B, suppression qui peut se prolonger pendant des jours. La suppression de ces courants signifie que l'entraînement accroît le potentiel générateur des cellules B et la réaction à la lumière. Des connexions provenant des cellules B inhibent les cellules A si bien que, à la suite de l'entraînement associatif, les cellules A sont moins efficaces dans l'excitation des neurones responsables de l'approche vers la source lumineuse.

Dans le scénario d'Alkon, il faut noter que les changements importants survenant pendant le conditionnement de l'hermissenda se produisent dans les membranes des cellules photoréceptrices et non aux synapses, comme le suggèrent d'autres interprétations de l'apprentissage. De plus, Farley et Alkon (1975) rapportent que par stimulation électrophysiologique de la membrane, ils ont réussi à produire dans la cellule B des changements identiques à ceux que donne le conditionnement; ils soulignent également que ces changements amenaient les animaux à supprimer leurs mouvements vers la lumière, comme s'ils avaient été conditionnés. En d'autres termes, ces chercheurs prétendent avoir découvert le site et les changements biophysiques associés à la rétention à long terme, dans cette situation. Il est possible que ce mécanisme soit plus général qu'il n'apparaît d'abord : Alkon (1985) fait remarquer que les voies ioniques des photorécepteurs de type B de l'hermissenda sont semblables aux voies des neurones de l'hippocampe des mammifères; de plus, des faits démontrent que, au cours du conditionnement du lapin, des changements se produisant dans les membranes des neurones de l'hippocampe ressemblent à ceux qui surviennent dans les cellules photoréceptrices de l'hermissenda (Disterhoft, Coulter et Alkon, 1985).

De toute évidence, les travaux sur l'hermissenda présentent un tableau des mécanismes fondamentaux du conditionnement qui diffère passablement de celui déduit de la recherche sur l'aplysie. Il devrait être possible de montrer, dans un proche avenir, dans quelle mesure les recherches subséquentes sur les deux espèces viendront confirmer l'un ou l'autre de ces tableaux, ou les deux à la fois. Des recherches similaires sur d'autres espèces d'invertébrés et de vertébrés permettront de déterminer si ces deux mécanismes font partie d'un ensemble plus vaste de mécanismes d'apprentissage variés ou si l'un ou l'autre peut s'appliquer à un certain nombre d'espèces.

Études de la drosophile : une approche génétique des mécanismes de l'apprentissage et de la mémoire

La génétique de la drosophile étant bien connue, ces insectes se prêtent fort bien à l'étude des mécanismes de l'apprentissage et de la mémoire, même si leur système nerveux central (environ 100 000 très petits neurones) est plus complexe que celui de l'aplysie ou de l'hermissenda. Les généticiens Quinn, Harris et Benzer ont donc élaboré en 1974 une méthode pour conditionner des groupes de drosophiles. Après avoir placé environ 40 de ces mouches dans un tube de verre, ils les laissèrent se déplacer vers le haut en direction de l'une de deux odeurs qui normalement exercent le même attrait sur elles. Ce fait d'atteindre la région supérieure de l'un des tubes déclenche un choc de 90V, alors que l'autre odeur n'est pas associée à un choc. Il devient ensuite possible de vérifier, à divers intervalles de temps, dans quelle mesure le groupe se rapproche de chacune de ces deux odeurs. Habituellement, les deux tiers du groupe environ évitent l'odeur associée au choc. Plus tard, en contrôlant mieux les conditions expérimentales, on constata qu'environ 90 % des sujets évitaient l'odeur associée au choc (Jellies, 1981). Après l'élaboration du premier protocole expérimental, les généticiens ont commencé à étudier les souches mutantes de drosophiles. En 1976, ils ont isolé un premier mutant qui ne parvenait pas à distinguer les odeurs et ils l'ont appelé Crétin (Dudai et coll., 1976). Les tests révélèrent que Crétin avait un réel problème d'apprentissage, ses défectuosités ne concernant ni l'olfaction, ni la locomotion, ni son activité générale. Trois autres mutants sur le plan des capacités d'apprentissage furent ensuite isolés et nommés Chou, Navet et Rutabaga; un autre mutant, Amnésique, apprenait de façon normale, mais oubliait après 1 heure, contrairement aux mouches normales qui retiennent l'apprentissage pendant 4 à 6 heures (Quinn, 1979). Un mutant découvert par une autre équipe de recherche présentait également des déficiences d'apprentissage; il fut désigné du nom de l'enzyme qui lui manquait : Dopa décarboxylase (DDC). Des tests effectués à partir d'autres protocoles expérimentaux ont montré que les échecs de ces mutants ne se limitaient pas à l'entraînement odeur-choc, mais qu'ils se produisaient également dans d'autres tests d'apprentissage associatif; par contre, le comportement qui ne mettait pas en cause l'apprentissage était normal. La rétention basée sur une récompense de sucrose persistait pendant des jours alors qu'elle ne dure que quelques heures chez les mouches normales (Tempel et coll., 1983). Ce test de sucrose montra que Crétin et Rutabaga étaient capables d'apprentissage, mais qu'ils avaient oublié, une heure après.

On a étudié l'apprentissage non associatif (habituation et sensibilisation) chez les mutants qui présentaient des troubles de mémoire et d'apprentissage (Duerr et Quinn, 1982). Crétin et Navet révélèrent peu d'habituation et Crétin, Rutabaga et Amnésique manifestèrent une sensibilisation exceptionnellement courte. Ces observations viennent appuyer l'hypothèse que les apprentissages associatif et non associatif partagent certains mécanismes.

Le programme de ces chercheurs prévoyait un examen des mutants en vue d'identifier leurs carences génétiques et on a caractérisé de cette façon plusieurs mutants de l'apprentissage (Tully, 1987; Dudai, 1988). Dans chacun des cas, la défectuosité peut se situer sur le schéma de Kandel (figure 17.13 reproduite en 17.14). L'enzyme Dopa décarboxylase est indispensable à la synthèse des transmetteurs dopamine et sérotonine et, par conséquent, une carence de cette enzyme limite la stimulation provenant des fibres sérotoninergiques (figure 17.14, représenté en haut à gauche par DDC X). La défectuosité de Navet affecte deux récepteurs, celui de la sérotonine et celui de la protéine kinase; on a donc écrit X et Navet à chacun de ces deux sites. La mutation Rutabaga réduit les niveaux d'AMP cyclique et d'adénylcyclase.

Crétin présente une carence de l'enzyme qui clive l'AMPc en deux. Le gène Tremblant affecte les canaux membranaires pour les ions K^+. La découverte que ces défectuosités génétiques peuvent s'intégrer au schéma de Kandel et de ses collaborateurs constitue une corroboration nouvelle et indépendante des hypothèses de cette équipe de recherche. Au moment d'évaluer la portée de cette convergence étonnante de données expérimentales, il faudra se souvenir que les mutants avaient été isolés sur la base de leur comportement, sans qu'on connaisse leurs carences génétiques et avant même que les hypothèses de Kandel n'aient été formulées.

CONDITIONNEMENT CHEZ LES VERTÉBRÉS

Pendant que certains chercheurs faisaient des progrès dans la compréhension des mécanismes cellulaires de l'apprentissage grâce à l'étude de circuits nerveux relativement simples, d'autres travaillaient à élucider les mécanismes fondamentaux de l'apprentissage en scrutant les systèmes nerveux beaucoup plus complexes des vertébrés. Cette recherche est nécessaire non seulement pour permettre de déterminer si les processus nerveux de l'apprentissage et de la mémoire, déduits des expériences sur les invertébrés, s'appliquent aux vertébrés, mais aussi pour permettre de localiser le site de formation de la mémoire dans le cerveau des vertébrés. Les stratégies notamment utilisées pour découvrir les corrélations électrophysiologiques de l'apprentissage dans les systèmes nerveux des vertébrés sont:

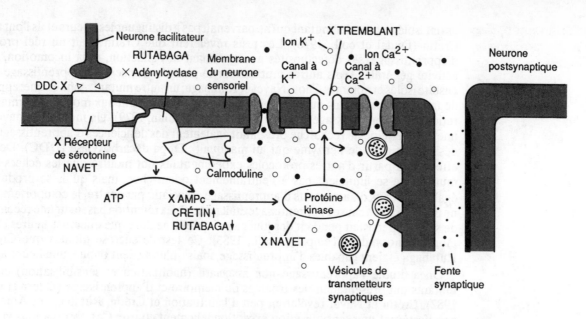

Figure 17.14 Sites des processus neurochimiques atteints chez les mutants de la drosophile qui présentent des déficiences de l'apprentissage. Nous indiquons ici par un X l'endroit où il y a atteinte du processus neurochimique chez quelques mutants de la drosophile qui présentent des déficiences de l'apprentissage et de la mémoire. Remarquez que dans le cas de Rutabaga et de Navet, les processus sont atteints à deux endroits. Il est important de noter que l'on peut situer toutes les atteintes des processus neurochimiques de la drosophile sur un schéma qui fut élaboré à partir d'expériences faites sur l'aplysie, ce qui est l'indice d'un certain caractère général de ces hypothèses. (D'après Kandel et coll., 1986.)

1. L'exploration de nombreux sites afin d'y découvrir des indications d'apprentissage.

2. Une attention toute particulière portée aux événements se produisant à un site particulier que d'autres types d'observations auraient déjà mis en cause dans l'apprentissage.

3. Une patiente reconstitution de tout le circuit nerveux intervenant dans un exemple d'apprentissage et l'identification des sites de ce circuit où l'on pourrait trouver des indications d'apprentissage.

Chacune de ces stratégies a produit des résultats intéressants. Comment les chercheurs peuvent-ils toutefois savoir qu'un site qu'ils étudient joue un rôle important dans l'apprentissage ? Même dans le cas où l'activité électrique varie parallèlement aux progrès de l'apprentissage, il se pourrait que le site d'enregistrement ne reflète que des événements engendrés ailleurs dans le système nerveux. Voici deux des protocoles expérimentaux utilisés pour tenter de répondre à ces questions :

1. Essayer de trouver les sites qui produisent les premières réactions (plus courte latence) associées à l'apprentissage.

2. Faire des tests pour vérifier si les influx parvenant à un site donné indiquent déjà l'existence de relations avec l'apprentissage.

Conditionnement des réponses cardiaques chez le pigeon

Pour obtenir un système relativement simple chez les vertébrés, David Cohen (1985), spécialiste en neurosciences, a étudié le conditionnement classique d'une modification du rythme cardiaque déclenchée par un stimulus visuel chez le pigeon. Il a utilisé un stimulus conditionné visuel (SC) — l'illumination du champ visuel complet pendant 6 secondes — suivi par un stimulus inconditionné (SI), soit un choc à la patte d'une durée de 0,5 seconde. Après 10 présentations du couple SC-SI, le SC seul engendre régulièrement une accélération du rythme cardiaque et la courbe des réactions atteint une asymptote après 30 présentations appariées. Une fois ce résultat obtenu, Cohen a tracé minutieusement le circuit nerveux du système responsable de ce conditionnement. Il a constaté que trois voies différentes transmettent l'information visuelle et que ce n'est qu'en les interrompant toutes les trois qu'on peut empêcher la réponse conditionnée (RC) de se produire. Sur le plan de la réaction, l'accélération du rythme cardiaque fait intervenir deux types de message nerveux : 1) une excitation, *via* le nerf cardiaque (portion sympathique du système nerveux autonome) et 2) une inhibition, grâce au nerf vague (portion parasympathique du S.N.A.). Le tracé de ces décharges motrices passe par le bulbe, la protubérance, l'hypothalamus médian et le corps amygdalien pour se rendre jusqu'aux centres télencéphaliques qui reçoivent des influx en provenance des centres visuels. Des lésions affectant des sites le long de ces voies, au niveau du corps amygdalien par exemple, empêchent totalement la production de la réponse conditionnée(RC). Par contre, des lésions importantes de régions voisines, notamment la destruction des autres régions qui envoient des influx vers le cœur, n'ont pratiquement aucun effet sur la RC. Ces données démontrent que l'on a découvert la voie empruntée par la réponse; il est donc effectivement possible de retracer ces voies, même à l'intérieur d'un système nerveux de vertébré.

Où se produisent dans ces voies, les changements attribuables au conditionnement ? Le site le plus périphérique où l'on observe des changements électrophysiologiques pendant le conditionnement est le noyau optique principal du thalamus; chez l'oiseau, cette structure est équivalente au noyau géniculé latéral des mammifères. Les neurones de ce noyau, dont les réactions sont modifiables, présentent certaines réactions à la présentation d'un SC ou d'un SI. Ce conditionnement est donc un exemple de conditionnement alpha, c'est-à-dire qu'il amplifie une réaction au SC qui existait avant le conditionnement. Cohen en conclut que pour que le conditionnement se produise, il doit y avoir convergence de l'information du SC et du SI sur les mêmes neurones. La plasticité du noyau du thalamus se situe dans les premiers neurones qui reçoivent des influx en provenance de la rétine. Mais elle ne se limite pas à ce site; elle se retrouve plutôt partout sur le trajet de la RC. Les neurones de plusieurs centres réagissent aussi bien au SC qu'au SI avant le début du conditionnement et l'on suppose que les réactions de ces cellules se trouvent modifiées au cours du conditionnement. Dans ce système, par conséquent, le stockage de l'information est localisé, c'est-à-dire qu'il ne se fait que le long des trajets nerveux spécifiques qui sont responsables de la RC du rythme cardiaque. Il est largement réparti toutefois le long de ces voies nerveuses.

Cohen et ses collaborateurs analysent actuellement les mécanismes du conditionnement dans les cellules du noyau optique principal du thalamus. Ils essaient également de faire des expériences similaires avec des coupes de tissu thalamique prélevées dans le cerveau et conservées. Cette tentative s'apparente à celle des recherches sur des préparations de coupes de l'hippocampe de cerveaux de mammifères, recherches qui ont connu du succès (voir l'encadré 17.1).

Conditionnement du réflexe palpébral chez le lapin

Un type de conditionnement très bien étudié, sur le plan du comportement, est celui du réflexe palpébral du lapin où on utilise, comme SI, un jet d'air sur la cornée et, comme SC, un stimulus sonore. On obtient assez rapidement de cette manière une réponse conditionnée stable, le lapin clignant des yeux dès qu'il entend le son, et cette réaction est semblable au

Les chercheurs tentent depuis longtemps de découvrir une façon d'isoler un circuit cérébral de vertébré dans lequel se produit l'apprentissage pour l'étudier en détail, comme on procède à l'étude de « préparations réduites » de certains invertébrés. Certains d'entre eux prétendent que le phénomène de **potentialisation à long terme** dans le cerveau des mammifères présente pour la recherche des mécanismes nerveux de l'apprentissage et de la mémoire plusieurs des avantages caractéristiques des préparations « simples » d'invertébrés. La potentialisation à long terme (PLT) consiste en une augmentation stable et persistante de l'amplitude de la réaction de neurones après que les cellules apparentées de la même région ont été mobilisées par des décharges de stimuli d'assez haute fréquence. La PLT fut découverte pour la première fois dans l'hippocampe du lapin intact (Bliss et Lømo, 1973), puis dans des coupes de l'hippocampe de rats gardées dans une cuve à tissu (Schwartzkroin et Wester, 1975). On peut l'observer chez des animaux éveillés et libres de leurs mouvements ou chez des animaux non anesthésiés ou encore dans des coupes de tissu, là où la plupart des travaux de recherche se font. Bien que la plupart des expériences sur la PLT ait porté sur l'hippocampe, on a observé ce même phénomène dans plusieurs autres régions du cerveau et chez plusieurs espèces de mammifères.

La PLT est-elle un mécanisme de formation de souvenirs ? Plusieurs auteurs de recensions sont de cet avis (Bliss et Dolphin, 1984, Teyler et Discenna, 1987). Voici quelques similitudes et relations qui existent entre la PLT et des exemples mieux connus d'apprentissage : 1) La PLT peut être déclenchée par stimulation à des fréquences que l'on rencontre normalement dans le système nerveux et elle dure pendant des jours ou des semaines. 2) Barnes (1979) a trouvé qu'il existait une corrélation positive entre la vitesse d'apprentissage dans un labyrinthe dont les rats étaient capables et le degré d'induction possible de PLT chez ces mêmes animaux, cela était vrai à la fois des jeunes et des plus vieux animaux. 3) Le fait de placer des rats dans un environnement complexe déclenche une PLT dans l'hippocampe (Sharp, M.Naughton et Barnes, 1983). 4) L'application d'une stimulation de haute fréquence à un influx de l'hippocampe, qui produit une PLT, facilite le conditionnement palpébral chez le lapin (Berger, 1984). 5) Le conditionnement de l'hippocampe facilite l'induction de PLT 48 heures plus tard; de même la stimulation de la formation réticulaire suite à l'apprentissage renforce autant le conditionnement que la PLT et prolonge leur durée (Bloch et Laroche, 1984). 6) En

contraste apparent avec les deux derniers faits présentés ici, on a rapporté que l'induction de PLT dans l'hippocampe de rats entrave leur capacité d'acquérir de l'information d'ordre spatial, mais ne perturbe pas l'utilisation d'informations spatiales déjà acquises (McNaughton et coll., 1986); il faudrait se rappeler que l'apprentissage en 4) et 5) n'était pas de nature spatiale. McNaughton et ses collaborateurs sont arrivés à la conclusion que la PLT, comme l'acquisition de l'apprentissage spatial, exige la participation des mêmes circuits de l'hippocampe.

Même si la stimulation par laquelle on déclenche la PLT peut se faire par l'intermédiaire d'un seul trajet nerveux, il ne faudrait pas croire que la PLT soit non associative. Les faits démontrent qu'il faut que plusieurs fibres afférentes soient stimulées pour qu'une PLT soit déclenchée et il est probable qu'il y ait convergence parmi leurs terminaisons. De plus, il existe des recherches sur une « PLT associative » qu'on engendre en transmettant la stimulation conditionnée dans une voie nerveuse donnée et la stimulation test dans une autre entrée vers la même région (Burger et Levy, 1985).

Plus particulièrement, la PLT peut servir de modèle aux apprentissages qui sont renforcés par le comportement de consommation, comme manger ou boire (Buzsaki, 1985). Buzsaki fait remarquer que durant ces comportements on observe la présence d'« ondes pointues » dans l'hippocampe; ces ondes sont le reflet de l'activité synchrone de plusieurs neurones pyramidaux. Ces brèves décharges de haute fréquence qui se produisent naturellement ressemblent aux stimuli artificiels dont on se sert pour déclencher la PLT.

Les préparations de coupes de l'hippocampe permettent l'étude de la PLT sous de bonnes conditions de contrôle, l'enregistrement facile des réactions électrophysiologiques, l'application de substances neurochimiques à cette préparation et l'analyse des changements neurochimiques. La figure de l'encadré 17.1 montre cette préparation de coupe de l'hippocampe.

Malgré le nombre considérable de recherches consacrées à cette préparation, il y a encore beaucoup de controverse sur l'identification des processus qui participeraient à la PLT. Certains chercheurs prétendent que les changements principaux se déroulent dans les terminaisons présynaptiques et se traduisent par des libérations accrues du transmetteur glutamate suite à la PLT (Skrede et Malthe-Sorenssen, 1981; Dolphin et coll., 1982). D'autres soutiennent que les événements princi-

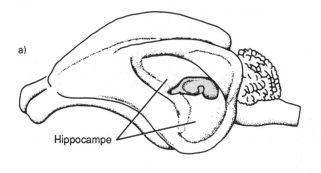

a)

Hippocampe

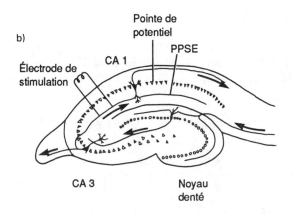

b)

Pointe de
potentiel

PPSE

CA 1

Électrode de
stimulation

CA 3

Noyau
denté

c)

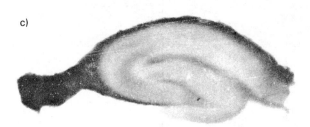

paux sont postsynaptiques et font intervenir des élévations des niveaux intercellulaires de Ca^{2+} (Eccles, 1983) et la participation d'un plus grand nombre de récepteurs glutamate (Lynch et Baudry, 1984). Il est bien possible que les deux types de processus, présynaptique et postsynaptique, participent à la PLT; pour le moment, il n'y a pas de preuve qui puisse nous amener à situer ces changements de façon exclusive dans l'une ou l'autre de ces régions (Bliss et Dolphin, 1984).

On a également rapporté des modifications de morphologie dans les synapses quand on déclenchait des PLT tant chez les animaux intacts (Lee et coll., 1980) que dans des préparations de coupes (Fifkova et Van Harreveld, 1982; Chang et Greenough, 1984). L'on a constaté que l'anisomycine, un inhibiteur de la synthèse des protéines, n'affectait pas le déclenchement des PLT chez des rats libres de leurs mouvements, mais qu'elle empêchait la poursuite de l'action des PLT pendant plusieurs heures (Krug, Lössner et Ott, 1984). Cette observation concorde avec les études qui indiquent que c'est la mémoire à long terme, et non pas la mémoire à court terme, qui dépendrait de la synthèse des protéines dans le cerveau, un sujet dont nous parlons dans ce chapitre.

Les aspects complexes et divergents des résultats qu'on obtient dans les expériences sur la potentialisation à long terme pourraient être dus à ce que plusieurs phénomènes différents semblent intervenir dans ce processus. Abraham et Goddard (1985) ont fait le relevé de données qui laissent entrevoir la présence possible de quatre ou cinq effets, entremêlés mais séparables, d'une stimulation antécédente sur l'amplitude des réponses des cellules de l'hippocampe. Selon la façon et le moment où l'expérimentateur mesure les réponses et selon les traitements utilisés pour agir sur elles, il arrivera que l'un ou l'autre de ces phénomènes prédomine dans les résultats. Des travaux additionnels seront nécessaires pour déchiffrer ces phénomèmes complexes et pour déterminer dans quelle mesure certains d'entre eux pourraient nous aider à comprendre comment d'autres sortes d'apprentissage se produisent.

Encadré figure 17.1 Préparation d'une coupe de l'hippocampe prise dans le cerveau d'un rat. a) Situation de l'hippocampe dans le cerveau du rat. On a enlevé les tissus qui le recouvraient. On montre une coupe (ou tranche) de l'hippocampe en grisé. b) Diagramme schématique d'une coupe de l'hippocampe indiquant le noyau denté et les subdivisions CA3 et CA1. On montre également une électrode de stimulation logée dans les collatérales de Schaffer et des électrodes d'enregistrement dans la couche de corps cellulaires de CA1 (pour enregistrer les pointes de potentiels de l'ensemble extracellulaire) et dans la couche dendritique de CA1 (pour enregistrer les PPSE de l'ensemble extracellulaire). Des flèches indiquent la direction de l'influx normal dans les voies des axones. c) Photographie d'une coupe de l'hippocampe. (D'après Teyler, 1978.)

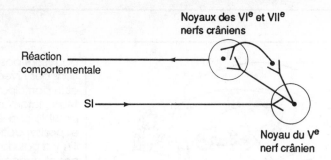

Figure 17.15 Circuit nerveux du réflexe palpébral. (D'après Thompson, 1986.)

Noyaux des VIe et VIIe nerfs crâniens

Réaction comportementale

SI

Noyau du Ve nerf crânien

conditionnement palpébral chez l'être humain. Richard Thompson et ses collaborateurs (1986) étudient des circuits nerveux de ce conditionnement depuis plusieurs années. Le circuit du réflexe palpébral est simple, mettant en cause deux nerfs crâniens et leurs noyaux (figure 17.15). Les fibres sensorielles de la cornée passent par le Ve nerf crânien (le trijumeau) pour se rendre jusqu'à son noyau dans le tronc cérébral. De là, certaines fibres vont rejoindre le noyau du VIIe nerf crânien (le facial) dans le tronc cérébral. L'activité de certaines fibres motrices du VIIe nerf entraîne la fermeture des paupières.

Dès le début de leurs travaux, Thompson et ses collaborateurs ont constaté qu'au cours du conditionnement, l'hippocampe acquérait des réactions nerveuses dont les caractéristiques temporelles ressemblent étroitement à celles des réactions des paupières. Même si l'activité de l'hippocampe se situe étroitement en parallèle avec l'évolution du conditionnement et même si elle le fait de façon plus nette que l'activité des autres structures

a) Analyse d'essais isolés du premier bloc d'essais de conditionnement

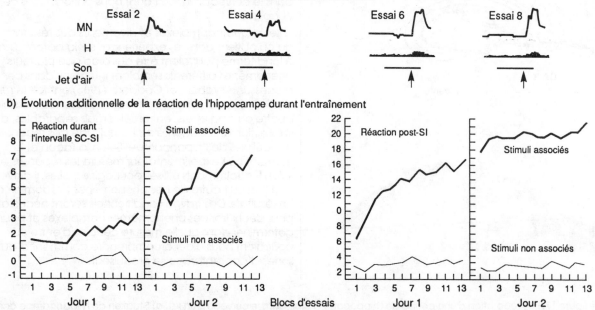

Figure 17.16 Émergence et croissance de la réaction de l'hippocampe durant le conditionnement de la membrane nictitante. a) Analyse d'essais isolés du premier bloc de 8 présentations associées du SC et du SI. Bien que le jet d'air provoque un clignement de la membrane nictitante (MN) dès les premiers essais, aucune réaction n'apparaît dans l'hippocampe (H) avant le sixième essai. b) Croissance subséquente de la réaction de l'hippocampe au cours de deux jours d'entraînement. L'amplitude s'accroît régulièrement, mais plus lentement durant l'intervalle SC-SI que durant la période post S-I. Dans le cas des animaux soumis à la présentation non associée du son et du jet d'air, aucune réaction ne se produit dans l'hippocampe, comme l'indique la courbe blanche. Remarquez la différence d'échelle des axes Y des deux graphiques en b). (D'après Berger et Thompson, 1978.)

limbiques, cela ne prouve pas que l'hippocampe soit nécessaire au conditionnement. D'ailleurs, la destruction de l'hippocampe a peu de conséquences sur l'acquisition ou la rétention du réflexe palpébral conditionné chez le lapin (Lockhart et Moore, 1975). L'hippocampe peut entraver l'acquisition du conditionnement.

L'équipe de Thompson a ensuite élaboré une cartographie détaillée des structures cérébrales des animaux conditionnés. Ils ont découvert que les neurones du cervelet, du cortex et de ses noyaux profonds, de même que ceux des noyaux de la protubérance révèlent des signes évidents d'augmentation d'activité associée à l'apprentissage. Bien qu'on n'ait enregistré que des réactions négligeables au SC et au SI dans le cervelet avant que ces stimuli ne soient jumelés, une réplique de la réaction comportementale acquise apparaît dans les neurones au cours du conditionnement. Devançant les réponses comportementales de 50 millisecondes ou plus, ces réactions se situent dans les noyaux cérébelleux profonds ipsilatéraux de l'œil utilisé pour le conditionnement. On procéda ensuite à des lésions expérimentales pour voir si les réactions cérébelleuses étaient indispensables au conditionnement. La destruction du noyau dentelé et de l'ensemble formé par les noyaux emboliformes et globuleux ipsilatéraux abolit la réaction conditionnée chez l'animal déjà conditionné. Il est impossible de rétablir cette RC du côté ipsilatéral, mais on peut conditionner de façon normale l'œil controlatéral. Dans le cas d'un animal naïf, la destruction antérieure de ces noyaux dentelés (emboliforme et globuleux) d'un côté du cervelet, empêche le conditionnement de ce même côté. L'effet des lésions cérébelleuses ne saurait être attribué à une interférence auprès des voies sensorielles ou motrices, puisque l'animal continue de donner une réaction non conditionnée normale de la paupière quand on lui applique un jet d'air à l'œil.

On traça ensuite des cartes encore plus précises du réflexe conditionné, grâce à une combinaison de méthodes telles un enregistrement électrophysiologique, des lésions bien délimitées, une stimulation de neurones dans des sites précis, une infusion localisée de faibles quantités de substances et un tracé des trajets des fibres. Des travaux antérieurs avaient notamment démontré que l'inhibiteur synaptique GABA est l'agent transmetteur principal des noyaux cérébelleux profonds. Les chercheurs injectèrent à des lapins bien conditionnés une petite quantité d'un agent de bloquage du GABA, dans les noyaux cérébelleux profonds du côté de la réponse conditionnée. L'injection eut pour effet de faire disparaître la RC comportementale et son correspondant électrophysiologique dans le neurone. L'abolition de la RC était réversible : en effet, l'agent de bloquage épuisé, la RC réapparut.

S'appuyant sur ces expériences, Thompson proposa un circuit schématique simplifié du réflexe conditionné palpébral (figure 17.17). Ce circuit comprend les voies afférentes et efférentes du circuit du réflexe palpébral (figure 17.17, partie inférieure gauche), mais il faut des voies additionnelles pour rassembler l'information relative au SI et au SC. L'information concernant la stimulation de la cornée passe également par le noyau olivaire inférieur du tronc cérébral. De là, elle est transmise au cervelet, grâce à des axones dits fibres grimpantes, jusqu'aux noyaux cérébelleux profonds et aux cellules du cortex cérébelleux, y compris la microglie et les cellules de Purkinje. Ces mêmes cellules cérébelleuses reçoivent également de l'information relative au SC auditif, provenant du noyau cochléaire du tronc cérébral et des noyaux de la protubérance, ces derniers envoyant des axones nommés fibres moussues dans le cervelet. L'information efférente qui contrôle le RC passe de l'ensemble formé par les noyaux emboliformes et globuleux vers le noyau rouge (chapitre 10). De là, elle est transmise vers le noyau crânien moteur du VIIe nerf qui contrôle la réponse palpébrale.

Puisque les principaux influx afférents des noyaux cérébelleux profonds proviennent du cortex cérébelleux, on devrait s'attendre que, à l'instar des lésions des noyaux profonds, les lésions du cortex abolissent le RC palpébral. En effet, selon Yeo, Hardiman et Glickstein

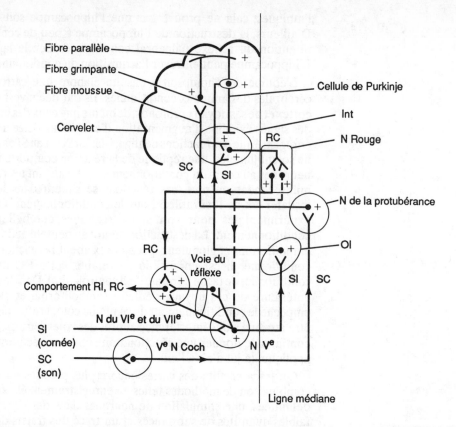

Figure 17.17 Circuit schématique simplifié de la réponse palpébrale conditionnée. On présente un circuit du réflexe palpébral inconditionné. Abréviations : Int, noyau interposé du cervelet; OI, noyau de l'olive inférieure; N, noyau; NV, noyau du Ve nerf crânien. (D'après Thompson, 1986.)

(1985), un groupe de chercheurs britanniques, c'est ce qui se produit. Toutefois, Thompson et ses collaborateurs ne trouvent pas que les lésions du cortex cérébelleux entravent la RC à moins qu'elles ne soient très importantes. La question fait actuellement l'objet d'études intensives.

En même temps qu'il acquiert un réflexe conditionné palpébral, le lapin manifeste une décélération conditionnée du rythme cardiaque. Toutefois, bien qu'une lésion des noyaux cérébelleux profonds abolisse la RC palpébrale, elle n'affecte pas le ralentissement conditionné du rythme cardiaque. Selon toute vraisemblance, ces deux RC dépendent de circuits nerveux distincts. Il faut noter qu'il est rare que différents types de conditionnement se produisent simultanément dans un organisme quel qu'il soit.

Une interprétation possible des rôles tenus par l'hippocampe et le cervelet dans ce conditionnement serait que le cervelet représente les circuits directs et obligatoires, alors que l'hippocampe serait un circuit modulateur capable de faciliter le conditionnement. (Nous verrons plus loin la modulation des processus de formation de souvenirs et d'apprentissage.)

Ces résultats provenant de deux préparations de vertébrés (conditionnement du réflexe palpébral chez le lapin et conditionnement de la réaction cardiaque chez le pigeon) présentent des similitudes et des différences. Il a été possible, dans les deux cas, de retracer une bonne partie des circuits en cause, même dans un système nerveux complexe comme celui des vertébrés. Ces cartes nous renseigneront sur le rôle qu'exercent les structures cérébrales spécifiques des vertébrés dans l'apprentissage et la mémoire, ce qui serait évidemment impossible à apprendre par l'étude des invertébrés étant donné les grandes différences d'organisation du système nerveux des invertébrés et des vertébrés. Dans ces préparations, on peut avoir recours à un enregistrement électrophysiologique pour étudier les aspects cellulaires des processus de conditionnement chez les vertébrés, bien qu'on n'ait pas fait jusqu'à maintenant autant de progrès sur ce plan qu'avec les préparations d'invertébrés. La coupe de tissu représente une préparation plus propice à la poursuite de tels travaux chez les mammifères (encadré 17.1).

Lorsqu'on considère les différences entre les données sur le conditionnement cardiaque du pigeon et celles sur le conditionnement palpébral du lapin, il ne faut pas oublier que les circuits du conditionnement palpébral et ceux du conditionnement cardiaque sont différents chez le lapin. Il se pourrait bien que le conditionnement cardiaque du lapin ressemble au conditionnement cardiaque du pigeon. Il faut noter que la RC du réflexe palpébral du lapin ne semble pas être un cas de conditionnement alpha (accroissement d'une réaction déjà existante), alors qu'il semble en être ainsi de la RC cardiaque du pigeon. Le stockage du conditionnement s'effectue à plusieurs endroits dans le système pertinent du pigeon, mais ce caractère particulier du stockage du conditionnement n'est pas aussi frappant dans le cas du circuit du conditionnement palpébral du lapin. On a noté, chez le pigeon et non chez le lapin, des changements résultant d'un conditionnement dans le thalamus, premier relais cérébral de la vision.

MÉCANISMES NERVEUX DE L'EMPREINTE

L'empreinte filiale a servi, depuis le début des années 1970, de système modèle pour l'étude des mécanismes nerveux d'apprentissage et de mémoire, faisant appel à une variété de méthodes et fournissant une abondance de données (Horn, 1985). De jeunes animaux précoces peuvent, dans des conditions appropriées, apprendre les caractéristiques du premier objet visuel de grande dimension qu'ils aperçoivent (chapitre 16). En élevant des poussins dans l'obscurité avant de leur présenter, en pleine lumière, un objet stimulus, l'expérimentateur s'assure de travailler avec un cerveau de poussin vierge; de plus, cette première stimulation visuelle exerce, à coup sûr, un effet considérable et durable sur le comportement. Dans les premières études de ce phénomène, on intervenait dans le comportement en fournissant à l'animal des expériences d'empreinte afin d'en observer les conséquences sur le cerveau; dans les études subséquentes, on fit appel à des interventions somatiques afin d'en déterminer l'influence sur le comportement de formation d'empreinte.

Dans les premières recherches sur l'empreinte (Bateson, Horn et Rose, 1972), on découvrit, à l'aide d'acides aminés marqués radioactivement, que l'empreinte favorisait une incorporation de radioactivité significativement plus grande dans les protéines et l'ARN du toit du prosencéphale, indice que l'empreinte contribue à l'accroissement de l'activité nerveuse dans le toit du prosencéphale. Quoi que puissent suggérer ces résultats, il y a plusieurs interprétations possible. Il se peut, par exemple, que ces données soient dues à une motivation plus forte ou à une stimulation visuelle plus intense plutôt qu'à l'empreinte.

Pour contrôler l'influence générale de la motivation, on tenta une expérience identique sauf que l'un des yeux de chaque poussin du groupe expérimental était recouvert d'un bandeau. (Chez le poulet, les fibres du nerf optique rejoignent le côté opposé du cerveau, si bien que la stimulation d'un œil engendre une activité dans l'hémisphère cérébral controlatéral.) Si les effets de la motivation avaient été généraux et dus à l'activation déclenchée par le flash lumineux, ils se seraient reflétés dans les deux hémisphères cérébraux. Mais, on n'a découvert des accroissements de radioactivité que dans l'hémisphère stimulé par l'œil ouvert, ce qui veut dire que l'effet était spécifique de la partie du cerveau activée par la stimulation.

Il importait également de tenter d'établir une distinction entre l'influence de la stimulation sensorielle et celle de l'empreinte. Pour cela, des poussins furent soumis à des sessions

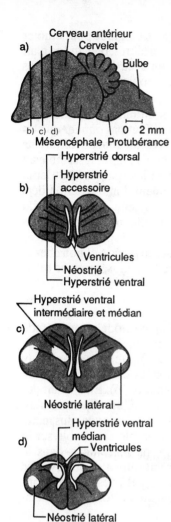

Figure 17.18 Cerveau du poussin. a) Vue latérale indiquant les plans de trois coupes coronaires présentées en b), c) et d). b) Coupe coronaire antérieure. Une bonne partie du cerveau antérieur est composée de plaques de neurones, dont certaines sont identifiées dans le diagramme. La matière grise et la matière blanche ne sont pas aussi nettement séparées que dans le cerveau des mammifères. c) et d) montrent certaines des régions du cerveau qui, selon les recherches, participent à l'apprentissage et à la mémoire. (D'après G. Horn, 1985.)

de formation d'empreinte de durées différentes, à des intervalles de deux jours. Dans ces conditions, on a pu constater qu'une séance de 50 minutes seulement engendre un comportement d'approche plutôt faible vers l'objet test, alors qu'une séance de 240 minutes produit une empreinte forte; une prolongation au-delà de 240 minutes ne produit que peu d'effet additionnel. Dans cette expérience, les poussins étaient laissés, le premier jour, en présence du stimulus d'empreinte pendant 20, 60, 120 ou 240 minutes. Le jour suivant, ils étaient soumis au stimulus pendant 0 ou 60 minutes, puis un précurseur radioactif de l'ARN était injecté. Le taux de radioactivité cérébrale des poussins qui n'avaient pas été exposés à la lumière, au jour 2, ne différait pas de celui des autres, quelle qu'ait été la durée de l'exposition au jour 1; il n'y avait donc pas de séquelle directe de la stimulation ou de l'expérience du jour 1. Cependant, les poussins qui eurent l'occasion de voir le stimulus d'empreinte pendant 60 minutes au jour 2 présentèrent des différences significatives d'activité cérébrale selon la durée d'exposition au stimulus d'empreinte, au jour 1. Plus l'exposition avait été longue pendant le jour 1, moins la radioactivité était incorporée dans le toit du prosencéphale au jour 2, car ces poussins avaient moins d'empreintes à former pendant le jour 2. La stimulation sensorielle ne saurait expliquer les différences observées, puisque tous les poulets du sous-groupe de 60 minutes recevaient une stimulation visuelle de même durée au jour 2. Les chercheurs en concluent donc que c'était l'empreinte qui était responsable des différences obtenues au jour 2.

Il s'agissait maintenant de déterminer le site exact de l'incorporation du précurseur radioactif dans l'ARN cérébral. Les chercheurs eurent recours à la technique d'autoradiographie. Immédiatement après la séance de formation d'empreinte au cours de laquelle les poussins recevaient le précurseur radioactif, on préparait le cerveau de chacun de ces poulets en coupes minces, placées ensuite à l'obscurité, sur une pellicule sensible, pendant plusieurs semaines. La pellicule photographique est sensible à la radioactivité. Une fois développée, la pellicule révéla une activité concentrée surtout dans une structure spécifique de la région antérieure du prosencéphale du poussin, région nommée partie intermédiaire et médiane de l'hyperstrié ventral (IMHV) (figure 17.18).

Pour vérifier si la partie intermédiaire ou la partie médiane de l'hyperstrié ventral est nécessaire à la formation d'empreintes, les chercheurs eurent alors recours à une intervention somatique : ils pratiquèrent des lésions bilatérales dans l'IMHV afin de vérifier si l'empreinte pourrait encore se former. Au cours d'un test effectué après une séance standard de formation d'empreintes, des poussins témoins intacts firent trois fois plus de tours de roue pour tenter de rejoindre le stimulus d'empreinte que les poussins sur lesquels on avait pratiqué des lésions (Mc Cabe, Horne et Bateson, 1981). Autrement dit, les lésions de l'IMHV entravaient de façon significative l'acquisition de l'empreinte. De plus, ces mêmes lésions produites après la formation de l'empreinte nuisaient sérieusement à la rétention de cet apprentissage. Un test d'acuité démontra que l'opération n'avait pas affecté l'acuité, ce qui élimine la possibilité d'expliquer ce défaut d'acquisition et de rétention d'empreinte par un déficit sensoriel. Des travaux subséquents montrèrent que des poussins ayant subi des lésions de l'IMHV étaient capables de former des associations à des stimuli visuels, mais ne pouvaient pas apprendre à produire des souvenirs représentant ces stimuli (McCabe et coll., 1982). Ce phénomène rappelle la dissociation entre souvenirs représentatifs et habitudes, décrite au chapitre 16.

Une tentative d'identification des changements de l'anatomie des neurones engendrés par une empreinte a fourni un résultat surprenant et inattendu : les deux hémisphères réagissaient de façon différente (Bradley, Horn et Bateson, 1981; Horn, Bradley et McCabe, 1985). Dans cette étude, on examina des micrographies électroniques de coupes de cerveau de poussins qui avaient acquis des empreintes profondes et d'autres poussins qui n'avaient reçu aucun entraînement de ce genre. La longueur des aires réceptrices postsynaptiques fut mesurée selon la méthode illustrée à la figure 17.4. Les aires réceptrices postsynaptiques de l'IMHV des poussins étaient significativement plus longues dans l'hémisphère droit que dans l'hémisphère gauche (figure 17.19a). Une expérience de formation d'empreinte de 120 minutes donna lieu à un allongement significatif des aires réceptrices postsynaptiques de l'IMHV gauche, si bien qu'elles sont devenues légèrement (mais non significativement) plus longues que celles de l'hémisphère droit. Les poussins ayant été sacrifiés environ 6 heures après le début de la formation d'empreinte, on peut dire que la croissance des aires réceptrices synaptiques s'était faite rapidement.

La découverte inattendue de la production de changements anatomiques asymétriques attribuables à une empreinte a porté les chercheurs à entreprendre des expériences comportant des lésions additionnelles. Au lieu de s'en tenir aux lésions bilatérales, ils voulurent vérifier les effets de l'ablation de l'un ou l'autre des deux IMHV, le droit ou le gauche (Cipolla-Neto, Horn et McCabe,1982). La destruction de l'IMHV droit chez des poussins déjà marqués d'une empreinte ne nuisait pas à la rétention, tandis que celle de l'IMHV gauche engendrait de l'amnésie vis-à-vis du stimulus d'empreinte. Il en était ainsi du moins lorsque les lésions étaient pratiquées moins de 2 heures après la séance de formation d'empreinte.

Les expériences au cours desquelles la production de lésions était retardée donnaient toutefois des résultats plus complexes. La destruction de l'IMHV droit, 3 heures ou plus après l'entraînement, semble indiquer que l'information avait déjà été transmise à une autre partie du cerveau. C'est-à-dire que l'IMHV droit semble faire office d'« entrepôt tempo-raire », ne retenant l'information que pendant une brève période pour ensuite la transmet-tre lentement vers une autre région. On recherche actuellement la région de l'hémisphère droit où l'empreinte serait retenue de façon plus permanente. Par contre, l'IMHV gauche semble retenir les souvenirs pendant de plus longues périodes, jusqu'à 24 heures au moins selon les données de ces expériences. Lorsque nous aborderons certains aspects des processus neurochimiques dans la rétention des souvenirs, nous mentionnerons des don-nées qui démontrent que l'IMHV gauche participe à la formation de souvenirs se rappor-tant à d'autres sortes d'expériences.

Alors qu'une intervention sur le plan du comportement qui consiste à créer des situations de formation d'empreinte donne lieu à des modifications cliniques dans le cerveau, une intervention somatique consistant en l'administration de certaines substances peut empê-cher la formation de souvenirs de l'empreinte. On a constaté qu'une injection intracrânienne de l'une ou l'autre d'une série de substances — dont nous parlerons plus loin — qui nuisent à la formation de souvenirs dans d'autres situations empêche la formation d'un souvenir d'empreinte (Gibbs et Lecanuet, 1981). (Ces agents sont dit amnestiques parce que pouvant engendrer un phénomène d'amnésie.) On injecta une petite quantité d'une drogue amnestique ou d'une solution saline physiologique dans les cerveaux de poussins, 5 minutes avant la séance de formation d'empreinte. Tous les poussins étaient actifs durant la présentation du stimulus d'empreinte, mais au cours d'un test effectué 48 heures après, les poussins qui avaient reçu la drogue amnestique donnaient beaucoup moins de réactions d'approche vers le stimulus que les poussins soumis à une injection contrôle de solution saline. Administrées 5 ou 10 minutes après la séance de formation d'empreinte, plutôt qu'avant celle-ci, ces substances ne nuisaient pas à la rétention. Cela indique que ces drogues n'ont pas d'effet délétère général; pour empêcher la formation de souvenirs, elle doivent pouvoir exercer leur action au cours de la période suivant immédiatement la formation d'empreinte.

Il s'est fait relativement peu de recherches jusqu'à présent sur l'électrophysiologie ou la neurochimie cellulaire de la formation d'empreinte. Par contre, l'étude de l'empreinte chez les poussins a fourni, sur les rôles joués par certaines structures cérébrales dans l'appren-

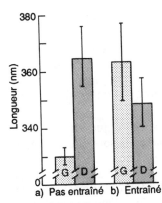

Figure 17.19 Effets de l'entraînement sur la longueur des zones réceptrices postsynaptiques dans l'hyperstrié ventral médian gauche (G) et droit (D). Avant l'entraînement, la longueur moyenne des zones réceptrices était de 11 % plus petite dans l'hémisphère gauche que dans l'hémisphère droit ($p < 0,025$), comme on peut le constater dans la paire de colonnes de gauche. Après entraînement, il n'y avait plus de différence significative. Les lignes au haut de chacune des colonnes représentent l'erreur standard ± de la moyenne. (D'après Bradley et Horn, 1981.)

tissage, des renseignements que des préparations d'invertébrés n'auraient pas pu donner ; la recherche sur les mécanismes de l'empreinte devrait apporter d'autres renseignements importants sur les mécanismes cérébraux de l'apprentissage chez les vertébrés.

MÉCANISMES DE FORMATION DES SOUVENIRS DE DIFFÉRENTES DURÉES

La durée des souvenirs varie beaucoup, de la mémoire iconique et à court terme à la mémoire à long terme et permanente (chapitre 16). Des aspects comportementaux laissent supposer que la durée variable des souvenirs refléterait l'action de processus nerveux différents. Ainsi, des anomalies de la formation de souvenirs à court terme et à long terme peuvent se produire de façon indépendante : parmi les victimes de troubles mnémoniques graves, certains n'éprouvent des problèmes que dans la formation de souvenirs à long terme alors que, pour un petit nombre, c'est la formation de souvenirs à court terme qui fait défaut. Il a déjà été souligné que, dans le cas de l'habituation et de la sensibilisation, la formation de souvenirs à court terme chez l'aplysie fait intervenir des changements neurochimiques au niveau des synapses en place, alors que la formation de souvenirs à long terme met également en cause des changements structuraux dans ces mêmes synapses ainsi que des modifications du nombre de synapses.

Depuis les années 1950, on a, dans l'étude de la formation des souvenirs, fait grand usage d'agents biochimiques et pharmacologiques qui sont à l'origine de nombreuses découvertes intéressantes et de nouveaux concepts. L'application d'agents chimiques offre beaucoup d'avantages dans ce type de recherche, l'effet de plusieurs d'entre eux étant réversible, ce qui n'est pas le cas des lésions cérébrales ou d'autres interventions à caractère permanent. L'utilisation de certaines substances chimiques permet d'obtenir des effets relativement brefs et très précis et les sujets peuvent être évalués dans leur état normal, avant et après le traitement. De plus, les agents chimiques se prêtent à une administration systémique ou locale, selon l'effet recherché.

La nature variable des effets obtenus avec les divers agents suggère que les processus neurochimiques qui interviennent dans la mémorisation de souvenirs seraient différents selon la durée de la rétention (souvenirs à court, à moyen et à long terme). Ces résultats sont à l'origine de la notion de processus neurochimiques séquentiels dans la formation des souvenirs. Le même agent chimique ou pharmacologique peut intervenir pour aider à la formation des souvenirs dans certaines conditions ou pour lui nuire dans d'autres conditions. Cette ambivalence des effets exercés est à l'origine de la notion d'une modulation de la formation des souvenirs.

Depuis 1960 environ, beaucoup de recherches partent de l'hypothèse que la formation de souvenirs à long terme exigerait normalement une augmentation de la synthèse de protéines au cours des minutes (et peut-être des heures) qui suivent l'apprentissage (Davis et Squire, 1984 ; Rosenzweig, 1984). On a effectué plus récemment des recherches sur les processus neurochimiques qui participent aux premières étapes de la formation des souvenirs à court et à moyen terme (Gibbs et Ng, 1977 ; Mizumori et coll., 1985 ; Rosenzweig et Bennett, 1984 ; Mattheis, 1989). Certains des travaux s'appuient donc sur l'hypothèse de la mise en cause de la synthèse des protéines, dans la formation des souvenirs à long terme, tandis que d'autres recherches portent sur les mécanismes de formation des premières étapes du souvenir.

Vérifications de l'hypothèse relative au rôle de la synthèse des protéines

Les expériences visant à vérifier cette hypothèse ont eu recours tant à l'intervention sur le comportement (c.-à-d. à un entraînement) qu'à l'intervention somatique (c.-à-d. aux agents inhibiteurs de la synthèse des protéines). On a démontré qu'un entraînement donnait lieu à une prolifération des arbres dendritiques des neurones et à un accroissement du nombre des contacts synaptiques (Greenough, 1985). Ces ramifications additionnelles de neurones sont constituées en partie de protéines. D'ailleurs, les mesures directes dans le cortex cérébral de rats placés dans des conditions d'enrichissement d'expérience ont permis de noter un accroissement significatif de protéines (Bennet et coll., 1969). Des expériences récentes effectuées par l'équipe de Steven Rose (Schleibs et coll., 1983) montrent que, si on soumet un poussin à un bref entraînement on peut, après avoir prélevé des parties de son cerveau, étudier dans une cuve à tissu l'augmentation de la synthèse des protéines; des échantillons du cerveau de poussins témoins, non soumis à cet entraînement, présentent une activité significativement moindre de synthèse de protéines.

Par contre, l'inhibition de la synthèse des protéines dans le cerveau peut empêcher la formation de souvenirs à long terme, bien que l'administration de l'agent inhibiteur, avant le test, n'entrave pas l'acquisition ou le rappel au cours des tests de mémorisation à court ou à moyen terme. Cet aspect offre un bon exemple de la vérification et de l'élimination de possibilités qui caractérisent un domaine de recherche en pleine évolution. Ces possibilités méritent d'être examinées, car elles révèlent en partie la complexité du comportement et des événements biologiques en cause dans l'apprentissage et la mémoire.

Les critères comportementaux de l'apprentissage et de la mémoire ont une très grande importance, car ils constituent le seul moyen de savoir s'il y a eu apprentissage et si un souvenir s'est formé et est retenu. Pourtant, ces tests ne donnent pas toujours des réponses claires et sans ambiguïté. Lorsque, au test de rétention, le sujet ne donne pas la réponse acquise, ce n'est pas nécessairement un signe d'oubli. La réponse peut être en mémoire sans être retraçable à ce moment-là; c'est ce qui se passe quand on n'arrive pas à se rappeler un nom que pourtant on connaît. Un test plus facile, de reconnaissance plutôt que de rappel, pourrait peut-être la faire surgir, montrant ainsi que le souvenir était bien là pendant tout ce temps.

Certains chercheurs ont tendance à ignorer le fait que les souvenirs n'étant pas tous bien ancrés dans la mémoire, ils n'ont pas tous la même force. Ils ne sont pas simplement présents ou absents, ils vont de très faibles à très forts. Les souvenirs forts sont faciles à retrouver, mais les souvenirs faibles ne sont retraçables que dans des circonstances favorables. Par ailleurs, il se peut qu'une réponse soit accessible à un sujet sans que ce dernier soit suffisamment motivé pour la donner; c'est pourquoi les psychologues insistent sur le rendement des tests. Les chercheurs doivent être très attentifs aux aspects comportementaux de leurs expériences et contrevérifier un test pour valider leur interprétations.

La vérification expérimentale de l'influence des inhibiteurs de synthèse de protéines sur la formation de souvenirs à long terme a débuté au cours des années 1960 et se poursuit toujours. La plupart de ces travaux ont porté sur les rongeurs, notamment la souris. Pourquoi les chercheurs n'ont-ils pas encore été capables de déterminer de façon concluante si la synthèse des protéines est ou non indispensable à la formation des souvenirs à long terme ? La réponse à cette question comporte plusieurs volets :

1. Les produits pharmaceutiques utilisés dans ces expériences ont des effets multiples et il est difficile de vérifier et d'éliminer tous les effets secondaires. Ainsi, les drogues inhibitrices de la synthèse des protéines réduisent également la synthèse des corticostéroïdes et des neurotransmetteurs à base de catécholamines.

2. Beaucoup de données comportementales se prêtent à diverses interprétations. Par exemple, des chercheurs ont émis l'hypothèse que les inhibiteurs de la synthèse des protéines nuiraient davantage au repérage qu'à la formation de souvenirs.

3. Les résultats obtenus avec une seule sorte de tests de comportement pourraient refléter les caractéristiques de ce test. Pour un sujet, le fait d'éviter une zone où il a été soumis à un traitement d'aversion pourrait, par exemple, tout autant révéler une entrave motrice qu'une entrave mnémonique. Il est donc souhaitable de vérifier si les effets mnémoniques apparents se retrouvent dans une variété de situations de test.

4. La recherche sur la question fondamentale a engendré des questions qui y sont associées, comme : que seraient les conditions indispensables pour que les inhibiteurs exercent leurs effets, ou quelle est la nature des interactions avec d'autres drogues, et ainsi de suite.

Quelles sont, dans ce domaine de la recherche, les principales étapes franchies et les conclusions qu'on en a tirées ?

Utilisation de divers antibiotiques

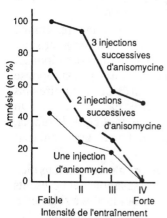

Figure 17.20 Proportions en % de souris présentant de l'amnésie après avoir été soumises à un des quatre niveaux d'entraînement à l'évitement passif et à des injections sous-cutanées d'anisomycine, un inhibiteur de la synthèse des protéines. Quelques groupes reçurent une injection unique 15 min avant l'entraînement (courbe du bas). D'autres reçurent une seconde injection, 2 heures après la première (courbe au centre) et d'autres une troisième injection, 2 heures après la seconde (courbe du haut). Plus l'intensité de l'entraînement est faible, plus le niveau de l'amnésie est élevé et plus l'inhibition de la synthèse des protéines se trouve prolongée. (Tiré de Flood et coll., 1973)

Plusieurs antibiotiques ont été testés en vue de déceler la présence possible de propriétés amnestiques. On découvre, chaque année, beaucoup d'antibiotiques nouveaux et certains d'entre eux s'avèrent capables d'exercer un effet inhibiteur sur la formation des souvenirs. La puromycine est l'antibiotique qui a été utilisé dans les premières recherches pour vérifier l'hypothèse selon laquelle la synthèse des protéines serait nécessaire à la formation des souvenirs à long terme (Flexner et coll.,1962). Chez la souris, une injection de puromycine des deux côtés du cortex temporal bloque la rétention de l'apprentissage du labyrinthe en Y, alors qu'une injection de solution saline ou de diverses substances apparentées à la puromycine n'entrave pas le rappel. Quelques années plus tard, on constata que la puromycine suscitait une activité électrique anormale dans l'hippocampe et qu'elle est toxique. Cela explique l'abandon, dans ces travaux de recherche, de l'usage de la puromycine au profit d'autres agents.

Depuis le milieu des années 1960, la cycloheximide, agent inhibiteur de la synthèse des protéines, est utilisée à profusion. Cette substance est un agent amnestique efficace lorsqu'elle est administrée tôt avant l'entraînement, soit à une dose qui inhibe environ 90 % de la synthèse des protéines dans le cerveau (Barondes et Cohen, 1967). Une seule dose exerce un effet inhibiteur qui dure quelques heures. À première vue, il est étonnant de constater que le corps puisse pendant des heures s'accommoder d'un bloquage presque total de synthèses de protéines; il faut toutefois se rappeler que les cellules contiennent d'importantes réserves de protéines, si bien que les enzymes disponibles peuvent, par exemple, continuer à diriger le métabolisme cellulaire. Malheureusement, la recherche sur la mémoire effectuée grâce cet inhibiteur du comportement présente deux défauts majeurs. Premièrement, il faut appliquer des doses toxiques pour atteindre le niveau d'inhibition requis pour la production d'amnésie, si bien que les animaux utilisés présentent des symptômes de maladie. Deuxièmement, même une forte inhibition ne semble faire échec qu'à un entraînement de faible intensité. Les chercheurs se sont donc demandé s'il était possible que l'inhibition de la synthèse des protéines n'affecte que les souvenirs peu ancrés dans la mémoire.

Bennett introduisit alors dans ce domaine de recherche, l'anisomycine, inhibiteur qui avait antérieurement résolu des problèmes (Bennett, Hebert et Orme, 1972; Flood et coll., 1973). Cet inhibiteur est un agent amnestique efficace à faibles doses; une dose 25 fois supérieure à celle nécessaire pour engendrer une amnésie efficace n'est pas létale. Comme l'anisomycine n'est pas dangereuse, on peut la donner en doses répétées; une administration toutes les 2 heures maintient l'inhibition de la synthèse des protéines cérébrales à un niveau d'environ 90 %. Grâce à cette administration répétitive, Flood et ses collaborateurs ont pu démontrer qu'il était possible d'éliminer les traces d'un entraînement même assez intensif par inhibition de la synthèse des protéines; plus l'entraînement avait été poussé, plus il fallait maintenir l'inhibition longtemps pour produire l'amnésie.

La figure 17.20 présente les résultats d'une expérience dans laquelle des souris avaient acquis, en un seul essai, une réponse d'évitement passif et avaient reçu une, deux, ou trois injections cutanées successives d'anisomycine; la première injection avait été donnée 15 minutes avant la séance d'apprentissage et les injections subséquentes à des intervalles de

2 heures. Compte tenu de la force du choc électrique à la patte qu'on utilisait dans cette expérience, deux injections successives (4 heures d'inhibition de synthèse de protéine) ne suffisaient pas à produire l'amnésie. En calculant la moyenne pour les quatre niveaux d'intensité d'entraînement, 70 % des souris ont fait preuve de rappel au test de rétention, deux semaines après l'apprentissage. Toutefois, trois injections d'anisomycine (6 heures d'inhibition) produisaient de l'amnésie : 20 % des souris seulement réagissaient positivement au test de rétention. Il faut noter que l'injection responsable de cette différence avait été donnée 3 heures 45 minutes après l'apprentissage, ce qui signifie que la synthèse des protéines nécessaire au souvenir à long terme peut se produire des heures après la séance d'apprentissage, pourvu que l'inhibition de cette synthèse ait été tenue en échec entretemps.

La synthèse de protéines associée au stockage des souvenirs se produit normalement au cours des minutes qui suivent l'essai d'apprentissage; chez la souris, si la première injection de l'inhibiteur s'effectue seulement 15 minutes après la séance d'apprentissage, aucune amnésie ne se produit, même si on administre une longue série d'injections par la suite. La synthèse indispensable qui se produit rapidement sans agent inhibiteur, peut cependant être retardée si le système est inhibé pendant quelques heures. Dans ce cas, elle peut se faire même 4 à 6 heures après l'apprentissage, les expériences que nous venons de décrire témoignant de cette possibilité. La capacité de former des protéines se rapportant à la mémoire peut donc persister pendant quelques heures, du moins sous les effets des inhibiteurs de synthèse.

Pour vérifier plus à fond la possibilité de généraliser les résultats obtenus dans le cas de l'évitement passif et pour étudier l'influence de périodes d'inhibition de synthèse de protéines plus longues encore, Flood et ses collaborateurs (1975, 1977) ont fait des expériences sur l'évitement actif et ont poussé la durée de l'inhibition jusqu'à 14 heures. L'acquisition d'un évitement actif dans un labyrinthe en T exige plusieurs essais et est évidemment plus complexe que l'acquisition de l'évitement passif en un seul essai; le labyrinthe en T a été utilisé pour vérifier si les mêmes principes s'appliquent dans ce cas. Des groupes différents de souris, motivées par un choc électrique à la patte, sont soumises à 6, 8 ou 10 essais dans un labyrinthe en T. Chez divers sous-groupes, l'inhibition de la synthèse des protéines durait 2, 8, 10, 12 ou 14 heures. Des tests de rétention effectués une semaine après l'apprentissage ont démontré que, même chez des souris bien entraînées (10 essais), 14 heures d'inhibition donnaient un pourcentage significatif d'amnésie (tableau 17.2). Plus l'inhibition dure longtemps, plus le pourcentage d'amnésie est élevé. De plus, moins l'entraînement est intensif, plus le pourcentage d'amnésie est élevé. Les principes qui s'étaient avérés valables dans l'évitement passif s'appliquent donc également à l'évitement actif, plus complexe et plus variable. Les résultats de ce programme de recherche expérimentale ont apporté un nouvel appui à l'hypothèse selon laquelle la synthèse des protéines serait nécessaire à la formation des souvenirs à long terme.

Tableau 17.2 Pourcentage d'animaux manifestant de l'amnésie au test en fonction de l'intensité de l'entraînement et de la durée de l'inhibition de la synthèse de protéines.

Intensité de l'entraînement (nombre d'essais d'apprentissage)	Durée de l'inhibition (heures)					
	0	2	8	10	12	14
6	0	10	77	73	70	90
8	0	10	44	50	71	77
10	0	0	36	38	60	62

Source : Flood, Bennett, Orwe et Rosenzweig (1975).

Puisque la plupart des recherches sur cette question ont porté sur l'entraînement à l'aversion, on s'est demandé si, dans le cas de renforcements positifs, l'inhibition de la synthèse de protéines empêcherait également la formation de souvenirs à long terme. Chez des rats dressés à parcourir un labyrinthe circulaire pour obtenir des récompenses de nourriture, l'administration préalable d'un inhibiteur de synthèse de protéine n'entrave pas l'acquisition de souvenirs à long terme (Mizumori et coll., 1985). De même, l'inhibition de la synthèse de protéines élimine l'acquisition de souvenirs à long terme chez des souris qui parcouraient un labyrinthe en Y à la recherche de récompenses d'eau (Patterson et coll., 1987). En outre, dans cette dernière expérience, une comparaison avec les effets produits par un agent à l'origine d'un conditionnement d'aversion a démontré que l'absence apparente de formation de souvenirs à long terme ne saurait être attribuée au conditionnement d'aversion vis-à-vis de l'inhibiteur (Patterson et coll., 1987). Ainsi, dans une grande variété de situations, incluant les tests de renforcement positif et celles portant sur l'évitement passif ou actif, l'inhibition de la synthèse de protéines durant la période suivant une acquisition empêche la formation de souvenirs à long terme.

L'apport combiné des expériences faisant appel à l'intervention comportementale et de celles portant sur l'intervention somatique constitue un appui solide à l'hypothèse selon laquelle la formation de souvenirs à long terme exigerait une augmentation de la synthèse de protéines au cours de la période qui suit l'apprentissage. On constate, en somme, que l'entraînement donne lieu à une intensification de cette synthèse dans certaines régions cérébrales et que le bloquage de la synthèse de protéines empêche la formation de souvenirs à long terme dans diverses situations.

Mécanismes de mémorisation à court et à moyen terme

Même lorsqu'une expérience ne débouche pas sur un souvenir à long terme, il peut arriver qu'une personne ou un animal soit en mesure de réagir correctement pendant quelques minutes avant que le souvenir ne s'estompe. Ces souvenirs à court ou à moyen terme (SCT ou SMT) sont très utiles pour faire face au flot des événements. Par ailleurs, puisque la synthèse des protéines n'est pas nécessaire à ces brefs souvenirs, quels sont les processus nerveux qui contribueraient à leur maintien ?

Selon une hypothèse qui a beaucoup retenu l'attention et qui a inspiré bon nombre de recherches, la formation des souvenirs comporterait une séquence de trois étapes biochimiques reliées les unes aux autres (Gibbs et Ng, 1977). Cette hypothèse repose sur la possibilité de grouper, en trois périodes seulement, plusieurs des effets exercés sur la mémoire par des agents chimiques ou pharmaceutiques (figure 17.21 et tableau 17.3). On peut voir à la figure 17.21 une courte étape qui n'est pas identifiée en termes chimiques, mais qui peut être abolie à la suite d'un choc électroconvulsif; il est possible que, dans ce cas, le souvenir soit retenu momentanément par une activité résiduelle quelconque qui survit brièvement aux réactions électriques initiales. Cette première étape chimique est apparemment reliée à la surpolarisation de neurones causée par un changement de la conductance K^+. Ce stade, dit de court terme, conserve les souvenirs pendant 10 à 15 minutes environ et peut être aboli ou renforcé par les agents modifiant la conductance K^+. Le second stade chimique retient les souvenirs environ 30 minutes. Il semble associé à la surpolarisation due à des changements dans l'activité de la pompe à sodium. Le troisième stade correspond à celui de la synthèse des protéines nécessaire à la formation de souvenirs à long terme. Il est probable que ces stades soient dépendants l'un de l'autre, c'est-à-dire que l'abolition d'un stade éliminerait le suivant.

L'identification de ces étapes et des processus sous-jacents a été rendue possible grâce à des expériences sur des poussins nouveau-nés. La plupart des apprentissages portaient sur une tâche d'évitement passif, en un seul essai, montée de la façon suivante : on présentait une petite perle brillante trempée dans un liquide au bout d'un fil de fer et le poussin la

Tableau 17.3 Stades de la mémoire chez le poussin et agents qui interviennent dans la formation de souvenirs.

Stade	Durée maximale	Processus intermédiaires hypothétiques	Agents qui les facilitent	Agents qui les inhibent
Court terme	30 min	Surpolarisation impliquant des changements de la conductance K^+	Chlorure de sodium	Chlorure de lithium, chlorure de potassium
Moyen terme	90 min	Surpolarisation impliquant des changements dans l'activité de la pompe sodique-potassique $(Na^+ - K^+)$	Diphénylhydantoïne, pargyline	Ouabaïne, acide éthacrynique
Long terme	Quelques jours	Synthèse de protéines	Pargyline, amphétamine	Anisomycine, cycloheximide, aminoisobutyrate

Figure 17.21 Étapes de la formation des souvenirs et processus qui pourraient être en cause. Il faut noter que les stades illustrés dans ce diagramme de Gibbs et Ng (1977) sont semblables à ceux du diagramme de McGraugh (1968) (figure 16.4). À chaque stade, on indique quel traitement particulier peut bloquer le processus en cause dans la formation des souvenirs (D'après Gibbs et Ng, 1977.)

picorait. Quand la perle avait été trempée dans une solution au goût amer, le poussin secouait la tête et s'essuyait vigoureusement le bec sur le plancher de la cage, après l'avoir picorée. Sans essais additionnels, le poussin se souvenait d'une telle expérience et refusait de picorer la perle à nouveau, que l'essai test ait lieu 3 heures ou 24 heures plus tard. Le caractère spécifique de cet apprentissage a été vérifié en présentant la substance amère sur une perle colorée (rouge pour certains poussins et bleue pour d'autres). Au cours des tests subséquents les poussins ne picoraient pas la perle de la couleur associée au goût amer, mais ils picoraient volontiers l'autre perle. Par contre, lorsqu'on injectait certaines substances chimiques à l'animal peu de temps avant ou après l'apprentissage, l'animal oubliait le goût amer et picorait la perle test lors de l'essai de rappel.

Au cours d'une étude sur les gradients temporels des effets de substances pharmaceutiques, on administrait une substance à différents moments, avant ou après l'essai d'apprentissage d'évitement, et l'essai de rétention était effectué à des intervalles divers après cet apprentissage. On utilisait un groupe différent de poussins pour chaque combinaison de moment d'injection et de moment de test, chaque animal n'étant testé qu'une fois. On a donc eu besoin, pour cette étude, d'un grand nombre d'animaux, ce qui explique le choix d'un animal peu coûteux et celui d'un procédé rapide et fiable. Les résultats obtenus avec les différentes sortes d'agents sont présentés à la figure 17.22. L'abolition du souvenir survenait après différents intervalles selon la drogue utilisée. D'autres agents sont capables de renforcer le souvenir à chacun de ces stades, ce qui constitue un appui additionnel à ce

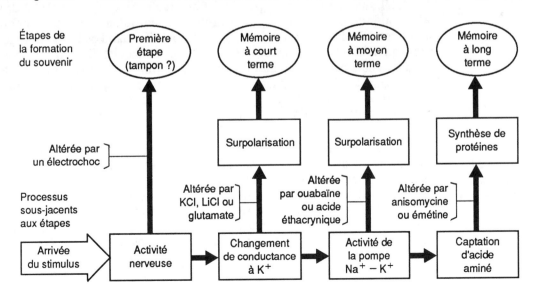

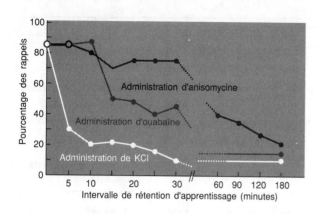

Figure 17.22 Proportion en % des poussins qui ont appris à produire des réactions d'évitement au test de rétention. Le pourcentage des rappels varie en fonction de la substance injectée dans le cerveau et de l'intervalle de temps entre apprentissage et rétention. Chacun des points sur les courbes est basé sur des données provenant d'un groupe différent de poussins. L'administration de l'anisomycine empêche la formation de souvenirs à long terme, mais la mémoire à moyen (30 min) et à court terme (5 à 10 min) est intacte. L'administration d'ouabaïne entrave la formation de souvenirs à moyen terme, mais la mémoire à court terme n'est pas touchée. L'administration de KCl nuit même à la formation de souvenirs à court terme. (D'après Gibbs et Ng, 1977.)

modèle de formation de souvenirs en trois étapes. Les chercheurs ont commencé à faire des tentatives pour retrouver ces stades chez les mammifères; les résultats obtenus jusqu'à maintenant sont positifs, bien qu'il semble possible que le cours temporel précis de ces événements varie, dans une certaine mesure, d'une espèce à l'autre.

Asymétrie hémisphérique de la formation d'un souvenir d'aversion de picorer chez le poussin

De même qu'on a découvert qu'une empreinte met en cause les deux hémisphères de façon différente, on a récemment constaté que l'apprentissage de l'aversion de picorer entraîne des contributions asymétriques des deux hémisphères (Patterson et coll., 1986). Dans ces expériences, on a injecté des agents amnestiques dans différentes structures cérébrales de l'hémisphère droit, de l'hémisphère gauche ou des deux (figure 17.18). On a choisi des agents qui semblaient agir sur les souvenirs à court, moyen et long termes et qui avaient des effets dans des régions bien délimitées du cerveau. On trouva que l'injection d'un tel agent dans l'hyperstriatum ventral gauche médian (HVM) était à peu de choses près aussi efficace pour bloquer la formation des souvenirs qu'une injection bilatérale, alors qu'une injection dans l'HVM droit était pratiquement sans effet (figure 17.23) (Il faut se souvenir que l'HVM gauche participe également à la formation d'empreinte.) On obtient une réplique parfaite de ces résultats en pratiquant des injections dans le néostriatum latéral (NL) : une injection dans le NL gauche n'exerce que peu d'effet, alors qu'une injection dans le NL droit empêche la formation de souvenirs à peu près aussi efficacement qu'une injection bilatérale. Les deux structures, HVM et NL, produisent des effets positifs quand on utilise des agents dont on pense qu'ils affectent chacun des trois stades de la mémoire; il semble donc que ces deux régions cérébrales soient en cause dans chacun des trois stades de la formation de souvenirs. L'utilisation de tels agents dont l'action est limitée dans l'espace semble offrir des possibilités pour la recherche des rôles des diverses structures cérébrales au cours des diverses étapes de la formation des souvenirs.

État actuel des hypothèses sur les divers stades de la mémoire et leurs mécanismes

Les chercheurs ont commencé à vérifier les mécanismes biochimiques des stades de formation de souvenirs chez les mammifères. Les agents efficaces chez les poussins ont les mêmes propriétés chez les mammifères (Mizumori et coll., 1985); de plus, d'autres indices témoignent de l'existence de stades séquentiels de formation des souvenirs chez les mammifères (Frieder et Allweis, 1982 a et b). Toutefois, selon Frieder et Allweis (1982b), il serait prématuré de comparer leurs résultats et leur modèle, basés sur des travaux sur les rats, avec les résultats d'expériences sur des poussins obtenus par Gibbs et Ng (1977), puisque ni les espèces, ni la tâche d'apprentissage, ni la mesure de rétention, ni les inhibiteurs n'étaient les mêmes dans ces deux laboratoires. Ils concluent cependant que « le

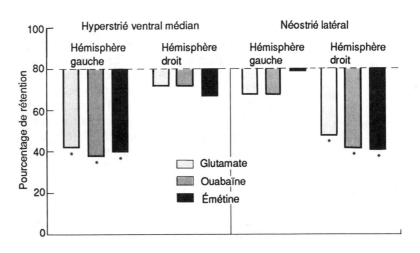

Figure 17.23 Réduction de la rétention causée par l'injection unilatérale de drogues dans l'une ou l'autre de deux régions du cerveau du poussin. La ligne de base (pointillée) représente une rétention de 80 % donnée par des animaux témoins qui avaient reçu des injections de solution physiologique. Ces effets ont été obtenus avec des agents qui atteignent chacun des stades ou types de mémoire : mémoire à court terme (glutamate, 50 nm (nanomoles)), mémoire à terme intermédiaire (ouabaïne, 0,027 nm) et mémoire à long terme (émétine, 2,25 nm). (D'après T. A. Patterson, 1987.)

fait qu'il faille recourir à des modèles à phases multiples pour regrouper les données provenant d'études aussi différentes suppose l'existence de plusieurs processus neurochimiques et de mécanismes de conservation de souvenirs qui interviennent séparément dans la consolidation de la mémoire » (1982b, p. 1069). Mais l'unanimité n'est pas faite sur l'existence de stades à enchaînement séquentiel dans la formation des souvenirs. À l'instar de Tulving (1985) qui a fait une recension très complète des travaux dans ce domaine, plusieurs chercheurs considèrent qu'il existe plusieurs sortes de mémoire, chacune à stades multiples. D'autres prétendent au contraire que la mémoire est un processus unique et que l'existence apparente de stades pourrait n'être que l'effet de différents degrés ou différentes durées dans le traitement du matériel appris. Nombreux sont ceux qui, après avoir étudié les aspects biologiques de l'apprentissage et de la mémoire, concluent qu'il existe différents stades de formation de souvenirs. Enfin, certains chercheurs (Gold et McGaugh, 1975) soutiennent qu'un type unique de trace mnémonique, qui se développe et se transforme avec le temps, peut rendre compte des observations déjà faites. Seules d'autres recherches, qui se poursuivent intensément, pourront trancher ce débat.

MODULATION DE LA FORMATION DES SOUVENIRS

En plus des agents et conditions qui influencent les processus fondamentaux de la formation des souvenirs, il en existe beaucoup d'autres également capables de modifier cette même formation des souvenirs. L'état d'activation générale de l'organisme exerce, par exemple, une influence sur la formation des souvenirs, un état d'activation modérée s'avérant optimal. L'état affectif résultant de l'expérience d'apprentissage affecte également la formation du souvenir de cette même expérience. Parmi les agents influents, on compte les stimulants (par exemple, l'amphétamine et la caféine), les dépresseurs (par exemple, le phénobarbital et l'hydrate de chloral), les neuropeptides, prétendus neuromodulateurs qui influencent l'activité ou l'amplification des neurones (incluant des agents qui servent ailleurs de neurotransmetteurs, tels l'acétylcholine et la noradrénaline), les drogues qui agissent sur le système transmetteur cholinergique ou les catécholamines, les peptides opiacés et les hormones. L'expérimentation avec de tels agents et dans de telles conditions est à l'origine de la notion de **modulation de la formation de souvenirs** ou de **modulation des processus de stockage de souvenirs**.

Modulation signifie ajustement ou adaptation à des circonstances particulières. L'utilisation de ce terme dans le contexte de la formation de souvenirs met souvent en relief deux aspects additionnels. Une condition ou un agent spécifique peut aider ou nuire à la formation des souvenirs suivant le moment et la force du traitement ou d'autres variables.

Il arrive souvent qu'il en soit ainsi, mais cela n'explique pas l'existence d'une modulation. L'autre aspect prête à controverse. Nous savons que les processus biologiques fondamentaux en cause dans la formation des souvenirs et dans les autres formes de traitement de l'information sont des processus secondaires qui s'ajoutent aux processus essentiels. La figure 17.24 illustre cette conception de processus fondamentaux et de processus modulateurs dans la formation des souvenirs. Il se peut qu'on soit trop optimiste en pensant pouvoir réellement distinguer ce qui est modulation de ce qui constitue un processus essentiel du stockage. Mais beaucoup d'effets modulateurs sont considérables et importants et méritent d'être étudiés, notamment parce que certains d'entre eux peuvent s'avérer fondamentaux.

Neuromodulateurs

Dans certains petits noyaux du cerveau, des neurones envoient des axones qui se ramifient à profusion à travers plusieurs régions cérébrales et influencent l'activité et les seuils d'excitation des neurones sur lesquels ils agissent. Par exemple, des fibres cholinergiques de modulation s'étendent particulièrement jusqu'au cortex cérébelleux et à l'hippocampe. L'une des sources principales de ces fibres est le **noyau magnocellulaire de la base du prosencéphale (noyau basal de Meynert)**. Le site et les projections du noyau magnocellulaire de la base du prosencéphale sont représentés à la figure 4.25. Des travaux récents ont mis cette région en cause dans la maladie d'Alzheimer.

À l'instar des axones du système cholinergique de modulation qui se ramifient à profusion, à partir des noyaux de la base du prosencéphale, des fibres noradrénergiques de modulation s'étendent amplement à partir du **locus cœruleus**, petit noyau de la partie antérieure de la protubérance (figure 14.21). Chez le rat, le locus cœrelus qui ne contient que 1500 neurones environ, distribue ses fibres à travers tout le cortex cérébral et le diencéphale. Des cellules individuelles du locus cœrelus innervent apparemment de longues rangées longitudinales de cortex cérébral, s'étendant jusqu'à la région occipitale (Lindvall et Bjorklund, 1984). Ce système innerve des couches spécifiques de cortex qui varient d'une région à l'autre; le caractère spécifique de cette distribution est beaucoup plus apparent chez les primates que chez les rongeurs. Les travaux sur ce système portent à croire qu'il module l'activité et la plasticité nerveuse de la plus grande partie du cerveau. En plus de la noradrénaline, d'autres catécholamines viennent également moduler l'activité et la sensibilité nerveuses.

Plusieurs expériences ont démontré que les agents qui influencent les systèmes cholinergique ou adrénergique sont également capables de modifier la formation des souvenirs. Étant donné que l'acétylcholine et la noradrénaline agissent comme neurotransmetteurs dans certaines régions et comme neuromodulateurs dans d'autres, il est

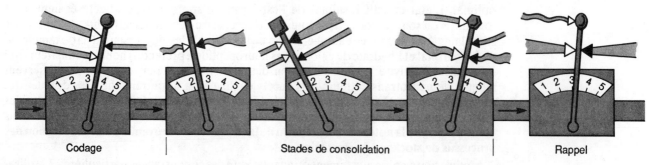

Codage	Stades de consolidation	Rappel

Figure 17.24 Représentation schématique des processus directs et des processus modulatoires de la mémoire. Chaque processus direct, ou stade, de la mémoire est représenté par une boîte. Chacun peut voir son taux, ou son niveau, facilité ou inhibé par divers processus de modulation symbolysés ici par des flèches. La facilitation est indiquée par des flèches à tête blanche et l'inhibition, par des flèches à tête noire.

souvent difficile de déterminer avec certitude laquelle de ces deux fonctions intervient dans un cas spécifique où un agent actif sur les systèmes cholinergique ou adrénergique exerce une influence mnémonique. À cet égard, quelques exemples permettront d'illustrer la modulation de formation de souvenirs par des agents exerçant une influence sur ces systèmes.

Exemples de modulation cholinergique

On a eu recours à la scopolamine (substance bloquant les récepteurs muscariniques ACh) au cours des accouchements, justement parce que cette substance empêche la formation de souvenirs à long terme; sous son influence, la parturiente est capable d'intervenir efficacement dans son propre accouchement, sans pour autant garder un souvenir de cette expérience. L'expérimentation auprès de sujets humains a permis de vérifier le fait que la scopolamine n'affecte pas la mémoire à court terme, mais entrave significativement la mémoire à long terme (Drachman, 1978). En outre, les caractéristiques de ces perturbations, au cours de la présentation d'une batterie de tests, ressemblait considérablement à celles des sujets âgés. On a constaté également chez des sujets humains normaux que les agents renforçant l'action cholinergique amélioraient la formation de souvenirs à long terme (Davis et coll., 1978; Sitaram et coll., 1978). À cause de ces observations, on fait actuellement des tentatives pour améliorer la mémoire de personnes souffrant de démence sénile en leur administrant des drogues qui prolongent l'action de l'ACh, c'est-à-dire des substances utilisées par le corps pour fabriquer l'ACh.

Exemples de modulation catécholaminergique

Après leur libération ou après avoir été injectés, les transmetteurs catécholaminergiques restent normalement actifs pendant des périodes modérément longues. Une injection de catécholamines dans les ventricules cérébraux des souris aide à la formation de souvenirs après un apprentissage (Haycock et coll., 1977). Inversement, une injection, dans les mêmes circonstances, d'une drogue (DDC) qui abaisse les concentrations de catécholamine nuit à la mémoire subséquente (Stein, Belluzzi et Wise, 1975; Jensen et coll., 1977). Pour vérifier si cette entrave pourrait être attribuée à quelque effet secondaire de la drogue qui n'aurait rien à voir avec l'abaissement des niveaux de catécholamine, des chercheurs ont administré des injections de noradrénaline, après apprentissage, et ont pu constater que ces injections atténuaient les perturbations causées par le DDC (Stein, Belluzzi et Wise, 1975). Il est donc possible de moduler la formation des souvenirs dans un sens ou dans l'autre en modifiant les niveaux de catécholamine du cerveau.

Les effets de modulation sont plus faciles à percevoir lorsque le souvenir n'est ni trop bien ancré, ni trop faible; les souvenirs se situant entre ces deux extrêmes permettent l'utilisation de tests sensibles et ne restent pas accrochés à des niveaux maximaux ou minimaux. Grâce au contrôle des conditions de l'apprentissage de même qu'à l'utilisation d'une substance comme l'anisomycine, l'expérimentateur peut situer la force du souvenir près d'un « point d'équilibre » sensible, c'est-à-dire près de la ligne de comportement établissant une frontière entre un animal qui « se souvient » et celui qui est « amnésique » (figure 17.25). Les résultats d'une expérience avec la d-amphétamine (déclenchant la libération de noradrénaline) sont présentés à la figure 17.26. On a eu recours dans cette expérience à l'anisomycine dans le but d'affaiblir le souvenir. Administrée 30 ou 90 minutes après l'apprentissage, la d-amphétamine atténue l'effet amnestique de deux doses nécessaires d'anisomycine. On n'observe toutefois que peu d'effet d'atténuation lorsque la d-amphétamine est administrée 150 minutes après l'apprentissage.

Il se peut que des changements de concentration de catécholamine découlant du développement de l'individu contribuent à expliquer pourquoi certaines sortes d'appren-

Figure 17.25 Variation de l'intensité du souvenir en fonction du degré d'apprentissage et du temps écoulé à la suite de cet apprentissage. La courbe en pointillé représente la variation de l'intensité du souvenir à la suite d'un apprentissage peu prononcé; le souvenir n'atteint pas le critère de rappel. La courbe du centre donne l'intensité du souvenir après un apprentissage de force intermédiaire; le souvenir se situe au-dessus du seuil de rappel pendant un certain temps, puis tombe au-dessous de ce critère. La courbe du haut représente l'intensité du souvenir après un apprentissage très poussé. Divers tests de mémorisation peuvent déplacer le niveau du critère vers le haut ou vers le bas.

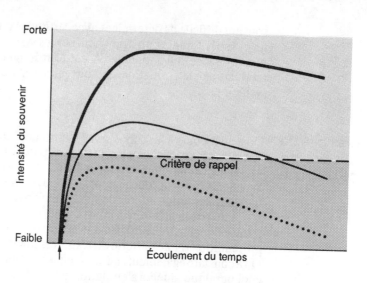

tissage ou d'effets plastiques présentent des périodes critiques, c'est-à-dire qu'ils ne se produisent au cours d'une vie que pendant des périodes relativement brèves. On a des exemples d'effets qu'il n'est possible de provoquer que durant une période critique dans l'empreinte et dans les changements de dominance oculaire survenant lorsqu'un œil est gardé fermé pendant plusieurs semaines. Kasamatsu et Pettigrew (1979) ont rapporté qu'il est possible, avec la noradrénaline, de moduler la prédisposition à subir des changements de dominance oculaire : en abaissant artificiellement le niveau de noradrénaline dans le cortex visuel, on a été incapable de provoquer un déplacement de dominance oculaire chez des chatons, comme on peut le faire dans des conditions normales. Par contre, une perfusion prolongée de noradrénaline dans le cortex visuel a produit un déplacement de dominance chez des chats adultes chez lesquels un tel déplacement ne pouvait être déclenché dans des conditions normales. Il s'est avéré difficile de reproduire de tels résultats jusqu'à ce que Bær et Singer (1985) aient montré que pour obtenir des effets constants, il faut manipuler la concentration d'acétylcholine aussi bien que celle de noradrénaline. Une technique capable d'accroître l'apprentissage et la plasticité du cerveau pourrait se prêter à plusieurs usages thérapeutiques. Il serait possible, par exemple, de recourir à des traitements pharmaceutiques pour corriger certaines formes de retard mental ou pour favoriser la récupération des fonctions après des lésions cérébrales.

Modulation de la formation des souvenirs par les opiacés

L'effet de modulation de formation des souvenirs exercé par les peptides opiacés a constitué, depuis la fin des années 1970, un champ de recherche actif. Plusieurs études (Jensen et coll., 1978) ont montré que l'administration de morphine immédiatement après un apprentissage nuisait à la rétention des réactions d'aversion. On constata ensuite que cet effet était commun à plusieurs peptides opiacés (Martinez et Rigter, 1980). Des observations de cette nature ont amené les chercheurs à se demander si ce n'était là que les simples effets de ces drogues ou si les opiacés endogènes entravaient également la rétention. La preuve que les peptides endogènes fonctionnent normalement de cette façon a été établie grâce à de nombreuses recherches démontrant que l'administration de naloxone après apprentissage, de même que celle d'autres substances antagonistes des opiacés, permet d'améliorer la rétention de l'apprentissage d'aversion (Messing et coll., 1979). La première interprétation donnée à ces résultats insistait sur le fait que les opiacés atténuent les réactions face aux stimuli d'aversion. C'est-à-dire que si une drogue rend un renforcement d'aversion moins douloureux ou moins désagréable, cet effet d'aversion serait alors peu

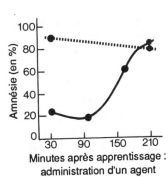

Figure 17.26 Effets de l'administration d'amphétamine, à divers intervalles après apprentissage, à des animaux rendus amnésiques par l'anisomycine. L'amphétamine donnée (courbe en trait plein) 30 ou 90 minutes après l'apprentissage s'est avérée efficace pour combattre les effets amnésiques de l'anisomycine, mais les injections faites après un intervalle plus long étaient moins ou pas du tout efficaces. L'administration de solution saline (courbe en pointillé) n'exerça aucun effet sur le niveau d'amnésie; cette mesure a servi de contrôle au procédé d'injection. On a utilisé 20 souris pour chaque point de mesure sur ces courbes. (D'après Bennett, Rosenzweig et Flood, 1979.)

susceptible de devenir associé à un autre stimulus. Des données récentes ont démontré toutefois que les effets des opiacés et des substances antagonistes ne se limitent pas à l'apprentissage par renforcement aversif. Certaines expériences ont permis de démontrer que les opiacés peuvent nuire à la rétention de renforcements appétitifs, comme la nourriture (Linden et Martinez, 1986), tout autant qu'à celle de renforcements aversifs. De plus, les substances antagonistes des opiacés peuvent améliorer la rétention des renforcements positifs (Gallagher, King et Young, 1983). Cela peut se produire même lorsque la substance antagoniste est administrée en périphérie sans affecter directement le cerveau. Les effets de ces agents ne se limitent pas aux situations associatives; l'habituation est également touchée. Izquierdo (1979) a trouvé, par exemple, que la morphine atténuait la rétention à long terme de l'habituation, alors que le naloxone accroissait la rétention de l'habituation. L'interprétation originale était donc trop restrictive puisque ces agents semblent influencer plusieurs sortes d'apprentissage. On examine actuellement la possibilité que les opiacés agissent sur la formation des souvenirs parce qu'ils peuvent inhiber la libération de deux neurotransmetteurs importants, la noradrénaline et l'acétylcholine. Gallagher (1985) présente une recension des faits qui appuient cette hypothèse.

Modulation de la formation des souvenirs par les hormones

Plusieurs hormones influencent également la formation des souvenirs, même lorsqu'elles sont administrées ailleurs que dans le cerveau (McGaugh, 1983). Ces hormones sont l'ACTH ou certaines fractions de la molécule ACTH, les peptides opiacés, la vasopressine et l'ocytocine ainsi que d'autres hormones ou substances similaires. Ces substances ne traversent pas la barrière hémato-encéphalique; de plus, on ne sait pas par quels mécanismes leur présence dans le corps exerce une influence sur la façon dont le cerveau procède à la formation des souvenirs. Certains de ces agents, l'ACTH et la vasopressine par exemple, sont susceptibles d'exercer, selon le dosage, des effets facilitateurs ou nocifs sur la mémoire. D'autres, par exemple l'ocytocine et les peptides opiacés que sont les encéphalines et les endorphines, semblent toujours engendrer de l'amnésie, quoique ce fait n'ait pas encore été prouvé de façon définitive. Izquierdo et ses collaborateurs (1982) laissent entendre que de telles hormones serviraient de mécanisme pour empêcher l'accumulation d'une quantité accablante d'information. Même s'il en était ainsi, ce ne serait là qu'une partie du tableau, car il existe également des hormones qui améliorent la rétention. Une représentation plus générale des faits consisterait à dire que les systèmes hormonaux modulent la formation des souvenirs, pour la favoriser ou pour lui nuire, et que certaines de ces hormones affectent la mémoire, même quand elles sont libérées ou administrées à l'extérieur du cerveau.

Mécanismes de modulation

L'existence d'influences modulatrices ne fait aucun doute, mais comment se produisent-elles ? Les modulateurs pourraient opérer de diverses façons et différentes catégories de modulateurs peuvent avoir des mécanismes d'action variés.

Il pourrait arriver que les agents stimulants ou dépresseurs qui exercent un effet modulateur sur la mémoire modifient les taux de synthèse des protéines directement ou encore que ces agents y parviennent en interaction avec l'anisomycine. Des tests directs ont écarté ces possibilités : les agents stimulants ou dépresseurs n'exercent qu'une faible influence sur la synthèse des protéines, que ce soit par eux-mêmes ou en combinaison avec l'anisomycine (Flood et coll., 1977).

Selon une autre hypothèse, les agents modulateurs modifieraient une rétroaction motivationnelle qui a peut-être de l'importance dans la formulation de souvenirs à long terme. C'est-à-dire qu'une petite fraction seulement de l'information qu'un individu capte et entrepose brièvement serait choisie pour stockage à long terme. Les stimuli ou les comportements qui finissent par avoir des conséquences motivationnelles importantes seraient plus susceptibles d'être conservés dans la mémoire à long terme.

Kety (1976) a fait remarquer que les catécholamines, la noradrénaline notamment, participent souvent à une telle rétroaction et il a proposé l'hypothèse que ces neurotransmetteurs puissent jouer ainsi un rôle de modulation particulière dans le stockage des souvenirs. Ce rôle pourrait inclure une rétroaction tant centrale que périphérique. Cette explication ne saurait rendre compte toutefois de tous les effets des opiacés sur la formation des souvenirs, mais elle pourrait être valable dans certains cas.

Selon une autre hypothèse, qui pourrait s'avérer très pertinente, le niveau d'activation qui suit une acquisition jouerait un rôle important dans la détermination de la durée et de la vitesse de la phase biosynthétique de la formation des souvenirs. Cette hypothèse concorde avec la constatation que les traitements qui agissent sur le niveau d'activation sont capables de changer la formation de souvenirs à long terme. L'utilisation de chocs électriques à la patte à fins d'apprentissage accroît, par exemple, le niveau d'activation tout en apportant de l'information sur les contingences du comportement; or, il est connu que ces chocs électriques entraînent ordinairement la formation de souvenirs durables. La stimulation électrique de la formation réticulée, à la suite d'essais d'apprentissage, peut également favoriser la production de souvenirs à long terme.

Les divers types de modulation font probablement appel à des mécanismes différents. Comme les effets de la modulation ont retenu l'attention de nombreux chercheurs et que des applications précieuses pourraient découler des découvertes, cet aspect des processus mnémoniques engendre beaucoup de recherches.

APPLICATIONS DE LA RECHERCHE SUR LES MÉCANISMES DE LA MÉMOIRE ET DE L'APPRENTISSAGE

De nombreux spécialistes croient que cette recherche pourrait avoir des conséquences aussi importantes que celles de la compréhension du code génétique. Comprendre le mode de codage et de stockage de l'information acquise dans le système nerveux mènera à une meilleure compréhension de la pensée et du comportement; de plus, ces nouvelles connaissances contribueront sans aucun doute à la conception de systèmes d'intelligence artificielle.

La description des phénomènes d'apprentissage et de mémoire devient plus précise et différencie des aspects auparavant ignorés ou confondus comme les habitudes et les souvenirs, l'apprentissage associatif et l'apprentissage non associatif, les stades divers de formation de souvenirs et les effets de déclenchement, d'identification et de rappel conscient. Malgré ces progrès, certains experts sont d'avis que les découvertes dans le domaine de la neurobiologie de l'apprentissage et de la mémoire se trouvent limitées en grande partie par le temps requis pour le développement de techniques et d'analyses adéquates du comportement.

Quelques exemples illustreront les domaines où cette recherche pourrait s'appliquer, applications qui ne sauraient tarder dans certains cas, alors que d'autres sont encore relativement éloignées.

Éducation

Dans la plupart des pays, l'éducation représente l'une des activités principales de la population, elle occupe une partie importante de la vie des enfants et de nombreux adultes. Beaucoup d'éducateurs comptent sur les spécialistes des sciences cognitives et des neurosciences pour en arriver à une meilleure compréhension des processus fondamentaux grâce auxquels on acquiert et retrouve les souvenirs et maîtrise les champs de connaissances; les ouvrages de Chall et Mirsky (1978), Wittrock (1977) et Friedman, Klivington et Peterson (1986) sont des exemples de cette recherche du savoir. Des études sur les difficultés particulières éprouvées par les dyslexiques dans l'apprentissage de la lecture se sont déjà avérées utiles. En effet, depuis le début des années 1960, les conceptions psychiatriques sur les causes des difficultés d'apprentissage de la lecture font progressivement place à des points de vue neurologiques et neuropsychologiques (Chall et Peterson, 1986). Aux États-unis, le gouvernement accorde une attention spéciale aux troubles neurologiques dans la sélection des enfants admis aux programmes spéciaux conçus pour ceux qui éprouvent des difficultés d'apprentissage. La plupart des écoliers dont l'apprentissage de la lecture est très laborieux rencontrent également des problèmes dans d'autres domaines scolaires : ils ne présentent pas de déficience d'ordre perceptif, mais la plupart d'entre eux ont des problèmes de mémoire à court terme (Kagan et Moore, 1981).

On a eu recours à plusieurs moyens pour améliorer l'apprentissage et la mémoire des élèves normaux. L'apprentissage et la mémorisation se trouvent facilités par des niveaux appropriés d'éveil et d'attention et on peut, grâce à des méthodes de modification du comportement, faire varier ces niveaux dans la situation scolaire. En Autriche, plusieurs écoles utilisent à ces fins un programme élaboré par un chercheur dont les travaux recouvrent le domaine de la psychophysiologie et celui de ses applications à l'éducation (Guttman, 1986).

Malgré leur désir d'accroître l'efficacité de l'éducation, les éducateurs et le public doivent craindre les fausses promesses des neurosciences. Malheureusement, comme les éducateurs Chall et Peterson (1986) le font remarquer, « de plus en plus d'articles de revues spécialisées et de publications populaires sur l'éducation ont tendance à faire de grandes promesses en ce qui concerne l'application de la recherche sur le cerveau à la résolution des problèmes scolaires, d'apprentissage des enfants et de la société » (p.300). Plusieurs de ces prétentions sont dues à la méconnaissance et à l'interprétation erronée des différences de fonctionnement des deux hémisphères du cerveau. Certains réclament, par exemple, une modification systématique des programmes, en prétendant que la plupart des écoles entretiennent des préjugés à l'égard de l'hémisphère droit ! (Voir le chapitre 18 sur ce point.)

La maladie d'Alzheimer : énigmes et progrès

La maladie d'Alzheimer (MA) fait un grand nombre de victimes. Même si ces dernières ne sont pas toutes des vieillards, la proportion des personnes atteintes augmente après l'âge de 65 ans. Comme la population des personnes âgées s'accroîtra au cours des prochaines décennies, on s'attend que les souffrances et les coûts découlant de cette maladie augmentent de façon considérable, à moins que des moyens efficaces de la combattre ne soient découverts.

Si nous parlons de la maladie d'Alzheimer dans ce chapitre, c'est que les premiers symptômes de ce mal sont habituellement des problèmes de mémoire. Des troubles du langage et de la perception peuvent également apparaître dès le début et, de toute façon, se manifestent presque invariablement au cours de la maladie. Actuellement, il n'existe pas de moyens sûrs de poser un diagnostic de MA avant le décès, sauf par une biopsie (prélèvement de petites quantités de tissu cérébral). La plupart des diagnostics de MA se font en utilisant des tests de conportement et en parvenant à exclure d'autres maladies qui peuvent donner des symptômes similaires. La démence sénile peut avoir des causes diverses, y compris des problèmes vasculaires cérébraux, la dépression et le SIDA. Des études récentes rapportent que le SIDA se présente souvent sous la forme d'un dysfonctionnement cognitif inexplicable ou d'une pathologie cérébrale (Kœnig et coll., 1986). Sans être infaillibles, les diagnostics de ce mal sont maintenant exacts la plupart du temps, ce que viennent confirmer l'observation et l'autopsie de certaines modifications structurales du cerveau. Le test *postmortem* concluant consiste en une observation de la présence d'enchevêtrements neurofibrillaires et de plaques séniles composées d'excroissances anormales des neurones (figure 4.25). Comme on ne saurait être certain du diagnostic avant la mort, on dit souvent des malades qu'ils souffrent de démence sénile de type Alzheimer (DSTA). Il est urgent de mieux préciser la nature des déficiences cognitives de la MA afin de pouvoir la distinguer des autres maladies et de permettre l'établissement de diagnostics plus concluants dès le début.

Les graves problèmes de santé publique résultant de la maladie d'Alzheimer sont à l'origine de beaucoup de recherches en clinique et en laboratoire. Comme c'est le cas de plusieurs autres problèmes de relations entre le cerveau et le comportement, il se poursuit un dialogue continu entre les spécialistes de la recherche clinique et ceux de la recherche fondamentale (y compris la recherche sur les modèles animaux). En plus du besoin évident de soulager et de prévenir la MA, il existe d'autres raisons de considérer ce problème ici :

- L'élaboration de thérapies efficaces pose un défi à notre compréhension des causes et des mécanismes de cette maladie et des déficiences cognitives qui la caractérisent; c'est-à-dire qu'une compréhension suffisante de la maladie devrait mener à la conception de thérapies efficaces; et le fait que les thérapies actuelles n'arrivent pas à produire un soulagement réel dénote un manque de compréhension.

- L'étude des relations entre les symptômes cognitifs et les insuffisances neurologiques peut faire progresser notre compréhension des systèmes neuronaux, qui rendent la connaissance normale possible.

Une bonne partie de la recherche actuelle sur la MA porte sur des modifications caractéristiques dans les systèmes de neurotransmetteurs. De toutes ces modifications, ce sont les déficiences du système cholinergique qui sont les plus évidentes et les plus constantes. Les cellules cholinergiques situées dans des régions de la base du cerveau antérieur poussent des axones qui se ramifient abondamment dans tout le cortex cérébral et l'hippocampe (figure 4.25). On suppose que ces cellules modulent l'activité de leurs neurones cibles. Dans le tissu cérébral de personnes atteintes de la MA, il existe une déficience marquée de la choline acétyltransférase (ChAt), enzyme importante pour la synthèse de l'acétylcholine. On croit que les plaques séniles qui servent à diagnostiquer la MA sont en grande partie constituées de terminaisons cholinergiques en dégénérescence.

Certaines personnes victimes de la maladie d'Alzheimer, notamment ceux dont les symptômes se manifestent avant l'âge de 65 ans, révèlent également des déficiences d'autres systèmes transmetteurs, y compris ceux qui utilisent les transmetteurs noradrénaline, dopamine, sérotonine, GABA et somatostatine. Mais les changements dans ces autres systèmes transmetteurs ne sont pas associés aussi constamment à la MA que le sont les modifications dans le système cholinergique; on rapporte qu'il existe une corrélation significative entre le degré de déficience dans le système cholinergique et la gravité des symptômes comportementaux, alors que les modifications dans les autres systèmes transmetteurs ne présentent pas de corrélation nette (Bowen, Francis et Palmer,1986).

Les constatations répétées de déficiences du système cholinergique dans la MA ont été à l'origine d'efforts variés pour améliorer l'activité cholinergique : accroître la quantité d'acétylcholine en fournissant des précurseurs, comme la choline ou la lécithine; stimuler les neurones cholinergiques avec des agonistes muscariniques ou ralentir la décomposition de l'Ach en inhibant l'enzyme cholinestérase (ChE). Dans plusieurs études, on a utilisé la physostigmine, inhibiteur réversible de la ChE. Quelques expérimentateurs rapportent que cette drogue améliore le comportement de certains sujets DSTA, mais pas celui de tous (Mohs et coll., 1985; Thal et coll., 1983). En dépit de plusieurs rapports positifs, il est évident qu'aucune de ces théories cholinergiques ne s'est avérée utile à la plupart des sujets DSTA. Ces résultats font contraste avec l'efficacité du L-Dopa, pour la majorité des victimes de la maladie de Parkinson, et la grande efficacité des neuroleptiques contre la schizophrénie.

On a invoqué plusieurs raisons pour expliquer l'échec des thérapies cholinergiques chez la plupart des victimes DSTA; ce sont en fait des exemples de différence individuelle de sensibilité vis-à-vis des drogues (chapitre 6) :

- Il se peut que le système nerveux central de certains individus n'absorbe pas efficacement certaines drogues cholinergiques. On a cherché, dans une étude récente, à évaluer si l'administration orale de physostigmine inhibe réellement la cholinestérase chez les sujets DSTA; on a mesuré l'activité ChE dans le liquide céphalo-rachidien (Thal et coll., 1983). L'efficacité de la physostigmine dans l'inhibition des concentrations de ChE des sujets était étroitement associée à l'amélioration de leurs scores aux tests de mémoire. Les sujets qui ne manifestaient pas d'amélioration du comportement ne donnaient pas non plus de signes que la drogue parvenait jusqu'à leur système nerveux central. Il se pourrait que des dosages plus élevés, l'adoption d'une voie plus efficace d'administration ou l'utilisation d'un agent anticholinestérase différent aident de tels sujets.

- Il est possible que certains sujets DSTA aient déjà subi des pertes si considérables de cellules cholinergiques qu'il en résulte une faible production d'Ach susceptible d'être énergisée par des agents anticholinestérase. Cette situation serait peut-être semblable à celle des cas plus avancés de la maladie de Parkinson, où l'efficacité du L-Dopa se trouve réduite.

- Le fait que d'autres systèmes neurotransmetteurs soient également déficients chez certaines personnes atteintes de MA permet de supposer que des traitements combinés mettant en cause deux systèmes transmetteurs ou plus pourraient s'avérer plus efficaces qu'une thérapie s'adressant au seul système cholinergique.

Le problème peut être abordé d'une façon encore plus générale en faisant l'hypothèse que l'absence de facteurs de croissance nerveuses spécifiques (FCN) aboutit à la dégénérescence de populations spécifiques de neurones (Appel, 1981). Ainsi l'absence d'un FCN entraînerait la perte de cellules cholinergiques du cerveau antérieur, perte caractéristique de la MA; l'absence d'un autre FCN conduirait à la perte de neurones moteurs pyramidaux, perte à la base de la sclérose amyotrophique latérale. Plusieurs observations viennent appuyer cette hypothèse sur les causes de la MA et on a élaboré un programme de recherche pour continuer à la vérifier (Hefti et Weiner, 1986). Si elle s'avérait valide, elle pourrait mener à une thérapie qui favoriserait la survie des neurones cholinergiques qui dégénèrent dans la MA. Un traitement préventif pourrait empêcher l'apparition de la MA; par ailleurs, une intervention auprès des personnes légèrement affectées pourrait arrêter le processus de dégénérescence des neurones et la détérioration progressive du comportement qui l'accompagne.

Il se peut que la combinaison d'une thérapie du comportement et d'un traitement pharmaceutique s'avère utile. Cette hypothèse ressort de certaines études dans lesquelles on a administré à des sujets DSTA des tests de comportement répétitifs pendant qu'on essayait différents dosages de drogues. La répétition des tests a paru bénéfique chez une majorité des sujets. Il est possible que les interactions sociales associées à l'administration des tests aient stimulé des sujets dont les déficiences cognitives avaient fini par amener les préposés aux soins à les négliger. L'association de la stimulation comportementale et de la thérapie pharmaceutique pourrait s'avérer particulièrement bénéfique.

Il pourrait être important de distinguer habitudes et souvenirs pour préciser les déficits cognitifs spécifiques de la MA. On a démontré récemment qu'un groupe de sujets DSTA pouvait, comme les sujets de contrôle, acquérir une habitude (se souvenir de la façon de procéder); ils ont été capables de comprendre et de retenir l'habitude perceptivomotrice requise pour suivre de la main une cible mobile.

Toutefois, ces mêmes sujets étaient significativement moins efficaces que les sujets de contrôle dans la rétention de souvenirs représentatifs (connaissance déclaratoire) de mots ou de visages (Eslinger et Damasio, 1986). Ces chercheurs ont supposé que la rétention de la capacité d'acquérir des habitudes est liée au fait que les changements dégénératifs de la MA épargnent en grande partie des structures comme le cervelet, les noyaux gris centraux, le thalamus, les aires motrices et prémotrices du cortex, les aires sensorielles du cortex et les voies associées. Par contre, la détérioration de la capacité de former des souvenirs représentatifs pourrait être liée aux lésions cellulaires de la MA qui se rencontrent notamment dans l'hippocampe et dans le cortex se trouvant à l'extérieur des régions motrices et sensorielles primaires.

Un obstacle majeur à l'étude de la maladie d'Alzheimer est l'absence d'un modèle animal de cette maladie. Des chercheurs ont néanmoins fait état récemment de progrès substantiels en ce sens, comme le démontrent les exemples suivants. Chez les singes, des lésions affectant les centres cholinergiques de la base du cerveau antérieur produisent des déficits de mémoire significatifs (Aigner et coll., 1984). On a démontré chez le rat que des lésions dans le noyau basal de Meynert produisent une réduction de la ChAt dans le cortex cérébral, de même que des modifications du comportement, dont la persévération ainsi que des déficiences dans la formation des souvenirs (Simon, Mayo et Le Moal, 1985). On a confirmé l'existence de certains déficits de mémoire chez des rats âgés en greffant dans l'hippocampe des suspensions de cellules nerveuses cholinergiques provenant de cerveaux de fœtus de rats (Gage et Bjorklund, 1986). La destruction d'une voie nerveuse entre le septum et l'hippocampe entraîne, chez le rat adulte, la perte de plusieurs cellules cholinergiques du septum, mais l'infusion de FNC dans les ventricules cérébraux protège la plupart de ces neurones (Hefti et Weiner, 1986). On peut donc supposer que les cellules cibles de l'hippocampe fournissent ordinairement le FNC aux cellules du septum qui les innerve et que le FNC se déplace le long des axones des neurones septaux par transmission rétrograde. La création de modèles animaux pour la maladie d'Alzheimer constitue peut-être une étape cruciale dans la compréhension de cette maladie terrible et dans la formulation de thérapies efficaces et de mesures préventives pour la combattre (Bowen, Francis et Palmer, 1986).

Résumé

1. On sait que le processus d'apprentissage et de mémorisation entraîne des modifications dans le nombre et la dimension des points de contact synaptiques et dans la ramification des dendrites.

2. Il existe deux sortes d'apprentissage non associatifs : l'habituation et la sensibilisation.

3. L'habituation à long terme entraîne la réduction du nombre et de la dimension des contacts synaptiques. La sensibilisation donne lieu à une libération plus abondante de transmetteurs et à l'accroissement des PPSE. La sensibilisation à long terme produit une augmentation de la dimension des points de contacts synaptiques.

4. Le conditionnement entraîne des changements dans les mêmes sortes de voies ioniques que la sensibilisation. On a utilisé des techniques génétiques pour étudier les mécanismes de conditionnement chez la drosophile, *Drosophila melanogaster*. Les mutants qui présentent des difficultés d'apprentissage et de mémorisation ont des dé-

ficits biochimiques associés à des étapes qui semblent jouer dans le système de l'aplysie.

5. La recherche sur le conditionnement provoqué de l'accélération du cœur, sur des pigeons, par des chocs électriques à la patte a permis de retracer les voies nerveuses participant à ce conditionnement. Au début, les neurones en cause se montrent sensibles au SI ainsi qu'au SC et l'information mnémonique se trouve distribuée le long des voies qui soutiennent le conditionnement.

6. Chez le lapin, le conditionnement du réflexe palpébral dépend essentiellement du cervelet ipsilatéral; il se peut également que l'hippocampe facilite l'acquisition de cette réponse. Les cellules du cervelet ne donnent que peu de réactions initiales au SI ou au SC et, dans ce système, le stockage des souvenirs se fait plutôt dans des sites précis qu'à travers tout le système.

7. Chez les poussins, la formation d'empreintes dépend de régions cérébrales précises. Elle entraîne des changements neurochimiques et synaptiques à l'intérieur de ces régions.

8. La mobilisation énergétique à long terme de réponses nerveuses résultant de brèves stimulations à haute fréquence peut s'étudier chez un animal intact ou encore sur des coupes de tissu cérébral isolé. Ce phénomène peut être un élément d'autres types d'apprentissage ou en constituer un modèle.

9. Beaucoup de faits viennent appuyer l'hypothèse selon laquelle la MLT dépendrait de la synthèse des protéines durant la période qui suit l'apprentissage : l'apprentissage provoquerait une intensification de la synthèse des protéines dans certaines régions cérébrales; le blocage de cette synthèse empêcherait la formation de MLT, tout en ne nuisant pas à l'apprentissage lui-même ni à la formation de MCT ou de MMT.

10. La formation de souvenirs à court et à moyen termes peut dépendre de deux sortes de surpolarisation de neurones différents. Diverses drogues qui agissent sur ces mécanismes sont capables d'empêcher la formation de souvenirs de l'une ou de l'autre durée. Ces stades sont apparemment en liaison séquentielle, si bien que l'échec à un stade donné entraîne l'échec des phases mnémoniques subséquentes.

11. La formation de souvenirs peut subir la modulation (facilitation ou inhibition) déclenchée par une variété d'agents, y compris les stimulants, les dépresseurs, certains neurotransmetteurs, les peptides opiacés, les hormones et la stimulation sensorielle.

12. La diversité des données recueillies jusqu'à maintenant permet de supposer qu'un bon nombre de structures et de mécanismes nerveux interviennent dans l'apprentissage et la mémoire. On peut identifier des circuits cérébraux et des mécanismes nerveux différents pour des aspects aussi différents que les habitudes et le souvenir, l'apprentissage associatif et l'apprentissage non associatif, et les divers stades de formation des souvenirs.

13. Beaucoup de chercheurs croient que la recherche sur l'apprentissage et la mémoire fait actuellement une percée prometteuse d'applications en éducation, de possibilités de contrer les effets du vieillissement normal et d'améliorer l'apprentissage et la mémoire ou d'en empêcher l'évolution pathologique.

Lectures recommandées

Alkon, D. (1988). *Memory Traces in the Brain.* New York : Cambridge University Press.

Lynch, G., McGaugh, J.H. et Weinberger, N.M. (éds). (1984). *Neurobiology of Learning and Memory.* New York : Guilford Press.

Martinez, J.L. et Kesner, R.P. (éds). (1986). *Learning and Memory : a Biological View.* Orlando, Floride : Academic Press.

Matthies, H (éd). (1986). *Advances in the Biosciences.* Vol. 59 : *Learning and Memory : Mechanisms of Information Storage in the Nervous System.* New York : Pergamon.

Squire, L.R. (1987). *Memory and Brain.* New York : Oxford University Press.

Squire, L.R. et Butters, N. (éds). (1984). *Neuropsychology of Memory.* New York : Guilford Press.

Weinberger, N.W., Mc Gaugh, J.L. et Lynch, G. (éds). (1985). *Memory Systems of the Brain.* New York : Guilford Press.

Will, B.E., Schmitt, P. et Dalrymple-Alford, J.C. (éds). (1985). *Advances in Behavioral Biology* : Vol. 28. *Brain Plasticity, Learning and Memory,* New York : Plenum.

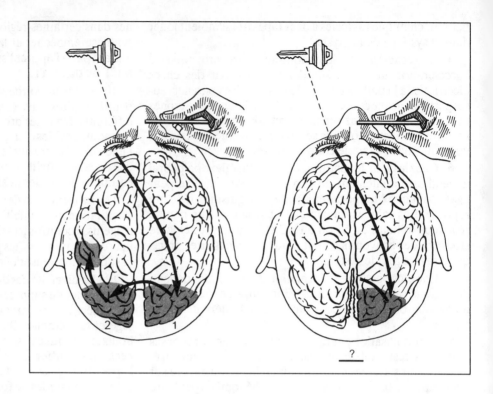

18 Langage et cognition

ORIENTATION

La consultation d'une liste des derniers succès de librairie révèle rapidement que seuls les êtres humains écrivent des livres, même s'il arrive parfois que des chimpanzés jouent au peintre et que des rats mangent des livres ! De telles observations et plusieurs autres méthodes de mesure permettent de conclure que la vie mentale de l'être humain est différente de celle des autres représentants du monde animal. Pourtant, on a à peine identifié jusqu'à présent les assises biologiques des capacités cognitives complexes de l'Homme, telles celles du langage.

Chez l'être humain, des indices sur les opérations du cerveau qui interviendraient dans le processus de cognition nous sont fournis par l'étude effectuée sur des individus souffrant de troubles cérébraux, notamment de perturbations résultant des crises épileptiques, ainsi que de l'étude des différences observées dans le fonctionnement des deux hémisphères cérébraux, chez les individus normaux. On a pu montrer que des régions spécifiques du cerveau se trouvent associées à des catégories de perturbations cognitives particulières. Ce phénomène est particulièrement manifeste dans le cas des lésions qui affectent le langage.

Vers la fin du XIXe siècle, le neurologue Paul Broca a découvert que les lésions de l'hémisphère gauche perturbent la parole et le langage. Cent ans plus tard, des études sur des êtres humains de tous âges ont apporté des idées intéressantes sur l'organisation du cerveau et sur le processus de cognition. On peut facilement, à partir de simples observations sur la dominance manuelle, constater l'asymétrie des mécanismes cérébraux. Environ 5 à 10 % seulement des gens sont gauchers. Ce fait signifierait-il que la relation fonctionnelle entre les hémisphères cérébraux serait, chez ces individus, différente de celle qui caractérise la majorité ? De nombreux chercheurs ont obtenu, en observant des fonctions complexes chez l'être humain normal, des résultats qui dénotent une large gamme de différences hémisphériques en ce qui concerne les fonctions cognitives. Cet ensemble de données expérimentales a permis d'élaborer de nombreuses spéculations. Plusieurs différences ont été attribuées aux hémisphères cérébraux; on a ainsi énoncé l'idée que les modes de pensée fondamentaux de ces hémisphères seraient différents (tableau 18.1). Ces théories ont alerté l'opinion publique car certains auteurs, enclins à la spéculation, ont laissé entendre que les pratiques éducatives courantes ne tiendraient pas compte des différences intrinsèques entre les hémisphères cérébraux. Il y a donc risque de voir se manifester éventuellement des spécialistes dont les conseils en éducation viseraient distinctement chacun des deux hémisphères. Certains ont même prétendu qu'un même cerveau pourrait supporter deux formes de conscience qui rivaliseraient l'une avec l'autre pour le contrôle du comportement.

Ce chapitre sera consacré à la recherche d'indices sur les structures et processus cérébraux intervenant dans la vie mentale des êtres humains. De plus, nous examine-

Tableau 18.1 Modes cognitifs proposés pour les deux hémisphères cérébraux.

Hémisphère gauche	Hémisphère droit
Verbal	Non verbal
Séquentiel	Holistique
Analytique	Synthétique
Propositionnel	Gestalt
Analyse temporelle en intervalles distincts	Perception de formes
Langage	Espace

rons les conjectures, intuitions et faits variés tirés de l'étude des victimes de lésions cérébrales et de celle de la spécialisation hémisphérique chez les êtres humains normaux. De toute évidence, beaucoup de questions encore plus simples sur le cerveau et le comportement n'ont pas encore reçu de réponses satisfaisantes. Il est donc difficile de proposer plus qu'un simple début de compréhension de ces aspects distinctifs de la vie humaine que sont les capacités de produire un langage et une pensée complexes.

Malgré le fait que les lésions cérébrales puissent entraîner des pertes considérables, plusieurs observations permettent des espoirs. Dans bien des cas, le comportement redevient normal à la suite d'attaques ou de traumatismes. Dans les cas les plus spectaculaires, mettant en cause un enfant, le comportement est parfois presque complètement restauré, malgré une lésion ou l'absence d'une grande partie du cerveau. À la fin de ce chapitre, quelques suggestions permettront d'entrevoir comment le recouvrement des fonctions pourrait s'opérer chez les victimes de lésions cérébrales.

PERSPECTIVES ÉVOLUTIVES ET COMPARATIVES DE LA PAROLE ET DU LANGAGE

Il existe, à travers le monde, 5 000 à 10 000 langues parlées différentes et un très grand nombre de dialectes régionaux. Tous ces langages ont des éléments fondamentaux qui se ressemblent, chacun étant composé d'un ensemble de sons et de symboles à significations distinctes. Ces éléments sont disposés selon des ordres précis obéissant aux règles caractéristiques de chacun de ces langages. Tout individu qui connaît les sons, les symboles et les règles d'une langue particulière peut créer des phrases pour transmettre de l'information à ceux qui partagent ces mêmes connaissances. L'étude de l'acquisition du langage révèle une régularité remarquable dans la façon dont le langage s'est formé dans pratiquement toutes les sociétés humaines. La capacité fondamentale de créer un langage semble inhérente à la structure biologique du cerveau humain.

Les érudits ont énoncé plusieurs hypothèses, au cours des siècles, sur les origines du langage, mais les faits sur lesquels s'appuyer en ce domaine sont rares. Les documents les plus anciens dont dispose le chercheur contemporain ne remontent qu'à 6 000 ans environ. L'absence de données antérieures à cette époque a entretenu une aura de mystère et encouragé l'invention d'histoires fantaisistes sur les débuts du langage, si bien qu'il y a plus de cent ans déjà, l'Académie française interdisait la spéculation sur les origines du langage, la considérant comme purement stérile et échappant à toute vérification. Pourtant, certaines vieilles notions ont une vitalité qui conduit à leur reformulation perpétuelle.

Une de ces idées anciennes qui vient de connaître un regain de vigueur prétend que la parole et le langage se sont formés à partir des gestes, surtout ceux qui mettent en cause les mouvements du visage. Même aujourd'hui, il est courant de parler tout en faisant des gestes. En 1973, l'anthropologue Gordon Hewes a émis l'hypothèse que, très tôt dans l'histoire de l'espèce humaine, les gestes furent soumis à un contrôle volontaire et qu'ils sont devenus un mode facile de communication avant même l'émergence de la parole. Les mouvements de la langue et de la bouche auraient peut-être alors lentement remplacé les mouvements plus grossiers du corps. Avec le temps, les sons associés à de tels mouvements de la bouche et de la langue pourraient avoir constitué les fondements de la parole. D'autres chercheurs font observer que la femme et l'homme primitifs vivaient au milieu des sons de la nature, sons qu'ils auraient peut-être tenté d'imiter. Les sons créés par le vent (tel le frémissement des feuilles dans un arbre) ou encore les vocalisations des autres animaux font toujours partie de notre entourage. L'imitation de ces sons par l'être humain pourrait avoir été à l'origine de la communication vocale qui, avec le temps, se serait transformée en langage.

Le comportement vocal des animaux

Les animaux produisent beaucoup de sons différents dont les gazouillements, les aboiements, les miaulements et les chants divers. De nombreux mammifères, surtout les primates, ont un vaste répertoire de vocalisations propres à l'espèce qui semblent se rapporter à des situations distinctes et significatives pour la promotion du comportement d'adaptation. Beaucoup de ces sons se rapportent au comportement de reproduction, notamment les cris qui servent à séparer les espèces ou à appeler à l'accouplement. D'autres vocalisations préviennent les bandes d'animaux de dangers imminents. Se pourrait-il que le comportement verbal des animaux inférieurs soit intimement associé à l'histoire biologique de la parole et du langage des êtres humains ? Y a-t-il des attributs du comportement vocal des animaux qui soient apparentés à la parole humaine ? Pour étudier ces questions, il faut considérer les chants des oiseaux et les sons produits par les autres animaux.

Le chant des oiseaux

Beaucoup des sons produits par les oiseaux sont mélodieux et présentent certaines analogies fascinantes avec la parole humaine. La complexité du chant des oiseaux est très variable; certains chants ne sont que la répétition d'une unité fondamentale simple, alors que d'autres sont beaucoup plus structurés (figure 18.1). Les modulations complexes de certains chants d'oiseaux semblent corroborer l'hypothèse d'une relation possible avec la parole humaine. On tente d'établir des parallèles avec la parole et le langage des êtres humains en termes de l'importance des premières expériences et de la similitude des mécanismes nerveux contrôlant la production des sons chez l'oiseau et chez l'Homme. Il faut bien noter qu'aucun chercheur ne croit que, en termes évolutifs, le chant des oiseaux constitue un précurseur de la parole humaine. On espère plutôt y trouver une analogie

Figure 18.1 Enregistrement du chant de trois espèces d'oiseaux. Dans chaque cas, le tracé supérieur donne le modèle sonore exact détecté par un microphone. Le tracé inférieur montre le même modèle analysé grâce à un spectrographe du son qui révèle la quantité d'énergie momentanée des différentes fréquences sonores. Ces trois exemples donnent une idée de la variation de la complexité des chants d'oiseaux. (Tiré de Greenewalt, 1968.)

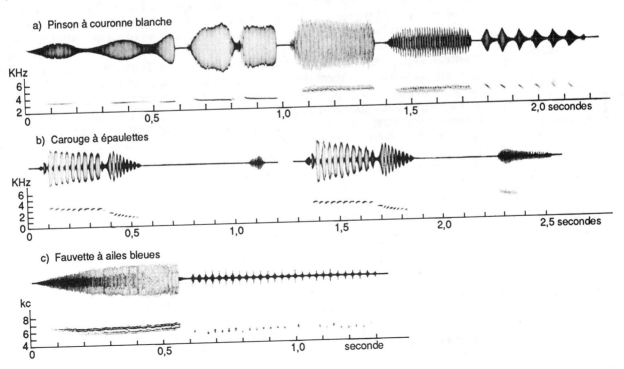

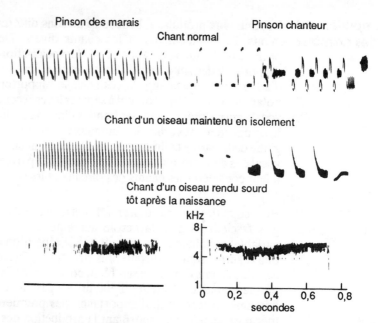

Figure 18.2 Conséquences de l'isolement et de la surdité précoces sur les caractéristiques du chant typique de deux espèces de pinsons. En haut : tracé typique du chant d'un adulte; au centre : chants de mâles élevés à l'écart; en bas : chants d'oiseaux devenus sourds après la naissance. (Marler, 1981.)

intéressante qui pourrait être utile comme formule expérimentale. Le fait de rendre certains oiseaux sourds, peu de temps après leur naissance, ou de les élever à l'écart des autres n'a pas d'influence sur leur comportement vocal. Par exemple, ni la surdité ni le fait d'être élevé par une autre espèce ne vient modifier les vocalisations des pigeons ramiers (Nottebohm, 1987). Les canards devenus sourds peuvent apprendre les chants de l'espèce même si quelques sons inhabituels s'introduisent dans leur répertoire.

Par contre, comme chez l'Homme, certains oiseaux ont besoin d'entendre les chants de leurs semblables pour adopter les chants caractéristiques de leur espèce. Ces oiseaux, par exemple le pinson à couronne blanche, le pinson vulgaire et le cardinal, adoptent des chants plutôt anormaux lorsqu'on les rend sourds avant le stade de maturation, soit au moment où le chant apparaît habituellement (figure 18.2). Élevés en isolement acoustique, les oiseaux chanteurs mâles n'apprennent pas à chanter normalement. Toutefois, si ces oiseaux tenus à l'écart des autres entendent des enregistrements de vocalisations typiques de l'espèce, pendant une période critique de leur croissance, ils apprennent des chants normaux; cependant, si cette exposition à des enregistrements de chants arrive plus tard dans la vie, le chant que l'oiseau produit est anormal. Quand les enregistrements sont ceux de chants synthétiques, composés de notes appartenant les unes à la même espèce, les autres à une autre espèce, l'oiseau n'imite que le chant de sa propre espèce (Marler et Peters, 1981). Il existe une préférence innée pour le chant de sa propre espèce.

Certains oiseaux ont un répertoire de chants plus important que d'autres. Les recherches ont démontré que la dimension des régions du cerveau qui servent au contrôle du chant est plus importante chez les individus dont le chant comporte un plus grand nombre de syllabes (Nottebohm et coll., 1981). De plus, des comparaisons entre espèces d'oiseaux chanteurs révèlent que les répertoires de chants plus vastes sont associés à des régions plus volumineuses de contrôle cérébral (Brenowitz et Arnold, 1986).

Comportement vocal des primates

Les cris d'appel produits par les primates, l'être humain excepté, ont fait l'objet d'analyses poussées, aussi bien dans les études sur le terrain que dans celles réalisées en laboratoire. À Munich, Ploog et ses collaborateurs (1981) ont étudié le comportement vocal des sagouins, dressant la liste des cris qu'ils produisent et celle des propriétés de communication que possèdent ces sons dans un contexte social. Leurs cris comprennent le hurlement, le nasillement, le gazouillis, le grognement et le jacassement. Plusieurs de ces sons peuvent franchir une certaine distance dans la forêt et transmettre des signaux d'alerte, des revendications de territoire et d'autres messages émotifs. La stimulation électrique directe de certaines régions du cerveau du sagouin peut provoquer l'émission de certains cris, mais la stimulation du cortex cérébral ne parvient généralement pas à engendrer un comportement vocal. Les régions cérébrales dont la stimulation donne lieu à des vocalisations semblent participer également à des comportements de défense, d'attaque, d'alimentation et d'activité sexuelle. Ces régions comprennent des sites du lobe limbique et des structures qui lui sont apparentées. D'autres chercheurs ont pu démontrer que l'ablation de parties du cortex cérébral des primates n'avaient que peu d'effet sur les vocalisations, alors que les mêmes interventions chez l'être humain étaient capables d'affecter le langage de façon spectaculaire. De toute évidence, la parole humaine nécessite l'intervention du cortex, ce qui n'est pas le cas pour les cris de l'animal.

Les différences entre ces vocalisations des primates et la parole humaine sont nombreuses. Dans la plupart des cas, les cris des animaux semblent provoqués par des stimuli émotifs et sont associés à des situations précises. De plus, le nombre de sons distincts produits par un primate, même le plus prolixe, est fort limité.

Un nouvel examen du comportement vocal des primates a mis en évidence une diversité qui n'avait pas été soulignée dans les études antérieures; ces travaux avaient plutôt insisté sur les différences entre le comportement verbal des primates et celui de l'être humain. Seyfarth et Cheney (1984) ont observé une population de vervets (singes verts). Au cours d'études antérieures sur le terrain, Struhsaker (1967) avait remarqué que ces animaux émettent des signaux d'alerte qui sonnent différemment selon qu'il s'agit de léopards, d'aigles ou de serpents, signaux qui engendrent des réactions d'adaptation différentes de la part des autres vervets. Par exemple, un signal d'alerte pour indiquer la présence d'un léopard amène les autres singes à grimper dans les arbres, alors qu'un cri d'alerte pour signaler la présence d'un aigle les incite à regarder vers le ciel. Grâce à des enregistrements magnétoscopiques de ces cris d'alarme, Seyfarth et Cheney ont prouvé que ces divers signaux ont des conséquences différentes sur le comportement et ils ont proposé un parallèle avec la parole humaine. Ces chercheurs ont également enregistré les cris que plusieurs espèces de singes émettent dans des circonstances sociales plus décontractées. L'être humain qui écoute ces cris peut fort bien être insensible à de petites différences que peuvent distinguer les membres de la même espèce. Des expériences de discrimination ont montré que les membres d'une même espèce semblent prédisposés à subdiviser un continuum de sons en catégories particulières et caractéristiques de l'espèce. En outre, les individus de chaque espèce sont dotés de latéralisations cérébrales leur permettant de traiter le comportement vocal propre à leur espèce, mais ne leur permettant pas d'analyser les sons caractéristiques des autres espèces.

Les fossiles et le langage   Sur le plan de l'évolution, la capacité de produire des sons tient une place particulière dans l'étude du langage. L'utilisation du son à fins de communication comporte souvent des avantages sur l'utilisation d'autres modes sensoriels. Un son permet, par exemple, aux animaux de communiquer la nuit ou en d'autres situations où ils ne peuvent se voir les uns les autres. Le développement de la communication orale représente nettement une valeur de survie. Évidemment, les sons ne se fossilisent pas. Toutefois, les parties du crâne associées aux sons produits par l'animal ont été fossilisées et peuvent ainsi fournir des indices sur l'origine du langage.

S'appuyant sur ses études de la forme et de la longueur probables des organes vocaux de divers spécimens anciens de l'humanité, Lieberman (1979) a émis l'hypothèse que la capacité de production de la parole de l'*homo sapiens* pouvait ne remonter qu'à 50 000 ans. À peu près à cette époque, l'appareil vocal de l'être humain aurait pris des dimensions et adopté une forme capable d'émettre des signaux propres à une communication complexe. Selon Lieberman, l'amélioration de la forme et de la dimension de l'organe vocal permettait la production de certains sons de voyelles comme le *i* et le *u* de la langue anglaise. La capacité de produire ces sons a évolué avec la formation de détecteurs perceptifs particulièrement sensibles à de tels sons. De plus, Lieberman soutient que l'appareil vocal du nouveau-né humain et de celui des primates comme le singe révèle des formes qui ne peuvent assurer la production de tous les sons nécessaires à la parole. Ces spéculations sont fascinantes mais n'en ont pas moins été soumises à des critiques sévères. Certaines de ces critiques portent sur la reconstruction que l'on fait de l'appareil vocal; la remise en place du larynx, à partir d'un nombre d'os fort limité, est un exercice fort spéculatif et peu précis. En outre, même si une telle adaptation offre la possibilité d'un répertoire sonore plus riche, Wang (1982) fait remarquer que les langues du monde varient énormément quant au nombre et à la complexité des sons. Il note que les langages humains exploitent rarement toutes les ressources de production sonore qui leur sont accessibles, compte tenu de la structure de l'appareil de phonation. Au cours de l'évolution du langage, la descente du larynx peut avoir facilité les choses, mais cette adaptation n'était peut-être pas nécessaire à l'émergence du langage.

Les aspects neurologiques du contrôle vocal de certains oiseaux offrent des similitudes frappantes avec celles du contrôle de la phonation, chez l'être humain. Chez les oiseaux, le syrinx est l'organe responsable de la production des sons. Des muscles adjacents, innervés par les branches gauche et droite de l'hypoglosse (nerf crânien contrôlant la musculature du cou), produisent des modifications dans les membranes du syrinx. Une section de l'hypoglosse entraîne des conséquences très différentes sur le chant selon que la section affecte la branche gauche ou la branche droite de ce nerf. La section de la branche droite n'entraîne pratiquement aucun changement dans le chant. Par contre, une section de la branche gauche a pour effet de rendre l'oiseau silencieux, celui-ci ressemblant alors à l'un de ces acteurs du cinéma muet (Nottebohm, 1987). Tous les mouvements corporels sont réalisés adéquatement, mais aucun son n'est émis. Cette constatation dénote une dominance gauche des mécanismes du contrôle vocal de ces oiseaux.

La dominance périphérique répond à des différences des hémisphères cérébraux. Des chercheurs ont cartographié les centres de contrôle vocal du cerveau du canari (figure 18.3). Nottebohm (1980) a montré que les lésions de régions de contrôle vocal de l'hémisphère gauche nuisent considérablement à la production du chant habituel; les chants de ces oiseaux deviennent instables et monotones. Par contre, des lésions de structures comparables dans l'hémisphère droit ne donnent que des changements minimes. Les conséquences des lésions cérébrales révèlent un parallélisme intéressant avec le langage de l'être humain : les animaux souffrant de lésions de l'hémisphère gauche récupèrent certains éléments de leur répertoire de chants, 7 mois après les lésions, et ce à mesure que l'hémisphère droit assume cette fonction.

On a formulé des réserves quant à l'analogie entre ce phénomène et le contrôle de la parole humaine (Konishi, 1985). On a notamment considéré la possibilité que la latéralisation fasse intervenir des facteurs périphériques chez ces animaux. En effet, un examen de la musculature du syrinx révèle que le côté gauche est plus volumineux que le côté droit. Par ailleurs, les études de l'asymétrie des hémisphères cérébraux, en ce qui concerne la dimension des noyaux de contrôle vocal, ne font apparaître qu'une légère différence du noyau du nerf hypoglosse, les autres aires de contrôle vocal ne révélant aucune différence notable. Cette absence de différence gauche-droite dans le cerveau se reflète également dans la similitude des enregistrements électriques durant la production du chant.

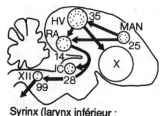

Syrinx (larynx inférieur : organe de la phonation)

Figure 18.3 Centres de contrôle vocal du cerveau de l'oiseau chanteur mâle. (HV, hyperstrié ventral; IC, noyau intercolliculaire; MAN, noyau magnocellulaire du néostrié antérieur; RA, noyau robustus de l'archistrié; X, aire X du locus parolfactorium; XII, noyau du XIIe nerf crânien.) (Tiré de Arnold, 1980.)

Apprentissage du langage par les primates

Nombreux sont ceux qui ont essayé, au cours de l'histoire de l'humanité, d'apprendre aux animaux à parler. Une certaine communication avait pu être établie, dans la plupart des cas, plutôt parce que la personne avait appris à miauler, à grogner ou à aboyer que parce que l'animal avait appris à reproduire les sons de la parole humaine. Beaucoup de ces efforts ont permis de conclure que pour parler comme un être humain, l'animal doit disposer d'un appareil vocal semblable à celui de l'être humain.

Étant donné que les mécanismes de phonation ainsi que les répertoires sonores fondamentaux des primates contemporains sont différents de ceux de l'être humain, les scientifiques ne tentent plus d'entraîner les animaux à reproduire la parole humaine. Ils se sont plutôt demandés si les primates pouvaient apprendre d'autres formes de communication à caractéristiques semblables à celles du langage humain, y compris la capacité de se représenter des objets par des symboles et de manipuler ces symboles selon des règles ordonnées. Un des objectifs particulièrement importants de telles études est de déterminer si d'autres animaux que l'être humain seraient capables de combiner des séries originales de symboles de façon à produire une phrase nouvelle.

Dans leurs travaux, Allen et Beatrice Gardner (1969, 1984) ont utilisé une autre tactique : en effet, ils ont réussi à entraîner des chimpanzés à apprendre certains signes du langage gestuel utilisé par les sourds-muets. Leurs animaux ont appris de nombreux signes et semblent capables de les utiliser spontanément et de comparer de nouvelles séquences avec ces signes.

David Premack (1972) a eu recours à une autre méthode. Il a appris à des chimpanzés un système basé sur un assortiment de jetons colorés (symboles) qu'on place sur un tableau magnétique. Après un entraînement prolongé, les chimpanzés sont capables de manipuler ces jetons d'une façon qui reflète probablement l'acquisition d'une aptitude à construire de courtes phrases et à identifier diverses classificiations logiques.

Au Yerkes Primate Center (centre d'études sur les primates), le projet Lana avait pour objectif d'apprendre le *Yerkish* à un chimpanzé (Rumbaugh, 1977). Le Yerkish est un langage d'ordinateur où les diverses touches d'une console représentent des mots. Les singes ont assez de facilité à acquérir des mots de ce langage et semblent capables de les rattacher pour former des chaînes nouvelles, significatives.

Ainsi, même si les primates (du moins ceux qui sont aussi intelligents que le chimpanzé) ne sont pas dotés d'un système vocal propre au langage, ils semblent néanmoins capables d'apprendre au moins certains éléments de langage. Les études neurologiques de tels animaux représenteront peut-être un moyen expérimental pour mieux comprendre les mécanismes cérébraux associés au langage humain.

Le débat sur l'apprentissage du langage par les chimpanzés a toujours été animé et s'est intensifié récemment. Les critiques relatives à l'étude de l'apprentissage du langage par les primates, y compris celles qui portent sur des questions d'ordre méthodologique et théorique, sont venues de plusieurs côtés. Herbert Terrace (1979), qui a élevé lui-même un jeune chimpanzé et lui a appris de nombreux signes, est l'un des critiques principaux de ce genre d'études. Il a procédé à des tests méticuleux pour déterminer si son singe ou d'autres singes étaient vraiment capables de faire des phrases. Comme les linguistes considèrent que la grammaire est l'essence du langage, les chercheurs dans ce domaine se demandent si les chimpanzés qui utilisent des signes peuvent innover en composant des séries significatives de signes. Les études des Gardner laissaient entendre que leurs chimpanzés construisaient des séries distinctes de signes, comme s'ils utilisaient des mots dans une phrase. Toutefois, Terrace soutient que ces chaînes de singes ont été présentées aux singes de façon explicite et que ces animaux se contentent d'imiter plutôt qu'ils ne créent de nouvelles combinaisons. Selon lui, cette imitation se ferait d'une façon assez subtile et pourrait faire intervenir des pratiques de déclenchement dont l'expérimentateur serait inconscient.

Rumbaugh, Rumbaugh et Boysen (1980) ont donné le ton à une discussion plus vaste qui met l'accent sur la nature du langage. Selon eux, la vraie symbolisation ferait intervenir plus que la simple représentation d'objets ou d'actions. Elle comprendrait une intention de communiquer un processus représentationnel interne apparenté à la pensée. Il se pourrait que ce processus ne fasse pas partie de l'apprentissage du langage par le chimpanzé, quoiqu'il soit évidemment plutôt difficile d'interroger les animaux à ce propos. Cette question est loin d'être réglée, mais les réalisations des chimpanzés ainsi entraînés auront au moins forcé les chercheurs à préciser leurs critères relatifs au langage. Pour le moment, on ne saurait dire si les primates sont vraiment capables d'utiliser un langage.

DÉFECTUOSITÉS VERBALES ET TROUBLES DU LANGAGE

La plupart des connaissances sur les relations entre les mécanismes cérébraux et le langage proviennent de l'observation des défectuosités du langage résultant de lésions cérébrales dues à des accidents ou des maladies. Les études sur les personnes atteintes indiquent que certains syndromes communs de défectuosités linguistiques semblent associés à des régions cérébrales bien définies. Plus précisément, dans 90 à 95 % des cas de troubles du langage résultant de lésions cérébrales (**aphasie**), le dommage se situe dans l'hémisphère cérébral gauche. Les lésions à l'hémisphère droit sont responsables des autres cas d'aphasie.

Signes d'aphasie

Les divers types d'aphasie se distinguent les uns des autres par des signes caractéristiques de troubles particuliers du langage. Le signe d'aphasie le plus souvent observé est celui de la substitution d'un mot par un son, un mot incorrect ou un mot qui ne correspond pas à l'expression de la pensée : c'est la **paraphasie**. Parfois, un mot tout à fait nouveau (néologisme) pourra êre produit par substitution de phonème. Chez les aphasiques, le langage paraphasique se manifeste spontanément, durant la conversation, ou lorsqu'ils essaient de lire un texte à voix haute.

La conversation des aphasiques fournit également l'occasion d'observer un autre aspect important de leur langage, à savoir l'importance relative de leur vocabulaire ou la facilité de maniement du langage. On dit qu'un vocabulaire est pauvre ou que l'élocution est difficile lorsque le langage exige des efforts considérables, quand les phrases sont courtes et lorsqu'on ne retrouve pas le caractère mélodieux habituel du ton de la conversation. À l'opposé, le langage dit coulant, ou facile est celui qui est normal en termes de production, de caractère mélodieux et de facilité générale d'élocution. Dans certains cas, chez un aphasique, on considère facile un langage qui est plus abondant qu'il ne l'est normalement. Beaucoup d'aphasiques présentent également des perturbations de leur capacité de répéter les mots ou les phrases. Ce trouble se manifeste dans des tâches simples, comme la répétition de chiffres ou de mots qu'un examinateur prononce. La compréhension du langage se trouve affectée à des degrés divers.

Pratiquement tous ceux qui souffrent d'un syndrome aphasique éprouvent une certaine difficulté à écrire (**agraphie**) et à lire (**alexie**). Enfin, les défectuosités cérébrales responsables de l'aphasie donnent également lieu à une perturbation motrice particulière appelée **apraxie**. Il s'agit d'une entrave à l'exécution d'actes moteurs résultant d'un apprentissage, entrave qui n'a rien à voir avec la paralysie, les problèmes de coordination, les défectuosités sensorielles ou une non-compréhension des directives. Le sujet est incapable d'imiter des gestes ordinaires comme tirer la langue ou saluer de la main, même si ces actes peuvent apparaître dans son comportement spontané. Le syndrome de l'apraxie constitue un véritable dédale, traité en détail par Heilman et Rothi (1985). Existe-t-il une corrélation entre ces divers signes d'aphasie et des lésions cérébrales spécifiques ? Le paragraphe suivant offre une description de plusieurs syndromes représentant des ensembles distincts de tels signes associés à des lésions cérébrales spécifiques.

Types d'aphasie

Des attaques et des lésions cérébrales affecte les capacités de parler de différentes façons. Au fil des ans, les neurologues et les chercheurs intéressés au phénomène de l'aphasie ont tenté de classer les nombreux types différents de cette anomalie, et l'une de leurs principales préoccupations a porté sur la relation entre la forme particulière que prend un trouble du langage et la région du cerveau détruite ou affectée. La figure 18.4 montre les principales régions de l'hémisphère cérébral gauche qui se rapportent aux capacités linguistiques. Les études réalisées sur les victimes de dommages cérébraux indiquent que les fonctions du langage de presque tous les droitiers dépendent de l'hémisphère gauche, de même que celles d'une majorité des gauchers. Dans le cas de certains gauchers cependant, les lésions de l'hémisphère droit peuvent donner lieu à des incapacités linguistiques graves. Les principaux syndromes de l'aphasie, ainsi que les syndromes spécifiques et les régions cérébrales lésées ou entravées, méritent un examen plus approfondi.

Aphasie de Broca

En 1861, lors d'une autopsie, un médecin du nom de Paul Broca démontrait qu'une importante lésion frontale gauche avait entraîné une perte de la parole chez un malade. Cette démonstration était importante car elle indiquait clairement que des dommages qui se limitaient à une région cérébrale spécifique pouvaient causer la perte d'une fonction psychologique particulière. Elle fut le point de départ de recherches pour découvrir les relations entre les caractéristiques des défectuosités linguistiques et le site des blessures ou affections cérébrales. Ce type d'aphasie fut appelé aphasie de Broca, du nom de celui qui l'avait décrite; on considère également ce type d'aphasie comme une aphasie à vocabulaire pauvre et à élocution difficile. Les personnes qui en sont affectées éprouvent beaucoup de difficulté à s'exprimer et elles ne parlent que d'une façon hésitante et ardue. Leur capacité d'expression automatique est souvent intacte cependant. Ceci comprend des mots de salutation « Bonjour », de courtes expressions courantes « Oh, mon dieu ! » ou des jurons (au choix !). L'écriture est également affectée mais la compréhension reste relativement intacte. La plupart de ces malades éprouvent des difficultés apraxiques et présentent de l'hémiplégie droite, paralysie partielle affectant le côté droit du corps.

Figure 18.4 Aires corticales de la parole et du langage dans le cerveau d'un être humain (hémisphère gauche). Les lésions situées dans la région frontale antérieure, appelée aire de Broca, font entrave à la production de la parole; les blessures à une région du cortex temporal-pariétal, appelée aire de Wernicke, viennent perturber la compréhension du langage; la lésion de la circonvolution supramarginale nuit à la répétition par le sujet des éléments de discours qu'il entend.

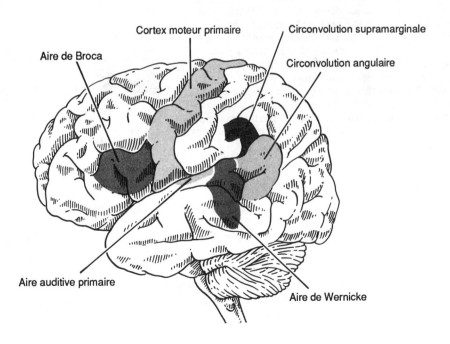

Cortex moteur primaire

Circonvolution supramarginale

Aire de Broca

Circonvolution angulaire

Aire auditive primaire

Aire de Wernicke

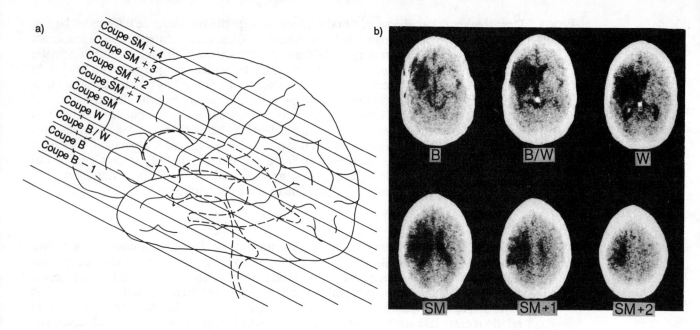

Figure 18.5 Représentation par scintigrammes CAT de lésions cérébrales entraînant l'aphasie de Broca. a) Divers niveaux de coupes de scintigrammes CAT. Chaque niveau est identifié d'après la région cérébrale du langage montrée dans cette coupe : coupe B, aire de Broca; coupe W, aire de Wernicke; coupe SM, circonvolution supramarginale. b) Scintigrammes CAT d'un sujet de 51 ans, souffrant d'aphasie de Broca, sept années après l'attaque. c) Surimpression par dessin de scintigrammes CAT sur les sites de lésion de quatre cas d'aphasie de Broca. On a localisé des lésions importantes dans l'aire de Broca sur les coupes B et B/W et le plus fort dommage aux tissus s'est produit dans les aires frontopariétales représentées dans les coupes SM et SM + 1. d) Surimpression de scintigrammes CAT et de lésions dans quatre cas d'aphasie de Wernicke. Des lésions ont été localisées dans l'aire de Wernicke sur la coupe W et dans l'aire de la circonvolution supramarginale sur la coupe SM. e) Surimpression de scintigrammes CAT et de lésions dans cinq cas d'aphasie globale. On a trouvé des lésions importantes dans toutes les aires du langage. (D'après Naeser et Hayward, 1978.)

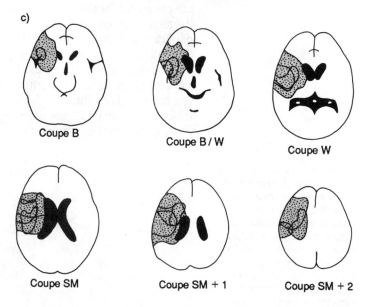

Coupe B Coupe B / W Coupe W

Coupe SM Coupe SM + 1 Coupe SM + 2

L'aphasie de Broca est habituellement associée à des lésions du lobe frontal gauche et plus particulièrement de la troisième circonvolution frontale et des régions voisines de la partie inférieure du cortex moteur (figure 18.5). La tomographie par ordinateur a permis de mieux comprendre l'anatomie des aphasies. La figure 18.5 offre un exemple d'images tracées par le scintigramme CAT d'une personne souffrant de l'aphasie de Broca. Ces illustrations sont dues au travail de Naeser et Hayward (1978). Il s'agit d'une femme qui, sept ans après une attaque, continuait de parler lentement, utilisant des substantifs, mais très peu de verbes ou de mots exprimant des fonctions, et tout cela avec de grands efforts.

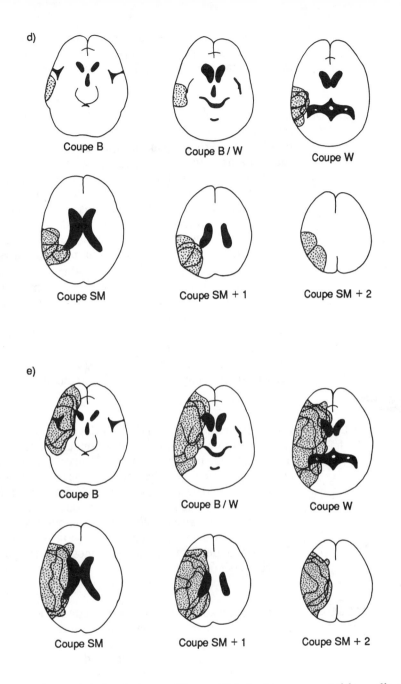

d)

Coupe B Coupe B / W Coupe W

Coupe SM Coupe SM + 1 Coupe SM + 2

e)

Coupe B Coupe B / W Coupe W

Coupe SM Coupe SM + 1 Coupe SM + 2

Quand on lui demandait de répéter : « Vas-y et fais-le si tu en es capable », elle ne pouvait que dire : « Vas le faire », mettant un temps d'arrêt entre chaque mot. Son scintigramme CAT révélait la présence d'une grande lésion touchant l'aire frontale et une destruction des régions sous-corticales incluant le noyau caudé et la capsule interne. Les personnes de ce type qui ont des lésions cérébrales aussi étendues ne récupèrent, avec le temps, que très peu de leur faculté de parler. Mohr (1976) prétend que les lésions qui se limitent complètement à la troisième circonvolution frontale du côté gauche ne s'accompagnent pas d'une aphasie de Broca grave et persistante et il soutient que ce syndrome d'aphasie caractéristique intéresse invariablement une partie plus grande du cortex frontal. En effet, le cas que Broca avait présenté à l'appui de ses propos sur la localisation des fonctions présentait une lésion qui s'étendait bien au-delà de la troisième circonvolution frontale.

Aphasie de Wernicke

Les victimes de l'aphasie de Wernicke présentent un éventail de signes caractéristiques plutôt complexes. Ces personnes ont un débit verbal très facile, mais leurs propos comportent beaucoup de paraphasies qui souvent rendent leur langage incompréhensible. Les substitutions de mots et les erreurs de langage se situent dans un contexte qui respecte la structure syntaxique. La capacité de répéter des mots et des phrases est affectée et ces personnes sont incapables de comprendre ce qu'elles entendent ou lisent. Dans certains cas, la compréhension de la lecture est plus touchée que celle du langage parlé, alors que dans d'autres cas c'est le contraire. À l'inverse des personnes souffrant de l'aphasie de Broca, les aphasiques du type Wernicke ne présentent habituellement aucune autre infirmité neurologique majeure; ils ne souffrent pas de paralysie partielle, par exemple.

Les lésions pertinentes les plus évidentes de l'aphasie de Wernicke se retrouvent dans les régions postérieures de la circonvolution temporale supérieure et s'étendent en partie dans le cortex pariétal adjacent, surtout dans la circonvolution angulaire (figure 18.4). La figure 18.5d présente dans un même diagramme les lésions observables dans l'aphasie de Wernicke. Quand la surdité à l'égard des mots est plus évidente que les troubles de lecture, c'est la première circonvolution temporale qui est la plus affectée et plus particulièrement les fibres du cortex auditif. Par contre, lorsque c'est la cécité verbale qui prédomine, on constate une destruction plus importante dans la circonvolution angulaire.

Aphasie totale

Chez certains malades, les lésions ou les affections cérébrales entraînent une perte totale de la capacité de comprendre le langage ou celle de parler, de lire ou d'écrire. Chez ces malades, on constate que le langage automatique est épargné dans une certaine mesure, surtout les exclamations émotives. Ces personnes ne sont capables de prononcer que très peu de mots et leur phraséologie ne comporte pas d'éléments syntaxiques de base. La région affectée est vaste et recouvre de grandes portions des cortex frontal, temporal et pariétal, y compris l'aire de Broca, l'aire de Wernicke et la circonvolution supramarginale. La figure 18.5e présente sur un même diagramme les régions affectées chez un groupe de malades souffrant d'aphasie totale. Dans ces cas, le pronostic en ce qui concerne la récupération du langage est très pessimiste.

Aphasie de conduction

Les sujets qui souffrent d'aphasie de conduction ont un langage facile, présentent peu de changements quant à la compréhension des mots qu'ils entendent, mais sont fortement handicapés lorsqu'il s'agit de répéter des mots et des phrases. Lorsque ces malades tentent de reproduire des mots, ils présentent des paraphasies phonémiques (mots dans lesquels des phonèmes inhabituels remplacent les sons qui conviennent). La description de la lésion cérébrale à l'origine de cette forme d'aphasie prête encore à controverse. Des chercheurs soutiennent que le facteur clé est la destruction du faisceau arqué, groupe de fibres qui relient l'aire de Wernicke à l'aire de Broca. Dans certains cas, on constate également la participation du cortex auditif primaire, de même que celle de l'insula et de la circonvolution supramarginale.

Il existe d'autres formes d'aphasie plus rares qui donnent une image différente des troubles du langage et des régions cérébrales en cause. On a également constaté de l'aphasie à la suite de troubles pathologiques d'origine sous-corticale (Naeser, 1983).

**Modèle
de l'aphasie
proposé par
Geschwind**

Les troubles aphasiques recouvrent une large gamme de défectuosités linguistiques, certaines de nature plutôt générale, d'autres assez spécialisées, se limitant à une dimension unique comme, par exemple, l'incapacité de comprendre le langage parlé. Une façon traditionnelle d'aborder l'étude des troubles aphasiques, méthode innovée par le neurologue Carl Wernicke au début du XXe siècle, consistait en l'adoption d'une perspective « connexioniste » pour comprendre l'aphasie et les troubles apparentés. Selon ce point de vue, il faudrait interpréter les déficits comme représentant une faille dans un réseau d'éléments reliés les uns aux autres, chacun de ces derniers se rapportant à quelque caractéristique particulière de l'analyse ou de la production du langage. Cette perspective a été décrite avec force détails par Geschwind dans des articles devenus des classiques dans ce domaine (1965 a, b). Pour évaluer ce point de vue, nous allons présenter une explication (inspirée de cette perspective) de ce qui survient dans le cerveau pendant la production de la parole. Quand on entend un mot ou une phrase, les résultats de l'analyse effectuée par le cortex auditif sont transmis à l'aire de Wernicke. Pour que le mot soit prononcé, il faut que des impulsions efférentes soient transmises de l'aire de Wernicke à l'aire de Broca, où un plan tracé pour la parole est mis en application et relayé ensuite au cortex moteur adjacent qui contrôle en permanence l'utilisation des muscles articulatoires correspondants. La circonvolution angulaire (figure 18.6b) est une station de relais entre les régions auditives et visuelles. S'il s'agit d'épeler un mot prononcé, l'information auditive est transmise à la circonvolution angulaire d'où l'information visuelle est créée. Selon le modèle Wernicke-Geschwind, la prononciation d'un mot représentant un objet visible fait intervenir le transfert de l'information visuelle à la circonvolution angulaire contenant les règles pour engendrer l'information auditive dans l'aire de Wernicke. C'est de cette aire de Wernicke que la forme auditive est transmise par l'intermédiaire du faisceau arqué jusqu'à l'aire de Broca. Dans cette dernière région, le modèle de la forme orale est activé et transmis à la région du cortex moteur correspondant au visage, puis le mot est prononcé. Ainsi, les lésions qui mettent en cause la circonvolution angulaire vont avoir pour effet de rompre les connexions entre les systèmes participant au langage auditif et visuel. On devrait alors s'attendre que les personnes qui ont des lésions dans cette région éprouvent de la difficulté avec le langage écrit, tout en étant capables de parler et de comprendre la parole. Une lésion dans l'aire de Broca devrait perturber la production du langage, sans avoir beaucoup d'impact sur la compréhension. Cette perspective, qui est devenue le modèle principal pour l'analyse anatomique des aphasies, permet de comprendre un bon nombre des aspects se rapportant aux troubles linguistiques. La figure 18.6 illustre certains exemples des relations qui existeraient, selon le modèle de Gerschwind, entre les régions cérébrales et les défectuosités de langage.

**Aphasie chez
les usagers du
langage par signes**

On ne peut qu'admirer l'adresse avec laquelle les mains et les bras de l'être humain se déplacent de différentes façons, toutes plus complexes les unes que les autres. Certains gestes de la main prennent des significations qui semblent universelles; certains de ces gestes sont utilisés depuis des siècles. Des mouvements reconnus des mains et des bras, soumis à des règles de composition spécifiques, servent de base à des langages non verbaux, tel le langage des signes développé pour les sourds-muets. Ce langage s'appuie sur un code et une grammaire détaillés (figure 18.7). Une analyse exhaustive de ce langage par signes faite par deux linguistes (Klima et Bellugi, 1979) classe nettement cet ensemble de symboles à base de gestes parmi les langages au même titre que ses contreparties à composantes vocales. On distingue, en effet, des traits aussi subtils que des dialectes dans les langages par signes. C'est pourquoi des chercheurs ont voulu savoir si l'organisation nerveuse du langage par signes ressemblait à celle du langage parlé. Y aurait-il spécialisation hémisphérique dans un

Figure 18.6 Représentation du modèle connexioniste du langage proposé par Geschwind-Wernicke. Lorsqu'on entend un mot, a) la sensation provenant des oreilles est reçue dans le cortex auditif primaire, mais le mot ne peut être compris avant que le signal n'ait été dans l'aire de Wernicke qui est située tout près. On croit que si le mot est prononcé, une certaine représentation de ce mot est transmise de l'aire de Wernicke à l'aire de Broca par l'intermédiaire d'un faisceau de fibres nerveuses appelé faisceau arqué. Dans l'aire de Broca, le mot suscite l'élaboration d'un programme détaillé en vue de l'articulation, programme qui est transmis à l'aire du visage dans le cortex moteur. Le cortex moteur active à son tour les muscles des lèvres, de la langue, du larynx et ainsi de suite. Lorsqu'on lit un mot écrit, b) la sensation est d'abord enregistrée dans le cortex visuel primaire. On croit qu'elle est ensuite transmise à la circonvolution angulaire, laquelle associe la forme visuelle du mot avec le modèle auditif correspondant dans l'aire de Wernicke. La prononciation du mot fait alors appel aux mêmes systèmes de neurones que précédemment. (D'après Geschwind, 1979.)

a) Répétition d'un mot entendu

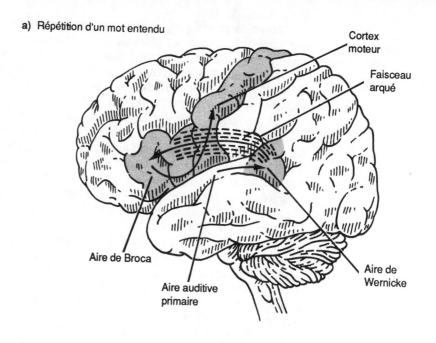

b) Prononciation d'un mot écrit

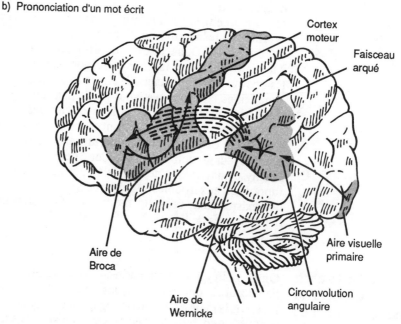

système linguistique basé sur des signaux de la main, signaux qui sont pour la plupart formés par la main droite bien que certains fassent intervenir les deux mains ?

Plusieurs études de cas relatent des faits intéressants au sujet de l'aphasie chez les usagers du langage par signes. Meckler, Mack et Bennett (1979) ont décrit un jeune homme qui avait été élevé par des parents sourds-muets et qui était devenu aphasique à la suite d'un accident. Avant cet accident, il communiquait en utilisant aussi bien le langage par signes que le langage parlé. Après l'accident, il éprouva les mêmes difficultés importantes dans son

724

Figure 18.7 Quelques exemples de signes du langage gestuel utilisé par les sourds-muets. (D'après Klima et Bellugi, 1979.)

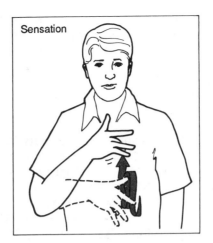

Sensation

Secret

Silence

langage parlé, dans son langage par signes et dans son écriture. Il était capable de reproduire des mouvements compliqués des doigts et des mains, quand l'expérimentateur les faisait devant lui, mais il ne pouvait émettre des gestes significatifs de façon spontanée. Chiarello et ses collaborateurs (1982) proposent une analyse exhaustive des déficits du langage par signes d'une sourde-muette plus âgée. Cette personne était devenue sourde au cours de sa petite enfance, avant d'avoir appris à parler et était, par conséquent, incapable de communication verbale. Par contre, elle possédait de bonnes capacités de communication par signes. À la suite d'une attaque survenue à l'âge de 59 ans, elle devint absolument incapable de produire des signaux significatifs avec l'une ou l'autre de ses mains. Les scintigrammes tomographiques produits sur ordinateur indiquaient la présence de dommages considérables dans le cortex temporal gauche. Quelques mois plus tard, des tests montrèrent qu'il y avait une certaine récupération du langage par signes, mais ce langage se limitait à des phrases simples. Les erreurs accompagnant ces signaux révélaient une étrange ressemblance avec les erreurs de langage de la parole et de l'écriture des personnes victimes de lésions analogues qui avaient préalablement fait usage de communication verbale. Bellugi et ses collaborateurs (1983) ont décrit l'aphasie de trois sourds, communiquant par signes, qui présentaient des lésions de l'hémisphère gauche. Ils ont constaté que, à ces lésions différentes de l'hémisphère gauche, correspondaient des affections sélectives d'éléments particuliers du langage par signes. Les dommages portant sur certaines régions avaient des effets sur les structures grammaticales alors que, lorsque ces dommages se situaient ailleurs, c'étaient les mots qui étaient touchés. Ces études de cas montrent que les mécanismes neuronaux du langage des signes et du langage parlé sont identiques. Dans ces cas, les lésions cérébrales atteignent un mécanisme qui contrôle les règles de mise en ordre de l'information symbolique, que celle-ci soit véhiculée par la parole ou par la main.

Aphasie chez les bilingues

Les chercheurs s'intéressant à l'aphasie ont toujours été fascinés par les gens capables de parler et d'écrire dans deux langues. Les blessures du cortex cérébral ont-elles les mêmes effets nocifs sur les deux langues ? Des langages très différents utilisent-ils les mêmes systèmes neuronaux ? Les définitions du bilinguisme viennent embrouiller, en partie, la réponse à cette question. L'un des facteurs qui peut s'avérer critique pour ces études est l'âge où l'on a acquis la seconde langue, cet âge pouvant même se situer à l'état adulte. Très peu de bilingues acquièrent deux langages simultanément pendant la tendre enfance. En outre, la plupart des recherches ont porté sur un petit groupe de langages indo-européens qui ont plusieurs caractéristiques en commun. Peu de rapports d'aphasie chez les bilingues mettent en cause des langues asiatiques, celles-ci étant très différentes de l'anglais, de l'allemand, du français et de l'espagnol.

La plupart des données sur l'aphasie des bilingues ont été présentées sous le format clinique d'études de cas individuelles, ce qui permet difficilement de dégager les points communs ou caractéristiques. Dans une recherche de thèmes généraux, Paradis (1977) a recensé tous les cas d'amnésie qui ont été publiés et a décrit les caractéristiques des catégories de symptômes et des formes de récupération des aphasiques bilingues. Il existe plusieurs modes de recouvrement, mais la forme la plus commune, que l'on retrouve dans presque 50 % de tous les cas recensés, est celle où les deux langages sont touchés de la même façon et où la récupération est égale dans les deux cas. Cette constatation suggère que les deux langages auraient la même organisation dans le cerveau. Dans un nombre de cas plus limité, la récupération est successive, mais il n'y a pas de règle constante quant au langage qui est recouvré le premier; ce n'est pas aussi simple que « le dernier apparu, le premier disparu ». Dans des cas plus rares, le recouvrement est antagoniste; la récupération de l'une des langues inhibe le recouvrement de l'autre.

Après avoir passé en revue plusieurs des faits et des théories de l'aphasie des bilingues, Paradis en vient à la conclusion que des facteurs multiples peuvent rendre compte du mode de perte ou de restitution, notamment des considérations d'ordre psychologique et les différences de facilité dans l'usage des deux langues. De toute évidence, il n'y a pas de perte d'un langage sans perturbation des autres.

Dyslexie et cerveau

Il est fréquent de trouver dans une école quelques élèves qui semblent absolument incapables d'apprendre à lire. Leurs efforts sont voués à l'échec et les exercices prolongés ne donnent que de maigres améliorations. L'incapacité de lire se nomme **dyslexie** (de deux mots grecs pour *difficulté de lire*). Certains enfants dyslexiques ont un Q.I. élevé. Le diagnostic de la dyslexie s'applique à divers groupes de personnes qui sont incapables de lire. La dyslexie est plus fréquente chez les garçons et chez les gauchers. Ce syndrome a donné lieu à une controverse et il se pourrait que ses caractéristiques dépassent les limites d'un trouble de lecture. Denckla (1979) voit dans l'incapacité de lire le symptôme d'une perturbation plus étendue du développement du langage. Kagan et Moore (1981) considèrent la dyslexie surtout comme un problème de mémoire (chapitre 17). Il est évident que la dyslexie correspond à une catégorie clinique qui est floue, mais on a pu récemment la relier à des constatations anatomiques intéressantes.

Certains dyslexiques présentent des déficits reliés les uns aux autres dans diverses tâches mettant en cause la latéralisation cérébrale et plus particulièrement les tâches qui font intervenir l'hémisphère gauche. Des chercheurs ont laissé entendre que l'utilisation de l'hémisphère droit à fins de langage pourrait engendrer des problèmes dans l'apprentissage de la lecture (Coltheart, 1980).

Une étude récente de Galaburda et de ses collaborateurs (1985) décrit divers aspects pathologiques observés dans le cerveau de personnes dyslexiques. Les quatre cas en question présentaient des problèmes de lecture spécifiques et d'autres difficultés d'apprentissage s'étaient également manifestées dès le jeune âge. La mort était due à des maladies aiguës ou à des traumatismes associés à des blessures qui ne mettaient pas le cerveau en cause. Les quatre cerveaux présentaient des anomalies corticales évidentes dans la disposition des cellules, surtout dans certaines parties des régions corticales frontales et temporales. Ces anomalies consistaient en des regroupements excentriques de cellules, dans des couches externes du cortex cérébral, qui causaient des distorsions dans la disposition normale en colonnes de ces couches de cellules. Certaines cellules étaient déplacées et on notait une formation excessive de replis corticaux. On relevait la présence de nids de cellules excédentaires dans des sites excentriques. Ces auteurs soutiennent que ces anomalies dans la disposition des cellules cérébrales corticales résultent du développement et surviennent probablement très tôt, peut-être au milieu de la période de gestation, période au cours de laquelle on observe une certaine activité migratrice des cellules dans le cortex cérébral. Ces déficits pourraient avoir pour effet de créer des jeux de connexions inhabituels entre les régions du cortex temporal associées au langage. Galaburda et ses collaborateurs notent également que l'asymétrie habituellement observée sur toute la surface du plan temporal se trouve grandement atténuée dans ce groupe. Ils ont constaté l'existence d'une relation entre ces déficits neurologiques et les troubles du système immunitaire. Plusieurs de ces dyslexiques et plusieurs de leurs parents souffraient de maladies comme l'arthrite, des allergies alimentaires ou la migraine, ce qui selon Galaburda, dénoterait l'existence d'un mécanisme génétique qui tout en étant responsable des anomalies corticales, préparerait le terrain à des défectuosités subséquentes du système immunitaire. Les animaux de laboratoire chez lesquels on a provoqué de telles déficiences du système immunitaire présentent également des anomalies corticales apparentées à celles observés chez ces personnes. L'état commun fondamental qui prévaut ici pourrait être une détérioration, d'origine immunitaire, de l'aggrégation cellulaire et des facteurs organisationnels qui sont à l'œuvre pendant les premiers stades du développement du cortex cérébral.

Stimulation électrique et défectuosité du langage

La stimulation électrique du cerveau est l'un des outils utilisés dans l'exploration des fonctions linguistiques du cortex cérébral humain. Dans ces études, on se sert de malades qui subissent des opérations chirurgicales devant les soulager de leurs crises d'épilepsie. La stimulation électrique permet au neurochirurgien de localiser les régions corticales associées au langage, afin de les éviter. L'identification de ces régions se fait grâce à l'observation des interférences que les stimuli produisent sur le langage. Les malades ne sont soumis qu'à une anesthésie locale de façon à pouvoir communiquer verbalement.

Les travaux de pionniers de Penfield et Roberts (1959) ont procuré une carte des zones de l'hémisphère gauche associées au langage (figure 18.8). La combinaison de données provenant de plusieurs sujets fait apparaître une grande zone antérieure dont la stimulation produit une interruption de la parole. Le sujet cesse tout simplement de parler pendant toute la durée de la stimulation. On a observé d'autres formes d'interférence avec le langage, avec la capacité par exemple donner un nom exact ou de répéter les mots, lorsque cette région est stimulée en même temps que d'autres régions plus postérieures du cortex pariéto-temporal.

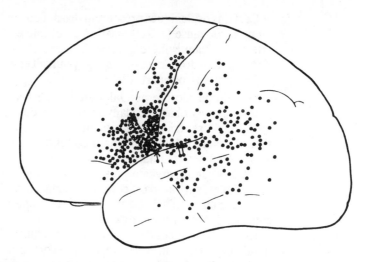

Figure 18.8 Points où une stimulation électrique produit des interférences avec la parole. Il s'agit ici d'un regroupement de données recueillies auprès de plusieurs sujets. (Wilder Penfield et Lamar Roberts, *Speech and Brain Mechanisms* (copyright © 1954 par Princeton University Press) : Figure VIII-3, p. 122. Reproduite avec la permission de Princeton University Press.)

On a, au cours des années qui ont suivi ces premiers travaux, utilisé de nouvelles techniques d'analyse du langage et de stimulation électrique, ce qui a permis d'élargir le champ des observations. S'appuyant sur des tâches permettant d'évaluer les mouvements de la bouche et des lèvres, l'identification des sons et des objets et la mémoire verbale, Ojemann et Mateer (1979) ont présenté des cartes corticales plus détaillées (figure 18.9). La représentation cartographique des sites des fonctions du langage qui sont touchées dénote l'existence de plusieurs systèmes différents. La stimulation de l'un de ces systèmes interrompt la capacité de parler et provoque une détérioration de tous les mouvements du visage. Considéré comme la voie motrice corticale ultime de la parole, ce système est situé dans le cortex frontal prémoteur inférieur. La stimulation d'un second système altère les mouvements séquentiels du visage et fait entrave à l'identification des phénomènes. Ce système comprend des sites du cortex frontal inférieur, temporal et pariétal. Les erreurs de mémoire provoquées par la stimulation ont permis d'identifier un troisième système qui entoure les sites appartenant aux systèmes qui nuisent à l'identification des phonèmes. La stimulation d'autres sites du cortex a provoqué des erreurs de lecture.

Plus récemment, Ojemann (1983) a relevé des différences sexuelles intéressantes dans ses observations sur la stimulation électrique corticale. On trouve en effet chez les hommes, par comparaison avec les femmes, une plus vaste région du cortex latéral, et surtout, plus de sites dans le lobe frontal, où la stimulation produit des changements dans la capacité de nommer les objets. Les différences individuelles par rapport aux effets de la stimulation sont également associées aux aptitudes verbales du sujet. Les sujets à faible Q.I. verbal éprouvent plus de difficulté à nommer les objets quand on stimule le cortex pariétal. Les études d'Ojemann présentent encore un aspect tout à fait intéressant de l'organisation corticale du langage chez les polyglottes. Ojemann décrit un sujet que la stimulation d'un point de la circonvolution temporale supérieure empêchait d'attribuer un nom en anglais, mais pas en grec, à l'image d'un objet courant; par contraste, la stimulation d'un point adjacent produisait l'effet contraire. Cela permet de supposer que des langages différents occuperaient des sites séparés.

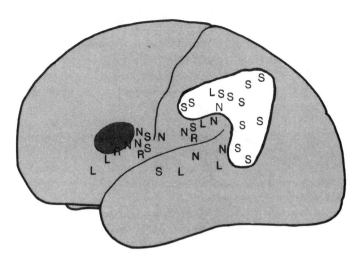

Figure 18.9 Analyse détaillée des changements dans les fonctions linguistiques suscités par une stimulation électrique du cortex cérébral : résumé des effets cognitifs de la stimulation électrique du cortex chez quatre sujets humains. On a évalué la capacité de nommer (N) les objets, de répéter (R) les mouvements, d'avoir des souvenirs (S) à court terme et d'utiliser le langage (L) durant et après stimulation de l'hémisphère gauche. On constate la présence d'un système mnémonique (région en fer de lance) situé à l'arrière des systèmes de production du langage et de compréhension. La région en noir marque la voie motrice ultime de la parole. (D'après Ojemann et Mateer, 1979.)

Les études d'Ojemann sur la stimulation électrique font également ressortir le rôle que joue le thalamus par rapport à certains aspects des activités linguistiques. Il a constaté que la stimulation du thalamus, pendant une réception verbale, avait pour effet d'accroître l'exactitude du rappel subséquent (jusqu'à une semaine après la stimulation). Il existerait, selon lui, un mécanisme thalamique qui viendrait moduler de façon spécifique le rappel de l'information verbale. Cette hypothèse concorde avec la description de notre sujet N.A. (chapitre 16) chez qui des lésions du thalamus affectaient la mémoire verbale.

Correction de l'aphasie

Beaucoup des individus qui survivent aux perturbations cérébrales avec aphasie recouvrent certaines de leurs aptitudes linguistiques. Dans le cas de certains, le recouvrement de la parole dépend des formes spécifiques de thérapie du langage utilisées. La plupart des modes de thérapie du langage consistent en des improvisations qui s'appuient, dans une certaine mesure, sur les succès cliniques plutôt que sur des théories.

On peut, à partir de plusieurs facteurs, prévoir l'évolution de la récupération aphasique. Le rétablissement rencontre plus de succès, par exemple, chez ceux qui ont survécu à une lésion cérébrale due à un traumatisme, comme un coup sur la tête, que chez ceux dont le dommage cérébral a été causé par une attaque. De même, les sujets dont la perte de langage est plus complète récupèrent moins. Les gauchers s'en tirent mieux que les droitiers. Bien plus, les droitiers dont des proches parents sont gauchers se remettent mieux de l'aphasie que les droitiers sans parents gauchers.

Des études de Kertesz (1979) illustrent l'évolution typique du rétablissement (figure 18.10). La plus grande partie de la récupération s'effectue durant les trois premiers mois consécutifs à la lésion cérébrale. Dans de nombreux cas, on ne constate que peu d'amélioration additionnelle au cours d'un intervalle d'une année, bien que cette observation puisse ne refléter que l'insuffisance de nos instruments thérapeutiques plutôt qu'un attribut de la

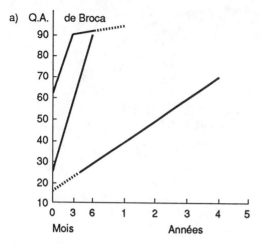

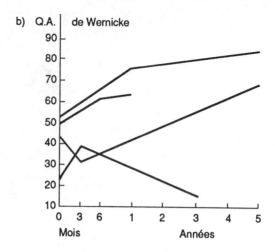

Figure 18.10 Évolution du rétablissement de différents malades à la suite de traumatismes cérébraux qui produisent a) l'aphasie de Broca et b) l'aphasie de Wernicke. Les données reproduites dans ces graphiques donnent le quotient d'aphasie (Q. A.), un score obtenu à partir d'une batterie de tests cliniques; les scores les plus élevés indiquent une meilleure performance langagière. (Kertesz, 1979.)

plasticité nerveuse. En général, ce sont les cas d'aphasie de Broca qui présentent les meilleurs taux de récupération. Il existe une forte corrélation entre la gravité initiale de l'aphasie et son issue. Kertesz prétend que la récupération passe par une série de stades à propriétés linguistiques distinctes et que les malades subissent une transformation du type d'aphasie. Selon lui, un point d'aboutissement commun se trouve, quel que soit le diagnostic initial, dans l'**aphasie anomique**, difficulté à trouver les mots, alors que la compréhension et la capacité de répéter les mots sont normales. Fréquemment, l'aphasie anomique persiste comme symptôme résiduel. Nous décrirons bientôt le rétablissement remarquable et pratiquement total de l'aphasie qui est caractéristique des enfants.

L'amélioration des capacités linguistiques, après des dommages causés par une attaque, pourrait mettre en cause un déplacement, dans l'hémisphère droit, du contrôle du langage. Des faits démontrent que de tels changements d'hémisphère se produisent chez les enfants. Un cas présenté par Cummings, Benson, Walsh et Levine (1979) apporte un certain appui à l'hypothèse d'un déplacement (de l'hémisphère gauche à l'hémisphère droit) du contrôle linguistique chez un adulte après que ce dernier eut subi une lésion dans l'hémisphère gauche. Le cas qu'ils décrivent est celui d'une victime d'une attaque massive. Les tomogrammes par ordinateur montrent que les aires de Wernicke et de Broca de l'hémisphère gauche ont été complètement détruites. Immédiatement après l'attaque, le langage se trouvait limité à un petit groupe de mots pratiquement dépourvus de toute signification. En outre, la compréhension verbale était gravement handicapée. Trois ans plus tard, ce malade était capable de faire de courtes phrases compréhensibles et d'identifier correctement les objets. Comme les aires du langage de l'hémisphère gauche étaient totalement détruites, les chercheurs durent conclure que les éléments du langage recouvré étaient véhiculés par les mécanismes de l'hémisphère droit. Des études récentes de la circulation du sang dans le cerveau à la suite d'une attaque provoquant de l'aphasie viennent appuyer cette interprétation. En effet, Knopman et ses collègues (1984) ont constaté une augmentation diffuse de la circulation sanguine dans l'hémisphère droit chez les malades qui recouvrent presque totalement le langage. Chez ceux dont la récupération est incomplète, l'augmentation ne se manifeste que dans la région frontale droite.

Il est important de noter que ce n'est que récemment que des chercheurs se sont intéressés au phénomène de rétablissement survenant après que le cerveau a subi des dommages. Pendant plusieurs années, on a considéré le système nerveux comme un organe à structures rigides peu susceptible de manifester une plasticité fonctionnelle ou structurale. Les tendances actuelles dans ce domaine traduisent une évolution majeure vers des perspectives plus optimistes quant à la possibilité de trouver une base rationnelle à une réhabilitation à la suite de lésions cérébrales (Bach-y-Rita, 1980). Le recouvrement du langage est devenu une priorité pour ces efforts renouvelés.

Le type de thérapie est un déterminant important du mode de recouvrement à long terme à partir de l'aphasie. Les stratégies utilisées par les thérapeutes ont tendance à se fonder sur l'improvisation plutôt que sur la connaissance des mécanismes cérébraux de la parole. Un certain nombre de ces traitements consistent en des techniques de stimulation et de facilitation, alors qu'un autre groupe s'appuie sur des techniques plus explicitement pédagogiques (Sarno, 1981). De nombreuses méthodes placent l'accent sur la stimulation auditive et la répétition. Une innovation rare, dite « thérapie d'intonation mélodique », insiste sur les différences entre le chant et la parole. Les aphasiques sont souvent capables de chanter des mots et des phrases, même s'ils éprouvent des difficultés majeures avec les mots parlés. Cette technique a pour but d'améliorer la communication en demandant aux sujets de chanter les phrases qu'ils essaieraient normalement de prononcer dans une conversation conventionnelle. Les thérapeutes ont rencontré un certain succès à faire passer graduellement les sujets d'un mode chanté à un mode de langage non mélodique. Les progrès rapides dans la conception d'appareils utilisant des ordinateurs, y compris ceux qui « parlent », pourraient apporter de nouvelles dimensions à la réhabilitation des troubles du langage.

SPÉCIALISATION ET LATÉRALISATION DES HÉMISPHÈRES CÉRÉBRAUX

Dès le début du XXe siècle, on avait clairement démontré que les hémisphères cérébraux ne jouent pas des rôles équivalents dans la médiation des fonctions linguistiques. L'hémisphère gauche semble contrôler le langage et on le désigne couramment comme l'hémisphère dominant. Il ne faudrait pas toutefois croire que l'hémisphère droit n'existe que pour répondre à l'éventualité où le côté gauche du cerveau serait endommagé. Effectivement, beaucoup de chercheurs ont lentement glissé des notions de dominance cérébrale vers des conceptions de spécialisation ou de latéralisation des hémisphères. Cet accent plus nouveau laisse entrevoir que certains systèmes fonctionnels ont plus de connexions dans un côté du cerveau que dans l'autre, que les fonctions se latéralisent en se développant et que chacun des hémisphères se spécialise en fonction de tâches particulières.

L'idée de la latéralisation des fonctions n'a pas de quoi surprendre; une vue d'ensemble de la répartition des organes corporels révèle qu'il existe une asymétrie considérable entre les côtés droit et gauche (par exemple, le cœur est à droite et le foie à gauche). Ces différences de latéralisation se retrouvent pratiquement chez toutes les espèces, même chez celles qui sont très simples. Il n'en demeure pas moins que, au niveau des processus cérébraux des individus normaux, les connexions reliant les deux hémisphères viennent ordinairement masquer les indices de spécialisation hémisphérique. Toutefois, grâce à l'étude des personnes dont les voies interhémisphériques ont été interrompues (personnes au **cerveau divisé**), les chercheurs ont été en mesure d'observer la spécialisation des hémisphères cérébraux dans les activités cognitives, perceptives, affectives et motrices. L'étude des individus au cerveau divisé a également suscité des recherches portant sur des sujets normaux. Quelques-uns des nombreux types de données permettent une meilleure compréhension des similitudes et des différences de fonctions entre les deux hémisphères cérébraux.

Sujets au cerveau divisé

Une série d'études récentes de Robert Sperry et de ses collaborateurs du California Institute of Technology (1974) (voir le chapitre 1), permettra d'illustrer adéquatement les propriétés différentielles des hémisphères cérébraux. Ces expériences ont porté sur un petit nombre de sujets humains sur lesquels des interventions chirurgicales avaient été pratiquées pour les soulager de crises d'épilepsie fréquentes et incapacitantes. Chez ces personnes, l'activité épileptique prenant origine dans l'un des hémisphères se répandait dans l'autre hémisphère en passant par le corps calleux, important faisceau de fibres qui relie les deux hémisphères. Une section chirurgicale du corps calleux réduit de façon appréciable la fréquence et la gravité des crises.

Des travaux réalisés par d'autres chercheurs avaient démontré, au cours des années 1930, que ce mode de traitement des crises ne s'accompagnait d'aucune modification apparente des fonctions cérébrales, telles que mesurées par les méthodes généralement utilisées pour évaluer le comportement (tests de Q.I). Pourtant, chez l'être humain, le corps calleux est un énorme faisceau constitué de plus d'un million d'axones; il semblait donc étrange qu'on puisse couper la connexion principale entre les hémisphères cérébraux sans produire de changements perceptibles du comportement. Lashley, avec l'humour sardonique qui le caractérisait, a proposé que la seule fonction du corps calleux serait peut-être d'empêcher les deux hémisphères de s'éloigner l'un de l'autre à la dérive, dans le liquide céphalo-rachidien. Des recherches subséquentes effectuées sur des animaux ont montré qu'on pouvait, au moyen de tests méticuleux, démontrer la présence de déficits dans le comportement à la suite de la séparation des hémisphères.

Les résultats de la séparation des hémisphères ont été étudiés pour la première fois de façon exhaustive sur les animaux pendant les années 1950. Dans l'une de ces études sur des chats, on a par exemple sectionné le corps calleux ainsi que le chiasma optique de façon que chaque œil ne soit relié qu'à l'hémisphère du même côté. Ces chats apprenaient avec leur œil gauche qu'un symbole donné représentait l'attribution d'une récompense alors que le même symbole inversé ne s'accompagnait jamais de récompense; avec l'œil droit, ils apprenaient le contraire (c.-à-d. que le symbole inversé assurait une récompense alors que le même symbole en position normale n'était jamais accompagné de récompense). Ainsi, chaque hémisphère ignorait ce que l'autre avait appris (Sperry, Stamm et Miner, 1956).

En 1960, après une recension soignée des premiers travaux, Joseph Bogen a émis l'idée qu'en divisant le cerveau, il serait possible de contrôler la diffusion interhémisphérique de l'épilepsie. Ses opérations sur des malades lui ont donné raison et plusieurs de ses malades à cerveau divisé ont été soumis à des études approfondies, tant avant qu'après l'opération, au moyen d'une batterie de tests psychologiques élaborés par Sperry et ses collaborateurs. On peut, en les présentant à des endroits différents sur la surface du corps, diriger des stimuli vers l'un ou l'autre des hémisphères. Par exemple, les objets que le sujet touche de la main gauche déclenchent de l'activité dans les cellules nerveuses des régions sensorielles de l'hémisphère droit. Étant donné que le corps calleux de ces sujets est coupé, la majeure partie de l'information transmise à l'une des moitiés du cerveau ne peut se rendre jusqu'à l'autre moitié. En contrôlant les stimuli de cette façon, l'expérimentateur est capable de présenter des stimuli de façon sélective à un hémisphère ou à l'autre et d'évaluer ainsi les capacités de chacun des hémisphères.

Dans certaines des études de Sperry, on projetait des mots soit à l'hémisphère gauche, soit à l'hémisphère droit. Effectivement, les stimuli visuels étaient présentés dans le champ visuel droit ou dans le champ visuel gauche. Les sujets au cerveau divisé étaient capables de lire facilement et de rapporter verbalement les mots transmis à l'hémisphère gauche. Les mêmes capacités linguistiques n'existaient pas lorsque l'information était dirigée vers l'hémisphère droit (figure 18.11). Plus récemment, en 1976, Zaidel, un collaborateur de Sperry, a démontré que l'hémisphère droit possède de faibles capacités d'ordre linguistique. Cet hémisphère peut, par exemple, reconnaître des mots simples. En général, le vocabulaire et les possibilités grammaticales sont beaucoup moins développés dans l'hémisphère droit que dans l'hémisphère gauche. Par contre, l'hémisphère droit l'emporte dans les tâches mettant en cause les relations spatiales.

Figure 18.11 Test comparatif d'un sujet à cerveau divisé (à droite) et d'un sujet normal (à gauche). L'image des objets projetés dans le champ visuel gauche active le cortex visuel droit (1). Chez les sujets normaux a), l'activation du cortex visuel droit excite les fibres du corps calleux qui transmettent l'information à l'hémisphère gauche (2) où se fait l'analyse et la production verbale (3). Dans le cas des sujets à cerveau divisé b), l'absence de connexions calleuses empêche la production verbale en réaction aux stimuli du champ visuel droit.

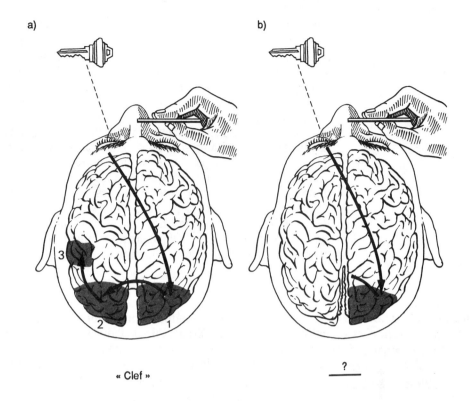

a)

b)

« Clef »

?

Les observations de Sperry ont non seulement confirmé les résultats des premières recherches sur les animaux, mais aussi montré que les processus qui se déroulent dans l'hémisphère gauche sont les seuls que les sujets soient en mesure de décrire verbalement. C'est donc à l'hémisphère gauche qu'appartiennent le langage et les mécanismes de la parole, chez la plupart d'entre nous. Le résultat qu'il est important de noter, toutefois, est que chaque hémisphère est capable de traiter et de stocker l'information par lui-même, sans aucune participation de l'autre hémisphère. On peut mettre à l'épreuve la capacité de l'hémisphère droit, l'hémisphère « muet », grâce à des moyens non verbaux. Dans un test, il est possible, par exemple, de projeter l'image d'une clef à la gauche du point de fixation du regard pour atteindre ainsi le cortex visuel droit. On demande ensuite au sujet de palper certains objets qui sont cachés à sa vue et de choisir l'objet correspondant pour le montrer à l'expérimentateur. La main gauche (contrôlée par l'hémisphère droit) peut exécuter cette tâche correctement alors que la main droite (sous le contrôle de l'hémisphère gauche) en est incapable. Il est donc vrai de dire que, chez un tel sujet, l'hémisphère gauche ignore ce que fait la main gauche. Cette recherche a également indiqué que même si c'est l'hémisphère gauche qui contrôle la parole, l'hémisphère droit semble être mieux en mesure, jusqu'à un certain point, de traiter l'information spatiale, surtout s'il s'agit d'une réponse manuelle plutôt que d'une simple reconnaissance d'un motif visuel correct ou approprié.

On a parfois critiqué la recherche sur les sujets au cerveau divisé en invoquant le fait que ces personnes ont été soumises à des crises d'épilepsie durant plusieurs années, avant l'intervention chirurgicale. Étant donné que la répétition de telles crises produit de nombreux changements dans le cerveau, les critiques prétendent que les conséquences apparentes de la section du corps calleux pourraient être le résultat de modifications dans les cerveaux d'épileptiques. Cet argument a perdu de sa force à la suite de la publication d'observations sur les effets d'une section partielle du corps calleux chez des non-épileptiques. Damasio, Chui, Corbett et Kassel (1980) ont rapporté, par exemple, les conséquences d'une section de la région postérieure du corps calleux chez un garçon de 16 ans. Ce garçon avait une tumeur située juste au-dessous de la partie postérieure du corps calleux et son ablation exigeait que l'on coupe une partie du corps calleux. Après l'intervention chirurgicale, le jeune garçon présenta certains des signes classiques de l'absence de transfert interhémisphérique, couramment observée chez les sujets épileptiques au cerveau divisé. Ces signes comprenaient la supériorité du champ visuel droit dans la lecture de mots à trois lettres et une plus grande exactitude dans l'attribution de noms à des objets présentés dans la moitié droite du champ visuel. Puisque la plupart des fibres visuelles interhémisphériques avaient été coupées par l'intervention chirurgicale, on devait s'attendre à un défaut d'intégration interhémisphérique à partir de la stimulation visuelle. Par ailleurs, étant donné que les fibres calleuses reliant les régions somatosensorielles du cortex étaient restées intactes, il était normal que le sujet soit capable de nommer les objets déposés dans l'une ou l'autre de ses mains. Les failles de la fonction visuelle et l'intégrité de la fonction somatosensorielle chez ce sujet constituent une forte preuve du fait que les fibres du corps calleux sont indispensables à la communication entre les deux hémisphères.

Traitements différents de l'information par les hémisphères cérébraux de sujets normaux

Spécialisation auditive : l'écoute dichotique

On peut, au moyen d'écouteurs, présenter simultanément à chacune des oreilles d'un individu deux sons différents l'un de l'autre; c'est la **technique de l'écoute dichotique**. Le sujet entend un son parlé particulier dans une oreille et, au même moment, une voyelle, une consonne ou un mot différent dans l'autre oreille. Le sujet doit identifier ces sons ou s'en souvenir. Se rappellera-t-il également bien les sons présentés à chacune des oreilles ?

Bien que cette technique puisse avoir l'apparence d'un programme conçu pour créer de la confusion, elle permet des observations fiables sur la spécialisation cérébrale. Les résultats de ces expériences sur l'écoute dichotique indiquent généralement que les droitiers identifient les stimuli verbaux présentés à l'oreille droite avec plus d'exactitude que les stimuli présentés en même temps à l'oreille gauche. Il est alors question d'« avantage » de l'oreille droite en ce qui concerne l'information verbale. À l'opposé, environ 50 % des gauchers témoignent d'un modèle inversé, soit un avantage de l'oreille gauche ou, en d'autres termes, d'une identification plus exacte des stimuli verbaux présentés à l'oreille gauche. Des données indiquent également que le modèle d'avantage de l'oreille change chez les gauchers quand il s'agit de stimuli non verbaux, comme dans les tâches d'identification de notes musicales.

Dans son explication des résultats obtenus avec cette technique, Kimura (1973) prétend que l'information auditive a des effets controlatéraux plus prononcés que ses effets ipsilatéraux (figure 18.12). Par conséquent, les stimuli auditifs présentés à l'oreille droite ont des effets corticaux auditifs gauches plus intenses que les effets corticaux auditifs droits et inversement. Ainsi, les sons présentés à l'oreille droite exercent un contrôle plus vigoureux sur les mécanismes hémisphériques gauches, alors que les sons verbaux présentés à l'oreille gauche sont moins efficaces pour l'activation des régions de traitement du langage de l'hémisphère cérébral gauche.

Plusieurs études récentes indiquent que l'avantage de l'oreille droite, caractéristique des droitiers en ce qui concerne les sons parlés, se limite à des types particuliers de sons parlés (Tallal et Schwartz, 1980). L'avantage de l'oreille droite se manifeste dans le cas des consonnes comme b, d, t et k présentées simultanément, mais il ne vaut pas s'il s'agit de voyelles. Certains chercheurs pensent que l'avantage de l'oreille droite est le reflet d'un aspect particulier du traitement de l'information sonore et non pas des caractéristiques verbales en général. Selon Tallal et Schwartz, cet avantage de l'oreille droite et de

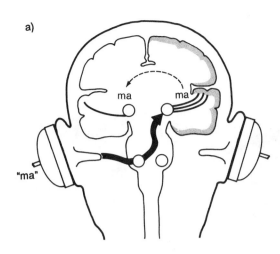

a)

Figure 18.12 Représentation du modèle d'expérience d'écoute dichotique proposé par Kimura (1973). a) Un mot présenté à l'oreille gauche produit une stimulation plus forte du cortex auditif droit. b) Un mot présenté à l'oreille droite produit une plus forte impulsion dans l'hémisphère gauche. c) Quand ces deux mots sont présentés simultanément aux deux oreilles, c'est le mot présenté à l'oreille droite qui est habituellement perçu, car il y a plus de connexions directes avec l'hémisphère gauche.

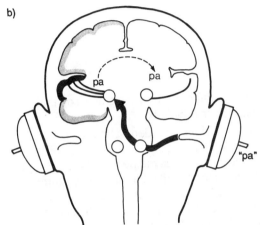

b)

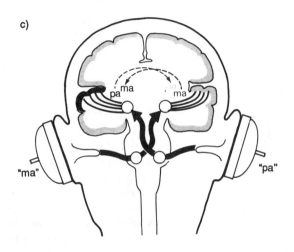

c)

l'hémisphère gauche dans le traitement des sons parlés correspondrait à une spécialisation de l'hémisphère gauche dans le traitement de *n'importe quel* son dont les propriétés acoustiques changent rapidement. Cette caractéristique de changement rapide est évidemment le propre de certains sons parlés et non pas de la totalité. Si on modifie artificiellement les sons de la parole en les prolongeant dans le temps, cet avantage de l'oreille droite pour les sons parlés diminue. Par conséquent, dans l'expérience d'écoute dichotique, l'avantage de l'oreille droite reflète une spécialisation dans le traitement des sons qui changent rapidement et non pas une spécialisation verbale. Ce critère acoustique de traitement par l'hémisphère gauche s'applique à certains des sons de la parole et non pas à tous. Tzeng et Wang (1984) ont fait remarquer que l'hémisphère gauche doit sa supériorité dans le traitement de l'information linguistique à cette capacité de traiter les caractéristiques acoustiques à changements rapides. Cette aptitude permet de lier des segments sonores, facilitant ainsi la transmission rapide et l'analyse de la parole.

Spécialisation visuelle hémisphérique

On peut, chez l'être humain normal, étudier la spécialisation des hémisphères en l'exposant brièvement à des stimuli présentés dans les demi-champs visuels (figure 18.13). En maintenant la durée de la stimulation à moins de 100 à 150 millisecondes, il est possible de restreindre l'action des impulsions afférentes à un seul des hémisphères, puisque les yeux ne peuvent changer de direction pendant un intervalle aussi bref. Évidemment, chez un être

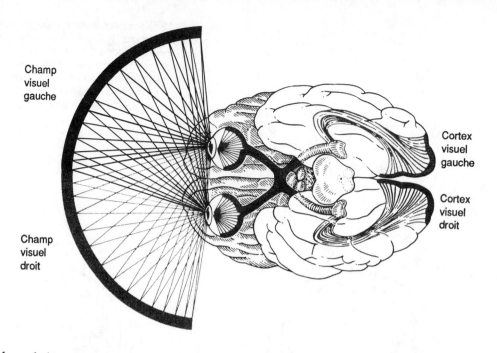

Figure 18.13 Représentation des champs visuels sur la rétine et sur les hémisphères cérébraux. Le champ visuel droit est projeté sur l'hémisphère cérébral gauche et le champ visuel gauche sur l'hémisphère droit (vue du dessous).

Champ visuel gauche

Champ visuel droit

Cortex visuel gauche

Cortex visuel droit

humain intact, le traitement du stimulus visuel peut se poursuivre grâce à de l'information transmise vers l'autre hémisphère, à travers le corps calleux.

La plupart des recherches utilisant des présentations à des demi-champs visuels montrent que les stimuli verbaux (mots ou lettres) présentés au champ visuel droit (se dirigeant vers l'hémisphère gauche) sont plus facilement reconnus que la même stimulation présentée au champ visuel gauche (se dirigeant vers l'hémisphère droit). Par contre, les stimuli visuels non verbaux (les visages) se reconnaissent mieux s'ils sont présentés au champ visuel gauche que les mêmes stimuli présentés au champ visuel droit. Le traitement d'une information visuelle plus simple, comme la détection de la luminosité, d'une tonalité chromatique ou de motifs simples, se fait avec la même facilité dans les deux hémisphères. Lorsqu'il s'agit de matériaux plus complexes, d'ordre visuel aussi bien qu'auditif, certains stimuli sont plus faciles à traiter dans l'hémisphère gauche, chez la plupart des individus.

Les gauchers

Selon les anthropologues, il faut remonter loin dans la préhistoire pour trouver les origines de la dominance de la main droite. Les figurants dans les peintures qui ornent les murs des cavernes tiennent les objets de la main droite et les outils de l'âge de pierre semblent avoir été construits pour la main droite. Certaines des preuves invoquées sont tirées de l'étude des fractures du crâne observées sur les animaux chassés par nos ancêtres. Comme les fractures sont du côté gauche de l'animal, les anthropologues ont conclu que l'attaquant tenait une arme dans sa main droite. La préférence pour la main droite serait donc fort ancienne. On a, dans toute l'histoire de l'humanité, attribué plusieurs propriétés exceptionnelles aux gauchers, allant de la possession d'une personnalité maléfique à celle d'une forme diffuse d'organisation corticale du cerveau. D'ailleurs, l'adjectif *sinistre* provient du mot latin *sinister* qui veut dire *gauche* !

Chez tous les peuples, les gauchers ne représentent qu'un faible pourcentage de la population, soit généralement 10 %, bien que cette proportion soit probablement moins élevée dans les parties du monde où les maîtres et les parents essaient de dissuader les enfants de se servir de la main gauche. Dans les écoles américaines où l'on se montre plus tolérant à cet égard, par exemple, on trouve un pourcentage plus élevé d'enfants d'origine chinoise qui sont gauchers que dans les écoles de Chine. Les enquêtes récentes sur les populations d'étudiants d'université qui écrivent de la main gauche donnent une proportion de 13,8 % (Spiegler et Yeni-Komshian. 1983), ce qui représente une augmentation spectaculaire par rapport à la proportion des gauchers des générations antérieures. Cette augmentation reflète peut-être un déclin continu des pressions sociales exercées en faveur de la main droite et un accroissement de la tolérance sociale vis-à-vis des gauchers.

On a fait plusieurs tentatives pour démontrer l'existence de différences cognitives et affectives entre gauchers et droitiers, en vue d'appuyer l'hypothèse d'une différence d'organisation corticale du cerveau chez ces deux groupes. Des études (basées sur des nombres de sujets plutôt restreints) ont établi un lien entre la dominance de la main gauche et des déficiences d'ordre cognitif. Mais ce genre de travaux a tendance à fournir des données contradictoires, probablement parce que dans certains cas la dominance est déterminée à partir d'un seul critère (l'écriture, par exemple) alors que dans d'autres cas, plusieurs types de comportements servent de points de référence. De plus, il existe des individus ambidextres, en ce qui concerne certaines tâches du moins, chez qui la préférence manuelle alterne souvent d'une tâche à l'autre.

Hardyck, Petrinovich et Goldman (1976) ont entrepris une étude d'envergure sur la préférence manuelle et les aptitudes cognitives. Ils ont examiné plus de 7 000 écoliers des six premières années du programme d'études scolaires et ont évalué leurs aptitudes académiques, leur niveau intellectuel, leur motivation, leur niveau socio-économique et d'autres facteurs du même ordre. L'analyse détaillée de ces données a démontré qu'aucune des mesures de rendement cognitif ne permet de distinguer les gauchers des droitiers.

Néanmoins, la croyance que les gauchers seraient des handicapés a prévalu dans le passé et a même rencontré des appuis occasionnels. Silva et Satz (1970) notent que plusieurs études démontrent qu'il y a plus de gauchers chez les malades que dans la population en général. Ils ont déterminé la préférence manuelle de 1400 sujets d'une institution pour arriérés mentaux et ont constaté qu'on y trouvait 17,8 % de gauchers, à peu près le double du nombre relevé dans la population en général. Dans cette institution, il y avait plus de gauchers dont l'EEG était anormal que de droitiers. Les chercheurs expliquent que la forte proportion de gauchers dans cette population d'arriérés mentaux serait tout simplement attribuable à des blessures au cerveau; les lésions cérébrales qui surviennent au début de l'enfance peuvent donner lieu à un changement de préférence manuelle. Étant donné que la plupart des individus sont droitiers, un traumatisme à l'un des côtés du cerveau qui se produirait en tout jeune âge serait plus susceptible d'entraîner un changement de la main droite à la main gauche que l'inverse.

Certains gauchers écrivent en adoptant une position inversée de la main, la main étant recourbée et placée au-dessus de la ligne écrite. Cette position contraste avec celle adoptée par d'autres gauchers; elle ressemble à la réflexion dans un miroir de la posture que la plupart des droitiers prennent pour écrire. On a considéré cette attitude maladroite de la position inversée adoptée par certains gauchers comme procédant d'une tentative d'imiter l'inclinaison caractéristique de la main des droitiers ou d'un moyen adopté pour mieux apercevoir la ligne d'écriture. Les travaux de Levy et Reid (1976) offrent cependant une perspective différente en proposant l'utilisation de ces positions de la main pour déterminer lequel des hémisphères contrôle les fonctions du langage. Ils ont comparé le rendement des deux types de gauchers (à position d'écriture inversée et non inversée) à des tâches de champ visuel. Ils ont constaté une ressemblance entre droitiers et gauchers à position d'écriture inversée, ressemblance consistant dans le fait que les deux groupes réussissent mieux les tâches verbales de champ droit que les autres gauchers, ce qui laisserait supposer que le langage est sous le contrôle de l'hémisphère gauche. Par contre, les gauchers à position de la main non inversée présentaient dans les tâches verbales une supériorité de champ visuel gauche. On a observé un contrôle semblable du langage par l'hémisphère droit chez un droitier qui écrivait avec inversion de la main, cas extrêmement rare. Ces résultats sont controversés; malgré le fait que cette relation avec les tâches de champ visuel continue de se manifester dans d'autres expériences, on ne constate aucun lien entre la position d'écriture des gauchers et les autres mesures de spécialisation hémisphérique, comme par exemple les tâches d'écoute dichotique (Springer et Deutsch, 1985).

Latéralisation cérébrale des émotions

La latéralisation des processus cognitifs se trouve corroborée, chez l'être humain, par plusieurs observations de caractère expérimental et clinique. Plus récemment, les chercheurs ont porté leur attention sur la possibilité de démontrer l'existence de différences hémisphériques dans le cas d'une autre dimension psychologique fondamentale : les émotions. On a étudié ces différences entre les hémisphères cérébraux selon plusieurs points de vue. Certaines des recherches portent sur le rôle particulier que jouerait l'hémisphère droit dans la perception des états affectifs. Un autre aspect de ce problème apparaît dans les travaux sur la latéralisation de l'expression émotionnelle, surtout dans les manifestations de l'expression faciale (Fridlund, 1988). Enfin, cette notion trouve un appui du côté clinique dans les travaux sur les troubles affectifs associés aux maladies affectant un seul côté du cerveau, comme les attaques et les déviations (par rapport aux normes de la spécialisation hémisphérique) observées chez les groupes d'individus psychotiques. Certains faits se rapportant à chacune de ces perspectives permettent de supposer que les émotions font intervenir les hémisphères à des degrés différents.

Hémisphère droit et perception de l'émotion chez les individus normaux

Les techniques d'écoute dichotique ont montré que les hémisphères cérébraux pourraient jouer un rôle différent dans la reconnaissance des stimuli émotionnels. On trouve un exemple d'application de ces techniques dans les travaux de Ley et Bryden (1982) qui ont proposé à des sujets normaux de courtes phrases prononcées sur des tons joyeux, tristes, irrités et neutres. Chaque oreille percevait, par l'intermédiaire d'écouteurs, une phrase différente. Les sujets devaient porter attention à l'une des oreilles et rapporter les deux éléments suivants : le contenu du message et sa consonance affective. Ils ont montré un avantage manifeste de l'oreille gauche pour l'identification de l'intonation affective de la voix et un avantage de l'oreille droite pour l'identification du contenu sémantique du bref message. Comme chacune des oreilles envoie des projections plus fortes à l'hémisphère controlatéral, ces résultats indiquent que l'hémisphère droit l'emporte sur l'hémisphère gauche dans l'interprétation des aspects affectifs des messages vocaux. Comme certains chercheurs l'ont fait remarquer, il est également possible que les deux hémisphères procèdent au traitement des stimuli émotionnels, mais que les stimuli s'adressant à l'hémisphère droit soient plus susceptibles de provoquer des réactions émotives (Silberman et Weingartner, 1986).

La présentation de stimuli visuels au moyen du tachistoscope a également fait apparaître des différences hémisphériques dans la perception de stimuli ou d'états émotionnels. Ces études ont habituellement recours à des stimuli qui sont des visages manifestant diverses expressions émotionnelles. Des tâches variées, mettant l'accent sur le temps de réaction ou sur l'identification, ont donné des résultats identiques : les stimuli émotionnels présentés au champ visuel gauche (avec projection à l'hémisphère droit) donnent des temps de réaction plus rapides et une identification plus exacte des états émotifs (Bryden, 1982). On peut modifier ces effets en donnant des directives diverses aux sujets. On parvient, par exemple, à accroître les différences entre les hémisphères en insistant pour obtenir une réaction emphatique : « Essayez de ressentir la même chose que le visage qui vous est présenté ».

Hémisphère droit et expression émotionnelle

On obtient un effet intéressant en coupant exactement au milieu la photographie du visage d'une personne manifestant une émotion et en composant avec les parties deux nouvelles photos. Pour ce faire, on produit un nouveau visage en combinant deux côtés gauches et un autre visage avec deux côtés droits (figure 18.14). Plusieurs expérimentateurs rapportent que les sujets jugent les photos composées avec des côtés gauches plus émotionnelles que les photos formées avec des côtés droits (Sackheim et coll., 1978). Campbell (1982) a constaté que les photos composées de deux côtés gauches étaient perçues comme plus joyeuses et celles formées de deux côtés droits plus tristes. Les critiques de ce type d'expérience font remarquer qu'on n'y fait pas de distinction entre les photographies d'émotions feintes et celles d'émotions authentiques (Hager, 1982). L'asymétrie de l'expression faciale est beaucoup plus difficile à reconnaître à partir de photos d'émotions réelles. Ekman et ses collaborateurs (1984) insistent sur le fait que l'évaluation de l'expression faciale comporte des jugements assez complexes qui portent à la fois sur des caractéristiques statiques du visage, comme des saillies osseuses, et sur des traits dynamiques, comme ceux qui dépendent de la musculature faciale.

Perturbations émotionnelles associées aux maladies et aux lésions affectant les hémisphères

Une des principales constatations découlant des études des sujets victimes de maladies ou de blessures limitées à un hémisphère consiste en une différence de tonus affectif entre les hémisphères. L'injection unilatérale d'amobarbital dans l'artère carotide a fourni certaines des premières données à ce sujet (voir l'encadré 18.1). On émis l'hypothèse que l'injection d'amobarbital sodique dans l'hémisphère dominant (hémisphère gauche chez la plupart des individus) engendrait un effet de dépression alors que la même injection dans l'artère carotide du côté non dominant déclenchait un état euphorique accompagné d'un sentiment accru de bien-être et de sourires. Une série d'observations faites par Robinson et ses collaborateurs (1985) sur les victimes d'attaques apporte des faits additionnels importants. Ils ont, en effet, constaté que les sujets dont les attaques mettent en cause l'hémisphère gauche antérieur révèlent une fréquence de symptômes dépressifs plus élevée; plus la lésion se rapproche du lobe frontal, plus l'image de la dépression est prononcée. Chez ces sujets, l'aphasie était liée à la gravité de l'état dépressif. Par contre, on rapportait que les personnes souffrant de lésions de l'hémisphère droit manifestaient une bonne humeur et de l'apathie non justifiées. Les mêmes observations s'appliquent aux gauchers, ce qui permet de croire que les perturbations d'humeur subséquentes aux attaques seraient indépendantes de la latéralisation cérébrale se rapportant à la préférence manuelle et au langage. Bear (1983) a supposé que le sujet à lésion hémisphérique droite manifestait des déficiences sur le plan de la surveillance affective (détection des événements provoquant ordinairement des réactions affectives, la détection d'une menace, par exemple). Les différences hémisphériques quant au point de déclenchement des décharges épileptiques semblent, elles aussi, associées

Figure 18.14 Comparaison de l'intensité de l'expression émotionnelle sur des montages de parties de visage. a) Montage du côté gauche. b) Visage original. c) Montage du côté droit. (H. Sackheim et coll., « Emotions Are Expressed More Intensely on the Left Side of the Face », *Science* 202, oct. 1978, fig. 1, p. 434. Copyright © 1978 par l'American Association for the Advancement of Science.)

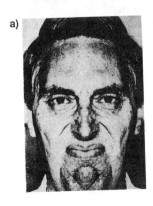
a)

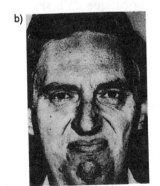
b)

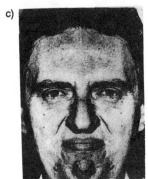
c)

Wada et Rasmussen (1960) ont trouvé un outil capable de produire dans les hémisphères cérébraux des effets s'apparentant beaucoup à une lésion réversible. L'effet est produit par injection d'un anesthésique à action brève, l'amobarbital sodique, dans une seule des branches de l'artère carotide, d'un côté d'abord et puis, plusieurs minutes après, de l'autre côté. Il a été souligné au chapitre 2 que le sang circulant dans les deux tiers antérieurs des hémisphères cérébraux provient des branches de l'artère carotide. Lors de son premier passage à travers le système vasculaire, la plus grande partie de l'agent anesthésique reste du côté du cerveau où il a été injecté. Quand l'injection est faite du côté de la spécialisation hémisphérique du traitement du langage, le sujet réagit par une interruption de la parole pendant une brève période. Après quelques minutes, l'effet se dissipe, si bien que l'injection ressemble beaucoup à une lésion cérébrale réversible. Le test à l'amobarbital sodique (parfois nommé test de Wada, du nom de son concepteur) montre que la spécialisation pour le langage se fait dans l'hémisphère gauche, chez environ 95 % des êtres humains.

à des différences dans les dimensions émotives. On a constaté à la suite de lésions dans la région pariéto-temporale droite, l'apparition d'une psychose entraînant des crises épileptiques chez plusieurs personnes qui n'avaient jusque là donné aucun signe de troubles psychiatriques. Cet état était marqué de symptômes de délires et d'hallucinations intenses. Heilman et ses collaborateurs (1983) ont résumé plusieurs autres observations cliniques se rapportant à des différences entre les deux hémisphères.

On a examiné des personnes présentant des troubles psychiatriques afin de déterminer si, dans ces cas, la latéralisation cérébrale par rapport à une variété de tâches cognitives et perceptives serait différente de celle des individus normaux. Les études sur les schizophrènes sont à l'origine de plusieurs propositions assez controversées. Un grand nombre de données discutables, recensées par Marin et Tucker (1981) et Merrin (1981), sont à l'origine d'une hypothèse sur l'existence d'une relation entre la schizophrénie et les perturbations de la latéralité cérébrale. Cette proposition ne semble s'appuyer sur aucun fait particulier mais plutôt sur un réseau d'inférences issues d'un grand nombre d'observations différentes. Wexler (1979) a évalué, par exemple, les résultats obtenus par des sujets psychotiques soumis à des tâches d'écoute dichotique et a trouvé une correspondance entre l'amélioration de leur condition et les scores de latéralité plus élevés. Certains chercheurs voient dans la schizophrénie un état caractérisé par la suractivité d'un hémisphère gauche en dysfonctionnement (Gur, 1979). Ce tableau comprend beaucoup de variables et il est parfois difficile de faire le partage entre les caprices du comportement des sujets et les principaux effets qui ressortent de l'évaluation psychométrique du fonctionnement hémisphérique de malades psychiatriques. Des recherches additionnelles permettront peut-être de clarifier l'état des connaissances en ce domaine.

Relations entre différences hémisphériques et données anatomo-physiologiques

Les efforts pour découvrir les bases biologiques des différences hémisphériques ont mis à contribution des études anatomiques et des études neurophysiologiques. Des recherches récentes indiquent que la forme des deux hémisphères serait légèrement différente. La comparaison des structures des côtés gauche et droit du corps révèlent que ce ne sont pas des répliques exactes l'une de l'autre. L'asymétrie est évidente dans le cas du cœur et du foie. Regardez-vous dans un miroir et souriez ou, si cela vous gêne, faites une grimace. En examinant soigneusement les plis du visage et les bords des lèvres, on constate une asymétrie indéniable. On ignore le rôle fonctionnel de ces asymétries faciales (même si l'on a prétendu que les expressions venant du côté gauche du visage étaient perçues comme plus

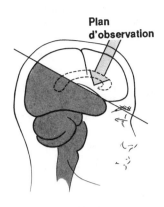

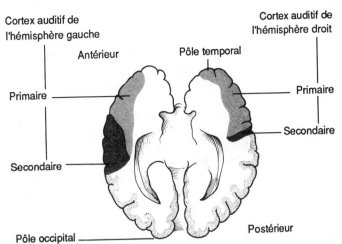

Cortex auditif de
l'hémisphère gauche

Cortex auditif de
l'hémisphère droit

Antérieur

Pôle temporal

Primaire

Primaire

Secondaire

Secondaire

Secondaire

Pôle occipital

Postérieur

Figure 18.15 Asymétrie structurale du lobe temporal de l'être humain. Le plan temporal est plus étendu dans l'hémisphère gauche chez 65 % à 75 % des sujets humains. (D'après Geschwind et Levitsky, 1968. Copyright 1968 par l'American Association for the Advancement of Science.)

émotionnelles). Les chercheurs n'ont pas encore essayé de savoir si l'interprétation de celui qui regarde le visage d'une autre personne est réciproquement asymétrique.

Lors d'une étude des lobes temporaux de sujets adultes, Geschwind et Levitsky (1968) ont découvert que, dans 65 % des cerveaux qu'ils avaient examinés, une région du cortex cérébral nommée plan temporal était plus volumineuse dans l'hémisphère gauche que dans l'hémisphère droit (figure 18.15). Dans 11 % des cas, c'était le côté droit qui était le plus volumineux. Dans certaines études, il a été rapporté que cette différence gauche-droite était presque de l'ordre de 2 à 1. La région en cause, soit la surface supérieure du lobe temporal, comprend une partie de l'aire de la parole de Wernicke. On suppose que cette différence dans la dimension de cette région reflète la spécialisation (dominance) de l'un des deux hémisphères cérébraux vis-à-vis du langage. Le fait que l'aire gauche soit plus grande dénoterait un développement plus poussé de ce côté qui pourrait correspondre à un plus grand nombre de cellules nerveuses ou à une plus importante prolifération de dendrites. Cette différence dans la dimension corticale est encore plus évidente à la naissance. On l'a constatée dans 86 % des cerveaux de nouveau-nés examinés à cet effet, ce qui permet de croire que la dominance dans le langage repose sur des facteurs intrinsèques puisque l'asymétrie se manifeste avant qu'aucun renforcement de dominance d'origine environnementale n'ait pu se produire.

On ne dispose pas encore d'observations anatomiques et de mesures fonctionnelles directes, telles la préférence manuelle et la capacité verbale, portant sur les mêmes sujets. On peut toutefois obtenir des mesures indirectes de la dimension du cortex temporal à partir d'artériogrammes révélant la grosseur et le trajet de l'artère cérébrale moyenne (LeMay et Culebras, 1972; Hochberg et Lemay, 1975). Dans un groupe de 44 sujets droitiers, 86 % présentaient un grand nombre de vaisseaux laissant supposer un plus grand volume pariéto-temporal gauche; ce lit vasculaire plus important n'a été observé que chez 17 % des gauchers. La plupart des gauchers ne présentaient pas de différences gauche-droite.

Les tomogrammes révèlent l'existence de différences de volume dans certaines grandes régions du cerveau et ces différences peuvent être associées à la forme que prend le crâne au-dessus de ces régions. Au moyen de cette technique, LeMay (1977) a démontré qu'une majorité des droitiers (61 %) ont une région frontale plus large du côté droit, alors que ce fait ne s'observe que chez 40 % des gauchers. À l'inverse, plus de gauchers montrent une région frontale gauche plus large. Ces différences étaient plus marquées quand on limitait la comparaison des gauchers et des droitiers aux membres de mêmes familles. Depuis, on a démontré des asymétries anatomiques à partir de plusieurs mesures macroscopiques des hémisphères cérébraux. Geschwind et Galaburda (1985) ont présenté un résumé de ces

741

travaux. Des comparaisons des structures microscopiques des hémisphères droit et gauche révèlent des différences entre les deux côtés du cerveau. La comparaison de l'organisation dendritique des aires antérieures gauche et droite de la parole (Scheibel et coll., 1985) révèle des différences significatives dans le mode d'arborisation des dendrites. Les cellules du côté gauche ont un plus grand nombre de ramifications dendritiques de niveau supérieur, cet état de fait étant partiellement inversé chez les individus qui ne sont pas droitiers.

On a également constaté de l'asymétrie dans la distribution des transmetteurs, tant chez l'animal que chez l'être humain. Par exemple, les régions du thalamus gauche de l'être humain contiennent plus d'adrénaline du côté droit (Geschwind et Galaburda, 1985). L'asymétrie dans la concentration de dopamine notée dans certaines régions des noyaux gris centraux est associée à la préférence de direction pour tourner chez les rats (Glick et Shapiro, 1984). M.C. Diamond et ses collaborateurs (1982) ont suggéré qu'il existait des relations entre les hormones et l'asymétrie du cortex cérébral lorsqu'ils ont démontré que ce dernier est plus épais dans plusieurs régions du côté gauche qu'il ne l'est du côté droit chez les rats femelles. Chez les mâles, les régions du côté droit sont les plus épaisses. L'ablation des testicules à la naissance renverse cette asymétrie.

On observe également une asymétrie gauche-droite tant dans les structures vasculaires des hémisphères cérébraux que dans les mesures des réactions de la circulation sanguine à des stimuli verbaux et non verbaux. Le débit de sang en direction de tout organe change avec l'activité des tissus irrigués. Ce changement s'effectue par variation du calibre des vaisseaux sanguins, ce qui entraîne une dilatation ou une constriction. On a constaté que la circulation de sang dans l'hémisphère gauche était plus élevée à la suite d'une stimulation verbale.

Origine de la spécialisation des hémisphères cérébraux

Une réflexion sur les avantages qui découlent de certains états biologiques peut aider à comprendre certains des phénomènes qui se déroulent dans le cerveau. La raison d'être de certains de ces avantages biologiques se trouve évidemment perdue dans l'histoire de l'évolution. Le comportement n'étant pas un aspect qui a pu être fossilisé, ce sujet pourrait même donner lieu à des spéculations encore plus élaborées. Il en est de même pour la recherche des avantages biologiques et des origines évolutives présumées de la spécialisation des hémisphères cérébraux.

Pour certains chercheurs, la spécialisation des hémisphères trouverait ses origines dans l'usage différentiel des membres lors de l'exécution de nombreuses tâches routinières. On peut imaginer que, lorsque nos ancêtres chassaient, une main devait tenir l'arme et lui communiquer de la force, pendant que l'autre devait servir à la diriger de façon plus précise ou à assurer l'équilibre du corps. Les études archéologiques des crânes humains permettent de conclure à une utilisation différentielle des membres quand il s'agissait d'attaquer d'autres êtres humains. Il a déjà été souligné que cette notion s'appuyait sur le fait que l'on observe plus de fractures du crâne situées du côté gauche, chez les spécimens fossilisés des premiers êtres humains. Avec le temps, les succès que la préférence manuelle apportait sur le plan de l'évolution auraient pu contribuer à l'émergence du langage et de la parole.

On a proposé plusieurs théories pour expliquer l'émergence du langage et de la parole, certaines mettant l'accent sur les rapports entre la parole et la motricité, d'autres sur les propriétés cognitives du langage. L'appareil moteur de la parole comprend plusieurs systèmes musculaires délicats situés sur la ligne médiane du corps, le bout de la langue par exemple. La sensibilité et la précision de l'analyse du stimulus se trouvent réduites sur la ligne médiane de la surface du corps. Ce phénomène refléterait peut-être l'antagonisme réciproque des terminaisons droite et gauche de l'axone dans la peau. Dans le cas de la parole, cet aspect particulier de la ligne médiane serait catastrophique pour la précision du contrôle. C'est pourquoi l'asymétrie du contrôle moteur de la production verbale serait plus en mesure d'offrir un contrôle meilleur et incontesté des éléments de l'appareil verbal en cause. On observe la même latéralité de la production sonore dans le contrôle vocal du chant des oiseaux.

D'autres liens entre le langage et les avantages de la spécialisation cérébrale, sur le plan de l'évolution, ont été mis en évidence dans les arguments invoqués pour prétendre à une différence fondamentale de styles cognitifs entre les hémisphères. Selon cette façon de voir, l'hémisphère gauche assurerait un traitement de l'information de nature analytique alors que l'examen de l'information par l'hémisphère droit serait d'un caractère plus général ou holistique. La spécialisation des hémisphères serait à l'origine de modes cognitifs distincts qui, prétend-on, seraient mutuellement incompatibles. Toute réaction linguistique ou cognitive exigerait une action différenciée sur les éléments et la spécialisation des hémisphères constituerait une bonne façon de répondre à ces besoins.

Les caprices apparents que manifestent les oiseaux dans leurs itinéraires migratoires fournissent un autre indice quant aux origines et aux avantages de l'asymétrie corporelle. Pendant leur migration hivernale vers le sud, certains oiseaux dont l'aire de nidification se trouve au Canada aboutissent en Californie plutôt qu'au sud-est des États-Unis. Selon Jared Diamond (1980), ces animaux confondraient la gauche et la droite; il prétend qu'un des rôles de l'asymétrie fonctionnelle consiste justement en la facilitation de cette distinction entre la gauche et la droite. Ainsi l'asymétrie hémisphérique serait de nature à atténuer le risque de commettre des erreurs d'orientation spatiale en fournissant à l'organisme un cadre de référence.

Il a déjà été souligné que, à un moment donné, l'Académie française avait interdit toute spéculation sur les origines du langage; aucune mesure semblable ne semble en voie d'être adoptée, en ce qui concerne le thème de la spécialisation cérébrale. Nous n'avons présenté ici que quelques-unes des spéculations qui ont actuellement cours; en prolonger la discussion ne pourrait que fournir des raisons de reconnaître la sagesse de l'intervention de l'Académie française à la fin du XVIIIe siècle.

Théories des différences cognitives entre les hémisphères cérébraux de l'être humain

Les travaux de recherche sur les sujets à cerveau divisé ont entraîné dans leur sillon une abondance de spéculations sur les différences cognitives et affectives entre les hémisphères. Ce mouvement de spéculations a été attisé plus encore par l'expérimentation sur des êtres humains normaux. Des éducateurs qui s'inquiètent du déclin des performances académiques dans les écoles primaires et secondaires parlent maintenant d'« éduquer les deux moitiés du cerveau ». Bogen (1977), l'un des chirurgiens qui ont pratiqué des interventions chirurgicales de séparation du cerveau, a demandé qu'on consacre un temps égal à chacun des hémisphères à l'école. La popularité grandissante des thèmes de recherche dans ce domaine semble donner lieu à des spéculations qui font fi de la réalité.

En fait, des distinctions entre « cerveau gauche » et « cerveau droit » sont apparues depuis que l'observation clinique des troubles du langage résultant de lésions temporales et frontales gauches ont conduit à la dichotomie entre le verbal et le non verbal. Le tableau 18.1 présente une liste des différences de traitement cognitif proposées par divers chercheurs. En tête de liste, on trouve la distinction entre verbal et non verbal qui est issue des études sur l'aphasie. Plusieurs constatations d'ordre expérimental soulèvent pourtant des doutes sur la légitimité d'une telle dichotomie. Maintes études sur des sujets à cerveau divisé montrent que l'hémisphère droit participe au traitement du langage. Ce phénomène devient de plus en plus évident à mesure que les chercheurs cessent d'utiliser uniquement la parole pour évaluer les capacités linguistiques. On peut, par exemple, demander aux sujets de pointer du doigt les objets dont le nom est projeté momentanément dans le champ visuel gauche.

Même si certaines expériences font vraiment apparaître des différences entre les tâches exécutées par les hémisphères cérébraux, le fait de conclure rapidement qu'il existe, dans chaque être humain, deux identités cognitives dépasse de beaucoup les normes d'une saine spéculation. Il ne faut pas oublier que bon nombre de ces différences hémisphériques sont minimes et n'indiquent aucunement que l'un des côtés contribue plus que l'autre à la réalisation d'une fonction particulière. Habituellement, on arrive difficilement à orienter l'information exclusivement vers un seul hémisphère. C'est le traitement simultané dans les deux hémisphères qui est le plus susceptible de se produire et le mode ordinaire est celui d'une interaction entre les hémisphères cérébraux. (Gazzaniga et Le Doux, 1978). L'étude de la spécialisation des deux hémisphères fournit des indices sur le traitement de l'information et ces indices montrent que l'expérience humaine courante est celle de l'unité mentale. L'éducation séparée de chacun des hémisphères n'est pas justifiable, du moins si l'on se fie aux données de la recherche scientifique actuelle.

DÉVELOPPEMENT DU LANGAGE ET CERVEAU

L'acquisition du langage repose sur des processus à la fois extrinsèques et intrinsèques. D'un côté, tous les idiomes humains présentent une régularité considérable dans l'évolution temporelle des stades du développement linguistique. Durant l'année qui suit la naissance, le babillement de tous les enfants paraît semblable, quel que soit le milieu culturel dans lequel ils vivent. Par contre, les attributs éminemment spécialisés des langages spécifiques exigent le recours aux processus d'apprentissage durant les premières phases du développement. Les rares cas où des enfants se sont trouvés considérablement isolés au cours de la tendre enfance démontrent l'importance de l'expérience pendant les premières périodes critiques du développement.

Un des points sur lesquels portent les études du développement est celui de l'acquisition de la latéralisation chez les enfants, telle qu'elle apparaît dans les structures mêmes du cerveau et dans des fonctions comme l'écoute dichotique. Il a déjà été fait mention que l'asymétrie hémisphérique existe déjà à la naissance chez l'être humain. Les nouveau-nés tournent beaucoup plus souvent la tête vers la droite que vers la gauche. La réaction aux sons de la parole fait ressortir l'asymétrie électrophysiologique des hémisphères cérébraux du nouveau-né. La latéralisation structurale et fonctionnelle existe donc très tôt dans le cerveau humain.

Toutefois, la maturation du langage exige beaucoup de temps, ce qui se reflète également dans plusieurs caractéristiques du recouvrement des pertes linguistiques résultant de lésions cérébrales. Ce qui découle essentiellement de ces observations c'est que le cerveau perd lentement la capacité de compenser les dommages encourus.

LOBES FRONTAUX ET COMPORTEMENT

Parce que la complexité de l'être humain dépasse de beaucoup celle des animaux, les chercheurs ont voulu identifier les caractéristiques du cerveau qui pourraient rendre compte de cette supériorité. Parmi les différences les plus remarquables, il faut mentionner la dimension du cortex préfrontal dont le volume explique en partie que la région frontale du cerveau soit considérée comme le siège de l'intelligence et de la pensée abstraite. À cet aspect mystérieux du lobe frontal, s'ajoute l'ensemble inhabituel de modifications du comportement observées à la suite de lésions chirurgicales ou accidentelles affectant cette région. On ne saurait mieux résumer la complexité des modifications résultant des dommages à l'aire préfrontale que dans ce rapport médical décrivant les changements intervenus dans le comportement de Phineas Gage qui, en 1848, alors qu'il faisait exploser de la poudre à fusil, fut frappé par une barre de fer qui lui traversa le crâne et produisit une lésion massive du cortex préfrontal. Le médecin traitant termina son rapport de la façon suivante : « ... son esprit fut transformé d'une façon si radicale et définitive que sa parenté et ses amis disaient de lui : ce n'est plus Gage ». Aujourd'hui, environ 140 ans après cet accident tragique de Gage, la recherche fournit certains indices sur les aspects sous-jacents de la transformation que cet homme a subie. En effet, c'est à la suite des efforts intenses d'analyse expérimentale effectuée sur cette partie du cerveau qu'une partie du mystère du rôle du lobe frontal a commencé à se dissiper.

Analyse des lésions du lobe frontal

Le cortex frontal représente environ la moitié du cortex cérébral de l'être humain. Chez les autres animaux, ce même cortex (les régions préfrontales surtout) forme une plus petite proportion du cortex cérébral (figure 18.16). Le tableau clinique que présente un sujet victime de lésions cérébrales témoigne d'un ensemble inhabituel de changements d'ordre affectif, moteur et cognitif. Pour l'observateur, les réactions émotives de ces personnes prennent l'aspect d'une étrange apathie persistante, coupée d'accès d'euphorie s'accompagnant d'un sentiment de bien-être prononcé. Ceux-ci semblent sacrifier d'emblée à leurs mouvements impulsifs les us et coutumes sociaux ordinaires. Ils se préoccupent rarement du passé ou de l'avenir (Milner et Petrides, 1984).

Les émotions que manifestent ces personnes sont plutôt superficielles et la réaction à la douleur se trouve elle-même atténuée. Il se produit souvent, cependant, des épisodes où l'apathie cède le pas à de la vantardise et des stupidités et, parfois, à des activités sexuelles effrénées.

Les changements d'ordre cognitif intervenant chez ces personnes sont très compliqués et difficiles à préciser, malgré le sentiment qu'on a que ces malades ont typiquement quelque chose de très différent. Les tests de Q.I. standardisés ne laissent apparaître que des modifications minimes attribuables à l'intervention chirurgicale. On constate une tendance à oublier dans de nombreuses tâches qui exigent une attention soutenue. Certains chercheurs disent, en fait, que ces personnes oublient même les recommandations qu'ils leur font de « se souvenir ».

L'examen clinique laisse également apparaître un éventail de défectuosités bizarres de l'activité motrice, particulièrement dans le domaine de la planification de l'action. Les sujets semblent persévérer dans toute activité qui a été mise en branle. Si on demande à l'un de ces malades de fermer et d'ouvrir le poing, par exemple, il continue, une fois cette activité déclenchée (ce qui est difficile à obtenir chez lui), à ouvrir et fermer le poing sans se lasser. Le niveau général d'activité motrice de ces sujets diminue de beaucoup, surtout en ce qui concerne les mouvements spontanés et ordinaires. Par exemple, le visage perd toute son expressivité et on constate une réduction prononcée des mouvements de la tête et des yeux. Réapparaissent alors des réflexes normalement observés dans la tendre enfance, comme par exemple le réflexe infantile de préhension. De nombreuses évaluations cliniques ont fait ressortir chez ces sujets une désorganisation du comportement intentionnel et plus particulièrement une incapacité de planifier l'activité et de prévoir. L'activité quotidienne de ces malades semble troublée et dépourvue de programmes clairs de mise en ordre de l'action.

Les tests psychologiques standardisés jouent un rôle important dans l'évaluation de l'activité du cerveau, mais il arrive parfois qu'une analyse moins formelle du comportement jette une lumière éclatante sur un aspect précis des déficiences cérébrales. On a, en effet, vu des cas où ces observations moins systématiques du comportement ont révélé un déficit que l'évaluation psychométrique objective ne permettait pas de déceler. On en trouve un exemple assez récent dans un article de Lhermite et ses collaborateurs (1986) où l'on décrit un phénomène assez inhabituel chez les personnes qui souffrent de lésions du lobe frontal.

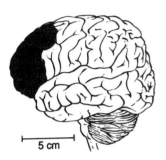

a) Être humain

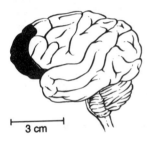

b) Singe-araignée (atèle)

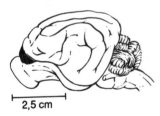

c) Chat

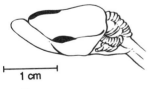

d) Rat

Figure 18.16 Comparaison des dimensions du cortex préfrontal de divers mammifères. Le pourcentage relatif de cortex préfrontal est plus grand chez l'être humain et décroît progressivement quand on passe aux autres primates, aux carnivores et aux rongeurs.

Ces chercheurs ont noté l'existence d'un syndrome caractérisé par une imitation spontanée des gestes et du comportement de l'examinateur. Il associent ce syndrome à un autre qu'ils ont nommé « comportement d'utilisation » et qui consiste en une conduite s'appuyant de façon exagérée sur des indices provenant de l'environnement. Ils ont observé ce syndrome pendant des examens cliniques au cours desquels l'examinateur devait poser des gestes corporels variés ou s'employer à écrire ou à manipuler des objets. Tous les sujets dont la maladie se rapportait aux lobes frontaux imitaient spontanément les gestes de l'examinateur dans le menu détail. Le plus petit mouvement de l'examinateur semblait constituer une invitation à copier ce geste. Les malades étaient bien conscients de ce comportement d'imitation. Dans des situations sociales complexes, leur conduite reflétait également une dépendance extraordinaire envers l'environnement. Les situations sociales décrites par Lhermite et ses collaborateurs (1986) comprennent des observations d'interaction effectuées à la résidence des malades et dans le bureau du médecin. Dans ce dernier cas, une malade apercevant un manomètre à pression artérielle se mit aussitôt à prendre la tension du médecin. Apercevant un abaisse-langue, elle le plaça devant la bouche du médecin. En pénétrant dans une chambre, un autre malade se déshabilla et se mit au lit. Il bondit ensuite hors du lit quand l'examinateur ramassa l'un de ses vêtements. Ces actes possèdent un certain caractère mécanique; Lhermite trouve que ces malades sont démunis face aux influences du monde extérieur. La disparition de la capacité d'autocritique constitue un autre aspect de leur comportement, comme en témoigne le fait d'uriner calmement sur un mur d'un édifice public. Selon Lhermite, certaines caractéristiques de ce déficit seraient dues à la perte de la maîtrise frontale des activités du cortex pariétal qui contrôle certains aspects de l'activité sensorimotrice. Il laisse entendre que la connexion entre le cortex frontal et le cortex pariétal relie l'individu à son environnement et assure l'autonomie individuelle.

Lésions préfrontales chez les animaux

L'étude des fonctions corticales préfrontales des animaux a commencé avec les travaux de Carlyle Jacobsen, au cours des années 1930. Dans ses expériences sur les chimpanzés, Jacobsen utilisait l'apprentissage de réponses différées (chapitre 16).

Ce test relativement simple a permis de déceler une défectuosité remarquable chez des chimpanzés à lésions préfrontales. Par rapport à d'autres qui avaient subi des lésions dans des régions différentes du cerveau, ces animaux réussissent très mal dans cette tâche. L'interprétation que propose Jacobsen de ce phénomène met l'accent sur les fonctions mnémoniques du cortex frontal.

Les observations expérimentales et cliniques sur les êtres humains et les autres animaux à lésions frontales ont donné lieu à plusieurs hypothèses sur le rôle des lobes frontaux. Une grande variété, sinon une surabondance, de symptômes font leur apparition et on ne dispose d'aucune généralisation immédiate pour rendre compte de tous ces déficits. Certaines notions s'accordent mieux avec les faits que d'autres; c'est pourquoi elles ont servi à focaliser les travaux dans ce domaine. Ces hypothèses portent notamment sur les fonctions mnémoniques, les mécanismes de planification, le contrôle inhibiteur du comportement et le contrôle par rétroaction. Les données courantes viennent appuyer plusieurs de ces théories.

SYNDROMES DU CORTEX PARIÉTAL CHEZ L'ÊTRE HUMAIN

Les dommages au lobe pariétal peuvent entraîner des troubles comme l'incapacité de reconnaître au simple toucher les objets qui sont placés dans la main, la désaffection complète d'un côté du corps (au point de refuser de le reconnaître comme faisant partie de soi), l'impossibilité de reconnaître les physionomies à partir de photographies ou la perturbation grave de l'orientation spatiale. La diversité des modifications du comporte-

Selon Sotaniemi (1980) qui a fait la recension d'un grand nombre de cas, la majorité des personnes qui subissent une intervention chirurgicale à cœur ouvert sont sujettes à des séquelles neurologiques caractéristiques. La plupart présentent des formes d'altération du comportement, y compris une désorientation profonde et des problèmes de mémoire globale pouvant persister pendant des mois. Cependant, après un an, le rétablissement est complet dans la plupart des cas, moins de 10 % donnant des signes persistants de complications neurologiques.

Ces données d'ordre clinique font ressortir l'importance du maintien d'une circulation sanguine normale dans le cerveau. La régulation continue et prolongée du débit de sang au moyen d'un pontage peut s'avérer incapable de simuler convenablement la circulation normale de sang assurée par les mécanismes physiologiques.

ment résultant de lésions dans cette région est attribuable en bonne partie à sa grande surface et à sa position critique à la jonction des régions occipitale, temporale et frontale.

L'extrémité antérieure de la région pariétale comprend la circonvolution postcentrale qui est l'aire corticale primaire de réception des sensations somatiques. Une lésion dans cette région du cerveau ne produit pas d'engourdissement, mais entraîne plutôt des déficits sensoriels controlatéraux qui semblent mettre en cause un traitement d'information sensorielle complexe. Le sujet est incapable, par exemple, d'identifier au toucher et par manipulation active les objets placés dans la main qui est du côté opposé à l'aire somatosensorielle endommagée. Ce déficit est nommé **astéréognosie** (des racines grecques *a* pour absence, *stereos* pour solide et *gnosis* pour connaissance). Ce déficit se produit même si les capacités somatosensorielles primaires sont relativement intactes (c.-à-d. que le sujet sent qu'il a quelque chose dans la main mais qu'il est incapable de l'identifier). Dans certains cas, le déficit se présente du même côté que la lésion cérébrale (Corkin, Milner et Rasmussen, 1970). Des blessures plus étendues dans le cortex pariétal, lésions ne se limitant pas au cortex somatosensoriel, affectent les interactions entre modalités sensorielles ou au sein d'une même modalité, comme celles qui sont nécessaires dans les tâches d'appariement tacto-visuelles, où le sujet doit identifier visuellement un objet qu'il a touché ou faire l'inverse.

Lorsqu'un visage n'est pas un visage : le syndrome de la prosopagnosie

Imaginez qu'en vous regardant dans le miroir, vous y aperceviez un visage qui vous est étranger ! C'est précisément l'expérience que vivent certains individus victimes de lésions cérébrales. Il s'agit d'un syndrome rare nommé **prosopagnosie** (du grec *prosopon* pour personne, *a* pour absence et *gnosis* pour connaissance). Ces personnes sont non seulement incapables de reconnaître leur propre visage, mais elles n'arrivent pas non plus à reconnaître le visage de leurs parents et amis. On multipliera en vain les efforts thérapeutiques : ces malades sont incapables de reconnaître la physionomie de quiconque. Ils demeurent capables, par contre, de reconnaître les objets et ils identifient spontanément leurs connaissances au son de la voix. Les visages ont tout simplement perdu toute signification. Et tout ceci survient sans perturbations cognitives; aucun problème d'orientation, aucune confusion, aucun signe de diminution des capacités intellectuelles. L'acuité visuelle se maintient même si la plupart de ces malades présentent un léger défaut de champ visuel, à savoir une région du champ où ils sont « aveugles ».

Damasio (1985b) a brillamment décrit les caractéristiques anatomiques et neuropsychologiques de ce syndrome. Il a fait observer que même si les premiers travaux ont surtout situé la cause d'un tel déficit dans des lésions de l'hémisphère droit, les études contemporaines présentent un tableau anatomique plus complet de cette perturbation. Aussi bien que les scintigrammes CAT ou RMN, les examens effectués à l'autopsie montrent bien que la lésion doit être bilatérale pour que le syndrome se manifeste. De telles données prouvent que ce déficit met en cause les aires inférieures d'association visuelle du cortex occipito-temporal. Même si elles donnent lieu à certaines perturbations de la perception visuelle, les lésions des aires d'association visuelle supérieures qui concernent le cortex occipito-pariétal ne donnent pas de prosopagnosie.

L'analyse neuropsychologique détaillée des personnes souffrant de ce syndrome fournit des indices précieux sur les mécanismes psychologiques sous-jacents (Damasio, 1985b; Damasio et coll. 1988). En effet, on constate qu'ils conservent des aptitudes perceptives complexes, notamment la capacité de dessiner des visages à partir de photographies. En outre, en plus des visages, la prosopagnosie concerne souvent d'autres catégories de perception. Certains malades sont incapables de reconnaître leur automobile et ne peuvent identifier des marques connues de voitures, même s'ils sont en mesure de faire la distinction entre une voiture et un camion. D'autres n'arrivent pas à reconnaître les sortes de vêtements ou à distinguer les aliments. On a vu des personnes qui ont été des ornithologues amateurs incapables d'identifier les oiseaux, et des fermiers n'arrivant pas à reconnaître un animal particulier même s'ils savaient qu'il s'agit d'un animal. Ces malades sont capables de désigner du doigt les éléments d'une perception complexe, les parties d'un visage par exemple. De plus, les mouvements oculaires enregistrés pendant qu'ils examinent une image ou un visage sont semblables à ceux des sujets normaux, ce qui montre qu'il y a des processus fondamentaux de perception qui fonctionnent normalement. Dans des études plus récentes, Damasio et ses collaborateurs (1988) demandaient à leurs sujets d'identifier des expressions faciales, d'évaluer l'âge et le sexe à partir de photographies de personnes inconnues et d'identifier des photographies de membres de leurs familles, d'amis, ou d'autres visages familiers. Ils étaient capables d'identifier les expressions faciales et d'évaluer l'âge et le sexe, mais ils n'arrivaient pas à reconnaître les visages familiers. Ces résultats laissent supposer que l'information visuelle est analysée dans des voies séparées et parallèles.

La principale caractéristique de ce déficit apparaît lorsqu'il s'agit pour le sujet d'identifier une configuration de stimuli spécifiques dépendant d'une trace mnémonique. Ainsi, ces sujets éprouvent de la difficulté à désigner un individu particulier au sein d'un groupe de personnes. On dirait que la trace mnémonique nécessaire à l'activation du contexte et de la familiarité n'est pas accessible. Selon Damasio, la faiblesse essentielle ne résiderait pas dans le processus d'analyse d'un objet visuel complexe mais plus vraisemblablement dans l'organisation et l'usage de souvenirs pertinents. Une recherche récente de Tranel et Damasio (1985) ajoute un ensemble intéressant de données nouvelles. Ces chercheurs ont mis des sujets prosopagnosiques en présence de visages de personnes connues et inconnues, pendant qu'était enregistrée la conductance électrodermale, processus réactif contrôlé par le système nerveux autonome. Ces visages familiers incluaient des photos du sujet lui-même, de membres de sa famille et d'amis intimes. Alors que les sujets étaient incapables de reconnaissance verbale de ces visages familiers, les changements de conductance de la peau étaient beaucoup plus prononcés en réaction aux visages qui leur étaient connus. Ces faits révèlent qu'il y a dissociation entre l'expérience consciente de reconnaissance et l'acte de reconnaissance à un niveau inconscient. Ainsi, une reconnaissance s'effectue à un niveau donné, mais l'identification et la reconnaissance évidentes ne seraient organisées qu'à un stade subséquent, et plus complexe peut-être, du traitement de l'information visuelle. Ce stade postérieur pourrait faire intervenir une intégration de plusieurs facettes différentes des souvenirs propres à une physionomie particulière. Tranel et Damasio voient dans le déficit de la prosopagnosie le résultat du « blocage de l'activation qui serait normalement déclenchée par appariement de gabarit », c'est-à-dire le riche réseau d'association de souvenirs permettant à quelqu'un de dire « Je reconnais Marie ».

Omission perceptive unilatérale

Les dommages cérébraux mettant en cause le cortex pariétal inférieur droit donnent lieu à un très rare ensemble de modifications du comportement. La caractéristique principale de ce syndrome consiste en une omission de perception du côté gauche du corps et de l'espace. Le sujet à qui l'on demande de dessiner une horloge placera toutes les positions des heures uniquement du côté droit (figure 18.17). Certains pourront omettre de se vêtir du côté droit du corps et iront même jusqu'à dire que leur bras ou leur jambe gauche ne leur appartient pas. Il arrivera parfois que des personnes qui leur sont familières, mais qui se trouvent à leur gauche soient totalement ignorées, même si aucune défectuosité apparente du champ visuel n'est observable. On peut également constater ce phénomène d'omission de perception hémisphérique dans des situations de test simples. Un test utilisé couramment consiste à demander de séparer en deux parties égales une ligne tracée sur une feuille de papier. Le point central est alors perçu comme manifestement déplacé vers la droite, phénomène qui est encore plus prononcé lorsque les lignes sont présentées à la gauche du point central du corps (figure 18.17c) (Schenkerberg, Bradford et Ajax, 1980).

Une caractéristique nommée « extinction de la stimulation double simultanée » se trouve associée à cette modification spectaculaire du comportement. Par stimulation simultanée des deux côtés du corps, la plupart des individus peuvent reconnaître spontanément la présence de deux stimuli. Les personnes souffrant de lésions pariétales inférieures droites sont toutefois tout à fait incapables de s'apercevoir que la stimulation est double et elles ne rapportent habituellement que le stimulus présenté du côté droit. Même si beaucoup de personnes de cette catégorie se remettent du symptôme d'omission de perception unilatérale, la caractéristique d'extinction est assez persistante. Un autre aspect spectaculaire de ce syndrome consiste en une incapacité fréquente de reconnaître qu'on est malade, ce qu'on nomme « déni de la maladie ». Ces personnes soutiennent qu'elles sont tout à fait capables de vaquer à leurs occupations habituelles et refusent de reconnaître les signes évidents d'omission unilatérale.

On a proposé plusieurs hypothèses pour expliquer ces symptômes. D'aucuns ont vu dans cette perturbation les conséquences de la perte de la capacité d'analyse spatiale; cette hypothèse s'accorde avec le fait qu'il y a omission unilatérale lorsque les lésions sont dans l'hémisphère droit mais non lorsqu'il s'agit de lésions de l'hémisphère gauche. D'autres disent qu'il s'agit d'une déficience de l'attention. Le neurologue Mesulam (1985) propose une explication de certaines propriétés du syndrome d'omission de perception. Il fait remarquer que, chez les singes, les enregistrements de cellules isolées du cortex pariétal postérieur révèlent la présence d'activités neuronales qui sont sensibles à des manipulations de l'attention. Des cellules nerveuses de cette région augmentent, par exemple, leurs taux de décharge quand les yeux de l'animal suivent les déplacements d'un objet significatif, souvent un objet qui aura été associé à des récompenses. Les études anatomiques des sources des influx parvenant à la région pariétale postérieure montrent que ces derniers prennent leur origine dans plusieurs secteurs corticaux distincts (figure 18.18), dont les aires sensorielles polymodales du cortex, le cortex de la circonvolution du corps calleux et le cortex frontal, particulièrement les champs visuels frontaux. De son côté, le cortex pariétal

a)

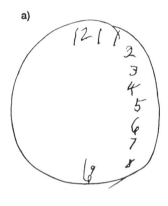

b)

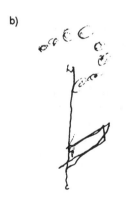

c)

Figure 18.17 Syndrome d'omission à la suite de lésions du cortex pariétal droit. a) Si on demande à un tel sujet de dessiner un cadran d'horloge, il ignore le côté gauche et tous les chiffres sont portés sur la droite. b) Qu'on lui dise de faire le dessin d'une marguerite et il mettra tous les pétales du côté droit. c) S'il doit séparer une ligne en deux, il fera le trait bien à droite du point central, indiquant qu'il ignore en bonne partie le côté gauche. (Heilman, 1979.)

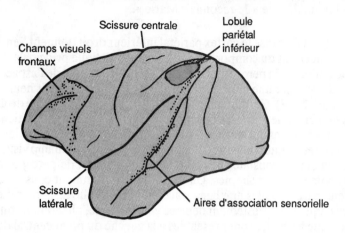

a) Vue latérale du cerveau du rhésus

Scissure centrale

Lobule pariétal inférieur

Champs visuels frontaux

Scissure latérale

Aires d'association sensorielle

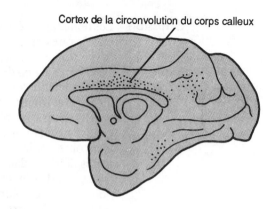

b) Vue médiane du cerveau du rhésus

Cortex de la circonvolution du corps calleux

Figure 18.18 Régions du cortex qui interviennent dans différents aspects de l'omission perceptuelle unilatérale, telles qu'on les aperçoit sur les faces latérale a) et médiane b) du cerveau du singe. (D'après Mesulam et coll., 1977.)

postérieur envoie des influx qui retournent vers ces régions. Selon Mesulam, chacune de ces régions aurait un rôle distinct à jouer dans un réseau qui contrôle l'attention. La composante du lobe pariétal postérieur fait intervenir des processus qui procurent une carte sensorielle interne, alors que le cortex frontal contrôle les mouvements de recherche du stimulus, tandis que le traitement de l'information par la circonvolution du corps calleux fournit les valeurs motivationnelles.

RECOUVREMENT DES FONCTIONS À LA SUITE DE LÉSIONS CÉRÉBRALES

On observe souvent des changements frappants dans l'évolution du comportement à la suite de lésions cérébrales. Beaucoup d'adultes ont offert des exemples remarquables de récupération du langage après des attaques. On a également décrit des cas extraordinaires d'enfants qui recouvraient la parole à la suite de l'ablation d'un hémisphère cérébral malade.

Plusieurs théories prétendent actuellement identifier les mécanismes responsables du recouvrement des fonctions faisant suite à des lésions. Le rétablissement des fonctions est évidemment caractéristique de lésions qui font intervenir plusieurs organes différents. L'apparition de tels effets, à la suite de dommages au cerveau, surprend et fascine parce que l'on sait que, contrairement à ce qui se passe dans les autres organes, il ne s'ajoute pas à toutes fins pratiques d'autres neurones au système nerveux après la naissance. En outre, les opinions qui prévalaient, il y a quelques années encore, mettaient l'accent sur la stabilité structurale et fonctionnelle du cerveau, rigidité qui ne semblait offrir que peu de possibilités de compensation pour une perte d'éléments. Au cours de la dernière décennie toutefois, la recherche sur le recouvrement des fonctions cérébrales a fourni un ensemble impressionnant de notions et de données qui révèlent plusieurs formes de plasticité cérébrale. Les études en ce domaine soulèvent d'étonnantes possibilités de réhabilitation. Certaines des idées sur les mécanismes de récupération découlant de ce champ de recherche, actuellement si actif, méritent d'être considérées. Il est possible que plusieurs mécanismes différents contribuent ensemble aux formes que prend la réhabilitation, de telle sorte qu'on ne saurait trouver une explication unique à ce phénomène.

En dépit de progrès encourageants dans la récupération de fonctions importantes à la suite de divers types de traumatismes cérébraux, il n'en reste pas moins que la prévention est nettement préférable à la guérison, comme en témoigneront quelques exemples. Les accidents de la route sont des causes majeures de blessures au cerveau et à la moelle

La boxe, comme sport, remonte à l'Antiquité. Elle a connu différentes variantes dans le cours de l'histoire mais il a toujours été évident que le but de la boxe professionnelle n'était pas de faire étalage de grâce et d'agileté, mais bien d'assommer l'adversaire. En effet, un match ne prend habituellement fin que lorsque l'adversaire a temporairement perdu conscience. Pour y arriver, les pugilistes visent sans relâche la tête qui se trouve alors martelée de coups, traitement aux conséquences graves pour les concurrents. Ce processus aboutit à ce qu'on a nommé *démentia pugilistica*, expression utilisée par les neurologues pour identifier l'état généralement caractéristique d'un pugiliste hébété par les coups. Ces boxeurs ainsi abrutis mènent une vie marquée par une réduction importante de leurs capacités cognitives.

Au cours des dernières années, le décès de plusieurs boxeurs a attiré à nouveau l'attention sur les dangers de la boxe. La plupart des décès attribuables à la boxe résultent de traumatismes cérébraux, principalement d'hémorragies cérébrales. Plusieurs organismes professionnels, notamment l'American Psychological Association et diverses sociétés de médecine et de neurologie, ont réclamé la proscription de ce sport. Même si on était déjà conscient des conséquences neurologiques et psychologiques de la pratique de la boxe, des données récentes de scintigrammes CAT indiquent avec encore plus de précision que très peu de boxeurs, amateurs et professionnels, s'en tirent sains et saufs. Dans l'une de ces études, Casson et ses collaborateurs (1982) ont étudié 10 boxeurs actifs, victimes de knock-out. L'âge de ces pugilistes se situait entre 20 et 31 ans et le nombre des matches par individu variait de 2 à 52. Le groupe comptait des boxeurs de calibre de championnat et d'autres qui étaient médiocres ou mauvais. Aucun des knock-out subis par ces pugilistes n'avait entraîné une perte de conscience de plus de dix secondes. Le groupe était représentatif du boxeur professionnel ordinaire. À l'examen, au moins cinq des scintigrammes CAT du groupe s'avéraient définitivement anormaux. Parmi les anomalies relevées, on notait de légères atrophies corticales généralisées qui, dans certains des cas, comportaient des dilatations ventriculaires. Un seul boxeur donnait une image du cerveau tout à fait normale. L'âge des pugilistes n'avait pas de rapport avec l'atrophie corticale. Les boxeurs qui avaient connu le plus de succès étaient ceux dont l'atrophie corticale était la plus prononcée. Effectivement, le nombre total de combats professionnels et l'importance des modifications cérébrales sont en relation proportionnelle. Une carrière de boxeur équivaut à une accumulation de nombreux coups à la tête et les meilleurs boxeurs sont souvent ceux qui ont le plus encaissé. Des chercheurs ont démontré que la gravité des syndromes neurologiques est liée à la durée de la carrière d'un pugiliste (Roberts, 1969). On a également observé que la boxe avait des conséquences semblables à celles de la maladie de Parkinson. D'autres études ont révélé un taux élevé d'électroencéphalogrammes anormaux, à la suite de combats de boxe (Busse et coll., 1952). Étant donné que la cause des troubles neurologiques est une accélération rapide du cerveau, il ne faut pas se surprendre de constater que les déficits neurologiques se retrouvent autant chez les amateurs que chez les professionnels. La preuve est certainement faite que la boxe est un sport qui a fait son temps.

épinière. Les activités de loisir comme l'équitation, la plongée, et les sports de contact sont souvent à l'origine de traumatismes crâniens (voir l'encadré 18.3 en ce qui concerne les conséquences d'une activité comme la boxe pour le cerveau).

Récupération des fonctions à la suite d'anomalies physiologiques générales

Toute lésion cérébrale détruit des ensembles particuliers de cellules et engendre des perturbations plus générales affectant de façon transitoire la réactivité d'autres cellules nerveuses. On observe fréquemment, par exemple, une modification des propriétés de la barrière hémato-encéphalique dans la région d'une lésion cérébrale. Des chercheurs ont prétendu que l'évolution dans le temps des déficits fonctionnels résultant des dommages subis par les cellules nerveuses pourrait refléter l'impact inhibiteur de substances véhiculées par le sang, substances que la barrière hémato-encéphalique tient normalement éloignées des cellules nerveuses (Seil, Leiman et Kelly, 1976). Avec le temps, les changements intervenant dans les vaisseaux sanguins qui entourent le site de la lésion permettent à la barrière hémato-encéphalique de reprendre son fonctionnement et accroissent également le débit de sang vers des tissus temporairement affectés mais fondamentalement intacts. En 1914, l'anatomiste von Monakow avait proposé le terme de **diaschisis** pour décrire les effets distants et inhibiteurs de lésions cérébrales qui semblaient réversibles. Avec les années, l'usage du terme diaschisis a été généralisé à une foule d'influences non spécifiques, et peut-être réversibles, qui rendent les effets immédiats d'une lésion cérébrale plus intenses que des déficits persistants.

Régénérescence anatomique et réorganisation du cerveau à la suite de lésions

Les anatomistes ont prétendu pendant longtemps que les modifications physiques affectant le système nerveux central sont uniquement de caractère destructif. La structure et les connexions entremêlées des cellules nerveuses étaient considérées comme anatomiquement définitives, dès que l'âge adulte était atteint. On croyait donc que les lésions ne pouvaient qu'aboutir au rétrécissement ou à la mort des neurones. Plusieurs démonstrations contemporaines contredisent de façon impressionnante cette façon d'envisager les dommages au cerveau et font maintenant ressortir l'importance de la plasticité structurale de la cellule nerveuse et de ses connexions. On avait évidemment toujours admis la possibilité de régénérescence des axones du système nerveux périphérique. Mais, on sait aujourd'hui qu'une régénérescence structurale comparable est possible dans le cerveau et dans la moelle épinière (Veraa et Grafstein, 1981). Par exemple, lorsque les fibres catécholaminergiques du faisceau médian du prosencéphale se trouvent endommagées, il s'ensuit une dégénérescence des parties terminales des axones et une régénérescence des portions d'axones reliées à des cellules nerveuses. Il peut également y avoir, à la suite d'une lésion, régénérescence de dendrites dans le cerveau. La figure 18.19 illustre deux types de régénérescence consécutives à des blessures.

La moelle épinière et le cerveau sont l'objet d'une autre forme de changement structural, l'émergence de collatérales. Ce développement a été décrit de la façon suivante dans le système nerveux périphérique : lorsqu'une fibre sensorielle ou motrice est endommagée, il s'ensuit une dégénérescence des parties terminales et une perte immédiate des fonctions sensorielles ou motrices dans la région touchée. Les fibres nerveuses adjacentes aux fibres endommagées « reconnaissent » la blessure (peut-être à cause d'un signal chimique émis par le site endommagé) et réagissent par la formation de bourgeons ou de ramifications sur les axones restés intacts. Après quelques semaines, habituellement, ces bourgeons entrent en contact avec la peau ou les muscles et établissent un contrôle fonctionnel de ces régions sur la périphérie du corps (J. Diamond et coll., 1976). Ce mécanisme semble offrir une compensation fonctionnelle pour une perte de connexions nerveuses. Incidemment, il convient de noter que la fibre nerveuse (l'axone) blessée se met lentement à croître à nouveau et il y a retrait des bourgeons, à mesure qu'elle se rapproche de la peau ou des muscles auxquels elle avait été reliée auparavant. Là encore, le changement est probablement attribuable à des signaux chimiques émanant de la fibre originale en voie de

Figure 18.19 Pousse collatérale de neurones cérébraux. a) Connexions normales de la fimbria et du faisceau médian du cerveau antérieur avec une cellule du noyau du septum. b) Après section du faisceau médian du cerveau antérieur, un axone de fimbria émet un prolongement qui vient occuper un site synaptique occupé auparavant par une terminaison d'axone du faisceau médian du cerveau antérieur. (D'après Raisman, 1969.)

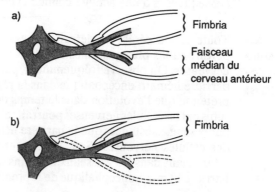

a)
} Fimbria
} Faisceau médian du cerveau antérieur

b)
} Fimbria

reformation. Selon Mark (1980), il y aurait, au cours d'un stade antérieur au retrait physique de la fibre, cessation de l'efficacité synaptique des connexions réalisées par les bourgeons, phénomène qu'il a nommé « répression synaptique ». Cet effet signifie que des synapses peuvent s'interrompre même lorsque le lien structural persiste. Ce déplacement de l'efficacité des synapses est probablement une caractéristique importante de la plasticité nerveuse.

Des phénomènes (jamais observés auparavant) d'émergence de collatérales dans la moelle épinière et le cerveau sont maintenant régulièrement démontrés. Des chercheurs, Raisman (1978) par exemple, prétendent que l'émergence de collatérales dans le cerveau permet d'espérer la possibilité de rétablissement de fonctions à la suite de lésions cérébrales. On croit de plus en plus que les traumatismes subis par le système nerveux pourraient provoquer la libération de divers facteurs de croissance nerveuse. Un groupe de chercheurs a démontré expérimentalement que des substances chimiques retrouvées dans la région tissulaire entourant une lésion cérébrale contiennent notamment une substance favorisant la croissance (Nieto-Sampedro et Cotman, 1985). La concentration de cette substance encore inconnue décroît à mesure qu'on s'éloigne du site de la lésion.

Les observations de cette nature indiquent que les connexions cérébrales ne sont pas anatomiquement aussi rigides qu'on l'avait d'abord prétendu. Il ne fait aucun doute que la réaction du cerveau aux lésions qu'il subit comporte des modifications structurales. Peut-on dire toutefois que ces changements anatomiques ont quelque chose à voir avec les processus de rétablissement fonctionnel ? La question prête à controverse. Même si l'on accepte généralement aujourd'hui le fait qu'il y ait dans le cerveau des réparations structurales par émergence de collatérales, aucune donnée ne permet d'établir un lien entre ces changements et la récupération fonctionnelle consécutive à des blessures infligées au cerveau ou à la moelle épinière. D'ailleurs, des chercheurs, Wall (1980) par exemple, suggèrent que l'émergence de collatérales pourrait engendrer des comportements anormaux puisque les cellules nerveuses passent alors sous le contrôle d'influx nerveux inhabituels. Cette forme de régénérescence dans la moelle épinière a été associée à la spasticité des réflexes qui sont déclenchés à un niveau inférieur à celui de la lésion de la moelle (Liu et Chambers, 1958). On procède actuellement à d'intenses recherches pour évaluer l'importance fonctionnelle de la régénérescence cérébrale que représente l'émergence de collatérales.

Éducation et rééducation

Pendant des années, les médecins ont consacré beaucoup d'efforts à la rééducation de sujets souffrant de handicaps physiques, surtout lorsque ceux-ci découlent de blessures ou de maladies des muscles ou des os. On s'est employé, par exemple, à apprendre aux amputés à se servir de prothèses tels des membres artificiels. Mais le travail auprès des victimes de lésions cérébrales qui souffrent de handicaps de la cognition ou de la perception avait provoqué, jusqu'à tout récemment, un intérêt moins grand sur le plan clinique ou sur celui de la recherche. Plusieurs facteurs ont contribué à un changement d'attitude à cet égard.

Des études récentes ont démontré que l'expérience vécue après les traumatismes peut affecter la capacité de recouvrement d'une fonction. Il importe donc d'établir une distinction entre le rôle de l'expérience dans la compensation des effets des lésions cérébrales et celui de l'expérience dans la restauration du comportement qui aurait été perdu à la suite de l'accident. Il est bien connu que les expériences vécues réduisent l'impact d'une blessure cérébrale de façon significative en favorisant l'élaboration de comportements compensatoires. Par exemple, des mouvements oculaires vigoureux peuvent atténuer les effets de scotomes importants découlant de dommages aux voies visuelles. Intervenant après une lésion cérébrale, des stratégies de comportement peuvent favoriser la réussite de toute une gamme de tests. Plusieurs études mettent également en évidence le rôle que peut jouer l'expérience dans la réorganisation des voies fonctionnelles, après une lésion.

Teodoru et Berman (1980) ont décrit un phénomène de recouvrement remarquable qui fait intervenir une modification des signaux rétroactifs qui régissent le comportement. Ils ont montré, au cours d'expériences sur des singes, qu'une section unilatérale de racines dorsales, à leur point d'entrée dans la moelle épinière, avait pour conséquence que ces animaux ne faisaient plus spontanément usage du membre ainsi affecté, le laissant de côté comme s'il était paralysé. Pour encourager l'utilisation du membre en question, ils ont entouré la main intacte d'une sphère rigide. Ce dispositif permettait à la main de bouger à l'intérieur de la balle, mais les mouvements du bras normal ne leur permettaient pas d'obtenir de la nourriture ou de réaliser d'autres actes à caractère adaptatif. Dans cette situation de dépendance maximale, le membre affecté se mit à bouger plus fréquemment. Après quatre mois, le singe manifestait une activité coordonnée dans le membre dépourvu d'innervation, y compris des mouvements des doigts et un comportement d'extension pour atteindre les objets. Cette activité du membre dépourvu d'innervation continua après que le membre intact fut libéré de la sphère. Lorsque la durée de cette expérience de recouvrement était inférieure à quatre mois cependant, les mouvements coordonnés des deux membres ne persistaient pas et le bras affecté reprenait sa position de paralysie.

Des observations cliniques ont révélé l'importance de l'entraînement physique et de l'expérience pour assurer le rétablissement de la fonction et ont permis la formulation d'hypothèses qui se sont traduites par des expérimentations sur des animaux. Une actrice du nom de Patricia Neal a présenté un cas d'aphasie bien connu suivi d'un recouvrement lent mais excellent (Neal, 1988). Avant son attaque, à l'âge de 39 ans, Patricia Neal avait reçu un Oscar. Elle avait déjà trois enfants et était enceinte au moment de l'accident cérébrovasculaire. Une série d'attaques entraîna la paralysie d'une jambe et de l'aphasie : elle était incapable de parler, de lire ou d'écrire. On fit débuter la thérapie du langage aussitôt que possible. Puis, son mari recruta des amis pour venir parler avec elle, à des moments fixés à l'avance, et l'encourager à parler et à se montrer active. Son enfant naquit normalement. À ce moment-là, Patricia Neal était encore plutôt apathique et répugnait à poursuivre les efforts pour arriver à de légers gains additionnels : « J'en avais assez de travailler si fort. J'étais certaine de ne pouvoir jamais être meilleure. J'avais récupéré environ 80 %. Il restait beaucoup de problèmes à résoudre. Mais j'étais sur le point de tout laisser tomber. Et c'est exactement ce qui serait arrivé si Roald [son mari] ne m'avait pas poussée à continuer. J'avais atteint le point dangereux : celui où tellement de gens cessent de faire des efforts et se contentent de poursuivre leur bonhomme de chemin » (Griffith, 1970, p. 89). Son époux retint alors les services d'une infirmière douée, Valerie Eaton Griffith, qui élabora un programme de motivation et d'entraînement devant aider Patricia Neal à faire des gains additionnels. Quatre ans après son attaque, Patricia Neal était capable d'accepter de jouer le rôle principal dans un film. La récupération n'est probablement jamais absolument totale après une lésion cérébrale majeure, mais elle peut être assez complète pour permettre une vie active et même la reprise de l'activité professionnelle, comme le démontre cet exemple.

Les expériences sur les animaux ont montré que deux facteurs, entraînement formel et enrichissement de l'expérience informelle, peuvent contribuer au recouvrement des fonctions. Plusieurs études chez des rats ayant subi des lésions cérébrales ont démontré qu'une expérience postérieure à la lésion, dans un environnement complexe, est susceptible d'améliorer par la suite le comportement associé à la solution de problèmes (Will et coll., 1977). On plaçait les animaux dans des environnements appauvris ou enrichis de même nature que ceux qui mènent à des changements dans les mesures cérébrales (chapitre 17). Bien que ces animaux affectés par des lésions cérébrales commettaient encore plus d'erreurs que les rats intacts, ceux qui avaient été placés dans des environnements enrichis en commettaient significativement moins que ceux des environnements appauvris. Le simple fait de réunir un certain nombre d'animaux dans une cage plus grande avait un effet bénéfique car il leur donnait accès à une stimulation variée (Rosenzweig, 1980). Ainsi, même blessé un cerveau est donc capable de profiter de l'expérience. Dans le cas des êtres humains, des experts en réhabilitation se sont demandé s'il était approprié de placer certains sujets presque en isolement sensoriel (les malades comateux ou les malades gardés dans des chambres isolées, en positions fixes, pour fins de thérapie intraveineuse). Malgré leur incapacité de réagir, il est bien possible que de tels sujets puissent bénéficier de la présence de visiteurs, du son de la musique ou de stimuli visuels qui changent.

Substitution assurée par des structures intactes

Le recouvrement observé à la suite de lésions cérébrales est une preuve que le tissu nerveux qui reste est capable d'assurer les comportements exigés. Une façon d'expliquer ce phénomène consiste à dire qu'il existe une « redondance » appréciable dans les systèmes nerveux et que la réhabilitation doit mettre à contribution des voies redondantes. Il se pourrait toutefois que ce qui ressemble à de la redondance soit dû plutôt à la complexité des bases neurologiques du comportement et aux façons simplistes d'évaluer la récupération. En effet, si les fondements neurologiques de certains comportements se trouvent largement représentés dans le cerveau, il se peut que le comportement soit rétabli à cause de l'envergure des contrôles nerveux plutôt que grâce à des systèmes redondants ou répétitifs.

Wall (1980) a décrit une autre sorte de substitution inhabituelle. Il a étudié les propriétés de champs récepteurs des cellules du thalamus et des cellules de la colonne dorsale, à la suite d'une énervation périphérique. Il a constaté que les dimensions des champs récepteurs des cellules de ce système avaient changé à la suite de l'énervation, notamment dans le sens d'un agrandissement de ces champs. Les cellules pouvaient également se mettre à réagir à des influx bilatéraux. Le changement est donc rapide et, selon Wall, l'énervation ferait apparaître des voies faciles à exciter qui finissent par prendre le contrôle de certains neurones. Il nomme cet effet « ajustement homéostatique » de l'excitabilité de la cellule nerveuse. On constate également un déplacement de la réactivité des cellules nerveuses des voies sensorielles dans le système vestibulaire. La section du nerf vestibulaire ou l'ablation d'un seul des labyrinthes de l'appareil auditif entraîne une inclinaison de la tête et d'autres signes d'asymétrie posturale. Ces effets disparaissent avec le temps, faisant ainsi place à un phénomène dit de « compensation vestibulaire ». Une partie de ce recouvrement dépend d'influx en provenance de la moelle épinière (Jensen, 1979). Un autre aspect indépendant du rétablissement consiste en un changement de l'activité des neurones vestibulaires du tronc cérébral. Les travaux de Wall et Kaas (1985) font ressortir le caractère dynamique des systèmes sensoriels du cortex. Ils ont montré, en effet, que l'on pouvait agrandir les champs récepteurs de certains neurones corticaux en coupant le nerf périphérique qui se rend à l'une des extrémités digitales.

Âge et récupération des fonctions

De nombreuses observations cliniques ont incité à conclure que les lésions cérébrales qui se produisent au début de la vie auraient des conséquences moins désastreuses que des lésions semblables subies plus tard. Une étude sur un certain nombre de cas d'enfants, devenus aphasiques à la suite de traumatismes cérébraux, montra que les enfants devenus aphasiques avant l'âge de 8 ans recouvraient l'usage de la parole dans tous les cas, 8 ans étant l'âge critique au-delà duquel la récupération devient plus difficile (Woods et Teuber, 1978).

Beaucoup d'études ont établi un lien entre l'âge et des différences dans les processus de régénérescence des cellules nerveuses. Kalil et Rey (1979) ont constaté qu'une section de la voie pyramidale, au niveau du bulbe, était suivie d'une régénérescence massive chez les nouveau-nés du hamster. Ils ont également noté que, contrairement à ce qui se produit chez

Au cours des premiers stades de son développement, le cerveau est un organe vulnérable, un phénomène particulièrement évident quand on observe les effets d'une naissance difficile et prolongée accompagnée d'une période de perte d'oxygène. Certains enfants nés dans de telles conditions physiologiques présentent un dommage cérébral affectant un seul des hémisphères cérébraux. Ces enfants peuvent manifester dès le très jeune âge de la paralysie affectant l'un des côtés du corps et être en proie à de fréquentes attaques. Il arrive que ces attaques s'avèrent difficiles à contrôler par médication et qu'elles soient assez fréquente pour mettre la vie de l'enfant en danger. Les examens radiologiques révèlent la présence de lésions considérables d'un côté du cerveau et l'hémisphère ainsi endommagé peut être assez rétréci.

L'ablation chirurgicale de l'hémisphère endommagé entraîne la résorption des attaques. Malgré le fait que la chirurgie donne lieu, au début, à des perturbations assez graves, la restauration du comportement devient presque totale avec le temps. A. Smith et Sugar (1975) nous ont présenté un cas qui illustre très bien ce recouvrement phénoménal. Il s'agit d'un jeune garçon affecté d'une paralysie du côté droit en très bas âge et qui, parvenu à l'âge de 5 ans et 6 mois, était l'objet de 10 à 12 attaques par jour. L'enfant jouissait d'une compréhension verbale normale, mais son parler était difficile à comprendre. On procéda par conséquent à l'ablation totale du cortex cérébral de l'hémisphère gauche. Le suivi post-thérapeutique s'est poursuivi jusqu'à la fin des études universitaires du sujet, soit jusqu'à l'âge de 26 1/2 ans. Les tests démontrent un quotient intellectuel supérieur à la normale et des capacités linguistiques excellentes; de toute évidence la perte de la plus grande partie de l'hémisphère gauche en tout jeune âge n'a pas nui au développement du langage. Ce sujet témoigne également d'un développement remarquable des fonctions non verbales, manifesté par exemple dans des tâches spatio-visuelles et manuelles. Il faut noter que chez l'adulte, l'hémisphérectomie gauche entraîne habituellement des perturbations drastiques du langage mettant en cause à la fois l'élocution et l'écriture. Ce cas est donc un exemple d'un recouvrement fonctionnel considérable après une perte suble durant l'enfance.

---

les hamsters adultes, les fonctions motrices de la patte antérieure se développent de façon normale chez ces nouveau-nés. Selon Scheff, Bernardo et Cotman (1978), les capacités régénératrices déclineraient avec l'âge. On observe très peu de régénérescence réactive dans le cerveau du rat vieillissant. Il s'agirait d'une réduction de la capacité de réorganisation des circuits qui serait attribuable au grand âge.

Les études effectuées auprès des animaux pour déterminer l'influence de l'âge dans le recouvrement des fonctions présentent à la fois des similitudes et des différences avec celles qui portent sur l'être humain. Goldman (1976) a fait des travaux sur les relations entre la maturation du singe et le développement de son comportement et a procédé à la recension des recherches faites par d'autres auteurs dans ce domaine. Une de ses techniques consistait à insérer dans les cerveaux des singes des appareils permettant de refroidir une région délimitée du cortex de façon à la rendre inactive pendant un certain temps, pendant que le singe restait dans un état d'éveil. Effectivement, cette technique créait ainsi une lésion réversible dans le cerveau. Goldman a constaté que le refroidissement bilatéral du cortex préfrontal de singes adultes (3 ans et plus) nuisait à leur performance dans une tâche de réponse différée. Par contre, ce traitement n'avait pas d'influence sur leur niveau général d'activité, ni sur leur coordination motrice. Toutefois, dans le cas des jeunes singes (18 mois ou moins), le refroidissement n'avait pas d'effet sur le rendement au test. Ces résultats viennent corroborer d'autres données indiquant que le cortex dorso-latéral frontal du singe ne parvient pas à son fonctionnement adulte avant que l'animal n'ait atteint l'âge de 2 ans.

Vitesse de progression des lésions et déficits consécutifs

Les dommages qu'entraîne une lésion cérébrale sont d'autant plus graves que la lésion progresse plus rapidement. Fait étrange, mais non moins réel, la même quantité de tissu détruit peut avoir moins d'influence si le processus de destruction est graduel plutôt que rapide. Les chercheurs ont étudié ce phénomène en prélevant une quantité déterminée de tissu, en une seule intervention chez certains animaux, et par étapes successives avec intervalles de quelques semaines chez d'autres animaux. Une lésion dans le tronc cérébral capable de frapper l'animal d'incapacité si l'ablation se fait en un seul moment, peut n'avoir que des effets anodins si le prélèvement est exécuté en deux étapes successives. Il se peut que la lésion partielle stimule la régénérescence ou le réapprentissage, ou les deux à la fois, si bien qu'une certaine compensation intervient déjà avant que le reste du tissu ne soit enlevé.

Des données expérimentales récentes laissent entrevoir la possibilité que cet effet de lésion par étapes dépende du mécanisme suivant. Lorsqu'une lésion entraîne des pertes de connexions synaptiques, il pourrait y avoir libération de signaux chimiques qui favoriseraient l'émergence de bourgeons sur les fibres terminales. Si une petite lésion précède 4 jours à 2 semaines une autre lésion plus importante, la réaction à la seconde lésion est considérablement plus rapide et plus étendue que si la première lésion n'avait pas eu lieu. Ainsi, la première lésion déclencherait le système, le préparant à réagir à la lésion subséquente (Scheff, Bernardo et Cotman, 1978).

Cet effet de progression de la lésion se manifeste également sur le plan clinique. On a, par exemple, procédé à plusieurs opérations, espacées de plusieurs mois, chez un adulte dont la tumeur cérébrale empiétait sur les aires de la parole de l'hémisphère gauche (Geschwind, 1976). Chaque fois que la tumeur progressait, il devenait nécessaire de prélever une partie additionnelle des aires corticales du langage et, à chaque fois, le malade recouvrait la parole. À la fin, ce dernier était capable de parler même s'il ne restait plus qu'un fragment des aires de la parole. L'influence du vieillissement sur le cerveau peut également être considérée comme un état qui s'installe lentement, ce qui aide probablement à atténuer ses effets.

Ce phénomène de progression de la lésion est l'une des raisons pour lesquelles il est difficile d'établir un rapport entre les effets d'une lésion cérébrale découlant d'une maladie et son étendue. L'effet de progression de la lésion peut effectivement aider à comprendre certains cas qui semblent contredire la localisation des fonctions. C'est-à-dire qu'il est possible que deux sujets présentent des lésions cérébrales, apparemment de même volume et situées au même endroit, et que le comportement de l'un des malades soit gravement affecté, tandis que celui de l'autre ne le serait pas. Il se pourrait alors que la lésion dont souffre le second sujet se soit formée lentement, permettant ainsi une croissance suffisante de tissu adjacent ainsi que l'élaboration de stratégies compensatoires de comportement. Le phénomène de progression de la lésion montre donc qu'on ne doit pas considérer le cerveau comme une pièce mécanique qui serait fixe, mais plutôt comme une structure plastique s'adaptant aux conditions qui prévalent.

Nous venons de présenter plusieurs exemples de recouvrement fonctionnel consécutif à des lésions cérébrales et plusieurs mécanismes qui pourraient les expliquer. Ces divers mécanismes ne s'excluent pas mutuellement; ils peuvent tous contribuer au tableau du rétablissement du comportement, car il se peut que la régénérescence ouvre la porte à certaines formes de réhabilitation tout en s'appuyant sur l'impact soutenu de l'expérience. Il est possible, par conséquent, que la formation de nouvelles synapses ne constitue pas la seule base nécessaire au recouvrement des fonctions. La formule qui rend compte de la plasticité consiste peut-être en la régénérescence, alliée à une expérience arrivant au moment opportun.

Résumé

1. Dans le règne animal, les êtres humains se distinguent par leurs capacités de langage et d'activités cognitives associées. Certains aspects de l'activité gestuelle recèlent les origines possibles de l'évolution de la parole humaine.

2. Des études sur les animaux offrent des analogies avec la parole de l'être humain. Les mécanismes de contrôle du chant des oiseaux sont latéralisés, par exemple, dans le cerveau de certaines espèces d'oiseaux chanteurs.

3. L'une des raisons qui font que les animaux ne parlent pas viendrait des limites de leur appareil vocal. Certains primates, le chimpanzé notamment, sont cependant capables d'apprendre à utiliser les symboles du langage des sourds-muets.

4. Les lésions de l'hémisphère gauche entraînent des troubles du langage chez 95 % des gens. Des lésions situées dans la partie antérieure entravent la production de la parole, engendrant l'aphasie de Broca. Des lésions plus postérieures, mettant en cause le cortex pariéto-temporal, affectent la compréhension de la parole; il s'agit de l'aphasie de Wernicke.

5. Chez les usagers du langage par signes, les lésions de l'hémisphère gauche produisent des interférences semblables à celles qui affectent le langage parlé des aphasiques qui ne sont pas sourds.

6. Les sujets au cerveau divisé présentent des exemples frappants de spécialisation hémisphérique. La plupart des mots qui sont projetés vers l'hémisphère droit sont imperceptibles à la lecture, alors que dirigés vers l'hémisphère gauche les mêmes stimuli se lisent facilement. Les capacités verbales de l'hémisphère droit sont également réduites; par contre, les tâches de relations spatiales s'exécutent plus facilement par l'hémisphère droit que par l'hémisphère gauche.

7. Les êtres humains normaux témoignent également de plusieurs formes de spécialisation des hémisphères cérébraux.

8. On constate une asymétrie anatomique des hémisphères dans certaines structures du cerveau humain. L'un des traits les plus frappants est la grande différence de l'étendue du plan temporal.

9. Les prétentions théoriques relatives aux différents modes cognitifs des deux hémisphères dépassent de beaucoup les confirmations apportées par les données expérimentales et cliniques.

10. Les lobes frontaux des êtres humains sont beaucoup plus volumineux que ceux des autres animaux. Une lésion dans cette région donne un syndrome inhabituel de changements affectifs profonds. Les tâches qui exigent une attention soutenue sont sérieusement perturbées par les lésions frontales.

11. Chez la plupart des sujets, les dommages au cortex pariétal du côté droit entraînent de nombreux changements d'ordre perceptif. Des malades à lésions pariétales droites négligent ou ignorent le côté gauche de leur corps et de leur environnement.

12. De nombreuses pertes fonctionnelles consécutives à des lésions cérébrales font l'objet d'un recouvrement au moins partiel. Dans le cas de l'aphasie, la majeure partie de la récupération se produit au cours de l'année suivant l'attaque; peu de changements apparaissent ensuite.

13. Les mécanismes de recouvrement fonctionnel peuvent mettre en cause une régénérescence structurale des prolongements cellulaires (dendrites et axones) et la formation de nouvelles synapses.

14. Le réapprentissage joue un rôle important dans le recouvrement des fonctions et peut faire intervenir autant la compensation, par adoption de nouvelles réponses aux exigences d'adaptation, que la réorganisation des réseaux qui subsistent.

15. Les individus les plus jeunes connaissent une réhabilitation plus complète. Les perturbations sont moins graves lorsque les lésions s'étalent sur une certaine période de temps.

Lectures reccommandées

Beaton, A. (1985). *Left Side, Right Side. A Review of Laterality Research*. Londres : Batsford Academic.

Bradshaw, J. L. et Nettleton, N. C. (1983). *Human Cerebral Asymmetry*. New York : Prentice-Hall.

Finger, S. et Stein, D. G. (1982). *Brain Damage and Recovery*. New York : Academic Press.

Gazzaniga, M. (éd.). (1984). *Handbook of Cognitive Neuroscience*. New York : Plenum.

Heilman, D. et Valenstein, E. (éds). (1985). *Clinical Neuropsychology*, 2e édition. New York : Oxford University Press.

Kolb, B. et Whishaw, J. Q. (1985). *Fundamentals of Human Neuropsychology*, 2e édition. San Francisco : W. H. Freeman.

Springer, S. P. et Deutsch, G. (1985). *Left Brain, Right Brain*, 2e édition. San Francisco : Freeman.

Glossaire

L'italique renvoie à d'autres mots du glossaire.

acétylcholine (ACh) L'un des transmetteurs synaptiques les mieux connus. L'acétylcholine joue le rôle de transmetteur chimique de l'excitation aux synapses situées entre les nerfs moteurs et les muscles squelettiques et, également, celui d'un transmetteur de l'inhibition entre le nerf vague et le muscle cardiaque.

acétylcholinestérase (AChE) Enzyme qui inactive le transmetteur *acétylcholine* aux sites de synapse comme ailleurs dans le système nerveux, contribuant ainsi à arrêter ses effets.

acide aspartique Selon beaucoup de chercheurs, type d'acide qui serait l'un des principaux transmetteurs synaptiques excitateurs du *SNC*.

acide désoxyribonucléique (ADN) Acide nucléique présent dans les *chromosomes* des cellules; contient le code génétique.

acide gamma-aminobutyrique (GABA) Cette substance est probablement le *transmetteur* inhibiteur principal du système nerveux des mammifères; elle est largement répandue dans le système nerveux des invertébrés et dans celui des vertébrés.

acide glutamique Considéré par plusieurs chercheurs comme le *transmetteur* excitateur principal du *SNC*.

acide ribonucléique (ARN) Acide nucléique présent dans le cytoplasme cellulaire. On connaît trois types d'ARN : l'*ARN de transfert*, l'*ARN messager* et l'*ARN ribosomal*.

ACTH Voir *corticotrophine*.

action fixe Comportement spécifique de l'espèce, compliqué et préprogrammé, qui est déclenché par des stimuli particuliers et exécuté sans rétroaction sensorielle. Voir également *action modale*.

action modale Modification du concept d'*action fixe* qui laisse place à une certaine variabilité de la réponse à la fois entre individus différents et chez un même individu à des moments différents.

activation (rôle d') Rôle que jouent certaines hormones dans le déclenchement et la modulation des comportements de reproduction.

acupuncture Technique d'insertion et de rotation d'aiguilles dans diverses régions du corps dans le but de soulager la douleur.

adaptation Diminution progressive de la sensibilité des récepteurs à mesure que la stimulation se prolonge. Voir la figure 8.6.

adénosine monophosphate cyclique Voir *AMPc*.

ADH Voir *antidiurétique (hormone)*.

adipsie Diminution ou perte complète de la soif.

ADN Voir *acide désoxyribonucléique*.

adrénaline Composé agissant comme une hormone (sécrétée par les médullosurrénales) et comme un neurotransmetteur.

adrénocorticotrope (hormone) Voir *corticotrophine*.

afférentes (fibres) *Axones* servant au transport des *influx nerveux* issus des organes sensoriels et dirigés vers le *système nerveux central*; s'oppose à *efférentes*.

agnosie Incapacité de reconnaître les objets même lorsqu'on peut en décrire la forme et la couleur; peut se produire à la suite de lésions cérébrales localisées.

agraphie Incapacité d'écrire.

aire de Broca Partie de la région frontale de l'hémisphère gauche en jeu dans la production de la parole. Voir la figure 18.14.

aire de Wernicke Région de l'hémisphère gauche en jeu dans la compréhension du langage. Voir la figure 18.4.

aldostérone *Hormone minéralocorticoïde* contribuant au maintien de l'*homéostasie* des concentrations d'ions dans le sang et dans le *liquide extracellulaire*.

alexie Incapacité de lire.

algo-hallucinose Prise de conscience de messages sensoriels attribués à un membre qui a été amputé et communément nommé *membre fantôme*.

allomone Signal chimique émis par le corps des membres d'une espèce et qui influence le comportement d'autres espèces. Voir l'encadré 6.1.

alpha (rythmes) Potentiel cérébral apparaissant pendant les périodes de détente, lors d'un état de veille, particulièrement à l'arrière de la tête; fréquence : de 8 à 12 Hz. Voir figure 5.13.

Alzheimer (maladie d') Type de démence qui atteint des personnes âgées, mais qui peut aussi apparaître avant la vieillesse.

amacrines (cellules) Cellules jouant un rôle particulièrement significatif dans les interactions inhibitrices qui se produisent à l'intérieur de la *rétine*. Voir la figure 9.17d.

amblyopie Diminution de l'acuité visuelle non attribuable à des insuffisances optiques ou rétiniennes.

amnésie Perte totale ou partielle de la mémoire.

amnésie antérograde Incapacité de former de nouveaux *souvenirs*, qui se manifeste dès le début de la maladie.

amnésie rétroactive Perte de la mémoire des événements ayant précédé un traumatisme crânien.

amnésie rétrograde Difficulté de *repêchage* des *souvenirs* formés avant le déclenchement de l'*amnésie*.

AMPc *Second messager* qui intervient dans les activités synaptiques de la *dopamine*, de la *noradrénaline* et de la *sérotonine*. Également nommé *adénosine monophosphate cyclique*.

amphétamine Molécule dont la structure chimique ressemble à celle des transmetteurs catécholamines et qui renforce leur action. Voir la figure de référence 6.1.

ampoule Région évasée des *canaux semi-circulaires* qui contiennent les cellules réceptrices (*cellules épithéliales pourvues de poils*) du *système vestibulaire*. Voir la figure 9.12.

amygdaliens (noyaux) Groupe de *noyaux* de la partie antérieure médiane du lobe temporal. Voir la figure de référence 2.9.

androgènes *Testostérone* et autres *hormones* mâles. Voir le tableau 7.2.

androstérone Chez l'être humain, principale *hormone sexuelle* sécrétée par les *corticosurrénales*. Responsable du mode de distribution des poils corporels chez l'homme et chez la femme.

angiogramme Technique utilisée pour l'examen des structures cérébrales chez l'être humain; consiste en une prise de rayons X après injection de colorants spéciaux dans les vaisseaux sanguins du cerveau. On peut faire des déductions sur le tissu adjacent à partir de l'examen des principaux vaisseaux sanguins.

angiotensine II Substance produite dans le sang grâce à l'action de la rénine et qui a probablement un rôle à jouer dans le contrôle de la soif.

anomie Voir aphasie anomique.

anorexique Qui manque d'appétit.

anticorps monoclonaux Anticorps très purifiés et spécialisés qui permettent aux chercheurs d'identifier des types particuliers de cellules. Voir la figure de référence 2.2.

antidépresseurs tricycliques Composés dont la structure chimique ressemble à celle de la *chlorpromazine* et à des agents anti-psychotiques apparentés. Ils peuvent soulager la *dépression*, mais à la suite de deux à trois semaines de consommation quotidienne seulement.

antidiurétique (hormone) (ADH) Hormone de la *posthypophyse* ou *neurohypophyse* qui contrôle l'opération par laquelle le rein élimine l'eau se trouvant dans le sang. Également nommée *vasopressine*.

antigènes Substances stimulant la production d'anticorps.

anxiété (états d') États périodiques de panique, d'angoisse persistante et de stress.

anxiolytiques Substances utilisées pour combattre l'anxiété, par exemple l'alcool, les opiacés, les barbituriques et les *benzodiazépines*.

aphagie Refus de manger souvent relié à des lésions de l'*hypothalamus latéral*.

aphasie Trouble de la capacité de comprendre ou de parler attribuable à des lésions cérébrales.

aphasie anomique Difficulté à trouver les mots, alors que leur compréhension et la capacité de les répéter sont normales. On dit également anomie.

aphasie de Broca Déficience dans la production de la parole associée à des lésions affectant l'*aire de Broca*.

aphasie de conduction Trouble du langage caractérisé par une compréhension intacte mais une répétition fautive du langage parlé, associé à des lésions des voies reliant l'*aire de Wernicke* à l'*aire de Broca*.

aphasie de Wernicke Trouble du langage caractérisé par un flot de paroles dénuées de sens et par une compréhension pauvre; ce trouble est associé à des lésions affectant l'*aire de Wernicke*.

apnées du sommeil Ralentissement ou arrêt de la respiration durant le sommeil, qui réveille le sujet. Ces interruptions fréquentes du sommeil au cours de la nuit provoquent une somnolence excessive durant la journée.

appareil vestibulaire Voir *système vestibulaire*.

apprentissage associatif Forme d'apprentissage dans laquelle une association se fait entre deux stimuli ou entre un stimulus et une réponse; elle comprend le *conditionnement classique* et le *conditionnement instrumental*. S'oppose à l'*apprentissage non associatif*.

apprentissage non associatif Forme d'apprentissage dans laquelle la présentation d'un stimulus particulier entraîne l'altération de la force ou de la probabilité d'une réponse en fonction de l'intensité ou du délai entre les présentations répétées de ce même stimulus. Elle comprend l'*habituation* et la *sensibilisation*. S'oppose à l'*apprentissage associatif*.

apraxie Déficience de la capacité de commencer et d'exécuter des mouvements volontaires exigeant de l'adresse, même en l'absence de paralysie musculaire.

arachnoïde Mince membrane recouvrant le cerveau, insérée entre la *dure-mère* et la *pie-mère*.

ARN Voir acide ribonucléique.

ARN de transfert (ARNt) Petites molécules d'ARN transportant les acides aminés vers les *ribosomes* lors de l'étape de *traduction du message de l'ARNm*.

ARN messager (ARNm) ARN monocaténaire apportant dans le cytoplasme l'information codée d'un segment de l'une des deux chaînes de l'ADN.

assemblage synaptique Niveau d'intégration cérébrale comprenant l'ensemble de toutes les *synapses* établies sur une seule cellule. Voir la figure 2.19.

astéréognosie Incapacité de reconnaître les objets en les touchant ou en les tâtant. On dit également agnosie tactile.

astrocyte *Cellule gliale* de forme étoilée comprenant de nombreux prolongements ou ramifications allant dans toutes les directions qui servent de support structural au cerveau et qui peuvent isoler des surfaces réceptrices. Voir la figure 2.18b.

ataxie Déficience dans la direction, l'étendue et la vitesse des mouvements musculaires, souvent attribuable à une lésion du cervelet.

attraction sexuelle Première phase du comportement d'accouplement de nombreux animaux pendant laquelle ils émettent des stimuli qui attirent l'autre sexe.

autocrine En fonction autocrine, le signal qu'une cellule émet l'alimente en retour.

autoradiographie Technique histologique qui permet de voir la distribution des substances chimiques radioactives.

autorécepteurs *Récepteurs* alimentés par les transmetteurs synaptiques situés dans la membrane présynaptique. Ils informent les terminaisons de l'axone de la quantité de transmetteur libéré. Voir le point 6 de la figure 6.5.

autosomes *Chromosomes* morphologiquement identiques qui peuvent être regroupés en paires; dans le noyau d'une cellule diploïde normale, ils correspondent à tous les chromosomes observables, à l'exception des *chromosomes sexuels*.

axone Prolongement unique du corps cellulaire du neurone; il transporte *les influx nerveux* à partir du *corps cellulaire* vers d'autres *neurones*. Voir les figures 2.12 et 2.16.

bandelette optique *Axones* des *ganglions cellulaires* de la *rétine*, après que ceux-ci ont traversé le *chiasma optique*; la plupart d'entre eux aboutissent dans le *noyau du corps genouillé latéral*. Voir la figure 9.18.

barrière hémato-encéphalique Mécanismes qui rendent le déplacement des substances des capillaires vers les cellules du cerveau plus difficile que les échanges qui se produisent dans d'autres organes, le protégeant ainsi de substances présentes dans le sang.

bâtonnets Cellules nerveuses photosensibles de la *rétine*; ces cellules sont les plus actives à de faibles niveaux d'éclairage. Voir les figures 9.16c et 9.17.

benzodiazépines Médicaments *anxiolytiques* qui se fixent avec beaucoup d'affinité aux récepteurs du *système nerveux central*.

biballisme Projection violente et incontrôlable des membres. Chez l'être humain et le singe, ce syndrome peut être causé par des lésions du *noyau subthalamique*.

bipolaires (neurones) Cellules nerveuses pourvues d'une seule *dendrite* située à l'une des extrémités du *corps cellulaire* et d'un seul *axone* situé à l'autre extrémité. Voir les figures 2.11b et 9.17.

boulimie Voir *hyperphagie*.

bouton synaptique Renflement présynaptique de la terminaison de l'*axone* à partir duquel les messages nerveux traversent la *fente synaptique* pour aller vers d'autres *neurones*. Voir la figure 2.16.

brillance L'une des dimensions fondamentales de la perception de la lumière. Elle varie de l'obscurité à la lumière. Voir la figure 9.21.

Broca Voir *aire de Broca* et *aphasie de Broca*.

bulbe Voir *moelle*.

calcitonine Hormone sécrétée par la *thyroïde*.

canal cochléaire Un des trois principaux canaux qui traversent la *cochlée* sur toute sa longueur. Voir la figure 9.2.

canal tympanique Voir *rampe tympanique*.

canal vestibulaire Voir *rampe vestibulaire*.

canaux semi-circulaires Trois tubes de l'oreille interne, pleins de liquide et faisant partie du *système vestibulaire*. Chacun de ces tubes, placés à angle droit l'un par rapport à l'autre, détecte l'accélération angulaire. Voir la figure 9.12 et la figure de l'encadré 9.3.

captage Voir *recaptage*.

CAT Voir *tomographie transversale axiale à calculateur intégré*.

caudé (noyau) Un des noyaux gris centraux qui présente un long prolongement ou longue queue.

CCK Voir *cholécystokinine*.

cellule de Purkinje Type de grosse *cellule nerveuse* observée dans le *cortex cérébelleux*. Voir la figure 4.8.

cellule fusiforme Type de petite cellule nerveuse.

cellule granulaire Voir *microglie*.

cellule pyramidale Type de grosse *cellule nerveuse* observée dans le *cortex cérébral*. Voir la figure 2.11d et la figure de référence 2.4.

cellules ciliées externes Cellules réceptrices de la *cochlée*. Voir la figure 9.2d.

cellules ciliées internes Cellules réceptrices de l'audition dans la *cochlée*, également nommées cellules épithéliales, pourvues de poils auditifs. Les ondes sonores les déplacent et engendrent des *influx nerveux* qui se dirigent vers le cerveau. Voir les figures 9.2d et 9.2e.

cellules corticales complexes Cellules du cortex visuel qui sont plus sensibles à une bande d'une largeur et d'une direction particulières, n'importe où à l'intérieur d'une région spécifique du champ visuel.

cellules corticales simples Cellules du *cortex visuel* qui réagissent de préférence à une arête ou à une bande d'une largeur, d'une orientation et d'une position spécifiques dans le champ visuel. Voir la figure 9.27.

cellules de Schwann Type de cellules accessoires qui forment la *myéline* dans le *système nerveux périphérique*.

cellules épithéliales pourvues de poils Voir *cellules ciliées internes*.

cellules étoilées Sorte de petites cellules nerveuses à nombreuses ramifications.

cellules gliales Cellules du cerveau qui ne sont pas des cellules nerveuses; elles jouent notamment un rôle de support structural et nutritif pour le cerveau. On dit également cellules névrogliques, glie ou névroglie.

cellules horizontales Type spécialisé de cellules de la rétine.

cellules neurosécrétrices *Neurones* qui produisent et sécrètent des *hormones*.

cellules W *Cellules ganglionnaires* de la *rétine* qui réagissent lentement et de façon plutôt variable à une stimulation visuelle.

cellules X *Cellules ganglionnaires* de la *rétine* qui continuent de réagir lorsque la stimulation visuelle est maintenue.

cellules Y *Cellules ganglionnaires* de la *rétine* qui réagissent d'abord fortement, mais dont la *fréquence* des réactions décroît rapidement pendant que la stimulation visuelle se maintient.

céphalique Qualifie une structure anatomique associée à la tête ou en direction de la tête. On dit également *rostral*.

cercle artériel du cerveau Voir *cercle de Willis*.

cercle de Willis Structure située à la base du cerveau et formée par la jonction des *artères carotide et basilaire*. Voir la figure de référence 2.11.

cerveau antérieur Division frontale du *tube neural* qui comprend les *hémisphères cérébraux*, le *thalamus* et l'*hypothalamus*. Également nommé prosencéphale. Voir les figures 2.7 et 2.8.

cerveau dédoublé Cerveau d'un individu dont on a sectionné le corps calleux, interrompant la communication entre les deux hémisphères.

cerveau isolé S'observe chez un animal dont le *système nerveux* a été sectionné au niveau supérieur du tronc cérébral (entre les *tubercules quadrijumeaux postérieurs et antérieurs*). Voir *encéphale isolé*. Voir la figure 14.9.

cerveau postérieur Division du tube neural qui correspond à la partie inférieure du cerveau; contient le *cervelet*, la *protubérance* et le *bulbe* chez un vertébré parvenu à maturité. Également nommé *rhombencéphale*.

cervelet Structure située à l'arrière du cerveau, en position *dorsale* par rapport à la *protubérance*; participe au contrôle central du mouvement. Voir la figure 2.5.

cervical Se rapportant à la région du cou.

chaînes sympathiques L'un des deux systèmes constituant le *système nerveux autonome*. Voir la figure de référence 2.14.

champ récepteur Région et caractéristiques de stimulation responsables de la réaction maximale d'une cellule appartenant à un système sensoriel. Voir les figures 8.9 et 9.27.

chiasma optique Point de croisement des deux *nerfs optiques*. Voir la figure 9.18.

chlorpromazine Médicament neuroleptique (ou antipsychotique) du groupe des phénothiazines.

choc spinal Période de déclin de la sensibilité synaptique dans les *neurones* de la *moelle épinière* à la suite d'une séparation, par intervention chirurgicale, de la moelle épinière et du cerveau.

cholécystokinine (CCK) Hormone sécrétée par la paroi du duodénum, qui intervient probablement dans l'assouvissement de la faim.

cholinergique Qualifie les cellules qui utilisent l'*acétylcholine* comme *transmetteur synaptique*.

chorée de Huntington Trouble génétique évolutif caractérisé par l'apparition de *mouvements choréiques* et de profonds changements dans le fonctionnement mental. Également nommé *maladie de Huntington*.

chromosomes Dans le *noyau* cellulaire, structures contenant de l'*ADN* et des nucléoprotéines associées.

chromosomes sexuels Paire de *chromosomes* identiques chez la femelle (XX), mais différents chez le mâle (XY). On les distingue des *autosomes*.

cingulaire (circonvolution) Voir *circonvolution du corps calleux*.

circonvolution du corps calleux Région du *cortex cérébral* médian située en position *dorsale* par rapport au *corps calleux*. Voir la figure 15.11.

circonvolutions Parties surélevées ou en forme de crêtes de la surface du cerveau. Voir *scissures* et la figure 2.5.

circuit Organisation du cerveau qui comprend une disposition spatiale de *neurones* et leurs interconnexions. Ces assemblages remplissent souvent une fonction particulière limitée. Un circuit local est un circuit circonscrit à une région.

circumventriculaires (organes) Organes situés dans la paroi des *ventricules cérébraux*. Ces organes contiennent des sites *récepteurs* qui peuvent être affectés par certaines substances du *liquide céphalorachidien*. Voir la figure 12.13.

cloaque Chez certains oiseaux, cavité servant à déposer le sperme (mâle) et à pondre les œufs (femelle). Le même conduit sert à l'élimination des matières fécales.

clones Organismes produits par reproduction asexuée et génétiquement identiques.

CNV Voir *variation négative contingente*.

coactivation Programme de contrôle du *système nerveux central* qui inhibe ou excite les *motoneurones* innervant les muscles squelettiques tout en modifiant la sensibilité des *fuseaux neuromusculaires*.

cochlée Organe en forme d'escargot et logé dans l'oreille interne; il contient les *récepteurs* primaires de l'audition. Également nommé *limaçon osseux*. Voir la figure 9.2.

codage Processus de formation des *souvenirs* grâce auquel l'information qui pénètre dans les voies sensorielles est inscrite dans la *mémoire à court terme*. Voir la figure 16.5.

codon Séquence de trois bases sur une molécule d'*ADN*.

colonnes corticales Colonnes verticales constituant l'organisation fondamentale du *néocortex*. Voir les figures 8.17 et 9.20.

colonnes de dominance oculaire Bandes allongées de cellules réagissant surtout à la stimulation de l'un des deux yeux. Voir la figure 9.20.

compartiment fondamental de la névroglie Organisation cérébrale constituée d'une seule cellule nerveuse avec toutes ses terminaisons nerveuses synaptiques, des cellules gliales associées qui entourent l'espace extracellulaire et des éléments vasculaires. Voir la figure 2.19.

complexe olivaire supérieur Structure du tronc cérébral qui reçoit des influx nerveux des noyaux cochléaires droit et gauche, donnant ainsi la première analyse binaurale de l'information auditive.

comportement appétitif Seconde étape du comportement d'accouplement; contribue à l'établissement et au maintien de l'interaction sexuelle. Voir la figure 11.2.

concordante Se dit de toute caractéristique physique décelée chez deux jumeaux identiques.

conditionnement classique Forme d'*apprentissage associatif* dans laquelle un stimulus, neutre à l'origine, [*stimulus conditionnel (SC)*] acquiert, grâce à son appariement avec un stimulus engendrant une réponse particulière [*stimulus inconditionné (SI)*], le pouvoir de provoquer cette réponse. Également nommé *conditionnement pavlovien*.

conditionnement instrumental *Apprentissage associatif* dans lequel la probabilité qu'une réponse particulière se présente dépend des conséquences (*stimulus de renforcement*) qui en résultent. Également nommé *conditionnement opérant*.

conditionnement opérant Voir *conditionnement instrumental*.

conditionnement pavlovien Voir *conditionnement classique*.

conduction saltatoire Conduction observée dans les *axones* myélinisés, dans laquelle l'*influx nerveux* saute d'un *nœud de Ranvier* à un autre.

conduits ioniques Dans la membrane plasmique de la cellule, conduits qui laissent passer certains ions quand les portillons sont ouverts. Voir la figure 5.12.

cône d'implantation de l'axone Région en forme de cône où l'*axone* émerge du *corps cellulaire*. À cet endroit, la *dépolarisation* doit atteindre un *seuil* critique pour que le *neurone* arrive à transmettre un *influx nerveux*. Voir la figure 2.12.

cônes Cellules réceptrices de la *rétine* responsables de la vision des couleurs. Les trois types de cônes présentent des sensibilités quelque peu différentes aux lumières de diverses longueurs d'onde.

consolidation Phase de la formation des *souvenirs* au cours de laquelle l'information dans les *mémoires à court terme* et *à terme intermédiaire* est transférée dans la *mémoire à long terme*. Voir la figure 16.5.

copulation (comportement de) Troisième stade du comportement d'accouplement au cours duquel le mâle couvre la femelle, la pénètre avec son pénis en érection et éjacule.

corps calleux Épais faisceau d'*axones* reliant les deux *hémisphères cérébraux*. Voir la figure 2.5 et la figure de référence 2.10.

corps cellulaire Région d'un neurone définie par la présence du *noyau*. Voir à la figure 2.11.

corps mamillaires Paires de noyaux situés à la base du cerveau, un peu en arrière de la tige pituitaire.

corpuscules de Pacini Sorte de *récepteur* qu'on retrouve surtout dans les tissus recouvrant la cavité abdominale. Également nommés organes de Pacini ou corpuscules de Vater. Voir à la figure 8.3.

cortex auditif Région du lobe temporal recevant des influx en provenance du *noyau du corps genouillé interne*. Voir à la figure 9.4.

cortex cérébelleux Surface externe du *cervelet*. Voir la figure 2.5 et la figure de référence 2.8.

cortex cérébral Écorce extérieure de la paroi des *hémisphères cérébraux;* il comprend surtout des *corps cellulaires* de *neurones* et leurs ramifications. Voir la figure 2.6.

cortex moteur Région du *cortex cérébral* qui transmet des influx vers les *motoneurones*. Voir les figures 10.16 et 10.18.

cortex moteur non primaire Larges parties du lobe frontal situées entre le cortex primaire et l'aire préfrontale.

cortex occipital Cortex du lobe occipital (postérieur) du cerveau; également nommé cortex visuel. Voir la figure de référence 2.15 et la figure 9.18.

cortex strié Portion du cortex visuel recevant les influx du *noyau du corps genouillé externe*; également nommé *cortex visuel primaire*. Voir la figure 9.19a, aire V-1.

cortex visuel primaire Première région du *cortex occipital* à recevoir la plupart des informations visuelles; également nommé *cortex strié*. Voir les figures 9.18 et 9.19a, aire 17 et V-1.

corticosurrénales Zone corticale des surrénales. Chacune des trois couches de cellules des corticosurrénales produit des hormones distinctes. Voir le tableau de référence 7.3.

corticotrophine (ACTH) *Stimuline* sécrétée par l'*adénohypophyse* et qui contrôle la production et la libération des hormones des *corticosurrénales*. Voir la figure 7.6.

cortisone *Hormone glucocorticoïde* des *corticosurrénales*. Également nommée hydrocortisone ou *cortisol*.

crétinisme Déficience thyroïdienne provoquant un ralentissement grave de la croissance physique et du développement mental.

CRH Voir *substance libératrice de la corticotrophine*.

crise généralisée Crise d'*épilepsie* causée par une lésion qui s'étend de certains sites à de grandes régions du cerveau. Elle est caractérisée par une perte de conscience et des mouvements symétriques. Voir la figure 5.16.

crise de grand mal Crise épileptique généralisée dans laquelle les cellules nerveuses émettent des décharges électriques de haute *fréquence*. Elle entraîne une perte de conscience et des contractions musculaires brusques. Également nommée crise épileptique toniclonique. Voir la figure 5.16.

crise de petit mal Crise d'*épilepsie* généralisée caractérisée par un complexe pointe-onde (figure 5.17). Pendant la crise, l'individu est inconscient de ce qui l'entoure; il ne peut par la suite se souvenir de ce qui s'est passé.

crise partielle Crise d'*épilepsie* dont la source se situe dans des foyers pathologiques restreints, les spasmes moteurs focaux et répétitifs par exemple. Cette crise ne cause pas de perte de conscience.

cupules Partie du *système de la ligne latérale*. Voir l'encadré 9.2.

cytoarchitectonie Étude des divisions anatomiques du cerveau qui se base sur les types des cellules, leurs espacements et la répartition des axones.

DA Voir *dopamine*.
dB Voir *décibel*.
déclencheur (caractéristiques de) Particularités de certains stimulus qui servent surtout à provoquer les réactions d'une cellule spécifique.

décibel (dB) Expression logarithmique de l'intensité du son.

dégénérescence antérograde Perte de la partie *distale* de l'*axone* résultant d'une blessure; également nommée dégénérescence ascendante ou *dégénérescence wallérienne*. Voir la figure de l'encadré 4.1.

dégénérescence rétrograde Destruction du corps cellulaire d'un neurone à la suite d'une blessure. Voir la figure de l'encadré 4.1.

dégénérescence wallérienne Voir *dégénérescence antérograde*.

démence sénile Trouble neurologique qui affecte les personnes âgées; il consiste en une détérioration progressive du comportement et comprend notamment des changements de la personnalité et un déclin intellectuel prononcé.

dendrites Prolongements du *corps cellulaire* du *neurone*. Voir les figures 2.16 et 2.17.

dendritique (arbre) Ensemble des dendrites d'un même neurone.

dendritique (ramification) Répartition et quantité des prolongements émanant des *dendrites*. Voir la figure 17.3.

dendritiques (épines) Excroissances le long des *dendrites* des *neurones*. Voir la figure 2.16.

dépolarisation Diminution du *potentiel de membrane* (la paroi interne de la membrane devient moins négative par rapport à la membrane externe); cette diminution est produite par des messages nerveux excitateurs. Voir les figures 5.3 et 5.4.

dépression bipolaire Dépression qui alterne avec la manie. Contraire de *dépression unipolaire*.

dépression unipolaire Dépression affective qui alterne avec des états émotifs normaux. Contraire de *dépression bipolaire*.

dermatome Bande de peau innervée par une racine particulière de la moelle. Voir la figure 8.15.

désafférentation Suppression des influx sensoriels afférents.

déshabituation Restauration de l'amplitude de la réponse après que l'*habituation* a eu lieu.

diaschise Période temporaire de dysfonctionnement généralisé faisant suite à une lésion cérébrale.

diencéphale Partie postérieure du *cerveau antérieur* ou prosencéphale; comprend le *thalamus* et l'*hypothalamus*. Voir les figures 2.7 et 2.8.

discordant Trait particulier à un seul individu d'une paire de jumeaux identiques.

disparité binoculaire Légère différence entre les images reproduites sur chacune des deux *rétines*; propriété optique importante pour la perception de la profondeur. Voir la figure 9.26.

distal Qualifie une structure anatomique située en périphérie ou à l'extrémité d'un membre; s'oppose à *proximal*. Voir la figure de l'encadré 2.1.

divergence Système de connexions nerveuses qui permet à une cellule de transmettre des signaux à plusieurs autres cellules. Voir la figure 5.10.

dopamine (DA) *Neurotransmetteur* produit surtout dans la région inférieure du *cerveau antérieur* et dans le *diencéphale*; il exerce son activité dans les *noyaux gris centraux*, le système olfactif et des parties limitées du *cortex cérébral*. On peut voir à la figure 6.7 où se situent les fibres *dopaminergiques* et à la figure 15.18 où se situent les récepteurs de dopamine.

dopaminergique Se dit d'une cellule qui utilise la dopamine comme *transmetteur synaptique*.

double dissociation État ou traitement A qui entrave un test de comportement X, mais non un test T, alors qu'un état B nuit au test T sans nuire au test X.

dure-mère La plus externe des trois membranes qui enveloppent le cerveau et la *moelle épinière*. Voir la figure de référence 2.13.

dyskinésie tardive Mouvements involontaires de la bouche, des lèvres, de la langue et surtout du visage, associés à un usage prolongé de médicaments neuroleptiques comme la *chlorpromazine*. Voir l'encadré 15.2.

dyslexie Trouble de la lecture attribué à un dysfonctionnement du cerveau.

dystrophie musculaire Maladie entraînant une dégénérescence et des changements fonctionnels dans les muscles.

ectoderme Couche externe de cellules chez l'embryon en développement; cette couche cellulaire est à l'origine de la peau et du système nerveux.

ectothermes Animaux dont la température corporelle est réglée par leur environnement, qui leur procure la plus grande partie de leur chaleur. Contraire de *endothermes*.

EEG Voir *électroencéphalographie*.

efférentes (fibres) Axones qui transportent l'information du système nerveux vers la périphérie; s'oppose à *afférentes*.

efférents gamma *Neurones* moteurs par lesquels le *système nerveux central* contrôle la sensibilité des *fuseaux musculaires*. Voir la figure 10.10.

électroencéphalographie (EEG) Enregistrement et étude de l'activité électrique globale du cerveau au moyen de grosses électrodes placées à la surface du crâne. Voir la figure 14.7.

électromyographie (EMG) Enregistrement de l'activité électrique des muscles. Voir la figure 10.3.

embryon Ensemble cellulaire en développement qui résulte d'une fécondation et correspond à la première phase du développement d'un animal; chez l'être humain, cette première étape représente les 8 à 10 premières semaines de la gestation.

EMG Voir *électromyographie*.

empreinte Forme d'apprentissage dans laquelle les jeunes animaux apprennent à suivre le premier objet relativement volumineux qu'ils aperçoivent.

empreinte filiale (formation d') Forme d'apprentissage dans laquelle les animaux *précoces* apprennent, au cours des premiers jours de leur vie, à s'approcher du premier objet relativement volumineux qu'ils aperçoivent et à suivre ce dernier. Également nommée *imprégnation filiale*.

empreinte sexuelle Sorte d'*empreinte* qui fait que les premières expériences influencent le choix des partenaires sexuels.

encéphale isolé S'observe chez un animal dont le tronc cérébral est séparé de la *moelle épinière* par une section pratiquée au-dessous du bulbe. Différent de *cerveau isolé*. Voir la figure 14.19.

encéphalines Voir *enképhalines*.

endocrine Qualifie une glande qui sécrète des substances dans la circulation sanguine, ces substances agissant sur des cibles éloignées; s'oppose à *exocrine*. Voir l'encadré 6.1 et la figure 7.1.

endorphines L'une des trois sortes d'*opioïdes endogènes*. Voir « peptides opioïdes » au tableau 6.1.

endothermes Chez les mammifères et les oiseaux, animaux dont la température du corps est surtout réglée par des processus métaboliques internes. Contraire de *ectothermes*.

enképhalines L'une des trois sortes d'*opioïdes endogènes*; également nommées *encéphalines*. Voir « peptides opioïdes » au tableau 6.1.

entraînement Synchronisation d'un rythme biologique et d'un stimulus de l'environnement. Voir la figure 10.4.

épendymaire (couche) Voir *couche ventriculaire*.

épilepsie Trouble cérébral marqué par des changements brusques et importants de l'état électrophysiologique du cerveau, et que l'on appelle crise. Voir les figures 5.16 et 5.17.

épisodique (mémoire) *Souvenir* d'un incident particulier ou d'un endroit et d'un moment spécifiques. Voir le tableau 16.1.

équation de Nernst Équation utilisée pour calculer le *potentiel d'équilibre*.

étirement (réflexe d') Voir *réflexe myotatique*.

étranglement de Ranvier Voir *nœud de Ranvier*.

étrier Os de l'*oreille moyenne* relié à la *fenêtre ovale*; un des trois *osselets* qui servent au transport des sons dans l'oreille moyenne.

évitement passif (réaction d') Réactions conditionnée d'évitement d'un organisme qui ne pénètre pas dans un compartiment où il a déjà reçu un choc.

exocrine Qualifie une glande qui sécrète des substances passant par des canaux vers le site d'action; contraire d'*endocrine*.

extinction Caractéristique du conditionnement selon laquelle la réponse acquise s'efface graduellement quand le renforcement n'est pas présenté.

extrafusales (fibres) Voir *fibres musculaires*.

facteur de croissance nerveuse Substance qui contrôle la croissance des *neurones* des ganglions spinaux et des ganglions du *système nerveux sympathique*. Voir la figure 4.18.

faim spécifique Accroissement temporaire (ne résultant pas d'un apprentissage) du goût pour un aliment particulier, répondant à un besoin spécifique.

faisceau nigrostrié (FNS) Faisceau *dopaminergique* qui va du *locus niger* du *mésencéphale* jusqu'à l'*hypothalamus latéral*, au *pallidum* et au système *noyau caudé-putamen*.

fenêtre ovale Ouverture entre l'*oreille moyenne* et l'oreille interne.

fenêtre ronde Membrane séparant le *canal cochléaire* de la cavité de l'*oreille moyenne*.

fente synaptique Espace entre les membranes présynaptique et postsynaptique. Voir les figures 2.16 et 6.2.

fibres musculaires Fibres contractiles d'un muscle, également nommées *fibres extrafusales*. Voir la figure de l'encadré 10.1.

fibres parallèles Axones des *cellules granulaires* (*microglie*) qui forment la couche externe du *cortex cérébelleux*. Voir la figure de référence 2.6.

FNS Voir *faisceau nigrostrié*.

folia Plis ou circonvolutions du *cortex cérébelleux*.

formation réticulée Région du tronc cérébral (du *bulbe* jusqu'au *thalamus*) participant à l'activation cérébrale. Également nommée substance réticulée.

fornix Faisceau de fibres s'étendant de l'*hippocampe* aux *corps mamillaires*. Également nommé *trigone cérébral*. Voir la figure de référence 2.9.

Fourier (analyse de) Analyse d'un modèle complexe par la sommation d'ondes sinusoïdales.

fovéa Légère dépression du centre de la rétine, caractérisée par une forte concentration de *cônes* et une acuité visuelle maximale. Également nommée fossette ou fovea centralis.

fractionnement du champ Hypothèse sur la perception de l'intensité du stimulus selon laquelle un groupe de cellules peut encoder une vaste gamme de valeurs d'intensité, chacune des cellules étant assignée à un intervalle donné sur l'échelle des valeurs.

fréquence Dans un phénomène périodique, nombre de vibrations par unité de temps. Dans le cas d'une onde sonore, le nombre de

cycles par seconde, se mesure en hertz (Hz). Voir la figure de l'encadré 9.1.

frontal (plan) Ligne imaginaire divisant le corps ou le cerveau en parties antérieure et postérieure. On dit également plan transversal ou coronal. Voir la figure de l'encadré 2.2.

fuseaux neuromusculaires Récepteurs musculaires parallèles au muscle qui envoient des influx vers le *système nerveux central* quand le muscle est étiré. Voir la figure 10.10.

GABA Voir *acide gamma-aminobutyrique*.

gamètes Cellules sexuelles qui, contrairement aux *cellules somatiques*, ne contiennent que l'un des deux *chromosomes* de chacune des paires de chromosomes. Lors de la reproduction sexuée, le gamète de la femelle et le gamète du mâle se fusionnent, reformant ainsi le nombre diploïde normal de chromosomes des cellules somatiques.

ganglion Ensemble de *corps cellulaires* de *neurones*. Également nommé *noyau*.

ganglions autonomes Une des trois principales divisions du *système nerveux périphérique*. Ces ganglions appartiennent aux chaînes de ganglions *sympathiques* et parasympathiques (les plus éloignés).

ganglions cellulaires Groupe de cellules de la *rétine* dont les *axones* forment le *nerf optique*. Voir la figure 9.17.

généralisation Caractéristique du conditionnement selon laquelle les stimuli semblables au *stimulus conditionnel* peuvent provoquer une réponse conditionnée.

glie Voir *cellules gliales*.

glie radiale Névroglie qui se forme tôt au cours du développement, occupant toute la largeur des *hémisphères cérébraux* en émergence; elle guide la migration des *neurones*. Voir la figure 4.7.

gliome Tumeur du cerveau résultant d'une production aberrante de *cellules gliales*.

globus pallidus Voir *pallidum*.

glucagon *Hormone* sécrétée par les cellules alpha des *îlots de Langerhans*; cette hormone provoque une augmentation du taux de glycémie. Voir la figure 7.9.

glucocorticoïdes *Hormones* sécrétées par les *corticosurrénales*, qui agissent sur le métabolisme des glucides.

gonadolibérine *Hormone* sécrétée par l'hypothalamus qui contrôle la sécrétion de l'*hormone lutéinisante* (ou *gonadotrophine B*). Également nommée *hormone de libération de la lutéostimuline*. Voir la figure 7.12.

gonadotrophine A *Hormone* libérée par l'*adénohypophyse* et qui contrôle la production d'œstrogènes et de progestérone. Également nommée folliculostimuline et prolan A.

gonadotrophine B Hormone de lutéinisation, lutéinostimuline, prolan B, *ICSH*. Voir *hormone lutéinisante*.

gouttière médullaire Voir *gouttière neurale*.

gouttière neurale Dans l'embryon primitif, gouttière située entre les *plis neuraux* qui devient le *tube neural* lorsque ces plis se rejoignent. Également nommée *gouttière médullaire*. Voir la figure 4.3.

habituation Forme d'*apprentissage non associatif* caractérisé par une diminution de la force des réponses consécutives à une présentation répétée du stimulus. Voir la figure 16.2.

habitudes Liens stimulus-réponse acquis, de façon automatique et souvent graduelle, grâce à l'avènement de renforcements stimulus-réponse. Voir le tableau 16.1.

hallucinogènes Drogues qui modifient la perception sensorielle et donnent lieu à des impressions bizarres.

hauteur tonale Dimension de l'expérience auditive selon laquelle les sons varient sur une échelle allant des graves aux aigus.

hémisphères cérébraux Moitiés gauche et droite du *cerveau antérieur*. Voir la figure 2.1.

hippocampe Partie des *hémisphères cérébraux* qui se trouve recroquevillée dans la partie médiane de la base du lobe temporal. Voir la figure de référence 2.19, la figure 16.8 et la figure de l'encadré 17.1.

histogramme de dominance oculaire Graphique qui traduit la force de la réaction d'un *neurone* aux stimuli présentés à l'œil droit ou à l'œil gauche. Sert à prévoir les conséquences d'une privation d'expérience visuelle à l'un des deux yeux. Voir la figure 4.23.

homéostasie Tendance du milieu interne à demeurer constant.

homéothermes À l'instar des oiseaux et des mammifères, animaux qui maintiennent une température corporelle relativement constante. Contraire de poïkilothermes.

hominidés Voir *hominiens*.

hominiens Primates de la famille des hominidés dont les êtres humains sont la seule espèce actuellement vivante.

hormone Substance chimique sécrétée par une glande *endocrine* et transportée par le sang; les hormones assurent la régulation des tissus ou des organes cibles. Le tableau de référence 7.3 dresse la liste des principales hormones.

hormone de libération de la corticotrophine Voir *substance libératrice de la corticotrophine (CRH)*.

hormone de libération de la lutéinostimuline Voir *gonadolibérine*.

hormone de libération de la thyrotrophine (TRH) *Hormone* de l'*hypothalamus* qui contrôle la libération de la *thyrotrophine*. Également nommée thyréolibérine. En fait TRH est l'abréviation anglaise de « thyrotropin-releasing-hormone ». Voir la figure 7.10.

hormone lutéinisante (HL) *Hormone* sécrétée par l'*adénohypophyse* qui influence les activités hormonales des *gonades*. Chez le mâle, cette hormone est nommée hormone de stimulation des cellules interstitielles (en anglais : « interstitial-cell-stimulating hormone », ou *ICSH*). Voir les figures 7.11 et 7.12.

hormone somatotrope Voir *somatotrophine*.

hypercomplexe 1 Cellules du cortex visuel qui réagissent davantage à une stimulation visuelle de barres orientées et de longueur limitée.

hypercomplexe 2 Cellules du cortex visuel qui réagissent davantage à une stimulation visuelle de deux segments de droite formant un angle particulier.

hyperphagie Condition poussant à une augmentation de la consommation d'aliments, souvent associée à des lésions de l'*hypothalamus ventromédian*. On dit également *boulimie*.

hypertonique Se dit d'une solution à concentration de sel supérieure à celle du liquide interstitiel et du plasma sanguin (supérieure à 0,9 % environ); contraire d'*hypotonique*.

hypophyse Petite glande *endocrine* complexe située dans une cavité osseuse, à la base du crâne. Elle est formée de deux parties : l'*adénohypophyse* et la *posthypophyse* ou *neurohypophyse*, dont les fonctions sont tout à fait différentes. Voir la figure 7.5.

hypothalamus Partie du *diencéphale* occupant une position *ventrale* par rapport au *thalamus*. Voir la figure 2.7c.

hypothalamus latéral (HL) Région de l'*hypothalamus* qui intervient dans la facilitation de l'action de manger. Voir la figure 13.6.

hypothalamus ventromédian (HVM) Région de l'*hypothalamus* qui participe notamment à l'inhibition de la consommation de nourriture. Voir la figure 13.6.

hypotonique Se dit d'une solution dont la concentration de sel est inférieure à celle du liquide interstitiel et du plasma sanguin (inférieure à 0,9 % environ); contraire d'*hypertonique*.

iconique (mémoire) Type de souvenir très bref qui garde l'impression sensorielle se dégageant d'une scène.

ICSH Voir *hormone lutéinisante*.

identité de genre Façon dont un individu se désigne et est désigné par les autres, comme masculin ou féminin.

îlots de Langerhans Grappes de cellules du *pancréas* qui libèrent deux *hormones* (l'*insuline* et le *glucagon*) à effets antagonistes sur l'utilisation du glucose. Également nommés îlots pancréatiques. Voir la figure 7.9.

imagerie par résonance magnétique Technique qui fournit des coupes du cerveau ou du corps par analyse informatique des changements dans l'orientation des molécules. Voir la figure 2.9.

immunité à médiation cellulaire Réaction immunitaire qui met en cause les *lymphocytes T*. Voir la figure 15.10.

immunité humorale Immunité qui s'installe lorsque les *lymphocytes B* produisent des anticorps qui détruisent directement les antigènes tels les virus et les bactéries ou qui favorisent la destruction de ces derniers par d'autres cellules.

influx nerveux Messages électriques qui se propagent à partir du *neurone*, traversant l'*axone* vers des neurones adjacents. Également nommés *potentiels d'action*. Voir la figure 5.5.

infundibulum Tige de l'hypothalamus. Voir la figure 7.5.

inhibiteurs de la monoamine oxydase (IMAO) Médicaments antidépresseurs qui inhibent l'enzyme MAO et prolongent ainsi l'action des *transmetteurs* catécholamines.

inhibition latérale Phénomène produit par des *neurones* interreliés qui inhibent les neurones voisins. Voir la figure 5.10.

innervation (rapport d') Quotient exprimant le nombre de fibres musculaires innervées par axone moteur. Moins il y a de fibres innervées (plus le rapport est faible), plus le contrôle des mouvements est précis.

insuline *Hormone* sécrétée par les cellules bêta des *îlots de Langerhans*, qui abaisse la glycémie. Voir la figure 7.9.

intervention comportementale Technique de recherche de relations entre les variables somatiques et comportementales. Cette intervention consiste à modifier un comportement d'un organisme pour observer les changements qui en résultent dans les structures ou les fonctions corporelles. Voir la figure 1.6.

intervention somatique Technique de recherche de relations entre les variables somatiques et comportementales. Cette intervention consiste en une manipulation des structures ou des fonctions du corps pour observer des changements correspondant dans le comportement. Voir la figure 1.6.

intromission Insertion du pénis en érection dans le vagin. Voir *copulation*.

Korsakoff Voir *syndrome de Korsakoff*.

kuru Maladie nerveuse due à un virus à action lente, produisant un tremblement et éventuellement une paralysie des membres.

limbique (système) Groupe de structures cérébrales reliées entre elles, qui servent à l'intégration des expériences et des réactions affectives. Voir la figure de référence 2.9.

locus cœruleus Petit noyau du tronc cérébral dont les *neurones* produisent la *noradrénaline* et jouent un rôle de modulation sur de grandes régions du *cerveau antérieur*.

locus niger Structure du tronc cérébral associée aux *noyaux gris centraux* qui doivent leur nom à sa pigmentation foncée.

lombaire Se dit de la partie inférieure de la *moelle épinière* ou du dos.

lordose Chez les quadrupèdes, posture de réceptivité sexuelle que prend la femelle : le train postérieur est soulevé et la queue est tournée d'un côté, pour faciliter l'*intromission* du pénis. Voir la figure 11.4.

LSD (acide lysergique) *Hallucinogène*.

limaçon osseux Voir *cochlée*.

liquide céphalo-rachidien Liquide qui remplit les *ventricules cérébraux*. Également connu sous le nom de liquide cérébrospinal. Voir la figure 2.4.

liquide extracellulaire Désigne le liquide interstitiel qui occupe les espaces intercellulaires, et le liquide du réseau vasculaire.

lymphocytes Les deux types de cellules responsables de deux types de réaction immunitaire. Voir la figure 15.10.

mamillothalamique (faisceau) Bande de fibres reliant les *corps mamillaires* au *thalamus*. Également nommé faisceau de Vicq d'Azyr.

marteau Os de l'*oreille moyenne* relié à la *membrane du tympan*; un des trois osselets qui transmettent le son dans l'oreille moyenne.

matière blanche Couche brillante située en dessous du cortex et composée surtout d'*axones* recouverts de couches blanches de *myéline*. Voir la figure 2.6.

matière grise Région du cerveau où prédominent les *corps cellulaires* dépourvus de *myéline*, par exemple le *cortex cérébral*.

médian Qualifie une structure anatomique située « vers le milieu »; contraire de *latéral*. Voir la figure de l'encadré 2.1.

médullosurrénale Partie centrale d'une surrénale. Cette région sécrète de l'*adrénaline* et de la *noradrénaline*. Voir le tableau de référence 7.1.

membrane basilaire Membrane de la *cochlée* contenant les principales structures qui participent à la *transduction* auditive. Voir la figure 9.2c.

membrane de Corti Structure du *canal cochléaire*. Également nommée *membrane du toit*. Voir la figure 9.2d.

membrane du toit Voir *membrane de Corti*.

membre fantôme Voir *algo-hallucinose*.

mémoire à court terme Mémoire qui ne persiste que quelques secondes ou aussi longtemps que la répétition se maintient.

mémoire à long terme Forme de mémoire persistante, qui dure des semaines, des mois ou des années.

mémoire à terme intermédiaire Forme de mémoire qui dure plus longtemps que la *mémoire à court terme*, sans exiger de répétition, mais qui ne persiste pas aussi longtemps que la *mémoire à long terme*.

mémoire habile L'une des premières phases de la formation des *souvenirs* pendant laquelle la formation d'un souvenir peut facilement se trouver perturbée par les conditions influençant l'activité cérébrale.

mémoire permanente Type de mémoire qui dure sans perdre de son intensité, pendant toute la vie de l'organisme.

méninges Désigne les trois couches de tissu qui enveloppent le cerveau et la *moelle épinière*.

mésencéphale Structure nerveuse située sous le *diencéphale*, qui comprend les pédoncules cérébraux et les *tubercules quadrijumeaux*. Parfois désigné comme le cerveau moyen. Voir la figure 2.7.

microglie Type de petite cellule nerveuse également nommée *cellule granulaire*.

microtubules Structures cylindriques évidées se trouvant dans les *axones* et participant au *jaillissement axoplasmique*. Voir la figure 2.15.

migration cellulaire Processus par lequel les cellules se déplacent à partir d'un point d'origine vers leur site final. Voir les figures 4.6 et 4.7.

minéralocorticoïdes Hormones sécrétées par les *corticosurrénales*, qui exercent une influence sur les concentrations d'ions dans les tissus du corps.

modulation de la formation des souvenirs Facilitation ou inhibition de la formation des *souvenirs* par des facteurs autres que ceux qui sont directement en cause dans cette formation. On dit également *modulation des processus de stockage mnémonique*.

modulation des processus de stockage mnémonique Voir *modulation de la formation des souvenirs*.

moelle épinière Extrémité inférieure du cerveau. On distingue la moelle épinière logée à l'intérieur de la colonne vertébrale et le bulbe (ou bulbe rachidien) qui consiste en la partie supérieure de la moelle, logée à la base du *tronc cérébral*. Voir la figure 2.7.

monoamines *Transmetteurs* synaptiques ne contenant qu'un seul groupe amine, NH_2; dans ce groupe, on trouve les catécholamines et les indolamines. Voir le tableau 6.1.

monogamie Système d'accouplement dans lequel une femelle et un mâle forment un couple reproducteur qui peut durer pendant une période d'élevage ou toute une vie. Relation plutôt durable et exclusive entre un mâle et une femelle, ce qu'on appelle un *lien de couple*.

mosaïques génétiques Animaux chez qui les cellules d'une partie du corps ont une composition chromosomique différente de celle des cellules des autres parties. Par exemple, on peut placer la tête d'une drosophile mâle sur le corps d'une drosophile femelle. L'étude des mosaïques génétiques aide à identifier les structures nerveuses qui contrôlent les divers comportements.

motoneurones Cellules nerveuses de la *moelle épinière* qui transmettent des messages moteurs jusqu'aux muscles.

motoneurones alpha *Motoneurones* qui contrôlent les principales fibres contractiles (fibres extrafusales) d'un muscle. Voir la figure 10.10.

mouvements choréiques Mouvements musculaires puissants, brusques et incontrôlables, associés à un dysfonctionnement des *noyaux gris centraux*.

mouvements oculaires rapides Phase du sommeil caractérisée par des ondes *EEG* rapides, de faible amplitude, par l'absence de tension posturale et par la production de mouvements rapides des yeux. On parle également de *sommeil paradoxal* ou sommeil à activité rapide. Cette phase du sommeil est souvent désignée par l'acronyme *REM*, tiré de l'anglais pour « rapid eye movements ». Voir la figure 14.7.

muscarinique Se dit d'un *récepteur cholinergique* (récepteur réagissant à l'*acétylcholine*); substance servant avant tout de médiateur des activités inhibitrices de l'acétylcholine.

muscles extra-oculaires Muscles fixés au globe oculaire qui en contrôlent la position et les mouvements. Voir la figure 9.15.

myasthénie Maladie neurologique qui se manifeste par une grande fatigabilité et la faiblesse des muscles. Voir la figure 10.21.

myélencéphale Subdivision du *cerveau postérieur*; c'est la *moelle épinière*. Voir les figures 2.7 et 2.8.

myéline Isolant lipidique entourant un *axone*; cette substance est formée par des cellules accessoires. La présence de cet isolant accroît la vitesse de conduction de l'*influx nerveux*. Voir les figures 2.13 et 2.14.

myélinisation Processus de formation de la *myéline*. Voir la figure 2.13.

NA Voir *noradrénaline*.

naloxone Puissant antagoniste des opiacés souvent administré à ceux qui ont absorbé des doses excessives de stupéfiants. La naloxone se lie aux récepteurs des *opioïdes endogènes*.

nanisme psychosocial Réduction de la stature résultant d'un stress qui, tôt, dans la vie, a entravé le sommeil profond. Voir l'encadré 7.1.

narcolepsie Perturbation du comportement caractérisé par l'apparition de fréquents épisodes de sommeil profond qui durent de 5 à 30 minutes et qui surviennent à n'importe quel moment pendant les heures habituelles d'éveil.

nerf facial Nerf crânien qui innerve la musculature du visage ainsi que certains *récepteurs* sensoriels. Voir la figure de référence 2.12 et la figure 15.2.

nerf glossopharyngien Nerf crânien qui dessert les *récepteurs* du goût situés dans la langue. Voir la figure de référence 2.12.

nerf optique Ensemble des *axones* qui vont de la *rétine* au *chiasma optique*.

nerf pneumogastrique Un des *nerfs crâniens*. Également nommé *nerf vague*. Voir la figure de référence 2.12.

nerf vague Voir *nerf pneumogastrique*.

nerfs crâniens Ensemble de voies nerveuses des systèmes sensoriel et moteur de la tête; une des trois subdivisions du *système nerveux périphérique*. Voir la figure de référence 2.12.

nerfs rachidiens Les 31 paires de nerfs émergeant de la moelle épinière. Voir la figure de référence 2.13.

néocortex Parties du *cortex cérébral* dont l'évolution est relativement récente : dans le cerveau humain, il correspond à toute la surface visible du cortex.

neuroblastes Forme primitive des cellules nerveuses pendant la phase de *migration cellulaire*. Voir les figures 4.5 et 4.6.

neuroendocrinien Se dit d'un agent endocrinien sécrété par des *neurones* spécialisés; par exemple, les *facteurs hypothalamiques* de libération d'hormones.

neurofilaments Petites formations semblables à des *bâtonnets* qu'on trouve dans les *axones* et qui interviennent dans le transport des substances. Voir la figure 2.15.

neurohypophyse Partie postérieure de l'hypophyse. Également nommée *posthypophyse*. Voir la figure 9.5b.

neuromodulateurs Substances influençant l'activité des *transmetteurs synaptiques*. Voir l'encadré 6.1.

neurone Unité fondamentale du système nerveux qui comprend un *corps cellulaire*, un ou des prolongements récepteurs (*dendrites*) et un prolongement transmetteur (*axone*). Voir les figures 2.10 et 2.11.

neurones de circuit local Petits *neurones* qui ne prennent contact qu'avec des neurones situés à l'intérieur de la même unité fonctionnelle.

neurones de projection Gros *neurones* qui transmettent des messages à des régions du cerveau très distantes les unes des autres.

neurones multipolaires Cellules nerveuses qui présentent plusieurs *dendrites* et un seul *axone*. Voir la figure 2.11d, e, f.

neurones unipolaires Cellules nerveuses à prolongement unique qui ensuite se prolonge en se ramifiant vers deux extrémités : le pôle récepteur et la zone efférente. Voir la figure 2.11c.

neuropathie Destruction de nerfs périphériques.

neurospécificité Théorie du développement du système nerveux selon laquelle chaque *axone* croît en direction d'un site particulier. Voir la figure 4.15.

neurotransmetteur Voir *transmetteur synaptique*.

névroglie Voir *cellules gliales*.

nicotinique Se dit d'un *récepteur cholinergique* qui agit principalement comme médiateur des activités excitatrices de l'*acétylcholine*.

nocicepteurs *Récepteurs* réagissant à des stimuli qui causent des dommages aux tissus ou qui représentent une menace de lésions.

nœud de Ranvier Déclivité entre des segments successifs de la gaine de *myéline* où la membrane de l'axone est dénudée. On dit également *étranglements de Ranvier*. Voir la figure 2.12.

non-équivalence d'associations Limite de l'apprentissage qui fait qu'une association donnée est acquise plus ou moins facilement par différentes espèces.

non-équivalence de réponses Limite de l'apprentissage qui fait que l'acquisition d'un comportement instrumental donné se fait plus ou moins rapidement chez différentes espèces.

non-équivalence de stimuli Limite de l'apprentissage qui fait que le même stimuli est plus ou moins susceptible d'être appris par différentes espèces.

non myélinisé Se dit d'un *axone* de petit diamètre qui n'a pas de gaine de *myéline*. On dit aussi amyélinique.

noradrénaline (NA) Neurotransmetteur produit surtout dans les *noyaux* du tronc cérébral. Voir à la figure 6.6.

noyau Rassemblement anatomique de neurones (ex. : *le noyau caudé*).

noyau basal de Meynert Voir *noyau magnocellulaire de la base du cerveau antérieur*.

noyau caudé Voir *caudé*.

noyau du corps genouillé externe Partie du *thalamus* qui reçoit l'information de la *bandelette optique* et la transmet aux aires visuelles du cortex *occipital*. On dit aussi *noyau du corps genouillé latéral*. Voir à la figure 9.18a.

noyau du corps genouillé interne Noyau du thalamus qui reçoit des *influx nerveux* en provenance du *tubercule quadrijumeau postérieur* et envoie des influx vers le *cortex auditif*. On dit aussi noyau du corps genouillé médian. Voir à la figure 9.4.

noyau du corps genouillé latéral Voir *noyau du corps genouillé externe*.

noyau du corps genouillé médian Voir *noyau du corps genouillé interne*.

noyau lenticulaire Région des *noyaux gris centraux* qui a la forme d'une lentille; elle comprend le *pallidum* et le *putamen*. Voir la figure de référence 2.10a.

noyau magnocellulaire de la base du cerveau antérieur Région de la base du *cerveau antérieur* en cause dans la *maladie d'Alzheimer*. On dit également *noyau basal de Meynert*. Voir la figure 4.25.

noyau paraventriculaire *Noyau* de l'*hypothalamus*. Voir à la figure 7.5b.

noyau rouge Structure du tronc cérébral associée aux *noyaux gris centraux*.

noyau suprachiasmatique (NSC) Petite région de l'*hypothalamus* située au-dessus du *chiasma optique*, qui est le site d'un oscillateur circadien. Voir la figure 14.3.

noyau supraoptique Noyau de l'*hypothalamus*. Voir à la figure 7.5b.

noyaux cochléaires Noyaux du tronc cérébral qui reçoivent des influx des *cellules ciliées internes* et qui envoient des influx au *complexe olivaire supérieur*. Voir la figure 9.4b.

noyaux du raphé Groupe de *neurones* situés sur la ligne médiane du tronc cérébral; ils contiennent de la *sérotonine*, neurotransmetteur qui intervient dans les mécanismes du sommeil. Voir à la figure 14.21.

noyaux gris centraux Groupe de *noyaux du cerveau antérieur* logés profondément à l'intérieur des *hémisphères cérébraux*.

nucléotide Constituant chimique de l'ADN et de l'ARN formé par une base azotée liée à une molécule de sucre pentose, lui-même lié à un résidu phosphate.

nystagmus Mouvements de va-et-vient anormaux exécutés par l'œil durant les tentatives de fixation de l'image d'un objet.

ocytocine *Hormone* libérée par la *neurohypophyse*; elle déclenche l'évacuation du lait chez la femelle qui allaite.

œdème Tuméfaction des tissus, particulièrement ceux du cerveau, en réaction à des traumatismes cérébraux.

œstrogènes *Hormone* sécrétée par les gonades de la femelle. Voir la figure 7.12 et le tableau 7.2.

œstrus Période durant laquelle les femelles des animaux sont sexuellement réceptives.

oligodendrocyte Type de *cellules gliales* habituellement associées aux *corps cellulaires* des *neurones*, certains oligodendrocytes formant les gaines de *myéline*. On dit également oligodendroglie. Voir la figure 2.18a.

opioïdes Substances chimiques produites dans diverses régions du cerveau; ces substances se fixent aux *récepteurs* d'opiacés et agissent comme des opiacés. Voir le tableau 6.1 pour « opioïdes peptidiques ».

opioïdes endogènes Famille de médiateurs (ou transmetteurs) peptidiques surnommés « narcotiques propres au corps ». Voir le tableau 6.1 pour « opioïdes peptidiques ».

oreille moyenne Cavité entre la membrane du tympan et la *cochlée*. Voir à la figure 9.1.

organe de Corti Structure de l'oreille interne située sur la *membrane basilaire* de la *cochlée*. Cet organe contient les *cellules ciliées* et les terminaisons du nerf auditif. Voir la figure 9.2d.

organes tendineux de Golgi *Récepteurs* situés dans les tendons; lorsqu'un muscle se contracte, les tendons envoient des influx vers le *système nerveux central*. Voir les figures 10.10 et 10.11.

orgasme Apogée de l'expérience sexuelle caractérisée par des sensations extrêmement agréables.

osmolalité Quantité de particules osmotiquement actives dissoutes dans un litre de solvant.

osmorécepteurs Cellules de l'*hypothalamus* qui, selon certains, réagiraient aux changements de *pression osmotique*. On dit aussi osmocepteurs.

osmose Mouvement du liquide vers le compartiment de plus forte concentration, lorsqu'il y a concentrations inégales de particules dans les liquides de part et d'autre d'une membrane semi-perméable.

osselets Petits os qui transmettent le son à travers l'*oreille moyenne*, de la membrane du tympan jusqu'à la *fenêtre ovale*. Voir la figure 9.1.

ovulation réflexe Chez certaines espèces, ovulation qui est provoquée par la copulation; ainsi la réussite de l'accouplement ne se trouve pas limitée à une période régulière d'ovulation pendant le cycle de la femelle.

paléocortex Cortex primitif d'origine évolutive lointaine comme l'*hippocampe* par exemple.

pallidum L'un des *noyaux gris centraux*. On dit également *globus pallidus*. Voir la figure de référence 2.10.

pancréas Glande *endocrine* située près de la paroi postérieure de la cavité abdominale; cette glande sécrète l'*insuline* et le *glucagon*. Voir la figure 7.9.

parabiose Voir *parabiotique*.

parabiotique Se dit d'une préparation chirurgicale qui établit une connexion entre la circulation sanguine de deux animaux. On dit également *en parabiose*.

paracrine En fonction paracrine, le signal chimique se propage vers les cellules cibles avoisinantes en passant par l'*espace extracellulaire* intermédiaire. Voir l'encadré 6.1.

paraphasie Symptôme d'*aphasie* caractérisé par la substitution d'un mot par un son, un mot incorrect, un mot non intentionnel ou un néologisme.

parasympathique (portion) Un des deux systèmes composant le *système nerveux autonome*. Elle est issue des parties crâniennes et sacrées de la moelle épinière. Voir la figure de référence 2.14.

Parkinson (maladie de) Trouble neurologique dégénératif mettant en cause les *neurones dopaminergiques* du *locus niger*. On dit aussi parkinsonisme.

période d'action libre Période naturelle d'un comportement qui se manifeste lorsque les stimuli externes ne présentent pas d'*entraînement*.

peroxydase du raifort Enzyme trouvée dans le raifort et d'autres plantes; cette enzyme est utilisée pour identifier les cellules à l'origine d'un groupe particulier d'*axones*. Voir la figure de référence 2.3.

PET Voir *tomographie par émission de positrons*.

phase dynamique du gain de masse Période suivant immédiatement la destruction de l'*hypothalamus ventromédian* et au cours de laquelle la masse corporelle de l'animal augmente. Voir la figure 13.7.

phase de réfraction absolue Période d'absence totale de réaction. La phase de réfraction absolue d'un neurone suit l'*influx nerveux*. La phase de réfraction absolue du cycle de la réponse sexuelle du mâle est illustrée à la figure 11.6.

phase de réfraction relative Voir *réfractaire*.

phencyclidine Agent anesthésique qui est également une drogue *psychédélique*; cette substance provoque chez plusieurs individus un sentiment de dissociation du moi et de l'environnement.

phénylcétonurie (PKU) Trouble héréditaire du métabolisme des protéines dans lequel l'absence d'une enzyme provoque une accumulation d'un certain composé toxique qui engendre l'arriération mentale. On dit aussi phénylkétonurie.

phéromone Signal chimique déclenché à l'extérieur du corps d'un animal et qui affecte les autres membres de la même espèce. Voir l'encadré 6.1.

phobies Peurs intenses et irrationnelles relatives à des objets, des activités ou des situations spécifiques que l'individu croit devoir éviter.

phosphène Perception d'éclairs provoquée par une stimulation électrique ou mécanique du globe oculaire.

photon *Quantum* d'énergie de lumière.

photopique (système) Système de la *rétine* qui intervient aux hautes intensités de lumière; ce système est sensible à la couleur et nécessite la participation des *cônes*. Contraire de système *scotopique*. Voir le tableau 9.1.

phrénologie Croyance que les bosses observées à la surface du crâne reflète des élargissements de régions cérébrales responsables de certaines aptitudes d'ordre comportemental. Voir la figure 2.3.

pie-mère La plus interne des membranes qui enveloppent le cerveau et la *moelle* épinière.

placebo (effet) Réaction à une substance inerte qui imite les effets d'un véritable médicament : par exemple, le soulagement que ceux qui éprouvent des douleurs retirent souvent de pilules de sucre présentées comme des médicaments.

plaques séniles Changements neuroanatomiques associés à la *démence sénile*. Ces plaques sont de petites régions du cerveau comportant des configurations cellulaires et anatomiques anormales. Voir la figure 3.23.

plis neuraux Dans l'embryon, crêtes de l'*ectoderme* qui se forment autour de la *gouttière neurale* et se rejoignent pour former le *tube neural*. Voir la figure 4.3.

pneumo-encéphalogramme Technique d'examen des structures cérébrales d'un être humain; consiste en un examen aux rayons X après injection d'un gaz dans les *ventricules cérébraux*.

point aveugle Voir *tache aveugle*.

polyandrie Cas de *polygamie* consistant en l'accouplement d'une femelle avec plus d'un mâle.

polygamie État d'un homme marié à plusieurs femmes ou d'une femme mariée à plusieurs hommes, simultanément.

polygynie Caractère des sociétés d'insectes comportant plusieurs reines.

polymodal Qui fait intervenir plusieurs modalités sensorielles.

postcopulatoire (comportement) Phase finale du comportement d'accouplement. Ces comportements propres à l'espèce comprennent l'enroulement (chez le chat) et le toilettage (chez le rat).

posthypophyse Voir *neurohypophyse*.

potassium (potentiel d'équilibre du) Voir *potentiel d'équilibre*.

potentiation sélective Accroissement de la sensibilité ou de l'activité de certains *circuits* nerveux.

potentiel de membrane Voir *potentiel de repos*.

potentiel d'équilibre État d'équilibre entre la tendance des ions à sortir des régions de forte concentration et la différence de potentiel qui, de l'autre côté de la membrane, les empêche.

potentiel de repos Différences de potentiel de part et d'autre de la membrane des cellules nerveuses durant une période d'inactivité. On dit aussi *potentiel de membrane*. Voir la figure 5.1.

potentiel microphonique cochléaire Potentiel électrique produit par des *cellules ciliées internes* qui copient de façon exacte la forme de l'onde acoustique du stimulus.

potentiels associés aux événements Changements du potentiel électrique global du cerveau qui sont déclenchés par des événements sensoriels ou moteurs spécifiques. Voir la figure 5.14.

potentiels consécutifs Changements positifs et négatifs du potentiel de membrane susceptibles de se produire à la suite du passage de l'*influx nerveux*.

potentiels d'action Voir *influx nerveux*.

potentiels générateurs Changements locaux dans les *potentiels de repos* des cellules réceptrices qui interviennent entre l'impact des stimuli et le déclenchement de l'*influx nerveux*. Voir la figure 8.3.

potentiels gradués Potentiels dont la dimension peut varier continuellement; on les appelle également potentiels locaux. Contraire des potentiels *tout-ou-rien*. Voir la figure 5.3.

potentiels postsynaptiques inhibiteurs (PPSI) Potentiels de *surpolarisation* dans le *neurone* postsynaptique résultant de connexions inhibitrices. Ces potentiels réduisent la probabilité d'une décharge d'*influx nerveux* de la part du neurone postsynaptique. Voir la figure 7.6.

potentiels postsynaptiques excitateurs (PPSE) Potentiels de dépolarisation dans le *neurone* postsynaptique produits par des influx excitateurs présynaptiques. Ces potentiels peuvent être soumis à une sommation qui déclenche un *influx nerveux* dans la cellule postsynaptique. On dit également *potentiels excitateurs postsynaptiques (PEPS)*. Voir la figure 5.6.

potentiels provoqués Voir *potentiels associés aux événements*.

PPSE Voir *potentiels postsynaptiques excitateurs*.

PPSI Voir *potentiels postsynaptiques inhibiteurs*.

pression osmotique Force en cause dans l'*osmose*.

proceptif (comportement) Se rapporte au comportement sexuel appétitif de la femelle. Voir la figure 11.22.

progestérone L'une des principales catégories d'*hormones* produites par les ovaires. On dit également progestines. Voir le tableau 7.2.

promiscuité Système d'accouplement dans lequel des animaux s'accouplent avec plusieurs membres du sexe opposé sans établir d'associations durables avec leurs partenaires sexuels.

prosencéphale Voir *cerveau antérieur*.

protéines (récepteur de) Voir *récepteurs protéiniques*.

protubérance Partie du *mésencéphale*, également nommée pont, ou pont de Varole, ou protubérance annulaire. Voir les figures 2.5 et 2.7.

proximal Terme anatomique signifiant vers le tronc ou vers le centre; contraire de *distal*. Voir la figure de l'encadré 2.1.

psychédélique Qualifie un état mental marqué par l'intensification des perceptions sensorielles et des distorsions ou hallucinations. Se dit également des drogues qui produisent de tels effets; synonyme : *hallucinogènes*.

psychochirurgie Lésions cérébrales produites par des moyens chirurgicaux dans le but de modifier des désordres psychiatriques graves.

psychose maniacodépressive Trouble psychiatrique caractérisé par l'alternance de périodes de *dépression* et de périodes d'humeur expansive exagérée. On dit également *dépression bipolaire*.

psychotogènes Substances qui provoquent des comportements psychotiques. On dit également *hallucinogènes*, *psychédéliques*, psychodysleptiques ou psychomimétiques.

putamen L'un des *noyaux gris centraux*. Voir la figure de référence 2.10.

quantum Unité d'énergie.

racine dorsale Racine provenant de l'arrière de la *moelle épinière*. On dit aussi *racine postérieure*. Voir la figure de référence 2.13.

racine ventrale Racine située à l'avant de la *moelle épinière*. Voir la figure de référence 2.13.

racines Les deux branches distinctes d'un nerf rachidien, chacune remplissant une fonction particulière. La *racine dorsale* transmet les informations sensorielles du *système nerveux périphérique* venant à la *moelle épinière*. La *racine ventrale* transmet les messages moteurs de la moelle épinière au système nerveux périphérique. Voir la figure de référence 2.13.

radiation optique *Axones* du *noyau du corps genouillé externe* qui aboutissent dans les aires visuelles primaires du *cortex occipital*. Voir la figure 9.18.

rampe tympanique L'un des trois principaux canaux qui traversent la *cochlée* sur toute sa longueur. On dit aussi *canal tympanique*. Voir la figure 9.2c.

rampe vestibulaire L'un des trois principaux canaux qui traversent la cochlée sur toute sa longueur. On dit aussi *canal vestibulaire*. Voir la figure 9.2.

raphé Voir *noyaux du raphé*.

Raynaud (maladie de) Trouble qui peut entraver la circulation du sang dans les doigts à la suite d'une exposition au froid et parfois en réaction à des états émotifs.

recaptage Mécanisme par lequel un transmetteur synaptique libéré au niveau d'une *synapse* est récupéré dans la terminaison présynaptique, mettant ainsi un terme à l'activité synaptique.

récepteurs Éléments à l'origine des sensations dans les systèmes sensoriels; ils servent à capter et transformer le stimulus; par exemple, les cellules ciliées dans la *cochlée* ou les *cônes* et les *bâtonnets* dans la *rétine*.

récepteurs phasiques *Récepteurs* qui présentent une chute rapide du taux de décharge des *influx nerveux* quand la stimulation persiste.

récepteurs protéiniques Substances qui se trouvent dans les *sites récepteurs* synaptiques et dont la réaction à certains transmetteurs entraîne un changement dans le *potentiel de membrane* postsynaptique.

récepteurs toniques Récepteurs qui présentent une chute lente, ou même nulle, du taux de décharge des *influx nerveux,* lorsque la stimulation persiste.

réceptivité Chez la femelle, état de disponibilité à manifester les réactions nécessaires à l'émission d'une éjaculation intravaginale; par exemple, l'attitude posturale qui facilite l'intromission durant le *comportement copulatoire*.

recouvrement spontané Caractéristique du conditionnement classique qui fait que, même si on ne présente pas de test après l'extinction, le stimulus conditionné peut encore déclencher une réponse.

réflexe Réaction innée, simple et très stéréotypée en réponse à un stimulus particulier (par exemple un clignement de l'œil en réaction à une bouffée d'air). Voir les figures 10.12 et 10.13.

réflexe de flexion Rétraction brusque d'un membre en réaction à une stimulation intense du pied.

réflexe myotatique Contraction d'un muscle en réaction à l'étirement de ce même muscle. On dit aussi *réflexe d'étirement*. Voir la figure 10.13.

réfractaire Se dit d'une période, pendant ou après la production d'un *influx nerveux,* au cours de laquelle la sensibilité de la membrane de l'*axone* se trouve réduite. Une brève période d'insensibilité absolue à la stimulation (*phase de réfraction absolue*) est suivie d'une période plus longue de réduction de la sensibilité (*phase de réfraction relative*) au cours de laquelle seule une stimulation intense réussit à produire un influx nerveux.

REM Acronyme de l'anglais pour « rapid eye movements » qui désigne la phase de sommeil dite de *mouvements oculaires rapides*.

renforcement à long terme Accroissement stable et durable de l'amplitude des réactions des *neurones* après que des cellules, afférentes par rapport à cette région, ont été stimulées par des volées de décharges à *fréquence* modérément élevées. L'expression anglaise est « long-term potentiation ». (Renforcement n'a pas ici le sens qu'on lui donne lorsqu'on parle d'apprentissage). Voir l'encadré17.1.

repêchage Processus mnémonique par lequel un *souvenir* stocké est utilisé par un individu.

réponse instrumentale Voir *conditionnement instrumental*.

rete mirabile De l'expression latine signifiant « réseau merveilleux ». Réseau de petits vaisseaux sanguins situés à la base du cerveau; dans ce réseau, le sang arrivant de la périphérie abaisse la température du sang artériel avant qu'il ne pénètre dans le cerveau. Voir la figure 12.8.

rétine Surface photoréceptrice à l'intérieur de l'œil; elle contient les *cônes* et les *bâtonnets*. Voir la figure 9.16.

rétroaction biologique Technique qui permet à l'individu de surveiller l'évolution d'une variable somatique donnée, comme la température de la peau ou l'activité électrique globale du cerveau. Cette information lui permet d'exercer un certain contrôle sur la variable somatique, capacité qui peut être utilisée dans le traitement de diverses affections. Voir la figure 15.3.

rétroaction négative (système de) Système de régulation dans lequel le débit (ce qui est produit) est utilisé pour réduire l'influence des signaux afférents.

rhodopsine Photopigment que contiennent les *bâtonnets* et qui réagit à la lumière. On dit aussi érythropsine.

rhombencéphale Voir *cerveau postérieur*.

ribosomes Organites du cytoplasme du *corps cellulaire* servant à la traduction de l'information génétique, lors de la synthèse des protéines.

rôle organisationnel Rôle joué par les *hormones* dans le développement et la différenciation de la structure du corps.

rostral Terme anatomique signifiant « vers la tête ». Contraire de *caudal*. Voir la figure de l'encadré 2.1.

rythmes circadiens Fluctuations comportementales, biochimiques et physiologiques étalées sur une période de 24 heures.

saccades Mouvements rapides des yeux qui se produisent régulièrement au cours de la vision normale.

saccule Petit sac rempli de liquide et situé sous l'*utricule*; il réagit aux positions statiques de la tête. Voir la figure 9.10 et la figure de l'encadré 9.3

sacré Se dit de la partie inférieure de la *moelle épinière*.

sagittal (plan) Ligne imaginaire divisant le corps ou le cerveau en moitiés droite et gauche. Voir la figure de l'encadré 2.2.

saturation L'une des dimensions fondamentales de la perception de la lumière. Elle varie entre riche et pâle, c'est-à-dire du rouge au rose et au gris dans le solide des couleurs de la figure 9.21.

savoir-faire (connaissance de) Connaissance manifestée par la capacité d'exécuter une tâche. Voir le tableau 16.1.

SC (stimulus conditionnel) Voir *conditionnement classique*.

schizotoxines Substances toxiques hypothétiques qui causeraient le schizophrénie.

scissure Sillon profond creusé à la surface du cerveau et séparant des circonvulsions.

scotome Région de cécité causée par l'endommagement des voies visuelles.

scotopique (système) Système de la *rétine* qui intervient aux faibles intensités de lumière et engage la participation des *bâtonnets*. S'oppose au système *photopique*. On dit aussi système scotopsique. Voir le tableau 9.1.

second messager Substance à action relativement lente située dans la cellule postsynaptique; elle amplifie les effets des *influx nerveux* et peut déclencher les processus qui entraînent des modifications des *potentiels électriques* de la membrane.

sélection sexuelle Théorie sur l'évolution des différences anatomiques et comportementales entre mâles et femelles.

sélectivité de renforcement D'une espèce à l'autre, différents renforcements ont une efficacité variable dans la consolidation des associations.

sémantique (mémoire) Mémoire généralisée; par exemple, connaître la signification d'un mot sans savoir où et quand l'on a appris ce mot. Voir le tableau 6.1.

sensibilisation Forme d'*apprentissage non associatif* dans laquelle un organisme devient plus sensible à la plupart des stimuli, après avoir été soumis à une stimulation exceptionnellement forte ou douloureuse. Voir la figure 16.3.

sensori-nerveuse (surdité) Voir *surdité de perception*.

sérotonine (5HT) *Neurotransmetteur* produit dans les *noyaux du raphé*; il exerce son action dans les structures des *hémisphères cérébraux*. La figure 6.8 montre la répartition des cellules *sérotoninergiques* dans le cerveau.

sérotoninergiques Se dit des *neurones* qui utilisent la *sérotonine* comme *transmetteur synaptique*.

seuil Intensité du stimulus à peine suffisante pour déclencher un *influx nerveux* dans le *cône d'implantation de l'axone*.

SI (stimulus inconditionné) Voir *conditionnement classique*.

signaux intracellulaires Signaux chimiques qui véhiculent l'information à l'intérieur de chaque cellule. Voir l'encadré 6.1.

sites récepteurs Régions spécialisées de la membrane qui contiennent des *récepteurs protéiques* situés sur la surface postsynaptique d'une *synapse*; ces sites reçoivent le transmetteur chimique et y réagissent.

SNC Voir *système nerveux central*.

soif hypovolémique Réaction à la réduction du volume de *liquide extracellulaire*. Contraire de *soif osmotique*.

soif osmotique Réaction à l'augmentation de la *pression osmotique* dans les cellules cérébrales. Contraire de *soif hypovolémique*.

somatotrophine (STH) *Hormone* trophique sécrétée par l'*adénohypophyse*; cette hormone influence la croissance des cellules et des tissus. Également nommée *hormone somatotrope* et hormone de croissance. Voir la figure 7.6.

sommation spatiale Au niveau du *cône d'implantation* de l'axone, addition de *potentiels postsynaptiques* venant du côté opposé du *corps cellulaire*. Si cette sommation atteint le seuil, cela déclenche un influx nerveux. Voir la figure 5.8.

sommation temporelle Accumulation des *potentiels postsynaptiques* qui atteignent le *cône d'implantation de l'axone* à des moments différents. Plus ces potentiels sont rapprochés les uns des autres, plus la sommation est complète.

sommeil à ondes lentes Phases du sommeil comprenant les stades 1, 2, 3 et 4 et caractérisées par la présence d'activité *EEG* lente. Voir la figure 14.7.

sommeil paradoxal Voir *mouvements oculaires rapides*.

son pur Son produit par une seule fréquence de vibration. Voir la figure de l'encadré 9.1.

souvenirs Représentations cognitives qui sont souvent acquises rapidement et dont l'acquisition n'exige pas la satisfaction de motivations. Voir le tableau 16.1.

stade 1 (sommeil de) Stade initial du *sommeil à ondes lentes*; il comprend des ondes *EEG* de faible amplitude et de *fréquence* irrégulière, un rythme cardiaque lent et une diminution de la tension musculaire. Voir la figure 14.7b.

stade 2 (sommeil de) Stade du *sommeil à ondes lentes* qui se définit par des volées d'ondes *EEG* régulières de 14 à 18 Hz, dont l'amplitude augmente puis décroît progressivement (ces volées d'ondes sont aussi nommées fuseaux). Voir la figure 14.7c.

stade 3 (sommeil de) Stade du *sommeil à ondes lentes* qui se définit par la présence des fuseaux qui sont apparus au *stade 2*, ces fuseaux étant mélangés à des ondes lentes de plus grande amplitude. Voir la figure 14.7d.

stade 4 (sommeil de) Stade du *sommeil à ondes lentes* qui se définit par la présence d'ondes lentes de grande amplitude, de 1 à 4 Hz. Voir la figure 14.7e.

stéréopsie Capacité de percevoir la profondeur grâce aux légères différences d'information visuelle donnée par les deux yeux. Voir la figure 9.26.

stimuline Hormones sécrétées par l'*adénohypophyse*, qui exercent une influence sur la sécrétion d'autres glandes endocrines. Voir la figure 7.6.

stimulus adéquat Type de stimulus en fonction duquel un organe sensoriel donné se trouve particulièrement bien adapté : par exemple, l'énergie lumineuse par rapport aux photorécepteurs.

stimulus conditionnel (SC) Voir *conditionnement classique*.

stimulus de renforcement Voir *conditionnement instrumental*.

stimulus inconditionné (SI) Voir *conditionnement classique*.

substance de libération de la corticotrophine (CRH) *Hormone* de l'hypothalamus qui contrôle le rythme quotidien de sécrétion de l'*ACTH*. Le sigle CRH veut dire « corticotropin-releasing-hormone ».

surdité centrale Déficiences de l'audition associées à des lésions dans les voies ou les centres auditifs, y compris des sites dans le tronc cérébral, le *thalamus* ou le cortex.

surdité de conduction (ou de transmission) Défectuosités de l'audition associées à la pathologie des cavités de l'*oreille moyenne* ou externe.

surdité de perception Déficience auditive résultant de lésions de la *cochlée* ou du nerf auditif. On dit aussi *surdité sensori-nerveuse*.

surpolarisation Augmentation du *potentiel de repos* (la paroi interne de la membrane devient plus négative par rapport à la paroi externe); cette situation est due à des messages nerveux inhibiteurs. Voir la figure 5.3.

surrénale (glande) Glande endocrine au-dessus des reins. Voir à la figure 7.1.

sympathique Voir *chaînes sympathiques* et *système nerveux autonome*.

synapse Région constituée par la terminaison présynaptique (axonale), la membrane postsynaptique (habituellement dendritique) et l'espace entre les deux. C'est le site où les messages nerveux passent d'un *neurone* à l'autre. On dit aussi *région synaptique*. Voir les figures 2.16, 6.1 et 6.5.

synapse électrique Point de jonction où les membranes présynaptiques et postsynaptiques sont tellement rapprochées que l'*influx nerveux* peut sauter jusqu'à la membrane post-synaptique, sans qu'il y ait transformation en message chimique. Voir la figure 5.7.

syndrome de Down Forme d'arriération mentale associée à la présence d'un chromosome supplémentaire. Également nommé *trisomie 21* ou *mongolisme*.

syndrome de Korsakoff Trouble de la mémoire associé à une insuffisance de thiamine et généralement observé dans les cas d'alcoolisme chronique. On dit aussi psychose de Korsakoff.

système cortico-spinal Voir *système pyramidal*.

système de la ligne latérale Système sensoriel que possèdent plusieurs sortes de poissons et certains amphibiens. Il renseigne l'animal sur le mouvement de l'eau.

système extrapyramidal Système moteur composé des *noyaux gris centraux* et de certaines structures du tronc cérébral qui leur sont étroitement apparentées.

système magnocellulaire Partie des voies visuelles qui semble, chez les primates, être principalement responsable de la perception de la profondeur et du mouvement. Voir le tableau 9.2.

système nerveux autonome Partie du *système nerveux périphérique* qui assure les connexions nerveuses aux glandes et aux muscles lisses des organes internes. Il est composé de deux portions (*sympatique* et *parasymphathique*) agissant de façon antagoniste. Voir la figure de référence 2.14.

système nerveux central (SNC) Partie du système nerveux qui comprend le cerveau et la *moelle épinière*. Voir la figure 2.8.

système nerveux périphérique Partie du système nerveux qui comprend tous les nerfs situés à l'extérieur du cerveau et de la moelle épinière.

système optocinétique Système à boucle fermée qui contrôle les mouvements oculaires et maintient le regard fixé sur la cible.

système parvocellulaire Division des voies visuelles qui, chez les primates, semble être principalement responsable de l'analyse des couleurs et des formes et de l'identification des objets. Également nommé système parvicellulaire. Voir le tableau 9.2.

système pyramidal Système moteur qui comprend des *neurones* du cortex *cérébral* ainsi que leurs *axones* qui forment le faisceau pyramidal. Également nommé *système corticospinal*. Voir la figure 10.4.

système vestibulaire Système récepteur de l'oreille interne qui réagit aux forces mécaniques comme la gravitation et l'accélération. Également nommé appareil vestibulaire ou système du labyrinthe. Voir la figure 9.12.

tache aveugle Point où les vaisseaux sanguins pénètrent dans la *rétine*. Comme cette région ne comprend pas de *récepteurs*, la lumière qui la frappe ne peut être perçue. On dit aussi *point aveugle*, « *punctum cœcum* » ou tache de Mariotte.

tacographie Voir *tomographie transversale axiale à calculateur intégré*.

technique d'écoute dichotique Technique qui consiste à présenter simultanément des sons différents à l'une et l'autre oreille. On l'utilise pour évaluer les différences hémisphériques dans le traitement de l'information acoustique. Voir la figure 8.12.

teinte Voir *tonalité chromatique*.

télencéphale Subdivision frontale du *cerveau antérieur* (prosencéphale) qui, parvenue à maturité, comprend les *hémisphères cérébraux*. Voir les figures 2.7 et 2.8.

testostérone *Hormone* produite par les gonades mâles et qui contrôle une variété de changements corporels devenant visibles à la puberté. Voir la figure 7.11 et le tableau 7.2.

thalamus Régions du cerveau qui entourent le troisième ventricule. Voir les figures 2.5b et 9.19b.

théorie de localisation (cochléaire) Théorie de discrimination des *fréquences* selon laquelle la *hauteur tonale* dépend du site de déplacement maximal de la *membrane basilaire* produit par un son. Voir *théorie des volées*.

thyroïde (glande) Glande *endocrine* fixée à la surface ventrale inférieure du larynx; cette glande règle le fonctionnement des processus métaboliques, particulièrement l'utilisation des glucides et la croissance du corps. Voir à la figure 7.10.

thyrotrophine (TSH) *Stimuline* sécrétée par l'*adénohypohyse*; cette hormone provoque une libération accrue de *thyroxine* et le recaptage de l'iode par la *glande thyroïde*. Également nommée thyrotropine, hormone thyréotrope ou thyréostimuline. L'abréviation TSH veut dire « thyroid-stimulating-hormone ». Voir la figure 7.10.

thyroxine *Hormone* sécrétée par la *thyroïde*.

toit optique Centre optique du *mésencéphale*. Voir la figure 4.14.

tomogramme Voir *tomographie transversale axiale à calculateur intégré* et *tomographie par émission de positrons*.

tomographie par émission de positrons Technique servant à l'examen des structures et des fonctions cérébrales chez l'être humain : elle combine l'utilisation de la tomographie et l'injection de substances radioactives utilisées par le cerveau. L'analyse du métabolisme de ces substances révèle l'existence de différences régionales dans l'activité cérébrale. On dit aussi tomographie à émission de positrons. *PET* signifie « positron emission tomography ». Voir les figures 2.9e et 2.9f.

tomographie transversale axiale à calculateur intégré Technique d'examen des structures cérébrales des êtres humains, sans danger, qui consiste en une analyse par ordinateur de l'absorption de rayons X à divers endroits autour de la tête. Cette technique donne une image presque directe du cerveau. Le sigle CAT est l'abréviation de « computerized axial tomogram ». Également nommée *tacographie*, scanographie et tomographie par reconstruction d'image.

tonalité chromatique L'une des dimensions fondamentales de la perception de la lumière. Elle varie autour du cercle des couleurs en passant par le bleu, le vert, le jaune, l'orange et le rouge. On dit aussi *teinte*. Voir la figure 9.21.

tout-ou-rien (loi du) Concept selon lequel l'amplitude de l'*influx nerveux* est indépendante de la force du stimulus. Les stimuli qui dépassent un *seuil* donné produisent des influx nerveux de même amplitude (quoique peut-être de *fréquences* variées). Les stimuli qui se situent au-dessous du seuil ne produisent pas d'influx nerveux. Voir la figure 5.4.

traces mnémoniques Changements durables à l'intérieur du cerveau qui reflètent le stockage des *souvenirs*.

transcription Processus au cours duquel l'*ADN* offre un de ses deux brins pour former une copie conforme qui devient une molécule d'*ARNm*. Cet *ARNm* est par la suite traduit pour permettre la mise en chaîne d'acides aminés, lors de la synthèse d'une protéine.

transducteurs Appareils qui convertissent l'énergie d'une forme à une autre; par exemple, les cellules réceptrices sensorielles.

transduction Processus par lequel une forme d'énergie est convertie en une autre forme.

transmetteur (ou médiateur) chimique Voir *transmetteur synaptique*.

transmetteur synaptique Substance chimique contenue dans le bouton présynaptique, qui sert de base à la communication entre les cellules nerveuses. Cette substance traverse la *fente synaptique* et entre en réaction avec la membrane postsynaptique lorsqu'un influx nerveux la libère. Également nommée *neurotransmetteur*. Voir l'encadré 6.1, la figure 6.5 et le tableau 6.1.

transméthylation (hypothèse de la) Hypothèse sur la schizophrénie selon laquelle l'addition d'un groupe méthyl à certains composés qui se forment naturellement dans le cerveau est capable de transformer certaines substances en agents *hallucinogènes* ou psychodysleptiques.

transport axonal Transport de substances, à partir du *corps cellulaire* du *neurone* vers des régions éloignées dans les *dendrites* et les *axones,* et transport de retour à partir de ces terminaisons vers le corps cellulaire.

tremblement Mouvement rythmique répétitif résultant d'états pathologiques du cerveau.

tremblement au repos *Tremblement* qui se produit alors que la région affectée, un membre par exemple, est entièrement supportée.

tremblement d'attitude Tremblement qui se produit quand un individu s'efforce de garder une attitude posturale, garder un bras ou une jambe en état d'extension par exemple; ce tremblement est la conséquence d'une condition pathologique des *noyaux gris centraux* ou du *cervelet*.

tremblement intentionnel Tremblement qui ne se produit que durant un mouvement volontaire, par exemple lorsqu'un individu tend la main pour saisir un objet.

tremblement postural Voir *tremblement d'attitude*.

trichromatique (hypothèse) Théorie de la perception des couleurs selon laquelle il y a trois types différents de *cônes*, chacun se trouvant excité par une région différente du spectre et chacun ayant une voie séparée vers le cerveau.

trisomie 21 Voir *syndrome de Down*.

TSH Voir *thyrotrophine*.

tube neural Structure prénatale comportant des subdivisions qui correspondent à ce qui sera plus tard le *cerveau antérieur*, le *mésencéphale* et le *cerveau postérieur*. La cavité de ce tube comprendra les *ventricules cérébraux* et les passages qui les relient. Voir la figure 4.3.

tubercules quadrijumeaux Deux paires de structures du *mésencéphale* dorsal. Voir *tubercules quadrijumeaux antérieurs* et *tubercules quadrijumeaux postérieurs*.

tubercules quadrijumeaux antérieurs Structure du *mésencéphale* qui reçoit l'information de la *bandelette optique*. Voir la figure 9.18.

tubercules quadrijumeaux postérieurs Centre auditif du *mésencéphale*; il reçoit des *influx nerveux* en provenance des noyaux auditifs du tronc cérébral et envoie des influx vers le *noyau du corps genouillé interne*. Également nommés tubercules quadrijumeaux inférieurs. Voir la figure 9.4.

tympan Membrane qui sépare l'oreille externe et l'oreille interne. Également nommé *caisse du tympan*. Voir la figure 9.1.

ultradien Se dit d'un événement biologique rythmique dont la période est plus courte que les *rythmes circadiens*, allant généralement de quelques minutes à quelques heures.

unité motrice *Axone* moteur avec toutes les fibres musculaires qu'il innerve.

utricule Petit sac rempli de liquide situé dans le *système vestibulaire*; il réagit aux positions statiques de la tête. Voir la figure 9.10 et la figure de l'encadré 9.3.

vasopressine Voir *antidiurétique*.

ventral Terme anatomique signifiant vers le ventre ou vers l'avant du corps ou sous le cerveau; contraire de *dorsal*. Voir la figure de l'encadré 2.1.

ventricules cérébraux Cavités situées dans le cerveau qui contiennent le *liquide céphalorachidien*. Voir la figure 2.4.

vésicules synaptiques Petites structures de forme sphérique qui contiennent les molécules du *transmetteur synaptique*. Voir les figures 2.16, 6.1 et 6.2.

zones subventriculaires Régions qui entourent les *ventricules* cérébraux et qui continuent de produire les précurseurs des *cellules nerveuses* après la naissance.

Références

Abraham, S. F., Denton, D. A., & Weisinger, B. S. (1976). Effect of an angiotensin antagonist, Sar-Ala-Angiotensin II, on physiological thirst. *Pharmacology, Biochemistry and Behavior, 4,* 243–247.

Abraham, W. C., & Goddard, G. V. (1985). Multiple traces of neural activity in the hippocampus. In N. M. Weinberger, J. L. McGaugh, & G. Lynch (Eds.), *Memory systems of the brain* (pp. 62–76). New York: Guilford.

Adams, E. H., & Durell, J. (1984). Cocaine: A growing public health problem. In J. Grabowski (Ed.), *Cocaine: Pharmacology, effects and treatment of abuse* (pp. 9–16). NIDA Research Monograph 50. National Institute of Drug Abuse.

Ader, R. (1971). Experimentally induced gastric lesions: Results and implications of studies in animals. *Advances in Psychosomatic Medicine, 6,* 1–39.

———. (1985). Conditioned immunopharmacological effects in animals: Implications for a conditioning model of pharmacotherapy. In L. White, B. Tursky, & G. E. Schwartz (Eds.), *Placebo* (pp. 306–332). New York: Guilford.

Adler, N. T. (Ed.), (1981). *Neuroendocrinology of reproduction.* New York: Plenum.

———. (1978). On the mechanisms of sexual behaviour and their evolutionary constraints. In J. B. Hutchison (Ed.), *Biological determinants of sexual behaviour* (pp. 657–695). New York: Wiley.

Aggleton, J. P., & Mishkin, M. (1983). Memory impairments following restricted medial thalamic lesions in monkeys. *Experimental Brain Research, 52,* 199–209.

Agranoff, B. W. (1980). Biochemical events mediating the formation of short-term and long-term memory. In Y. Tsukada & B. W. Agranoff (Eds.), *Neurobiological basis of learning and memory.* New York: Wiley.

Aigner, T., Mitchell, S. J., Aggleton, J., et al. (1984). Recognition deficit in monkeys following neurotoxic lesions of the basal forebrain. *Society for Neuroscience Abstracts, 10,* 386.

Åkerstedt, T. (1985). Hormones and sleep. In A. Borbely & J.-L. Valatx (Eds.), *Sleep mechanisms* (pp. 193–205). Berlin: Springer-Verlag.

Alberts, J. R. (1978). Huddling by rat pups: Multisensory control of contact behavior. *Journal of Comparative and Physiological Psychology, 92*(2), 220–230.

Albrecht, D. G. (1978). Analysis of visual form. Ph.D. thesis. University of California, Berkeley.

Alexander, B. K., & Hadaway, P. F. (1982). Opiate addiction: The case for an adaptive orientation. *Psychological Bulletin, 92,* 367–381.

Alexander, R. D., Hoogland, J. L., Howard, R. D., Noonan, K. M., & Sherman, P. W. (1979). Sexual dimorphisms and breeding systems in pinnipeds, ungulates, primates, and humans. In N. A. Chagnon & W. Irons (Eds.), *Evolutionary biology and human social behavior* (pp. 402–435). North Scituate, Mass.: Duxbury.

Alkon, D. (1988). *Memory traces in the brain.* New York: Cambridge University Press.

Allman, J. M., & Kaas, J. H. (1976). Representation of the visual field in the medial wall of occipital-parietal cortex in the owl monkey. *Science, 191,* 572–575.

Almli, C. R. (1978). The ontogeny of feeding and drinking behaviors: effects of early brain damage. *Neuroscience and Biobehavioral Reviews, 2,* 281–300.

———, Fisher, R. S., & Hill, D. L. (1979). Lateral hypothalamus destruction in infant rats produces consummatory deficits without sensory neglect or attenuated arousal. *Experimental Neurology, 66,* 146–157.

Alpert, M., & Friedhoff, A. J. (1980). An un-dopamine hypothesis of schizophrenia. *Schizophrenia Bulletin, 6,* 387–390.

Altman, J. (1976). Experimental reorganization of the cerebellar cortex. VII. Effects of late x-irradiation. *Journal of Comparative Neurology, 165,* 65–76.

———. (1967). Postnatal growth and differentiation of the mammalian brain with implications for a morphological theory of memory. In Quarton, G. C., Melnechuk, T., & Schmitt, F. O. (Eds.), *The neurosciences.* New York: Rockefeller University.

Amaral, D. G. (1978). A Golgi study of cell types in the hilar region of the hippocampus in the rat. *Journal of Comparative Neurology, 182,* 851–914.

Ames, B. N. (1983). Dietary carcinogens and anticarcinogens. *Science, 221,* 1256–1264.

Anand, B. K., & Brobeck, J. R. (1951). Localization of a 'feeding center' in the hypothalamus of the rat. *Proceedings of the Society for Experimental Biology and Medicine, 77,* 323–324.

Andersson, B. (1978). Regulation of water intake. *Physiological Reviews, 58,* 582–603.

Andreasen, N., Nassrallah, H. A., Dunn, V., Olson, S. C., Grove, W. M., Ehrhardt, J. C., Coffman, J. A., & Crossett, J. H. W. (1986). Structural abnormalities in the frontal system in schizophrenia. *Archives of General Psychiatry, 43,* 136–144.

Antin, J., Gibbs, J., Holt, J., Young, R. C., & Smith, G. P. (1975). Cholecystokinin elicits the complete behavioral sequence of satiety in rats. *Journal of Comparative and Physiological Psychology, 89,* 784–790.

Appel, S. H. (1981). A unifying hypothesis for the cause of amyotrophic lateral sclerosis, parkinsonism, and Alzheimer disease. *Annals of Neurology, 10,* 499–505.

Arkin, A. M., Antrobus, J. S., & Ellman, S. J. (Eds.) (1978). *The mind in sleep: Psychology and psychophysiology.* Hillsdale, N.J.: Erlbaum.

Arnauld, E., Dufy, B., & Vincent, J. D. (1975). Hypothalamic supraoptic neurones: Rates and patterns of action potential firing during water deprivation in the unanesthetized monkey. *Brain Research, 100,* 315–325.

Arnold, A. P. (1980). Sexual differences in the brain. *American Scientist, 68,* 165–173.

———, & Gorski, R. A. (1984). Gonadal steroid induction of structural sex differences in the central nervous system. *Annual Review of Neuroscience, 7,* 413–442.

Autrum, H., Jung, R., Loewenstein, W. R., MacKay, D. M., & Teuber, H. L. (Eds.) (1971–1981). *Handbook of Sensory Physiology* (9 vols.). Berlin and New York: Springer-Verlag.

Ax, A. F. (1953). The physiological differentiation between fear and anger in humans. *Psychosomatic Medicine, 15,* 433–442.

Baack, J., Lacoste-Utamsing, C., and Woodward, D. J. (1984). Sexual dimorphism in human fetal corpora callosa. *Society for Neuroscience Abstracts, 10,* 315.

Bachevalier, J., & Mishkin, M. (1984). An early and a late developing system for learning and retention in infant monkeys. *Behavioral Neuroscience, 98,* 770–778.

Bach-y-Rita, P. (1980). Brain plasticity as a basis for therapeutic procedures. In P. Bach-y-Rita (Ed.), *Recovery of function following brain injury: Theoretical considerations for brain injury rehabilitation.* Bern: Hans Huber.

———. (Ed.) (1980). *Recovery of function following brain injury: Theoretical considerations for brain injury rehabilitation.* Bern: Hans Huber.

Baer, M. F., & Singer, W. (1986). Modulation of visual cortical plasticity by acetylcholine and noradrenaline. *Nature, 320,* 172–176.

Bailey, C. H., & Chen, M. (1984). Morphological basis of long-term habituation and sensitization in *Aplysia. Science, 220,* 91–93.

Bailey, C. H., Castellucci, V. F., Koester, J., & Chen, M. (1983). Behavioral changes in aging *Aplysia:* A model system for studying the cellular basis of age-impaired learning, memory, and arousal. *Behavioral and Neural Biology, 38,* 70–81.

Baird, I. L. (1974). Anatomical features of the inner ear in submammalian vertebrates. In W. D. Keidel & W. D. Neff (Eds.), *Handbook of Sensory Physiology* Vol. V/1, *Auditory System Anatomy Physiology (Ear)* (pp. 164–212). New York: Springer-Verlag.

Baker, M. A. (1979). A brain-cooling system in mammals. *Scientific American, 240,* 130–139.

Balderston, J. B., Wilson, A. B., Freire, M. E., & Simonen, M. S. (1981). *Malnourished children of the rural poor.* Boston: Auburn House.

Ballantine, H. T., Bouckoms, A. J., Thomas, E. K., & Giriunas, I. E. (1987). Treatment of psychiatric illness by stereotactic cingulotomy. *Biological Psychiatry, 22,* 807–820.

Bancroft, J. (1978). The relationship between hormones and sexual behaviour in humans. In J. B. Hutchison (Ed.), *Biological determinants of sexual behaviour* (pp. 493–519). New York: Wiley.

Barbour, H. G. (1912). Die Wirkung unmittelbarer Erwarmung und Abkühlung der Wärmenzentren auf die Körpertemperatur. *Archiv für experimentalle Pathologie und Pharmakologie, 70,* 1–26.

Barchas, J. D., Akil, H., Elliott, G. R., Holman, R. B., & Watson, S. J. (1978). Behavioral neurochemistry: Neuroregulators and behavioral states. *Science, 200,* 964–973.

Barlow, G. W. (1977). Modal action patterns. In T. A. Sebeok, (Ed.) *How animals communicate.* Bloomington: Indiana University.

Barlow, H. B., Blakemore, C., & Pettigrew, J. D. (1967). The neural mechanism of binocular depth discrimination. *Journal of Physiology* (London), *193,* 327–342.

Barnes, C. A. (1979). Memory deficits associated with senescence: A neurophysiological and behavioral study in the rat. *Journal of Physiological and Comparative Psychology, 93,* 74–104.

Barnett, S. A. (1975). *The rat: A study in behavior. Revised edition.* Chicago: University of Chicago.

Baron, M. (1986). Genetics of schizophrenia. I. Familial patterns and mode of inheritance. *Biological Psychiatry, 21,* 1051–1067.

_____. (1986). Genetics of schizophrenia. II. Vulnerability traits and gene markers. *Biological Psychiatry, 21,* 1189–1212.

Barondes, S. H., & Cohen, H. D. (1967). Comparative effects of cycloheximide and puromycin on cerebral protein synthesis and consolidation of memory in mice. *Brain Research, 4,* 44–51.

Bateson, P. (Ed.) (1983). *Mate choice.* Cambridge: Cambridge University Press.

Bateson, P. P. G., Horn, G., & Rose, S. P. R. (1972). Effects of early experience on regional incorporation of precursors into RNA and protein in the chick brain. *Brain Research, 39,* 449–465.

Basbaum, A., & Fields, H. L. (1978). Endogenous pain control mechanisms: Review and hypothesis. *Annals of Neurology, 4,* 451–462.

_____. (1984). Endogeous pain control systems: Brainstem spinal pathways and endorphin circuitry. *Annual Review of Neuroscience, 7,* 309–339.

Baum, M. J., Keverne, E. B., Everitt, B. J., Herbert, J., & de Vrees, P. (1976). Reduction of sexual interaction in rhesus monkeys by a vaginal action of progesterone. *Nature, 263,* 606–608.

Beach, F. A. (1975). Behavioral endocrinology: An emerging discipline. *American Scientist, 63,* 178–187.

_____. (1977). Human sexuality in four perspectives. In F. A. Beach (Ed.), *Human sexuality in four perspectives* (pp. 1–21). Baltimore: Johns Hopkins University.

_____, & Levinson, G. (1950). Effects of androgen on the glans penis and mating behavior of castrated male rats. *Journal of Experimental Zoology, 144,* 159–171.

Beagley, W. K., & Holley, T. L. (1977). Hypothalamic stimulation facilitates contralateral visual control of a learned response. Science, *196,* 321–322.

Beal, M. F., Kleinman, G. M., Ojemann, R. C., & Hockberg, F. H. (1981). Gangliocytoma of third ventricle: Hyperphagia, somnolence and dementia. *Neurology, 31,* 1224–1227.

Beamish, P., & Kiloh, L. G. (1960). Psychoses due to amphetamine consumption. *Journal of Mental Science, 106,* 337–343.

Bear, D. (1983). Hemispheric specialization and the neurology of emotion. *Archives of Neurology, 40,* 195–202.

_____, & Fedio, P. (1977). Quantitative analysis of interictal behavior in temporal lobe epilepsy. *Archives of Neurology, 34,* 454–467.

Begleiter, H., Porjesz, B., Bihari, B., & Kissin, B. (1984). Event-related brain potentials in boys at risk for alcoholism. *Science, 225,* 1493–1495.

Bellinger, L. L., Trietley, G. J., & Bernardis, L. L. (1976). Failure of portal glucose and adrenaline infusions or liver denervation to affect food intake in dogs. *Physiology and Behavior, 16,* 299–304.

Bellugi, U., Poizner, H., & Klima, E. S. (1983). Brain organization for language: clues from sign aphasia. *Human Neurobiology, 2,* 155–171.

Bennett, A. F., & Ruben, J. A. (1979). Endothermy and activity in vertebrates. *Science, 206,* 649–654.

Bennett, E. L., Rosenzweig, M. R., Diamond, M. C., Morimoto, H., & Hebert, M. (1974). Effects of successive environments on brain measures. *Physiology and Behavior, 12,* 621–631.

Bennett, E. L., Rosenzweig, M. R., and Flood, J. F. Role of neurotransmitters and protein synthesis in short- and long-term memory (1979). In J. Obiols, C. Ballús, E. Gonzáles Monclús, & J. Pujol (Eds.), *Biological Psychiatry Today.* Amsterdam: Elsevier/North-Holland Biomedical Press.

Bennett, E. L., Rosenzweig, M. R., Morimoto, H., & Hebert, M. (1979). Maze training alters brain weights and cortical RNA/DNA. *Behavioral and Neural Biology, 26,* 1–22.

Bentley, D. (1976). Genetic analysis of the nervous system. In J. C. Fentress (Ed.), *Simpler networks and behavior.* Sunderland, Mass.: Sinauer Associates.

Benton, A. (1979). Visuoperceptive, visuospatial, and visuocoustinctive disorders. In K. M. Heilman and E. Valenstein (Eds.), *Clinical Neuropsychology.* New York: Oxford.

Benzer, S. (1973). Genetic dissection of behavior. *Scientific American, 229*(12), 24–37.

Berger, T. W. (1984). Long-term potentiation of hippocampal synaptic transmission affects rate of behavioral learning. *Science, 224,* 627–630.

_____, Laham, R. I., & Thompson, R. F. (1980). Hippocampal unit-behavior correlations during classical conditioning. *Brain Research, 193,* 229–248.

_____, & Thompson, R. F. (1978). Neuronal plasticity in the limbic system during classical conditioning of the rabbit nictitating membrane response, I. The hippocampus. *Brain Research, 145,* 323–346.

Bergson, H. (1911). *Matter and memory.* London: Allen and Unwin.

Bernstein, N. (1967). *The co-ordination and regulation of movements.* New York: Pergamon.

Berry, M., Rogers, A. W., & Eayrs, J. T. (1964). Pattern of cell migration during cortical histogenesis. *Nature, 203,* 591–593.

Berry, S. D., & Thompson, R. F. (1979). Medial septal lesions retard classical conditioning of the nictitating membrane response in rabbits. *Science, 205,* 209–211.

Bert, J. (1971). Sleep in primates: A review of various results. *Medical Primatology,* 308–315.

Besedovsky, H., Del Rey, A., Sorkin, E., and Dinarello, C. A. (1986). Immunoregulatory feedback between interleukin-1 and glucocorticoid hormones. *Science, 233,* 652–654.

Bessou, P., & Perl, E. R. (1969). Response of cutaneous sensory units with unmyelinated fibers to noxious stimuli. *Journal of Neurophysiology, 32,* 1025–1043.

Bigelow, L., Nasrallah, H. A., and Rauscher, F. P. (1983). Corpus callosum thickness in chronic schizophrenia. *British Journal of Psychiatry, 142,* 284–287.

Bini, G., Cruccu, G., Hagbarth, K-E., Schady, W., & Torebjork, E. (1984). Analgesic effect of vibration and cooling on pain induced by intraneural electrical stimulation. *Pain, 18,* 239–248.

Birnholz, J. C. (1981). The development of human fetal eye movement patterns. *Science, 213,* 679–680.

Bjørklund, A., & Stenevi, U. (1984). Intracerebral neural implants: Neuronal replacement and reconstruction of damaged circuitries. *Annual Review of Neuroscience, 7,* 279–308.

_____, Dunnett, S. B., & Iversen, S. D. (1981). Functional reactivation of the deafferented neostriatum by nigral transplants. *Nature, 289,* 497–499.

_____, Stenevi, U., Schmidt, R. H., Dunnett, S. B., and Gage, F. H. (1983). Intracerebral grafting of neuronal cell suspensions II. Survival and growth of nigral cells implanted in different brain sites. *Acta Physiologica Scandinanvica Supplement, 522,* 11–22.

Blakemore, C. (1976). The conditions required for the maintenance of binocularity in the kitten's visual cortex. *Journal of Physiology* (London), *261,* 423–444.

_____, & Campbell, F. W. (1969). On the existence of neurones in the human visual system selectively sensitive to the orientation and size of retinal images. *Journal of Physiology* (London), *203,* 237–260.

Blalock, J. E. (1984). The immune system as a sensory organ. *Journal of immunology, 132,* 1067–1070.

Bleier, R. (1984). *Science and gender.* New York: Pergamon.

Bligh, J. (1979). The central neurology of mammalian thermoregulation. *Neuroscience, 4,* 1213–1236.

Blinkhorn, S. F., & Hendrickson, D. E. (1982). Averaged evoked responses and psychometric intelligence. *Nature, 295,* 596–597.

Bliss, T. V. P., & Dolphin, A. C. (1984). Where is the locus of long-term potentiation? In G. Lynch, J. L. McGaugh, & N. M. Weinberger (Eds.), *Neurobiology of learning and memory* (pp. 451–465). New York: Guilford.

Bliss, T. V. P., & Lomo, T. (1973). Long-lasting potentiation of synaptic transmission in the dentate area of the anaesthetized rabbit following stimulation of the perforant path. *Journal of Physiology* (London), *232,* 331–356.

Bloch, V. (1976). Brain activation and memory consolidation. In M. R. Rosenzweig, & E. L. Bennett (Eds.), *Neural mechanisms of learning and memory.* Cambridge: MIT Press.

_____, & Laroche, S. (1984). Facts and hypotheses related to the search for the engram. In G. Lynch, J. L. McGaugh, & N. M. Weinberger (Eds.), *Neurobiology of learning and memory* (pp. 249–260). New York: Guilford.

Block, J. H. (1976). Issues, problems, and pitfalls in assessing sex differences: A critical review of *The Psychology of Sex Differences. Merrill-Palmer Quarterly, 22,* 283–308.

Blue, M. E., & Parnavelas, J. G. (1983). The formation and maturation of synapses in the visual cortex of the rat II. Quantitative analysis. *Journal of Neurocytology, 12,* 697–712.

Bodis-Wollner, I. (1972). Visual acuity and contrast sensitivity in patients with cerebral lesions. *Science, 178,* 769–771.

Bodnar, R. J., Kelly, D. D., Brutus, M., & Glusman, M. (1980). Stress-induced analgesia: Neural and hormonal determinants. *Neuroscience and Biobehavioral Reviews, 4,* 87–100.

Bogen, J. E. (1977). Educational implications of recent research on the human brain. In M. C. Wittrock (Ed.), *The human brain.* Englewood Cliffs, N. J.: Prentice-Hall.

Bolles, R. C., & Faneslow, M. S. (1982). Endorphins and behavior. *Annual Review of Psychology, 33,* 87–101.

Bonica, J. J. (Ed.) (1980). *Research publication: Association for research in nervous and mental disease: Vol. 58. Pain.* New York: Raven.

Bonsall, R. W., Zumpe, D., & Michael, R. P. (1978). Menstrual cycle influences on operant behavior of female rhesus monkeys. *Journal of Comparative and Physiological Psychology, 92,* 846–855.

Bourguignon, E., & Greenbaum, L. S. (1973). *Diversity and homogeneity in world societies.* New Haven: HRAF.

Boynton, R. M. (1988). Color vision. *Annual Review of Psychology, 39,* 69–100.

Boyle, P. C., Storlien, L. H., Harper, A. E., & Keesey, R. E. (1981). Oxygen consumption and locomotor activity during restricted feeding and realimentation. *American Journal of Physiology, 241,* R392–R397.

Bradley, P., & Horn, G. (1981). Imprinting: A study of cholinergic receptor sites in parts of the chick brain. *Experimental Brain Research, 41,* 121–123.

_____, & Bateson, P. (1981). Imprinting: An electron microscopic study of chick hyperstriatum ventrale. *Experimental Brain Research, 41,* 115–120.

Brasel, J. A., & Blizzard, R. M. (1974). The influence of the endocrine glands upon growth and development. In R. H. Williams (Ed.), *Textbook of endocrinology.* Philadelphia: Saunders.

Brazier, M. A. B. (1959). The historical development of neurophysiology." In *Handbook of Physiology. Section I. Neurophysiology. Vol. 1.* Washington, D.C.: American Physiological Society.

Bredberg, G. (1968). Cellular pattern and nerve supply of the human organ of Corti. *Acta Otolaryngologica,* Supplement 236.

Breedlove, S. M. (1984). Steroid influences on the development and function of a neuromuscular system. In G. J. De Vries, J. P. C. De Bruin, H. B. M. Uylings, & M. A. Corner (Eds.), *Progress in brain research: Vol. 61. Sex differences in the brain* (pp. 147–170). Amsterdam: Elsevier Science Publishers.

_____, & Arnold, A. P. (1981). Sexually dimorphic motor nucleus in the rat lumbar spinal cord: Response to adult hormone manipulation, absence in androgen-insensitive rats. *Brain Research, 225,* 297–307.

Brenowitz, E. A., & Arnold, A. (1986). Interspecific comparisons of the size of neural song control regions and song complexity in dueting birds: Evolutionary implications. *Journal of Neuroscience, 6,* 2875–2879.

Brodmann, K. (1909). *Vergleichende Lokisationslehre der Grosshinrinde in ihren Prinzipien dargestellt auf Grund des Zellenbaues.* Leipzig: Barth.

Brooks, V. B. (1984). Cerebellar function in motor control. *Human Neurobiology, 2,* 251–260.

Broughton, R. (1985). Slow-wave sleep awakenings in normal and in pathology: A brief review. In W. P. Koella, E. Ruther, & H. Schulz (Eds.), *Sleep '84* (pp. 164–167). Stuttgart: Gustav Fischer Verlag.

Brown, W. A., & Heninger, G. (1975). Cortisol, growth hormone, free fatty acids and experimentally evoked affective arousal. *American Journal of Psychiatry, 132,* 1172–1176.

Brown, W. L. (1968). An hypothesis concerning the function of the metapleural gland in ants. *American Naturalist, 102,* 188–191.

Brudny, J., Korein, J., Grynbaum, B. B., Firedman, L. W., Weinstein, S., Sachs-Frankel, G., & Belandres, P. V. (1976). EMG feedback therapy: Review of treatment of 114 patients. *Archives of Physical Medicine and Rehabilitation, 57,* 55–61.

Bruneau, N., Roux, S., Perse, J., & LeLord, G. (1984). Frontal evoked responses, stimulus-intensity control, and the extraversion dimension. *Annals of the New York Academy of Science, 425,* 546–550.

Bruner, J. S. (1969). Modalities of memory. In G. A. Talland and N. C. Waugh (Eds.), *The pathology of memory.* New York: Academic.

Bryden, M. P. (1982). *Laterality: Functional asymmetry in the intact brain.* New York: Academic.

Buchsbaum, M., Mirsky, A., DeLisi, L. E., Morihisa, J., Karson, C.,

Mendelson, W., Johnson, J., King, A., & Kessler, R. (1984), The Genain quadruplets: Electrophysiological, positron emission and X-ray tomographic studies. *Psychiatry Research, 13,* 95–108.

Buchsbaum, M. S., & Haier, R. J. (1987). Functional and anatomical brain imaging: Impact on schizophrenia research. *Schizophrenia Bulletin, 13,* 115–132.

Bullock, T. H. (1984). Comparative neuroscience holds promise for quiet revolutions. *Science, 225,* 473–478.

———, Orkand, R., & Grinell, A. (1977). *Introduction to nervous systems.* San Francisco: Freeman.

Bureš, J., & Burešová, O. (1980). Elementary learning phenomena in food selection. *Proceedings of the International Union of Physiological Sciences, 14,* 13–14.

Burger, B., & Levy, W. B. (1985). Long-term associative potentiation/depression as an analogue of classical conditioning. *Society for Neuroscience Abstracts, 11,* part 2.

Bushnell, M. C., Robinson, D. L., & Goldberg, M. (1978). Dissociation of movement and attention: Neuronal correlates in posterior parietal cortex. *Society for Neuroscience Abstracts, 4,* 621.

Busse, E. W., & Silverman, A. J. (1952). Electroencephalographic changes in professional boxers. *Journal of the American Medical Association, 149,* 1522–1525.

Butters, N., & Cermak, L. S. (1980). *Alcoholic Korsakoff's syndrome: An information-processing approach to amnesia.* New York: Academic.

Butters, N., & Ryan, C. (1979). Memory deficits of detoxified alcoholics: evidence for the premature aging and continuity hypotheses. *International Neuropsychological Society Bulletin, 12.*

Buzsaki, G. (1985). What does the "LTP model of memory" model? In B. E. Will, P. Schmidt, & J. C. Dalrymple-Alford (Eds.), *Advances in behavioral biology: Vol. 28. Brain plasticity, learning, and memory.* New York: Plenum.

Byrne, D. G., & Whyte, H. M. (1980). Life events and myocardial infarction revisited. *Psychosomatic Medicine, 42,* 1–10.

Cabanac, M. (1971). Physiological role of pleasure. *Science, 173,* 1103–1107.

Calne, D. B., Langston, J. W., & Martin, W. R. (1985). Positron emission tomography after MPTP: Observations relating to the cause of Parkinson's disease. *Nature, 317,* 246–248.

Calne, R., Williams, R., Dawson, J., Ansell, I., Evans, D., Flute, P., Herbertson, B., Joysey, V., Keates, G., Knill-Jones, R., Mason, S., Millard, P., Pena, J., Pentlow, B., Salaman, J., Sells, R., & Cullum, P. (1968). Liver transplantation in Man-II, a report of two orthotopic liver transplants in adult recipients. *British Medical Journal, 4,* 541–546.

Camhi, J. M. (1984). *Neuroethology.* Sunderland, Mass.: Sinauer Associates Inc.

Campbell, B. A., & Coulter, X. (1976). The ontogenesis of learning and memory. In M. R. Rosenzweig & E. L. Bennett (Eds.), *Neural mechanisms of learning and memory* (pp. 209–235). Cambridge: MIT Press.

Campbell, F. W. (1974). The transmission of spatial information through the visual system. In F. O. Schmitt & F. G. Warden (Eds.), *The neurosciences: Third study program.* Cambridge: MIT Press.

Campbell, F. W., & Robson, J. G. (1968). Application of Fourier analysis to the visibility of gratings. *Journal of Physiology* (London), *197,* 551–566.

Campbell, S. S., and Tobler, I. (1984). Animal sleep: A review of sleep duration across phylogeny. *Neuroscience and Biobehavioral Reviews, 8,* 269–301.

Canady, R., Kroodama, D., & Nottebohm, F. (1981). Significant differences in volume of song control nuclei is associated with variance in song repertoire in a free ranging song bird. *Society for Neuroscience Abstracts, 7,* 845.

Cannon, W. B. (1929). *Bodily changes in pain, hunger, fear and rage.* New York: Appleton.

Carew, T. J. (1988). The developmental dissociation of multiple components of learning and memory in *Aplysia.* In J. L. McGaugh, N. M. Weinberger, & G. Lynch (Eds.), *Brain organization and memory: cells, systems, and circuits.* New York: Oxford.

———, Hawkins, R. D., & Kandel, E. R. (1984). Differential classical conditioning of a defensive withdrawal reflex in *Aplysia californica. Science, 219,* 397–400.

———, & Sahley, C. L. (1986). Invertebrate learning and memory: From behavior to molecules. *Annual Review of Neurosciences, 9,* 435–487.

———, Walters, E. T., & Kandel, E. R. (1981). Associative learning in a simple reflex of *Aplysia. Society for Neuroscience Abstracts, 7,* 353.

———. (1981). Classical conditioning in a simple withdrawal reflex in *Aplysia California. The Journal of Neuroscience, 1,* 1426–1437.

Carlton, P. L., & Manowitz, P. (1984). Dopamine and schizophrenia: An analysis of the theory. *Neuroscience and Biobehavioral Reviews, 8,* 137–153.

Cartwright, R. D. (1977). *Night life: Explorations in dreaming.* Englewood Cliffs, N.J.: Prentice-Hall.

Casson, I. R., Sham, R., Campbell, E. A., Tarlau, M., & Didomenico, A. (1982). Neurological and CT evaluation of knocked-out boxers. *Journal of Neurology, Neurosurgery, and Psychiatry, 45,* 170–174.

Caviness, V. S. (1980). The developmental consequences of abnormal cell position in the reeler mouse. *Trends in Neuroscience, 3,* 31–33.

Cespuglio, R., Faradji, H., Guidon, G., & Jouvet, M. (1984). Voltametric detection of brain 5-hydoxyindolamines: A new technology applied to sleep research. In A. Borbely & J.-L. Valatx (Eds.), *Sleep mechanisms* (pp. 95–106). Berlin: Springer-Verlag.

Chall, J., & Mirsky, A. (Eds.) (1978). *Education and the brain.* Chicago: National Society for the Study of Education Yearbook.

Chall, J. S., & Peterson, R. W. (1986). The influence of neuroscience on educational practice. In S. L. Friedman, K. A. Klivington, & R. W. Peterson (Eds.), *The brain, cognition, and education* (pp. 287–318). New York: Academic.

Challamel, M. J., Lahlou, S., & Jouvet, M. (1985). Sleep and smiling in neonate: A new approach. In W. P. Koella, E. Ruther, & H. Schulz (Eds.), *Sleep '84.* Stuttgart: Gustav Fischer Verlag.

Chan-Palay, V., Allen, Y. S., Lang, W., Haesler, U., & Polak, J. M. (1985). I. Cytology and distribution in normal human cerebral cortex of neurons immunoreactive with antisera against neuropeptide Y. *Journal of Comparative Neurology, 238,* 382–390.

Chang, F.-L., & Greenough, W. T. (1984). Transient and enduring morphological correlates of synaptic activity and efficacy change in the rat hippocampal slice. *Brain Research, 309,* 35–46.

———. (1982). Lateralized effects of monocular training on dendritic branching in adult split-brain rats. *Brain Research, 232,* 283–292.

Chapman, C. R., Casey, K. L., Dubner, R., Foley, K. M., Gracely, R. H., & Reading, A. E. (1985). Pain measurement: an overview. *Pain, 22,* 1–31.

Cheng, M.-F. (1977). Egg fertility and prolactin as determinants of reproductive recycling in doves. *Hormones and Behavior, 9,* 85–98.

———. (1974). Ovarian development in the female ring dove in response to stimulation by intact and castrated male ring doves. *Journal of Endocrinology, 63,* 43–53.

———. (1979). Progress and prospects in ring dove research: A personal view. *Advances in the Study of Behavior, 9,* 97–129.

Chiarello, C., Knight, R., & Mundel, M. (1982). Aphasia in a prelingually deaf woman. *Brain, 105,* 29–52.

Chui, H. C., & Damasio, A. R. (1980). Human cerebral asymmetries evaluated by computerized tomography. *Journal of Neurology, Neurosurgery, and Psychiatry, 43,* 873–878.

———. (1980). Human cerebral asymmetries evaluated by computed tomography. *Journal of Neurology, Neurosurgery, and Psychiatry, 43,* 873–878.

Cipolla-Neto, J., Horn, G., & McCabe, B. J. (1982). Hemispheric asymmetry and imprinting: The effect of sequential lesions to the hyperstriatum ventrale. *Experimental Brain Research, 48,* 22–27.

Cloninger, C. R. (1987). Neurogenetic adaptive mechanisms in alcoholism. *Science, 236,* 410–416.

_____, & Reich, T. (1983). Genetic heterogeneity in alcoholism and sociopathy. In S. Kety, L. Rowland, R. Sidman, & S. Matthysse (Eds.), *Genetics of neurological and psychiatric disorders.* New York: Raven.

Clutton-Brock, T. H., and Harvey, P. H. (1980). Primates, brains and ecology. *Journal of Zoology, 190,* 309–323.

Cohen, D. B. (1979). *Sleep and dreaming: Origin, nature and functions.* Oxford: Pergamon.

Cohen, D. H. (1985). Some organizational principles of a vertebrate conditioning pathway: Is memory a distributed property? In N. M. Weinberger, J. L. McGaugh, & G. Lynch (Eds.), *Memory systems of the brain* (pp. 27–48). New York: Guilford.

Cohen, H. D., Ervin, F., & Barondes, S. H. (1966). Puromycin and cycloheximide: different effects on hippocampal electrical activity. *Science, 154,* 1552–1558.

Cohen, N. J., & Squire, L. R. (1981). Retrograde amnesia and remote memory impairment. *Neuropsychologia, 19,* 337–356.

_____. (1980). Preserved learning and retention of pattern-analyzing skill in amnesia: Dissociation of knowing how and knowing what. *Science, 210,* 207–210.

Colangelo, W., & Jones, D. G. (1982). The fetal alcohol syndrome: A review and assessment of the syndrome and its neurological sequelae. *Progress in Neurobiology, 19,* 271–314.

Coltheart, M. (1980). Deep dyslexia: A right hemisphere hypothesis. In M. Coltheart, K. Patterson, & J. C. Marshall (Eds.), *Deep dyslexia.* London: Routledge & Kegan Paul.

Conel, J. L. (1939–1963). *The postnatal development of the human cerebral cortex, 6 volumes.* Cambridge: Harvard.

Cooper, J. R., Bloom, F. E., & Roth, R. H. (1982). *The biochemical basis of neuropharmacology* (4th ed.). New York: Oxford.

Cooper, K. E. (1987). The neurobiology of fever: Thoughts on recent developments. *Annual Review of Neuroscience, 10,* 297–324.

Corbett, S. W., & Keesey, R. E. (1982). Energy balance of rats with lateral hypothalamic lesions. *American Journal of Physiology, 242,* E273–E279.

Corkin, S. (1984). Lasting consequences of bilateral medial temporal lobectomy: Clinical course and experimental findings in H. M. *Seminars in Neurology, 4,* 249–259.

_____, Milner, B., & Rasmussen, T. (1970). Somatosensory thresholds: Contrasting effects of postcentral-gyrus and posterior parietal-lobe excisions. *Archives of Neurology, 23,* 41–58.

_____, Sullivan, E. V., Twitchell, T. E., & Grove, E. (1981). The amnesic patient H. M.: Clinical observations and test performance 28 years after operation. *Society for Neuroscience Abstracts, 7,* 235.

Cotman, C., & Nieto-Sampedro, M. (1982). Brain function, synapse renewal, and plasticity. *Annual Review of Psychology, 33,* 371–402.

Cowan, W. M. (1979). The development of the brain. *Scientific American, 241*(3), 112–133.

_____, & Wenger, E. (1967). Cell loss in the trochlear nucleus of the chick during normal development and after radical extirpation of the optic vesicle. *Journal of Experimental Zoology, 164,* 267–280.

Cowey, A. (1967). Perimetric study of field defects after cortical and retinal ablations. *Quarterly Journal of Experimental Psychology, 19,* 232–245.

Coyle, J. T., Price, D. L., & DeLong, M. R. (1983). Alzheimer's disease: a disorder of cortical cholinergic innervation. *Science, 219,* 1184–1190.

Cragg, B. G. (1967). Changes in visual cortex on first exposure of rats to light: Effect on synaptic dimensions. *Nature, 215,* 251–253.

_____. (1975). The development of synapses in the visual system of the cat. *Journal of Comparative Neurology, 160,* 147–166.

Craik, F. I. M. (1986). A functional account of age differences in memory.

In F. Klix and H. Hogendorf (Eds.), *Human memory and cognitive capabilities. Vol. A* (pp. 409–422). Amsterdam: North-Holland.

Creasey, H., and Rapoport, S. I. (1985). The aging human brain. *Annals of Neurology, 17,* 2–11.

Crick, F., & Mitchison, G. (1983). The function of dream sleep. *Nature, 304,* 111–114.

Crile, G., & Quiring, D. P. (1940). A record of the body weight and certain organ and gland weights of 3690 animals. *Ohio Journal of Science, 40,* 219–259.

Cruce, J. A. F., Greenwood, M. R. C., Johnson, P. R., & Quartermain, D. (1974). Genetic versus hypothalamic obesity: Studies of intake and dietary manipulation in rats. *Journal of Comparative and Physiological Psychology, 87,* 295–301.

Culler, E., & Mettler, F. A. (1934). Conditioned behavior in a decorticate dog. *Journal of Comparative Psychology, 18,* 291–303.

Cummings, J. L., Benson, D. F., Walsh, M. J., & Levine, H. L. (1979). Left-to-right transfer of language dominance: A case study. *Neurology, 29,* 1547–1550.

Curcio, C. A., Sloan, K. R., Packer, O., Hendrickson, A. E., & Kalina, R. E. (1987). Distribution of cones in human and monkey retina: individual variability and radial asymmetry. *Science, 236,* 579–582.

Curtis, S. Genie. (1977). A psycholinguistic study of a modern day 'wild child.' *Perspectives in neurolinguistics and psycholinguistics series.* New York: Academic.

Cutting, J. E. (1978). Generation of synthetic male and female walkers through manipulation of a biomechanical invariant. *Perception, 7,* 393–405.

Czeisler, C. A., Richardson, G. S., Coleman, R. M., Zimmerman, J. C., Moore-Ede, M. C., Dement, W. C., & Weitzman, E. D. (1981). Chronotherapy: Resetting the circadian clocks of patients with delayed sleep phase insomnia. *Sleep, 4,* 1–21.

Daana, S., Beersma, D. G. M., & Borbely, A. A. (1984). Timing of human sleep; recovery process gated by a circadian pacemaker. *American Journal of Physiology, 246,* R161–178.

Dallos, P. (1973). *The auditory periphery. Biophysics and physiology.* New York: Academic.

Daly, M., & Wilson, M. (1978). *Sex, evolution and behavior.* Belmont, Cal.: Duxbury.

Damasio, A. (1981). The nature of aphasia: Signs and syndromes. In M. T. Sarno (Ed.), *Aphasia* (pp. 51–67). New York: Academic.

Damasio, A. R., Chui, H. C., Corbett, J., & Kassel, N. (1980). Posterior callosal section in a non-epileptic patient. *Journal of Neurology, Neurosurgery, and Psychiatry, 43,* 351–356.

_____, Graff-Radford, P. J., Eslinger, H., Damasio, H., & Kassell, N. (1985b). Amnesia following basal forebrain lesions. *Archives of Neurology, 42,* 263–271.

Damassa, D. A., Smith, E. R., Tennent, B., & Davidson, J. M. (1977). The relationship between circulating testosterone levels and male sexual behavior in rats. *Hormones and Behavior, 8,* 275–286.

Darian-Smith, I. (1982). Touch in primates. *Annual Review of Psychology, 33,* 155–194.

_____, Davidson, I., & Johnson, K. O. (1980). Peripheral neural representations of the two spatial dimensions of a textured surface moving over the monkey's finger pad. *Journal of Physiology, 309,* 135–146.

Dark, J., Forger, N. G., & Zucker, I. (1984). Rapid recovery of body mass after surgical removal of adipose tissue in ground squirrels. *Proceedings of the National Academy of Sciences, U.S.A., 81,* 2270–2272.

Darwin, C. (1871). *The descent of man and selection in relation to sex.* London: John Murray.

Davenport, J. W. (1976). Environmental therapy in hypothyroid and other disadvantaged animal populations. In R. N. Walsh, & W. T. Greenough (Eds.), *Environments as therapy for brain dysfunction.* New York: Plenum.

Davenport, W. H. (1977). Sex in cross-cultural perspective. In F. A. Beach (Ed.), *Human sexuality in four perspectives* (pp. 115–163). Baltimore: Johns Hopkins University.

Davidson, J. (1972). Hormones and reproductive behavior. In H. Balin, & S. Glasser (Eds.), *Reproductive Biology*. Amsterdam: Exerpta Medica.

Davidson, J. M. (1966). Activation of the male rat's sexual behavior by intracerebral implantation of androgen. *Endocrinology, 79*, 783–794.

———. (1966). Characteristics of sex behaviour in male rats following castration. *Animal Behaviour, 14*, 266–272.

———, Camargo, C. A., & Smith, E. R. (1979). Effects of androgen on sexual behavior in hypogonadal men. *Journal of Clinical Endocrinology and Metabolism, 48*, 955–958.

———, Smith, E. R., Rodgers, C. H., & Bloch, F. J. (1968). Relative thresholds of behavioral and somatic responses to estrogen. *Physiology and Behavior, 3*, 227–229.

Davis, H. P., & Squire, L. R. (1984). Protein synthesis and memory: A review. *Psychological Bulletin, 96*, 518–559.

Davis, K. L., Mohs, R. C., Tinklenberg, J. R., Pfefferbau, A., Hollister, L. E., & Kopell, B. S. (1978). Physostigmine: Improvement of long-term memory processes in normal humans. *Science, 201*, 272–274.

DeArmond, S. J., Fusco, M. M., & Dewey, M. M. (1976). *Structure of the human brain*. New York: Oxford.

Dekaban, A. S., & Sadowsky, D. (1978). Changes in brain weights during the span of human life: Relation of brain weights to body heights and body weights. *Annals of Neurology, 4*, 345–356.

Delgado-Escueta, A. V., Mattson, R. H., King, L., Goldensohn, E. S., Spiegel, H., Madsen, J., Crandall, P., Dreifuss, F., & Porter, R. J. (1981). The nature of aggression during epileptic seizures. *New England Journal of Medicine, 305*, 711–716.

DeLisi, L. E., Mirsky, A., Buchsbaum, M., van Kammen, D. P., Berman, K., Kafka, M., Ninan, P., Phelps, B., Karoum, F., Ko, G., Korpi, E., Linnoila, M., Sheinan, M., & Wyatt, R. (1984). The Genain quadruplets 25 years later: A diagnostic and biochemical followup. *Psychiatry Research, 13*, 59–76.

Denckla, M. B. (1979). Childhood learning disabilities. In K. M. Heilman, & E. Valenstein (Eds.), *Clinical neuropsychology*. New York: Oxford.

Dennis, S. G., & Melzack, R. (1983). Perspectives on phylogenetic evolution of pain expression. In R. L. Kitchell, H. H. Erickson, E. Carstens, & L. E. Davis (Eds.), Animal pain (pp. 151–161). Bethesda: American Physiological Society.

Desaki, J., & Uehara, Y. (1981). The overall morphology of neuromuscular junction as revealed by scanning electron microscopy. *Journal of Neurocytology, 10*, 101–110.

Desmedt, J. E. (Ed.) (1978). *Progress in clinical neurophysiology. (Vol. 4): Cerebral motor control in man: Long loop mechanisms*. Basel: Karger.

Dethier, V. G. (1976). *The hungry fly: A physiological study of behavior associated with feeding*. Cambridge: Harvard.

Deutsch, J. A. (1971). The cholinergic synapse and the site of memory. *Science, 174*, 788–794.

———. (1978). The stomach in food satiation and the regulation of appetite. *Progress in Neurobiology, 10*, 135–153.

De Valois, R. L., & De Valois, K. K. (1975). Neural coding of color. In *Handbook of perception: Seeing* (Vol. 5). New York: Academic.

———. (1980). Spatial vision. *Annual Review of Psychology, 31*, 309–341.

———, Morgan, H., & Snodderly, M. (1974). Psychophysical studies of monkey vision—III. Spatial luminance contrast sensitivity tests of macaque and human observers. *Vision Research, 14*, 75–81.

———, Albrecht, D. G., & Thorell, L. G. (1977). Spatial tuning of LGN and cortical cells in monkey visual system. In H. Spekreijse & L. H. van der Tweel (Eds.), *Spatial Contrast*. Amsterdam: North Holland.

Devinsky, O., & Bear, D. (1984). Varieties of aggressive behavior in temporal lobe epilepsy. *American Journal of Psychiatry, 141*, 651–656.

De Vries, G. J., De Bruin, J. P. C., Uylings, H. B. M., & M. A. Corner, M. A. (Eds.) (1984). *Progress in brain research: Vol. 61. Sex differences in the brain*. Amsterdam: Elsevier Science Publishers.

Dewsbury, D. A. (1975). Diversity and adaptation in rodent copulatory behavior. *Science, 190*, 947–954.

Dewson, J. H. (1968). Efferent olivocochlear bundle: Some relationships to stimulus discrimination in noise. *Journal of Neurophysiology, 31*, 122–130.

Diamond, I. T. (1982). The functional significance of architectonic subdivisions of the cortex: Lashley's criticism of the traditional view. In J. Orbach (Ed.), *Neuropsychology after Lashley* (pp. 101–135). New York: Plenum.

Diamond, J., Cooper, E., Turner, C., & Macintyre, L. (1976). Trophic regulation of nerve sprouting. *Science, 193*, 371–377.

Diamond, Jared. (1986). The case of vagrant birds—or, left coast, here we come. *Discover* (January), 82–84.

Diamond, M. C. (1976). Anatomical brain changes induced by environment. In L. Petrinovich and J. L. McGaugh (Eds.), *Knowing, Thinking, and Believing* (pp. 215–241). New York: Plenum.

———. (1980). New data supporting cortical asymmetry differences in males and females. *The Behavioral and Brain Sciences, 3*, 233–234.

———, Dowling, G. M., & Johnson, R. E. (1980). Morphologic cerebral cortex asymmetry in male and female rats. *Experimental Neurology, 71*, 261–268.

———, Krech, D., & Rosenzweig, M. R. (1964). The effects of an enriched environment on the histology of the rat cerebral cortex. *Journal of Comparative Neurology, 123*, 111–119.

———, Law, F., Rhodes, H., Lindner, B., Rosenzweig, M. R., Krech, D., & Bennett, E. L. (1966). Increases in cortical depth and glia numbers in rats subjected to enriched environment. *Journal of Comparative Neurology, 128*, 117–125.

———, Lindner, B., Johnson, R., Bennett, E. L., & Rosenzweig, M. R. (1975). Differences in occipital cortical synapses from environmentally enriched, impoverished, and standard colony rats. *Journal of Neuroscience Research, 1*, 109–119.

Disterhoft, J. F., Coulter, D. A., & Alkon, D. L. (1985). Biophysical alterations of rabbit hippocampal neurons studied *in vitro* after conditioning. *Society for Neuroscience Abstracts, 11*, part 2, 291.

Dobbing, J. (1976). Vulnerable periods in brain growth and somatic growth. In D. F. Roberts & A. M. Thomson (Eds.) *The biology of human fetal growth* (pp. 137–147). London: Taylor and Francis.

Dohler, K. D., Hancke, J. L., Srivastava, S. S., Hofmann, C., Shryne, J. E., & Gorski, R. A. (1984). Participation of estrogens in female sexual differentiation of the brain; neuroanatomical, neuroendocrine and behavioral evidence. In G. J. De Vries, J. P. C. De Bruin, H. B. M. Uylings, & M. A. Corner (Eds.), *Progress in brain research: Vol. 61. Sex differences in the brain* (pp. 99–117). Amsterdam: Elsevier Science Publishers.

Dolphin, A. C., Errington, M. L., & Bliss, T. V. P. (1982). Long-term potentiation of the perforant path in vivo is associated with increased glutamate release. *Nature, 297*, 496–498.

Dörner, G., Döcke, F., & Moustafa, S. (1968b). Differential localization of a male and a female hypothalamic mating centre. *Journal of Reproduction and Fertility*, 583–586.

———. (1968a). Homosexuality in female rats following testosterone implantation in the anterior hypothalamus. *Journal of Reproduction and Fertility, 17*, 173–175.

Douglas, R. J. (1967). The hippocampus and behavior. *Psychological Bulletin, 67*, 416–422.

Drachman, D. A. (1978). Central cholinergic system and memory. In M. A. Lipton, A. DiMascio, & K. F. Killam (Eds.), *Psychopharmacology: A generation of progress*. New York: Raven.

Drachman, D. B. (1981). The biology of myasthenia gravis. *Annual Re-*

view of Neurosciences, 4, 195–225.

———. (1983). Myasthenia gravis: Immunobiology of a receptor disorder. Trends in Neurosciences, 6, 446–450.

Drucker-Colin, R., Shkurovich, M., & Sterman, M. B. (Eds.) (1973). The functions of sleep. New Haven: Yale.

Druckman, D., & Swets, J. (1988). Enhancing human performance. Washington, D.C.: National Academy Press.

Dudai, Y. (1988). Neurogenic dissection of learning and short term memory in Drosophila. Annual Review of Neuroscience, 11, 537–563.

Dudai, Y., & Quinn, W. G. (1980). Genes and learning in Drosophila. Trends in Neurosciences, 3, 28–30.

Dudai, Y., Jan, Y.-N., Byers, D., Quinn, W. G., & Benzer, S. (1976). Dunce, a mutant of Drosophila deficient in learning. Proceedings of the National Academy of Sciences, U.S.A., 73, 1684–1688.

D'Udine, B., & Alleva, E. (1983). Early experience and sexual preferences in rodents. In P. Bateson (Ed.), Mate choice (pp. 311–327). Cambridge: Cambridge University Press.

Duerr, J. S., & Quinn, W. G. (1982). Three Drosophila mutations that block associative learning also affect habituation and sensitization. Proceedings of the National Academy of Sciences, U.S.A., 79, 3646–3650.

Eccles, J. C. (1983). Calcium in long-term potentiation as a model for memory. Neuroscience, 10, 1071–1081.

———. (1965). Possible ways in which synaptic mechanisms participate in learning, remembering and forgetting. In D. P. Kimble (Ed.), The anatomy of memory (pp. 12–87). Palo Alto: Science and Behavior Books, Inc.

———. (1982). The synapse: From electrical to chemical transmission. Annual Review of Neuroscience, 5, 325–339.

———. (1973). The understanding of the brain. New York: McGraw-Hill.

Egeland, J. A., & Hostetter, A. M. (1983). Amish study, I: Affective disorders among the Amish, 1976–1980. American Journal of Psychiatry, 140, 56–71.

Ehrhardt, A. A., & Meyer-Bahlburg, H. F. L. (1981). Effects of prenatal sex hormones on gender-related behavior. Science, 211, 1312–1318.

Eikelboom, R., & Stewart, J. (1981). Temporal and environmental cues in conditioned hypothermia and hyperthermia associated with morphine. Psychopharmacology, 72, 147–153.

Eisenberg, J. F., & Wilson, D. E. (1978). Relative brain size and feeding strategies in Chiroptera. Evolution, 32, 740–751.

Ekman, P. (1981). Methods for measuring facial action. In K. Scherer & P. Ekman (Eds.), Handbook on methods of nonverbal communications research. New York: Cambridge University Press.

———. (1972). Universals and cultural differences in facial expressions of emotion. Nebraska Symposium on Motivation, 207–283.

———, & Oster, H. (1979). Facial expressions of emotion. Annual Review of Psychology, 30, 527–554.

———, Hager, J. C., & Friesen, W. V. (1981). The symmetry of emotional and deliberate facial actions. Psychophysiology, 18, 101–106.

Ekstrand, B. R., Barrett, T. R., West, J. M., & Maier, W. G. (1977). The effect on human long-term memory. In R. Drucker-Colin & J. L. McGaugh (Eds.), Neurobiology of sleep and memory. New York: Academic.

Eliasson, S. G., Prensky, A. L., & Hardin, W. B. (1974). Neurological pathophysiology. New York: Oxford.

Elmadjian, F., Hope, J. M., & Lamson, E. T. (1957). Excretion of epinephrine and norepinephrine in various emotional states. Journal of Clinical Endocrinology, 17, 608–620.

———. (1958). Excretion of epinephrine and norepinephrine under stress. Recent Progress in Hormone Research, 14, 513.

Elsinger, P. J., & Damasio, A. R. (1986). Preserved motor learning in Alzheimer's disease: Implication for anatomy and behavior. Journal of Neuroscience, 6, 3006–3009.

Engel, A. G. (1984). Myasthenia gravis and myasthenic syndromes. Annals of Neurology, 16, 519–535.

Entingh, D., Dunn, A., Wilson, J. E., Glassman, E., & Hogan, E. (1975). Biochemical approaches to the biological basis of memory. In M. S. Gazzaniga & C. Blakemore (Eds.), Handbook of Psychobiology. New York: Academic.

Epstein, A. N., Fitzsimons, J. T., & Rolls, B. J. (1970). Drinking induced by injection of angiotensin into the brain of the rat. Journal of Physiology (London), 210, 457–474.

Epstein, C. J., Cox, D. R., Schonberg, S. A., & Hogge, W. A. (1983). Recent developments in the prenatal diagnosis of genetic diseases and birth defects. Annual Review of Genetics, 17, 49–83.

Erdmann, G., & Janke, W. (1978). Interaction between physiological and cognitive determinants of emotions: Experimental studies on Schachter's theory of emotions. Biological Psychology, 6, 61–74.

Erickson, C. J. Sexual affiliation in animals: Pair bonds and reproductive strategies. (1978). In J. B. Hutchison (Ed.), Biological determinants of sexual behaviour (pp. 697–725). New York: Wiley.

Eslinger, P. J., & Damasio, A. R. (1986). Preserved motor learning in Alzheimer's disease: Implications for anatomy and behavior. Journal of Neuroscience, 6, 3006–3009.

Evans, C. (1983). Landscapes of the night. How and why we dream. New York: Viking Press.

Evarts, E. V. (1972). Contrasts between activity of precentral and postcentral neurons of cerebral cortex during movement in the monkey. Brain Research, 40, 25–31.

———. (1971). Feedback and corollary discharge: A merging of the concepts. Neurosciences Research Program Bulletin, 9, 86–112.

———. (1968). Relation of pyramidal tract activity to force exerted during voluntary movement. Journal of Neurophysiology, 31, 14–28.

———, Shinoda, Y., & Wise, S. P. (1984). Neurophysiological approaches to higher brain functions. New York: Wiley.

Everitt, B. J. (1978). A neuroanatomical approach to the study of monoamines and sexual behaviour. In J. B. Hutchison (Ed.), Biological determinants of sexual behaviour (pp. 555–574). New York: Wiley.

———, and Herbert, J. (1971). The effects of dexamethasone and androgens on sexual receptivity of female rhesus monkeys. Journal of Endocrinology, 51, 575–588.

———. (1975). The effects of implanting testosterone propionate into the central nervous system on the sexual behavior of adrenalectomized female rhesus monkeys. Brain Research, 86, 109–120.

Faraone, S. V., & Tsuang, M. T. (1985). Quantitative models of the genetic transmission of schizophrenia. Psychological Bulletin, 98, 41–66.

Farley, J., & Alkon, D. L. (1981). Associative neural and behavioral change in Hermissenda: Consequences of nervous system orientation for light- and pairing-specificity. Society for Neuroscience Abstracts, 7, 352.

———. (1985). Cellular mechanisms of learning, memory, and information storage. Annual Review of Psychology, 36, 419–494.

Feder, H. H. (1971). The comparative actions of testosterone propionate and 5α-androstran-17βol-3-one propionate on the reproductive behaviour, physiology, and morphology of male rats. Journal of Endocrinology, 51, 241–252.

Feder, H. (1984). Hormones and sexual behavior. Annual Review of Psychology, 35, 165–200.

Federman, D. D. (1979). Endocrinology. Chapter 3, Scientific American Medicine. New York: Scientific American.

Feinberg, I. (1982). Schizophrenia: Caused by a fault in programmed synaptic elimination during adolescence. Journal of Psychiatry Research, 17, 319–334.

Feldman, R. S., & Quenzer, L. F. (1984). Fundamentals of neuropsychopharmacology. Sunderland, Mass.: Sinauer Associates.

Ferchmin, P. A., Bennett, E. L., & Rosenzweig, M. R. (1975). Direct contact with enriched environments is required to alter cerebral weights in rats. *Journal of Comparative and Physiological Psychology, 88,* 360–367.

Fibiger, H. C., & Lloyd, K. G. (1984). The neurobiological substrates of tardive dyskinesia: the GABA hypothesis. *Trends in Neurosciences, 8,* 462.

Fields, H. (1981). Pain II. New approaches to pain management. *Annals of Neurology, 9,* 100–106.

Finger, S. (Ed.) (1978). *Recovery from brain damage: Research and theory.* New York: Plenum.

Fifkova, E., Anderson, C. L., Young, S. J., & Van Harreveld, A. (1982). Effect of anisomycin on stimulation-induced changes in dendritic spines of the dentate granule cells. *Journal of Neurocytology, 11,* 183–210.

Firedman, M., & Rosenman, R. H. (1959). Association of specific overt behavior pattern with blood and cardiovascular findings. *Journal of the American Medical Association, 169,* 1286–1296.

Fisher-Perroudon, C., Mouret, J., & Jouvet, M. (1974). Sur un cas d'agrypnie (4 mois sans sommeil) au cours d'une maladie de Morvan. Effet favorable du 5-hydroxytryptophane. *Electroencephalography and Clinical Neurophysiology, 36,* 1–18.

Fitzgerald, F. T. (1981). The problem of obesity. *Annual Review of Medicine, 32,* 221–231.

Flexner, J. B., Flexner, L. B., Stellar, E., de la Haba, G., & Roberts, R. B. (1962). Inhibition of protein synthesis in brain and learning following puromycin. *Journal of Neurochemistry, 9,* 595–605.

Flood, J. F., Bennett, E. L., Orme, A. E., & Rosenzweig, M. R. (1975). Relation of memory formation to controlled amounts of brain protein synthesis. *Physiology and Behavior, 15,* 97–102.

Flood, J. F., Bennett, E. L., Rosenzweig, M. R., & Orme, A. E. (1973). The influence of duration of protein synthesis inhibition on memory. *Physiology and Behavior, 10,* 555–562.

Flood, J. F., & Cherkin, A. (1981). Cholinergic drug interactions: enhancement and impairment of memory retention. *Society for Neuroscience Abstracts, 7,* 359.

Flood, J. F., Jarvik, M. E., Bennett, E. L., Orme, A. E., & Rosenzweig, M. R. (1977). The effect of stimulants, depressants and protein synthesis inhibition on retention. *Behavioral Biology, 20,* 168–183.

Foster, F. M., & Sherrington, C. S. (1897). *A textbook of physiology. Part 3. The central nervous system.* New York: Macmillan.

Foster, N. L., Cahse, T. N., Mansi, L., Brooks, R., Fedio, P., Patronas, N. J., & Di Chiro, G. (1984). Cortical abnormalities in Alzheimer's disease. *Annals of Neurology, 16,* 649–654.

Fox, M. W. (1970). Reflex development and behavioral organization. In W. A. Himwich (Ed.), *Developmental neurobiology.* Springfield, Ill.: Charles C. Thomas.

Frankenhaeuser, M. (1979). Psychoneuroendocrine approaches to the study of emotion as related to stress and coping. *Current theory and research in motivation, 26,* 123–162.

Frazier, W. T., Kandel, E. R., Kupfermann, I., Waziri, R., & Coggeshall, R. E. (1967). Morphological and functional properties of identified neurons in the abdominal ganglion of Aplysia californica. *Journal of Neurophysiology, 30,* 1288–1351.

Freeman, W. J. (1975). *Mass action in the nervous system.* New York: Academic.

———, & Watts, J. W. (1950). *Psychosurgery in the treatment of mental disorders and intractable pain.* Springfield, Ill.: Charles C. Thomas.

Freund, H.-J. (1984). Premotor areas in man. *Trends in Neuroscience, 7,* 481–483.

Fridlund, A. (1988). What can asymmetry and laterality in EMG tell us about the face and brain? *International Journal of Neuroscience, 39,* 53–69.

Frieder, B., & Allweis, C. (1982). Memory consolidation: further evidence for the four-phase model from the time courses of diethyldithiocarbamate and ethacrinic acid amnesias. *Physiology and Behavior, 29,* 1071–1075.

Friedman, M. B. (1977). Interactions between visual and vocal courtship stimuli in the neuroendocrine response of female doves. *Journal of Comparative and Physiologic Psychology, 91,* 1408–1416.

Friedman, S. L., Klivington, K., & Peterson, R. W. (Eds.) (1986). *The brain, cognition, and education.* New York: Academic.

Furshpan, E. J., & Potter, D. D. (1957). Mechanism of nerve impulse transmission at a crayfish synapse. *Nature, 180,* 342–343.

Gage, F. H., & Bjørklund, A. (1986). Cholinergic septal grants into the hippocampal formation improve spatial learning and memory in aged rats by an atropine-sensitive mechanism. *Journal of Neuroscience, 6,* 2837–2847.

Galaburda, A. M., & Kemper, T. L. (1978). Cytoarchitectonic abnormalities in developmental dyslexia: A case study. *Annals of Neurology, 6,* 94–100.

Galaburda, A. M., Sanides, F., & Geschwind, N. (1978). Human brain: Cytoarchitectonic left-right asymmetries in the temporal speech region. *Archives of Neurology, 35,* 812–817.

Galaburda, A. M., Sherman, G. F., Rosen, G. D., Aboitiz, F., & Geschwind, N. (1985). Developmental dyslexia: four consecutive patients with cortical anomalies. *Annals of Neurology, 18,* 222–234.

Gallagher, M. (1985). Re-viewing modulation of learning and memory. In N. M. Weinberger, J. L. McGaugh, & G. Lynch (Eds.), *Memory systems of the brain* (pp. 311–334). New York: Guilford.

———, King, R. A., & Young, N. B. (1983). Opiate antagonists improve spatial memory. *Science, 221,* 975–976.

Garb, J. L., & Stunkard, A. J. (1974). Taste aversions in man. *American Journal of Psychiatry, 131,* 1204–1207.

Gardner, L. I. (1972). Deprivation dwarfism. *Scientific American, 227*(1), 76–82.

Gazzaniga, M. S., and Le Doux, J. L. *The integrated mind.* New York : Plenum Press, 1978.

Gelperin, A. (1975). Rapid food-aversion learning by a terrestrial mollusk. *Science, 189,* 567–570.

Gerkema, M. P., & Daan, S. (1985). Ultradian rhythms in behavior: The case of the common vole (Microtus arvalis). In H. Schulz & P. Lavie (Eds.), *Ultradian rhythms in physiology and behavior* (pp. 11–32). Berlin: Springer-Verlag.

Gerstein, D. R., Luce, R. D., Smelser, N. J., & Sperlich, S. (Eds.) (1988). *The behavioral and social sciences: Achievements and opportunities.* Washington, D.C.: National Academy Press.

Geschwind, N. (1976). Language and cerebral dominance. In T. N. Chase (Ed.), *Nervous system.* Vol. 2. *The clinical neurosciences* (pp. 433–439). New York: Raven.

———. (1972). Language and the brain. *Scientific American, 226*(4), 76–83.

———. (1983). Pathogenesis of behavior change in temporal lobe epilepsy. *Research Publications Association for Research in Nervous and Mental Diseases, 61,* 355–370.

———, & Galaburda, A. M. (1985). Cerebral lateralization: Biological mechanisms, associations and pathology. *Archives of Neurology, 42,* 428–459, 521–654.

———, & Levitsky, W. (1968). Human brain: Left-right asymmetries in temporal speech region. *Science, 161,* 186–187.

Gibbs, J., & Smith, G. P. (1984). The neuroendocrinology of postprandial satiety. In L. Martini & W. F. Ganong (Eds.), *Frontiers in neuroendocrinology. Vol. 8.* New York: Raven.

———, Young, R. C., & Smith, G. P. (1973). Cholecystokinin decreases food intake in rats. *Journal of Comparative and Physiological Psychology, 84,* 488–495.

Gibbs, M. E., & Ng, K. T. (1977). Psychobiology of memory: Towards a model of memory formation. *Biobehavioral Reviews, 1,* 113–136.

Gibbs, M. E., & Lecanuet, J.-P. (1981). Disruption of imprinting by memory inhibitors. *Animal Behaviour, 29,* 572–580.

Gilbert, A., Fridlund, A., & Sabini, J. Hedonic and social determinants of facial displays to odors. *Unpublished manuscript.*

Gillin, J. C., Sitaram, N., Janowsky, D., Risch, C., Huey, L., & Storch, F. (1985). Cholinergic mechanisms in REM sleep. In A. Wauquier, J. M. Gaillard, J. Monti, & M. Radulovacki (Eds.), *Sleep: Neurotransmitters and neuromodulators* (pp. 153–165). New York: Raven.

Gilman, A. (1937). The relation between blood osmotic pressure, fluid distribution and voluntary water intake. *American Journal of Physiology, 120,* 323–328.

Gilman, S., Bloedel, J. R., & Lechtenberg, R. (1981). *Disorders of the cerebellum.* Philadelphia: F. A. Davis.

Ginsburg, A. P. (1971). Psychological correlates of a model of the human visual system. Masters thesis. Wright-Patterson AFB, Ohio, Air Force Institute of Technology.

_____, & Campbell, F. W. (1977). Optical transforms and the ''pincushion grid'' illusion? *Science, 198,* 961–962.

Glassman, E., Machlus, B., & Wilson, J. E. (1972). The effect of short experiences on the incorporation of radioactive phosphate into acid-soluble nuclear proteins of rat brain. In J. L. McGaugh (Ed.), *The chemistry of mood, motivation and memory.* New York: Plenum.

Glick, S. D., & Shapiro, R. M. (1985). Functional and neurochemical mechanisms of cerebral lateralization in rats. In S. D. Glick (Ed.), *Cerebral lateralization in nonhuman species.* Orlando, Florida: Academic.

Gloor, P., Olivier, A., Quesney, L. F., Andermann, F., & Horowitz, S. (1982). The role of the limbic system in experiential phenomena of temporal lobe epilepsy. *Annals of Neurology, 12,* 129–144.

Gluhbegovic, N., & Williams, T. H. (1980). *The human brain.* New York: Harper & Row.

Glickman, S. E. (1977). Comparative psychology. In P. Mussen and M. R. Rosenzweig (Eds.), *Psychology: An introduction, second edition.* Lexington, Mass.: D. C. Heath.

Globus, A., Rosenzweig, M. R., Bennett, E. L., & Diamond, M. C. (1973). Effects of differential experience on dendritic spine counts in rat cerebral cortex. *Journal of Comparative and Physiological Psychology, 82,* 175–181.

Goldberger, M. E., & Murray, M. (1985). Recovery of function and anatomical plasticity after damage to the adult and neonatal spinal cord. In Cotman, C. (Ed.), *Synaptic plasticity* (pp. 77–111). New York: Guilford.

Gold, P. E., & McGaugh, J. L. (1975). A single-trace, two-process view of memory storage processes. In D. Deutsch & J. A. Deutsch (Eds.), *Short-term memory* (pp. 355–378). New York: Academic.

Goldfine, I. D., Abraira, C., Gruenwald, D., & Goldstein, M. S. (1970). Plasma insulin levels during imaginary food ingestion under hypnosis. *Proceedings of the Society for Experimental Biology and Medicine, 133,* 274–276.

Goldman, P. S. (1976). Maturation of the mammalian nervous system and the ontogeny of behavior. In J. S. Rosenblatt, *Advances in the study of behavior, 7,* 1–90.

Goodman, C. (1979). Isogenic grasshoppers: Genetic variability and development of identified neurons. In Breakefeld, X. O. (Ed.), *Neurogenetics.* New York: Elsevier.

Gormezano, I. (1972). Investigations of defense and reward conditioning in the rabbit. In A. H. Black & W. F. Prokasy (Eds.), *Classical Conditioning II: Current Research and Theory* (pp. 151–181). New York: Appleton-Century-Crofts.

Gorski, R. A., Gordon, J. H., Shryne, J. E., & Southam, A. M. (1978). Evidence for a morphological sex difference within the medial preoptic area of the rat brain. *Brain Research, 148,* 333–346.

Gottlieb, G. (1976). The roles of experience in the development of behavior and the nervous system. In G. Gottlieb (Ed.), *Studies on the development of behavior and the nervous system (Volume 3) Neural and behavioral specificity.* New York: Academic.

Goulart, F. S. (1984). *The caffeine book.* New York: Dodd, Mead.

Gouras, P. (1985). Color vision. In E. R. Kandel, & J. H. Schwartz, (Eds.), *Principles of neural science* (2nd ed.) (pp. 366–383). New York: Elsevier.

Gould, J. L. (1986). The biology of learning. *Annual Review of Psychology, 37,* 163–192.

Goy, R. W., & Phoenix, C. A. (1971). The effects of testosterone propionate administered before birth on the development of behavior in genetic female rhesus monkeys. In C. Sawyer & R. Gorski (Eds.), *Steroid hormones and brain function* (pp. 193–201). Berkeley: University of California Press.

Goy, R. W., & Resko, J. A. (1972). Gonadal hormones and behavior of normal and pseudohermaphroditic nonhuman female primates. *Recent Progress in Hormone Research, 28,* 707–733.

Graf, P., & Schacter, D. (1987). Selective effects of interference on implicit and explicit memory for new associations. *Journal of Experimental Psychology: Learning, Memory, and Cognition,*

_____, Squire, L. R., & Mandler, G. (1984). The information that amnesic patients do not forget. *Journal of Experimental Psychology [Learning, Memory and Cognition], 11,* 386–396.

Granit, R. (1977). *The purposive brain.* Cambridge: MIT Press.

Gray, J. A. G. (1982). *The neurobiology of anxiety: An enquiry into the functions of the septo-hippocampal system.* New York: Oxford.

Graziadei, P. P. C., Levine, R. R., & Graziadei, G. A. M. (1979). Plasticity of connections of the olfactory sensory neuron: Regeneration into the forebrain following bulbectomy in the neonatal mouse. *Neuroscience, 4,* 713–728.

Graziadei, P. P. C., & Monti-Graziadei, G. A. (1978). Continuous nerve cell renewal in the olfactory system. In M. Jacobson (Ed.), *Handbook of sensory physiology: Development of sensory systems.* Berlin: Springer.

Green, B. F., & Hall, J. A. (1984). Quantitative methods for literature reviews. *Annual Review of Psychology, 35,* 37–53.

Green, W. H., Campbell, M., & David, R. (1984). Psychosocial dwarfism: A critical review of evidence. *Journal of Child Psychiatry,* 39–48.

Greenough, W. T. (1976). Enduring brain effects of differential experience and training. In M. R. Rosenzweig & E. L. Bennett (Eds.), *Neural mechanisms of learning and memory.* Cambridge: MIT Press.

_____. (1985). The possible role of experience-dependent synaptogenesis, or synapses on demand. In N. M. Weinberger, J. L. McGaugh, & G. Lynch (Eds.), *Memory systems of the brain* (pp. 77–103). New York: Guilford.

_____, & Volkmar, F. R. (1973). Pattern of dendritic branching in occipital cortex of rats reared in complex environments. *Experimental Neurology, 40,* 491–504.

Greenspan & Quinn (1984); see Quinn & Greenspan (1984).

Greer, S. (1983). Cancer and the mind. *British Journal of Psychiatry, 143,* 535–543.

Grennewalt, C. H. (1968). *Bird song: Acoustics and physiology.* Washington, D.C.: Smithsonian.

Grevert, P., & Goldstein, A. (1985). Placebo analgesia, naloxone, and the role of endogenous opioids. In L. White, B. Tursky & G. E. Schwartz (Eds.), *Placebo* (pp. 332–351). New York: Guilford.

Griffith, V. E. (1970). *A Stroke in the Family: A Manual of Home Therapy.* New York: Delacorte.

Grillner, S. (1985). Neurobiological bases of rhythmic motor acts in vertebrates. *Science, 228,* 143–149.

Grillner, S., & Rossignol, S. (1978). On the initiation of the swing phase of locomotion in chronic spinal cats. *Brain Research, 146,* 269–277.

Grillner, S., & Wallen, P. (1985). Central pattern generators for locomotion, with special reference to vertebrates. *Annual Review of Neuroscience, 8,* 233–263.

Grillner, S., & Zangger, P. (1979). On the central generation of locomotion in the low spinal cat. *Experimental Brain Research, 34,* 241–261.

Grings, W. W., & Davison, M. E. (1978). *Emotions and bodily responses: A psychophysiological approach.* New York: Academic.

Grossman, S. P., Dacey, D., Halaris, A. E., Collier, T., & Routtenberg,

A. (1978). Aphagia and adipsia after preferential destruction of nerve cell bodies in hypothalamus. *Science, 202,* 537–539.

Groves, P. M., & Rebec, G. V. (1976). Biochemistry and behavior: Some central actions of amphetamine and antipsychotic drugs. *Annual Review of Psychology, 27,* 97–128.

Grunt, J. A., & Young, W. C. (1953). Consistency of sexual behavior patterns in individual male guinea pigs following castration and androgen therapy. *Journal of Comparative and Physiological Psychology, 46,* 138–144.

Gur, R. E. (1979). Cognitive concomitants of hemispheric dysfunction in schizophrenia. *Archives of General Psychiatry, 36,* 269–274.

Gurney, M. E. (1981). Hormonal control of cell form and number in the zebra finch. *Journal of Neuroscience, 1,* 658–673.

Gusella, J. F., Wexler, N. S., Conneally, P. M., Naylor, S. L., Anderson, M. A., Tanzi, R. F., et al. (1983). A polymorphic DNA marker genetically linked to Huntington's disease. *Nature, 306,* 234–238.

Guttmann, G. (1986). Fluctuations of learning capacity. In F. Klix & H. Hagendorf (Eds.), *Human memory and cognitive capacities* (Vol. B, pp. 639–648). Amsterdam: Elsevier Science Publishers.

———, & Bauer, H. (1982). Learning and information processing in dependence on cortical DC-potentials. In R. Sinz & M. R. Rosenzweig (Eds.), *Psychophysiology 1980: Memory, motivation and event-related potentials in mental operations* (pp. 141–149). Jena: VEB Gustav Fischer Verlag, and Amsterdam: Elsevier Biomedical Press.

Hadley, M. E. (1984). *Endocrinology.* Englewood Cliffs, N.J.: Prentice-Hall.

Hagbarth, K. E., & Kugelberg, E. (1958). Plasticity of the human abdominal skin reflex. *Brain, 81,* 305–318.

Hager, J. (1982). Asymmetries in facial expression. In P. Ekman (Ed.), *Emotion in the human face.* (pp. 318–352). New York: Cambridge University Press.

Hall, J. C., & Greenspan, R. J. (1979). Genetic analysis of Drosophila neurobiology. *Annual Review of Genetics, 13,* 127–195.

———, & Harris, W. A. (1982). *Genetic neurobiology.* Cambridge: MIT Press.

Hall, W. G., & Oppenheim, R. W. (1987). Developmental psychobiology: Prenatal, perinatal, and early postnatal aspects of behavioral development. *Annual Review of Psychology, 38,* 91–128.

Hallett, P. E., & Lightstone, A. D. (1976). Saccadic eye movements towards stimuli triggered by prior saccades. *Vision Research, 16,* 99–106.

Hamburger, V. (1975). Cell death in the development of the lateral motor column of the chick embryo. *Journal of Comparative Neurology, 160,* 535–546.

Hampson, J. L. (1965). Determinants of psychosexual orientation. In F. A. Beach (Ed.), *Sex and behavior.* New York: Wiley.

Haracz, J. L. (1984). A neural plasticity hypothesis of schizophrenia. *Neuroscience and Biobehavioral Reviews, 8,* 55–73.

Hardy, J. B. (1973). Fetal consequences of maternal viral infections in pregnancy. *Archives of Otolaryngology, 98,* 218–227.

Hardyck, C., Petrinovich, L., & Goldman, R. (1976). Left-handedness and cognitive deficit. *Cortex, 12,* 226–279.

Harlow, H. F. (1959). The development of learning in the rhesus monkey. *American Scientist, 47,* 459–479.

———. (1949). The formation of learning sets. *Psychological Review, 56,* 51–65.

Harris, R. S., & Martin, R. (1984). Specific depletion of body fat in parabiotic partners of tube-fed obese rats. *American Journal of Physiology, 247,* R380–R386.

Hart, B. L. (1973). Effects of testosterone propionate and dihydrotestosterone on penile morphology and sexual reflexes of spinal male rats. *Hormones and Behavior, 4,* 239–246.

———. (1974). Gonadal androgen and sociosexual behavior of male mammals: A comparative analysis. *Psychological Bulletin, 81,* 383–400.

———. (1978). Hormones, spinal reflexes, and sexual behaviour. In J. B. Hutchison (Ed.), *Biological determinants of sexual behaviour* (pp. 319–347). New York: Wiley.

Harter, S. (1965). Discrimination learning set in children as a function of intelligence and mental age. *Journal of Experimental Child Psychology, 2,* 31–43.

Hartmann, E. (1984). *The nightmare: The psychology and biology of terrifying dreams.* New York: Basic Books.

———. (1978). *The sleeping pill.* New Haven: Yale.

Hasan, Z., & Stuart, D. G. (1988). Animal solutions to problems of movement control: The role of proprioceptors. *Annual Review of Neurosciences, 11,* 199–225.

Hawkins, R. D. and Abrams, T. W., Carew, T. J., & Kandel, E. R. (1983). A cellular mechanism of classical conditioning in *Aplysia*: activity-dependent amplification of presynaptic facilitation. *Science, 219,* 400–405.

Hawkins, R. D., & Kandel, E. R. (1984). Is there a cell-biological alphabet for simple forms of learning? *Psychological Review, 91,* 376–391.

———. (1984). Steps toward a cell-biological alphabet for elementary forms of learning. In G. Lynch, J. L. McGaugh, & N. M. Weinberger (Eds.), *Neurobiology of learning and memory* (pp. 385–404). New York: Guilford.

Haycock, J. W., van Buskirk, R., & McGaugh, J. L. (1977). Effects of catecholaminergic drugs upon memory storage processes in mice. *Behavioral Biology, 20,* 281–310.

Heath, R. G. (1972). Pleasure and brain activity in man. *Journal of Nervous and Mental Diseases, 154,* 3–18.

———, Franklin, D. E., & Shraberg, D. (1979). Gross pathology of the cerebellum in patients diagnosed and treated as functional psychiatric disorders. *Journal of nervous and mental disorders, 167,* 585–592.

Hebb, D. O. (1980). *Essay on mind.* Hillsdale, N.J.: Erlbaum.

———. (1949). *The organization of behavior.* New York: Wiley.

Hefti, F., & Weiner, W. J. (1986). Nerve growth factor and Alzheimer's disease. *Annals of Neurology, 20,* 275–281.

Heilman, K. M., & Rothi, L. J. Gonzales. (1985). Apraxia. In K. M. Heilman, & E. Valenstein (Eds.), *Clinical neuropsychology.* 2nd edition. New York: Oxford.

Heilman, K., & Valenstein, E. (Eds.) (1985). *Clinical neuropsychology.* New York: Oxford, 2nd edition.

Heilman, K. M., & Watson, R. T. (1983). Performance on hemispatial pointing task by patients with neglect syndrome. *Neurology, 33,* 661–664.

Heinrich, B. (1979). Keeping a cool head: Honeybee thermoregulation. *Science, 205,* 1269–1271.

———. (1981). The regulation of temperature in the honeybee swarm. *Scientific American, 244*(6), 146–160.

Held, R., & Hein, A. (1963). Movement-produced stimulation in the development of visually guided behavior. *Journal of Comparative and Physiological Psychology, 56,* 872–876.

Heller, H. C., Cranshaw, L. I., & Hammel, H. T. (1978). The thermostat of vertebrate animals. *Scientific American, 239*(2), 102–113.

Hemmingsen, A. M. (1960). Energy metabolism as related to body size and respiratory surfaces, and its evolution. *Reports of Steno Memorial Hospital, Copenhagen, 9,* 1–110.

Henderson, N. (1982). Human behavior genetics. *Annual Review of Psychology, 33,* 403–440.

Hendrickson, A. (1985). Dots, stripes and columns in monkey visual cortex. *Trends in NeuroSciences, 8,* 406–410.

Herbert, J. (1978). Neuro-hormonal integration of sexual behaviours in female primates. In J. B. Hutchison (Ed.), *Biological determinants of sexual behaviour* (pp. 467–491). New York: Wiley.

Hermann, B. P., & Whitman, S. (1984). Behavioral and personality correlates of epilepsy: A review, methodological critique, and conceptual model. *Psychological Bulletin, 95,* 451–497.

Hernandez, L., & Hoebel, B. G. (1980). Basic mechanisms of feeding and weight regulation. In A. J. Stunkard (Ed.), *Obesity*. Philadelphia: Saunders.

Herron, J. (Ed.) (1980). *Neuropsychology of left-handedness*. New York: Academic.

Hetherington, A. W., & Ranson, S. W. (1940). Hypothalamic lesions and adiposity in the rat. *Anatomical record, 78*, 149–172.

Hewes, G. (1973). Primate communication and the gestural origin of language. *Current Anthropology, 14*, 5–24.

Hicks, C. S. (1964). Terrestrial animals in cold: Exploratory studies of primitive man. In D. B. Dill (Ed.), *Handbook of Physiology* (Sec. 4, Vol. 1). Washington, D. C.: American Physiological Society.

Hille, B. (1975). The receptor for tetrodotoxin and saxitoxin: A structural hypothesis. *Biophysical Journal, 15*, 615–619.

Hillyard, S. (1982). Psychobiology. In F. Bloom (Ed.), *Outlook for science and technology, the next five years. 3* (pp. 73–96). Washington, D.C.: National Academy Press.

Hillyard, S. A., Simpson, G. V., Woods, D. L., van Voorhis, S., & Munte, T. F. (1984). Event-related brain potentials and selective attention to different modalities. In F. Reinoso-Suarez and C. Ajmone-Marsan (Eds.), *Cortical integration*. New York: Raven.

Hingson, R., Alpert, J., Day, N., Dooling, E., Kayne, H., Morelock, S., Oppenheimer, E., & Zuckerman, B. (1982). Effects of maternal drinking and marijuana use on fetal growth and development. *Pediatrics, 70*, 539–546.

Hirsch, H. V. B., & Spinelli, D. N. (1971). Modification of the distribution of receptive field orientation in cats by selective visual exposure during development. *Experimental Brain Research, 12*, 509–527.

Hochberg, F. H., & Le May, M. (1975). Arteriographic correlates of handedness. *Neurology, 25*, 218–222.

Hodgkin, A. L., & Huxley, A. F. (1952). A quantitative description of membrane current and its application to conduction and excitation in nerve. *Journal of Physiology* (London), *117*, 500–544.

Hodgkin, A. L., & Katz, B. (1949). The effect of sodium ions on the electrical activity of the giant axon of the squid. *Journal of Physiology* (London), *108*, 37–77.

Hodos, W. (1970). Evolutionary interpretation of neural and behavioral studies of living vertebrates. In F. O. Schmitt (Ed.), *The neurosciences: Second study program*. New York: Rockefeller University.

Hoffman, K.-P., Stone, J. (1971). Conduction velocity of afferents to cat visual cortex: A correlation with cortical receptive field properties. *Brain Research, 32*, 460–466.

Hohman, G. W. (1966). Some effects of spinal cord lesions on experienced emotional feelings. *Psychophysiology, 3*, 143–156.

Honzik, M. (1984). Life-span development. *Annual Review of Psychology, 35*, 309–331.

Horel, J. A. (1978). The neuroanatomy of amnesia: A critique of the hippocampal memory hypothesis. *Brain, 101*, 403–445.

———, and Misantone, L. G. (1974). The Klüver-Bucy syndrome produced by partial isolation of the temporal lobe. *Experimental Neurology, 42*, 101–112.

———, & Misantone, L. G. (1976). Visual discrimination impaired by cutting temporal lobe connections. *Science, 193*, 336–338.

Horn, G. (1985). *Memory, imprinting, and the brain*. Oxford: Clarendon Press.

———, Rose, S. P. R., & Bateson, P. P. G. (1973). Experience and plasticity in the central nervous system. Is the nervous system modified by experience? Are such modifications involved in learning? *Science, 181*, 506–514.

———, Bradley, P., & McCabe, J. (1985). Changes in the structure of synapses associated with learning. *Journal of Neuroscience, 5*, 3161–3168.

Horne, J. A. (1981). The effects of exercise upon sleep: A critical review. *Biological Psychology, 12*, 241–290.

Hosobuchi, Y., Adams, J. E., & Linchitz, R. (1977). Pain relief by electrical stimulation of the central gray matter in humans and its reversal by naloxone. *Science, 197*, 183–186.

Hotta, Y., & Benzer, S. (1976). Courtship in *Drosophila* mosaics: Sex-specific foci of sequential action patterns. *Proceedings of the National Academy of Sciences*, U.S.A., *73*, 4154–4158.

Hoyle, G. (1970). How is muscle turned on? *Scientific American, 222*(4), 84–93.

Hubbard, R. L., Rachal, J. V., Craddock, S. G., & Cavanaugh, E. R. (1984). Treatment Outcome Prospect Study (TOPS): client characteristics and behaviors before, during, and after treatment. In F. M. Tims & J. P. Ludford (Eds.), *Drug abuse treatment evaluation: strategies, progress, and prospects*. Washington, D.C.: NIDA Research Monograph 51, National Institute of Drug Abuse.

Hubel, D. H., & Wiesel, T. N. (1962), Receptive fields, binocular interaction, and functional architecture in the cat's visual cortex. *Journal of Physiology, 160*, 106–154.

———. (1965). Binocular interaction in striate cortex kittens reared with artificial squint. *Journal of Neurophysiology, 28*, 1041–1059.

———. (1970). The period of susceptibility to the physiological effects of unilateral eye closure in kittens. *Journal of Physiology* (London), *206*, 419–436.

———. (1979). Brain mechanisms of vision. *Scientific American, 241*, 150–168.

Hudspeth, A. J. (1983). Mechanoelectrical transduction by hair cells in the acoustolateralis sensory system. *Annual Review of Neuroscience, 6*, 187–215.

Hughes, J., Smith, T. W., Kosterlitz, H. W., Fothergill, L. A., Morgan, B. A., & Morris, H. R. (1975). Identification of two related pentapeptides from the brain with potent opiate agonist activity. *Nature, 258*, 577–579.

Humphrey, N. K. (1970). What the frog's eye tells the monkey's brain. *Brain, behavior and evolution, 3*, 324–337.

Humphrey, T. (1964). Some correlations between the appearance of human fetal reflexes and the development of the nervous system. *Progress in Brain Research, 4*, 93–135.

Hunter, W. S. (1913). The delayed reaction in animals and children. *Behavior Monographs, 2*.

Huppert, F. A., & Piercy, M. (1978). Dissociation between learning and remembering in organic amnesia. *Nature, 275*, 317–318.

———. (1979). Normal and abnormal forgetting in organic amnesia: Effect of locus of lesion. *Cortex, 15*, 385–390.

Hurst, M. W., Jenkins, D., & Rose, R. M. (1976). The relation of psychological stress to onset of medical illness. *Annual Review of Medicine*, 301–312.

Hutchison, J. B. (Ed.), (1978). *Biological determinants of sexual behaviour*. New York: Wiley.

———. (1971). Effects of hypothalamic implants of gonadal steroids on courtship behaviour in Barbary doves (*Streptopelia risoria*). *Journal of Endocrinology, 50*, 97–113.

———. (1976). Hypothalamic mechanisms of sexual behaviour, with special reference to birds. In J. S. Rosenblatt, R. A. Hinde, E. Shaw, & C. Beer (Eds.), *Advances in the study of behaviour* (Vol. 6). New York: Academic.

———. (1978). Hypothalamic regulation of male sexual responsiveness to androgen. In J. B. Hutchison (Ed.), *Biological determinants of sexual behaviour* (pp. 277–317). New York: Wiley.

Huttenlocher, P. R., deCourten, C., Garey, L. J., & Van der Loos, H. (1982). Synaptogenesis in the human visual cortex—evidence for synapse elimination during normal development. *Neuroscience Letters, 33*, 247–252.

Idzikowski, C. (1984). Sleep and memory. *British Journal of Psychology, 75*, 439–449.

Imperato-McGinley, J., Guerrero, L., Gautier, T., & Peterson, R. E. (1974). Steroid 5 α-reductase deficiency in man: an inherited form of male pseudohermaphroditism. *Science, 86,* 1213–1215.

Imperato-McGinley, J., Peterson, R. E., Gautier, T., & Sturla, E. (1979). Androgens and the evolution of male-gender identity among male pseudohermaphrodites with 5α reductase deficiency. *New England Journal of Medicine, 300,* 1233–1237.

———. (1981). The impact of androgens on the evolution of male gender identity. In S. J. Kogan & E. S. E. Hafez (Eds.), *Clinics in andrology. Vol. 7. Pediatric andrology* (pp. 99–108). Boston: Nijhoff.

Ingvar, D. H., & Lassen, N. A. (1979). Activity distribution in the cerebral cortex in organic dementia as revealed by measurements of regional cerebral blood flow. *Bayer Symposium VII, Brain Function in Old Age,* 268–277.

Inouye, S. T. (1985). Unpublished studies cited in Turek, F., 1985 (noted below).

Isaacson, R. L. (1972). Hippocampal destruction in man and other animals. *Neuropsychologia, 10,* 47–64.

Iversen, L. L., & Bloom, F. E. (1972). Studies of the uptake of ³H-GABA and (³H) glycine in slices and homogenates of rat brain and spinal cord by electric microscopic autoradiography. *Brain Research, 41,* 131–143.

Iwamura, Y., & Tanaka, M. (1978). Postcentral neurons in hand region of area 2: Their possible role in the form discrimination of tactile objects. *Brain Research, 150,* 662–666.

Izquierdo, I. (1979). Effect of naloxone and morphine on various forms of memory in the rat: Possible role of endogenous opiate mechanisms in memory consolidation. *Psychopharmacology, 66,* 199–203.

———, Dias, R., Perry, M. L., et al. (1982). A physiological amnestic mechanism mediated by endogenous opioid peptides, and its possible role in learning. In C. Ajmone-Marsan and H. Matthies (Eds.), *Neuronal plasticity and memory formation* (pp. 89–113). New York: Raven.

Jacobs, B. L., & Trulson, M. E. (1979). Mechanisms of action of LSD. *American Scientist, 67,* 397–404.

Jacobson, M. (1978). *Developmental neurobiology.* New York: Plenum.

———. A plentitude of neurons. (1974). In G. Gottlieb (Ed.), *Studies of the development of behavior and the nervous system,* (Vol. 2), *Aspects of neurogenesis.* New York: Academic.

Jaffe, J. H. (1980). Drug addiction and drug abuse. In A. G. Gilman, L. S. Goodman, & A. Gilman (Eds.), *The pharmacological basis of therapeutics, 6th ed.* New York: Macmillan.

James, W. (1980). *Principles of psychology.* New York: Holt.

Jellies, J. A. (1981). Associative olfactory conditioning in *Drosophila melanogaster* and memory retention through metamorphosis. Unpublished Masters thesis, Illinois State University at Normal, Illinois.

Jemmott, J. B., & Locke, S. E. (1984). Psychosocial factors, immunologic mediation, and human susceptibility to infectious diseases: How much do we know? *Psychological Bulletin, 95,* 78–108.

Jenkins, H. (1984). The study of animal learning in the tradition of Pavlov and Thorndike. In P. Marler & H. S. Terrace (Eds.), *The biology of learning.* New York: Springer-Verlag.

Jenkins, J., & Dallenbach, K. (1924). Oblivescence during sleep and waking. *American Journal of Psychology, 35,* 605–612.

Jenkinson, D. H., & Nicholls, J. G. (1961). Contractures and permeability changes produced by acetylcholine in depolarized denervated muscle. *Journal of Physiology* (London), *159,* 111–127.

Jensen, C. (1977). Generality of learning differences in brain-weight-selected mice. *Journal of Comparative and Physiological Psychology, 91,* 629–641.

———. (1979). Learning performance in mice genetically selected for brain weight: Problems of generality. In M. E. Hahn, C. Jensen, & B. C. Dudek (Eds.), *Development and evolution of brain size.* New York: Academic.

———, & Fuller, J. L. (1978). Learning performance varies with brain weight in heterogeneous mouse lines. *Journal of Comparative and Physiological Psychology, 92,* 830–836.

Jensen, D. W. (1979). Vestibular compensation: Tonic spinal influence upon spontaneous descending vestibular nuclear activity. *Neuroscience, 4,* 1075–1084.

Jensen, R. A., Martinez, J. L., Messing, R. B., Spiehler, V., et al. (1978). Morphine and naloxone alter memory in rat. *Society for Neuroscience Abstracts, 4,* 260.

Jerison, H. J. (1973). *Evolution of the brain and intelligence.* New York: Academic.

John, E. R. (1977). *Functional neuroscience. Vol. 2 Neurometrics: Clinical applications of quantitative electrophysiology.* Hillsdale, N.J.: Erlbaum.

———, & Schwartz, E. L. (1978). The neurophysiology of information processing and cognition. *Annual Review of Psychology, 29,* 1–29.

Johnson, D. F., & Phoenix, C. H. (1978). Sexual behavior and hormone levels during the menstrual cycles of rhesus monkeys. *Hormones and Behavior, 11,* 160–174.

Johnson, L. C. (1969). Psychological and physiological changes following total sleep deprivation. In Kales, A. (Ed.), *Sleep: Physiology and pathology.* Philadelphia: Lippincott.

Johnston, P., & Davidson, J. M. (1973). Intracerebral androgens and sexual behavior in the male rat. *Hormones and Behavior, 3,* 345–357.

Jones, R. (1977). Anomalies of disparity in the human visual system. *Journal of Physiology, 264,* 621–640.

Jouvet, M. (1967). Neurophysiology of the states of sleep. In G. C. Quarton, T. Melnechuk, & F. O. Schmitt (Eds.), *The Neurosciences,* 529–544. New York: Rockefeller University.

———. (1972). The role of monoamines and acetylcholine containing neurons in the regulation of the sleep waking cycle. *Ergebnisse der Physiologie* (Reviews of Physiology), *64,* 166–307.

Julesz, B. (1971). *Foundations of cyclopean perception.* Chicago: University of Chicago.

———, & Spivack, G. J. (1967). Stereopsis based on vernier acuity cues alone. *Science, 157,* 563–565.

Julien, R. M. (1981). *A primer of drug action* (3rd ed.). San Francisco: Freeman.

Juraska, J. M. (1984). Sex differences in developmental plasticity in the visual cortex and hippocampal dentate gyrus. In G. J. De Vries, J. P. C. De Bruin, H. B. M. Uylings, & M. A. Corner (Eds.), *Progress in brain research: Vol. 61. Sex differences in the brain* (pp. 205–214). Amsterdam: Elsevier Science Publishers.

Kaada, B. (1967). Brain mechanisms related to aggressive behavior. In C. D. Clemente & D. B. Lindsley (Eds.), *Aggression and defense.* Berkeley: University of California.

Kaas, J. H., Merzenich, M. M., & Killackey, H. P. (1983). The reorganization of somatosensory cortex following peripheral nerve damage in adult and developing mammals. *Annual Review of Neuroscience, 6,* 325–356.

Kales, A., & Kales, J. (1970). Evaluation, diagnosis and treatment of clinical conditions related to sleep. *Journal of the American Medical Association, 213,* 2229–2235.

Kalil, K., & Rey, T. (1979). Regrowth of severed axons in the neonatal central nervous system: establishment of normal connections. *Science, 205,* 1158–1161.

Kalow, W. (1984). Pharmacoanthropology: Outline, problems, and the nature of case histories. *Federation Proceedings, 43(8),* 2314–2318.

Kandel, E. R. *Cellular basis of behavior.* San Francisco: Freeman, 1976.

———. Small systems of neurons. *Scientific American,* 1979, *241(3),* 66–76.

———, Schacher, S., Castellucci, V. F., & Goelet, P. (1986). The long and short of memory in *Aplysia:* a molecular perspective. *Fidia Research Foundation neuroscience award lectures* (pp. 7–47). Padova,

Italy: Liviana Press.

_____, & Schwartz, J. H. *Principles of neural science*. New York: Elsevier/North-Holland, 1981.

Kanof, P., & Greengard, P. (1978). Brain histamine receptors as targets for antidepressant drugs. *Nature, 272*, 329–333.

Kaplan, H. S. (1974). *The New Sex Therapy*. New York: Brunner/Mazel.

Karp, L. E. (1976). *Genetic engineering: Threat or promise*. Chicago: Nelson-Hall.

Kasamatsu, T., & Pettigrew, J. D. (1979). Preservation of binocularity after monocular deprivation in the striate cortex of kittens treated with 6-hydroxydopamine. *Journal of Comparative Neurology, 185*, 139–162.

Katchadourian, H. A., & Lunde, D. T. (1980), *Fundamentals of human sexuality (3rd ed.)*. New York: Holt.

Kaushall, P. I., Zetin, M., & Squire, L. R. (1981). A psychosocial study of chronic, circumscribed amnesia. *The Journal of Nervous and Mental Disease, 169*(6), 383–389.

Keele, S. W., & Summers, J. J. (1976). The structure of motor programs. In Stelmach, G. E. (Ed.), *Motor control: Issues and trends*. New York: Academic.

Keesey, R. E. (1980). A set-point analysis of the regulation of body weight. In A. J. Stunkard (Ed.), *Obesity*. Philadelphia: Saunders.

_____, & Boyle, P. C. (1973). Effects of quinine adulteration upon body weight of LH-lesioned and intact male rats. *Journal of Comparative and Physiological Psychology, 84*, 38–46.

_____, & Corbett, S. W. (1984). Metabolic defence of the body weight set-point. In A. J. Stunkard & E. Stellar (Eds.), *Eating and its disorders* (pp. 87–96). New York: Raven.

_____, & Powley, T. L. (1986). The regulation of body weight. *Annual Review of Psychology, 37*, 109–133.

Kelley, D. B., & Pfaff, D. W. (1978). Generalizations from comparative studies on neuroanatomical and endocrine mechanisms of sexual behaviour. In J. B. Hutchison (Ed.), *Biological determinants of sexual behaviour* (pp. 225–254). New York: Wiley.

Kelly, R. B., Deutsch, J. W., Carlson, S. S., & Wanger, J. A. (1979). Biochemistry of neurotransmitter release. *Annual Review of Neuroscience, 2*, 399–397.

Kemali, D., Galderisi, M. S., Ariano, M. G., Cesarelli, M., Milici, N., Salvati, A., Valente, A., & Volpe, M. (1985). Clinical and neuropsychological correlates of cerebral ventricular enlargement in schizophrenia. *Journal of Psychiatric Research, 19*, 587–596.

Kendler, K. S. (1983). Overview: A current perspective on twin studies of schizophrenia. American Journal of Psychiatry, *140*, 1413–1425.

_____, & Robinette, C. D. (1983). Schizophrenia in the National Academy of Sciences-National Research Council Twin Registry: A 16 year update. *American Journal of Psychiatry, 140*, 1551–1563.

Kertesz, A. Recovery and treatment. (1979). In K. M. Heilman & E. Valenstein (Eds.), *Clinical neuropsychology*. New York: Oxford.

Kety, S. (1983). Mental illness in the biological and adoptive families of schizophrenic adoptees: Findings relevant to genetic and environmental factors in etiology. *American Journal of Psychiatry, 140*, 720–727.

_____. (1976). Biological concomitants of affective states and their possible role in memory processes. In M. R. Rosenzweig & E. L. Bennett (Eds.), *Neural mechanisms of learning and memory*. Cambridge: MIT Press.

_____, Rosenthal, D., Wender, P. H., Schulsinger, F., & Jacobsen, B. (1975). Mental illness in the biological and adoptive families of adopted individuals who have become schizophrenic. A preliminary report based on psychiatric interviews. In R. R. Fieve, D. Rosenthal, & H. Brill (Eds.), *Genetic research in psychiatry*. Baltimore: Johns Hopkins University.

Keys, A., Brozek, J., Henschel, A., Mickelsen, O., & Taylor, H. L. (1950). *The biology of human starvation*. Minneapolis: University of Minnesota.

Khachaturian, H. D., Lewis, M. E., Schaefer, M. K. H., & Watson, S. J. (1985). Anatomy of the CNS opioid systems. *Trends in NeuroScience*, 111–119.

Khanna, S. M., & Leonard, D. G. B. (1982). Basilar membrane tuning in cat cochlea. *Science, 215*, 305–306.

Kimble, D. P. (1968). Hippocampus and internal inhibition. *Psychological Bulletin, 70*, 285–295.

Kimura, D. (1973). The asymmetry of the human brain. *Scientific American*, 360–368.

Kinsey, A. C., Pomeroy, W. B., & Martin, C. E. (1948). *Sexual behavior in the human male*. Philadelphia: Saunders.

_____, & Gebhard, P. H. (1953). *Sexual behavior in the human female*. Philadelphia: Saunders.

Kish, S. J., Chang, L. J., Mirchandani, L., Shannak, K., & Hornykiewicz, O. (1985). Progressive supranuclear palsy: Relationship between extrapyramidal disturbances, dementia and brain neurotransmitter markers. *Annals of Neurology, 18*, 530–537.

Kitai, S. T., & Bishop, G. A. (1981). Horseradish peroxidase: Intracellular staining of neurons. In L. Heimer, & M. J. Robards, *Neuroanatomical tract-tracing methods* (pp. 263–279). New York: Plenum.

Kleber, H. D., & Gawin, F. H. Cocaine abuse: A review of current and experimental treatments. In J. Grabowski (Ed.), *Cocaine: Pharmacology, effects and treatment of abuse*. NIDA Research Monograph 50 (pp. 111–129). National Institute of Drug Abuse.

Kleiber, M. (1947). Body size and metabolic rate. *Physiological Reviews, 15*, 511–541.

Klein, M., Shapiro, E., & Kandel, E. R. (1980). Synaptic plasticity and the modulation of the Ca^{++} current. *Journal of Experimental Biology, 89*, 117–157.

Klein, M., & Kandel, E. R. (1980). Mechanism of calcium modulation underlying presynaptic facilitation and behavioral sensitization in *Aplysia*. *Proceedings of the National Academy of Science, 77*(11), 6912.

Kleitman, N. (1969). Basic rest-activity cycle in relation to sleep and wakefulness. In A. Kales (Ed.), *Sleep: Physiology and pathology*. Philadelphia: Lippincott.

Klima, E. S., & Bellugi, U. (1979). *The signs of language*. Cambridge, Harvard.

Kluckhohn, C. (1949). *Mirror for man*. New York: Whittlesey House.

Kluger, M. J. (1979). *Fever, Its biology, evolution and function*. Princeton: Princeton.

Knibestol, M., & Valbo, A. B. (1970). Single unit analysis of mechanoreceptor activity from the human glabrous skin. *Acta Physiologica Scandinavica, 80*, 178–195.

Knobil, E. (1974). On the control of gonadotrophin secretion in the rhesus monkey. *Recent Progress in Hormone Research, 30*, 1–43.

_____, & Hotchkiss, J. (1985). The circhoral gonadotropic releasing hormone (GnRH) pulse generator of the hypothalamus and its physiological significance. In H. Schulz & P. Lavie (Eds.), *Ultradian rhythms in physiology and behavior* (pp. 32–41). Berlin: Springer-Verlag.

Knudsen, E. (1985). Experience alters the spatial tuning of auditory units in the optic tectum during a sensitive period in the barn owl. Journal of *Neuroscience, 5*, 3094–3109.

_____. (1984). The role of auditory experience in the development and maintenance of sound localization. *Trends in NeuroScience, 7*, 326–330.

_____. (1982). Auditory and visual maps of space in the optic tectum of the owl. *Journal of Neuroscience, 2*, 1174–1195.

_____, & Knudsen, P. (1985). Vision guides adjustment of auditory localization in young barn owls. *Science, 230*, 545–548.

_____, & Konishi, M. (1979). Mechanisms of sound localization in the barn owl (Tyto alba). *Journal of Comparative Physiology, 133*, 13–21.

Koella, W. P. (1985). Serotonin and sleep. In W. P. Koella, E. Ruther, & H. Schulz (Eds.), *Sleep '84* (pp. 6–10). Stuttgart: Gustav Fischer Verlag.

Koester, J., & Kandel, E. R. (1977). Further identification of neurons in the abdomincal ganglion of *Aplysia* using behavioral criteria. *Brain Research, 121,* 1–20.

Kolata, G. B. (1981). Clues to the cause of senile dementia. *Science, 211,* 1032–1033.

Kolata, G. (1984). Steroid hormone systems found in yeast. *Science, 225,* 913–914.

Kolb, B., & Whishaw, I. Q. *Fundamentals of human neuropsychology.* San Francisco: Freeman.

Kolodny, E. H., & Cable, W. J. L. (1982). Inborn errors of metabolism. *Annals of Neurology, 11,* 221–232.

Konishi, M. (1985). Birdsong: From behavior to neuron. *Annual Review of Neuroscience, 8,* 125–171.

Koopowitz, H., & Keenan, L. (1982). The primitive brains of platyhelminthes. *Trends in Neurosciences, 5,* 77–80.

Kopin, I. J., & Markey, S. P. (1988). MPTP toxicity: Implications for research in Parkinson's disease. *Annual Review of Neuroscience, 11,* 81–96.

Kornetsky, C., & Eliasson, M. (1969). Reticular stimulation and chlorpromazine: An animal model for schizophrenic overarousal. *Science, 165,* 1273–1274.

Korsakoff, S. S. (1889). Etude médico-psychologique sur une forme des maladies de la mémoire. *Revue philosophique, 5,* 501–530.

Koshland, D. E. (1980). *Bacterial chemotaxis as a model behavioral system.* New York: Raven.

Kovelman, J. A., & Scheibel, A. B. (1984). A neurohistological correlate of schizophrenia. *Biological Psychiatry, 19,* 1601.

Kow, L.-M., Malsbury, C., & Pfaff, D. (1974). Effects of medial hypothalamic lesions on the lordosis response in female hamsters. *Society for Neuroscience, Abstracts, 4,* 291.

Krieger, D. T. (1983). Brain peptides: What, where, and why? *Science, 223,* 975–985. [For update, see: Krieger, D. T. (1984). The endocrine system. *Science, 224,* 240.]

Krug, M., Lössner, B., & Ott, T. (1984). Anisomycin blocks the late phase of long-term potentiation in the dentate gyrus of freely moving rat. *Brain Research Bulletin, 13,* 39–42.

Kubanis, P., & Zornetzer, S. F. (1981). Age-related behavioral and neurobiological changes: a review with emphasis of memory. *Behavioral and Neural Biology, 31,* 115–172.

Kung, C. (1979). Neurobiology and neurogenetics of Paramecium behavior. In X. O. Breakefield (Ed.), *Neurogenetics: Genetic approaches to the nervous system* (pp. 1–27). New York: Elsevier North-Holland.

Kupfermann, I. T., Carew, T. J., & Kandel, E. R. (1974). Local, reflex, and central commands controlling gill and siphon movements in *Aplysia. Journal of Neurophysiology, 37,* 996–1019.

Kutas, M., & Hillyard, S. A. (1984). Event-related potentials in cognitive science. In M. Gazzaniga (Ed.), *Handbook of cognitive neuroscience.* New York: Plenum.

Labbe, R., Firl, A., Mufson, E. J., & Stein, D. G. (1983). Fetal brain transplants: Reduction of cognitive deficits in rats with frontal cortex lesions. *Science, 221,* 470–472.

LaCerra, M. M., & Ettenberg, A. (1984). A comparison of the rewarding properties of "free" versus "earned" amphetamine. *Society for Neuroscience Abstracts, 10,* 1207.

Lacey, J. I., & Lacey, B. C. (1970). Some autonomic-central nervous system interrelationships. In P. Black (Ed.), *Physiological correlates of emotion.* New York: Academic.

Lack, D. (1968). *Ecological adaptations for breeding in birds.* London: Methuen.

Lackner, J. R., & Shenker, B. (1985). Proprioceptive influences on auditory and visual spatial localization. *Journal of Neuroscience, 5,* 579–584.

Land, M. F. (1984). Crustacea. In M. A. Ali (Ed.), *Photoreception and vision in invertebrates* (pp. 401–438). New York: Plenum.

Landmesser, L., & Pilar, G. (1974). Synaptic transmission and cell death during normal ganglionic development. *Journal of Physiology* (London), *241,* 737–749.

Langston, J. W. (1985). MPTP and Parkinson's disease. *Trends in Neurosciences, 8,* 79–83.

Lansdell, H. (1968). The use of factor scores from the Wechsler-Bellevue Scale of Intelligence in assessing patients with temporal lobe removals. *Cortex, 4,* 257–268.

———. (1964). Sex differences in hemispheric asymmetries of the human brain. *Nature, 203,* 550.

Larroche, J. C. (1966). The development of the central nervous system during intrauterine life. In F. Falkner (Ed.), *Human development.* Philadelphia: Saunders.

Larsson, K., & Heimer, L. (1964). Mating behavior of male rats after lesions in the preoptic area. *Nature, 202,* 413–414.

Lashley, K. S., & Clark, G. (1946). The cytoarchitecture of the cerebral cortex of Ateles: A critical examination of architectonic studies. *Journal of Comparative Neurology, 85,* 223–306.

Latour, P. L. (1962). Visual thresholds during eye movements. *Vision Research, 2,* 261–262.

Lavie, P., & Kripke, D. F. (1981). Ultradian circa 1½ hour rhythms: A multioscillatory system. *Life Sciences, 29,* 2445–2450.

Le Boeuf, B. J. (1978). Sex and evolution. In T. E. McGill, D. A. Dewsbury, & B. D. Sachs (Eds.), *Sex and Behavior.* New York: Plenum.

LeDoux, J. E. (1982). Neuroevolutionary mechanisms of cerebral asymmetry in man. *Brain, Behavior and Evolution, 20,* 196–212.

Lee, K. S., Schottler, F., Oliver, M., & Lynch, G. (1980). Brief bursts of high-frequency stimulation produce two types of structural change in rat hippocampus. *Journal of Neurophysiology, 44,* 247–258.

Lee, T., & Seeman, P. (1980). Elevation of brain neuroleptic dopamine receptors in schizophrenia. *American Journal of Psychiatry, 137,* 191–197.

Lee, T. M., Carmichael, M. S., & Zucker, I. (1986). Circannual variations in circadian rhythms of ground squirrels. *American Journal of Physiology, 250,* 831–836.

Lehrman, D. S. (1965). Interaction between internal and external environments in the regulation of the reproductive cycle in the ring dove. In F. A. Beach (Ed.), *Sex and Behavior.* New York: Wiley.

———. (1964). The reproductive behavior of ring doves. *Scientific American.*

Leibel, R. L., & Hirsch, J. (1984). Diminished energy requirements in reduced-obese patients. *Metabolism, 33,* 164–170.

LeMay, M. (1977). Asymmetries of the skull and handedness. *Journal of the Neurological Sciences, 32,* 243–253.

———, & Culebras, A. (1972). Human brain-morphologic differences in the hemispheres demonstrable by carotid angiography. *New England Journal of Medicine, 287,* 168–170.

Lenneberg, E. H. (1967). *Biological foundations of language.* New York: Wiley.

Leon, M., Croskery, P. G., & Smith, G. K. (1978). Thermal control of mother-young contact in rats. *Physiology & Behavior, 21*(5), 793–811.

LeRoith, D., Shiloach, J., & Roth, J. (1982). Is there an earlier phylogenetic precursor that is common to both the nervous and endocrine systems? *Peptides, 3,* 211–215. [For update, see: Krieger, D. T. (1984). The endocrine system. *Science, 224,* 240.]

Leshner, A. (1978). *An introduction to behavioral endocrinology.* New York: Oxford.

Leventhal, H., & Tomarken, A. J. (1986). Emotion: Today's problems. *Annual Review of Psychology, 37,* 565–611.

Levi, L. (1965). The urinary output of adrenalin and noradrenalin during pleasant and unpleasant emotional states. *Psychosomatic Medicine, 27,* 80.

Levi-Montalcini, R. (1982). Developmental neurobiology and the natural history of nerve growth factor. *Annual Review of Neuroscience, 5,* 341–362.

_____. (1963). In J. Allen (Ed.), *The nature of biological diversity.* New York: McGraw-Hill.

_____, & Calissano, P. (1979). The nerve growth factor. *Scientific American, 240,* 68–77.

Levinthal, F., Macagno, E., & Levinthal, C. (1976). Anatomy and development of identified cells in isogenic organisms. *Cold Spring Harbor Symposium on Quantitative Biology, 40,* 321–331.

Levine, J. D., Gordon, N. C., Bornstein, J. C., & Fields, H. L. (1979). Role of pain in placebo analgesia. *Proceedings of the National Academy of Sciences, 76,* 3528–3531.

Levy, J., & Reid, M. (1976). Variations in writing posture and cerebral organization. *Science, 194,* 337–339.

Lewis, D. O., Shankok, S. S., & Pincus, J. (1979). Juvenile male sexual assaulters. *American Journal of Psychiatry, 136,* 1194–1195.

Lewis, J. W., Cannon, J. T., & Liebeskind, J. C. (1980). Opioid and nonopioid mechanisms of stress analgesia. *Science, 208,* 623–625.

Lhermitte, F., & Signoret, J.-L. (1976). The amnesic syndromes and the hippocampal-mammillary system. In M. R. Rosenzweig & E. L. Bennett (Eds.), *Neural Mechanisms of Learning and Memory* (pp. 49–56). Cambridge, Mass., and London, England: MIT Press.

Lhermitte, F., Pillon, B., & Serdaru, M. (1986). Human autonomy and the frontal lobes. Part 1. Imitation and utilization behavior: A neuropsychological study of 75 patients. *Annals of Neurology, 19,* 326–335.

Lickey, M. E., & Gordon, B. (1983). *Drugs for mental illness: a revolution in psychiatry.* New York: Freeman.

Lieberman, P. (1979). Hominid evolution, supralaryngeal vocal-tract physiology and the fossil evidence for reconstruction. *Brain and Language, 7,* 101–126.

Liebowitz, M. R., Gorman, J. M., Fryer, A., Dillon, D., Levitt, M., & Klein, D. F. (1986). Possible mechanisms for lactate's induction of panic. *American Journal of Psychiatry, 143,* 495–502.

Linden, D., & Martinez, J. L. (1986). Leu-enkephalin impairs memory of an appetitive maze response in mice. *Behavioral Neuroscience, 100,* 33–38.

Liu, C. N., & Chambers, W. W. (1958). Intraspinal sprouting of dorsal root axons. *Archives of Neurology and Psychiatry, 79,* 46–61.

Livingstone, M. S., & Hubel, D. (1984). Anatomy and physiology of a color system in the primate visual cortex. *Journal of Neuroscience, 4,* 309–356.

_____. (1988). Segregation of form, color, movement, and depth: Anatomy, physiology, and perception. *Science, 240,* 740–749.

Lockhart, M., & Moore, J. W. (1975). Classical differential and operant conditioning in rabbits *(Orycytolagus cuniculus)* with septal lesions. *Journal of Comparative and Physiological Psychology, 88,* 147–154.

Loeb, G. E. (1985). The functional replacement of the ear. *Scientific American, 252,* 104–111.

Loehlin, J. C., Willerman, L., & Horn, J. M. (1988). Human behavior genetics. *Annual Review of Psychology, 39,* 101–133.

Loewenstein, W. R. (1960). Biological transducers. *Scientific American, 203*(2), 98–108.

_____. (1971). Mechano-electric transduction in the Pacinian corpuscle. Initiation of sensory impulses in mechanoreception. *Handbook of Sensory Physiology,* Vol. 1 (pp. 269–290). Berlin: Springer-Verlag.

Lund, R. D. (1978). *Development and plasticity of the brain.* New York: Oxford.

_____, & Hanschka, S. D. (1976). Transplanted neural tissue develops connections with host rat brain. *Science, 193,* 582–584.

Lundeberg, T. C. M. (1983). Vibratory stimulation for the alleviation of chronic pain. *Acta Physiologica Scandinavica.* (Supplement 523).

Lustick, S., Battersby, B., & Kelty, M. (1978). Behavioral thermoregulation: Orientation toward the sun in Herring Gulls. *Science, 200,* 81–82.

Lynch, G., & Baudry, M. (1984). The biochemistry of memory: A new and specific hypothesis. *Science, 224,* 1057–1063.

Macagno, E., Lopresti, U., & Levinthal, C. (1973). Structural development of neuronal connections in isogenic organisms: Variations and similarities in the optic system of Daphnia magna. *Proceedings of the National Academy of Sciences (USA), 70,* 57–61.

Maccoby, E. E., & Jacklin, C. M. (1974). *The psychology of sex differences.* Stanford: Stanford University.

Mace, G. M., Harvey, P. H., & Clutton-Brock, T. H. (1980). Is brain size an ecological variable? *Trends in Neuroscience, 3,* 193–196.

_____. (1981). Brain size and ecology in small mammals. *Journal of Zoology, 193,* 333–354.

Mackie, G. O. (1980). Jellyfish neurobiology since Romanes. *Trends in neurosciences, 3,* 13–16.

Mackintosh, N. J. (1985). Varieties of conditioning. In N. M. Weinberger, J. L. McGaugh, & G. Lynch (Eds.), *Memory systems of the brain* (pp. 335–350). New York: Guilford.

MacLean, P. D. (1970). The triune brain, emotion, and scientific bias. In F. O. Schmitt (Ed.), *The neurosciences.* New York: Rockefeller University, 336–348.

Macoby, E. E., & Jacklin, C. M. (1974). *The psychology of sex differences.* Stanford: Stanford University.

Maffei, L., & Fiorentini, A. (1973). The visual cortex as a spatial frequency analyser. *Vision Research, 13,* 1255–1267.

Mair, W. G. P., Warrington, E. K., & Wieskrantz, L. (1979). Memory disorder in Korsakoff's psychosis. *Brain, 102,* 749–783.

Malamut, B. L., Saunders, R. C., & Mishkin, M. (1980). Successful object discrimination learning after combined amygdaloid-hippocampal lesions in monkeys despite 24-hour intertrial intervals. *Society for Neuroscience Abstracts, 6,* 191.

Manfredi, M., Bini, G., Cruccu, G., Accornero, N., Berardelli, A., & Medolago, L. (1981). Congenital absence of pain. *Archives of Neurology, 38,* 507–511.

Mann, M. D., Glickman, S. E., & Towe, A. L. (1988). Brain/body relations among myomorph rodents. *Brain, Behavior, and Evolution, 31,* 111–124.

Mann, T. (1941). *The transposed heads: A legend of India.* New York: Knopf.

Manning, A. (1965). Drosophila and the evolution of behaviour. In J. D. Carthy & C. L. Duddington (Eds.), *Viewpoints in biology* (pp. 125–169). London: Butterworth.

Marchisio, P. C., Circillo, D., Naldini, L., & Calissano, P. (1980). Distribution of nerve growth factor in chick embryo sympathetic neurons in vitro. *Journal of Neurocytology, 60,* 355–395.

Margraf, J., & Roth, W. T. (1986). Sodium lactate infusions and panic attacks: A review and critique. *Psychosomatic Medicine, 48,* 23–50.

Marin, R. S., & Tucker, G. J. (1981). Psychopathology and hemispheric dysfunction. *Journal of Nervous and Mental Disease, 169,* 546–557.

Mark, R. F. (1980). Synaptic repression at neuromuscular junctions. *Physiological Reviews, 60,* 355–395.

Mark, V. H., & Ervin, F. R. (1970). *Violence and the brain.* New York: Harper & Row.

Marlatt, G. A., Baer, J. S., Donovan, D. M., & Kivlahan, R. (1988). Addictive behaviors: etiology and treatment. *Annual Review of Psychology, 39,* 223–252.

Marler, P. (1981). Birdsong: The acquisition of a learned motor skill. *Trends in Neurosciences, 4,* 88–94.

Marlowe, W. B., Mancall, E. L., & Thomas, J. J. (1975). Complete Klüver-Bucy syndrome in man. *Cortex, 11,* 53–59.

Marsden, C. D., Rothwell, J. C., & Day, B. L. (1984). The use of peripheral feedback in the control of movement. *Trends in Neuroscience, 7,* 253–257.

Marshall, J. F., & Berrios, N. (1979). Movement disorders of aged rats:

reversal by dopamine receptor stimulation. *Science, 206,* 477–479.

Marshall, J. F., Richardson, J. S., & Teitelbaum, P. (1974). Nigrostriatal bundle damage and the lateral hypothalamic syndrome. *Journal of comparative and physiological psychology, 87,* 800–830.

Martin, A. R., & Pilar, G. (1963). Dual mode of synaptic transmission in the avian ciliary ganglion. *Journal of Physiology* (London), 443–463.

Martin, J. V., Wyatt, R. J., & Mendelson, W. B. (1985). Growth hormone secretion in sleep and waking. In W. P. Koella, E. Ruther, & H. Schulz (Eds.), *Sleep '84* (pp. 185–188). Stuttgart: Gustav Fischer Verlag.

Martinez, J. L., & Rigter, H. (1980). Endorphins alter acquisition and consolidation of an inhibitory avoidance response in rats. *Neuroscience Newsletter, 18,* 197–201.

Marx, J. L. (1985). "Anxiety peptide" found in brain. *Science, 227,* 934.

Maser, J. D., & Seligman, M. E. P. (Eds.), (1977). *Psychopathology: Experimental models.* San Francisco: Freeman.

Mason, J. W. (1972). Organization of psychoendocrine mechanisms: A review and reconsideration of research. In N. S. Greenfield & R. A. Sternbach (Eds.), *Handbook of Psychophysiology.* New York: Holt.

Masters, W. H., & Johnson, V. E. (1965). The sexual response cycles of the human male and female: Comparative anatomy and physiology. In F. A. Beach (Ed.), *Sex and behavior.* New York: Wiley.

———. (1966). *Human sexual response.* Boston: Little Brown.

———. (1970). *Human sexual inadequacy.* Boston: Little, Brown.

Masterson, R. B. (Ed.), (1978). *Handbook of behavioral neurobiology. (Vol. 1): Sensory Integration.* New York: Plenum.

———. Berkley, M. A. (1974). Brain function: Changing ideas on the role of sensory, motor, and association cortex in behavior. *Annual Review of Psychology, 25,* 277–312.

Matthies, H. (1979). Biochemical, electrophysiological, and morphological correlates of brightness discrimination in rats. In M. A. B. Brazier (Ed.), *Brain mechanisms in memory and learning: From the single neuron to man.* New York: Raven.

———. (1989). Neurobiological aspects of learning and memory. *Annual Review of Psychology, 40.*

Mayberg, H. S., Robinson, R. G., Wong, D. F., et al. (1988). PET imaging of cortical S2 serotonin receptors after stroke: Lateralized changes and relationship to depression. *American Journal of Psychiatry, 145,* 937–943.

Mayer, D. J., & Liebeskind, J. C. (1974). Pain reduction by focal electrical stimulation of the brain: An anatomical and behavioral analysis. *Brain Research, 68,* 73–93.

Mayer, J. (1953). Glucostatic mechanisms of regulation of food intake. *New England Journal of Medicine, 249,* 13–16.

McCabe, B. J., Cipolla-Neto, J., Horn, G., & Bateson, P. P. G. (1981). Amnesic effects of bilateral lesions placed in the hyperstriatum ventral of the chick after imprinting. *Experimental Brain Research, 48,* 13–21.

McCabe, B. J., Horn, G., & Bateson, P. P. G. (1981). Effects of restricted lesions of the chick forebrain on the acquisition of filial preferences during imprinting. *Brain Research, 205,* 29–37.

McGaugh, J. L. (1983). Hormonal influences on memory. *Annual Review of Psychology, 34,* 297–323.

———. (1968). A multi-trace view of memory storage processes. In D. Bovet (Ed.), *Attuali orientamenti della ricerca sull' apprendimento e la memoria.* Rome: Academia Nazionale dei Lincei, Quaderno N. 109.

———, Krivanek, J. A. (1970). Strychnine effects on discrimination learning in mice: effects of dose and time of administration. *Physiology and Behavior, 5,* 1437–1442.

———, & Petrinovich, L. F. (1959). The effect of strychnine sulphate on maze learning. *American Journal of Psychology, 72,* 99–102.

McGeer, E. G., & McGeer, P. L. (1976). Neurotransmitter metabolism in the aging brain. In R. D. Terry & S. Gershon (Eds.), *Neurobiology of aging.* Vol. 3. New York: Raven.

McGill, T. E., Dewsbury, D. A., & Sachs, B. D. (1978). *Sex and behavior.* New York: Plenum.

McGlone, J. (1977). Sex differences in functional brain asymmetry after damage to the left and right hemisphere. Ph. D. thesis. London, Canada: University of Western Ontario.

———. (1980). Sex differences in human brain asymmetry: A critical survey. *The Behavioral and Brain Sciences, 3,* 215–263.

McKinney, T. D., & Desjardins. C. (1973). Postnatal development of the testis, fighting behavior and fertility in house mice. *Biology of Reproduction. 9,* 279–294.

McNaughton, B. L., Barnes, C. A., Rao, G., Baldwin, J., & Rasmussen, M. (1986). Long-term enhancement of hippocampal synaptic transmission and the acquisition of spatial information. *Journal of Neuroscience, 6,* 563–571.

Means, A. R., & O'Malley, B. W. (1983). *Calmodulin and calcium-binding proteins.* New York: Academic Press.

Meckler, R. J., Mack, J. L., & Bennett, R. (1979). Sign language aphasia in a non-deaf mute. *Neurology, 29,* 1037–1040.

Meddis, R. (1979). The evolution and function of sleep. In D. A. Oakley & H. C. Plotkin (Eds.), *Brain, behavior and evolution.* London: Methuen.

———. (1975). On the function of sleep. *Animal Behavior, 23,* 676–691.

———. (1977). *The sleep instinct.* London: Routledge & Kegan Paul.

Mednick, S. A., & Christiansen, K. D. (Eds.). (1977). Biosocial bases of criminal behavior. New York: Gardner.

Meisami, E. (1978). Influence of early anosmia on the developing olfactory bulb. *Progress in Brain Research, 48,* 211–230.

Melzack, R. (1984). Neuropsychological basis of pain measurement. *Advances in pain research,* 323–341.

———. (1973). *The puzzle of pain.* New York: Basic Books.

———. (1980). Psychological aspects of pain. In J. J. Bonica (Ed.), *Pain* (Association of Research in Nervous and Mental Disease, Vol. 58). New York: Raven.

———, & Casey, K. L. (1968). Sensory, motivational, and central control determinants of pain. In D. R. Kenshals (Ed.), *The skin senses.* Springfield, Ill.: Charles C. Thomas.

———, & Wall, P. D. (1962). On the nature of cutaneous sensory mechanisms. *Brain, 85,* 331–356.

Meredith, M. A., & Stein, B. E. (1983). Interactions among converging sensory inputs in the superior colliculus. *Science, 221,* 389–391.

Merrin, E. L. (1981). Schizophrenia and brain asymmetry. *Journal of Nervous and Mental Diseases, 169,* 405–416.

Merzenich, M. M., & Kaas, J. H. (1980). Principles of organization of sensory-perceptual systems in mammals. In J. M. Sprague & A. N. Epstein (Eds.), *Progress in psychobiology and physiological psychology* (Vol. 9). New York: Academic.

Messing, R. B., Jensen, R. A., Martinez, J. L., Spiehler, V. R., et al. (1979). Naloxone enhancement of memory. *Behavioral and Neural Biology, 27,* 266–275.

Mesulam, M.-M. (1985). Attention, confusional states and neglect. In M.-M. Mesulam (Ed.), *Principles of behavioral neurology.* Philadelphia: F. A. Davis.

———. (1981). A cortical network for directed attention and unilateral neglect. *Annals of Neurology, 10,* 309–325.

———, & Van Hoesen, G. W., Pandya, D. N., & Geschwind, N., (1977). Limbic and sensory connections of the inferior parietal lobule (area PG) in the rhesus monkey: A study with a new method for horseradish peroxidase histochemistry. *Brain Research, 136,* 393–414.

Meyer-Bahlburg, H. F. L. (1984). Psychoendorocrine research on sexual orientation. Current status and future options. In G. J. De Vries, J. P. C. De Bruin, H. B. M. Uylings, & M. A. Corner (Eds.), *Progress in brain research: Vol. 61. Sex differences in the brain* (pp. 375–398). Amsterdam: Elsevier Science Publishers.

———, & Ehrhardt, A. A. (1982). Prenatal sex hormones and human aggression: A review and new data on progestogen effects. *Aggressive Behavior, 8,* 39–62.

Michelson, R. P. (1978). Multichannel cochlear implants. *Otolaryngological Clinics of North America, 11,* 209–216.

Middlebrooks, J. C., & Pettigrew, J. D. (1981). Functional classes of neurons in primary auditory cortex of the cat distinguished by sensitivity to sound location. *Journal of Neuroscience, 1,* 107–120.

Mihailoff, G. A., McArdle, C. G., & Adams, C. E. (1981). The cytoarchitecture cytology, and synaptic organization of the basilar pontine nuclei in the rat. 1. Nissl and Golgi studies. *Journal of Comparative Neurology, 195,* 181–201.

Miller, G. A. (1962). *Psychology: The science of mental life.* New York: Harper & Row.

Miller, J. A. (1984). Cell communication equipment: Do-it-yourself kit. *Science News, 125,* 236–237.

Miller, N. E. (1978). Biofeedback and visceral learning. *Annual Review of Psychology, 29,* 373–404.

_____. (1983). Behavioral medicine: Symbiosis between laboratory and clinic. *Annual Review of Psychology, 34,* 1–31.

Milner, B. (1970). Memory and the medial temporal regions of the brain. In D. H. Pribram & D. E. Broadbent (Eds.), *Biology of Memory.* New York: Academic.

_____. (1965). Memory disturbance after bilateral hippocampal lesions. In P. M. Milner & S. E. Glickman (Eds.), *Cognitive processes and the brain.* Princeton: Van Nostrand.

_____, Corkin, S., & Teuber. H.-L. (1968). Further analysis of the hippocampal amnesic syndrome: 14-year follow-up study of H. M. *Neuropsychologia, 6,* 215–234.

_____, & Petrides, M. (1984). Behavioural effects of frontal lobe lesions in man. *Trends in NeuroSciences, 7,* 403–407.

Mirmiran, M. (1985). The significance of active (i.e., REM) sleep for maturation and polasticity of brain and behavior in the rat. In W. P. Koella, E. Ruther, & H. Schulz (Eds.), *Sleep '84* (pp. 109–113). Stuttgart: Gustav Fischer Verlag.

Mirsky, A. F., & Duncan, C. C. (1986). Etiology and expression of schizophrenia: Neurobiological and psychosocial factors. *Annual Review of Psychology, 37,* 291–321.

Mirsky, A., DeLisi, L., Buchsbaum, M., Quinn, O., Schwerdt, P., Siever, L., Mann, L. Weingartner, H., Zec, R., Sostek, A., Alterman, I., Revere, V., Dawson, S., & Zahn, T. (1984). The Genain quadruplets: Psychological studies. *Psychiatry Research, 13,* 77–93.

Mishina, M., Tobimatsu, T., & Imoto, K. (1985). Location of functional regions of acetylcholine receptor a-subunit by site-directed mutagenesis. *Nature, 313,* 364–369.

Mishkin, M. (1978). Memory in monkeys severely impaired by combined but not by separate removal of amygdala and hippocampus. *Nature. 273,* 297–298.

_____, Malamut, B., & Bachevalier, J. (1984). Memories and habits: two neural systems. In G. Lynch, J. L. McGaugh, & N. M. Weinberger (Eds.), *The neurobiology of learning and memory.* New York: Guilford Press.

_____, & Petri, H. L. (1984). Memories and habits: Some implications for the analysis of learning and retention. In L. R. Squire & N. Butters (Eds.), *Neuropsychology of memory.* New York: Guilford.

Mizumori, S. J. Y., Rosenzweig, M. R., & Bennett, E. L. (1985). Long-term working memory in the rat. Effects of hippocampally applied anisomycin. *Behavioral Neuroscience, 99,* 220–232.

Mohler, C. W., & Wurtz, R. H. (1977). Role of striate cortex and superior colliculus is visual guidance of saccadic eye movements in monkeys. *Journal of Neurophysiology, 40,* 74–94.

Mohr, J. P. (1976). Broca's area and Broca's aphasia. *Studies in neurolinguistics, 1,* 201–235.

Mohs, R. C., Davis, B. M., Johns, C. A., et al. (1985). Oral physostigmine treatment of patients with Alzheimer's disease. *American Journal of Psychiatry, 142,* 28–33.

Mollon, J. D. (1982). Color vision. *Annual Review of Psychology, 33,* 41–85.

Money, J. (1976). Human hermaphroditism. In F. A. Beach (Ed.), *Human sexuality in four perspectives.* Baltimore: Johns Hopkins University, 62–86.

_____, & Ehrhardt, A. A. (1972). *Man and woman, boy and girl.* Baltimore: Johns Hopkins University.

Monti, J. M., Pellejero, T., Jantos, H., & Pazos, S. (1985). Role of histamines in the control of sleep and waking. In A. Wauquier, J. M. Gaillard, J. M. Monti, & M. Radulovacki (Eds.), *Sleep: Neurotransmitters and neuromodulators* (pp. 197–211). New York: Raven.

Moore, B. C. J. (1984). Electrical stimulation of the auditory nerve in man. *Trends in Neurosciences, 7,* 274–277.

Moore, R. Y. (1983). Organization and function of a central nervous system circadian oscillator: The suprachiasmatic nucleus. *Federation Proceedings, 42,* 2783–2789.

_____, & Bloom, F. E. (1979). Central catecholamine neuron systems: Anatomy and physiology of the norepinephrine and epinephrine systems. *Annual Review of Neurosciences, 2,* 113–168.

_____, & Eichler, V. B. (1972). Loss of circadian adrenal corticosterone rhythm following suprachiasmatic lesions in the rat. *Brain Research, 42,* 201–206.

Mora, F., Rolls, E. T., & Burton, M. J. (1976). Modulation during learning of the responses of neurones in the lateral hypothalamus to the sight of food. *Experimental Neurology, 53,* 508–519.

Moran, E. F. (1981). Human adaptation to arctic zones. *Annual Review of Anthropology, 10,* 1–25.

Morgan, T. H., & McHugh, P. R. (1982). Cholecystokinin suppresses food intake by inhibiting gastric emptying. *American Journal of Physiology, 242,* 491–497.

Morgane, P. J., & Kosman, A. J. (1960). Relationship of the middle hypothalamus to amygdalar hyperphagia. *American Journal of Physiology, 198,* 1315–1318.

Morihisa, J., & McAnulty, G. B. (1985). Structure and function: Brain electrical activity mapping and computed tomography in schizophrenia. *Biological Psychiatry, 20,* 3–19.

Morrison, A. (1979). Brain-stem regulation of behavior during sleep and wakefulness. *Progress in Psychobiology and Physiological Psychology, 8,* 91–131.

Morrison, A. R. (1983). A window on the sleeping brain. *Scientific American, 248,* 94–102.

Morruzzi, G. (1972). The sleep-waking cycle. *Ergebnisse der Physiologie (Reviews of Physiology), 64,* 1–165.

Moskovitch, M. (1982). Multiple dissociations of function in amnesia. In L. Cermak (Ed.), *Human memory and amnesia.* Hillsdale, N.J.: Erlbaum.

Moss, R. L., & Dudley, C. A. (1984). Molecular aspects of the interaction between estrogen and the membrane excitability of hypothalamic nerve cells. *Progress in Brain Research, 61,* 3–22.

Moulton, D. G. (1976). Spatial patterning of response to odors in the peripheral olfactory system. *Physiological Reviews, 56,* 578–593.

Mountcastle, V. B. (1979). An organizing principle for cerebral function: the unit module and the distributed system. In F. O. Schmitt & F. G. Worden (Eds.), *The neurosciences: fourth study program.* Cambridge: MIT Press.

_____. (1967). The problem of sensing and the neural coding of sensory events. In G. C. Quarton, T. Melnechuk, & F. O. Schmitt (Eds.), *The Neurosciences* (pp. 393–408). New York: Rockefeller University, 393–408.

_____. (1984). Central nervous mechanisms in mechanoreceptive sensibility. In I. Darian-Smith (Ed.), *Handbook of physiology, Section 1, Volume 3, Sensory Processes* (pp. 789–878). Bethesda: American Physiological Society.

_____, Andersen, R. A., & Motter, B. C. (1981). The influence of attentive fixation upon the excitability of the light-sensitive neurons of the posterior parietal cortex. *Journal of Neuroscience. 1,* 1218–1235.

Mouret, J., & Coindet, J. (1980). Polygraphic evidence against a critical role of the raphe nuclei in sleep in the rat. *Brain Research, 186,* 273–287.

Movshon, J. A., & van Sluyters, R. C. (1981). Visual neural development. *Annual Review of Psychology, 32,* 477–522.

Mpitsos, G. J., Collins, S. D., & McClellan, A. D. (1978). Learning: a model system for physiological studies. *Science, 199,* 497–506.

Mrosovsky, N., & Sherry, D. F. (1980). Animal anorexias. *Science, 207,* 837–842.

Mukhametov, L. M. (1984). Sleep in marine mammals. In A. Borbely & J. L. Valatx (Eds.), *Sleep mechanisms (Experimental Brain Research Supplement 8).* Berlin: Springer-Verlag.

Müller, G. E., & Pilzecker, A. (1900). Experimentale Beiträge zur Lehre vom Gedächtnis. *Zeitschrift für Psychologie,* Suppl., 1–288.

Myers, J. K., Weissman, M., Tischler, G. L., Holzer, C. E., Leaf, P. J., Orvaschel, H., Anthony, J. C., Boyd, J. H., Burke, J. D., Kramer, M., & Stoltzman, R. (1984). Six-month prevalence of psychiatric disorders in three communities. *Archives of General Psychiatry, 41,* 959–967.

Nagy, Z. M. (1979). Development of learning and memory processes in infant mice. In N. E. Spear & B. A. Campbell (Eds.), *Ontogeny of learning and memory.* Hillsdale, N.J.: Erlbaum.

Nakamura, R. K., & Mishkin, M. Chronic blindness following nonvisual cortical lesions in monkeys. *Society for Neuroscience Abstracts, 1979, 5,* 800.

Natelson, B. H. (1985). Neurocardiology: An interdisciplinary area for the 80s. *Archives of Neurology, 42,* 178–184.

Nathans, J. (1987). Molecular biology of visual pigments. *Annual Review of Neuroscience, 10,* 163–194.

Nathanson, J. A. (1984). Caffeine and related methylxanthines: Possible naturally occurring pesticides. *Science, 226,* 184–187.

Neal, P. (1988). *As I am.* New York: Simon and Schuster.

Nee, L. E., Polinsky, R. J., Elbridge, R., Weingart, H., Smallber, S., & Ebert, M. (1983). A family with histologically confirmed Alzheimer's disease. *Archives of Neurology, 40,* 203–208.

Newman, E. A., & Hartline, P. H. (1981). Integration of visual and infra-red information in bimodal neurons of the rattlesnake optic tectum. *Science, 213,* 789–791.

Newsome, W. T., Baker, J. F., Meizen, F. M., Myerson, J., Petersen, S. E., & Allman, J. M. (1978). Functional localization of neuronal response properties in extrastriate visual cortex of the owl monkey. *ARVO Abstracts, 1,* 174.

Nguyen, M. L., Meyer, K. K., & Winick, M. (1977). Early malnutrition and ''late'' adoption: A study of their effects on the development of Korean orphans adopted into American families. *American Journal of Clinical Nutrition, 30,* 1734–1739.

Nicoll, R. A. (1982). Neurotransmitters can say more than just ''yes'' or ''no.'' *Trends in NeuroSciences, 55,* 369–374.

Nieto-Sampedro, M., & Cotman, C. W. (1985). Growth factor induction and temporal order in central nervous system repair. In C. W. Cotman, (Ed.), *Synaptic plasticity* (pp. 407–457). New York: Guilford.

Nisbett, R. E. (1972). Hunger, obesity, and the ventromedial hypothalamus. *Psychological Review, 79,* 433–453.

Noebels, J. L., & Sidman, R. L. (1979). Inherited epilepsy: Spike-wave and focal motor seizures in the mutant mouse tottering. *Science, 204,* 1134–1136.

Norback, C. R. (1981). *The human nervous system.* New York: McGraw-Hill.

———, & Montagna, W. *The Primate Brain.* New York: Appleton-Century-Crofts, 1970.

Norgren, R., & Grill, H. (1982). Brain-stem control of ingestive behavior. In D. W. Pfaff (Ed.), *The physiological mechanisms of motivation* (pp. 99–131). New York: Springer-Verlag.

Norsell, U. (1980). Behavioral studies of the somatsensory system. *Physi-ological Reviews, 60,* 327–354.

Northcutt, R. G. (1981). Evolution of the telencephalon in nonmammals. *Annual Review of Neuroscience, 4,* 301–350.

Nottebohm, F. (1979). Asymmetries in neural control of vocalization in the canary. In S. Harnad, R. W. Dory, L. Goldstein, J. Jaynes, & G. Krauthamer (Eds.), *Lateralization in the nervous system.* New York: Academic.

———. (1980). Brain pathways for vocal learning in birds: A review of the first 10 years. In J. M. Sprague & A. N. Epstein (Eds.), *Progress in psychobiology and physiological psychology* (Vol. 9). New York: Academic.

———. (1987). Plasticity in adult avian central nervous system: possible relations between hormones, learning, and brain repair. In F. Plum (Ed.), *Higher functions of the nervous system, Section 1, V.5 Handbook of physiology.* Washington D.C.: American Physiological Society.

Novin, D., Wyrwicka, W., & Bray, G. A. (Eds.) (1976). *Hunger: Basic mechanisms and clinical implications.* New York: Raven.

Nunez, E. A., Englemann, F., Benessayag, C., Savu, L., Crepy, O., & Jayle, M. F. (1971). Mise en evidence d'une fraction protéique liant les oestrogenes dans le serum de rats impubères. *Comptes Rendus de l'Académie des Sciences (Paris) D, 272,* 2396–2399.

Oakley, D. A. (1981). Brain mechanisms of mammalian memory. *British Medical Bulletin, 37,* 175–180.

Ochs, S. (1982). *Axoplasmic transport and its relation to other nerve functions.* New York: Wiley.

Ojemann, G., & Mateer, C. (1979). Human language cortex: Localization of memory, syntax, and sequential motor-phoneme identification systems. *Science, 205,* 1401–1403.

Olds, J., Allan, W. S., & Briese, E. (1971). Differentiation of hypothalamic drive and reward centers. *American Journal of Physiology, 221,* 672–674.

Olds, J., Disterhoft, J. F., Segal, M., Kornblith, C. L., & Hirsh, R. (1972). Learning centers of rat brain mapped by measuring latencies of conditioned unit responses. *Journal of Neurophysiology, 35,* 202–219.

Olds, J., & Milner, P. (1954). Positive reinforcement produced by electrical stimulation of septal area and other regions of the rat brain. *Journal of Comparative and Physiological Psychology, 47,* 419–427.

Olds, M. E., & Fobes, J. L. (1981). The central basis of motivation: Intracranial self-stimulation studies. *Annual Review of Psychology, 32,* 523–574.

O'Leary, J. L., & Goldring, S. (1976). *Science and epilepsy: Neuroscience gains in epilepsy research.* New York: Raven.

Oliveros, J. C., Jondali, M. K., Timsit-Berthier, M., Remy, R., Benghezal, A., Audibert, A., & Moeglen, J. M. (1978). Vasopressin in amnesia. *Lancet,* 42.

Olsen, R. W. (1982). Drug interactions at the GABA receptorionophore complex. *Annual Review of Pharmacology and Toxicology, 22,* 245–277.

Olson, E. C. (1971). *Vertebrate paleozoology.* New York: Wiley.

Oomura, Y. (1976). Significance of glucose, insulin, and free fatty acid on the hypothalamic feeding and satiety neurons. In D. Novin, W. Wywricka, & G. A. Bray (Eds.), *Hunger: Basic mechanisms and clinical implications.* New York: Raven.

Orbach, J., & Chow, K. L. (1959). Differential effects of resections of somatic areas I and II in monkeys. *Journal of Neurophysiology, 22,* 195–203.

Orem, J., & Barnes, C. D. (Eds.) (1980). *Physiology in sleep.* New York: Academic.

Østerberg, G. (1935). Topography of the rods and cones in the human retina. *Acta ophthalmologica* (Supplement 6).

Oswald, I. (1962). *Sleeping and waking.* Amsterdam: Elsevier.

Oswald, I., & Priest, R. G. (1965). Five weeks to escape the sleeping pill habit. *British Medical Journal, 2,* 1093–1095.

Ottoboni, M. A. (1984). *The dose makes the poison: A plain language guide to toxicology*. Berkeley, Ca.: Vincente Books.

Palay, S. L., & Chan-Palay, V. (1974). *Cerebellar cortex: cytology and organization*. New York: Springer-Verlag.

Papez, J. W. (1937). A proposed mechanism of emotion. *Archives of Neurology and Psychiatry, 38*, 725–745.

Pappas, G. D., & Purpura, D. P. (1972). *Structure and function of synapses*. New York: Raven.

Pappas, G. D., & Waxman, S. G. (1972). Synaptic fine structure—morphological correlates of chemical and electrotonic transmission. In G. D. Pappas & D. P. Purpura (Eds.), *Structure and function of synapses*. New York: Raven.

Pappenheimer, J. R., Koski, G., Fencl, V., Karnovsky, M. L., & Krueger, J. (1975). Extraction of sleep-promoting factor S from cerebrospinal fluid and from brains of sleep-deprived animals. *Journal of Neurophysiology, 38*, 1299–1311.

Paradis, M., (1977). Bilingualism and aphasia. In H. Whitaker & H. Whitaker (Eds.), *Studies in neurolinguistics* (Vol. 3). New York: Academic.

Parameswaran, S. V., Steffens, A. B., Hervey, C. R., & DeRuiter, L. (1977). Involvement of a humoral factor in regulation of body weight in parabiotic rats. *American Journal of Physiology, 232*, R150–R157.

Parkes, J. D. (1985). *Sleep and its disorders*. Philadelphia: Saunders.

Parent, A., Descarries, L., & Beaudet, A. (1981). Organization of ascending serotonin systems in the adult rat brain. A radioautographic study after intraventricular administration of [³H] 5-hydroxytryptamine. *Neuroscience, 6*, 115–139.

Passingham, J. (1982). *The human primate*. San Francisco: Freeman.

Patterson, M. M. (1975). Effects of forward and backward classical conditioning procedures on a spinal cat hind-limb flexor nerve response. *Physiological Psychology, 3*, 86–91.

Patterson, M. M., Berger, T. W., & Thompson, R. F. (1979). Neuronal plasticity recorded from cat hippocampus during classical conditioning. *Brain Research, 163*, 339–343.

Patterson, T. A. (1987). *Neurochemical process in memory formation in the chick*. Unpublished doctoral dissertation, University of California at Berkeley.

Patterson, T. A., Alvarado, M. O., Warner, I. T., Bennett, E. L., & Rosenzweig, M. R. (1986). Memory stages and brain asymmetry in chick learning. *Behavioral Neuroscience, 100*, 850–859.

Patterson, T. A., Rosenzweig, M. R., & Bennett, E. L. (1987). Amnesia produced by anisomycin in an appetitive task is not due to conditioned aversion. *Behavioral and Neural Biology, 47*, 17–26.

Pavlov, I. P. (1927). *Conditioned reflexes*. London: Oxford.

Pearson, K. (1924). *The life, letters and labours of Francis Galton* (Vol. 2). Cambridge, England: Cambridge University.

Pellegrino, L. J., & Altman, J. (1979). Effects of differential interference with postnatal cerebellar neurogenesis on motor performance activity level and maze learning of rats: A developmental study. *Journal of Comparative and Physiological Psychology, 93*, 1–33.

Perachio, A. A., Alexander, M., & Marr, L. D. (1973). Hormonal and social factors affecting evoked sexual behavior in rhesus monkeys. *American Journal of Physical Anthropology, 38*, 227–232.

Perlow, M. J., Freed, W. J., Hoffer, B. J., Seiger, A., Olson, L., & Wyatt, R. J. (1979). Brain grafts reduce motor abnormalities produced by destruction of nigrostriatal dopamine system. *Science, 204*, 643–647.

Peters, A., Palay, S. L., & Webster, H. de F. (1976). *The fine structure of the nervous system*. Philadelphia: Saunders.

Peters, B. H., & Levin, H. S. Effects of physostigmine and lecithin on memory in Alzheimer disease. *Annals of Neurology, 1979, 6*, 219–222.

Petre-Quadens, O. (1972). Sleep in mental retardation. In C. D. Clemente, D. R. Purpura, & F. E. Mayer (Eds.), *Sleep and the maturing nervous system*. New York: Academic.

Pettigrew, J. D., & Freeman, R. D. (1973). Visual experience without lines: Effect on developing cortical neurons. *Science, 182*, 599–601.

Pettigrew, J. D., & Garey, L. J. (1974). Selective modification of single neuron properties in the visual cortex of kittens. *Brain Research, 66*, 160–164.

Pettigrew, J. D., Nikara, T., & Bishop, P. O. (1968). Binocular interaction on single units in cat striate cortex: Simultaneous stimulation by single moving slit with receptive fields in correspondence. *Experimental Brain Research, 6*, 391–410.

Pfaff, D. W. (1982). Motivational concepts: Definitions and distinctions. In D. W. Pfaff (Ed.), *The physiological mechanisms of motivation* (pp. 3–24). New York: Springer-Verlag.

Phelps, P. E., Houser, C. R., & Vaughn, J. E. (1985). Immunocytochemical localization of choline acetyltransferase within the rat neostriatum: A correlated light and electron microscopic study of cholinergic neurons and synapses. *Journal of Comparative Neurology, 238*, 286–307.

Pieron, H. (1912). Le problème physiologique du sommeil. Thèse. Paris: Masson & Cie.

Pigareva, M. L. (1982). Limbic lesions and switching-over of the conditioned reflex in rats. In R. Sinz & M. R. Rosenzweig (Eds.), *Psychophysiology 1980*. Amsterdam: North-Holland Press.

Pincus, J. H., & Tucker, G. J. (1985, 3rd edition). *Behavioral neurology*. New York: Oxford.

Pitts, J. W., & McClure, J. N. (1967). Lactate metabolism in anxiety neurosis. *New England Journal of Medicine, 277*, 1328–1336.

Ploog, D. (1981). Neurobiology of primate audio-vocal behavior. *Brain Research Reviews, 3*, 35–62.

Plutchik, R., & Kellerman, H. (Eds.) (1980). *Emotion: Theory, research, and experience. Vol. 1: Theories of emotion*. New York: Academic.

Poggio, G. F., & Fischer, B. (1977). Binocular interaction and depth sensitivity of striate and prestriate cortical neurons of behaving rhesus monkeys. *Journal of Neurophysiology, 40*, 1392–1405.

Poggio, G. F., & Poggio, T. (1984). The analysis of steropsis. *Annual Review of Neuroscience, 7*, 379–412.

Poltyrev, S. S., & Zeliony, G. P. (1930). Grosshirnrinde und Assoziationsfunktion. *Zeitschrift für Biologie, 90*, 157–160.

Poon, L. W. (1980). A systems approach for the assessment and treatment of memory problems. In J. W. Ferguson & C. B. Taylor (Eds.), *The comprehensive handbook of behavioral medicine. Vol. 1. Systems intervention* (pp. 191–212). New York: SP Medican and Scientific Books.

Poritsky, R. (1969). Reconstruction from serial electron micrographs of a motoneuron. *Journal of Comparative Neurology, 135*, 423–452.

Premack, A. J., & Premack, D. (1972). Teaching language to an ape. *Scientific American, 227*(4), 92–99.

Price, D. L. (1986). New perspectives on Alzheimer's disease. *Annual Review of Neuroscience, 9*, 489–512.

———, & Kreinen, I. (1980). Variations in behavioral response threshold within the REM period of human sleep. *Psychophysiology, 17*, 133–141.

———, Whitehouse, P. J., & Struble, R. G. (1985). Alzheimer's disease. *Annual Review of Medicine, 36*, 349–356.

Prohovnik, I., & Risbert, J. (1982). Anatomical distribution and physiological correlates of cognitive function as revealed by blood flow studies during mental activity. In R. Sinz & M. R. Rosenzweig (Eds.), *Psychophysiology 1980*. Amsterdam: North-Holland.

Purves, D. & Lichtman, J. W. (1985). Geometrical differences among homologous neurons in mammals. *Science, 228*, 298–302.

Quinn, W. G., & Greenspan, R. J. (1984). Learning and courtship in *Drosophila*: Two stories with mutants. *Annual Review of Neuroscience, 7*, 67–93.

———, Harris, W. A., & Benzer, S. (1974). Conditioned behavior in *Drosophila melanogaster*. *Proceedings of the National Academy of Sci-*

ences, U.S.A., 71, 708–712.

———, Sziber, P. P., & Booker, R. (1979). The *Drosophila* memory mutant *amnesiac. Nature, 76,* 3430–3431.

Rabinowicz, T. (1986). The differentiated maturation of the cerebral cortex. In F. Falkner & J. M. Tanner (Eds.), *Human growth. 2* New York: Plenum.

Rabkin, J. G., & Struening. E. L. (1976). Life events, stress, and illness. *Science, 194,* 1013–1020.

Rahe, R. H. (1972). Subjects' recent life changes and their near-future illness reports. *Annals of Clinical Research, 4,* 250–265.

Raisman, G. (1978). What hope for repair of the brain? *Annals of Neurology, 3,* 101–106.

———, & Field, P. M. (1973). Sexual dimorphism in the neuropil of the preoptic area of the rat and its dependence on neonatal androgen. *Brain Research, 54,* 1–29.

Rakic, P. (1985). Contact regulation of neuronal migration. In G. M. Edelman, (Ed.), *The cell in contact.* New York: Wiley.

———. (1979). Genetic and epigenetic determinants of local neuronal circuits in the mammalian central nervous system. In F. O. Schmitt & F. G. Worden, *The Neurosciences: Fourth Study Program.* Cambridge: MIT Press.

———. (1985). Mechanisms of neuronal migration in developing cerebellar cortex. In G. M. Edelman, W. M. Cowan & E. Gull (Eds.), *Molecular basis of neural development.* New York: Wiley.

———. (1974). Neurons in rhesus monkey visual cortex: Systematic relation between time of origin and eventual disposition. *Science, 183,* 425–427.

Ramón y Cajal, S. (1911). *Histologie du système nerveux de l'homme et des vértébres.* Paris: A. Maloine.

Ramsay, D. J., Rolls, B. J., & Wood, R. J. (1977). Thirst following water deprivation in dogs. *American Journal of Physiology, 232,* R93–R100.

Randolph, M., & Semmes, J. (1974). Behavioral consequences of selective subtotal ablations in the postcentral gyrus of Macaca mulatta. *Brain Research, 70,* 55–70.

Rao, P. D. P., & Finger, T. E. (1984). Asymmetry of the olfactory system in the brain of the winter flounder Pseudopleuronectes americanus. *Journal of Comparative Neurology, 225,* 492–510.

Rayport, S. G., & Schacher, S. (1986). Synaptic plasticity *in vitro:* Cell culture of identified Aplysia neurons mediating short-term habituation and sensitization. *Journal of Neuroscience, 6,* 759–763.

Redican, W. K. (1982). An evolutionary perspective on human facial displays. In P. Ekman (Ed.), *Emotion in the human face (2nd edition)* (pp. 212–280). Elmsford, N.Y.: Pergamon.

Reeves, A. G., & Plum, F. (1969). Hyperphagia, rage, and dementia accompanying a ventromedial hypothalamic neoplasm. *Archives of Neurology, 20,* 616–624.

Reiman, E. M., Raichle, M., Robins, E., Butler, F. K., Herscovitch, P., Fox, P., & Perlmutter, J. (1986). The application of positron emission tomography to the study of panic disorder. *American Journal of Psychiatry, 143,* 469–477.

Reinberg, A., & Halberg, F. (1971). Circadian chronopharmacology. *Annual Review of Pharmacology, 11,* 455–492.

Renner, M. J., & Rosenzweig, M. R. (1987). *Enriched and impoverished environments: effects on brain and behavior.* New York: Springer-Verlag.

Reppert, S. M. (1985). Maternal entrainment of the developing circadian system. *Annals of the New York Academy of Science, 453,* 162–169.

Rescorla, R. A. (1988). Behavioral studies of Pavlovian conditioning. *Annual Review of Neuroscience, 11,* 329–352.

Retzius, G. *Das Gehörorgan der Wirbelthiere.* Vol. I, 1881, vol. II, 1884. Stockholm: Samson and Wallin.

Reynolds, C. F., Kupfer, D. J., Taska, L. S., Hoch, C. H., & Sewitch, D. E. (1985). Sleep of healthy seniors: A revisit. *Sleep, 8,* 20–29.

Richards, W. (1977). Selective stereoblindness. See De Valois, et al. 1977, 109–111.

Richards, W. (1970). Stereopsis and stereoblindness. *Experimental Brain Research, 10,* 380–388.

Richter, C. (1967). Sleep and activity: their relation to the 24-hour clock. *Proceedings of the Association for Research in Nervous and Mental Diseases, 45,* 8–27.

Riddell, W. I. (1979). Cerebral indices and behavioral differences. In M. E. Hahn, C. Jensen, & B. C. Dudek (Eds.), *Development and evolution of brain size.* New York: Academic.

———, & Corl, K. G. (1977). Comparative investigation of the relationship between cerebral indices and learning abilities. *Brain, behavior and evolution, 14,* 385–398.

Rinn, W. E. (1984). The neuropsychology of facial expression: A review of the neurological and psychological mechanisms for producing facial expressions. *Psychological Bulletin, 95,* 52–77.

Riley, V. (1981). Psychoneuroendocrine influences on immunocompetence and neoplasia. *Science, 212,* 1100–1110.

Ritchie, J. M. (1979). A pharmacological approach to the structure of sodium channels in myelinated axons. *Annual Review of Neuroscience, 2,* 341–362.

Roberts, A. H. (1969). *Brain damage in boxers.* London: Pitman.

Roberts, D. F. (1973). *Climate and human variability.* Addison-Wesley Module Anthropology, No. 34. Reading, Mass.: Addison-Wesley.

Robins, L. N., Helzer, J. E., Weissman, M., Orvaschel, H., Gruenberg, E., Burke, J. D., & Regier, D. A. (1984). Lifetime prevalence of specific psychiatric disorders in three sites. *Archives of General Psychiatry, 41,* 949–957.

Robinson, R. G., Kubos, K. L., Starr, L. B., et al. (1984). Mood disorders in stroke patients: importance of location of lesion. *Brain, 107,* 81–93.

Rodin, J. (1981). Current status of the internal-external hypothesis for obesity. *American Psychologist, 36,* 361–372.

———. (1976). The role of perception of internal and external signals on regulation of feeding in overweight and nonobese individuals. In T. Silverstone (Ed.) *Appetite and food intake.* Braunschweig: Pergamon.

———, & Salovey, P. (1989). Health psychology. *Annual Review of Psychology, 40,* in press.

Roeder, F., Orthner, H., & Müller, D. (1972). The stereotaxic treatment of pedophilic homosexuality and other sexual deviations. In E. Hitchcock, L. Laitinen, & K. Vaernet (Eds.), *Psychosurgery* (pp. 87–111). Springfield, Ill.: Charles C. Thomas.

Roffman, M., Reddy, C., & Lal, H. (1972). Alleviation of morphine-withdrawal symptoms by conditional stimuli: Possible explanations for ''drug hunger'' and ''relapse.'' In J. M. Singh, L. Miller, & H. Lal (Eds.), *Drug addiction: Experimental pharmacology* (pp. 223–226). Mt. Kisco, N.Y.: Futura.

Roland, E., & Larson, B. (1976). Focal increase of cerebral blood flow during stereognostic testing in man. *Archives of Neurology, 33,* 551–558.

Roland, P. E. (1984). Metabolic measurements of the working frontal cortex in man. *Trends in neuroscience, 7,* 430–436.

Rolls, B. J., Wood, R. J., & Rolls, E. T. (1980). Thirst: The initiation, maintenance, and termination of drinking. In J. M. Sprague & Alan N. Epstein (Eds.), *Progress in psychobiology and physiological psychology* (Vol. 9). New York: Academic.

Rolls, E. T. (1978). Neurophysiology of feeding. *Trends in Neuroscience, 1,* 1–3.

Rose, F. C., & Symonds, C. P. (1971). Persistent memory defect following encephalitis. *Brain, 94,* 661–668.

Rose, S. P. R., Hambley, J., & Haywood, J. (1976). Neurochemical approaches to developmental plasticity and learning. In M. R. Rosenzweig & E. L. Bennett (Eds.), *Neural Mechanisms of Learning and Memory,* Cambridge: MIT Press.

Rosen, S., Olin, P., & Rosen, H. V. (1970). Dietary prevention of hearing loss. *Acta Otolaryngologica, 70*, 242–247.

Rosenman, R. H., Brand, R. J., Jenkins, C. D., Friedman, M., Straus, R., & Wurm, M. (1975). Coronary heart disease in the Western Collaborative Group Study: final follow-up experience of 8½ years. *Journal of the American Medical Association, 233*, 872–877.

Rosenblatt, J. S., & Aronson, L. R. (1958). The decline of sexual behavior in male cats after castration with special reference to the role of prior sexual experience. *Behaviour, 12*, 285–338.

Rosenthal, D. (1963). *The Genain quadruplets.* New York: Basic Books.

Rosenthal, N. E., Sack, D. A., Carpenter, C. J., Parry, B. L., Mendelson, W. B., & Wehr, T. A. (1985). Antidepressant effects of light in seasonal affective disorder. *American Journal of Psychiatry, 142*, 606–608.

Rosenzweig, M. R. (1980). Animal models for effects of brain lesions and for rehabilitation. In P. Bach-y-Rita (Ed.), *Recovery of function: Theoretical considerations for brain injury rehabilitation.* Bern: Hans Huber.

_____. (1984). Experience, memory, and the brain. *American Psychologist, 39*, 365–376.

_____. (1979). Responsiveness of brain size to individual experience: Behavioral and evolutionary implications. In M. E. Hahn, C. Jensen, & B. C. Dudek (Eds.), *Development and evolution of brain size.* New York: Academic.

_____. (1985). Basic processes and modulatory influences in the stages of memory formation. In G. Lynch, J. L. McGaugh, & N. M. Weinberger (Eds.), *Neurobiology of learning and memory* (pp. 263–288). New York: Guilford.

_____, & Bennett, E. L. (1972). Cerebral changes in rats exposed individually to an enriched environment. *Journal of Comparative and Physiological Psychology, 80*, 304–313.

_____. (1977). Effects of environmental enrichment or impoverishment on learning and on brain values in rodents. In A. Oliverio (Ed.), *Genetics, environment, and intelligence.* Amsterdam: Elsevier/North-Holland.

_____. (1978). Experimental influences on brain anatomy and brain chemistry in rodents. In G. Gottlieb (Ed.), *Studies on the development of behavior and the nervous system* (pp. 289–327). *Vol. 4. Early influences.* New York: Academic.

_____. (Eds.) (1976). *Neural mechanisms of learning and memory.* Cambridge: MIT Press.

_____, & Diamond, M. C. (1972). Brain changes in response to experience. *Scientific American, 226*(2), 22–29.

_____. (1967). Effects of differential environments on brain anatomy and brain chemistry. In J. Zubin & G. Jervis (Eds.), *Psychopathology of mental development* (pp. 45–56). New York: Grune & Stratton.

Rosenzweig, M. R., Bennett, E. L., Hebert, M., & Morimoto, H. (1978). Social grouping cannot account for cerebral effects of enriched environments. *Brain Research, 153*, 563–576.

Rosenzweig, M. R., & Glickman, S. E. (1985). Comparison of learning abilities among species. In N. M. Weinberger, J. G. McGaugh, & G. Lynch (Eds.), *Memory systems of the brain* (pp. 296–307). New York: Guilford.

Rosenzweig, M. R., Krech, D., & Bennett, E. L. (1961). Heredity, environment, brain biochemistry, and learning. *In Current trends in psychological theory.* Pittsburgh: University of Pittsburgh.

Rosenzweig, M., Krech, D., Bennett, E. L., & Diamond, M. (1962). Effects of environmental complexity and training on brain chemistry and anatomy: A replication and extension. *Journal of Comparative and Physiological Psychology, 55*, 429–437.

Rothwell, N. J., & Stock, M. J. (1982). Energy expenditure of ''cafeteria''-fed rats determined from measurements of energy balance and indirect calorimetry. *Journal of Physiology, 328*, 371–377.

Roufogalis, B. D. (1980). Calmodulin: Its role in synaptic transmission. *Trends in Neurosciences, 3*, 238–241.

Rounsaville, B. J., Weissman, M. M., Kleber, H., & Wilbur, C. (1982). Heterogeneity of psychiatric diagnosis in treated opiate addicts. *Archives of General Psychiatry, 39*, 161–166.

Routtenberg, A. (1978). The reward system of the brain. *Scientific American, 239*(5), 154–164.

Rozin, P. (1976a). The evolution of intelligence and access to the cognitive unconscious. In J. M. Sprague & A. N. Epstein (Eds.), *Progress in Psychobiology and Physiological Psychology (VI)*. New York: Academic.

_____. (1976b). The psychobiological approach to human memory. In M. R. Rosenzweig & E. L. Bennett (Eds.), *Neural mechanisms of learning and memory.* Cambridge: MIT Press.

Ruberg, M., Rieger, F., Villageois, A., Bonnet, A. M., & Agid, Y. (1986). Acetylcholinesterase and butyrylcholinesterase in frontal cortex and cerebrospinal fluid of demented and non-demented patients with Parkinsons' disease. *Brain Research, 362*, 83–91.

Rubin, R. T., Reinisch, J. M., & Haskett, R. F. (1981). Postnatal gonadal steroid effects on human behavior. *Science, 211*, 1318–1324.

Ruggerio, F. T., & Flagg, S. F. (1976). Do animals have memory? In D. L. Medin, W. A. Roberts, & R. T. Davis (Eds.), *Processes of animal memory.* Hillsdale, N. J.: Erlbaum.

Rumbaugh, D. M. (Ed.) (1977). *Language learning by a chimpanzee: The LANA project.* New York: Academic.

Rusak, B. (1977). The role of the suprachiasmatic nuclei in the generation of circadian rhythms in the golden hamster Mesocricetus auratus. *Journal of Comparative Physiology, 118*, 145–164.

_____, & Zucker, I. (1979). Neural regulation of circadian rhythms. *Physiological Reviews, 59*, 449–526.

Russek, M. (1971). Hepatic receptors and the neurophysiological mechanisms controlling feeding behavior. In S. Ehrenpreis (Ed.), *Neurosciences Research, 4.* New York: Academic.

Ryle, G. (1949). *The concept of mind.* San Francisco: Hutchison.

Sackheim, H., Gur, R. C., & Saucy, M. C. (1978). Emotions are expressed more intensely on the left side of the face. *Science, 202*, 434-436.

Sacks, O. (1985). *The man who mistook his wife for a hat.* New York: Summit Books.

Salvini-Plawen, L. v., & Mayr, E. (1977). On the evolution of photoreceptors and eyes. *Evolutionary Biology, 10*, 207–263.

Sanders, M. D., Warrington, E. K., Marshall, J., & Weiskrantz, L. (1974). Blindsight: Vision in a field defect. *Lancet*, 707–708.

Sar, M., & Stumpf, W. E. (1977). Androgen concentration in motor neurons of cranial nerves and spinal cord. *Science, 1977*, 77–79.

Sarich, V. (1971). A molecular approach to the question of human origins. In P. Dolhinow & V. Sarich (Eds.), *Background for man.* Boston: Little, Brown.

Sarnat, H. B., & Netsky, M. G. (1981). *Evolution of the nervous system* (2nd Ed.). New York: Oxford.

Sarno, M. T. (1981). Recovery and rehabilitation in aphasia. In M. T. Sarno (Ed.), *Aphasia.* New York: Academic.

Sartorius, N. Early manifestations and first contact incidence of schizophrenia in different cultures, in press.

Satinoff, E. (1978). Neural organization and evolution of thermal regulation in mammals. *Science, 201*, 16–22.

_____, & Rutstein, J. (1970). Behavioral thermoregulation in rats with anterior hypothalamic lesions. *Journal of Comparative and Physiological Psychology, 71*, 77–82.

_____, & Shan, S. Y. (1971). Loss of behavioral thermoregulation after lateral hypothalamic lesions in rats. *Journal of Comparative and Physiological Psychology, 77*, 302–312.

Savage-Rumbaugh, E. S., Rumbaugh, D. M., & Boysen, S. (1980). Do apes use language? *American Scientist, 68*, 49–61.

Schacter, D. L. (1985). Multiple forms of memory in humans and animals. In N. M. Weinberger, J. G. McGaugh, & G. Lynch (Eds.), *Memory systems of the brain* (pp. 351–379). New York: Guilford.

Schacter, S. (1975). Cognition and peripheralist-centralist controversies in motivation and emotion. In M. S. Gazzaniga & C. Blakemore (Eds.). *Handbook of Psychobiology.* New York: Academic.

———. (1968). Obesity and eating. *Science. 161,* 751–756.

Schatzberg, A. F., Rothschild, A. J., Stahl, J. B., Bond, T. C., Rosenbaum, A. H., Lofgren, S. B., MacLaughlin, R. A., Sullivan, A., & Cole, J. O. (1983). The dexamethasone suppression test: Identification of subtypes of depression. *American Journal of Psychiatry, 140,* 88–91.

Scheff, S. W., Bernardo, L. S., & Cotman, C. W. (1978). Decrease in adrenergic axon sprouting in the senescent rat. *Science, 202,* 775–778.

———. (1978). Effect of serial lesions on sprouting in the dentate gyrus: Onset and decline of the catalytic effect. *Brain Research, 150,* 45–53.

Scheibel, A. B., Paul, L. A., Fried, I., Forsythe, A. B., Tomiyasu, U., Wechsler, A., Kao, A., & Slotnick, J. (1985). Dendritic organization of the anterior speech area. *Experimental Neurology, 87,* 109–117.

Scheibel, M. E., Tomiyasu, U., & Scheibel, A. B. (1977). The aging human Betz cells. *Experimental Neurology, 56,* 598–609.

Schenkerberg, T., Bradford, D. C., & Ajax, E. T. (1980). Line bisection and unilateral visual neglect in patients with neurologic impairment. *Neurology, 30,* 509–518.

Schildkraut, J. J., & Kety, S. S. (1967). Biogenic amines and emotion. *Science, 156,* 21–30.

Schliebs, R., Rose, S. P. R., & Stewart, M. G. (1985). Effect of passive-avoidance training on *in vitro* protein synthesis in forebrain slices of day-old chicks. *Journal of Neurochemistry, 44,* 1014–1028.

Schindler, R. A., & Merzenich, M. M. (Eds.) (1985). *Cochlear implants.* New York: Raven.

Schmidt, R. S. (1974). Neural mechanisms of releasing (unclasping) in American toad. *Behaviour, 48,* 315–326.

Schmidt-Nielsen, K. (1964). *Desert animals: Physiological problems of heat and water.* New York: Oxford.

Schnapf, J. L., & Baylor, D. A. (1987). How photoreceptor cells respond to light. *Scientific American, 256,* 40–47.

Schneider, G. E. (1969). Two visual systems. *Science, 163,* 895–902.

Schneider-Helmert, D. (1985). Clinical evaluation of DSIP. In A. Wauquier, J. M. Gaillard, J. M. Monti, & M. Radulovacki (Eds.), *Sleep: Neurotransmitters and neuromodulators* (pp. 279–291). New York: Raven.

Schoppmann, A., Nelson, R. J., Stryker, M. P., Cynader, M., Zook, J., & Merzenich, M. M. (1981). Reorganization of hand representation within area 3b following digit amputation in owl monkey. *Society for Neuroscience Abstracts, 7,* 842.

Schulsinger, F. (1980). Biological psychopathology. *Annual Review of Psychology, 31,* 583–606.

Schutz, F. (1965). Sexuelle pragung bei anatiden. *Zeitschrift fur Tierpsychologie, 22,* 50–103.

Schwartz, J. H. (1979). Axonal transport: Components, mechanisms, and specificity. In W. M. Cowan, Z. W. Hall, & E. R. Kandel (Eds.), *Annual Review of Neuroscience, Vol. 2* (pp. 467–504). Palo Alto: Annual Reviews.

Schwartz & J. Beatty (Eds.) (1977). *Biofeedback: Theory and Research.* New York: Academic.

Schwartzkroin, P., & Knowles, W. D. (1984). Intracellular study of human epileptic cortex: In vitro maintenance of epileptoform activity. *Science, 223,* 709–712.

Schwartzkroin, P. A., & Wester, K. (1975). Long-lasting facilitation of a synaptic potential following tetanization in the in vitro hippocampal slice. *Brain Research, 89,* 107–119.

Sclafani, A. (1984). Animal models of obesity: Classification and characterization. *International Journal of Obesity, 8,* 491–508.

———, Springer, D., & Kluge, L. (1976). Effects of quinine adulteration on the food intake and body weight of obese and nonobese hypothalamic hyperphagic rats. *Physiology and behavior, 16,* 631–640.

Scoville, W. B., & Milner, B. (1957). Loss of recent memory after bilateral hippocampal lesions. *Journal of Neurology, Neurosurgery and Psychiatry, 20,* 11–21.

Scriver, C. R., & Clow, C. L. (1980). Phenylketonuria and other phenylalanine hydroxylation mutants in man. *Annual Review of Genetics, 14,* 179–202.

Sedvall, G., Farde, L., Persson, A., & Wiesel, F.-A. (1986). Imaging of neurotransmitter receptors in the living human brain. *Archives of General Psychiatry, 43,* 995–1005.

Seeman, P., & Lee, T. (1975). Antipsychotic drugs: Direct correlation between clinical potency and presynaptic action on dopamine neurons. *Science, 188,* 1217–1219.

Seil, F. J., Leiman, A. L., & Kelly, J. (1976). Neuroelectric blocking factors in multiple sclerosis and normal human sera. *Archives of Neurology, 33,* 418–422.

Selverston, A. I., & Moulins, M. (1985). Oscillatory neural networks. *Annual Review of Physiology, 47,* 29–48.

Serviere, J., Webster, W. R., & Calford, M. B. (1984). Isofrequency labelling revealed by a combined [14C]-2-deoxyglucose, electrophysiological, and horseradish peroxidase study of the inferior colliculus of the cat. *Journal of Comparative Neurology, 228,* 463–478.

Seyfarth, R. M., & Cheney, D. L. (1984). The natural vocalizations of non-human primates. *Trends in NeuroSciences, 7,* 66–73.

Shapley, R., & Lennie, P. (1985). Spatial-frequency analysis in the visual system. *Annual Review of Neuroscience, 8,* 547–585.

Sharp, P. E., McNaughton, B. L., & Barnes, C. A. (1983). Spontaneous synaptic enhancement in hippocampi of rats exposed to a spatially complex environment. *Society for Neuroscience Abstracts, 9,* 647.

Shell, W. F., & Riopelle, A. J. (1958). Prosimian discrimination learning in platyrrhine monkeys. *Journal of Comparative and Physiological Psychology, 51,* 467–470.

Sherman, S. M. (1985). Functional organization of the W-, X-, and Y-cell pathways in the cat: a review and hypothesis. In J. M. Sprague & A. N. Epstein (Eds.), *Progress in psychobiology and physiological psychology. 11* (pp. 233–314). New York: Academic.

Shimamura, A. P. (1988). Identifying forms of memory: issues and directions. In J. L. McGaugh, N. M. Weinberger, & G. Lynch (Eds.), *Brain organization and memory: cells, systems, and circuits.* New York: Oxford.

Sholl, D. (1956). *The organization of cerebral cortex.* London: Methuen.

Shurrager, P. S., & Culler, E. A. (1938). Phenomena allied to conditioning in the spinal dog. *American Journal of Physiology, 123,* 186–187.

Sidman, R. L., Green, M. C., & Appel, S. H. (1965). *Catalog of the neurological mutants of the mouse.* Cambridge: Harvard.

Siegel, R. K. (1979). Natural animal addictions: An ethological perspective. In J. D. Keehn (Ed.), *Psychopathology in animals* (pp. 29–60). New York: Academic.

Siegel, S., Hinson, R. E., Krank, M. D., & McCully, J. (1982). Heroin "overdose" death: Contribution of drug-associated environmental cues. *Science, 216,* 436–437.

Siever, L. J., & Davis, K. L. (1985). Overview: Toward a dysregulation hypothesis of depression. *American Journal of Psychiatry, 142,* 1017–1031.

Signoret, J.-L., & Lhermitte, F. (1976). The amnesic syndromes and the encoding process. In M. R. Rosenzweig & E. L. Bennett (Eds.), *Neural mechanisms of learning and memory* (pp. 67–75). Cambridge: MIT Press.

Silberman, E. K., & Weingartner, H. (1986). Hemispheric lateralization of function related to emotion. *Brain and Cognition, 5,* 322–353.

Silva, D. A., & Satz, P. (1979). Pathological left-handedness. Evaluation of a model. *Brain and language, 7,* 8–16.

Silver, R. (1978). The parental behavior of ring doves. *American Scientist, 66,* 209–215.

Simon, H. A. (1962). The architecture of complexity. *Proceedings of the*

American Philosophical Society, 106, 467–482.

Simon, H., Mayo, W., & Le Moal, M. (1985). Anatomical and behavioral studies following lesions of the basal magnocellular nucleus in the rat. In B. E. Will, P. Schmidt, & J. C. Dalrymple-Alford (Eds.), *Advances in behavioral biology: Vol. 28. Brain plasticity, learning, and memory* (pp. 423–432). New York: Plenum.

Simantov, R., & Snyder, S. H. (1976). Isolation and structure identification of a morphine-like peptide enkephalin in bovine brain. *Life Sciences, 18,* 781–788.

Simpson, G. G., *The meaning of evolution.* (2nd ed) (1967). New Haven: Yale.

Sims, E. A. H., and Horton, E. S. (1968). Endocrine and metabolic adaptation to obesity and starvation. *American Journal of Clinical Nutrition, 21,* 1455–1470.

Singer, J. J. (1968). Hypothalamic control of male and female sexual behavior in female rats. *Journal of Comparative and Physiological Psychology, 66,* 738–742.

Sinz, R., Grechenko, T. N., & Sokolov, Y. N. (1982). The memory neuron concept: A psychophysiological approach. In R. Sinz & M. R. Rosenzweig (Eds.), *Psychophysiology 1980* (pp. 227–254). Amsterdam: North-Holland.

Sinz, R., & Rosenzweig, M. R. *Psychophysiology 1980: Memory, Motivation, and Event-Related Potentials in Mental Operations* (1982). (Symposia and papers from the XXIInd International Congress of Psychology, Leipzig). Amsterdam: North-Holland.

Sitaram, N., Weingartner, H., & Gillin, J. C. (1978). Human serial learning: Enhancement with arecoline and choline and impairment with scopolamine. *Science, 201,* 274–276.

Skavenski, A. A., & Hansen, R. M. (1978). Role of eye position information in visual space perception. In J. Senders, D. Fisher, & R. Monty (Eds.), *Eye movements and the higher psychological functions.* New York: Erlbaum.

Skrede, K. K., & Malthe-Sorenssen, E. (1981). Increased resting and evoked release of transmitter following repetitive electrical tetanization in hippocampus: A biochemical correlate to long-lasting synaptic potentiation. *Brain Research, 208,* 436–441.

Sladek, J. R., & Gash, D. M. (1984). Morphological and functional properties of transplanted vasopressin neurons. In J. R. Sladek & D. M. Gash (Eds.), *Neural transplants* (pp. 243–281). New York: Plenum.

Slimp, J. C., Hart, B. L., & Goy, R. W. (1978). Heterosexual, autosexual and social behavior of adult male rhesus monkeys with medial preoptic-anterior hypothalamic lesions. *Brain Research, 142,* 105–122.

Smith, A., & Sugar, O. (1975). Development of above normal language and intelligence 21 years after hemispherectomy. *Neurology, 25,* 813–818.

Smith, C. (1985). Sleep states and learning. A review of the animal literature. *Neuroscience and Biobehavioral Reviews, 9,* 157–169.

Smith, G. P. (1982). Satiety and the problem of motivation. In D. W. Pfaff (Ed.), *The physiological mechanisms of motivation* (pp. 133–143). New York: Springer-Verlag.

––––––. (1983). The peripheral control of appetite. *Lancet,* 88–89.

––––––, & Gibbs, J. (1976). Cholecystokinin and satiety: Theoretic and therapeutic implications. In D. Novin, W. Wyrwicka, & G. Bray (Eds.), *Hunger: Basic mechanisms and clinical implications.* New York: Raven.

Smith, G. P., Jerome, C., Cuslien, B. J., Eterno, R., & Simansky, K. J. (1981). Abdominal vagotomy blocks the satiety effect of cholecystokinin in the rat. *Science, 213,* 1036–1037.

Smith, J. M., Kucharski, L., Oswald, W. T., & Waterman, L. J. (1979). A systematic investigation of tardive dyskinesia in inpatients. *American Journal of Psychiatry, 136,* 918–922.

Smolen, A. (1981). Postnatal development of ganglionic neurons in the absence of preganglionic input: Morphological synapse formation. *Developmental Brain Research, 1,* 49–58.

Smythies, J. (1984). The transmethylation hypotheses of schizophrenia re-evaluated. *Trends in neuroscience, 7,* 48–53.

Snider, S. R. (1982). Cerebellar pathology in schizophrenia—Cause or consequence? *Neuroscience and Biobehavioral Reviews, 6,* 47–53.

Snyder, F., (1969). Sleep and REM as biological enigmas. In A. Kales (Ed.), *Sleep: Physiology and pathology* (pp. 266–280). Philadelphia: Lippincott.

––––––, & Scott, J. (1972). The psychophysiology of sleep. In N. S. Greenfield & R. A. Sternbach (Eds.), *Handbook of Psychophysiology* (pp. 645–708). New York: Holt.

Snyder, S. H. (1975). Amino acid transmitters: Biochemical pharmacology. In D. Tower (Ed.), *The nervous system, Vol. 1* (pp. 355–361). New York: Raven.

––––––. (1980). *Biological aspects of mental disorder.* New York: Oxford.

––––––, Bennett, J. P. (1976). Neurotransmitter receptors in the brain: biochemical identification. *Annual Review of Physiology, 38,* 153–175.

––––––, Snyder, S. H., & Childers, W. R. (1979). Opiate receptors and opioid peptides. In W. M. Cowan, Z. W. Hall, & E. R. Kandel (Eds.), *Annual Review of Neuroscience, Vol. 2* (pp. 35–64). Palo Alto: Annual Reviews.

So, J. K. (1980). Human biological adaptation to arctic and subarctic zones. In B. Siegel, A. Beals, & S. Tyler (Eds.), *Annual Review of Anthropology, 9,* 63–82.

Solomon, R. L. (1980). The opponent-process theory of acquired motivation. *American Psychologist, 35,* 691–712.

––––––, Solomon, R. L., & Corbit, J. D. (1974). An opponent-process theory of motivation. I. Temporal dynamics of affect. *Psychological Review, 81,* 119–145.

Sotaniemi, K. A. (1980). Brain damage and neurological outcome after open-heart surgery. *Journal of Neurology, Neurosurgery and Psychiatry, 43,* 127–135.

Sotelo, C. (1980). Mutant mice and the formation of cerebellar circuitry. *Trends in Neurosciences, 3,* 33–36.

Spearing, D. L., & Poppen, R. (1974). Use of feedback in reduction of foot dragging in a cerebral-palsied client. *Journal of Nervous and Mental Diseases, 159,* 148–151.

Sperry, R. W. (1974). Lateral specialization in the surgically separated hemispheres. In F. O. Schmitt & F. G. Worden (Eds.), *Neuroscience 3rd study program.* Cambridge: MIT Press.

––––––, (1951). Mechanisms of neural maturation. In S. S. Stevens (Ed.), *Handbook of experimental psychology.* New York: Wiley.

––––––, Stamm, J., & Miner, N. (1956). Relearning tests for interocular transfer following division of optic chiasma and corpus callosum in cats. *Journal of Comparative and Physiological Psychology, 49,* 529–533.

Spiegler, B. J., & Yeni-Komshian, G. H. (1983). Incidence of left-handed writing in a college population with reference to family patterns of hand preference. *Neuropsychologia, 21,* 651–659.

Spinelli, D. N., Hirsch, H. V. B., Phelps, R. W., & Metzler, J. (1972). Visual experience as a determinant of the response characteristics of cortical receptive fields in cats. *Experimental Brain Research, 15,* 289–304.

Springer, S., & Deutsch, G. (1985 Revised edition). *Left brain, right brain.* New York: Freeman.

Squire, L. R. (1984). The neuropsychology of memory. In P. Marler & H. S. Terrace (Eds.), *The biology of learning.* Berlin: Springer-Verlag.

––––––. (1975). A stable impairment in remote memory following electroconvulsive therapy. *Neuropsychologia, 13,* 51–58.

––––––. (1980). Specifying the defect in human amnesia: Storage, retrieval, and semantics. *Neuropsychologia, 18,* 368–372.

––––––. (1981). Two forms of human amnesia: An analysis of forgetting. *Journal of Neuroscience, 1,* 635–640.

––––––, & Moore, R. Y. (1979). Dorsal thalamic lesion in a noted case of chronic memory dysfunction. *Annals of Neurology, 6,* 503–506.

———, & Slater, P. C. (1978). Anterograde and retrograde memory impairment in chronic amnesia. *Neuropsychologia, 16,* 313–322.

Stacher, G., Bauer, H., & Steinringer, H. (1979). Cholecystokinin decreases appetite and activation evoked by stimuli arising from preparation of a meal in man. *Physiology and Behavior, 23,* 325–331.

Stacher, G., Steinringer, H., Schmierer, G., Schneider, C., & Winklehner, S. (1979). Cholecystokinin octapeptide decreases intake of solid food in man. *Peptides, 3,* 133–136.

Stamm, J. S. (1984). Performance enhancement with cortical negative slow potential shifts in monkey and human. In T. Ebert, B. Rockstroh, W. Lutzenberger, & N. Birbaumer (Eds.), *Self-regulation of the brain and behavior.* New York: Springer-Verlag.

Stamm, J. S., Rosen, S. C., Sandrew, B. B., & Gillespie, O. (1978). Events contingent upon cortical potentials can lead to rapid learning. In D. A. Otto (Ed.), *Multidisciplinary perspectives on event-related brain potential research.* Washington, D.C.: U.S. Government Printing Office.

Starr, A., & Phillips, L. (1970). Verbal and motor memory in the amnestic syndrome. *Neuropsychologia. 8,* 75–88.

Stein, L., Belluzzi, J. D., & Wise, C. D. (1975). Memory enhancement by central administration of norepinephrine. *Brain Research, 84,* 329–335.

———, & Wise, C. D. (1971). Possible etiology of schizophrenia: progressive damage to the noradrenergic reward system by 6-hydroxydopamine. *Science,* 1971, 1032–1036.

Stein, M., Keller, S., & Schleifer, S. (1981). The hypothalamus and the immune response. In H. Weiner, A. Hofer, & A. J. Stunkard (Eds.), *Brain behavior and bodily disease* (pp. 45–63). New York: Raven.

Stellar, E. (1982). Brain mechanisms in hedonic processes. In D. W. Pfaff (Ed.), *The physiological mechanisms of motivation* (pp. 378–407). New York: Springer-Verlag.

Stellar, J. R., Brooks, F. H., & Mills, L. E. (1979). Approach and withdrawal analysis of the effects of hypothalamic stimulation and lesions in rats. *Journal of Comparative and Physiological Psychology, 93,* 446–466.

Stelmach, G. E. (Ed.) (1978). *Information processing in motor control and learning.* New York: Academic, 1978.

Stent, G. S., Kristan, W. B. Jr., Friesen, W. O., Ort, C. A., Poon, M., & Calabrese, R. L. (1978). Neuronal generation of the leech swimming movement. *Science, 200,* 1348–1357.

Stent, G. S., & Weisblat, D. A. (1982). The development of a simple nervous system. *Scientific American, 246,* 136–146.

Stephan, F. K., & Zucker, I. (1972). Circadian rhythms in drinking behavior and locomotor activity of rats are eliminated by hypothalamic lesions. *Proceedings of the National Academy of Sciences* (WSA), *69,* 1583–1586.

Stern, R. M., Ray, W. J., & Davis, C. M. (1980). *Psychophysiological Recording.* New York: Oxford.

Sternberg, D. B., Martinez, J. L., Gold, P. E., & McGaugh, J. L. (1985). Age-related memory deficits in rats and mice: Enhancement with peripheral injections of epinephrine. *Behavioral and Neural Biology, 44,* 213–220.

Stewart, J., & Cygan, D. (1980). Ovarian hormones act early in development to feminize adult open-field behavior in the rat. *Hormones and Behavior, 14,* 20–32.

Stone, G. S. (Ed.) (1980). *Health Psychology.* San Francisco: Jossey-Bass.

Straus, E., & Yalow, R. S. (1979). Cholecystokinin in the brains of obese and nonobese mice. *Science, 203,* 68–69.

Stricker, E. M. (1983). Brain neurochemistry and the control of food intake. In E. Satinoff & P. Teitelbaum (Eds.), *Handbook of behavioral neurobiology. Vol. 6. Motivation* (pp. 329–366). New York: Plenum.

Stricker, E. M., Swerdloff, A. F., & Zigmond, M. J. (1978).

Intrahypothalamic injections of kainic acid produce deficits in feeding and drinking during acute homeostatic imbalances. *Society for Neuroscience Abstracts, 4,* 181.

Stunkard, A. J. (Ed.) (1980). *Obesity,* Philadelphia: Saunders.

Sturdevant, R. A. L., & Goetz, H. (1976). Cholecystokinin both stimulates and inhibits human food intake. *Nature, 261,* 713–715.

Swaab, D. F., & Hofman, M. A. (1984). Sexual differentiation of the human brain. A historical perspective. In G. J. De Vries, J. P. C. De Bruin, H. B. M. Uylings, & M. A. Corner (Eds.), *Progress in brain research: Vol. 61. Sex differences in the brain* (pp. 361–374). Amsterdam: Elsevier Science Publishers.

Swazey, J. P. (1974). *Chlorpromazine in psychiatry.* Cambridge: MIT Press.

Sweet, W. H. (1973). Treatment of medically intractable mental disease by limited frontal leucotomy—Justifiable? *New England Journal of Medicine, 289,* 1117–1125.

Szeligo, F., & Leblond, C. P. (1977). Response of the three main types of glial cells of cortex and corpus callosum in rats handled during suckling or exposed to enriched, control and impoverished environments following weaning. *Journal of Comparative Neurology 172,* 247–264.

Tallal, P., & Schwartz, J. (1980). Temporal processing, speech perception and hemispheric asymmetry. *Trends in neuroscience, 3,* 309–311.

Takahashi, Y. (1979). Growth hormone secretion related to the sleep and waking rhythm. In R. Drucker-Colin, M. Shkurovich, & M. B. Sterman (Eds.), *The functions of sleep.* New York: Academic.

Tandan, R., & Bradley, W. G. (1985). Amyotropic lateral sclerosis: Part 1 clinical features, pathology, and ethical issues in management. *Annals of Neurology, 18,* 271–281.

Taub, E., & Berman, A. J. (1968). Movement and learning in the absence of sensory feedback. In S. J. Freedman (Ed.), *The Neuropsychology of Spatially Oriented Behavior.* Homewood, Ill.: Dorsey.

Taub, E., & School, P. J. (1978). Some methodological considerations in thermal biofeedback training. *Behavior Research Methods and Instrumentation, 10(5),* 617–622.

Teas, D. C. (1989). Auditory physiology: present trends. *Annual Review of Psychology, 40.*

Teitelbaum, P., & Epstein, A. N. (1962). The lateral hypothalamic syndrome: Recovery of feeding and drinking after lateral hypothalamic lesions. *Psychological Review, 69,* 74–94.

Teitelbaum, P., & Stellar, E. (1954). Recovery from failure to eat produced by hypothalamic lesions. *Science, 120,* 894–895.

Tempel, B. L., Bonini, N., Dawson, D. R., & Quinn, W. G. (1983). Reward learning in normal and mutant *Drosophila. Proceedings of the National Academy of Sciences, U.S.A., 80,* 1482–1486.

Teodoru, D. E., & Berman, A. J. (1980). The role of attempted movements in recovery from lateral dorsal rhizotomy. *Society for Neuroscience Abstracts. G,* 25.

Terman, G. W., Shavit, Y., Lewis, J. W., Cannon, J. T., & Liebeskind, J. C. (1984). Intrinsic mechanisms of pain inhibition: Activation by stress. *Science, 226,* 1270–1277.

Terrace, H. *Nim.* (1979). New York: Knopf.

Teuber, H.-L. (1966). Alterations of perception after brain injury. In J. C. Eccles (Ed.), *Brain and conscious experience.* New York: Springer-Verlag.

———, Milner, B., & Vaughan, H. G. (1968). Persistent anterograde amnesia after stab wound of the basal brain. *Neuropsychologia, 6,* 267–282.

Teyler, T. (Ed.) (1978). *Brain and Learning,* Stamford, Conn.: Greylock.

Teyler, T. J., & DiScenna, P. (1986). Long-term potentiation. *Annual Review of Neuroscience, 10,* 131–161.

Thal, L. J., Fuld, P. A., Mausr, D. M., et al. (1983). Oral physostigmine and lecithin improve memory in Alzheimer's disease. *Annals of Neurology, 13,* 491–496.

Thomas, C. B., Duszynski, K. R., & Shaffer, J. W. (1979). Family attitudes reported in youth as potential predictors of cancer. *Psychosomatic Medicine, 41,* 287–302.

Thomas, G. J. (1984). Memory: Time binding in organisms. In L. R. Squire and N. Butters (Eds.), *Neuropsychology of memory* (pp. 374–384). New York: Guilford.

Thompson, C. I. (1980). *Controls of eating.* Jamaica, New York: Spectrum.

Thompson, R. F. (1986) The neurobiology of learning and memory. *Science, 233,* 941–947.

———, Berger, T. W., Cegavske, C. F., Patterson, M. M., Roemer, R. A., Teyler, T. J., and Young, R. A. (1976). The search for the engram. *American Psychologist, 31,* 209–227.

———, Hicks, L. H., & Shvyrok, V. B. (Eds.) (1980). *Neural mechanisms of goal-directed behavior and learning.* New York: Academic.

Thorndike, E. L. (1898). Animal intelligence: An experimental study of the associative processes in animals. *Psychological Review Monograph Supplement, 2.*

Thornton, J. E., & Goy, R. W. (1983). Female sexual behavior of adult pseudohermaphroditic Rhesus. *Abstracts, Congress of Reproductive Behavior, 15,* 21.

Tilley, A. J. (1979). Sleep learning during stage II and REM sleep. *Biological Psychology, 9,* 155–161.

Tinbergen, N. (1951). *The Study of Instinct.* Oxford: Clarendon.

Tizard, J. (1974). Early malnutrition, growth and mental development. *British Medical Bulletin, 30,* 169–174.

Tobias, P. V. (1980). L'evolution du cerveau humain. *La Recherche, 11,* 282–292.

Tompkins, L., Gross, A. C., Hall, J. C., Gailey, D. A., & Siegel, R. W. (1982). The role of female movement in the sexual behavior of *Drosophila melanogaster. Behavior Genetics, 12,* 295–307.

Towe, A. (1971). Discussion in Neurosciences Research Program Bulletin 9, 40–44.

Tranel, D. & Damasio, A. R. (1985). Knowledge without awareness: An autonomic index of facial recognition by prosopagnosics. *Science, 228,* 1453–1454.

Tranel, D., Damasio, A. R., & Damasio, H. (1988). Intact recognition of facial expression, gender, and age in patients with impaired recognition of face identity. *Neurology, 38,* 690–696.

Treisman, M. (1977). Motion sickness-Evolutionary hypotheses. *Science, 197,* 493–495.

Trulson, M. E., & Jacobs, B. L. (1979). Dissociations between the effects of LSD on behavior and raphe unit activity in freely moving cats. *Science, 205,* 515–518.

Truman, J. W. (1983). Programmed cell death in the nervous system of an adult insect. *Journal of Comparative Neurology, 216,* 445–452.

Tully, T. (1987). *Drosophila* learning and memory revisited. *Trends in Neuroscience, 10,* 330–335.

Tulving, E. (1972). Episodic and semantic memory. In E. Tulving and W. Donaldson (Eds.), *Organization of memory.* New York: Academic.

Turek, F. (1985). Circadian neural rhythms in mammals. *Annual Review of Physiology, 47,* 49–64.

Turner, A. M., & Greenough, W. T. (1985). Differential rearing effects on rat visual cortex synapses. I. Synaptic and neuronal density and synapses per neuron. *Brain Research, 329,* 195–203.

Turner, C. D., & Bagnara, J. T. (1976). *General endocrinology, 6th ed.* Philadelphia: Saunders.

Tyrer, P., & Marsden, C. (1985). New antidepressant drugs: Is there anything new they tell us about depression? *Trends in Neurosciences, 8,* 427–431.

Tzeng, O., & Wang, W. Y.-S. (1984). Search for a common neurocognitive mechanism for language and movements. *American Journal of Physiology, 246,* R904–911.

Ungerstedt, U. (1971). Sterotaxic mapping of the monoamine pathways in the rat brain. *Acta Physiologica Scandinavica,* Supplementum, *367,* 1–48.

Ursin, H., Baade, E., & Levine, S. (1978). *Psychobiology of stress: A study of coping men.* New York: Academic.

U.S. President's Committee on Mental Retardation. *Mental retardation: Century of decision.* (DHEW Publication No. (OHD) 76–21013). Washington, D.C., 1976.

Usdin, E., & Bunney, W. E. (Eds.) (1975). Pre- and postsynaptic receptors. New York: Marcel Dekker.

Uttal, W. R. (1973). *The psychobiology of sensory coding.* New York: Harper & Row.

Valbo, A. B. (1971). Muscle spindle responses at the onset of isometric voluntary contractions in man. Time difference between fusimotor and skeletomotor effects. *Journal of Physiology* (London), *218,* 405–431.

———, & Johansson, R. S. (1984). Properties of cutaneous mechanoreceptors in the human hand related to touch sensation. *Human Neurobiology, 3,* 3–15.

Valenstein, E. S. (1973). *Brain control.* New York: Wiley-Interscience.

———. (1980). *The psychosurgery debate: Scientific, legal, and ethical perspectives.* San Francisco: Freeman.

———, Cox, V. C., & Kakolewski, J. W. (1970). Reexamination of the role of the hypothalamus in motivation. *Psychological Review, 77,* 16–31.

Valzelli, L. (1980). *Psychobiology of aggression and violence.* New York: Raven.

van Bergeijk, W. A. (1967). The evolution of vertebrate hearing. In W. D. Neff (Ed.), *Contributions to sensory physiology,* Vol. 3. New York: Academic.

van de Castle, R. L. (1971). *The psychology of dreaming.* New York: General Learning.

van Dis, H., & Larsson, K. (1971). Induction of sexual arousal in the castrated male rat by intracranial stimulation. *Physiology and Behavior, 6,* 85–86.

Van Essen, C. D. (1979). Visual areas of the mammalian cerebral cotex. *Annual Review of Neuroscience, 2,* 227–263.

van Marthens, E., Grauel, L., & Zamenhof, S. (1974). Enhancement of prenatal development in the rat by operative restriction of litter size. *Biology of the Neonate, 25,* 53–56.

van Valen, L. (1974). Brain size and intelligence in man. *American Journal of Physical Anthropology, 40,* 417–424.

van Zoeren, J. G., & Stricker, E. M. (1977). Effects of preoptic, lateral hypothalamic, or dopamine-depleting lesions on behavioral thermoregulation in rats exposed to the cold. *Journal of Comparative and Physiological Psychology, 91,* 989–999.

Veraa, R. P., & Graftein, B. (1981). Cellular mechanisms for recovery from nervous system injury: A conference report. *Experimental Neurology, 71,* 6–75.

Victor, M., Adams, R. D., & Collins, G. H. (1971). *The Wernicke-Korsakoff Syndrome.* Philadelphia: F. A. Davis.

Vidal, J. M. (1980). The relations between filial and sexual imprinting in the domestic fowl: effects of age and social experience. *Animal Behavior, 28,* 880–891.

Vogel, G. W., Vogel, F., McAbee, R. S., & Thurmond, A. J. (1980). Improvement of depression by REM sleep deprivation: New findings and a theory. *Archives of General Psychiatry, 37,* 247–253.

Volkmar, F. R. & Greenough, W. T. (1972). Rearing complexity affects branching of dendrites in the visual cortex of the rat. *Science, 176,* 1445–1447.

Volpe, B. T., Pulsinelli, W. A., & Davis, H. P. (1985). Amnesia in humans and animals after ischemic cerebral injury. In D. S. Olton, E. Gamzu, & S. Corkin (Eds.), *Memory dysfunctions: An integration of animal and human research from preclinical and clinical perspectives* (pp. 492–493). New York: New York Academy of Sciences.

vom Saal, F. S., & Bronson, F. H. (1978). *In utero* proximity of female mouse fetuses to males: Effect on reproductive performance occurring in later life. *Biology of Reproduction, 19,* 842–853.

von Crammon, D. Y., Hebel, N., & Schuri, U. (1985). A contribution to the anatomical basis of thalamic amnesia. *Brain, 108,* 993–1008.

von der Heydt, R., Adorjani, Cs., Hanny, P., & Baumgartner, G. (1978). Disparity sensitivity and receptive field incongruity of units in the cat striate cortex. *Experimental Brain Research, 31,* 523–545.

von Holst, E. (1954). Relations between the central nervous system and the peripheral organs. *British Journal of Animal Behaviour, 2,* 89–94.

von Schilcher, F., & Hall, J. C. (1979). Neural topography of courtship song in sex mosaics of *Drosophila melanogaster. Journal of Comparative Physiology, 129,* 85–95.

Wada, J. A., & Rasmussen, T. (1960). Intracarotid injection of sodium amytal for the lateralization of cerebral speech dominance: Experimental and clinical observations. *Journal of Neurosurgery, 17,* 266–282.

Wagner, G. C., Beuving, L. J., & Hutchinson, R. R. (1980). The effects of gonadal hormone manipulations on aggressive target-biting in mice. *Aggressive Behavior, 6,* 1–7.

Wahl, O. F. (1976). Monozygotic twins discordant for schizophrenia: A review. *Psychological Bulletin, 83,* 91–106.

Wald, G. (1964). The receptors of human color vision. *Science, 145,* 1007–1016.

Wall, P. D. (1980). Mechanisms of plasticity of connection following damage of adult mammalian nervous systems. In P. Bach-y-Rita (Ed.), *Recovery of function: Theoretical considerations for brain injury rehabilitation.* Bern: Hans Huber.

Walls, G. L. (1942). *The vertebrate eye, Vol. 1.* Bloomfield Hills, Mich.: Crankbrook Institute of Science.

Walters, E. T., & Byrne, J. H. (1983). Associative conditioning of single neurons suggests a cellular mechanism for learning. *Science, 219,* 405–408.

Warrington, E. K., & Weiskrantz, L., (1982). Amnesia: A disconnection syndrome? *Neuropsychologia, 20,* 233–248.

_____. (1968). A study of learning and retention in amnesic patients. *Neuropsychologia, 6,* 283–291.

Watson, S. J., Barchas, J. D., & Li, C. H. (1977). Lipotropin: Localization of cells and axons in rat brain by immunocyto-chemistry. *Proceedings of the National Academy of Sciences, U.S.A., 74,* 5155–5158.

Wauquier, A., Clincke, G. H. C., van den Broeck, A. E., & De Prins, E. (1985). Active and permissive roles of dopamine in sleep-wakefulness regulation. In A. Wauquier, J. M. Gaillard, J. M. Monti, & M. Radulovacki (Eds.), *Sleep: Neurotransmitters and neuromodulators.* New York: Raven.

Weddell, A. G. M. (1962). Activity pattern hypothesis for sensation of pain. In R. G. Grenell (Ed.), *Neural physiopathology.* New York: Harper & Row.

Wehr, T. A., Jacobsen, F. M., Sack, D. A., Arendt, J., Tamrkin, L., & Rosenthal, N. E. (1986). Phototherapy of seasonal affective disorder. *Archives of General Psychiatry, 43,* 870–875.

Wehr, T., Sack, D., Rosenthal, N., Duncan, W., & Gillin, J. C. (1983). Circadian rhythm disturbances in manic-depressive illness. *Federation Proceedings, 42,* 2809–2814.

Weinberger, D. R., Bigelow, L. B., Kleinman, J. E., Klein, S. T., Rosenblatt, J. E., & Wyatt, R. J. (1980). Cerebral ventricular enlargement in chronic schizophrenia. *Archives of General Psychiatry, 37,* 11–13.

Weinshilboum, R. M. (1984). Human pharmacogenetics. *Federation Proceedings, 43(8),* 2295–2297.

Weiskrantz, L. (1985). On issues and theories of the human amnesic syndrome. In N. M. Weinberger, J. L. McGaugh, and G. Lynch (Eds.), *Memory systems of the brain* (pp. 380–415). New York: Guilford.

Weiskrantz, L., & Warrington, E. K. (1975). Some comments on Woods' and Piercy's claim of a similarity between amnesic memory and normal forgetting. *Neuropsychologia, 13,* 365–368.

Weiskrantz, L., Warrington, E. K., Sanders, M. D., & Marshall, J. (1974). Visual capacity in the hemianopic field following a restricted occipital ablation. *Brain, 97,* 709–728.

Weiss, J. M. (1977). Psychological and behavioral influences on gastrointestinal lesions in animal models. In J. D. Maser & M. E. P. Seligman (Eds.), *Psychopathology: Experimental methods.* San Francisco: Freeman.

Weisz, D. J., Solomon, P. R., & Thompson, R. F. (1980). The hippocampus appears necessary for trace conditioning. *Bulletin of the Psychonomic Society, 16,* 164.

Weitzman, E. D. (1981). Sleep and its disorders. *Annual Review of Neurosciences, 4,* 381–417.

_____, Czeisler, C. A., Coleman, R. M., Spielman, A. J., Zimmerman, J. C., & Dement, W. (1981). Delayed sleep phase syndrome. *Archives of General Psychiatry, 38,* 737–746.

_____, Czeisler, C. A., Zimmerman, J. C., & Moore-Ede, M. C. (1981). Biological rhythms in man: Relationship of sleep-wake, cortisol, growth hormone, and temperature during temporal isolation. In J. B. Martin, S. Reichlin, & K. L. Bick (Eds.), *Neurosecretion and brain peptides.* New York: Raven.

West, J. R., Hodges, C. A., & Black, A. C. (1981). Prenatal exposure to ethanol alters the organization of hippocampal mossy fibers in rats. *Science, 211,* 957–959.

West, R. W., & Greenough, W. T. (1972). Effect of environmental complexity on cortical synapses of rats: Preliminary results. *Behavioral Biology, 7,* 279–284.

Westheimer, G. (1984). Spatial vision. *Annual Review of Psychology, 35,* 201–226.

Wever, E. G. (1974). The evolution of vertebrate hearing. *In Handbook of sensory physiology. Vol. 1. Audition.* New York: Springer-Verlag.

Wexler, B. E., & Heninger, G. R. (1979). Alterations in cerebral laterality during acute psychotic illness. *Archives of General Psychiatry, 36,* 278–284.

White, L. E., & Hain, R. F. (1959). Anorexia in association with a destructive lesion of the hypothalamus. *Archives of Pathology, 68,* 275–281.

Wickelgren, W. A. (1979). Chunking and consolidation: A theoretical synthesis of semantic networks, configuring in conditioning, S-R vs. cognitive learning, normal forgetting, the amnesic syndrome and the hippocampal arousal system. *Psychological Review, 86,* 44–60.

Wickens, D. D. (1939). The simultaneous transfer of conditioned excitation and conditioned inhibition. *Journal of Experimental Psychology, 25,* 127–140.

_____. (1943a). Studies of response generalization in conditioning. I. Stimulus generalization during response generalization. *Journal of Experimental Psychology, 33,* 221–227.

_____. (1943b). Studies of response generalization in conditioning. II. Comparative strength of the transferred and nontransferred responses. *Journal of Experimental Psychology, 33,* 330–332.

_____. (1938). The transference of conditioned excitation and conditioned inhibition from one muscle group to the antagonist muscle group. *Journal of Experimental Psychology, 22,* 101–123.

Wiesel, T. N., & Hubel, D. H. (1965). Extent of recovery from the effects of visual deprivation in kittens. *Journal of Neurophysiology, 28,* 1060–1072.

Wiley, J. H., & Leveille, G. A. (1970). Significance of insulin in the metabolic adaptation of rats to meal ingestion. *Journal of Nutrition, 100,* 1073–1080.

Wilkins, L., & Richter, C. P. (1940). A great craving for salt by a child with cortico-adrenal insufficiency. *Journal of the American Medical Association, 114,* 866–868.

Will, B. E., Rosenzweig, M. R., Bennett, E. L., Hebert, M., &

Morimoto, H. (1977). Relatively brief environmental enrichment aids recovery of learning capacity and alters brain measures after postweaning brain lesions in rats. *Journal of Comparative and Physiological Psychology, 91*, 33–50.

Williams, D. (1969). Neural factors related to habitual aggression. *Brain, 92*, 503–520.

Wilson, J. R., & Sherman, S. M. (1976). Receptive-field characteristics of neurons in cat striate cortex: Changes with visual field eccentricity. *Journal of Neurophysiology, 39*, 512–533.

Wimer, R. E., & Wimer, C. C. (1985). Animal behavior genetics: A search for the biological foundations of behavior. *Annual Review of Psychology, 36*, 171–218.

Winfree, A. T. (1982). Circadian timing of sleepiness in man and woman. *American Journal of Physiology, 243*, R193–204.

———. (1983). Impact of a circadian clock on the timing of human sleep. *American Journal of Physiology, 245*, R497–504.

Wingfield, J. C., Ball, G. F., Dufty, A. M., Hegner, R. E., & Ramenofsky, M. (1987). Testosterone and aggression in birds. *American Scientist, 75*, 602–608.

Winick, M. (1976). *Malnutrition and brain development.* New York: Oxford.

———, Meyer, N. K., & Harris, R. C. (1975). Malnutrition and environmental enrichment by early adoption. *Science, 190*, 1173–1175.

Winograd, T. (1975). Frame representations and the declarative-procedural controversy. In D. Bobrow & A. Collins (Eds.), *Representation and understanding: Studies in cognitive science.* New York: Academic.

Wise, R. A. (1974). Lateral hypothalamic electrical stimulation: Does it make animals hungry? *Brain research, 67*, 187–209.

———. (1984). Neural mechanisms of the reinforcing action of cocaine. In J. Grabowski (Ed.), *Cocaine: Pharmacology, effects and treatment of abuse.* NIDA Research Monograph 50 (pp. 15–33). National Institute on Drug Abuse.

———, & Rompre, P.-P. (1989). Brain dopamine and reward. *Annual Review of Psychology, 40*, 191–225.

Wise, S. P. (1985). The primate premotor cortex: Past present, and preparatory. *Annual Review of Neuroscience, 8*, 1–21.

———, & Strick, P. L. (1984). Anatomical and physiological organization of the non-primary motor cortex. *Trends in neuroscience, 7*, 442–447.

Wittrock, M. C. (1977). *The human brain.* Englewood Cliffs, N.J.: Prentice-Hall.

Wodinsky, J. (1977). Hormonal inhibition of feeding and death in *Octopus:* control by optic gland secretion. *Science, 198*, 948–951.

Wolf, S., Wolff, H. G. (1947). *Human gastric function: An experimental study of a man and his stomach.* New York: Oxford.

Wolgin, D. L., Cytawa, J., & Teitelbaum, P. (1976). The role of activation in the regulation of food intake. In D. Novin, W. Wyrwicka, G. Bray (Eds.), *Hunger: Basic mechanisms and clinical implications.* New York: Raven.

Woods, B. T., & Teuber, H.-L. (1978). Changing patterns of childhood aphasia. *Annals of Neurology, 1978, 3*, 273–280.

Woods, S. C., Vasselli, J. R., Kaestner, E., Szakmary, G. A., Milburn, P., & Vitiello, M. V. (1977). Conditioned insulin secretion and meal feeding in rats. *Journal of Comparative and Physiological Psychology, 91*, 128–133.

Woodside, B., Pelchat, R., & Leon, M. (1980). Acute elevation of the heat load of mother rats curtails maternal nest bouts. *Journal of Comparative and Physiological Psychology, 94*, 61–68.

Woolsey, C. N. (1981). *Cortical sensory organization: Multiple auditory areas.* Crescent Manor, N.J.: Humana.

———. (1981). *Cortical sensory organization: Multiple somatic areas.* Crescent Manor, N.N.: Humana.

———. (1981). *Cortical sensory organization: Multiple visual areas.* Crescent Manor, N.J.: Humana.

Woolsey, T. A., & Wann, J. R. (1976). Areal changes in mouse cortical barrels following vibrissal damage at different postnatal ages. *Journal of Comparative Neurology, 170*, 53–66.

Woolsey, T. A., Durham, D., Harris, R. M., Simous, D. T., & Valentino, K. (1981). Somatosensory development. In R. S. Aslin, J. R. Alberts, & M. R. Peterson (Eds.), *Sensory and perceptual development: Influence of genetic and experiential factors.* New York: Academic.

Wurtman, R. J. (1978). Food for thought. *The Sciences* (New York Academy of Sciences), 6–9.

Yeo, C. H., Hardiman, M. J., & Glickstein, M. (1985). Classical conditioning of the nictitating membrane response of the rabbit. II. Lesions of the cerebellar cortex. *Experimental Brain Research, 60*, 99–113.

Yoon, M. (1979). Specificity and plasticity of retinotectal connections. *Neuroscience Research Program Bulletin, 17*, 225–359.

Zahorik, D. M., Maier, S. F., & Pies, R. W. (1974). Preferences for tastes paired with recovery from thiamine deficiency in rats: Appetitive conditioning or learned safety? *Journal of Comparative and Physiological Psychology, 87*, 1083–1091.

Zaidel, E. (1976). Auditory vocabulary of the right hemisphere following brain bisection or hemidecortication. *Cortex, 12*, 191–211.

Zecevic, N., & Rakic, P. (1976). Differentiation of Purkinje cells and their relationship to other components of developing cerebellar cortex in man. *Journal of Comparative Neurology, 167*, 27–48.

Zeigler, H. P. (1983). The trigeminal system and ingestive behavior. In E. Satinoff & P. Teitelbaum (Eds.), *Handbook of behavioral neurobiology: Vol. 6. Motivation* (pp. 265–327). New York: Plenum.

Zeki, S. (1983). Color coding in the cerebral cortex: the responses of wavelength, selective and color coded cells in monkey visual cortex to changes in wavelength composition. *Neuroscience, 9*, 767–781.

Zeki, S. M. (1977). Color coding in the superior temporal sulcus of rhesus monkey visual cortex. *Proceedings of the Royal Society of London, 197*, 195–223.

———. (1978). Functional specialization in the visual cortex of the rhesus monkey. *Nature, 274*, 423–428.

Zihl, J., & von Cramon, D. (1979). Restitution of visual function in patients with cerebral blindness. *Journal of Neurology, Neurosurgery, and Psychiatry, 42*, 312–322.

Zola-Morgan, S., & Squire, L. R. (1985a). Medial temporal lesions in monkeys impair memory in a variety of tasks sensitive to amnesia. *Behavioral Neuroscience, 99*, 22–34.

———. (1985b). Amnesia in monkeys after lesions of the mediodorsal nucleus of the thalamus. *Annals of Neurology, 17*, 558–564.

———. (1985c). Complementary approaches to the study of memory: Human amnesia and animal models. In N. M. Weinberger, J. G. McGaugh, & G. Lynch (Eds.), *Memory systems of the brain* (pp. 463–477). New York: Guilford.

———, & Amaral, D. (1986). Human amnesia and the medial temporal region: Enduring memory impairment following bilateral lesion limited to field CA^1 of the hippocampus. *Journal of Neuroscience, 6*, 2950–2967.

———, & Mishkin, M. (1981). The anatomy of amnesia: Amygdala-hippocampus vs. temporal stem. *Society for Neuroscience Abstracts, 7*, 236.

Zucker, I. (1976). Light, behavior, and biologic rhythms. *Hospital Practice* (October), 83–91.

———. (1983). Motivation, biological clocks, and temporal organization of behavior. In E. Satinoff & P. Teitelbaum (Eds.), *Handbook of behavioral neurobiology. Vol. 6. Motivation* (pp. 3–21). New York Plenum.

Zucker, L. M., & Zucker, T. F. (1961). "Fatty," a mutation in the rat. *Journal of Heredity, 52*, 275–278.

Zuckerman, M. (1984). Sensation seeking: A comparative approach to a human trait. *The Behavioral and Brain Sciences, 7*, 413–471.

Index des noms propres

Index des sujets

Un nombre en caractère gras renvoie à une figure. Précédé de T, il renvoie à un tableau; précédé de E, à un encadré; précédé de FE, à la figure d'un encadré; précédé de FR, à une figure de référence.